조선초기 관인 이력

태조~성종대

조선초기 관인 이력

태조~성종대

한충희 지음

혜안

朝鮮初期 官人에 대한 본격적이고도 체계적인 검토는 1979년 3월 계명대학교 대학원 역사학과에 입학하고 석사학위 논문인 「朝鮮初期 議政府硏究」[1]와 관련하여 議政府領議政, 左議政, 右議政의 생애, 본관, 가계, 출신, 관력을 파악하기 위하여 관찬자료와 사찬자료를 섭렵하면서부터였다.

이후 2014년까지 지속된 官衙·官職·統治構造·政治運營 연구와 관련되어 수집된 '官人資料'에는 六曹判書·參判,[2] 判六曹事,[3] 承政院承旨,[4] 議政府舍人·檢詳,[5] 六曹正郎·佐郎,[6] 義興三軍府判事·知事·同知事·僉知事,[7] 儀賓府儀賓,[8] 六曹參議,[9] 都摠制府判摠制·都摠制·摠制·同知摠制·僉摠制,[10] 六曹屬衙門官員,[11] 三司官員,[12] 정3~정6품 淸要職,[13] 承政院注書,[14] 集賢殿官,[15]

1) 계명대학교대학원 석사학위 청구논문, 1981 ; 『韓國史硏究』 31·32, 1980·1981.
2) 「朝鮮初期 六曹硏究-制度의 確立과 實際機能을 중심으로-」, 『大丘史學』 20·21합호, 1982.
3) 「朝鮮初期 判六曹事硏究」(『제27회 전국역사학대회 발표요지』), 1984 ; 「朝鮮初期 判吏·兵曹事硏究」, 『韓國學論集』 11, 1985.
4) 「朝鮮初期 承政院硏究」, 『韓國史硏究』 59, 1987.
5) 「朝鮮初期 議政府 舍人·檢詳의 官人的 地位-舍人·檢詳의 歷官과 그 機能의 分析을 중심으로」, 『(경북대)歷史敎育論集』 13·14합호, 1990.
6) 「朝鮮初期 六曹 正郎·佐郎의 官人的 地位-그 歷官과 機能의 分析을 중심으로」, 『韓國學論集』 17, 1990.
7) 「朝鮮初(태조2년~태종1년) 義興三軍府硏究」, 『啓明史學』 5, 1994.
8) 「朝鮮初期 儀賓硏究」, 『朝鮮史硏究』 5, 1996.
9) 「朝鮮初期 六曹參議硏究」, 『韓國學論集』 23, 1996.
10) 「朝鮮 太宗代(정종 2년~세종 4년) 摠制硏究」, 『李樹健敎授停年紀念 韓國中世史論叢』, 2000 ; 「朝鮮 世宗代(세종 5~14년) 摠制硏究」, 『朝鮮史硏究』 9, 2000.
11) 「朝鮮初期 六曹屬衙門硏究 1-官員의 性分·官歷과 地位를 중심으로-」, 『朝鮮史硏究』 10, 2001.
12) 「朝鮮 成宗代 三司官員의 性分·官歷과 官職的 地位-堂上官職과 正品職을 중심으로-」, 『朝鮮의 政治와 社會』, 集文堂, 2002 ; 「朝鮮 成宗代 三司官員의 性分·官歷과 官職的 地位 2-從品職을 중심으로-」, 『朝鮮史硏究』 11, 2002.
13) 「朝鮮初期 正3~正6品 淸要職硏究」, 『朝鮮史硏究』 13, 2004.
14) 「朝鮮初期 承政院注書 小考」, 『大丘史學』 78, 2005.
15) 「朝鮮初期 集賢殿官硏究」, 『朝鮮史硏究』 16, 2007.

議政府贊成・參贊,[16] 世祖原從1・2等功臣,[17] 端宗代文科及第者[18] 등이 있다. 또 가문연구와 관련되어 수집된 관인자료에는 淸州韓氏,[19] 有力鉅族,[20] 宗親,[21] 韓山李氏,[22] 廣州李氏,[23] 晉州姜氏[24] 仕官者의 자료가 있다.

이러한 연구와 관련되어 조사되고 축적된 관인관련 자료가 4,000여 건에 달하고 성관자료가 500여 가문 1,500여 건에 달하였다. 동시에 관인을 주제로 하거나 관인과 관련된 수십 편의 논문은 그 주제와 관련되어 몇 권의 단행본으로 정리되어 간행되었다.[25]

또 2003년 연구년을 기하여 '朝鮮初期 官人研究'를 염두에 두고 『조선왕조실록인명색인(태조~성종대)』(세종대왕기념사업회, 1997)에 기재된 모든 인물을 카드에 옮기고 기존에 파악된 관인은 제외하고 국역본 『조선왕조실록』과 대조하면서 개개인의 관력파악에 착수하였다. 그 대상자가 23,000여 명 이상에 이르는 관계로 이 기간에 마무리를 하지 못하고 중단하였다. 그러다가 2013년 퇴직과 함께 다시 작업을 계속하여 2015년 6월경에 일단 관력조사와 정리를 마무리하였다. 이어 동년 12월말까지 정리된 자료를 컴퓨터에 입력하였고, 다시 2016년 10월까지 생애, 본관, 가계, 출사로와 8도 360여 군현 읍지 선생안 등을 검토하면서 『조선왕조실록』, 『국조문과방목』 등에 누락된 관인을 보충하였다. 또 최종적으로 관력에 연대를 명기하고, 한글 자모순으로 정리된 것을 성관별로 다시 정리하였다. 이리하여 정리된 조선초기의 관인이 총 16,500여 명이었다.

2017년 3월부터 이 관인자료를 정리하면서 '조선초기 관인연구'에 착수하였고, 그 일부로 「조선초기 관인연구 1-姜, 高, 具, 權氏를 중심으로-」를 발표하기도 하였다.[26] 그러던 중

---

16) 「朝鮮初期 議政府 堂上官研究」, 『대구사학』 87, 2007 ; 「朝鮮 成宗代 議政府研究」, 『啓明史學』 20, 2009.

17) 「朝鮮 世祖代(1455~1468) 原從功臣研究-1・2등 공신을 중심으로-」, 『朝鮮史研究』 22, 2013.

18) 「端宗代 文・武科 及第者와 世祖-式年・別試文科 及第者를 중심으로-」, 『朝鮮史研究』 23, 2014.

19) 「朝鮮初期 淸州韓氏 永矴(~1417이전, 知郡事贈領議政)系 家系研究-歷官 傾向과 通婚圈을 중심으로-」, 『啓明史學』 6, 1995.

20) 「朝鮮初期 蔭敍의 實際와 役割-樞要職歷任者와 鉅族出身仕官者의 歷官 分析을 중심으로-」, 『韓國史研究』 91, 1995.

21) 「世祖代(1455~1468) 宗親研究」, 『韓國學論集』 22, 1995.

22) 「朝鮮初期 韓山李氏 穡(-種德, 種學, 種善)系 家系研究」, 『啓明史學』 8, 1997.

23) 「朝鮮初・中期 廣州李氏 蔚派 家系研究」, 『朝鮮史研究』 8, 1999.

24) 「朝鮮前期 晉州姜氏 啓庸派 家系研究」, 『朝鮮史研究』 12, 2003

25) 『朝鮮初期 六曹와 統治體系』, 계명대학교출판부, 1998 ; 『朝鮮初期 政治制度와 政治』, 계명대학교출판부, 2006 ; 『朝鮮初期 官衙研究』, 國學資料院, 2007 ; 『朝鮮初期 官職과 政治』, 계명대학교출판부, 2008 ; 『朝鮮前期의 議政府와 政治』, 계명대학교출판부, 2011 ; 『朝鮮의 覇王 太宗』, 계명대학교출판부, 2014.

26) 『朝鮮史研究』 27, 2018. 葛~吉氏 관인 900여 명의 본관, 가계, 출신, 관력, 가계와 관력과의 관계를 종합적으로 분석하였고, 부록으로 확인된 관인과 관인 추측자 모두를 성명, 생애, 본관, 가계, 출신, 관력, 비고(보완된 관직자의 출전)로 구분한 후 표에서 정리하여 제시하였다.

'조선초기 관인연구'의 정리도 중요하지만 40여 년간 공들여 정리한 자료이고, 자료의 성격상 간행이 된다면 후학들과 각 가문에게 도움이 되지 않겠느냐는 생각에서 출판을 생각하게 되었다. 그리하여 도서출판 혜안 오일주 사장님께 상의하였고, 흔쾌히 허락해주시기에 이에 간행을 보게 되었다. 상업성이 없는 이 책을 발간해 주신 오일주 사장님과 책을 아담하게 꾸며준 편집부 여러분께 감사의 말씀을 드린다.

이 책 『조선초기 관인 이력-태조~성종대-』은 원칙적으로 조선초기인 1392년(태조1)에서부터 1494년(성종25)에 걸쳐 『조선왕조실록』 등 관찬사료에서 관직에 재직하였거나 재직하였음이 확인된 관인(산관, 노직 제외)을[1] 대상으로 하여 정리하였다. 그렇기는 하나 여러 상황을 고려하여 비록 조선초기에 관직에 재직하였음이 확인되지는 않지만 고려 우왕 1년 이래의 문과급제자, 조선초기의 문과급제자, 세조원종공신에 책록된 문, 무 참상관(참하관과 학생 등은 제외) 산계자, 왕명으로 서용을 지시한 인물은 일단 관직자로 포함하여 파악하였다. 또 관직이 확인되지는 않았지만 조선왕조의 인사행정과 형법의 운용을 고려할 때 '收告身·收職牒, 還告身·還職牒者'는 관직에 재직하였을 것으로 추측하여 〈부록〉에 부기하였다. 자료에 있어서는 관찬사료인 『朝鮮王朝實錄』, 『國朝文科榜目』, 『8道邑誌』·『郡縣邑誌』先生案 외에 『文集』·『國朝人物考』·『東文選』 등에 수록된 年譜, 墓誌銘, 碑銘, 行狀 등을 검토하면서 참고하였고, 『靑邱氏譜』·『萬姓大同譜』·『萬家譜』 등 '通譜'와 각 가문이 발간한 『大同譜』·『世譜』도 객관성을 고찰하면서 활용하였다.

이 책은 이렇게 파악한 총 16,500여 관인(확인자 14,300여 명, 추정자 2,200명)의 이력을 성명, 생애(재관시기), 본관, 가계, 출신, 관력 등으로 구분하면서 표로 정리한 자료집이다. 이 인원에는 朝鮮人은 물론 元·明·女眞·倭人으로 귀화하여 관직을 받은 모든 인물, 文·武·雜職者는 물론 宗親府의 관직을 받은 종친 등 모든 인물이 망라되었다.

姓名은 1차적으로는 한글 자모순으로, 다음에는 성관자와 성관불명자 순으로, 또 그 다음에는 姓貫者를 한글 자모순으로 배열하였다. 生涯(재관시기)는 생년이나 졸년이 확인된 경우는 연대로 표기하였고, 그렇지 아니한 경우는 관직에 재직하거나 관직이 확인된 왕대별 재위년(왕력년)

---

[1] 관인의 용례는 한충희, 「조선초기 관인연구 1-『조선왕조실록기재』 姜, 高, 具, 權氏를 중심으로-」, 『조선사연구』 27, 2018, 2~3쪽 참조.

으로 표기하였다. 本貫은 『조선왕조실록』 卒記, 『국조문과방목』, 『읍지』 선생안, 『비명』 등에서
확인된 경우는 그대로 인용하였고, 비록 이들 자료에서는 확인되지는 않지만 『대동보』·『세보』
등의 가계·관직기록·활동연도 등과 대조하여 추정이 가능한 경우는 과감하게 본관을 적기하
였다. 家系는 부, 조의 관력과 성명을 적기하였고, 특별한 경우에는 장인, 사위, 처, 친족을
명기하였다. 이 경우도 본관과 같이 『조선왕조실록』 등의 자료는 그대로 인용하였고, 『靑邱氏譜』
등 通譜와 각 가문의 『大同譜』·『世譜』, 『文獻資料』·『典故』 등의 자료를 참고하여 보완하였다.
出仕路는 크게 文科, 武科, 蔭敍, 其他로 구분되어 적기되었다. 문과는 『國朝文科榜目』이 그대로
활용되었다. 그러나 무과와 음서는 『조선왕조실록』에 확인된 경우 이외에 상당수는 각 개인의
관력과 『비명』·『대동보』 등에 적기된 출신(음서는 가계)을 대조하면서 추측하여 적기하였다.
기타는 軍士·內禁衛·忠義衛 등 衛屬 등으로 제수된 자와 孝行, 王命에 의한 특별제수(特旨除授),
明使의 청탁에 의한 제수 등을 망라하여 적기하였다.

官歷은 확인된 대부분의 관직이 적기되었다. 먼저 문, 무과에 급제하기 이전의 散官(散階)이나
관직을 적기하였고, 이어 연대별로 역임한 관직을 적기하되 재임 중에 公罪나 私罪로 인해
피죄된 내용을 병기하였다. 관직에는 『經國大典』에 적기된 정규관직(祿職, 無祿職)은 물론 국내
외에 出使한 使行職과 임사직인 都監·祭官 등의 각종 관직이 병기되었다. 또 관직은 아니지만
관직자가 수행하였던 侍射, 入侍·侍從職을 수행한 경우도 기재되었다. 각 관직의 在任時期는
(   )에 넣어 적기하였는데, 재직기간이 만료되어 遞職·加資·陞職되거나 被罪되는 경우는(~모모)
로 구분하여 적기되었고, 모든 연대는 왕대가 제시되거나 생몰년이 제시된 경우 모두 왕명을
제시하고 王曆을 적기하였다. 그 외에도 졸하거나 피화될 때의 전, 현직과 신분이 확인된
경우는 말미에 적기하였다. 피화된 경우에 『조선왕조실록』에는 복주, 참수 등으로 기재되었으나
특별한 경우를 제외하고는 피화로 고쳐 적기하였다. 『조선왕조실록』에서 확인되지 않는 관직을
보충한 경우는 보충한 관직에 이어 (   )에 출전을 제시하였다.

부·조의 관직은 지면의 활용과 관련되어 대부분이 약칭으로 적기되고 관인의 관력 관직은
약칭과 정식관명이 혼용되어 적기되었으며, 그 모든 관직은 관직의 특징과 관련되어 대부분이
한자로 적기되었다. 이러한 약칭과 한자 중심의 표기를 보완하면서 관직에 대한 이해를 높이기
위해 관력의 관직은 소속관아를 약칭으로 부기하면서 적기하였고, 부록으로 첨부한 〈수록관직
해제〉에서는 관직마다 한글과 한자를 병기하고 정식관명을 적기하였다.

이 책에 수록된 관인의 관력은 『조선왕조실록』 등 관찬사료를 토대로 정리되었기에 신뢰성이
높다. 또 조선초기(태조~성종대)의 모든 관찬사료의 자료가 종합되었기에 개별 인물의 관력에

대한 정보와 관력파악의 노고를 덜어줄 것이다. 또 조선초기의 확인된 모든 관직자와 관인이었을 것으로 추정된 인물이 망라되었기에 각급 관직·관아를 대상으로 한 연구와 이를 토대로 한 정치기구, 정치운영 연구의 자료로 활용될 수 있을 것이다. 그 외에도 조선초기의 모든 관인이 성별과 본관별로 정리되었기에 가계연구, 가문과 정치운영의 연구 자료로 활용될 수 있을 것이다.

이 책에는 조선초기에 受職한 모든 왜·야인이 정리되었기에 조선초기 조선에 귀화한 왜·야인의 실상을 이해하고, 이들에 대한 관직수여가 조선의 대왜·야인정책이 어떻게 관련되면서 전개되었는가 등 대왜·야인정책을 연구하는 자료로 활용될 수 있을 것이다. 또 부록에 제시된 告身·職牒의 沒收·還給者는 조선초기 치죄, 사면, 복권 등 형벌제도와 각 왕대별로 관료사회의 기강을 확립하기 위한 조치와 그 실상, 나아가 관인의 관직생활을 연구하는 자료로 활용될 수 있을 것이다.

이 책에는 성관별로 관직자가 정리되었기에 각 가문에서는 가문이 배출한 관인을 체계적으로 정리하는 자료로 활용할 수 있을 것이고, 또 현재 각 가문에서 발행한 『대동보』와 『족보』에 수록된 관직자료를 보완하면서 체계적으로 정리하고 나아가 객관성을 검증하면서 가문의 위상을 재정립하는 자료로 활용될 수 있을 것이다.

마지막으로 이 책의 출판을 계기로 '조선초기 관인 이력'에 누락된 인원이 보충되고 오류가 보정되면서 보다 완벽해지고, 나아가 후속작업으로 '조선중기 관인 이력', '조선후기 관인 이력', '조선말기 관인 이력'이 정리되어져 조선왕조를 통관하는 '조선왕조 관인 이력'이 완성되기를 기대한다.

이 책에 수록된 姓氏는 총 367성씨인데 그 중 姓貫姓氏가 110姓氏 511本貫이고, 姓貫不明姓氏가 254姓氏이다. 이 중 성관성씨 110성씨 511본관을 적기하면 다음의 표와 같다.

조선초기 관인 본관 색인

(비고의 숫자는 『慵齋叢話』(1)나 『新增東國輿地勝覽』(2)에 거족으로 기재된 성관)

성관	쪽수	비고	성관	쪽수	비고	성관	쪽수	비고
檜山甘			도강김			해평감		
谷城姜			무장김			희천김		
금천강			밀양김			居平羅		
동복강			보령김			나주나		1
용인강			복산김			수성나		
진주(진양)강		1, 2	부안김			안정나		
信川康		1, 2	삼척김			固城南		
재령강			상산(상주)김		1, 2	영양남		
淸州慶		1	서흥김			의령남		1, 2
開城高		2	선산김		1, 2	咸悅南宮		
장흥고			수원김			咸豊魯		
제주고		1, 2	순천김			谷山盧		
횡성고			樂安金			光州노		
昌原孔			안동김		1, 2	교하노		1, 2
金浦公			안산김			만경노		
善山郭			양근김			선산노		
청주곽			언양김			안강노		
현풍(포산)곽			연기김			안동노		
綾城具		1	연안김		2	장연노		
平海丘			영광김			풍산노		
昌原仇			영동김			풍천노		
潭陽鞠			영양김			密陽唐		
안동권		1, 2	영흥김			星州都		
예천권			예안김			長興馬		
청주권			용궁김			新昌孟		1, 2
奉化琴			우봉김			咸平牟		
幸州奇		1	울산김			泗川睦		
海平吉			원주김			甘泉文		
江陵金		2	음성김			남평문		
강서김			의성김		2	단성문		
강진김			의흥김			영산문		
강화김			일선김			驪興閔		1
경상김			임진김			榮川민		
경주김		1, 2	전주김			江陵朴		
고령김			중화김			경주박		
고성김			창령김			고령박		2
光州金		1, 2	창원김			고성박		
金寧김			청도김			고양박		
김해김		1, 2	청주김			구산(의흥)박		
김화김			청풍김			군위박		
나주김			평해김			나주박		1
남원김			풍산김			면천박		
담양김			함창김			무안박		

문의박			淳昌薛			충주안		
밀양(밀성)박	1, 2		慶州葉			光山楊		
반남박			昌寧成		1,2	중화양		
비안박			晉州蘇			청주양		
상주박			慶州孫			충주양		
순천박	1		구례손			南原梁		2
여주박			김해손			제주양		
영해박			밀양손		1	忠州魚		
우봉박			부안손			함종어		1, 2
운봉박			비안손			寧越嚴		
울산박			일직손			宜寧余		
음성박			평해손			星州呂		
의창박			金海宋			함양여		
의흥박			적산송			谷山延		
죽산박	1		신평송			坡州(西原)廉		
진원박			야성송			缶溪芮		
창원박			언양송			古昌吳		
춘천박			여산송		1, 2	나주오		
충주박			연안송			樂安吳		
태인박			예안송			동복오		
함양박			용성송			보성오		
巨濟潘			은진송			울산오		
軍威方			진천송		1	평해오		
南陽房			청주송			함양오		
金海裵			태인송			해주오		
대구배			흥덕송			흥양오		
분성배			光州承			金海玉		
성주배	2		高靈申		1, 2	반성옥		
흥해배			곡성신			의령옥		
南陽白			아주신			開城王		
수원백			은풍신			洪川龍		
직산백			평산신		1, 2	丹陽禹		1
密陽卞			靈山辛		1, 2	原州元		1
초계변			영월신			高興柳		
原州邊			居昌愼		1, 2	문화유		1, 2
황주변			三陟沈			白川유		
沔川卜			부유심			서산유		1, 2
河陰奉	1		청송심		1, 2	연안유		
佳城徐			풍산심			영광유		2
달성(대구)서			康津安			전주유		
부여서			공산안			진주유		
이천서	1		光州安			풍산유		
연산서			낭천안			흥양유		
장성서			순흥안		1, 2	江陵劉		
忠州石			안산안			금성유		
寶城宣			제천안			연안유		
慶州偰			죽산안		1, 2	茂松庚		

高靈兪			상주이			함평이		
기계유			서산이			합천이	1	
무안유			성주이			홍주이	1, 2	
인동유			수안이			화산이		
창원유			수안이			황려이		
沃川陸	1		수원이			홍양이		2
南原尹			순창이			開寧林		
무림윤			순천이			나주임		
무송윤			아산이			선산임		
무안윤			안성이			안음임		
무장윤	2		안악이			예천임		
양주윤			양산이			진천임		
여주윤			양성이			평택임	1, 2	
영천윤			여주이			長興任		
예천윤			여흥이			結城張		
재령윤			연안이			단양장	1, 2	
칠원윤	1		영양이			덕수장		
파평윤	1, 2		永川이		2	목천장		
함안윤			영해이			부안장		
해평윤			영흥이			성주장		
幸州殷			예안이			수성장		
嘉山李			예천이			순천장		
가평이			옹진이			안동장		
강진이			용인이		1, 2	예산장		
강흥이			우계이			옥구장		
개성이			우봉이			인동장		
京山이			울산이			지례장		
경주이	1, 2		원주이			진천장		
고령이			익산이			창령장		
고부이			임천이			흥덕장		
고성이	2		장성이			牙山蔣		
공주이			장수이			청송장		
광양이			장흥이			南陽田		
光州이			재령이			담양전		
廣州이	1, 2		전의이		1, 2	연안전		
광평이			전주이		1, 2	하음전		
樂安이			진성이			慶山(京山)全		
단양이			청안이			경주전		
담양이			청주이			성산전		
덕산이			청해이			영산전		
덕수이	1, 2		태안이			완산전		
덕은이			평창이			용궁전		
도안이			하빈이			천안전		
벽진이			하음이			聞慶錢		
봉산이			학성이			慶州鄭		
부평이			한산이		1,2	光州정		
사천이			함안이			나주(압해)정		

동래정		1, 2	함열조			光州卓		
봉화정		2	횡성조			陜溪太		
서경정			尙州周			東萊平		
서산정			초계주			창원평		
영덕정			풍기주			東萊表		
영일(연일)정			新安朱			신창표		
영천정			웅천주			丹溪河		
온양정			忠州池			진양(진주)하	1	
定山정			三陟陳			谷山韓		
진양(진주)정			여양진			청주한	1, 2	
청주정		2	豊基秦			江陵咸	1, 2	
초계정			延安車			金海許		
풍기정			진주차			양천허	1, 2	
하동정			仁川蔡		1	태인허		
해주정			평강채			하양허	1, 2	
扶寧丁			江陵崔		1, 2	함창허		
압해정			강진최			星州玄		
영광정			강화최			창원현		
의성정			경주최			晉州邢		
南平曺			廣州최			南陽洪	1, 2	
수성조			낭주최			부림(부계)홍		
인산조			삭령최			상주홍		
창령조		1, 2	수원최		1	풍산홍		
함평조			양주최			홍주홍		
廣州趙			榮川최			회인홍		
김제조			완산최			德山(선산)黃		
남해조			원주최			상주황		
白川조		1, 2	전주최		2	우주황		
임천조			철원최			장수황		1,2
주천조			충주최			창원황		
평양조		1, 2	통주최			평해황		
풍양조			해주최		1	회덕황		
한양조		1, 2	화순최		2	永川皇甫		
함안조			흥해최					

조선초기 관인 이력   019

부록 691

1. 성명 중 ( )에 있는 것은 초명이거나 혼용된 이름이다.

2. 생애(사관시기)의 1443~1510과 같은 것은 생년과 몰년이 명확한 경우이고, 1464~?이나 ?~1515는 생년이나 몰년만 확인된 경우이다. (태조~태종대)와 같은 것은 사관기가 여러 왕대에 걸친 경우이고, (태조대)나 (태조3)은 한 왕대나 재직한 시기만 확인된 경우이다.

3. 본관의 檜山甘氏과 같은 것은 전근대로부터 현재까지 통용되고 있는 경우이고, 光山(光州)金氏와 같은 것은 光山은 현재 통용되고 있는 것이고, (光州)는 전근대기의 군현명 변경과 관련되어 이칭으로나 혼용되는 경우이다.

4. 가계는 부, 조를 중심으로 관직과 성명을 적기하였고, 부분적으로 앞뒤로 형제가 적기된 경우는 형과 제의 성명(관직)을 적기하였으며, 특별한 경우는 외조부, 장인, 장모, 사위, 친족 등의 관직과 성명을 적기하였다.

5. 출신의 문은 文科及第者이고, 문, 중은 문과급제 후에 文科重試에 及第한 것이다. 무는 武科及第者이고, 무, 중(무과중시)는 무과급제 후에 武科重試에 급제한 것이다. 음은 蔭敍者이고, 음?은 음서가 확인되지는 않지만 부조의 관력 등으로 보아 음서로 추정된 경우이다. ?, 문이나 ?, 무는 문과나 무과에 급제하기 전에 사관한 자인데 출사로가 불명인 경우이다. 기(효행故)는 기는 각종 軍士출신이거나 王命 또는 明使의 요청 등으로 출사한 경우이고, (효행故)는 그 내용이다. 문, 무 등 다음의 ( )에 제시된 왕력은 문, 무과에 급제한 등의 연도이다.

6. 관력은 각종 관찬사료에서 확인된 모든 관직을 적기하였고, 관계가 확인되거나 관계의 제시가 필요한 경우는 관계를 관직의 앞에 제시하였으며, 前職者는 전(前), 行職者는 行, 守職者는 守, 兼職者는 兼자를 관직 앞에 적기하였다. 同副, 右副, 右承旨나 慶尙, 全羅, 忠淸觀察使 및 吏曹, 戶曹判書 등과 같은 것의 同副, 右副와 慶尙, 全羅 및 吏曹는 각각 뒤의 우승지,

충청관찰사, 호조판서와 같은 관직을 차례로 역임하였기에 승지, 관찰사, 판서를 생략한 것이다.

교수(~성종5), 문과(문과중시)나 사직(~세조5), 무과(무과중시)는 前, 現職者로서 문과나 무과에 급제한 경우이고, 승문교리(~성종8), 평안평사(8)는 체직시가와 체직관직이 확인된 경우이며, (봉상판사~세종27, 파직)은 봉상판사 재직중에 파직된 경우이다. 사성(방목)과 현풍현감(읍지)의 (방목)과 (읍지)는 사성과 현풍현감의 출전이고, 그 각각은 『국조문과방목』과 『모모군현읍지(선생안)』의 약칭이다.

7. 본서에 참고한 주요 자료와 논저는 다음과 같다.

1) 자료─『朝鮮王朝實錄』 태조 1년~성종 25년조, 『國朝文科榜目』, 『邑誌』, 『國朝人物考』, 『淸選考』, 『經國大典』, 『東文選』, 『韓國文集叢刊』, 『靑邱氏譜』, 『萬姓大同譜』, 『萬家譜』, 『典故大方』, 『晉州姜氏大同譜』 등 각 성씨 대동보, 『安東權氏成化譜』 등 각 성씨 세보.

2) 논저─韓忠熙, 「朝鮮初期 議政府研究」『韓國史研究』 31·32, 1980·1981 ; 『朝鮮初期 官職과 政治』, 계명대학교출판부, 2008 ; 崔貞煥, 『譯註 『高麗史』 百官志』, 景仁文化社, 2006 ; 『한국인물대사전』, 중앙일보출판법인중앙M&B, 1999 ; 『韓國人의 族譜』, 日新閣, 1983. 그 외는 본서 서언 제시 논저 참조.

조선초기 관인 이력

가

성명	생애(仕官시기)	본관	가계	출신	관력
葛周	(세종16)				前漢江渡丞
甘尙中	(성종대)	檜山		?, 문(성종5)	敎授(~성종5), 문과, 縣監(5)
甘成段	(태종6)			환관	內官
甘英貴	(단종즉위)				司僕諸員
甘佑商	(성종16)				재령甲士
姜非熊	(세종7)	衿川	父 檢校漢城府尹 楊		東窯判官, 산청監務
姜叔突	?~1515	금천	父 吏曹正郎 曦, 祖 檢校漢城府尹 非熊	?, 문(성종23)	訓導(~성종23), 문과, 史官, 義禁府都事[연산즉위이후: 司憲持平, 知司諫, 廣州牧使, 承文判校, 吏曹參議(방목, 國朝文科榜目의 약칭, 이하 동), 行護軍卒]
姜楊	(정종2~4)	금천			嘉善大夫三陟府使(읍지)
姜致恕	(세조~성종대)	금천	父 茂	문(세조5)	承文校勘(세조7)
姜曦 (汝玉)	(세종~세조대)	금천	父 縣監 非熊, 祖 漢城府尹 揚	문(세종21)	강릉判官(세종23), 司憲持平(28), 兵曹佐郎(30), 世祖原從3등功臣(세조1), 吏曹正郎
姜週文	(세종~세조대)	同福		문(세조20)	成均典籍, 刑曹正郎(세조2), 함흥少尹, 兼司憲執義(10), 濟州分臺御使(11)
姜汝中	(세종대)	龍仁		?, 문(세종1)	敎導(~1), 문과, 보령縣監(9)
姜居義	(세조~성종초)	晉州	父 知郡事 子愼, 祖 掌令 宗德		漢城府北部錄事(세조6), 정읍縣監(성종2)
姜居仁	(세종대)	진주	형 居義		陞職(23, 建州征伐散料功故), 평양判官(족보)
姜居貞	(세조14)	진주	형 居仁		典設司別提
姜居忠	(성종대)	진주	형 居仁		署令, 상주判官, 석성縣監(~18), 典艦司別提(18), 忠翊府都事(21)
姜居孝	(예종~성종대)	진주	형 居仁	문(예종1)	奮順副尉(~예종1), 문과, 예문검열겸홍문正字(예종1), 藝文奉敎(성종2), 司諫院獻納(7), 敦寧府判官(8), 司憲持平(8), 議政府舍人(13), 通訓大夫司憲執義(15)

姜謙	?~1504	진주	父 牧使 子正(생부) 大司諫 詗, 祖 觀察使 徵	문(성종11)	將仕郎(~성종11), 문과, 戶(성종16)·禮曹佐郞(19), 成均直講(20), 司憲持平(21) [연산이후: 兵曹正郎, 司憲掌令, 갑자피화] (金宗直문인)
姜景敍	1443~1510	진주	父 진사 舜民, 祖 縣監 中普	문(성종8), 중(연산8)	弘文正字, 은율縣監, 홍문부교리, 교리(성종20), 吏曹正郎(21), 司憲掌令(25) [연산이후: 司諫院司諫(연산2), 司憲執義(3), 유배(4), 방면(7), 大司諫(중종2)]
姜龜孫	1450~1506	진주	父 贊成 希孟, 祖 監察 順德	문(성종10), 중(文科重試(이하 동), 17)	軍器主簿, 敦寧僉正(~성종10), 문과, 司宰正(10), 通禮院左通禮(12), 司憲執義(13), 상주牧使(17), 掌隷院判決事(23), 弘文副提學(23), 吏曹參議24), 同副(24), 右副(24), 左副承旨(25) [연산이후: 京畿觀察使, 대사헌, 刑·吏曹判書, 晉原君, 兵曹判書, 議政府左贊成, 右議政, 사행중졸]
姜耆壽	?~1460	진주	형 眉壽	문(단종1)	副正字(세조1), 世祖原從2등功臣(1), 奏聞使書狀官졸
姜 老 (文老)	(문종~성종대)	진주	父 諧, 祖 藝文春秋館學士 隱	문(세종29)	奉正大夫宗簿寺少尹(세조1), 世祖原從2등功臣(1), 황주진검節制使(6), 황주牧使(7), 禦侮將軍護軍(9), 수원府使(10), 전라군적사(11), 戶曹參議(14), 折衝將軍大護軍(예종1), 掌隷院判決事(성종1), 五衛司果(1), 成均大司成(1)
姜大生	(예종~성종대)	진주	父 參判 籌, 祖 檢校贊成 笠	음?	通禮院通禮, 引儀(예종1), 豊儲倉主簿(성종1)
姜德裕	(성종~연산군대)	진주	형 眉壽	문(성종23)	藝文檢閱[연산대: 承訓郞藝文奉敎, 正郞]
姜孟卿	1410~1461	진주	父 昌寧縣事 友德, 祖 大司憲 淮伯	문(세종11)	예문검열(세종11), 承政院注書(15), 司憲監察(16), 議政府舍人(25), 承文知事(28), 義禁府鎭撫(30), 司憲執義(32), 內資寺判事(문종즉위), 同副(1), 右副(1), 左副(1), 右(2), 都承旨(2), 吏曹參判(단종1), 藝文提學(2), 判漢城府事(2), 議政府右參贊(2), 左參贊(2), 佐翼2등공신(세조1), 議政府左贊成(2), 議政府右議政(3), 左(4), 領議政(5), 領議政졸
姜文會	1433~1499	진주	父 光陽縣監 行	문(예종1)	예문검열, 경주敎授(성종7), 權知成均館, 成均典籍(방목)
姜眉壽	(세종~세조대)	진주	父 智	문(세종29)	承文副校理(단종2), 兵曹正郞(세조1), 世祖原從2등功臣(1), 少尹(5), 司憲掌令(6), 牧使, 行五衛副司直(13)
姜思德	?~1410	진주			남포진검節制使(태조6), 刑曹典書(7), 東北面都巡問使(태종1), 刑曹典書, 右軍摠制(2), 吉州都按撫察理使(3), 右軍摠制(4), 전라도兵馬都節制使兼水軍都節制使(5), 判承寧府事(5), 開城留侯(6), 경상都節制使(7), 전라兵馬都節制使兼羅州牧使(8), 坐閔無咎피화

조선초기 관인 이력

姜參	(성종대)	진주	父 應	문(성종11)	侍講院說書, 司書, 嘉禮都監郎廳(성종19), 奉直郎司諫院獻納(22), 충청都事(22), 서천(22), 영암郡守(24) [연산이후: 장흥府使, 同副·右副·右承旨, 府尹]
姜尙禮	(세종즉)	진주	형 尙仁		五衛司直, 유배
姜尙信	(태종~세종대)	진주	형 尙仁		재령縣監(태종17), 유배(세종즉, 坐姜尙仁)
姜尙仁	?~1418	진주		기(李芳遠書題)	巡禁司大護軍(태종9), 상의원提調(17), 兵曹參判(세종즉), 充軍後 피화
姜笏	1377~1454	진주	父 政堂文學 君寶, 祖 版圖正郎 昌貴	음?	密直副使(우왕5), 判密直(8), 門下評理(10), 경상兵馬都節制使(공양왕3, 고려), 태조原從功臣(태조1), 判承寧府事(태종3), 判漢城府事(3), 檢校議政府贊成致仕(16), 議政府左議政致仕(세종11), 의정치사졸
姜碩德	1395~1459	진주	父 大司憲 淮伯, 祖 贊成事 蓍, 장인 領議政 沈溫	음(태종초)	啓聖殿直(태종초), 군자主簿(16), 工曹佐郎(16), 양근郡事, 仁壽府少尹, 司憲執義(세종21), 知刑曹事(22), 右副(23)·左副(25)·左承旨(25), 戶曹參判(26), 대사헌(27), 吏(28)·刑曹參判(28), 개성留守(30), 中樞使(31), 同知中樞(문종즉위), 知敦寧府事(1), 世祖原從2등功臣(세조1), 知敦寧졸
姜叔卿	1428~1481	진주	형 孟卿	음	경희殿直, 奬官署主簿(세조3), 世祖原從3등공신(3), 밀양府使, 강원都事, 司憲執義, 함안(4), 양산郡守
姜順德	(태종대)	진주	父 參判承樞 淮伯, 祖 贊成事 蓍, 장인 贊成 李叔蕃	음?	司憲監察(2), 군자主簿(15), 前縣監(세종즉)
姜蓍	1339~1400	진주	제 笏	문(공민왕6)	門下府贊成(고려), 前商議門下府事(태조6), 商議議政府贊成事
姜諶	(성종대)	진주	父 參議 子平, 祖 護軍 徽		奉事(8), 直長(25)
姜安福	(세조3)	진주	父 工曹參判 淮仲, 祖 贊成 蓍	음?	主簿, 世祖原從3등功臣
姜安壽	(태종15)	진주			工曹佐郎, 풍저倉守(~15, 파직)
姜友德	(세종16)	진주	父 都巡問使 淮伯, 祖 贊成 蓍	음?	예안, 창녕縣監
姜元亮	(세종대)	진주	父 壽明	?, 문(18)	敎導(~18), 문과, 成均典籍(방목)
姜胤	(단종~세조대)	진주	父 少尹 安壽, 祖 大提學 淮仲	음?, 문(연산3)	工曹佐郎(문종2), 司憲監察(단종1), 吏曹正郎(세조2), 유배(2), 방면(4)
姜允範	(세조~성종대)	진주	父 領議政 孟卿, 昌寧縣事 友德	음	知司諫院事(세조6), 兼判通禮(~9), 파직(9), 刑曹參議(12), 通政大夫경상관찰사(12), 僉知中樞(13)
姜隱(日華)	(태조7)	진주	父 天命	문(공민왕18)	崇文館少監(원), 예문춘추관학사

姜應貞	(세조~성종대)	진주	父 檢校中樞 毅(義), 祖 少監 淮順	문(세조6)	강진縣監, 司諫院正言, 司憲監察(성종13)
姜應亨	(세조대)	진주	父 檢校中樞 毅	문(세조6)	司諫院正言(방목)
姜毅	(세종대)	진주		문(11)	예산縣監(22), 知中樞(족보)
姜宜卿	(세종대)	진주	父 克謙	문(세종9)	司諫院獻納(방목)
姜義山	(세종대)	진주		?, 문(23)	錄事(~23), 문과, 敎授, 郡守(방목)
姜利誠	(성종13)	진주	父 主簿 安福, 祖 工曹參判 淮仲		命敍用, 主簿(족보)
姜利順	(성종15)	진주	형 利誠		還告身, 主簿(족보)
姜利溫	?~1498	진주			[연산대: 吏曹參議피화(4)]
姜利讚	(성종4)	진주	父 主簿 安福, 祖 工曹參判 淮仲		忠贊衛, 正郎(족보)
姜一渾	1464~?	진주		문(성종17)	翰林, 湖堂[연산이후: 靖國功臣, 議政府贊成]
姜子順	(단종~성종대)	진주	형 子平, 처 文宗女 敬淑翁主	儀賓	班城尉(단종2), 儀賓(예종1), 承憲大夫반성위(성종11), 通憲大夫반성위(16)
姜子魚	(성종대)	진주	父 延壽	문(성종14)	成均學正(16), 成均典籍(방목)
姜子正	(예종~성종대)	진주	父 觀察使 徵, 祖 少尹 安壽	음?	內贍直長(예종즉위), 광산判官(성종6), 王妃封崇都監郎廳(11), 通訓大夫工曹正郎(13), 평산府使(17), 청주牧使
姜子平	1430~1486	진주	상동	음, 문(세조3)	敦寧府副丞(세조1, 음서), 世祖原從2등功臣(1), 侍講院右弼善(2), 敦寧府丞(~3), 문과, 左弼善兼左中護(5), 母喪(5), 副知通禮門事(7), 司憲掌令(8), 宗親府典籤, 成均司成, 宗簿寺正(11), 同副(12)·右副(12)·左副承旨(13), 大司諫(예종1), 僉知中樞兼五衛將(성종6), 진주牧使(6), 刑曹參議(9), 大司諫(12), 右副(13)·左副(13)·右承旨(14), 刑曹參議(15), 전라, 충청관찰사(16), 工曹參議 부임중졸.
姜齊老	(태종~세종대)	진주	父 成吉, 祖 吏部員外郎 節	문(태종17)	司憲監察(~세종11), 파직(11), 사재主簿(~12), 파직(12), 청주判官(12), 成均典敎(19)
姜宗德	(태종~세종대)	진주	父 參判承樞 淮伯, 祖 贊成 著	음?	충청敬差官(태종9), 司憲持平(10), 司憲掌令(14), 파직(15), 言官(세종4)
姜籌	?~1441	진주	父 檢校贊成 筬, 祖 政堂文學 君寶	음?	上護軍(세종5), 禮(12)·兵(12)·禮(13)·吏(13)·吏曹左參議(14), 漢城府尹(14), 吏曹右(16), 吏曹(16)·工曹參判(18), 同知中樞(19), 仁壽府尹(22), 府尹졸
姜詣	(성종대)	진주	父 參議 子平, 祖 觀察使 徵	음, 문(성종8)	參奉(~8), 문과, 別提(23), 先農祭祭監(24) [연산시: 榮川(榮州)郡守, 유배중 피화]
姜澂	1466~1536	진주	父 利行, 祖 主簿 安福	문(성종25)	承文院權知[연산이후: 예문검열, 弘文, 校書著作, 副修撰, 副應敎, 司憲掌令, 弘文直提學, 副提學, 左副承旨, 강원관찰사, 同知中樞, 전주府尹, 知中樞, 경주府尹, 禮曹參判]

조선초기 관인 이력

姜潝	?~1517	진주			內禁衛, 高山里僉節制使(성종22) [연산이후: 靖國4등공신永善君]
姜進德	(세종대)	진주	父 都巡問使 淮伯, 祖 贊成事 著	음?, 문(세종9)	호조佐郞(세종8), 문과(9), 경상都事, 兵曹正郞(12), 司憲掌令(20)
姜進成	(세종22)	진주			영덕縣事
姜致	1419~1470	진주			還告身(성종7), 判官(족보)
姜彌卿	(성종~연산군대)	진주		문(성종23)	[연산대: 主簿]
姜鶴孫	(성종대)	진주	父 左贊成 希孟, 祖 都巡問使 淮伯	음	조지서別提, 司憲監察(12), 內贍主簿(13), 掌隷院司評(13)
姜諧	(태종14)	진주	父 藝文學士 隱		承政院行首(서리)
姜詗	?~1504	진주	父 參議 子平, 祖 觀察使 徵	음?, 문(성종21)	司諫院正言, 掌隷院司評(~21), 문과[연산이후: 司憲掌令, 관찰사, 大司諫, 갑자피화]
姜渾	1464~1519	진주	父 別提 仁範, 祖 執義 叔卿	문(성종17)	弘文박사(성종17), 承政院注書(20), 副修撰(22), 議政府舍人(25)[연산이후:홍문부교리(연산6), 直提學(10), 同副(10)·左副(10)·都承旨(12), 靖國3등공신晉川君(중종1), 大提學, 공조판서, 判漢城府事, 議政府右贊成, 判中樞]
姜淮伯	1357~1402	진주	父 贊成 著, 祖 政堂文學 君寶	문(우왕2)	成均祭酒, 密直提學, 密直副使, 簽書密直事, 密直事兼吏曹典書, 交州江陵都觀察使(공양왕1), 政堂文學兼大司憲(3), 계림府尹(태조7), 동북면도순문사(7), 參判承樞兼慶尙都觀察黜陟士(태종2), 전참판승추졸.
姜淮叔	(태종8)	진주	형 淮伯	음?	前咸安郡事
姜淮中	?~1421	진주	형 淮伯	음, 문(우왕8)	전농寺丞, 문과(고려), 司諫院左司諫(태종9), 의주牧使(12), 함길도순문사(17), 仁壽府尹(세종즉), 漢城府尹(1), 工曹參判(1), 충청관찰사(1), 都摠制府摠制졸(3)
姜孝孫	(성종12)	진주			忠贊衛
姜徽	(세조1)	진주			護軍, 世祖原從3등功臣
姜仡	(태종~세종대)	진주		문(태종17)	縣監(방목)
姜洽	(세조~성종대)	진주	父 正郞 利纘, 祖 主簿安福(족보)		은율縣監, 천안郡事(세조11), 兼司憲執義(13), 先農祭挾侍(성종1)
姜希孟	1424~1483	진주	父 知敦寧 碩德, 祖 都巡問使 淮伯	문(세종29)	종부主簿(세종29), 直集賢殿(세조1) 兵曹正郞(1), 世祖原從2등功臣(1), 直集賢殿(1), 兵曹正郞(1), 同僉知敦寧府事(2), 전농(3), 通禮院判事(4), 禮曹參議(4), 僉知中樞侍講院輔德(7), 禮(8), 吏曹參議(8), 中樞副使(9), 工曹參判(10), 인순府尹(11), 吏(11)·禮曹參判(12), 禮(12)·刑曹判書(13), 翊戴3등功臣晉山君(예종즉), 佐理3등공신(성종2), 判敦寧兼經筵知事(2), 兵曹判書(4), 喪(5), 判中樞(7), 吏曹判書(8), 議政府右贊成(10), 左贊成(13), 左贊成졸

姜希顔	1419~1464	진주	제 希孟	문(세종23)	翰林(세종23), 司贍主簿(25), 禮曹佐郎(26), 敦寧主簿(2,6) 吏曹正郎(29), 副知敦寧(31), 司憲掌令, 知司諫, 集賢殿直提學(단종1), 世祖原從2등功臣(세조1), 知兵曹事(2), 禮(2)·戶曹參議(4), 僉知中樞(4), 吏曹參議(4), 황해관찰사(4), 嘉善大夫五衛上護軍, 仁順府尹(8), 中樞副使(9), 仁壽府尹졸
姜堪	(세종21)				울진郡守(읍지)
姜敬孫	(성종대)				童蒙(~3), 체직(3), 嘉善大夫五衛護軍(11)
姜景殷	(세조13)				都摠使龜城君李浚軍官
姜庚卿	(세종21)				僉知司譯院事
姜溪	(세조14)				청풍郡守(읍지)
姜繼善	(세조~성종초)			地官	行主簿, 세조原從3등공신
姜繼叔	(세조~성종대)		숙부 明 太監 姜玉, 장인 內醫正 金元根	음서	授職(세조14), 嘉善大夫五衛司猛(성종19), 同知中樞(11)
姜具	(태종대)				檢校漢城府尹(13), 졸檢校漢城府尹(17)
姜九淵	(성종대)				前典醫判官(4)
姜揆	(세종29)				전司正
姜克善	(단종2~3)				횡성郡守(읍지)
姜克智	(단종3)				五司副司正
姜謹孫	(세조1)				權知訓鍊錄事, 世祖原從3등功臣
姜蘆	(태조대)			문(공양왕2)	司諫院正言
姜丹鳳	(태종11)				前典書
姜德慶	?~세조13				단천군軍官졸
姜德方	(세종17)				副司直
姜斗	(성종대)				장기縣監(연산4~10) (읍지)
姜得文	(세종23)				성환驛丞
姜得成	(태종~세종대)				護軍(~태종7, 파직), 大護軍(~세종1, 父喪)
姜得海	(세종대)				충청水軍處置使(~4, 充水軍)
姜臨	(세종16)				副司正(敦寧府典吏 年過60세)
姜莫同	?~세조2				藝文奉教피화
姜萬齡	(태종8)				前知永州(永川)事
姜蔓老	(세종13)				개성經歷
姜末巾	?~태종1				전郎將복주
姜末生	(세종대)				呂島鎭撫(~25, 피화)
姜明德	(태종대)			문(태종11)	縣監(방목)
姜夢龍	(세종27~28)				함안郡守(읍지)
姜文	(태종12)				前副令

姜文進	(태종대)				檢校漢城府尹
姜敏	(예종1)				비안(~예종1, 파직), 풍기縣監(읍지)
姜方禮	(세종3)				護軍
姜輻	(세조1)				佐郎, 世祖原從2등功臣
姜尙溥	(세종7)			역관	五衛司直
姜尙甫	(세종~세조)			무(세종4)	行縣令(세조1), 世祖原從3등功臣(1)
姜尙溥 (傅)	(세종대)			역관	司譯院主簿(6), 通事(10), 進鷹使통사(16)
姜生	(예종즉)				환관
姜生敏	(세종대)				인동縣監(8), 영변判官(16)
姜石敬(碩卿)	?~1486		父 僉知中樞 善, 母 成宗奉保夫人 白氏		兼司僕(성종6), 內乘(17), 兼司僕졸
姜碩期	(세종23)				右副承旨
姜善	(성종대)				전五衛司果(7), 五衛大護軍(13), 僉知中樞(18)
姜暹	(성종23)				경성府使[연산6: 충청관찰사, 읍지]
姜晟					金溝縣令(읍지)
姜成鴈	(태종3)				僧嶺監務(~3, 파직)
姜世長	(성종24)				命敍用(이조)
姜湅	(세종대)				전藝文奉禮郎(~6), 경상우도鑄錢別監(6), 謝恩使書狀官(6), 거창縣監
姜壽	(예종1)				졸參判
姜壽仝	(성종7)				내례포萬戶
姜叔	(세종22)				千戶
姜叔善	(세종26)				전敎導
姜叔全	(세종대)			기(14, 효행)	命敍用(14)
姜叔淮	(성종대)				義禁府經歷(18), 都事(19)
姜順	(태종대)				군자主簿(~10), 유배(10), 횡천監務(~12, 피죄)
姜昇	(세종3)				은율縣監(읍지)
姜升	(세조6)				掖庭署司鑰
姜承統	(성종21)				졸掖庭署司鑰
姜昇平	(정종대)				大將軍(1), 전중卿(~2), 유배(2, 坐朴苞)
姜安	국초				경상巡問察理使(읍지)
姜安	(성종대)				修理都監郎廳(15), 목천縣監(23)
姜安重	(세조대)		父 都事 勖	문(세조8)	충청都事피화(방목)
姜揚	(태조6)				경기좌도수군僉節制使
姜汝爲	(문종1)				봉화縣監
姜永守	(성종8)				甲士
姜永春	(세조14)		자 明 宦官 習		除京職

姜五常	(세조1)				權知錄事, 世祖原從2등功臣
姜完	(태종16)				전희천郡事
姜用中	(세조2)				삼화縣令(읍지)
姜用珍	(세종2)				전郎將
姜祐	(태종대)				判恭安府事(~9), 內侍衛節制使(9), 內侍衛摠制(10)
姜遇	(성종2)				有職衛
姜友諒	(세종2)			소과	敎導
姜遇昌	(세조12)				甲士
姜元愻					함안郡守(우왕8~10) (읍지)
姜元吉	(태종7)				大護軍, 漫散軍管押使
姜原吉					解送漫散軍
姜元老	(세조13)				惠民署錄事
姜贄	(태종9)				침장고別監, 知靑松縣事
姜裕	(태종대)			무(태종5)	경기우도水軍萬戶(12)
姜庚卿	(태종대)			통사	司譯院判官(태종6~12)
姜允	(문종~성종대)				언양(문종즉위), 단성縣監
姜倫	(세종31)				赴防甲士
姜倫	(세조11)				權知訓鍊錄事
姜乙富	(세종7)				司正
姜應謙	(세종21이전)				울진郡守(읍지)
姜應文	(단종2)				산음縣監
姜應貞	(성종9)				忠義衛, 被薦可用人才
姜應周	(세조1)				進勇副尉, 世祖原從3등功臣
姜毅	(태종12)				掖庭署司鑰
姜毅	(세종9, 15)				太宗原從功臣, 檢校漢城府尹
姜懿	(세조10)				五衛部將
姜履	(세종대)				충청都事(25), 전제상정소別監(~28), 문천郡事(28)
姜利敬	(예종대)				군위縣監(~즉), 피형(左南怡)
姜利恭	(성종4)				忠贊衛
姜以忠	(세종3)				進禮萬戶
姜仁發	(세종1)				전五衛司正
姜仁富	(태조~정종)			환관	顯妃守陵內侍(태조5), 商議中樞院事(7), 파직(정종2)
姜仁裕	(태조2)				議政府贊成事(고려), 전判三司事, 開國原從功臣
姜一遇	(세종~문종)			천거(효행)	평창郡事(문종즉위)

姜臨	(세종대)				敦寧府典吏(~16), 五衛副司正(16)
姜自明	(태종~세종대)				영천, 통천郡事(태종17), 判固城縣事(~세종4, 파직)
姜自成	(성종대)				창성軍官(6), 加3階(11, 西征功故)
姜子愼	(문종2)				경상都事
姜自淵	(성종10)				전五衛司正
姜自義	(세종6)				제주按撫使
姜子義	(세조대)				原從2등공신(1), 縣監(족보)
姜自貞	(성종대)				封崇都監郎廳(11), 工曹正郎(~14), 授準職(14, 국장낭청공故)
姜自淮	(세종15)				자성郡事
姜在明	(성종24)				중추부都事
姜精	(세조~성종대)				錄事(세조1), 世祖原從3등功臣(1), 五衛部將(예종1), 홍원縣監(~성종16), 通禮院引儀(16)
姜貞					청하縣監(읍지)
姜丁敬	(세종9)				한성參軍
姜鼎寶	(태조3)				三軍鎮撫
姜正容	?~세종22				전副司正복주
姜準淑	(세종4)				함안郡守(읍지)
姜仲琳	(태조대)				예빈判事(5), 충청敬差官(6)
姜仲孫	(성종24)				先農祭典樂令
姜知	(성종21)				五衛司勇
姜智順	(세종23)				평양부通事
姜耊	(세종16)				청산縣監
姜處休	(단종1)				甲士
姜川	?~세종17				전散員복주
姜天守	(태조2)		父 碩		전典書
姜天澍	(세종19)		父 碩		전議郎
姜天霖	(태조~정종대)				禮賓寺禮儀郎(태조4), 司農卿(정종2), 동북면賑濟使(2)
姜瞻	(세종8)				진법訓導官
姜豹	(세종대)			기(16, 효행)	敍用(16)
姜湖	(태종17)				전副正
姜渾	(단종2)				용강縣令(읍지)
姜孝童	(세조1)				護軍, 世祖原從3등功臣
姜孝福	(성종22)				창성別侍衛
姜孝延	(단종~세조대)				홍천縣監(~단종즉, 파직), 主簿(세조1), 世祖原從3등功臣(1)

姜孝貞	(세조1)				五司司直, 世祖原從3등功臣
姜孝忠	(문종대)				縣令(~1, 파직)
姜蟻	(세종28)				守司憲持平
姜希敬	(단종~예종대)				환관
姜希呂	(세종14)				전광양縣監
姜希夷	(세종3)				功臣都監副使
康輻(福)	(세종~세조대)	谷山	父 般	문(세종29)	行承文博士(단종1), 佐郎(세조1), 世祖原從2등功臣(1), 순안縣監, 봉상判官
康居禮	(세종9)	信川	父 郡守 允釐, 祖 郎將 仁碩, 서 參贊 金之慶		영덕縣令(康仲珍묘갈)
康繼(季)權	?~태종13	신천	형 舜龍, 매 神德王后	음?	商議中樞院事(태조3), 象山府院君(6), 유배(7, 좌鄭道傳), 府院君졸
康袞	1411~1484	신천	父 平壤庶尹 生敬	무	內禁衛(단종즉), 고명사은사首陽大君(世祖)隨從官(즉), 靖難3등공신(1), 行護軍(1), 五衛上護軍(세조1), 佐翼3등공신(1), 僉知中樞(1), 同知中樞信川君(2), 인수府尹(3), 성절사겸천추사(3), 충청都節制使(5), 翊戴3등공신(예종즉), 전都節制使(1), 佐理3등공신(성종2), 永安南道節度使(5), 知中樞(7)
康理	(태종~세종대)	신천		문(태종8)	郡守(방목)
康伯珍	?~1504	신천	父 彰信校尉 愓, 祖 盈德縣令 居禮, 장인 刑曹判書 金宗直	문(성종8)	청하縣監, 司憲持平(성종10), 禮曹正郎(10), 司贍正, 함안郡守(20), 司憲掌令(25) [연산대: 司諫院司諫, 갑자피화]
康純	1390~1468	신천		기(甲士)	甲士, 僉知中樞(문종즉위), 평안조전節制使(즉), 行會寧府使(단종1), 判義州牧使, 僉知中樞(세조4), 사은사(5), 判吉州牧使(6), 資憲大夫鍾城節制使(6), 함길都節制使(7), 중추원사(9), 영북진節制使(12), 鎭北將軍(13), 敵愾1등공신(13), 議政府右議政(13), 西征將軍(13), 信川府院君(14), 領議政兼五衛都摠府都摠管(14), 좌南怡獄事피화
康舜龍	?~1398	신천	父 贊成事 允成, 祖 上護軍 庶, 누이 太祖妃 神德王后	음?	知密直事, 議政府贊成事, 銀城府院君(고려), 載寧伯(태조1), 피화(좌戊寅政變)
康愼	1387~1425	신천	父 信川府使 居義, 祖 允釐	문(세종2)	예문검열(세종5), 藝文待敎, 司憲監察, 侍講院左弼善
康裕孫	(태종대)	신천	神德王后 족친		上護軍, 泥城兵馬使, 都摠制府摠制
康有信	(정종~태종대)	신천	父 錫, 祖 判書 允暉		任用(정종2), 경기우도僉節制使(태종9), 泥城兵馬使(12)

　　　　　　　조선초기 관인 이력

康應謙	(세조~성종대)	신천			衛將(세조13), 李施愛征伐軍部將(13), 경주判官(성종7), 金城縣令(17)
康鎭	(태종6)	신천	父 象山君 繼權, 祖 贊成事 允成	음?	전大護軍, 유배
康致誠	?~1469	신천	父 耆, 祖 生敏	문(세조14)	예문검열(세조14), 弘文著作(예종1), 坐閔粹史獄복주
康澤	(태조~태종대)	신천	재종형 有信		大將軍(~태조7), 充水軍(7), 判通禮(~태종9, 유배), 선공判事(13)
康孝文	?~1467	신천	父 縣監 汝中	?, 문(문종 즉위)	訓導(~문종즉), 문과, 평안都事(단종2), 直集賢殿, 世祖原從2등공신(세조1), 吏曹正郎(4), 藝文直提學(5), 僉知中樞(6), 禮曹參議(6), 禮曹參判(6), 함길都巡察使(6), 함길관찰사(7), 함길관찰사兼咸興府尹(10), 함길都節制使전사(13)
康安式	(태종8)	載寧	父 儒, 祖 戶曹典書 得龍		전監務
康晉	(세종대)	재령	父 佐郎 安式, 祖 儒	문(5)	戶曹判書
康居實	(태종17)				경상도經歷(읍지)
康敬	(세조대)				萬戶(~12, 파직)
康繼祖	(성종대)			역관	천추사통사(11), 당인압송사(14), 司譯院正(22)
康懼	(세조1)				副正, 세조原從2등공신
康勸善	(태종~성종대)				병조知印(태종17), 의성잠실審察使, 사선署令(세종10), 內瞻少尹(19), 충청賑濟使(19), 고성縣事(22), 少尹(23), 護軍(24), 대마도招撫官(25)
康權才	(세종~세조대)				萬戶(세종27), 행縣監(세조1), 世祖原從3등功臣(1)
康敦孝	(세조1)				進勇校尉(甲士), 世祖原從3등功臣
康得連	(세종21)				前閱樂院使
康得齊	(세조대)				令史(1), 世祖原從3등功臣(1), 忠贊衛(7)
康末生	(세조14)		表叔 明太監 金甫		超資제수
康孟理	(세조3)				五衛副司正, 世祖原從3등功臣
康文寶	(세종~세조대)			역관	通事(세종 24, 30, 31, 문종즉위), 주문사(즉), 사은사(즉), 唐(明)人押送使(단종3)
康邦祐	(태종~세조대)			역관	司譯院副使(태종4), 知事(13), 判事(세종5)
康碩孝	(세조13)				길주軍官
康昭	(성종24)			역관	司譯院判官
康順	(세종1)				선공判官(~1, 杖流)

康信	(세종16)			司憲監察
康嚴山	(예종3)			신륵사監役官
康英	(성종24)			使行伴送舍人
康佑(祐)	?~1433		처남 永城君 李天桂	태조원종공신, 태종原從功臣, 檢校議政府贊成졸
康昱	국초			석성縣監(읍지)
康有善	(성종대)		무(성종8)	
康有智	(세조1)			五司司正, 世祖原從3등功臣
康懿	(세조대)			진잠縣監(~13, 파직)
康義山 (産)	(세종~세조대)			錄事(~25), 파직(25) 전副正(~예종1), 終身不用(1)
康理	(태종~세종대)		문(태종8)	안주判官(세종10), 임실縣監(18), 박천郡事(~19, 파직)
康子敬	(세종대)		문(세종5)	안협縣監(16)
康自淮	(문종즉위)			고성포萬戶
康仲卿	(세종대)			宥旨別監(3), 護軍(6), 단천郡事(9)
康中善	(태종13)			영유縣令(읍지)
康智恂	(세종10)		역관	평양부통사
康晉守	(단종즉)			司憲掌令
康處孝	(성종대)			혜산僉節制使(~10), 錄贓案(10)
康海珍	(태종8)			청도郡事
康憲	(태종대)		기(9, 遺逸薦)	司憲監察(9)
康惠迪	(성종2)			우봉縣監
康好德	(세종8)			副司直 피화
康好文	(세종6)			副司直
康候	(태종12)			경주府尹
康興孫	?~1468			咸吉司直전사
江得舟	(성종14)			醫員
強愶	?~태종11			경상좌도염장관졸
巨麽大	(세종21)			군인, 전공
巨兒帖哈	(세종1)		여진귀화인	嫌進亏知哈指揮
巨也老	(세종대)		여진귀화인	올량합지휘(11), 졸護軍(단종3)
甄石明	(세조3)			양성縣監
堅掾	(태종9)			護軍
堅自持	(세종8)			전檢律
堅仲善	(세종22)			전檢律
慶綿	(성종4~7)	淸州	父 朔寧郡守 由亨, 祖 司直 餘	무(족보)	유배, 赴防, 방면, 還職牒(병조), 진산郡守(족보)

조선초기 관인 이력

慶補	1324~1406	청주	형 儀		전判慈惠府事(~태조2), 태조原從2등공신(2), 判三司事(정종2), 檢校左政丞졸
慶祥		청주	父 僉知中樞 由謹, 祖 提學 智		臨陂, 文義縣令, 忠翊府都事(~성종20), 파직(20)
慶世昌	(성종~중종대)	청주	父 德川郡守 祥, 祖 僉知中樞 由謹	문(성종25)	[연산즉위이후: 司諫院獻納, 司憲掌令, 홍문교리, 應敎, 司憲掌令, 司憲執義, 弘文副提學, 大司諫, 都承旨, 황해관찰사, 戶曹參判]
慶習	(세조대)	청주	父 平壤尹 儀, 祖 門下侍中 復興		將軍(1), 原從2등공신(1)
慶餘	(세조3)	청주	父 將軍 習, 祖 平壤尹 儀		行五衛司直, 世祖原從3등功臣
慶延	(성종대)	청주	父 佐郎 臣直, 祖 진사 侃	천(효행)	尼山縣監, 사재主簿(國朝人物考 慶延遺虛碑)
慶由恭	(세조~성종대)	청주	父 司直 餘, 祖 將軍 習		五衛部將(세조13), 都摠使龜城君李浚軍官(13), 充官奴(예종1, 좌南怡), 假衛將(성종1), 안주牧使(3), 行護軍(6), 경흥府使(9), 경상兵馬節度使(~9), 파직(9), 야인정벌군치중장(11), 資憲大夫僉知中樞(11), 경상兵馬節度使(12), 僉知中樞(14), 永安南道兵馬節度使(15), 파직(15), 의주牧使(20), 行護軍(25)
慶由(惟)謹	(세조대)	청주	형 由恭		行少尹(1), 世祖原從3등功臣(1), 수안郡守, 양주府使(7)
慶由善	(세조1)	청주	형 由恭		副正, 世祖原從2등功臣
慶由淳	(성종대)	청주	형 由恭		전김해府使(~1), 命敍用(1), 청주牧使(족보)
慶由溫	(성종16)	청주	형 由恭		還告身, 郡守(족보)
慶由亨	(세조1)	청주	형 由恭		主簿, 世祖原從3등功臣, 삭령郡守(족보)
慶儀	?~1395	청주	父 門下侍中 復興, 祖 右代言 斯萬	음?	密直副使, 서경도순문사겸서북면부원수, 계림도원수, 원주등처兵馬節制使, 戊辰회군공신(고려), 門下評理(태조1), 參贊門下(2), 회군2등공신(2), 서북兵馬都節制使兼平壤府尹(4), 都節制使제졸.
慶禎	(세조13)	청주	父 僉知中樞 由謹, 祖 進賢館提學 智		右獅子衛將, 僉知中樞(족보)
慶俊	?~1489	청주	父 敦寧副正 由善, 祖 進賢館提學 智	문(세조12)	承仕郎(~세조12), 문과, 承政院注書(13), 工曹佐郎(예종1), 祔廟都監假郎廳(성종3), 成均直講(4), 봉상僉正(6), 通訓大夫司憲掌令(7), 司諫院司諫(12), 掌令(12), 通政大夫忠州牧使(14), 掌隷院判決事(17), 同副(18), 右副(18), 左副承旨(20), 折衝將軍僉知中樞(20), 僉知中樞졸
慶遟	(성종대)				[연산대: 충청관찰사(2, 읍지)]

慶世信	(성종5)				울진郡守(읍지)
慶由善	(세조6)				牧監, 世祖原從2등功臣
慶衆	(세조12)				補充軍仕滿去官
慶智	(태종~문종대)				議郎(태종4), 인천郡事(세종9), 內贍判官(27), 判事(문종2)
慶澂					봉화縣監(읍지)
慶渾	(성종21)				충청관찰사(읍지)
庚順道	(세조5)				곡산府使
庚珝	(태종17~18)				예안縣監(읍지)
景祚	(선초)				甑山縣令(읍지)
高善慶	(세조~성종대)	開城	父 壽仁, 祖 永顔	?, 문(세조3)	五衛司直(~세조3), 문과, 行五衛司直(예종 즉), 成均直講(성종1), 戶曹正郎(~4, 유배), 통진縣監(11)
高彦謙	(성종대)	개성	父 通政大夫縣 監 善慶, 祖 壽仁	문(성종10)	典校博士(14), 司憲監察(15), 아산縣監(~16, 파직), 의주判官(23), 함경評事(24)
高石柱	(성종7, 24)	長興	父 副司直 哲山		還身身, 還職牒, 命敍用, 參奉(족보)
高臣傅 (協)	(태종대)	장흥	父 別將 伯顔, 祖 知奏事 合		司僕判事(9), 大護軍(10)
高敬知	(성종15)	濟州	父 直長 義忠		還告身, 虞侯(족보)
高德秀	(세종~문종대)	제주	父 翰林 有廉	문(세종14)	강음縣監(세종21), 司諫院右獻納(문종즉위), 연풍縣監(즉)
高德稱	?~1454	제주	제 德秀	문(세종4)	고양縣監복주(좌 安平大君 瑢)
高得宗	(태종~세조대)	제주	父 上將軍 鳳智 祖 戶曹典書 臣 傑	음(태종13), 문(14), 중(세종9)	直長(태종13), 문과, 禮曹正郎(세종3), 봉상少 尹(6), 大護軍(7), 直提學(9), 문과중시, 陞通政 大夫(9), 禮曹參議(16), 僉知中樞(19), 戶曹參 議(21), 日本通信使(21), 僉知中樞(21, 26), 同知 中樞(29), 한성府尹(32), 參判, 世祖原從3등功 臣(세조6, 졸參判),
高得中	?~1463	제주			五司上護軍(단종1), 僉知中樞(2), 世祖原從1 등功臣(세조1), 中樞副使졸(漂風浪)
高夢賢	(태종대)	제주	父 淮, 祖 正言 安 勝	문(태종2)	成均司成(방목)
高鳳禮	?~1411	제주	父 戶曹典書(耽 羅星主) 臣傑, 祖 耽羅城主 順元		제주畜馬兼按撫別監(고려), 탐라성주(襲職), 濟州都州官左都知官, 右軍同知摠制(태종7), 제주按撫使(10), 전同知摠制졸
高鳳智	?~1411	제주	형 奉禮		大將軍(태조4), 上護軍졸
高士褧	(태조~태종대)	제주	父 版圖判書 英, 祖 閤門祗侯 大 明		知印尙書(고려), 寶文閣直學士, 同知中樞
高士原	(태종대)	제주	형 士褧		예안縣監, 함안郡守, 藝文直提學(읍지)

조선초기 관인 이력

高尙深	(세종대)	제주			전司正(~10), 司瞻直長(10)
高尙溫	(태종11)	제주	父 濟州都官左道知 鳳禮, 祖 耽羅城主 臣傑		제주都官左都知(襲世職)
高世昌	(성종~연산군대)	제주	父 富平府使 台翼, 祖 參判 得宗	문(성종25)	[연산대: 藝文待敎, 承政院注書]
高素永	(세조7)	제주	父 府使 若河, 祖 知中樞 士褧		荊州鎭僉節制使
高壽延	(예종1)	제주	父 直提學 士原, 祖 版圖判書 瑛		徵召(備騎馬軍裝), 虎賁衛將(족보)
高壽永	(세조대)	제주	父 府使 若河, 祖 知中樞 士褧		行五衛司勇(1), 世祖原從3등功臣(1)
高壽長	(문종1)	제주	형 壽全		연천縣監
高壽全	(세조1)	제주	父 觀察使 若海		承訓郎, 世祖原從3등功臣, 司憲監察(족보)
高承顔	(세종대)	제주	父 漢城判尹 得宗, 祖 上將軍 鳳智	문(세종8)	翰林(방목)
高愼喬 (驕)	(세종~성종대)	제주		?, 문(세종26)	主簿(~세종26), 문과, 刑曹正郎(세조2), 成均司藝(방목), 익산郡守(성종1)
高安勝		제주	父 大護軍 懽	?, 문(우왕6)	慶順主簿(고려), 司諫院正言
高若河	(단종1)	제주	父 知中樞 士褧, 祖 版圖判書 瑛		還告身(이조), 府使(족보)
高若海	1377~1443	제주		기(태종1년경, 효행천)	공안부主簿(태종1), 刑曹正郎(17), 司憲掌令(세종6), 知司諫(7), 上護軍判通禮(8), 禮(9)·兵(9)·戶(10)·吏曹參議(11), 漢城府尹(12), 관찰사(13), 刑曹參判(13), 대사헌(15), 判黃州牧使(16), 인수府尹, 刑曹參判(22), 慶昌府尹(22), 資憲大夫개성유수(24), 유수졸
高呂	?~1402	제주	父 兵馬節制使 永壽, 祖 開城尹 灝		典醫監(태조1), 開國3등공신高城君(1), 行知義禁府事, 고성군졸
高永壽	(태종1)	제주	父 開城尹 灝, 祖 提學 用賢		別司禁, 都摠制府摠制(족보)
高有廉	(태종대)	제주	祖 戶曹典書 臣傑	문(태종16)	翰林
高義智	(세조1)	제주	父 通禮 春吉		五司副司直, 原從2등공신
高正道	(세종21)	제주	父 中樞副使 得宗, 祖 上將軍 鳳智	역관	역관
高進	(태종6)	제주	父 正言 安勝, 祖 大護軍 懽	문(창왕1)	사재少監
高忠彦	(태종대)	제주			檢校漢城府尹(11), 제주都官左都知(12, 襲職)

가

高台輔	(세종~세조대)	제주	형 台弼	천(세종21)	南部錄事(세종21), 司勇(23), 世祖原從3등功臣(세조3), 김포縣監(13)
高台翼	(단종~성종대)	제주	형 台弼	문(단종2)	將仕郎(~단종2), 문과, 權知正字(단종2), 世祖原從2등功臣(세조1), 홍문박사(5), 兵曹佐郎(8), 刑(예종1)·工曹正郎(성종2), 僉正, 부평府使(10)
高台鼎	(세조~성종)	제주	형 台弼	?, 문(세조5)	五衛司直(~세조5), 문과, 황해都事(6), 충청經歷(10), 成均司成(예종1), 尙衣院正(성종2), 掌樂正(성종3)
高台弼	(문종~성종대)	제주	父 漢城判尹 得宗, 祖 上將軍 鳳智	음, 문(문종1)	포천縣監(~문종1), 문과, 司諫院右獻納(1), 世祖原從2등功臣(세조1), 兵曹正郎(5), 전라經歷, 청주牧使(10), 大司成(13), 陞嘉善大夫(13), 五衛上護軍, 전라관찰사(성종1), 同知中樞(3), 僉知中樞(10), 한성左尹(10), 僉知中樞, 개성유수
高澤	(세조~성종대)	제주	父 中樞副使 得中		藝文奉禮郎(세조9), 부상(9), 副知通禮院事(10), 行通禮院引儀(예종1), 충익부都事(성종5), 서흥府使(9)
高襲	(태종18)	橫城			금성縣令
高荊山	1453~1528	횡성	父 思信, 祖 縣令 襲	문(성종14)	司憲持平, 縣監(성종25) [연산즉위 이후 : 해주牧使, 함길兵馬節度使, 강원관찰사, 刑·戶·兵曹判書, 議政府右贊成]
高居正	(태종대)				회령府使(5), 병조典書(8), 경주, 공안府尹(15)
高謙	(태조~세종대)			卜業	송화縣監(세종17)
高敬	(세조11)				別侍衛
高慶舟	국초				청송縣事(읍지)
高貴忠	(세종14)				別侍衛
高克散	(단종즉)				청도教導
高起忠	(세종대)			역관	司正(4), 사역主簿(4), 左軍司正(5)
高德	(세조9)				縣監
高德福	(단종3)		명사족친		攝五衛司勇
高德山	(태종15)				敬承府知印
高都官	(태종13)				檢校漢城府尹
高孟達	?~1469				甲士피화
高普慶	(성종4)				戶曹正郎
高山壽	(태종10)				五衛副司正
高尙忠	(세종대)				錄事(8), 攝隊副(31)
高石生	(단종3)			역관	왜통사
高世輔	(성종대)			의관	[연산대: 內醫, 資憲大夫同知中樞]
高守謙	(세조~성종대)				五司司直(세조1), 世祖原從2등功臣(1), 鉢浦萬戶(성종1) [연산이후: 靖國3등공신]

高守山	(성종3)				어용봉안別監
高秀才	(성종24)				命敍用(이)
高肅	(세종대)				전敎導(~13), 통천敎導(13)
高順義	(세종6)				전司正
高崇儉	(성종9)				평산포萬戶
高信民	(세종9)				청양縣監
高安謹	(세종11)				녹관
高安長	?~1444				同知中樞(세종7), 同知中樞졸
高若水	(태종18)				전함흥少尹
高若采	(세종4)				단천郡守(읍지)
高汝忠	(태조7)				畜馬別監
高永文	(세조10)				攝60피화
高永善	(성종2)			樂工	樂工遞兒職
高用禮	(세종14)			기(효행)	命敍用
高用霖	(태종8)				行司直尙衣院別監
高用舟	(태종6)				장사監務
高用知	(세조1)				行五衛副司直, 世祖原從3등功臣
高用智	(세종~세조대)			역관	사역主簿(세종11), 護軍(23), 僉知司譯院事(단종1)
高爲山	(단종대)	明使족친		기(3, 명사請)	五司副司正(3, 명사故)
高允湜	(태종7)				영유縣令(읍지)
古乙都哈	(세종3, 4)			여진귀화인	入朝侍衛, 賜紗帽品帶
高乙夫	(세조1)				進義副尉, 世祖原從3등功臣
高義	(세종대)			문(세종1, 恩賜)	선농제著民(성종19), 加資(19, 21)
高仁伯	(태종5)				하정사押物
高全道	(문종즉위)				제주鎭撫
高全性	(세종9)				司僕主簿
高種	(세조6)				養馬, 世祖原從3등功臣
高俊	(태종대)				전承寧府判官(11), 護軍(14)
高仲安	(태종~세종)			풍수학	署令(~태종18), 副司直(세종8), 行副司直(12)
高沖鶴	(태종10)				전別將
高孝誠	(태종7)				甲士
高休	(태조6)				司憲監察
高烋	(태종9)				순금사大護軍
高興雲	(태조7~태종1)				횡성郡守(읍지)
昆時羅 (藤昆)	(태조대)			항왜	五衛副司正(6), 散員(7)

公路	(세종16)	金浦	父 孫敏, 祖 仁抵		안주判官
公貴精	(세조4)				함길도赴防甲士
公用賢	(세조4)				함길赴防甲士
公允貴	(태종17)				율학박사
孔頎	(세종~세조대)	昌原	父 成吉, 祖 達	?, 문(세종27)	敎導(~세종27), 문과, 연풍(32)·은산縣監(~문종즉위), 成均主簿(즉), 남부敎授(2), 司諫院右正言(단종1), 成均直講(2), 世祖原從3등功臣(세조1), 成均司藝(4), 大司成(방목)
孔俯	?~1416	창원	父 紹, 祖 集賢殿太學士 帑	문(우왕2)	전의副令, 禮曹摠郎, 集賢殿太學士(고려), 成均司成(태조7), 成均祭酒(7), 右軍同知摠制, 檢校漢城府尹(태조7), 明使行中卒
孔義達	(성종대?)	창원			縣令(국조인물지)
孔宗周	(태종~세종대)	창원	父 斯文, 祖 臣吋	문(태종14)	成均典籍, 司憲監察(세종10), 현풍縣監(21)
孔權	(세종대)			기(9, 明使 尹鳳故)	副司正(9, 윤봉故)
孔明義	(태종9)				통사
孔成之	(성종20)				전설사別坐
孔孝老	(세조1)				五司司正, 原從3등공신
果羅干	(세조3)			여진귀화인	推羅谷等地副萬戶
郭珪	(태종~세종대)	善山	父 漢城右尹 綏元, 祖 禮儀判書 允誠	문(태종14)	成均校書郎(~세종5, 파직), 신창縣監(~9), 파직(9)
郭珣(恂)	(세종~단종대)	선산	형 珪	문(9)	영동縣監(세종18), 겸承文副校理(문종즉위), 청주敎授(단종즉위)
郭垠	(?~성종)	선산	父 생원 琦, 祖 二司左尹 綏元	문(성종3)	將仕郎(~성종3), 문과, 承文校檢(3), 하정사書狀官(3), 司憲持平(12), 工曹正郎(14), 선공僉正(14), 司憲掌令(14), 典設司守(15), 司憲掌令(17), 담양府使, 承旨부임중졸
郭複	(태조대)	淸州	父 提學 麟, 祖 判開城 迎俊	음?, 문(공민왕7)	散員(고려), 密直提學
郭承祐	?~1431	청주	父 商議中樞院事 忠輔, 祖 承旨 輝	음, 무(태종대)	別將, 坐朴苞流, 郎將, 護軍(태종4), 上護軍(4), 풍해助戰節制使(5), 都摠制府僉摠制(10), 경원兵馬使(10), 右軍同知摠制(10), 右軍同知摠制龍武侍衛司節制使(11), 中軍摠制(12), 同知摠制內侍衛中軍節制使(13), 摠制右禁衛2番制使(세종즉), 都摠制(2), 강계節制使(3), 別侍衛節制使(10), 中軍摠制(12), 전水軍處置使졸(13)
郭軾	(태종5)	청주	父 天生		전司農卿
郭連城	?~1464	청주		?, 무, 무중(무과중시, 이하동, 세조3)	內禁衛, 무과, 五司司直(~단종1), 靖難2등공신(1), 護軍(세조1), 군기副正(2), 兼司僕尹(~3), 무과중시, 僉知中樞(3), 함길都節制使

					(3), 인순(4), 한성(4), 인수(5), 인순(5), 한성府尹(5), 同知中樞(5), 陞資憲大夫(6), 戶曹參判(6), 行同知中樞, 淸平君(9), 군졸
郭永	(세종15)	청주	父 護軍 庥, 祖 縣監 恂		군기錄事, 鎭撫使(족보)
郭愃	(태종~세종대)	청주	형 恂		군자主簿(태종9), 供正庫副使(9), 장흥庫使(13), 僉知中樞(세종18), 巡綽節制使(25), 同知敦寧(27), 行僉同知敦寧(30), 中樞副使(31)
郭廤	(문종1)	청주	父 縣監 恂, 祖 贊成 樞		연산縣監, 府使(족보)
郭存中	?~1428	청주	父 司農卿 軾, 祖 署令 天生	문(태조5)	경기도經歷(태종5), 司憲掌令(15), 議政府舍人(17), 司憲掌令(18), 軍資正(세종1), 都統使 柳廷顯從事官(1), 知兵曹事(2), 同副(3)·左副(4)·右(5)·左承旨(5), 知申事(5), 兵曹參判(8), 중군同知摠制(9), 慶昌府尹(9), 吏曹參判(9), 慶昌府尹졸(10)
郭樞	?~1405	청주	父 尙書左丞 琛, 祖 府使 迎俊, 처남 左政丞 閔霽	음?, 문(공민왕9)	전政堂文學(정종1), 藝文大學士(태종1), 議政府贊成事(1), 贊成事졸
郭忠輔	?~1403	청주	父 承旨 輝, 祖 大提學 樞	음	兵馬使, 禮儀判書, 懿德府尹(고려), 商議中樞院事(태조1), 太祖原從功臣(1), 坐芳幹流, 방면, 都摠制府都摠制(태종2), 都摠制졸
郭海隆	(태조5)	청주			中郞將(고려), 大將軍
郭渾	(세종17)	청주			僉知敦寧府事
郭庥	(세조대)	청주	형 廤		五司副司直(1), 世祖原從3등功臣(1), 五司護軍(족보)
郭居完	(태종~세종대)	玄風	父 王弼, 祖 麗	문(태종14)	佐郞(방목), 제천縣監(세종9)
郭瓊	(태조대)	현풍			영천郡守(읍지)
郭得賀	(세조12)	현풍			청주判官
郭保民	(세종대)	현풍			풍저倉使(~19, 파직), 敎授
郭順宗	(성종대)	현풍		무신	兼司僕(6), 안악(9), 전价川郡守(25)
郭謹	(성종대)	현풍	父 大提學 保完, 祖 大提學 倧	음?, 문(성종14)	參奉(~14), 문과, 司憲持平(20), 제주點馬別監(21), 吏曹佐郞(21)
郭安邦	(세조1)	현풍			五司副司直(세조1), 世祖原從3등功臣(1), 郡守(국조인물지)
郭自容	(단종~세조대)	현풍	父 汾, 祖 掌令 德淵	문(단종2)	權知成均學諭(단종2), 世祖原從2등功臣(세조1), 權知承文校理(3), 군위縣監(~13, 파직)
郭廷府	(태종8)	현풍			고봉監務
郭悰	(태종대)	현풍	父 判書 居仁, 祖 君 郚	음?, 문(우왕8)	別將(고려), 巡軍知事(~1, 파직), 郡守(방목)
郭宗藩	?~1504	현풍	형 宗元	문(성종21)	[연산대: 司憲掌令피화]

郭宗元	?~1504	현풍	父 隍, 祖 得常	문(성종6)	[연산대: 司諫院司諫피화]
郭恢	(문종~세조대)	현풍	父 倉使 保民	무(문종대)	五司副司直(세조1), 世祖原從3등功臣(1)
郭砮	(세조6)				錄事, 世祖原從3등功臣
郭敬儀	(태조~태종)				전중卿(태조4), 巡衛府千戶(태종2), 判事(4), 上將軍(5)
郭繼生	(국초)				영덕郡守(읍지)
郭規	(성종21)				直長
郭瑾	(세조9~14)				예안縣監(읍지)
郭德淵	(정종~태종대)		父 儀, 祖 紹先	문(태조5)	司諫院正言(태종2), 司諫院左獻納(6), 司憲掌令(10), 함안郡守
郭德中	(세종12)				동복縣監
郭堵	(세종9)				능성縣令
郭得倫(命)					主簿(密城君李琛碑銘)
郭萬興	(세종17)				전少監
郭孟元	(성종14)				參奉
郭保寧	(세종16)				포천縣監
郭紛	(세종27)				내자主簿
郭瑞	(태종10~12)				예안縣監(읍지)
郭常	(태종대)			문(태종14, 恩賜)	
郭瑄	(태종1)				監正
郭琁	(태조3)				성문都監提調
郭順	(태조1)				옥천郡守(읍지)
郭崇儀	?~1472				사온直長졸
郭承義	(성종대)			기(10, 효행)	命敍用(10, 孝行故)
郭永江	(성종3)				五衛司直
郭庸	(세조11)		처남 參判 尹贊		別侍衛
郭雄	(세종대)				순천郡事(16), 大護軍(~22), 수군都萬戶(22)
郭瑗	(태조2)				永川郡守(읍지)
郭緯	(태조5)				거창監務(읍지)
郭仁	(성종24)				使行伴送舍人
郭鄰	(성종13)				한성부救護假郎廳
郭璘	(성종대)		외조 府使 權致中, 여 東宮良媛		창릉參奉
郭鱗	(세종대)		祖 공신(성명 불명)		內禁衛司正(~7, 파직), 前驛丞(14)
郭臨	(태종10)				副司正

郭自湖(湖)	(문종대)			문(문종1)	
郭貞	(태종~세종대)				刑曹佐郎(태종18), 護軍(세종9)
郭鷟				문(우왕14)	
郭致禧	(세조~성종대)				이성縣監(세조1), 선농제祭監(성종6), 상의主簿(11), 나주判官(22)
郭海龍	(태조~태종대)			통사	군기判事(태조4)
郭憲	(세조5)		祖 原從功臣(성명 불명)		忠贊衛
郭趑	(세종15~20)				예안縣監(읍지)
郭休	(태종~세종대)				낭천縣監(~세종2), 피죄(2), 掌苑署掌苑
管秀	(단종~성종대)			여진귀화인	올량합指揮同知(단종3), 萬戶(3), 동량북등처副萬戶(세조2), 올량합僉知(성종11), 올량합都萬戶(16), 올량합中樞(20), 올량합護軍(25)
具綱	(태종~세종대)	綾城	父 慶尙觀察使成亮, 祖 府尹 褘	문(태종8)	承文正字(태종13), 司憲監察(세종즉), 兵曹佐郎(2), 황간縣監(6), 司諫院右獻納(7), 左獻納(9), 吏曹正郎(10), 군기副正(11), 司憲執義(17)
具謙	(세조~성종대)	능성	父 牧使 致明, 祖牧使 揚, 숙부 左議政 致寬		都摠使龜城君李浚軍官(세조13), 敵愾2등공신僉知中樞(13), 義興衛大護軍兼五衛將(13), 西所衛將(예종즉), 行大護軍(즉), 건주정벌虎賁將(1), 綾山君(1), 五衛將(1), 三所巡將(성종1), 內禁衛將(6), 경상우도(6), 左道兵馬節度使(10), 謝恩副使(14), 충청兵馬節度使(16), 군(18), 苑囿提調(19), 의주牧使(23)
具達衷(忠)	(문종~성종대)	능성	父 執義 綱, 祖 慶尙觀察使 成亮	음?, 문(문종1)	五司司直(~문종1), 문과, 刑曹佐郎(단종1), 世祖原從3등功臣(세조1), 兼司憲持平(1), 司憲掌令(7), 봉상判官(10), 侍講院弼善, 知司諫, 藝文直提學, 五衛上護軍(성종3), 성주牧使, 通政大夫南原府使(11)
具德孫	(세조13)	능성	父 瑞山郡守 益壽, 祖 參議 宗節		都摠使龜城君李浚軍官, 한성參軍
具文老	(단종~세조대)	능성	형 文信		行五司司勇(단종1), 兼司僕直長(1), 司直(세조1), 世祖原從2등功臣(1), 僉知中樞(6), 五衛上護軍(7), 僉知中樞(7), 평안都節制使助戰將(7), 兼司僕(8), 衛將(9), 上護軍(9)
具文信	1415~1485	능성	父 工曹判書 緒, 祖 判安東府使 成亮	음(세종19)	內禁衛, 司僕直長, 여연僉節制使, 僉知中樞(단종2), 강계兵馬節制使兼府使(세조1), 世祖原從1등功臣(1), 同知中樞(4), 五衛上護軍(4), 大護軍(4), 上護軍(5), 慶昌府尹(5), 衛將(5), 상호군(6), 대호군(7), 上護軍(8), 경상우도兵馬節度使使(9), 상(10), 副護軍(예종1), 겸都摠府副摠管(성종1), 佐理4등공신(2), 綾原君(5), 同

					知中樞(9), 경상좌도水軍節度使(13), 資憲大夫綾原君(13), 兼都摠管(13), 능원군졸
具緒	(세종대)	능성			용안縣監(12), 회양府使
具碩卿	(연산1)	능성	父 訓練參軍 安遇		전(개천, 족보)郡守
具誠	(성종대)	능성	父 綾原君 文臣 祖 工曹判書 緒	음, 무(성종16)	兼司僕(10), 파직(11), 무과, 將軍(22)
具成亮	?~1425	능성	父 府尹 禕, 祖 判書 崇儉	음	大將軍(태조3), 풍해軍容點考使(4), 司農判事(5), 예조典書(태종2), 강원兵馬都節制使(2), 禮曹參議(2), 三軍都摠制府摠制(7), 坐尹穆流(9), 還職牒(10), 平安道都按撫使(15), 判安州牧使, 충청兵馬都節制使(세종2), 전판안동府使졸
具成老	(태조대)	능성	형 成亮		전개성윤(1), 태조원종1등공신(1), 안동府使(2), 中樞副使(~2), 파직(2), 商議中樞院事(5), 진헌사(5)
具成美	(태종~세종대)	능성	父 判書 義, 祖 典吏判書 崇儉		전라水軍僉節制使(태종6), 전라水軍萬戶(13), 전라수군都節制使(세종1), 경기水軍僉節制使(~3), 파직(3), 판안동府使
具壽永	1456~1523	능성	父 知中樞 致洪, 祖 牧使 揚, 백부 左議政 致寬	기(특지)	五衛副護軍(세조13), 知中樞(성종8), 知敦寧府事(16), 知中樞(17), 知敦寧(19), 歸厚署提調(23), 都摠府都摠管(24), 상의원提調(24) [연산 이후: 都摠管, 知敦寧府事, 判敦寧, 判義禁府事, 掌樂院提調, 靖國2등공신, 判漢城府事, 都摠管, 輔國崇祿大夫綾川府院君]
具壽宗	(성종대)	능성	父 知中樞 致洪, 祖 牧使 揚		철원府使(구치홍묘지명)
具崇璟	(연산군대)	능성	父 府院君 壽永, 祖 知中樞 致洪	음?	양덕縣監
具承重	(세조1)	능성	父 刑曹參判 宗之, 祖 右政丞 鴻		五衛司正, 原從3등공신
具信忠	(세종~세조대)	능성	父 執義 綱, 祖 慶尙觀察使 成亮	문(세종26)	兵曹佐郎(문종2), 兵曹正郎(세조2), 司憲掌令(3), 世祖原從3등功臣(3), 司憲執義(4), 선공判事(4), 五衛上護軍(5), 僉知中樞(5), 戶(6)·兵曹參議(6), 僉知中樞(6)
具益齡	(태종9)	능성	父 吏曹參議 宗節, 祖 右政丞 鴻		횡천監務
具益壽	(세종~문종대)	능성	형 益齡		희천, 서산郡守(문종즉)
具人文	(세종~단종대)	능성	父 賢佐, 祖 瑞進	문(23)	集賢殿博士, 司諫院左正言(문종즉), 校理(방목)
具長孫	(성종1)	능성	父 慶, 祖 左議政 致寬	음?	護軍

조선초기 관인 이력

具詮	(성종대)	능성	형 誠		內禁衛(~11, 파직), 兼司僕(21), 都摠府經歷 (23), 通政大夫會寧府使(24)
具宗秀	?~1417	능성	형 宗之, 외숙 左議政 李茂		순금사司直(태종9), 파직(9), 선공副正, 유배중 복주
具宗之	?~1417	능성	父 密直府使 鴻, 祖 府尹 褘	문(우왕11)	刑曹議郎(정종1), 戶(태종7), 吏曹參議(14), 京畿觀察使(14), 刑曹參判(16), 坐世子失行복주
具致寬	1406~1470	능성	父 牧使 楊, 祖 開城尹 成老	문(세종16)	承文正字(세종16), 예문검열, 藝文奉教, 藝文待教, 承政院注書, 司憲監察, 황해都事, 兵曹佐郎, 正郎, 平安道都鎭撫朴薑從事官(31), 護軍(문종즉위), 成均司藝(1), 議政府檢詳(2), 司僕少尹(단종1), 知司諫(1), 副知承文院事(1), 五衛大護軍(1), 同副(2)·右副(2)·左副(세조1)·右(1)·左承旨, 佐翼3등공신(1), 吏(2)·兵(2)·禮(3)·戶曹參判(3), 인수府尹(4), 평안都節制使(4), 吏曹判書(5), 陞崇政大夫(6), 崇祿大夫(7), 議政府右贊成(7), 綾城府院君(8), 右(9)·左議政(10), 府院君(12), 兼戶(예종즉), 吏曹事(성종즉), 府院君졸, 追贈佐理2등공신(성종2)
具致明	(세조~성종대)	능성	형 左議政 致寬		鎭撫(세조1), 世祖原從3등功臣(1), 군자副正(13), 상주牧使(성종1)
具致洪	(세조~성종대)	능성	형 致寬	음?, 무(성종23)	行五司副司正(세조1), 世祖原從3등功臣(1), 護軍(7), 衛將(7), 예빈僉正(13), 都摠使龜城君 李浚從事官(13), 副護軍(13), 衛將(성종1), 해주牧使(3), 同知敦寧(6), 강릉府使(12), 護軍(~15), 파직(15), 僉知中樞(19), 資憲大夫訓鍊都正(23)
具誠	(세조14)	능성	父 都正 致明, 祖 公州牧使 揚		서부參奉
具文靖	(세종29)				은산縣監
具忻	국초				개성부經歷(읍지)
具思欽					풍천府使(읍지)
具成進	(태조7)				거창監務(읍지)
具爰立	(세종10)				북청府使
具益生	(세종1)				上護軍
具仁寬	(세종대)			무(?)	진법訓導官
具仁泰	(세종15)				삼화縣令(읍지)
具仁孝	(세종9)				內禁衛
具績	(세종11)				副司直
具宗周	(태종~세종대)				前都節制使(~태종9, 유배), 隨敬寧君入明(세종5)
具致岡	(성종24)			천侍講院文學	양전도회敬差官

具致亮	(성종21)				전선傳官
具致平	(세조14)				제용副正
具賢輝	(성종22)				북정부원수李季仝軍官 [연산이후: 靖國3등공신]
仇自平	(단종~성종대)	昌原		?, 문(단종2)	敎導(~단종2), 문과, 權知正字(2), 世祖原從2등功臣(세조1), 함길都事, 禮曹正郎, 司憲掌令(방목), 청송郡守
仇敬夫	(세종대)			통사	사재主簿(세종즉), 僉知司譯院事(9)
仇敬天	(세종3)			통사	사역判官
仇孟溫	(성종9)				忠贊衛
仇思敬	(세종20)			의원	전라도醫員
仇叔寧	(성종24)				敬差官
仇叔亨	(성종24)				打量敬差官
仇永臣	(태종3)				樊溪浦千戶
仇宜德	(태종10)				무신
仇之善	(세종5)			내응인	成均典簿五衛司直
丘達孫	(세조~성종대)	平海	父 贊成 從直, 祖 僉節制使 揚善	문(세조11)	藝文副修撰(성종6), 修撰(6), 成均直學(8)
丘夙孫	1426~?	평해	父 左贊成 從直, 祖 豊儲倉副使 揚善	음?, 문(성종5)	參奉(~성종5), 문과, 吏曹佐郎(성종12), 昭格署令(12), 司諫院獻納(12), 司憲持平(12), 司憲執義(20), 司宰正
丘從直	1414~1477	평해	父 僉節制使 揚善, 祖 判事 春浩	?, 문(세종26), 登俊試(세조12)	敎導(~세종26), 문과, 成均學諭(세종26), 영동縣監, 司諫院左獻納(단종3), 世祖原從3등功臣(세조3), 고성郡守(8), 成均直講(11), 僉知中樞兼成均司成(11), 中登俊試(12), 工曹參判(12), 工曹判書(12), 資憲大夫五衛上護軍(12), 同知中樞(13), 僉知中樞(예종1), 上護軍(성종2), 護軍(2), 崇政大夫知中樞卒
丘次崇	(세종~문종대)	평해	父 郎將 春甫		영해府使(세종24), 예빈判事(문종즉위)
丘致崗	(단종~세조대)	평해	형 致崐	?, 문(단종1)	陵直(~단종1), 문과, 承政院注書, 司憲執義(방목)
丘致崑	(세조~성종대)	평해	父 禮賓正 次崇, 祖 郎將 春甫	문(세조10)	刑曹正郎(성종5), 사옹僉正(6), 司憲掌令(10), 通政大夫江陵府使(21), 충주牧使(21), 僉知中樞(23), 掌隷院判決事(24), 吏曹參議(24), 同副承旨(25) [연산이후: 右·左副承旨, 한성우윤, 同知中樞, 강원관찰사, 한성우윤, 大司憲]
丘致峒	?~1467	평해	형 致崐	?, 문(단종1)	陵直(~단종1), 문과, 權知正字(1), 世祖原從2등功臣(세조1), 承政院注書, 兵·戶曹佐郎(7), 兵曹正郎(10), 經歷(12), 司憲執義(13), 行五衛司正(13), 서정도원수尹子雲從事官 전사
丘達童	(성종대)		서 金磁		察訪(金磁墓碑)

丘仲德	(세종대)				진법訓導官(8), 前護軍(~19), 양산郡守(19)
丘仲文	(성종대)				[연산대: 장기縣監(1, 읍지)]
丘仲孫	(성종6)				武臣
麴經禮	?~1507	潭陽	父 진사 鼇, 祖 義禁都事 泰瑞	문(단종1)	司諫院司諫(방목)
權可均	(태조대)	安東	父 府尹 肅	음?, 문(고려 공양1)	別將(고려), 縣監
權可均	(성종대)	안동	父 正 恒, 祖 江陵判官 深		兵曹正郎
權恪	(세조대)	안동	형 愷	음	司諫院正言(세조7), 刑曹正郎(11), 行護軍(14), 戶曹參議(예종1), 通政大夫전라관찰사(1), 유배(성종1, 방, 7)
權揀	(세종17)	안동	형 擇		장흥고直長
權城	1423~1487	안동	父 中樞使 克和, 祖 右司諫 參	음(세종26)	司直錄事(세종26), 사온主簿, 司憲監察(32), 主簿(세조1), 世祖原從2등功臣(1), 황해都事, 司憲持平, 戶曹正郎, 副知通禮(8), 모상, 奉常正(12), 同副(13)·左副(13)·都承旨(13), 翊戴3등공신嘉善大夫都承旨花川君(예종즉), 吏曹判書(즉), 화천군(성종1), 佐理1등공신(2), 평안관찰사(2), 崇政大夫大司憲(3), 判漢城府事(4), 判中樞(8), 議政府左參贊(9), 判義禁府事(12), 화천군(13), 兵曹判書(14), 화천군졸(18)
權愷	?~1468	안동	父 護軍 遷, 祖 密直提學 顯	음, 문(세종29)	丞(~세종29), 문과, 兵曹正郎(단종1), 佐翼3등공신(세조1), 膳工正, 종부判事(2), 司諫院右司諫, 左司諫(2), 知兵曹事(3), 兵曹參議(3), 僉知中樞황해관찰사(4), 모상, 兵曹參議(6), 강원관찰사(7), 행僉知中樞(8), 中樞副使(9), 福川君(10), 전라·경상관찰사, 中樞副使, 京畿觀察使, 君졸
權健	1458~1501	안동	형 傑	음, 문(성종7)	五衛司勇(~성종7), 문과, 成均直講(7), 禮曹佐郎(8), 弘文應教(10), 典翰(11), 副提學(12), 禮曹參議(13), 同副·右副·左副·右·左·都承旨(13~15), 禮曹參判(17), 同知中樞(17), 禮曹參判(18), 대사헌(18), 兵(21)·戶曹參判(21), 僉知中樞(23), 同知中樞(24), 大司成(24), 同知中樞兼成均知事(25), 漢城左尹(25), 戶曹參判(25) [연산이후: 同知中樞, 兵曹參判, 守知中樞졸]
權傑	(세조~성종대)	안동	父 左議政 覽, 祖 府贊成 踶	음	忠佐衛護軍(세조11), 同知中樞(성종3)
權格	(세종~세조대)	안동	父 監正 循, 祖 府尹 肅, 여 世子承徽(세종24)	음?	殿直(세종9), 예빈錄事(22), 예빈直長(23), 主簿(세조1), 世祖原從3등功臣(1), 知敦寧府事(璿源世譜紀略)

權景	(세종2)	안동			前正
權景	(세조1)	안동	父 府贊成 鉉, 祖 贊成 衡	음?	五司司正, 原從2등공신
權擎	1429~1482	안동	형 左議政 覽	음(세종30)	중군司勇(~단종1), 靖難3등공신(단종1), 종부主簿(1), 刑曹正郎(2), 사재副正(세조1), 예빈(2), 司僕少尹, 司僕判事(6), 工曹參議(6), 僉知中樞(7), 同知中樞永嘉君(9), 吏曹參判(13), 永嘉君(13), 資憲大夫경상우도병마절도사(성종3), 영가군(5), 경상좌도兵馬節度使(9), 정2 영가군졸
權景溫	(성종대)	안동	父 牧使 綬, 祖 典法判書 季容	문(11)	務功郎(~11), 문과, 訓導(11), 司憲監察(~12), 순천教授(12), 司憲監察(12), 成均典籍(방목)
權景祐	(성종~연산군대)	안동	父 光州判官 耋, 祖 郡守 永和	문(성종1)	啓功郎, 문과, 예문검열(성종1), 藝文奉敎, 世子司經(6), 司諫院正言(8), 藝文修撰(8), 홍문부교리(9, 12), 禮曹正郎(19), 司諫院司諫(21), 刑曹參議(23), 의주牧使(23), 弘文副提學(24), 同副·右副·左副承旨(24)[연산1: 右承旨]
權景裕	?~1498	안동	형 景祐	문(성종16)	翰林(성종16), 吏曹佐郎(22), 홍문교리(연산4 縣監피화)
權景行	(문종~세조대)	안동	父 贊成 鉉, 祖 贊成玄福君 衡	음?	五司司正(~세조1), 世祖原從2등功臣(1), 비안, 예안縣監(읍지)
權景禧	1451~1497	안동	형 景祐	문(성종9)	承仕郎, 문과, 世子司經, 司諫院正言, 弘文副修撰, 修撰(10), 工曹佐郎(11), 전라진휼사 李克墩從事官(16), 通禮院奉禮(19), 兵曹正郎, 司憲掌令(19), 都摠府經歷(21), 弘文應敎(21), 同副·右副·左副·右·左承旨(21~23), 僉知中樞(24), 通政大夫전라관찰사(24), 嘉善大夫전라관찰사(25), 同知中樞(25) [연산이후: 禮曹參判, 대사헌, 同知中樞]
權繼	(태종대)	안동	父 判書 儼, 祖 檢校漢城府尹 詳	음?	전大護軍(~13, 赦罪), 군자監(14), 졸上護軍(세종8)
權啓經	(세종18)	안동	父 中郎將 厚, 祖 禮儀判書 靭		횡천, 청하縣監
權季禧	(세조~성종대)	안동	父 兵曹參議 愷, 祖 遑	음, 문(세조11)	五衛司直(~세조11), 문과, 世子司經(성종11), 함길存撫使 朴元亨從事官(13), 禮曹正郎(14)
權暠	(세조대)	안동	父 平安都事 需, 祖 檢校漢城尹 允遜	문(세조8), 중시(12)	正字(~12), 主簿(12)
權琨		안동	父 縣監 啓經, 祖 中郎將 厚		副護軍(權橃신도비)
權恭	?~1462	안동	父 江界節制使 復, 처 太宗女 淑謹翁主	부마	花川君, 경상좌도兵馬都節制使(단종1), 花川尉, 佐翼3등공신花川君(세조1), 兼都鎭撫(세조대)

조선초기 관인 이력

權寬	(성종20)	안동	父 致敬		의금經歷
權僑	(성종15)	안동	父 縣監 摩, 祖 贊成 踶	음?	修理都監監役, 忠義衛, 郡守(족보)
權俱	(세조~성종대)	안동	父 觀察使 綸, 祖 判事 崇禮	문(세조14)	司憲監察(성종1), 刑曹佐郎(8), 正郎(11), 通訓大夫司諫院司諫(23) (연산대: 戸曹參議피화)
權扰	?~40세졸	안동	父 藝文提學 遇, 祖 檢校政丞 僖	음?	左承旨
權九經	(세종15)	안동	父 縣監 直均, 祖 上護軍 天老		현풍縣監
權跬	1393~1421	안동	父 贊成事 近, 祖 檢校政丞 僖, 처 太宗女 慶安公主	기(부마)	吉川君(태종4), 虎賁司上護軍(7), 吉昌君兼右軍都摠制(8), 知議政府事, 길천군兼安州都節制使(9), 흠문기거사(13), 吉昌君(16), 義勇衛節制使(18), 길창군졸
權揆	(성종대)	안동	형 攅		縣監
權鈞	1464~1526	안동	父 縣監 逈武, 祖 知事 彌	문(성종22)	예문검열, 承政院注書[연산이후: 弘文副修撰, 司諫院正言, 충익都事, 司憲掌令, 司諫院司諫, 都承旨, 靖國4등공신永昌君, 議政府左參贊, 刑曹判書, 議政府左贊成, 禮曹判書, 議政府左贊成, 吏曹判書, 議政府右議政, 永昌府院君졸]
權克中	?~1422	안동	父 右司諫 參, 祖 典工判書 興	문(태종11)	內贍主簿世子左正字(태종11), 禮曹正郎졸
權克和	(태종~단종대)	안동	형 克中	음, 문(태종14)	主簿(~태종14), 문과, 成均直講(14), 知司諫(세종14), 通政大夫전라관찰사(21), 禮(23)·刑曹參議(24), 경주府尹(25), 평안관찰사(28), 충청관찰사(문종즉위), 刑曹參判(즉), 中樞副使(1), 僉知中樞(단종즉), 中樞副使(2)
權近(晉)	1352~1409	안동	父 檢校政丞 僖, 祖 門下侍中 皐	음?, 문(공민왕18)	춘추관검열兼王府必者赤(공민왕18), 成均直講, 應敎, 左諫議大夫(우왕8), 左(10)·右代言, 知申事(14), 僉書密直(창왕1, 고려), 中樞使(태조3), 태조原從功臣(5), 父喪(7), 僉書密直(정종1), 政堂文學兼大司憲(2), 參贊門下(2), 佐命4등공신吉昌君, 參贊議政(2), 議政府贊成事(태종5), 母喪(5) 藝文大提學(6), 길창군졸
權技	(세종~세조대)	안동	父 藝文提學 遇, 祖 檢校政丞 僖	문(세종14)	司諫院右正言(세종20), 司憲持平(25), 금산郡事(단종1), 折衝將軍義興侍衛司上護軍(2), 世祖原從2등功臣(세조1), 司諫院司諫, 僉知中樞
權琦	(세종~세조대)	안동	父 參判 克和, 祖 右司諫 參	음?, 문(세종21)	文昭殿直(~세종21), 문과, 禮(30)·兵曹正郎(세조1), 世祖原從3등功臣(1)
權期	(세조1)	안동	형 格		行五司護軍, 原從3등공신

가

47

權達手	1469~1504	안동	父 廣興倉主簿 琳, 祖 牧使 有順	문(성종23)	예문검열(성종23)[연산대: 司諫院正言, 吏曹佐郎, 藝文待教, 正郎, 弘文修撰, 교리피화]
權湛	?~1423	안동	父 判書 鎬, 祖 贊成事 廉	?, 문(우왕6)	司憲糾正, 司憲掌令, 남원부사(고려), 左散騎常侍(~정종1, 유배), 右司諫(태종2), 京畿觀察使(5), 判公州牧使(12), 황해관찰사(세종1), 資憲大夫全州府尹(3), 府尹졸
權聘	(세종대)	안동	父 吉昌君 跬, 祖 贊成事 近	문(고려)	봉화縣監, 僉知中樞(15)
權塘	(세조3)	안동	父 直長 得, 祖 恭安府尹 肅	음?	行五衛司正, 世祖原從3등功臣
權德榮	(성종대)	안동	父 兵曹正郎 琦, 祖 參判 克和	음?	副丞(권극화묘표)
權惇	(태종~세조대)	안동	父 監正 執德, 祖 判寺事 嗣宗		의정부知印(태종10), 진해縣事(세종9), 영천知郡事, 남원府使(32)
權得經	(문종~성종대)	안동	父 節制使 水軍都萬戶 放, 祖 僉節制使 錘	?, 문(문종1)	敎導(~문종1), 문과, 한성參軍(단종2), 縣監(세조1), 世祖原從3등功臣(1), 戶曹佐郎(~3), 파직(3), 金山·陜川郡守, 善山府使(성종4)[연산이후: 제용正, 성주牧使졸]
權覽	1416~1465	안동	父 右贊成 踶, 祖 贊成事 近	문(문종 즉위)	進義副尉(~문종즉), 문과, 집현박사, 司憲監察(문종즉위), 집현校理(1), 靖難1등공신(단종1), 同副·右副·左副·右承旨(1~2), 吏曹參判(세조1), 佐翼1등공신吉昌君(1), 吏曹判書(2), 判中樞(3), 議政府右贊成(4), 左贊成(5), 議政府右議政(5), 左議政(8), 吉昌府院君(9), 府院君졸
權㭎	(세조~성종대)	안동	父 府使 偲, 祖 光州判官 啥	문(세조11)	무안縣監(성종5), 司憲持平(7), 侍講院輔德(방목)
權僚	(세조1)	안동	父 上護軍 希述, 祖 將軍 定柱		修義副尉, 原從3등공신
權璐	(단종~세조대)	안동	父 判官 尙良, 祖 府使 總		知印, 世祖原從3등功臣
權瑠	(성종대)	안동	父 牧使 有順, 祖 郡事 炊	문(14)	司諫院正言(성종22), 홍문부교리, 교리 [연산이후: 司憲持平, 弘文典翰]
權綸	1415~1493	안동	父 典校判事 崇禮, 祖 贊成 衷	음?, 문(세종29)	錄事(~세종29), 문과, 예문검열(세종29), 藝文待教(단종1), 承政院注書(2), 戶曹佐郎(세조1), 世祖原從3등功臣(세조1), 禮曹正郎(6), 議政府舍人(7), 通訓大夫司憲執義(9), 翊衛司左翊衛(9), 判通禮(10), 禮曹參議(10), 大司成(10), 禮曹參議(10), 通政大夫강원관찰사(11)
權摩	(세조1)	안동	형 左議政 覽	음?	五司直, 世祖原從2등功臣
權蔓衡	(성종대)	안동	父 花川君 珹, 祖 參判 克和, 장인 左贊成 姜希孟	음	五衛司果, 司憲監察(권극화묘표, 강희맹비명)

조선초기 관인 이력

權孟貞	(세종~세조대)	안동	父 右議政 軫, 祖 司憲糾正 希正	음?	군기直長(세종15), 判官(세조1), 世祖原從3등功臣(1)
權孟禧	?~1470	안동	제 季禧	음, 문(세조11)	正郎(~세조11), 문과, 司憲執義(12), 右副(13)·左副(13)·都承旨(13), 함길남도節度使(13), 吉昌君同知義禁(13), 京畿觀察使(14), 길창군(예종1), 부상, 피화(성종1, 坐龜城君李浚)
權耄	(성종12)	안동			甑山縣令
權睦	(세종32)	안동	형 睫		忠義衛, 護軍(족보)
權眉	(세종~세조대)	안동	형 睫	음?	천령縣監(세종22), 廣州判官(문종즉위), 通禮院奉禮(세조1), 世祖原從3등功臣(1), 樂學都監使(11), 이천府使(~13, 파직)
權敏手	1466~1517	안동	父 廣興倉主簿 琳, 祖 牧使 有順	문(성종25)	[연산즉위이후: 弘文正字, 校書著作, 박사, 副修撰, 司諫院正言, 兵曹·吏曹佐郎, 昭格署令, 通禮院奉禮, 司憲執義, 弘文直提學, 副提學, 同副承旨, 掌隷院判決事, 大司諫, 대사헌, 충청관찰사]
權攀	1419~1472	안동	형 左議政 覽	음, 문(세조5)	陵直(~세조5), 문과, 尙書院丞, 刑曹正郎, 예빈少尹, 사재副正, 예빈尹, 佐翼2등功臣(세조1), 僉知中樞(~세조5), 문과, 藝文提學(5), 工(5)·戶(5)·工(5)·戶曹參判(5), 漢城府尹(6), 대사헌(6), 中樞副使(6), 황해관찰사(6), 刑(7)·工曹參判(7), 漢城府尹(8), 강원(9)·충청관찰사(9), 花山君(10), 경상군적사(10) 경기節度使(13), 화산군(13), 화산군졸
權放	(세종1)	안동	父 僉節制使 錘, 祖 副丞 永愼		通政大夫三陟府使, 경상좌도수군都萬戶 (읍지)
權邦緯	(태종대)	안동	父 領議政致仕 中和, 祖 僉議政丞 漢功	음?	司僕判事(~1, 유배)
權伯宗	(세종23)	안동	父 版圖正郎 正平, 손녀 文宗 顯德嬪		檢校漢城府尹
權保	?~1418	안동	父 直提學 鑄, 祖 贊成事 濂	음?	禮曹佐郎(태종3), 禮曹正郎(11), 종부少尹(16), 坐讓寧大君복주
權復	?~1435	안동	형 循, 자 부마 恭	무(태종17)	의금知事(세종7), 大護軍(7), 진법訓導官(8), 司僕判事, 判通禮, 兵曹右(14)·戶曹右(15)·兵曹左(15)·吏曹右(16)·吏曹參議(16), 判江界府使(16), 府使졸
權裨	(정종2)	안동	父 典書 法和, 祖 監察御使 上佐		禮曹議郎
權璸	(단종~연산군대)	안동	형 瑠	문(성종13)	예문검열(성종13), 承政院注書(19), 翰林, 成均典籍, 司憲持平(20), 파직(21), 吏曹正郎(24), 金山郡守[연산대: 司諫院司諫(6)]

가

權山海	?~1456	안동	父 經歷 寬, 祖 大司成 軺	천(세종22)	錄事·主簿(불취), 종부僉正, 상왕복위사건 후 자진
權參	(세종17)	안동	父 判書 興, 祖 僉議 賑	음?	右司諫
權常	(성종대)	안동		기(遺逸薦)	문소전參奉(국조인물지)
權尙恭	(세종~세조대)	안동	형 尙溫		군자監正(~세종28), 평양少尹(28), 군기副正(28), 世祖原從3등功臣(세조1)
權尙溫	(태종대)	안동	父 府使 總, 祖 典法判書 季容		안성郡守, 司憲執義(17), 내자尹(18)
權偓	(세종~세조대)	안동	형 繼	음?	예안(읍지), 은율縣監(문종즉위), 世祖原從3등功臣(세조1)
權緒	(태종~세종대)	안동	형 繼	음, 문(태종2)	전중直長(~태종2), 禮曹佐郎(~6, 파직), 司諫院獻納(10), 정선郡事, 右司諫(세종14), 禮曹參議(21)
權挈(摰)	(단종~성종대)	안동	父 贊成 踶, 祖 贊成 近	음?	장흥고直長(단종2), 還職牒(성종21), 庫使(족보)
權世衡	(성종대)	안동	父 義禁經歷 寬, 祖 致敬	문(성종22)	평안節度使評事(~23, 充軍) [연산이후: 府使]
權紹	(태종~세종대)	안동	형 繼	음?	정선·청풍(태종17)·옥천郡事
權遜	(세종대)	안동	父 密直提學 顯, 祖 贊成 適	음?	檢校漢城府尹
權需	(세종~단종대)	안동	父 檢校漢城府尹 遜, 祖 顯	문(세종17)	전承文博士(~세종23), 成均主簿(23), 평안都事(단종1)
權壽	(세조~성종대)	안동	여 成宗 淑儀		縣監, 금성縣令(읍지)
權銖	(세종~성종대)	안동	父 校理 近中, 祖 奉事 時用	?, 문(세종11)	敎導(~세종11), 문과, 軍籍廳郎廳(성종8), 교리(방목)
權受益	(성종대)	안동	父 謙, 祖 龜坽	문(17)	成均直講, 정조사書狀官(~24, 파직) [연산이후: 영덕郡守, 同知中樞]
權守綜	(세종대)	안동	父 經歷 裨, 祖 戶曹典書 法和		司憲監察(7), 아산縣監(9)
權守平	(성종대)	안동	父 尙州牧使 虞, 祖 密陽判官 簡	문(14)	成均典籍(방목), 광산縣監
權肅	?~1428	안동			諫官(태조7), 공안府尹(태종9), 전府尹졸
權循	(세종대)	안동	제 復		戶曹佐郎(세종3), 正郎(4), 司憲持平(7), 내자少尹(19), 한성左尹
權順衡	(성종19)	안동	父 崇政大夫兵曹判書 珹, 祖 中樞使 克和	음?	토산縣監
權崇禮	(세종9)	안동	父 贊成致仕 衷, 祖 檢校政丞 僖	음?	회양府使

　　　　　　　조선초기 관인 이력

權崇智	(단종~세조대)	안동	父 戶曹參議 尙恭, 祖 府使 總		五衛鎭撫(단종2), 牧使(세조1), 世祖原從3등功臣(1)
權崇厚	(세종~세조대)	안동	형 崇智	무(세종23)	의주判官(문종즉위), 五司大護軍(세조1), 世祖原從3등功臣(1), 五衛部將(5)
權繩	(세종16)	안동	형 繼	음?	영유縣監
權偲	1386~?	안동	父 旺, 祖 度	문(태종11)	司諫院右正言(세종2), 吏曹佐郎(방목), 司憲持平(7), 파직(8), 司憲執義(방목)
權埴		안동	父 密直提學 鑄, 祖 贊成 廉	문(창왕1)	
權愼	(세조대)	안동	父 府尹 湛, 祖 判厚德府使 鎬	음?	전선傳官(세조7), 강원敬差官(8), 都摠使龜城君李浚軍官(13), 평안助戰節制使(13)
權審	(태종17)	안동	父 執義 嚴, 祖 同知密直上護軍 重貴		경기探訪判官
權按	(세조대)	안동	형 措		啓功郎高陽敎導(權遇행장)
權安世	(세종~세조대)	안동	父 監正 子侯, 祖 仁淑	?, 문(세종29은사)	전敎導(~세종29), 문과, 예빈主簿(29), 司諫院獻納(세조2), 世祖原從3등功臣(3), 成均司藝(방목)
權約	(태종대)	안동	父 允保, 祖 子興	문(태종2)	양천, 거창縣監
權躯	?~1467	안동		무(단종1)	內禁衛(단종1), 군기主簿(1), 靖難3등공신(1), 행司僕少尹(1), 종부判事(세조1), 知兵曹事(2), 僉知中樞(5), 工曹參議(5), 충청水軍處置使(6), 衛將(8), 中樞副使(8), 行五衛上護軍, 충청都節制使, 福城君졸
權嚴	(태종11)	안동	父 同知密直 重貴, 祖 僉議政丞 昫	음?	司憲執義
權然	(성종4, 7)	안동	父 司諫 煶, 祖 密直提學 鑄	음?	함경, 평안도虞侯
權念	(단종~세조대)	안동	형 惠	음?	예빈錄事(단종2), 署令(세조1), 世祖原從3등功臣(1), 옥천, 괴산郡事(읍지)
權永均	?~1424	안동	父 典書 執中, 祖 判寺事 嗣宗, 제 明 太宗 顯仁妃	기(현인비고)	中軍司正(태종16), 明祿寺少卿(정5품, 9, 妹 冊明賢仁妃), 祿정3품과, 永樂帝北征欽問起居使(14), 사용提調(세종2), 광록시少卿졸
權永和	(세조8)	안동	父 判寺事 執智, 祖 判寺事 嗣宗		청풍郡事
權溫	(문종~세조대)	안동	父 府使 復, 祖 府尹 蕭	음?	인수副丞(문종즉위), 戶曹佐郎(단종2), 世祖原從3등功臣(세조1)
權雍	(세종~문종대)	안동	父 三司右僕射 和, 祖 檢校政丞 僖	음?	한성參軍(세종14), 음죽縣監(22), 한산郡事(문종2)

權完	?~1457	안동	여 端宗後宮	음	전五司司正(~단종2), 돈령判官(2), 피화(세조2, 좌端宗復位)
權憭	(성종대)	안동	父 郡守 念, 祖 戶曹判書 蹲	음?	의금經歷(20), 五衛司果(24), 양전敬差官(24)
權遇(遠)	1363~1419	안동	형 贊成 近	문(우왕11)	文牒錄事(우왕11), 成均博士, 장흥庫使, 군기主簿, 禮·吏曹佐郎(공양왕4, 고려), 군자監丞(4), 부상(태조1), 廣州判官, 儒學敎授官, 成均直講, 禮(태종1)·戶(1)·兵(1)·戶曹正郎(2), 司諫院左獻納(2), 사재少監(3), 藝文應敎(3), 司憲掌令(3), 成均司藝(4), 工曹議郎(4), 成均司成(5), 母喪(5), 司憲掌令(8), 司憲執義(8), 通政大夫右司諫(9), 大司成(11), 左輔德, 禮曹右(12), 禮曹左(13), 刑曹右(13), 刑曹參議(14), 파직(14), 刑曹右參議(16), 判原州牧使(16), 藝文提學兼成均司成(18), 提學졸
權旭	(성종23)	안동	父 監察 敬溫, 祖 牧使 綏		掌隷院司議
權瑗(緩)	?~1417	안동	父 典法判書 季容, 祖 密直花原君 仲達	음?, 문(우왕8)	掌服直長(~우왕8), 문과, 大護軍(공양왕2, 고려), 同副(태종6), 右代言(7), 藝文提學(7), 右軍同知摠制(8), 藝文提學(9), 參知議政府事(9), 京畿觀察使(11), 공안府尹(12), 判原州牧使(12), 파직(13)
權偉	(성종대)	안동	父 永嘉君 擎, 祖 贊成 踶	음?	隨才敍用(성종20, 功臣嫡長故)[연산대: 宣傳官, 11]
權惟	?~1429	안동	父 軍簿正郎 侃, 祖 檢校侍中 皐	음?	議政府參贊致仕(태종16), 判右軍都摠制지사(세종3), 議政府贊成事지사졸
權有順		안동	父 郡事 恢, 祖 典書 允均		牧使(權敏手묘지)
權允仁	(단종~세조대)	안동	父 水軍節度使 守紀, 祖 郡守 補		鎭撫(단종2), 行五司司正(세조1), 世祖原從3등功臣(1)
權慄	(세조~성종대)	안동	父 僉知中樞 技, 祖 提學 遇	문(세조8)	從仕郎(~세조8), 문과, 承政院注書(세조11), 禮曹佐郎(성종2), 正郎(3), 吏曹正郎(5)
權恩榮	(세조~성종대)	안동	父 兵曹正郎 琦, 祖 參判 克和	음?	한성參軍(세조12), 개성都事(성종5)
權應衡	(성종대)	안동	父 崇政玄福君 珹, 祖 參判 克和	음?	구례縣監(성종19, 권감행장)
權誼	(세종24~29)	안동	父 少尹 鍾, 祖 軾		진보縣監(읍지)
權耳	(세조9)	안동	父 牧使 崇智, 祖 戶曹參議 尙恭		內禁衛, 兼司僕
權頤	(세종1)	안동	형 格	음?	五衛鎭撫
權邇	(성종대)	안동	父 司藝 恒, 祖 江陵判官 深		진잠縣監(14), 종묘誓令(權碩묘갈)

權以經	(단종~세조대)	안동	父 監察 擇, 祖 執義 尙溫	문(단종1)	예문검열(단종1), 藝文奉教(2), 世祖原從2등功臣(세조1), 吏曹佐郎(3), 司憲持平(4), 파직(4), 成均直講, 吏曹正郎(8)
權以順	(세조~성종대)	안동	형 以經		樂學都監判官(세조8), 해주判官(성종3), 刑曹正郎(18), 선공僉正(19), 성천府使(20)
權軔	?~1434	안동	제 聘		전知中樞졸
權仁孫	(성종대)	안동	父 府使 致中, 祖 진사 永善	문(6)	直長(성종12), 司憲持平(17, 22), 함흥郡守(25), 戶曹參議(방목)
權一松	(태종4)	안동	父 牧使 有順, 祖 郡事 恢		태조시 使臣入明구류(~4, 석방)
權任	(성종대)	안동	父 縣監 永世, 祖 監正 子侯	문(5)	判官(세조13), 縣令, 司憲持平(12)
權琳	(연산10)	안동	父 牧使 有順, 祖 郡事 恢		광흥창主簿
權自恭	?~1453	안동	父 郡守 忖, 祖 軍器正 執德		直藝文館(세종29), 知刑曹事(문종1), 同副(2), 右副承旨(2), 承旨졸
權自誠	(세조~예종대)	안동	형 自恭		敦勇校尉(세조1), 世祖原從3등功臣(1), 다대포萬戶(예종1)
權自愼	?~1456	안동	父 中樞使 專, 祖 檢校漢城尹 伯宗, 매 文宗妃 顯德王后	음?	同副·右副·左副·右承旨(단종1~3), 戶曹參判(세조1), 佐翼2등功臣(1), 坐端宗復位피화
權自庸	(세종대)	안동	父 直長 明理, 祖 彦臣		안음(10), 청하(15), 진보縣監(23)
權自弘	(세종~세조대)	안동	父 縣監 忖, 祖 漢城府尹 伯宗	문(세종9)	藝文奉教(세종4), 待教(12), 강원都事(15), 司諫院右正言(16), 左正言(16), 司憲持平(19), 전라경상採金別監(23), 함양(23), 영천郡守(24), 守司憲執義(29), 少尹(세조1), 世祖原從3등功臣(1)
權自和	(세조1)	안동	父 判官 深, 祖 典籍 義		行五司司正, 原從3등공신
權子厚	(성종대)	안동	父 縣監 璐, 祖 判官 尙良	?, 문(12)	參奉(~성종12), 문과, 承文校理(방목), 司憲持平
權宰	(태종~세종대)	안동	父 蘊, 祖 緄	문(태종16)	翰林, 縣監, 司憲監察(세종6), 선공主簿(13)
權專	?~1441	안동	父 檢校漢城尹 伯宗, 祖 郎將 正平, 여 顯德王后	음?	경상經歷, 가산郡守(세종12), 사재副正(14), 봉상判事(15), 僉知中樞(16), 工(17)·戶曹參議(17), 工曹參判(20), 同知敦寧(21), 工曹判書(22), 知敦寧(23), 判漢城府事(23), 判漢城府事졸
權節	1422~1494	안동	父 採訪判官 審, 祖 執義 嚴	문(세종29)	집현校理(세조1), 世祖原從2등功臣(1), 通政大夫관찰사(방목), 衛將(성종22)
權定	?~1410	안동	父 正字 顯		知司諫(태종6), 재관중졸

權俓	(세조~성종대)	안동	父 戶曹參判 摯, 祖 贊成 踶	음, 문(세조12)	僉正(~세조12), 문과, 禮(성종13)·兵(15)·吏曹參議(19), 戶曹參判(20), 대사헌, 同知中樞
權精	(세조6)	안동	父 禮曹參議 繕, 祖 檢校漢城尹 詳	음?	순안縣令
權正平	(세종23)	안동	증손녀 顯德王后		전版圖正郎
權踶(蹄)	1387~1445	안동	父 贊成事 近, 祖 檢校政丞 僖	음, 문(태종14)	敬承府主簿, 司憲監察(~태종14), 문과, 司諫院右獻納(태종14), 兵曹正郎(14), 成均司藝(16), 議政府舍人(18), 直藝文館(18), 典祀少尹兼侍講院文學(18), 司憲執義(세종1), 집현副提學(1), 同副·右副·左副·右·左承旨(1~5), 모상(5), 禮曹參判(8), 吏(17)·禮曹判書(19), 藝文大提學(20), 知中樞(20), 집현提學(21) 知中樞(21), 겸大司成(23), 同知中樞(24), 議政府左參贊(25), 左參贊兼判吏曹事(25), 議政府右贊成(27), 右贊成卒, 贈世祖原從1등공신(세조1)
權悌	(문종~성종대)	안동	형 愷	문(문종1)	承文副正字(단종1), 世祖原從2등功臣(세조1), 侍講院弼善, 관찰사(방목)
權措	(문종대)	안동	父 藝文提學 遇, 祖 檢校政丞 僖	음?	通政大夫평산府使(즉)
權柱	1457~1505	안동	父 縣令 邇, 祖 司憲執義 恒	문(성종11)	承政院注書, 工曹正郎(성종20), 司憲持平(20), 司諫院獻納(23), 弘文副應敎(24), 대마도敬差官(24), 弘文應敎(25) [연산대: 司憲執義, 弘文直提學, 副提學, 右副·右·都承旨, 同知中樞, 경상관찰사, 禮曹參判, 유배중 坐廢妃尹氏피화]
權鑄	?~1394	안동	형 鈞	문(우왕)	충주, 황주牧使, 典法司摠郎, 辛丑扈從2등공신, 전工曹判書, 知申事, 密直提學(고려), 전提學卒(태조3)
權輳	1458~1518	안동	父 金城縣令 壽	기(성종11), 문(중종2), 매 성종후궁	서부參奉(성종11), 都元帥許琮宣傳官(22), 司畜署司畜, 掌隷院司評 [연산이후: 사옹判官, 경상, 전라都事, 한성判官, 刑曹正郎, 司憲持平, 司憲掌令, 宗親府典籤, 사도副正, 인천, 안변府使, 성주牧使, 司贍正, 공주, 성주牧使]
權蹲	?~1459	안동	형 踶	음	司憲監察(세종9), 刑曹都官佐郎(12), 종부判官(16), 司憲持平(16), 군기副正(26), 음죽縣監(문종즉위), 右副·左副·右承旨(단종즉~1), 대사헌(1), 靖難2등공신(1), 漢城府尹(2), 吏曹參判(세조1), 刑曹判書(1), 知中樞(2), 함길관찰사(2), 戶曹判書(3), 知中樞(5), 知中樞卒
權仲麟	(세조~성종대)	안동	父 孝勤, 祖 司正 景	문(세조4)	예빈副正(성종4), 廣州牧使(7), 陞당상관(14), 禮曹參議(16), 大司諫(19), 춘천府使(23)

權仲愼	(성종대)	안동	父 縣監 孟貴, 祖 左議政 畛	음?	社稷署令(24), 평양庶尹(25)
權仲和	1339~1408	안동	父 僉議政丞 漢功, 祖 僉議評理 頊	문(공민왕2)	右副·左副代言, 知申事(고려), 政堂文學(태조1), 三司左使(1), 門下贊成事(1), 藝文春秋館大學士(1), 商議贊成事(2), 三司左僕射(2), 태조原從功臣(2), 領三司事(2), 判門下(2, 3), 사은진표사(5), 사은사(6), 판문하(6), 영삼사(7) 上洛伯(7), 門下贊成事(7), 醴泉府院君(태종6), 醴泉伯(6), 檢校議政府領議政(6), 領議政치사졸
權仲禧	(세조대)	안동	父 福川君 愷, 祖 護軍 暹	음?	의영고副直長(~7, 파직), 군기主簿(12)
權增	(태조대?)	안동	父 密直提學 鑄, 祖 縣監 逈武	문(창왕1)	主簿
權摯	1414~1472	안동	제 左議政 覽	음(세종14)	檢校尙書錄事(세종14), 司僕直長, 藝文奉禮郎, 司憲監察, 商議司饔院提擧, 양주府使(32), 사재判事(단종1), 五司上護軍兼判通禮(세조2), 右副·左副·右承旨(2~5), 인수府尹(5), 工(5)·戶(5)·工(5)·戶曹參判(5), 개성유수겸兵馬節度使(5), 嘉靖大夫僉知中樞(8), 同知中樞(14), 行五衛上護軍(성종1), 五衛上護軍졸
權至	(단종~성종대)	안동	父 漢城左尹 循, 祖 府尹 肅	문(단종2)	承義郎(~단종2), 문과, 佐郎(단종2), 世祖原從2등功臣(세조1), 兼副知承文(5), 청주牧使(성종1), 左司諫, 僉知中樞(21이전), 嘉善大夫대부(21), 禮曹參判
權枝	(세종~세조대)	안동	형 措	음?	史官(세종16), 成均博士, 경상都事(23), 봉상判官, 司憲持平(25), 僉知中樞(세조10), 강무좌상대장(10)
權志	(성종15)	안동	父 別侍衛 完, 祖 縣監 蘊		還告身, 錄事(족보)
權軫	1357~1435	안동	父 司憲糾正 希正, 祖 郎將 用中	문(우왕3)	義昌縣令, 전주判官(창왕1, 고려), 서북면체찰사成石璘經歷(태조7), 大將軍(~정종1), 知陜州事(1), 直門下(1), 知刑曹事(태종1), 右司諫(3), 吏曹參議(5), 강원관찰사(6), 대사헌(7), 경상관찰사(8), 判原州(13), 忠州牧使(14), 刑曹判書(17), 左軍都摠制(세종즉), 평안관찰사(즉), 中軍都摠制(4), 判漢城府事(5), 刑曹判書(5), 議政府贊成(8), 贊成兼判吏曹事(8), 吏曹判書(12), 議政府右議政(13), 右議政치사졸
權蓁		안동	父 郡守 永和, 祖 判寺事 智		光州判官(權景禧묘비)
權執經	(태종3)	안동	父 判寺事 嗣宗, 祖 萬戶 仲達	?, 문(우왕6)	郎將, 知申事(고려), 상주牧使

權執智	(태종~세종대)	안동	형 執經		전농判事(태종4), 진향사(11), 예빈判事(세종4), 단양郡事(7)
權徵	?~1467	안동	父 可後, 祖 郞將 譜	문(문종 즉위)	承文正字(단종1), 行正字(세조1), 世祖原從2등功臣(1), 刑曹都官佐郞(5), 함길북도評事전사(13)
權攅	1430~1487	안동	父 直長 煊, 祖 獻納 堡		醫書習讀官(세조8), 內醫主簿兼醫學敎授, 宗親府典簿兼醫學敎授, 司憲監察(12), 工曹佐郞(13), 翊戴3등공신(예종1), 通訓大夫司瞻僉正(1), 折衝將軍五衛上護軍, 嘉善大夫玄福君, 嘉靖大夫현복군(성종8), 資憲大夫(8), 正憲大夫(9), 工曹判書(14), 工曹判書졸
權採	1399~1438	안동	제 技	문(태종17), 중(세종9)	집현전修撰, 부교리(세종8), 應敎(9), 直提學(14), 大司成(15), 同副·右副·左副·右承旨(17~20), 五衛司直졸
權踐	(정종~세종대)	안동	父 贊成 近, 祖 檢校政丞 僖	음?	예안縣監, 司憲持平(~태종8, 파직), 司憲掌令(11), 전농判事(17), 上護軍(세종1), 파직(2), 부평府使, 나주牧使, 右軍同知摠制(7)
權睽	(세조대)	안동	父 同知中樞 踐, 祖 贊成事 近	음?	護軍(1), 世祖原從3등功臣(1), 僉知中樞
權體	(세조~성종대)	안동	父 瞻, 祖 同知摠制 踐	음?, 문(세조12)	兼司憲掌令(세조9), 行五衛司猛(~12), 문과, 都事(12), 折衝將軍護軍(성종6), 衛將(6), 通政大夫星州牧使(6), 五衛司猛(~12, 中對策試), 僉知中樞(12)
權韶	(태종대)	안동	父 司憲糾正 希正, 祖 郞將 用一		군기少監(10), 동북면진휼사(10), 大護軍(13), 慶尙道損失敬差官(14)
權忖	(세종대)	안동	父 漢城府尹 伯宗, 祖 版圖正郞 正平	천(효행)	副司直(13), 司憲監察(13), 강진縣事(15), 진보縣監
權聰	1413~1480	안동	형 聘, 외조 太宗	음(단종1)	副司直(~세종18, 유배), 副司直(21), 翊衛司侍直, 副率, 衛率, 翊贊, 진주牧使(26), 副知敦寧(30), 僉知中樞(단종2), 인순府尹(3), 世祖原從1등功臣(세조1), 中樞副使(3), 주문사(3), 同知中樞(6), 행護軍(7)
權錘	(세조1)	안동	父 副丞 永愼, 祖 司僕判事 邦緯		五司司勇, 原從3등공신, 僉節制使(족보)
權軸	(세종6)	안동	父 知中樞 希達, 祖 戶曹典書 定柱		전司正
權衷	1349~1423	안동	제 贊成 近	음(공민왕21)	군기錄事(공민왕21), 전농副正, 군기尹, 典儀令, 소부判事(공양왕4, 고려), 工曹典書(태조1), 태조원종공신(1), 의주등처都兵馬使, 兵·吏曹典書, 경기좌우도 都節制使(태종2), 니성

					등처兵馬使判朔州府使(8), 漢城府尹(10), 右軍同知摠制(11), 태종원종공신(11), 判晋州牧使(12), 都摠制府都摠制(13), 工曹判書(14), 議政府贊成치사(세종2), 졸
權衡	(세종~세조대)	안동	父 台邸	문(세종8)	함안郡事(세종22), 영천郡守, 司憲掌令(세조8), 司憲執義(방목)
權致中	(세조~성종대)	안동	父 진사 永善, 祖 判寺事 執智		直長(세조1), 世祖原從3등功臣(1), 전광홍倉使(7), 의금鎭撫(11), 영천郡守(읍지), 진보縣監(읍지), 청송府使(읍지)
權忱	(성종대)	안동	父 直長 永保, 祖 司僕判事 邦緯		죽산(17), 예산縣監(20)
權侅	(성종대)	안동	父 戶曹參判 花山君 攀, 祖 議政府贊成 踶	음(20)	才品敍用(20, 功臣嫡長故)
權倬	(성종24)	안동	형 僑		打量敬差官, 部將(족보)
權擇	(세종9)	안동	父 內資尹 尙溫, 祖 府使 總		司憲監察
權彭	(세조~성종대)	안동	父 花川君 恭, 祖 江界節制使 復, 처 淑謹翁主	음?	宣傳官(세조13), 安川君(성종2), 嘉善大夫五衛副司正(12)
權澣		안동	父 判書 鎬, 祖 贊成 廉	문(우왕2)	判事
權涵	(세종?)	안동	父 藝文提學 遇, 祖 檢校政丞 僖	음?	左司司正
權恒	1403~?	안동	父 江陵判官 深, 祖 直長 義	문(세종23)	거창縣監, 成均司藝, 司憲執義, 正(세조1년 이전), 世祖原從3등功臣(1)
權憲	?~1504	안동	父 慶州府尹 傑, 祖 左議政 覽	음(성종20), 문(연산9)	內贍直長(24) [연산이후: 掌樂署直長, 司憲持平, 囚禁中졸]
權奕		안동		문(고려)	寺判事
權絜	(단종2)	안동	父 贊成 踶, 祖 贊成事 近		장흥고直長
權逈	(성종9)	안동	父 別提 彌, 祖 上護軍 繼	무과(안동권씨전고)	鹿島萬戶
權衡	(세종~성종대)	안동	父 戶曹判書 緝, 祖 護軍 沈	문(세종8)	司諫院右獻納(세종22), 영천(22)·초계郡守, 司憲掌令(세조3), 兼司憲執義(9), 折衝將軍五衛上護軍兼司憲執義(10), 전成均司成(성종1)
權惠	(성종8)	안동	父 戶曹判書 蹲, 祖 贊成事 近	음?	行五衛大護軍
權瑚	(세조~성종대)	안동	父 得, 祖 府尹 肅	문(세조8)	弘文正字, 藝文奉教(세조12), 兵曹正郎(성종1)
權護	(태종~세조대)	안동	父 贊成致仕 衷, 祖 檢校政丞 僖	음?	전護軍(태종17), 기장縣事(세종9), 삼척府使겸병마수군僉節制使(17), 大護軍, 황주牧使(23), 判事(세조1), 世祖原從3등功臣(1)

權顥	(성종대)	안동	父 旹, 祖 僉知中樞 聘	문(12)	교서正字, 전교著作(성종13), 파직유배(16, 형제불화故)
權弘(幹)	1360~1446	안동	父 參贊門下 鈞, 祖 贊成 廉, 여 太宗後宮	문(우왕8)	춘추검열(우왕8), 司憲糾正(13), 司諫院右正言(14), 吏·兵曹佐郎, 司諫院右獻納(공양왕4, 고려), 門下府左補闕(정종2), 司憲侍御史(태종1), 成均樂正(1), 嘉靖大夫永嘉君(2, 女 冊後宮故), 簽書中樞(4), 知議政府事(10), 영가군(11), 敬承(12), 判恭安府事(13), 判漢城府事(14), 判敦寧(17), 判漢城府事(세종즉), 禮曹判書(즉), 영가군(1), 判敦寧(1), 領敦寧(5), 영돈령치사졸
權和	(태조~태종대)	안동	父 檢校政丞 僖, 祖 檢校侍中 皐	음?	청주牧使, 典法判事, 동북면按撫使, 密直副使, 진주牧使, 광주등처병마節制使(고려), 태조원종공신(태조1), 도성조성都監提調(5), 三司右僕射(5), 守城都鎭撫(태종2)
權懽	(세조대)	안동	父 禮曹參議 綸, 祖 典校判事 崇禮	문(세조14)	五司護軍(세조1), 原從3등공신(1), 大護軍(2), 知兵曹事(3), 兵曹參議(4), 僉知中樞(4), 判昌城府使(7), 行僉知中樞(7), 行五衛上護軍, 전라水軍處置使(7)
權恢		안동	父 典書 允均, 祖 希吉		知郡事(權敏手묘지)
權孝良	(세종~문종대)	안동	父 縣監 自庸, 祖 直長同正 明利	문(세종20)	承政院注書(세종28), 司諫院右獻納(32), 吏曹正郎(문종2), 議政府舍人(방목), 直提學(방목)
權孝誠	(문종2)	안동	父 署令 恢, 祖 監正 執德	음(2)	풍저창錄事(묘갈)
權厚	?~1451	안동	父 禮儀判書 靷, 祖 司正 昀		비안縣監(세종7), 정선郡事(24)
權燻	(태조~태종대)	안동	父 密直提學 鑄, 祖 贊成 廉	음?, 문(우왕9)	直長(고려), 司諫院左獻納(~태종1, 유배), 文書應奉司郎廳(5), 종부副令(7), 直藝文館(9), 知司諫(14)
權僖	1319~1405	안동	父 檢校侍中 皐, 祖 修文殿大學士 溥	음	홍주都兵馬使, 門下贊成事, 永嘉君(고려), 檢校門下侍中(태조1), 태조原從功臣(1), 永嘉府院君(7), 判三司事致仕(정종2), 檢校左政丞치사(태종즉), 치사좌정승졸
權熙	(태종대)	안동	父 知司諫 定, 祖 校書正字 顯	문(5)	侍講院弼善
權希達	?~1434	안동	父 戶曹典書 定柱, 祖 大匡輔國玄福君 鏞	잠저 태종시종	大將軍(정종2), 大護軍(태종1), 上護軍(3), 都摠制府摠制(8), 中軍摠制(12), 別司禁提調(12), 摠制(14, 17), 司禁左邊節制使(18), 都摠制(세종1), 告訃使(1), 都摠制(5), 진하사(5), 都摠制(10), 中樞副使(14), 知中樞(15), 전知中樞졸
權孟孫	1390~1456	醴泉	父 星州牧使 詳, 祖 寧海府使 君保	문(태종8), 중(세종9)	예문검열(태종8), 司諫院獻納(~18), 兵曹正郎(18), 司憲掌令(세종3), 議政府舍人(4), 掌令

조선초기 관인 이력

이름	생몰/시기	본관	父祖		관직
					(4), 承文知事(7), 양주牧使(8), 上護軍兼司憲執義(9), 牧使(9), 문과중시, 봉상判事(10), 右司諫(12), 都摠制府僉摠制(13), 同副(13)·右副(13)·右(14)·左承旨(14), 刑曹參議(19), 강원관찰사(19), 藝文提學(20), 參判(22), 中樞副使(23), 경상관찰사(23), 吏曹參判(24), 同知中樞(25), 대사헌(26), 漢城府尹(26), 同知中樞(26), 개성유수(27), 工曹參判(27), 刑曹判書(28), 함경관찰사(29), 藝文大提學(31), 吏曹判書(문종즉위), 判漢城府事(단종즉), 工曹判書(즉), 藝大提學(2), 崇政大夫同知中樞(세조1), 世祖原從1등功臣(1), 崇政大夫中樞副使졸
權善	(문종~세조대)	예천	父 察訪 幼孫, 祖 尙州牧使 詳		은율縣監(읍지), 침장고別坐(세조11)
權五福	1467~1498	예천	父 別坐 善, 祖 功孫	文(성종17)	예문검열, 藝文奉敎(성종20), 弘文副修撰(22), 校理(25) [연산이후: 영덕郡守, 무오피화]
權幼孫	(문종1)	예천	형 孟孫		太一殿直, 察訪(족보)
權敦	(세종2)	忠州	서 貞石都正 隆生 (선원세보기략)		右軍都事
權簡	(태조7)				밀양判官
權勘	?~1441				溫昌監務졸
權巨	(태종~세종대)			內侍	掖庭署司鑰(태종18), 掖庭署司謁(세종3)
權經					대사헌(許稠묘지명)
權景好	(성종18~20)				金山郡守(읍지)
權季仝	(성종20)				영유訓導
權季同	(세조~성종대)				補充軍(세조1), 世祖原從3등功臣(1), 還職牒(성종21)
權啓孫	(세종27)				工曹參判
權繼忠	(성종9)				주을온萬戶
權光弼	(성종대)				영일縣監(성종17), 連原道察訪(20) (읍지)
權金成	(성종5)		장인 領議政 鄭麟趾	천(장인)	命試才敍用
權技守	(세종25)				司憲持平
權博	(예종1)				흠곡縣令, 울진郡守(읍지)
權德興	(세종26)				製 '靈泉記'
權惇	(세조대)				行五司司直(~1), 原從3등功臣(1)
權橄	(성종대)				[연산대: 수안郡守(4, 읍지)]
權得宗	(세조7)				장성縣監(읍지)
權藤勘	(단종2)				出使三浦
權羅	(세종대)			야인	副司正(~22), 司正(22)

權蔓	(태종~세종대)				영해府使(~태종9, 유배), 제용判事(13), 경상전라敬差官(13), 兵曹參議(14), 경상안동도兵馬都節制使(16), 경상좌도兵馬都節制使(16), 경상兵馬都節制使(17), 경상도체찰사(세종1), 경상해도助戰節制使(1), 토왜中軍節制使(1), 경상좌도水軍都按撫使(2), 別侍衛節制使(3), 전라兵馬都節制使(3), 경주府尹(3)
權末生	(세종6)				司憲監察
權孟卿	(세종~문종대)				少尹(~세종13), 파직유배, 經歷, 내자判事(15), 僉知中樞(22), 工曹參議(22), 知兵曹事(22), 판의주牧使(23), 同知中樞(28), 工曹參判(29), 경상좌도병마도절제사(29), 同知中樞(31), 전라水軍節制使(문종1), 파직(2)
權文毅	(태종~세종대)			?, 문(우왕9)	郎將(고려), 문과, 예빈少尹(태조2), 司憲侍御史(3), 知平州事(태종6), 사재判事(10), 유배(11), 연안府使, 禮曹參議(세종4)
權微	(세조9)				兼司憲持平
權敏	(성종11)				포천縣監
權卜	(성종7)				전주甲士
權詳	(태조~세종대)				西部令(태조4), 경상도都事, 榮川(영주)郡守(읍지)
權曙	(태조~세종대)				刑曹都官佐郎(태종17), 철원府使(세종16)
權爕	(성종3)				전의主簿
權守紀	(태종~세종대)				의주判官(~태종9, 유배), 선천郡事(~18, 파직), 전同僉節制使(세종18)
權守宗	(태종~세종대)				덕산(태종17), 신창縣監(세종17)
權秀仲	(단종3)				경성府使(읍지)
權叔禧	(세조7)				京市署丞
權勝			무		兵馬節度使都事(함창읍지)
權偲	(세조1)				府使, 原從3등공신
權是經	(성종17)				현풍縣監(읍지)
權時佐	(세종29)				내자判官
權式	?~1401				전副正복주
權信	(세종10)				운봉縣監
權深	(세종대)				연풍縣監(8), 황해都事(9), 강릉判官(13)
權阿龍	(세조대)			여진귀화인	여진指揮(~3, 薰春等地副萬戶)
權濱	(세종10~12)				현풍縣監(읍지)
權良	(세조1)	父 純孫, 祖 星州牧使 祥			行佐郎, 原從3등공신
權讓	(세조13)				都摠使龜城君李浚軍官

權堰	(성종대)				大司諫
權寧	(세종~세조대)				춘양縣監(세종17), 知事(세조1), 世祖原從3등功臣(1)
權齡	(성종18)				군적사
權英世	(문종즉위)				용궁縣監
權永孫	(성종대)		장인 左議政 具致寬		광흥倉守(구치관비명)
權永中	(성종23)				전司憲監察
權永昌	(세종16)				하동縣監
權移	(태종대)				중군都事(~15, 파직), 司僕少尹(18)
權五紀	(성종25)				藝文奉教(성종실록기주관)
權鎔	국초				산청監務(읍지)
權虞	(세종~단종대)				司憲監察(26), 정주(~단종2), 상주牧使(2)
權虞	(세조대)				判官(3), 世祖原從3등功臣(3)
權瑠	(성종대)				守司諫院正言(22), 홍문부교리(23), 교리(23)
權由道	(태조대)				산청監務(읍지)
權允信	(세조2)				무신
權乙生	?~1410				경원鎭撫전사
權乙松	(태조대)				別監(4), 入明(節制使押馬, 4, 구류)
權以平	국초				개성부都事(읍지)
權仁	(성종6)				行五衛司猛
權引	(세조~성종대)				前한성判官(~세조4), 戶曹正郎(4), 황주牧使(성종11)
權任	(태조3)				울진郡事(읍지)
權子善	(성종대)				副尉(土官), 청하·흥해縣監, 회령判官(8), 장례사의(9)
權自順	(문종1)				충주判官
權自安	(세종15)				신천郡守
權檣	(성종대)				[연산대: 용궁縣監(1, 읍지)]
權瑔	(태종6)				通政大夫三陟府使(읍지), 사재判事
權玟	(성종대)				大司諫(18), 대사헌, 同知中樞
權鼎	(태조5)				司憲侍御史
權正中	국초?				석성縣監(읍지)
權照	(태종~세종대)				吏曹佐郎(태종17), 司憲持平(18), 司諫院右獻納(18), 司憲掌令(세조10)
權釣	(성종25)				承政院注書
權宗孫	(세조~성종대)				行五衛副司正(세조1), 世祖原從3등功臣(1), 영유縣令(7), 영해·삼척府使, 僉知中樞(성종6), 行五衛司猛(6), 行護軍(6), 折衝將軍전라

이름	시대	본관	가족	유형	이력
					(8), 전라우도水軍節制使(10), 京畿觀察使(13), 通政大夫行价川郡守(22)
權蹲	(예종1)				흠곡縣令, 울진郡守(읍지)
權仲愷	(성종대)			무신	修理都監郎廳(15), 司宰正(22), 都元帥李克均從事官(22), 廣州牧使(23), 親祀畿邑令(24)
權仲孫	(예종1)			환관	書房色
權止	(태종6)				전郎將
權旨	(예종1)				內禁衛
權緝(輯)	(성종6)				친군위, 五衛司直(韓確비명)
權哲英	(성종5)				화순縣監
權緇	(성종7)				差備忠義衛
權致命	(세조5)		여 東宮昭訓		修義校尉(甲士), 原從3등공신
權七臨	(세종14)				成均博士
權卓	(태종~세종대)				한성判官(태종10), 司憲持平(10), 평산府使(세종1), 함길채방사(2)
權通	(성종14)				兵曹佐郎
權枰	(세조~성종대)				甲士, 別侍衛, 護軍(~성종11), 희천郡守(11)
權萍	(성종14)				수안郡守(읍지)
權佀	(세조대)				工曹佐郎(6), 經歷(14), 제용僉正
權佃	(성종대)		자 承業		이천府使(~2, 파직), 行五衛司猛(3), 수령(~7, 파직), 장흥庫使(23)
權漢蕃	(성종6)				五衛副司猛, 제동반
權漢生	(세조12)				예천郡守
權誡	(세조대)		처 척족		主簿(1), 原從3등공신(1), 황해都事(3), 兼漢城判官(3)
權軒	(태종8)				司憲掌令
權灝	(성종16)				成均典籍
權好仁	(성종24)				打量敬差官
權煌					廣州牧使(연산10~중종1) (읍지)
權曉	(태조5)				閤門舍人
權孝生	(단종1)				棘城鎭總牌
權休	(성종대)				錄事, 진보, 낭천縣監, 청송府使(錄事 외는 읍지)
權禧	(정종2)				判三司事치사
琴啓	(성종22)	奉化	父 縣監 淮, 祖中郎將 用和		五衛部將
琴嵐	(문종대)	봉화	숙부 淑, 제 嵩	?, 문(문종즉위)	教導(~즉), 문과, 司憲監察(방목)
琴克諧		봉화	父 操	문(우왕11)	都事

琴克和		봉화	형 克諧		縣監(국조인물지)
琴孟誠	(성종대)	봉화	父 監察 崑,祖 觀察使 淑		전錄事(4)
琴嵩	(문종대)	봉화	형 崑	문(문종 즉위)	군위현감(세조5)
琴柔	(태조~세종대)	봉화	父 都事 克諧,祖 操	문(태조5)	신녕縣監, 兵曹佐郎(태종11), 대구知郡事, 강릉府使, 左司諫(세종14), 刑曹右參議(14), 파직(15), 僉知中樞(23), 工曹參議(24), 강원관찰사(25)
琴以成	(세종~문종대)	봉화	父 관찰사 柔,祖 郡事 克諧		內禁衛(세종23), 司憲監察(23), 전해남縣監(문종즉위), 자산郡事(6품, 2), 청하縣監(2)
琴以詠	(세종~성종대)	봉화	父 全羅觀察使 桑,祖 都事 克諧	음, 문(세종29)	북부錄事(~세종29), 문과, 藝文待敎(문종즉위), 承文副校理(세조11), 청주判官(~12, 파직), 부묘都監假郎廳(성종14), 承文校理(방목)
琴淮	(세종대)	봉화	父 中郎將 用和,祖 遇公		전主簿(14), 은진縣監(16)
琴徵	(세조대)	봉화	父 縣監 淮,祖 中郎將 用和	?,무(세조12, 발영시)	權知訓鍊參軍(12), 行五衛司正(~12), 무과, 兼司僕(12), 영덕縣令(읍지)
琴鶴	(세종대)				전判官(~12), 경주도손실敬差官(12)
奇虔	?~1460	幸州	父 典書 勉,祖 郎將 仲平	천(유 일,세종대)	司憲持平, 경원經歷(세종18), 연안府使, 제주牧使, 司憲執義(24), 僉知中樞(27), 兵曹參議(28), 僉知中樞(28), 刑(29)·吏曹參議(29), 전라관찰사兼全州府尹(30), 戶曹參判(31), 中樞副使(문종즉위), 告計副使(즉) 함길관찰사(1), 개성유수(1), 대사헌(단종1), 仁順府尹(1), 평안관찰사(2), 判漢城府事(세조1), 世祖原從2등功臣(1), 僉知中樞(3), 中樞使(3), 中樞使卒
奇褚	(성종~연산대)	행주	父 副使 軸,祖 判中樞 虔	문(성종21)	翰林(21) [연산대: 工曹佐郎, 吏曹正郎, 應敎, 영양郡守, 부평府使]
奇襸(贊)	1424~?	행주	제 褚	문(성종5)	翰林, 承政院注書, 吏曹佐郎, 應敎, 강화府使(黃喜묘지명)
奇軸	(세조1)	행주	父 典書 勉		主簿, 原從3등공신
奇賁	(세조1)				判官, 原從3등공신
奇尙原	(문종1)				당진포萬戶
奇石	(세조12)				守門別監
奇裕	(성종대)				평안都事(~13, 파직), 翊衛司翊衛(14)
奇允哲	(세조대)				잔라徵兵馬節制使, 掌苑署官
奇廷獻	(세종18)				현풍縣監(읍지)
奇震	국초				廣州牧使(읍지)
奇質	(세조대)				正郎(세조1이전), 原從3등공신(1), 부평府使(7)

奇弘敬	?~1430				萬戶쭐
吉貴生	(세종~단종대)			환관	行內侍府右承直(단종1), 同知內侍府事(3)
吉師舜	(세종대)	海平	父 門下注書 再, 祖 知錦州事 元進	음	선공直長(7), 內贍判官(11), 위의색別坐(22), 경주判官(23), 사재副正
吉壽	(성종22)	해평	司直 尊, 祖 久	무(족보)	縣監
吉仁種	(세조~성종대)	해평	父 司宰副正 師舜, 祖 門下注書 再	음	錄事(세조1), 世祖原從3등功臣(1), 북부主簿(성종8), 임피縣令(9)
吉邵	(성종11)			?, 무(성종11)	內禁衛(~11), 무과, 서부主簿(11)
吉由善	?~1455			환관	行同僉內侍府事(단종1), 유배, 피화(세조1)
吉忠實	(태종15)				前司正
金貴試	(세종대)	江陵	형 貴識	기(31, 효행)	命敍用(31, 孝行故)
金貴識	(세종~세조대)	강릉	父 韓山郡事 德崇, 祖 檢校漢城 尹 天益	기(세종31, 효행)	命敍用(세종31, 孝行故), 行五司司勇(세조1), 世祖原從3등功臣(1)
金琦	(세종~세조대)	강릉	父 自亨, 祖 孝生	문(세종29)	直長(세조1), 世祖原從3등功臣(1), 경기都事(2), 司憲持平(3), 의금知事(8), 五衛鎭撫(13), 겸司憲執義(13)
金臺	(성종대)	강릉	父 四陽, 祖 允貴	문(8)	司諫院獻納(성종12)
金得禮	(세종~세조대)	강릉	父 孝廉, 祖 德孫	?, 문(세종11)	殿中(~세종11), 문과, 충청(17)·함길都事(28), 司諫院右獻納(30), 承文校理(31), 副知事(문종즉위), 知司諫(단종2), 藝文直提學(2), 通政大夫承文知事(세조1), 世祖原從2등功臣(1), 司諫院右司諫(4), 左司諫(5), 刑曹參議(5)
金夢權	(성종대)	강릉	父 愊, 祖 從南	문(20)	正字(방목)
金伯衡	(세조~성종대)	강릉	父 鏗, 祖 輊	?, 문(예종1)	횡성縣監(~세조11, 파직), 司憲監察(~예종1), 郡守(방목)
金湘	(세조~성종대)	강릉	父 持平 義恭, 祖 監務 允南	문(세조3)	司憲監察(세조14), 성종승습사書狀官(성종즉위), 成均典敎(6), 承文校理(14)
金淑	(단종~성종대)	강릉	父 汝礪, 祖 貴誠	문(단종2)	行縣監(세조1), 世祖原從3등功臣(1), 단양郡守(성종6), 通政大夫府使(방목)
金彦莘	1436~?	강릉	父 安繼, 祖 貴誠	문(세조12)	翰林, 刑曹正郎(~8), 司憲持平(8), 유배(20, 坐任士洪, 永不敍用)
金英貴	(태종~세종대)	강릉	父 副正 漢卿, 祖 護軍 常		동북면守令(태종2), 흠곡(13)·용진縣令(세즉), 開川都監郎廳(13)
金潤身	(성종대)	강릉	父 汝明, 祖 仲祥	?, 문(7)	訓導, 司憲持平(21~22), 議政府舍人
金義亨	(성종대)	강릉	父 垆, 祖 持平 揚南	문(1)	宣敎郎, 문과, 吏曹佐郎(3), 兵曹正郎(6), 영불서용(7), 이천敎授(~12), 承文校理(12), 兵曹正郎(19), 府使(방목)
金仁元	(성종6)	강릉	父 垆, 祖 持平 揚南		해운포萬戶, 파직

金子鏗	1390~?	강릉	父 洪原縣監 輕, 祖 郡事 坦之	문(태종14)	禮曹佐郎(~세종9), 司諫院右獻納(9), 파직(9), 司憲持平(12), 정선군수(13), 兵曹正郎(18), 선산부사(문종즉위), 司諫院司諫, 刑曹參議(단종1), 同知中樞
金子鉉	(세종대)	강릉	형 子欽	?, 문(29)	敎導(~세종29), 문과, 縣監(방목)
金子欽	(세종~세조대)	강릉	父 輕, 祖 垣之	?, 문(세종26)	敎導(~세종26), 문과, 判官(세조1), 세조原從3등공신(1), 참의(방목)
金悰	(세조~성종대)	강릉	父 貴誠, 祖 德崇	문(세조14)	大司成(방목), 황해관찰사(방목)[연산대: 피화]
金仲衡	(세조~성종대)	강릉	父 子鏗, 祖 輕	문(세조3)	翰林, 戶曹正郎(세조14), 경상우도도 분대(성종7), 양양부사(~15), 파직(15)
金晉錫	(성종대)	강릉	父 瑾, 祖 乙侯	문(3)	典校博士(성종14)[연산대: 持平, 府使(방목)]
金淄(錙)	(세조11)	강릉	父 持平 揚南, 祖 工曹判書 錘		別侍衛, 直長(족보)
金效侃	(성종대)	강릉	父 博, 祖 從南	문(20)	臺諫[연산이후: 大司成(방목)]
金孝廉	(태조~세종대)	강릉	父 判事 德孫, 祖 光丙		司憲監察(~태조5, 파직), 前知慈州事(~태종11, 피죄), 보성군사(세종10)
金泮	(정종~세종대)	江西	江西金氏 시조	문(정종1)	前成均直講(세종5), 司諫院右獻納(6), 左獻納(6), 成均司藝(15), 成均司成(18), 大司成(23), 첨지중추兼成均司成(25), 嘉善大夫大司成(29), 파직(31, 老病)
金北間(汾)	?~1419	康津	父 盎(漢?)	?, 문(공양왕2)	慈惠府主簿(고려), 풍해안렴사(태종1), 工曹參議(2), 刑曹議郎(4), 京畿觀察使(16), 判義州牧使(세종1), 함길관찰사졸
金鎔		江華*	父 夢尹, 祖 萬齡		成均司藝(*만성대동보)
金殷輅		慶山	孫 司饔正 翰		군자直長(金輪묘갈명)
金瑚	(세종대)	경산		문(14)	成均司藝(방목)
金剛	(성종23)	慶州	父 判官 永年, 祖 少尹 根		甲士, 五衛司直(족보)
金謙	1375~1425	경주	父 月城君 需, 祖 天瑞	문(태조5)	군기直長(태조5), 교서丞(7), 右司諫, 兵曹典書(태종2), 開城副留侯(5), 漢城府尹(5), 풍해관찰사(5), 右軍同知摠制(5), 공안부윤(7), 中軍摠制(8), 漢城府尹(8), 경상관찰사(세종4), 知敦寧(5), 京畿觀察使(5), 開城留侯졸
金稇	?~1398	경주	자 戶曹判書 孟誠		典法判書(고려), 開國3등공신계림군(태조1), 中樞副使(1), 鷄林君졸
金光晬(粹)	(세종~세조대)	경주	父 漢城判尹 榮富, 祖 刑曹判書 孟誠	문(세종5)	承政院注書(세종10), 刑(21)·兵曹佐郎(22), 봉상判官(24), 평안함길都體察使從事官(문종1), 工曹參議(단종2), 강원관찰사(세조1), 世祖原從2등功臣(1), 中樞副使(3), 개성유수(3), 漢城府尹(5), 대사헌(5), 전대사헌졸
金鉤	(태종~세종대)	경주		문(태종16)	判中樞(방목)

金根		경주	父 判書 自修		평양少尹(김자수비명)
金端	?~1404	경주	제 爲民		경기우도안렴사(태종1), 병조議郞(2), 知司諫 (2), 大護軍(4), 군용점검사졸
金孟誠	1374~1449	경주	父 鷄林君 稇, 祖 智允	음	司憲掌令(태종8), 유배(9), 司憲執義(세종2), 右副·左副·右·都承旨(5~9), 戶曹參判(9), 대 사헌(9), 刑曹參判(10), 파직(10), 慶昌府尹 (10), 중군同知摠制(10), 전라관찰사(11), 파직 (12), 吏曹參判(13), 함길관찰사(13), 中樞副使 (15), 사은사(15), 吏曹左參判(15), 황해관찰사 (16), 인순府尹(16), 漢城府尹(17), 京畿觀察使 (17), 戶(19)·刑(19)·吏曹參判(20), 刑(21)·戶曹 判書(21), 知中樞(23), 中樞使졸
金文卿	(성종11)	경주	父 判事 安民, 祖 判事 仲誠		충훈經歷, 牧使(족보)
金楣	(예종~성종대)	경주	父 右贊成 從直, 祖 府使 繩	문(예종1)	修義副尉(~예종1), 문과, 宣敎郞藝文待敎(예 종1), 兵曹佐郞(성종9년이전), 司諫院獻納(9), 왕비봉숭郞廳(11), 김제郡守(15), 司憲掌令 (19), 司憲執義(19)
金瑞	(성종23)	경주	父 參判 升卿, 祖 知中樞 新民		尙書直長
金世敏	1401~1486	경주	父 開城留侯 謙 之, 처 定宗女 淑 慎翁主	기(태종18)	副知敦寧(태종18), 同僉知敦寧府事(~세종7), 유배(7), 上護軍兼翊衛司右翊衛(10), 선공 (12), 봉상判事(13), 工曹右(16)·工曹左(16)·兵 曹右參議(18), 僉知中樞(16), 경기강원도순검 사(16), 刑曹參議(16), 僉知中樞(19), 判忠州牧 使(19), 경원府使, 廣州목사(21), 漢城府尹(24), 황해관찰사(25), 漢城府尹(27), 京畿觀察使 (28), 刑曹參判(29), 兵曹判書(29), 유배(31), 知 敦寧(문종1), 知中樞(2), 判漢城府事(단종1), 개성유수(세조1), 世祖原從2등功臣(1), 대사 헌(3), 인수부윤(4), 中樞使(4), 전라관찰사(4), 知中樞(5), 奉朝請(5), 崇政大夫(6), 崇祿大夫 (14), 判中樞(성종12), 判敦寧(12), 判敦寧 졸
金升卿	1430~1493	경주	父 知中樞 新民, 祖 奉常判事 仲 誠	음, 문(세조2)	五司司勇(~세조2), 문과, 佐郞(~8), 司憲持平 (9), 戶曹正郞(11), 承文參校(성종1), 종부(2), 봉상(6), 종부正(7), 通訓大夫司憲執義(8), 通 政大夫兵曹參知(8), 同副·右副·左副·右·左· 都承旨(8~11), 파직(11), 大司憲(12), 同知中樞 (13), 漢城右尹(13), 左尹(15), 戶曹參判(15), 대 사헌(18), 同知中樞(19), 대사헌(23), 僉知中樞 (23), 工(23)·刑曹參判(24)
金新民	(세종대)	경주	父 判事 仲誠, 祖 鷄林君 稇	?, 문(8)	전옥서副丞(~세종8), 문과, 集賢應敎(17), 直提 學(29), 宗學博士(30), 司諫院右司諫(31), 파직 (문종즉), 집현전副提學(단종1), 世祖原從2등

조선초기 관인 이력

					功臣(세조1), 僉知中樞(2), 兼成均司成(3), 慶昌府尹(4), 謝恩使(4), 知中樞(방목), 提學(방목)
金安民	(세종~세조대)	경주	형 新民	?, 문(세종29)	개성判官(세종23), 正郞(~29), 문과, 평안도首領官(~문종1, 파직), 少尹(1), 世祖原從3등功臣(세조1), 通政大夫監正(방목)
金塋	(성종24)	경주	父 參判 升卿, 祖 知中樞 新民		사옹奉事(김승경묘지명)
金永年	(단종즉)	경주	父 自粹, 祖 平壤 少尹 根		의금都事(~즉, 파직), 判官(김자수비명)
金永源	(단종대)	경주	父 少尹 根, 祖 刑曹判書 自修		在官(단종1, 兵曹佐郞, 김자수비명), 경상都事(읍지)
金永濡	1418~1494	경주	父 少尹 根, 祖 刑曹判書 自粹	문(세종29)	承文正字(세종29), 司憲監察(문종2), 司瞻主簿(2), 司諫院右正言(단종1), 刑曹佐郞(2), 判官(세조1), 世祖原從2등功臣(1), 평양少尹(3), 成均司藝(5), 判承文院事(11), 대사성(12), 戶曹參議(12), 성절사(12), 通政大夫황해관찰사(14), 禮曹參議(예종1), 嘉善大夫충청관찰사(성종2), 同知中樞(3), 禮曹參判(4), 同知中樞 겸 경상관찰사(5), 刑曹參判(6), 同知中樞(6), 사은사(7), 겸경상관찰사, 刑曹參判, 대사헌(8), 禮曹參判(8), 同知中樞(9), 정조사(9), 첨지중추(13), 한성좌윤(14), 황해관찰사(14), 개성유수(16), 형조參判(18), 僉知中樞(21), 嘉靖大夫知中樞, 知中樞졸
金爲民	(태종대)	경주	父 縣令 有直, 祖 萬頃縣令 滋	문(1)	刑曹佐郞(태종8), 書狀官(8), 直藝文館(방목)
金義童 (仝)	(성종대)	경주	父 左議政 碩, 祖 同知中樞 宗淑	문(성종13)	通政大夫풍천(5), 여주(8), 연안府使(15), 僉知中樞(20)
金仁民	(세종~성종대)	경주	형 新民	문(세종17)	戶曹佐郞(~세종24), 파직(24), 守사헌지평(26), 護軍兼副知承文院事(단종2), 世祖原從2등功臣(세조1), 兼司憲執義(9), 군자判事(9), 풍저倉守(~성종5), 判漢城府事
金任	(세조~성종대)	경주			上京시위(평산, 세조6), 강령縣監(성종21), 의성縣令(23) [연산 이후 靖國4등공신]
金自粹	(태조~태종대)	경주	父 南美(방목*), 祖 三司副使 英伯	문(공민왕23)	청주牧使(태조6), 判江陵府使(태종11), 판서(金子粹비명)(*족보 通禮院副使 珸)
金自溫	(태종대)	경주	父 牧使 玧, 祖 副使 英伯	문(1)	禮曹佐郞(태종10), 兵曹正郞(~18), 유배(18)
金綽	(태종~세종대)	경주	父 冲漢, 祖 瑞仁	문(태종14)	郡守(방목)
金琠	(성종대)	경주	父 戶曹參判 升卿, 祖 同知中樞 新民	문(8)	修義副尉, 문과, 成均典籍, 兵曹佐郞(14), 議政府檢詳(16), 親祭祝史(19), 奉列大夫司諫院司諫(20), 弘文典翰(방목)

金宗蓮	?~1466	경주	父 府使 確, 祖 仲權	문(세조2),중(3)	司憲監察(~세조6), 成均主簿(6), 承文校理, 宗學司誨(~12, 복주)
金從舜	1407~1483	경주	父 季誠, 祖 공신	음(세종19), 문(21)	忠勳司丞(세종19), 문과, 전농直長(21), 中部令(21), 承文副校理(23), 司憲監察(23), 兵曹佐郎(25), 봉상, 종부判官, 兵曹正郎, 成均司藝, 司憲掌令(단종1), 전농少尹, 개성斷事官, 判官(세조1), 世祖原從3등功臣(1), 知司諫(2), 左司諫(3), 刑(5)·吏曹參議(5), 同副(5)·右副(5)·左副(6)·左(6)·都承旨(7), 吏(8)·戶曹參判(8), 中樞副使京畿觀察使(8), 한성윤(9), 대사헌(10), 同知中樞(11), 戶曹參判(12), 資憲大夫경상관찰사(예종1), 同知中樞(1), 개성유수(성종즉), 判漢城府事(2), 평안관찰사(2), 知中樞(3), 知中樞졸
金仲誠	(세종~세조대)	경주	父 鷄林君 稇, 祖 智允		봉상判事(~세종27, 파직), 전判事(세조1), 세조原從3등공신(세조1)
金天民	(세종대)	경주	父 判事 仲誠, 祖 君 稇	?, 문(18)	副司正(~세종18), 通政大夫正(방목)
金春卿(敬)	1441~1517	경주	父 漢城判尹 仁民, 祖 判事 仲誠	문(세조8)	承義郎(~세조8), 문과, 行司諫院正言(10), 禮(예종1), 吏曹正郎(1), 경상敬差官(성종3), 의금經歷(9), 司憲執義(9), 나주牧使(~14), 通訓大夫司憲執義(15), 전掌隷院判決事(17)
金致運	(세조~성종대)	경주	父 從舜, 祖 季誠	?, 문(세조12)	判官(~세조12), 문과, 奉常正(예종1)
金扡	(태종~세종대)	경주	父 參議 元器, 祖 參贊 仲孫	문(태종1), 중(16)	인동監務(태종8), 禮曹佐郎(9), 判官(~16), 內贍少尹(~1), 左軍經歷(세종2), 司憲執義(7), 내자判事(~8), 파직(8), 牧使, 府尹
金部	(태조대)	경주		?, 문(우왕6)	전散員(고려), 牧使(방목)
金泰卿	(성종대)	경주	父 副提學 新民, 祖 判事 仲誠		別坐(~13), 成均典簿, 僉正(13), 兼司憲掌令(15), 牧使(金璹비명)
金亨孫	(단종~성종 대)	경주	父 判敦寧 世敏, 祖 開城留侯 謙	음	전內贍主簿(단종1), 서흥府使(세조6), 檢校工曹參議(성종17)
金確	(세종~세조대)	경주	父 仲權, 祖 環	문(세종17)	成均博士(세종22), 兼主簿(26), 司憲監察(세조1), 世祖原從3등功臣(1)
金孝貞	(성종대)	경주	父 處庸, 祖 縣監 滸	문(성종6)	奉直郎司諫院正言(22), 戶曹正郎(24)
金薰	(성종대)	경주	父 刑曹參判 永濡, 祖 少尹 根		충주判官(~14, 유배), 의금經歷(19), 천안郡守(23)
金億	(성종대)	경주	父 兵曹佐郎 永源, 祖 少尹 根		익산(3), 철산郡守(16), 강원검찰관(22), 장단府使(~25, 파직)
金熙	(태종대)	경주	父 愼, 祖 季粹		사련소別監(8), 戶曹佐郎(~10), 파직(10), 刑曹正郎(~17), 파직(17)
金畝	(태종대)	高靈	父 府院君 南得, 祖 佐郎 宜		司憲掌令(공양왕4), 知沃州事(읍지), 知司諫(10)

金士行	(세종대)	고령	父 知中樞 畝, 祖 府院君 南得		여산(8), 홍산縣監(23)
金荊生	(성종대)	고령	父 子肅, 祖 士行	문(16)	主簿
金贇吉	?~1405	固城	父 府尹 彌, 祖 君 隨	기(行伍)	전라수군僉節制使(태조3), 나주牧使(읍지), 전라都節制使(~5), 充水軍(5), 都摠制府都摠制, 전라수군都節制使졸
金學起	1414~1488	公州	父 直長 萬義, 祖 中郎將 得貴	문(세조6)	吏曹佐郎, 正郎, 承文校理(성종9), 通訓大夫司憲掌令(12), 司憲執義(14), 司饔(16), 종부正, 副提學, 大提學(묘갈명)
金琚	(성종대)	光山	父 平壤庶尹 順誠, 祖 牧使 萃		강릉判官, 신천郡守(12), 通政大夫(14), 通政大夫定州牧使(18), 안동府使(23)
金謙光	1419~1490	광산	父 司憲監察 鐵山, 祖 檢閱 問, 형 左議政 國光	문(단종1)	예문검열(단종1), 藝文奉教(세조1), 世祖原從2등功臣(1), 兵曹佐郎(3), 司憲掌令(6), 군기正(7), 同副·右副·左副·右承旨(7~9), 평안관찰사(9), 戶曹參判(11), 평안都節制使(12), 의금知事(13), 禮曹判書(13), 僉知中樞(예종1), 禮曹判書(1), 佐理3등功臣光城君(2), 判漢城府事(2), 工曹判書(6), 光城君(8), 충청진휼사(13), 知中樞(14), 議政府右參贊(14), 左參贊(16), 광성군(20), 광성군졸
金景光	(성종대)	광산	父 鐵山, 祖 問	?, 문(11)	都事(11), 상의원正(14)
金久冏	(태종~세종대)	광산		문(태종5), 중(태종7)	成均學諭(태종5~7), 문과중시, 봉상(7), 成均主簿(9), 유배(10), 영춘監務(11), 유배(12), 戶曹佐郎(세종1), 유배(2), 正郎(4), 司直(13), 護軍(~14), 일본통신副使(14) 直藝文館(15)
金國光	1415~1480	광산	제 謙光	문(세종23)	承文副正字(세종23), 박사(26), 의영고副使(27), 황해都事, 成均主簿, 司憲監察, 봉상判官, 조모상(세조1), 司憲持平(1), 교리(1), 世祖原從3등功臣(1), 司憲持平(3), 副知承文(4), 司憲掌令(4), 成均司藝(5), 內贍寺尹(5), 宗親府典籤(5), 同副·右副·左副承旨(6~7), 兵曹參判(7), 戶曹判書(10), 同知中樞(11), 崇政大夫兵曹判書(12), 議政府右參贊(13), 崇祿大夫議政府右贊成(13), 左贊成兼判兵曹事都摠管(13), 敵愾2등공신, 議政府左贊成(예종1), 議政府右議政(1), 院相(1), 左議政(성종1), 佐理1등공신光山府院君(2), 모상(4), 領中樞(8), 光山府院君(9), 府院君졸
金克愧	(성종대)	광산	형 克忸	무(족보)	전주判官(19), 유배(24), 의영庫令(金國光비명)
金克怩	(성종대)	광산	형 克忸		여산郡守(6), 司僕副正(金國光비명), 강화府使(15)

金克忸	(세조~성종대)	광산	父 左議政 國光, 祖 監察 鐵山	?, 문(세조14)	判官(~세조14), 문과, 宗學典訓兼宗學教授(14), 成均直講(예종1), 通訓大夫成均司藝(성종1), 掌隷院判決事(6), 行五衛副司直(15), 兵(16), 刑曹參議(19), 通政大夫全州府尹(19) [연산대: 전라관찰사, 大司諫]
金克羞	(예종~성종대)	광산	父 左議政 國光, 祖 監察 鐵山		예빈直長(예종1), 충훈經歷(성종7), 의령, 고령縣監(읍지)
金克恥	(성종8)	광산	형 克恢		昭格參奉(金謙光비명)
金克恢	(성종대)	광산	父 參贊 謙光, 祖 監察 鐵山		司憲監察(15), 刑曹正郎(金謙光비명), 吏曹正郎(21)
金德源	(세종~세조대)	광산	父 禮曹判書 豫蒙, 祖 司成 遜	문(세종29)	吏曹佐郎(단종2), 世祖原從2등功臣(세조1), 영천郡守(金禮蒙묘표)
金文發	1359~1418	광산		기(書吏)	도평의사사錄事, 돌산萬戶(태종3), 순천府使, 巡禁司大護軍(태종5), 전라수군단련사(6), 上護軍(7), 경기水軍都節制使(8), 충청전라수군도체찰추포사(8), 경기水軍僉節制使(8), 충청(11)·전라(12)·경상좌(13), 전라수군都節制使(16), 황해관찰사(17), 전라관찰사졸
金倣	(태종~세종대)	광산			前金堤郡事(태종18), 고부郡事(세종2), 전라都節制使鎮撫(2), 護軍(11)
金伯謙	1429~1506	광산	父 郡事 華	기, 무(세조6)	內禁衛(세조8), 五衛司直(6), 守護軍(7), 五衛大護軍(8), 遭喪(9), 都摠使龜城君李浚從事官(13), 僉知中樞(13), 工曹參議(13), 敵愾2등공신, 의주牧使(13), 光原君(성종3), 兼司僕將(4), 兵馬節度使(5), 兼五衛將(8), 嘉善大夫僉知中樞(8), 황주牧使(9), 광원군(10), 訓練都正兼都摠府副摠管(12), 모상(12), 광원군奉朝賀(14), 정조 副使(성종15), 평안兵馬節度使(16), 광원군(16), 파직(18), 광원군(~20), 經筵特進官(20)
金礎	(성종대)	광산	父 平壤庶尹 順誠, 祖 牧使 革		議政府司錄(18), 司憲監察(22)
金錫元	(예종~성종대)	광산	父 琚, 祖 學禮	?, 문(예종1)	錄事(~예종1), 문과, 承文校理(~성종8), 평안評事(8), 司憲持平(12), 成均直講(13)
金成源	(단종~성종대)	광산	父 義蒙(생부 禮曹判書 禮蒙), 祖 遜	문(단종1), 중(세조12)	校書著作(세조1), 世祖原從3등功臣(1), 刑曹佐郎(4), 正郎(7), 成均直講(11), 判官(12), 通訓大夫成均司藝(성종2), 敬差官(4), 유배(5)
金遜	(태종~세종대)	광산	父 行縣監 華, 祖 碩材	문(태종1)	吏·禮·兵曹正郎, 郡守, 少尹, 大護軍, 成均司成(김소묘표)
金順誠	(세조~성종대)	광산	父 牧使 革, 祖 成均直學 若時	문(세조5)	兵曹正郎(~성종3), 漢城庶尹(3), 평창郡守(3), 평양庶尹(3)
金昇平	(단종~세조대)	광산	父 文發		行五司司正(단종3), 判官(세조1), 세조原從3등공신(1)

조선초기 관인 이력

金信蒙	(예종~성종대)	광산	父 司成 邇, 祖 行縣監 華		副知通禮門事(김소묘표), 예빈부정(예종1), 通禮院奉禮(성종1), 左通禮(6), 通政大夫淮陽府使(10)
金若時	(태종대)	광산	형 光山君 若采	문(우왕9)	中郞將(15), 直提學(방목)
金若采	(정종~태종대)	광산	父 光城君 鼎, 祖 軍器判事 英利	문(공민왕20)	典書(고려), 좌산기(정종2), 대사헌(2), 파직(태종1), 충청관찰사(4)
金若恒	?~1397	광산	형 若采	문(공민왕20)	典校寺判事, 중추학사(~5, 入明拘留), 光山君(5), 明拘留中졸
金良璥	?~1484	광산	父 孝敏	문(세종24)	교서正字(세종24), 석성縣監(문종즉위), 成均主簿(단종2), 兼司憲持平(세조1), 刑·工曹正郞, 宗親府典籤(7), 侍講院輔德(9), 知司諫(10), 掌隷院判決事(13), 사은사(14), 通政大夫충청관찰사(예종1), 刑曹參議(성종2), 嘉善大夫전라관찰사(2), 工曹參判(3), 황해(4)·京畿觀察使(5), 戶(5)·兵曹參判(6), 강원관찰사(7), 知中樞(7), 개성유수(8), 대사헌(10), 工曹判書(11~12), 전工曹判書졸
金良琓	(세조대)	광산	형 良璥	?, 문(세조3)	知印(~세조3), 문과, 兵曹佐郞(14), 郡守(방목)
金良琠	(예종~성종대)	광산	형 良璥	문(세조8)	屬史學門(세조10), 한성參軍(예종1), 兵曹佐郞(~4), 成均典籍(4), 파직(4), 刑曹正郞(~17), 僉正(17), 校書校勘
金礪石	1445~1493	광산	父 江華府使 洗, 祖 吏曹佐郞 達孫	문(세조11)	成均學諭兼藝文館검열(세조11), 군자主簿(14), 병조(14)·吏曹佐郞(~예종1), 兼藝文館(성종1), 兵曹正郞(3), 議政府檢詳(4), 議政府舍人(7), 司憲執義(~9), 成均司藝(9), 서정원수尹弼商從事官(11), 通訓大夫司諫院司諫(12), 司僕正(13), 同副(13)·右副14)·右(14)·都承旨(14), 부상(15), 吏曹參議(17), 嘉善大夫 충청관찰사(18), 同知中樞兼掌隷院判決事(19), 경상관찰사(~20), 同知中樞(20), 戶(21)·兵曹參判(21), 강원관찰사(~22), 대사헌(22), 禮曹參判(23), 刑曹判書(24), 刑曹判書졸
金禮蒙	1406~1469	광산	父 司成 邇, 祖 萃	문(세종14), 중(29), 발영(12)	집현전著作郞(세종16), 司憲監察, 副司直(22), 司直(24), 집현副校理(27), 교리(~29), 문과중시, 司憲執義(단종1), 承文知事(2), 홍주牧使(3), 大司成(3), 집현副提學(3), 세조原從2등공신(세조1), 戶曹參議(3), 인순부윤(6), 大司成(6), 大司諫(6), 兼成均司成(7), 五衛上護軍(7), 同知中樞겸사성(8), 同知中樞겸강원관찰사(8), 行上護軍(11), 行大護軍(~12), 拔英試, 資憲大夫大司成(12), 工曹判書(14), 同知中樞(예종1), 同知中樞兼知成均(1), 동지중추졸
金碔	(성종대)	광산	父 漢城庶尹 順誠, 祖 牧使 萃	문(17)	承文校理(성종22), 正郞(방목)

金玉誠	(성종대)	광산	父 漢城庶尹 順誠, 祖 牧使 萃	문(성종17)	司憲監察(22), 정조사書狀官(22)
金有敦	?~1444	광산	父 摠制 閑, 祖 君 若采		복주
金由畝	(태종~세종대)	광산	父 篤	문(태종8)	工曹佐郎(세종8), 正郎
金兪甫	(태종~세조대)	광산	父 思毅, 祖 良粹	문(태종1)	長興庫副使(~태종10, 파직), 평창(세종12), 진산郡事(16), 이조참의兼大司成(방목)
金由畛	(태종~세종대)	광산	형 由畝	문(태종11)	成均博士(태종18), 兵曹佐郎(세종7), 내자判官(~9, 피죄)
金潤宗	(단종~세조대)	광산	父 命世, 祖 悳	문(단종2)	司憲持平(4~5), 예문교리, 司憲掌令(11)
金義蒙	(세종~단종대)	광산	父 司成 遡, 祖 縣監 華		直長(세종17), 司諫院左正言(29), 단양郡事(~단종2), 강화府使(2), 通訓大夫成均司成(김소묘표)
金滓	(태종~세종대)	광산	父 繼志(忠), 祖 都卓	?, 문(태종8)	공신都監錄事(~태종8), 문과, 禮曹佐郎(~태종14, 파직), 군자判事(~세종11, 유배) 折衝將軍上護軍(15)
金廷(庭)光	(세조~성종대)	광산	父 監察 鐵山, 祖 檢閱 功問		영동縣監(세조12), 충청都事(14), 제용僉正(~성종1, 파직)
金仲鈞	(세종8)	광산			雄武侍衛司上護軍
金處	(세종5)	광산	父 中樞學士 若恒, 祖 君 鼎		전敎導, 良醞令(족보)
金鐵山		광산	1檢閱 功問, 祖 光山君 若采		司憲監察(金克愊비명)
金哲誠	(세종25)	광산	父 縣監 節, 祖 直提學 若時		司憲監察
金瞻	1354~1418	광산	父 慈惠尹 懷祖, 祖 直提學 光轍	문(우왕2)	收職杖流(태조1), 親從護軍(6), 봉상少卿(~정종2), 파직(6 2), 知司諫(~태종1), 파직(1), 司諫院司諫(2), 禮(2)·戶(2)·禮(2)·吏曹典書(3), 兼知禮曹事(4), 藝文提學(4), 계품사(4), 簽書承樞(4), 대사헌(5), 參知議政(5), 右軍摠制(6), 전摠制(8), 유배(11) 전우군총제졸
金萃	(세종대)	광산	父 直提學 若時, 祖 君鼎		의금都事(3), 경기經歷(4), 상원郡事(8), 여흥府使(9), 전성주牧使(26)
金漢老	1367~?	광산	父 君 子贇	음, 문(우왕9)	봉상判事(~태종1), 파직(1), 이조典書(3), 藝文提學(5), 성절사(5), 전摠制(~7), 左軍同知摠制(7), 參知議政府事(7), 判恭安(8), 判漢城府事(8), 사은사(8), 禮曹判書(9), 光山君(9), 대사헌(10), 判恭安府事(10), 議政府參贊(10), 군(11), 中軍都摠制(12), 藝文大提學判義勇巡禁司事(13), 判右軍都摠制(14), 議政府贊成(16), 判漢城府事(17), 兵曹判書(17), 파직후 휴배(18)
金漢寶		광산	父 君 伯謙, 祖 郡事 萃		通政大夫江華府使(김백겸비명)

金漢佑		광산	형 漢寶		護軍(김백겸비명)
金漢弼		광산	父 君 伯謙, 祖 郡事 華		護軍(김백겸비명)
金晓	(단종~세조대)	광산	父 春敬, 祖 瞻 장인 李叔蕃	?, 문(단종1)	錄事(~단종1), 訓導(세조1), 세조原從2등공신(1), 正字(방목)
金虛	(세종9)	광산	父 學士 若恒		司憲監察房主
金浩	(성종대)	광산	父 達道, 祖 閔	문(3)	司諫院正言, 司諫院獻納(방목), 司憲持平, 익산郡守
金華		광산	父 參贊 謙光, 祖 監察 鐵山		通政大夫중화郡事(김백겸비명)
金淮	(세조12)	광산	父 殿直 崇之, 祖 君 鼎		음성縣監, 파직
金懷祖	(태조대)	광산	父 直提學 光轍		慈惠府尹
金文起 (孝起)	?~1456	金寧	父 虎賁衛司直 觀, 祖 戶曹判書 順	문(세종8)	예문검열(세종12), 司諫院左獻納(18), 議政府舍人(26), 奉常尹(26), 함길도鎭撫(27), 知刑曹事(29), 知兵曹事(31), 兵曹參議(문종즉위), 右副(즉)·左承旨(즉), 함길관찰사(1), 刑曹參判(단종1), 파직, 함길都節制使(1), 工曹判書(세조1), 端宗復位주도, 피화
金係錦	(단종~세조대)	金海		문(단종2)	權知成均學諭(단종2), 原從2등공신(세조1), 兼司憲持平(9)
金繼(係)熙	(세종~세조대)	김해	父 筍生	문(세종23)	예문검열(세종23), 承政院注書(29), 겸춘추관(31), 경상都事(문종즉위), 佐郎(단종즉), 종부判官(즉), 司諫院右獻納(1), 司憲持平(1), 正郎(세조1), 世祖原從3등功臣(1), 司憲執義(3), 僉知中樞(5), 刑(6)·工(7)·吏曹參議(7), 中樞副使(8), 吏曹參判(8), 漢城府尹(8), 인순府尹(9)
金九英	(단종~세조대)	김해	父 仁起	?, 문(단종1)	敎導(~단종1), 문과, 訓導(단종1), 世祖原從2등功臣(세조1), 通禮院奉禮(4), 兵曹佐郎(~14), 正郎(14)
金龜	?~1485	김해		문(세조12)	예문검열, 司憲持平(예종1), 군기判官(1), 강원都事(성종2), 獻陵典祀官졸
金克儉	?~1499	김해	父 剛毅	문(세조5), 중(12)	藝文待敎(~세조12), 교리(12), 조운사咸禹治從事官(13), 司憲掌令(예종1), 藝文應敎(1), 兼藝文館(성종1), 都事(2), 예문부교리(2), 수령(4), 通訓大夫司憲掌令(8), 成均直講(12), 司諫院司諫(13), 충청진휼사柳洵從事官(16), 同副·右副·左副·右承旨(18~20), 都承旨(20), 嘉善大夫황해관찰사(20), 파직(20), 弘文副提學(22), 전라관찰사(22), 同知中樞(23), 정조사(24), 한성우윤(25), 戶曹參判(25), 대사헌(25), 同知中樞졸

金驥孫	(성종대)	김해	父 執義 孟, 祖 克一	문(13)	刑曹佐郎(金孟묘갈), 兵曹佐郎, 창원縣監, 都摠制府都事(성종22)
金孟	1410~1483	김해	父 克一, 祖 盆陵君 湑	문(세종23)	평안都事(세종32), 파직, 평안도수령(문종1), 佐郎(세조1), 世祖原從3등功臣(1), 五衛鎭撫(13), 司憲執義(방목)
金湑		김해	손 金孟		의흥縣監(김맹묘갈)
金淑貞	(성종~연산대)	김해	父 戶曹參判 永堅, 祖 校理 震孫	문(성종12)	禮曹佐郎(~성종18), 전주判官(18), 禮曹正郎(24), 司憲持平(24) [연산대: 司憲掌令, 承文判校, 杖流]
金輿	(세조~성종대)	김해	父 中樞使 銚		主簿(세조1), 世祖原從3등功臣(1), 원주 判官(8), 內贍僉正(성종7), 제용副正(~24, 파직)
金永堅	(단종~성종대)	김해	父 校理 震孫, 祖 正言 孝芬, 외조 李種仁	문(단종2), 중(세조3)	修義副尉(~단종2), 문과, 예문검열(2), 世祖原從2등功臣(세조1), 藝文待敎(~3), 문과중시, 禮曹佐郎(3), 兵(7)·戶曹正郎(10), 議政府舍人(12), 通禮院相禮, 通訓大夫司諫院司諫(성종6), 同副·右副·左副承旨(5~6), 吏曹參判(6), 母喪(6), 嘉善大夫僉知中樞(9), 同知中樞(9), 嘉善大夫知中樞(9)
金永貞	(성종~연산대)	김해	형 永堅	?, 문(성종6)	奉事(~성종6), 문과, 목천縣監(성종9), 성절사검찰관(9), 司諫院正言(10), 司憲持平(12), 禮曹正郎(15), 通訓大夫司憲執義(23) [연산대: 奉常正, 大司諫, 右副承旨, 대사헌, 都摠管, 대사헌, 知敦寧, 전라관찰사, 知敦寧겸전라관찰사]
金勇	(세종~세조대)	김해	父 克一, 祖 盆陵君 湑	문(세종29)	예문검열(세종29), 佐郎(세조1), 世祖原從2등功臣(1), 承文校理(방목)
金輪	(세조~성종대)	김해	父 中樞使 銚		別坐(세조6), 世祖原從3등功臣(6), 吏曹佐郎(성종5)
金允溫	(예종~성종대)	김해		문(예종1)	縣監(방목)
金馹孫	1464~1498	김해	父 執義 孟, 祖 克一	문(성종17)	權知承文副正字(성종17), 正字(17), 弘文正字兼經筵典經(18), 진주敎授(19), 예문검열兼經筵典經春秋館記事官(20), 承政院注書兼검열(21), 홍문박사兼春秋館記事官(21), 朝奉大夫弘文館副修撰知製敎兼檢討官(21), 朝散大夫司憲監察知製敎兼檢討官(21), 藝文待敎(21), 司諫院正言(22), 弘文修撰知製敎兼檢討官(22), 龍驤衛司正(22), 兵曹佐郎知製敎兼檢討官(22), 吏曹佐郎(23), 弘文修撰知製敎兼檢討官(23), 中直大夫弘文館副校理知製敎兼經筵試讀官記注官藝文奉敎(23), 成均直講(23) 通訓大夫홍문교리(24), 司憲持平(24), 藝文應敎(24), 홍문교리知製敎守藝文應敎兼宣傳官(25), 禦侮將軍忠武衛副司直知製敎兼侍講院文學記注

이름	생몰	본관	부조	과거	관직
					官(25), 吏曹正郞知製敎兼承文校理시독관기주관(25), 吏曹正郞兼弘文館應敎經筵侍講官編修官侍講院弼善(25) [연산4: 司諫院獻納, 피화]
金自貞	(단종~연산대)	김해		문(단종1)	權知正字(단종1), 世祖原從2등功臣(세조1), 行五衛副司正(5), 奉列大夫예조정랑(성종2), 中直大夫司憲掌令(3), 陞承文校正(4), 禮曹參議(6), 대마도선위사(7), 禮曹參議(~8), 大司諫(8), 경상관찰사(14), 刑(14)·兵曹參判(14), 충청관찰사(15), 同知中樞(16), 하정사(16), 전라관찰사(17), 대사헌(17), 개성유수(18), 정조사(22), 戶曹參判(23), 同知中樞(24) [연산대: 황해관찰사, 知中樞, 한성판윤, 知中樞]
金自精	(세조1)	김해	父 參判 永堅, 祖 校理 震孫		雅樂署令, 原從3등공신
金銚(銚)	?~1455	김해	손자 孟	문(태종11~16), 중(16)	예문검열(태종11~16), 문과중시, 인수부승(16), 인동縣監(~세종7), 집현修撰(7), 교리(11), 直集賢殿(16), 副提學(22), 左副(23)·右承旨(25), 僉知中樞(25), 嘉善大夫충청관찰사(25), 刑曹參議(27), 경상관찰사(28), 한성부윤(29), 하정사(29), 병조참판(30), 유배(31), 刑曹參判(32), 同知中樞(문종1), 中樞副使(1), 漢城府尹(1), 仁順(2)·仁寧(2)·仁順府尹(단종1), 戶曹參判(1), 禮曹判書(1), 지중추(세조1), 知中樞卒, 贈世祖原從2등공신(1)
金駿孫	1453~1490	김해	父 執義 孟, 祖 克一	문(13), 중(17)	直長(~성종17), 문과중시, 弘文博士(17), 修撰, 吏曹佐郞(22), 禮曹正郞(23) [연산이후: 함양郡守, 직제학]
金潛		김해	자 克一		縣監(金克一孝文銘)
金震孫	1407~?	김해	父 正言 孝芬, 祖 戶曹摠郞 覲	?, 문(세종20)	刑曹都官署丞(~세종20), 문과, 承文副校理(세조1), 原從3등공신(1), 承文校理(방목)
金忼		김해	손 克一		都制庫判官(김극일효문명)
金好知	(세종11)	김해	父 節制使 壽延, 祖 千海		工曹正郞(~세종11), 파직(11)
金孝芬	(세종대)	김해	父 戶曹摠郞 覲, 祖 三司副使 到門	?, 문(5)	종묘서副令(~5), 문과, 司憲監察(10), 左正言 겸세자左正字(11), 황해都事(17)
金德潤		金化			양천縣監(읍지)
金壤	(세종~단종대)	羅州	父 摠制 延儁, 祖 禮儀判書 可允		청주(세종20), 해주判官(단종1)
金廷(丁)雋(儁, 準)	?~1433	나주	父 禮儀判書 可允, 祖 大提學 臺		전농判事(태조7), 회양府使(태종2), 廣州牧使(6), 제주안무사(牧使, 9), 戶曹參議(13), 전라

				卿	관찰사(14), 해주牧使(14), 함길관찰사(18), 함길병마都節制使吉州牧使(세종1), 전주府尹(4), 都摠制府摠制졸
金彌	?~1414	樂安	父 隨	?, 문(우왕3)	전객寺丞(고려), 前廣州牧使(태종9), 京畿觀察使(10), 공안府尹(10), 謝恩副使(10), 전府尹졸
金四知	(성종대)	南原	父 止洙	?, 문(23)	教授(~23), 문과, 成均典籍(방목), 都摠制府經歷, 司諫院正言(25)
金若衷	(세종대)	潭陽		?, 문(11)	教導(~11), 縣監(방목)
金懷鍊	(태종12)	道康	父 觀察使 希祖 (시조)		檢校漢城府尹
金沔	(세조~예종대)	茂長	父 副提學 自武, 祖 冲		李施愛토벌군공2등(세조13), 敵愾2등공신折衝將軍行忠武衛護軍(13), 경원府使(예종즉위)
金瑛文		密陽			안동府使(읍지)
金震知	?~1465	保寧	父 熙敬	문(세종20)	司諫院左獻納(문종즉위), 양주부사(5), 世祖原從3등功臣(6), 知刑曹事(9), 僉知中樞(1), 충청관찰사(10), 파직(11), 복주
金立堅	1340~1396	福山	父 元 萬戶 於珍		參知門下(태조1), 태조原從功臣(1), 사은사(2), 성절사(2), 參贊門下(3), 參知門下(4), 성절사(4), 參贊門下졸
金直孫	1437~1493	扶安	父 直長 懷允, 祖 護軍 瑠	문(예종1)	藝文檢閱兼弘文正字(성종2), 成均教授(12), 司諫院正言(13~14), 兼成均教授
金賤(錢)	(문종~세조대)	부안		문(문종1)	廣興倉副使(세조3), 世祖原從3등功臣(3), 파직(3)
金彭石	(성종대)	부안	父 銑	문(16)	主簿(방목)
金硨(碼)	(성종대)	三陟	父 元信, 祖 敬	문(9)	承文博士(성종13), 司憲掌令(21), 司諫院司諫(24), 司憲執義(25)[연산이후: 제주牧使]
金尙	(태종대)	삼척	父 忠敬	문(5)	府使(방목)
金慶孫	1418~?	尙山	父 司諫 復恒, 祖 判事 逐	문(문종1)	教導(~문종1), 문과, 署令(세조1), 世祖原從2등功臣(1), 군자(성종18), 掌樂正(20)
金鈞	(태조~태종대)	상산	父 密直使 先致, 祖 贊成事 祿元		知郡事(태조2), 承文副校理(~태종17, 파직), 전농正(김선치묘표)
金德生	?~1413	상산	父 領中樞 云寶, 祖 別將 彦	기(태종잠저시위)	郎將(~태종1), 佐命3등공신(1), 將軍졸(13)
金補輪	(단종~세조대)	상산		?, 문(단종1)	教導(~단종1), 문과, 校書郎(세조7)
金復恒	(정종~세종대)	상산	父 判事 逐, 祖 閤門祇候 致敎	문(정종1)	禮(세종3)·吏曹正郎, 영월郡事(8), 司憲掌令(13), 議政府舍人(14), 知司諫(26), 直藝文館
金師禹	1415~1464	상산	父 刑曹判書 洽, 祖 三司左使 得齊	무	僉知中樞(단종3), 충청수군처치사(세조2), 世祖原從3등功臣(세조1), 行회령진兵馬節制使겸판회령府使(4), 漢城府尹(6), 知中樞(6), 判漢城府事(7), 兵曹判書(7), 평안都節制使(8), 同知中樞졸

金士元	(성종~중종대)	상산	父 歙谷縣令 叔春, 祖 縣令 緇	?, 문(성종23), 중(중2)	教授(~성종23), 문과, 佐郎(성종23) [중종대: 通禮院通禮, 僉知中樞, 牧使]
金尙直	(태종~세종대)	상산	父 參議 謙, 祖 鼎	문(태종5)	史官(태종12), 교서교리(~18), 兵曹正郎(18), 直集賢殿(~세종3), 侍講院左文學(3), 집현직제학(~8), 副提學(8), 兵(13)·刑曹參議(13)
金先致	1318~1398	상산	父 宗膚判事 君實, 祖 贊成事 鎰	문(고려)	洛城君推忠保節贊化功臣(우왕4, 고려), 전同知密直卒
金守末	(성종대)	상산	父 淇, 祖 觀道, 서 齊安大君 琄		안산郡守(~10, 파직), 僉正(22, 서 大君故), 正(선원세보기략)
金守億	(성종21)	상산	형 守末	무(족보)	문의縣令
金壽永		상산	父 判書 尙溫, 祖 典書 承貴		五衛部將, 縣監(읍지)
金承富	(태조대)	상산	父 都巡問使 先致, 祖 贊成事 祿元		大護軍(김선치묘표)
金彦		상산			別將(金德生행장)
金云寶		상산	父 別將 彦, 자 將軍 德生		領中樞(金得生행장)
金義綱	(세조~성종대)	상산	父 吉瑚	?, 문(세조10)	五衛司直(~세조10), 문과, 청산縣監(12), 훈련判官(방목)
金利用	(단종~세조대)	상산	父 正言 張, 祖 浚, 외조 大司憲姜淮伯	?, 문(단종1)	教導(~단종1), 문과, 예문검열(단종2), 世祖原從2등功臣(세조1), 司憲持平(9), 工曹正郎(12)
金張	(세종대)	상산	父 浚	?, 문(5)	教導(~5), 문과, 藝文檢閱(5), 司諫院左正言(9)
金長春	(세종~세조대)	상산	父 縣令 緇, 祖 司僕判事 仁用	문(세종16)	司諫院左正言(세종27), 前禮曹佐郎(31), 判官(세조1), 世祖原從3등功臣(1), 成均司藝, 判事
金銓	(태종~세종대)	상산	父 都巡問使 先致, 祖 府贊成 祿元	문(태종17)	成均直講(방목), 漢城府尹(金先致묘표)
金貞用	(세조대)	상산	父 張, 祖 浚	?, 문(12)	訓導(~세조12), 문과, 承文博士(방목)
金調陽	(세조~성종대)	상산	父 郡守 稷孫, 祖 司諫 復恒		五衛部將(세조13), 都摠制府都事(성종3), 태안郡守(~9, 파직)
金仲明	(단종~성종대)	상산	父 將軍 德生, 祖 領中樞 云寶		忠義衛(단종2), 담양府使(金德生 행장)
金稷孫	(세종~세조대)	상산	父 司諫 復恒, 祖 判事 遂		知印(세종20), 使(세조1), 世祖原從3등功臣(1)
金鏵	(세조~성종대)	상산	父 彭孫, 祖 正世進	무(세조6*)	홍산縣監*, 상주判官*, 掌隷院司議*, 전삭령郡守(성종7)[*은 읍지]
金孝給	(세종~성종대)	상산(*)		문(세종23)	司諫院右正言(문종즉위), 충청都事(단종1), 判官(세조1), 世祖原從3등功臣(1), 한성少尹(3), 풍기郡事(~4, 파직), 영해府使(성종4), 禮曹參議(방목)[*청도(족보)]

金洽	(세종대)	상산	父 三司左使 得齊, 祖 君祿		知珍晉事, 제주按撫使(세종12), 右軍僉摠制(13)
金中坤	1366~?	瑞興	父 書雲判事 善保, 祖 軍器判事 鳳遠		侍講院文學(태종12), 巡禁司護軍(14), 左司諫(세종13, 파직), 左司諫(22), 禮曹參議(22)
金可銘		善山	父 君起, 祖 成元		金山郡事(申檗비명)
金嶠	1428~1480	선산	父 禮賓判事 時露, 祖 府使 兼	무(문종 즉위), 무과중시(세조3)	훈련錄事(세조1), 世祖原從1등功臣(1), 五衛部將(~4), 훈련判官(4), 강원함길도체찰사신숙주從事官(6), 通政大夫司僕尹(7), 종성節制使, 길주牧使, 경원府使, 충청수군節制使, 都鎭撫(10), 僉知中樞(13), 遭喪(13), 만포節制使(13), 敵愾1등공신경원府使烏林君(13), 함길북節制使(14), 知中樞(성종1), 佐理等功臣(2), 경상좌도병마절도사(2), 知中樞(5), 工曹判書(6), 永安南道兵馬節制使(7), 평안兵馬節度使(10), 평안관찰사(11), 관찰사졸.[*5형제무과]
金九鼎	(성종대)	선산	父 知中樞 允壽	무(*)	忠義衛(~6, 유배), 馬島萬戶(~14, 充軍), 通政大夫(*)(*金允壽묘표)
金萬鼎	(성종대)	선산	父 知中樞 允壽	무(족보)	(3~6)(김윤수묘표)
金末	1379~1454	선산	장인 柳汀	문(태종17)	成均學諭(태종17), 副司正(세종9), 成均大司成(~문종1), 僉知中樞(1), 世祖原從2등功臣(세조1), 中樞副使(2), 慶昌府尹(2), 藝文提學(2~3), 資憲大夫兼成均司成(3~5), 崇政大夫中樞副使(5), 겸성균사성(6~8), 崇祿大夫判中樞(8), 前判中樞졸
金文鉉		선산	父 達祥	?, 문(공민왕11)	都監判官(고려), 大司成
金成慶	(성종대)	선산	형 參贊 之慶	?, 문(3)	訓導(~성종3), 문과, 通禮院引儀(3), 司諫院獻納(11), 안동判官(읍지)
金叔響	(성종대)	선산	父 承尊, 祖 永倫	문(17)	吏曹佐郎(방목)
金嵩	(세조~성종대)	선산	父 判事 時露, 祖 府使 兼	무	사재直長(14), 위원郡守(성종6)(5형제무과)
金時露		선산	자 平安觀察使 橋		예빈判事
金峨	(세조대)	선산	父 禮賓判事 時露	무	
金安生	(세종~세조대)	선산	父 提學 孝貞, 祖 知郡事 自淵	문(세종11)	通禮院奉禮(세종16), 司諫院右正言(17), 少尹(~29, 파직), 황해都事(29), 少尹(세조1), 世祖原從3등功臣(1)
金惟慶	(성종5)	선산	형 參贊 之慶		山陵領役部將, 縣監(족보)
金允壽	?~1462	선산			甲士(~태종12), 五衛副司直(12), 3군都節制使鎭撫(세종1), 護軍(7), 訓練官(8), 전경歷(9), 世

					子朝見시종관(9), 여연郡事(15), 길주(22), 嘉善大夫吉州牧使(24), 회령(24), 경원節制使(25), 중추부사(27), 경상우도水軍處置使(27), 함길都節制使(29), 同知中樞(문종즉위), 인수府尹(즉), 함길도순무(즉), 삼군都鎭撫(1), 경기조전節制使(1), 인수府尹(1), 경상우도都節制使(1), 知中樞(단종1), 정조겸사은사(1) 충청水軍處置使(2), 都節制使(세조1), 世祖原從2등功臣(1), 前처치사졸
金應箕	1455~1519	선산	父 大司憲 之慶, 祖 縣監 地	문(성종8)	예문검열(성종8), 弘文修撰(13), 부교리(14), 충청都事(15), 禮曹正郎(18), 弘文典翰(21), 直提學(22), 奉正大夫司憲執義(22), 弘文直提學(22), 同副(23)·左副(23)·右(23)·左(23)·都承旨(24) [연산이후: 강원관찰사, 戸·工曹參判, 漢城判尹, 刑·吏·兵·禮曹判書, 議政府右議政, 左議政, 領中樞]
金長訥	(세조~성종대)	선산	父 安生, 祖 孝貞	문(세조11)	修義副尉(~세조11), 문과, 牧使(방목)
金從理	(정종~태종대)	선산	父 邦老, 祖 珥	문(정종1)	翰林, 전監務(~태종5), 임실監務(5), 藝文直提學(방목)
金地	(성종대)	선산	父 舍人 揚普, 祖 判書 澍		縣監, 戸曹判書(贈職, 子 之慶故)
金之慶	1419~1485	선산	父 縣監 地, 祖 議政府舍人 揚普	문(세종20)	교서校勘(세종20), 집현正字(22), 校書著作郎(24), 藝文檢閲, 奉敎, 한성參軍, 司憲監察, 司諫院正言, 吏曹佐郎, 正郎, 司憲掌令(단종1), 慶昌少尹(1), 議政府檢詳(2), 知司諫(2), 中訓大夫집현직제학(세조1), 世祖原從2등功臣(1), 侍講院右輔德(3), 兼司憲執義(9), 大司成(11), 大司諫(13), 通政大夫충청관찰사(13), 파직(14), 吏曹參議(예종1), 파직(1), 藝文副提學(2), 대사헌(2), 工曹參判(3), 嘉善大夫知中樞겸전라관찰사(3), 戸曹參判(4), 守知中樞(5), 正朝使(5), 嘉善大夫평안관찰사(6), 僉知中樞(9), 同知中樞(10), 五衛上護軍(14), 同知中樞(15), 開城留守(15), 副護軍졸
金贊	(성종대)	선산	父 判事 時露, 祖 府使 兼	무(족보)	희천郡守, 동래縣令(12)
金崎	(태종~세종대)	선산		문(우왕14)	司憲持平(태종1), 司憲雜端(2), 刑曹正郎(2), 파직(2), 知司諫(18, 세종1), 府使
金帖	(성종대)	선산	父 禮賓判事 時露	무	김포縣令(~14), 승직(14, 山陵都監功故)
金福海	(세종대)	水原	父 四知, 祖 存理	문(세종17)	藝文檢閲(방목), 兵曹正郎(~문종즉), 파직(즉), 副護軍, 흥해郡守
金孝江	(세조~성종대)	수원		환관	內官(세조3), 궁방환관(12), 翊戴2등공신(예

					종즉), 長川君(1), 尙傳(성종1), 承傳色(16), 資憲大夫장천군(19)
金承珪	?~1453	順天	父 左議政 宗瑞, 祖 都摠制 錘		刑曹正郎(세종31), 義州審定城基使鄭而漢從事官(32), 少尹(32), 모상(32), 護軍(문종1), 司僕少尹(2), 中訓大夫典農尹(단종1), 知刑曹事(1), 피화
金承璧	?~1453	순천	형 承珪	문(단종1)	丞, 忠勳司錄事(단종2), 直長피화
金承霍	1354~1424	순천	父 牧使 惟精, 祖 判密直 洞	음(우왕6)	興威衛別將(우왕6), 군기少尹(10), 知豊州事(창왕1, 고려), 전중卿(태조2), 의흥삼군부僉節制使(3), 刑曹典書(4), 동북면도안무察理使(5), 戶·吏曹典書(~정종2), 中樞副使(2), 길주察理使(2), 資憲大夫慶尙兵馬節度使(2), 左軍摠制(태종1), 佐命4등공신平陽君, 參知議政府事(3), 參判承樞(4), 길주도안무察理使(4), 工曹判書(5), 判承樞(6), 知議政府事(6), 議政府參贊(11), 內侍衛右1番節制使(12), 서북도순무사겸평양윤(13), 서북兵馬節制使兼吉州牧使(13), 兵曹判書(14), 平壤君(15), 判中軍樞都摠府事(15), 三軍都鎭撫(17), 平壤府院君(17), 府院君졸
金若鈞	(성종대)	순천	父 繕工副正 元吉, 祖 禮曹參議 有溫		풍기郡守(3, 읍지), 掌隷院司議(8), 掌樂院僉正(15), 순천府使(22)
金有恭	(태종~세종대)	순천	형 有良		工曹佐郎(~태종16), 파직(16), 刑曹都官正郎(~세종5), 파직(5), 吏曹正郎
金有良	?~1418	순천	父 府院君 承霍, 祖 牧使 惟精		大護軍(태종14), 判海州牧使졸
金有溫	(태종~문종대)	순천	제 有恭	음	工曹正郎(~태종14, 파직), 刑(29)·禮曹參議(문종1), 僉知中樞(2)
金宗瑞	1383~1453	순천	父 都摠制 錘, 祖 台泳	문(태종5)	尙書直長(~태종15), 파직(15), 죽산縣監(세종즉), 司憲監察(즉), 司諫院右正言(1), 廣州判官(2), 봉상判官(5), 敬差官(5), 司諫院右獻納(5), 司憲持平(5), 吏曹正郎(7), 전라敬差官(8), 議政府舍人(9), 司憲執義(9), 전농尹(10), 파직(10), 右副·左副·右·左代言(11~15), 兵曹右參判兼함길관찰사(15), 함길관찰사(16), 함길兵馬都節制使(17), 刑(22)·禮曹判書(23), 議政府右贊成(28), 右贊成兼判兵曹事(31), 議政府右議政(문종1), 左議政(단종즉), 좌의정피화(1)
金仲孫	세조~성종대)	순천	父 禩, 祖 乙財	?, 문(세조14)	慈山郡향리, 訓導(~세조14), 문과, 성천敎授, 成均直講(방목)
金仲約	(세종대)	安康	서 宣城君 茂生		上護軍(선원세보기략)

조선초기 관인 이력

金係權	(문종~세조대)	安東	父 縣監 三近, 장인 判書 權孟孫		전直長(문종1), 겸主簿(세조1), 世祖原從2등功臣(1), 判官(金永銖묘갈명)
金季老	(세종~세조대)	안동	父 府使 敦, 祖 郡守 七陽		戶曹佐郎(세종27), 의금都事(31), 司憲掌令(세조1), 경상도經歷(2, 읍지), 司憲掌令(3), 世祖原從3등功臣(3)
金季友	(세종~세조대)	안동	형 孟獻	문(세종18)	藝文奉敎(세종19), 成均主簿(23), 司諫院獻納(31), 世祖原從3등功臣(세조6), 議政府舍人(방목)
金顧	(태종~세종대)	안동	父 密直提學 益達, 祖 君 繢	?, 문(태종8)	壽寧府丞(~태종8), 문과, 司諫院正言(11), 吏曹佐郎(14), 議政府舍人(태종말, 청선고), 右司諫(세종13)
金九德	?~1428	안동	父 上洛君 昂, 祖 典法判書 愃, 여 太宗後宮	음	刑曹議郎(태조6), 司憲中丞(정종2), 파직(5), 知司諫(태종3), 敬差官(6), 해주·廣州·청주牧使, 연안府使, 判通禮(11), 右軍同知摠制(11), 강원관찰사(~13), 參知議政府事(13), 漢城府尹(14), 천추사(14), 知敦寧(17), 判敦寧(세종7 이전), 判敦寧졸
金克信	(성종대)	안동	父 都承旨 係行, 祖 三近		郡守(金係行묘갈명)
金克仁	(성종대)	안동	父 都承旨 係行, 祖 三近		영릉參奉(김계행묘갈명)
金克諧	(성종대)	안동	父 孝溫, 祖 監牧 子瞻		지례縣監(11), 영안북도評事(~17, 充軍)
金紐	1420~?	안동	父 副知敦寧 仲庵, 祖 摠制 五文, 외조 府院君 趙大臨	음, 문(세조10), 중(12), 등준시(12)	錄事, 문과, 成均學諭(~세조10), 司僕直長(10), 守令(11), 戶曹佐郎(11), 成均直講(~12), 문과 중시, 登俊試. 兼藝文館(성종1), 藝文直提學(2), 同副承旨(3), 工曹參判(4), 충청관찰사(5), 同知中樞(8), 대사헌(9), 예조참판(9), 同知成均(10), 吏曹參判(11), 파직(12), 行五衛副司果(15)
金大來	(세조1)	안동	父 戶曹佐郎 談, 祖 密直府使 天順		左軍司正, 原從3등공신
金墩	?~1441	안동	父 郡事 七陽, 祖 檢校 僉議評理 厚	문(태종17)	집현박사(세종2), 하동縣監, 直集賢殿(10), 成均司成(13), 집현직제학(16), 副提學(17), 右副·左副·右·左·都承旨(17~22), 인수府尹(22), 전府尹졸, 贈世祖原從1등功臣(세조1)
金磏	(세조대)	안동	父 元孝	문(7), 발영시(12)	司憲監察(~세조12), 拔英試, 刑曹佐郎(12)
金孟獻	(세종~세조대)	안동	父 成川府使 明理, 祖 大司成 九容	?, 문(세종8)	錄事, 문과, 司諫院右獻納(세종18), 吏曹佐郎, 司憲掌令(23), 守司憲執義(문종1), 中直大夫 典醫判事(단종2), 少尹(세조1), 世祖原從3등功臣(1), 直提學

金明理	(태종대)	안동	父 大司成 九容, 祖 平章事 昴		司憲監察, 戶曹正郎, 경기經歷, 성천府使
金明善		안동	父 大司成 九容, 제 明理	?, 문(우왕8)	사재主簿(고려), 掌隸院判決事(방목 判事)
金明允	(태종2)	안동	형 明善		풍저倉使
金砥	(세조~성종대)	안동	父 左議政 碩, 祖 同知中樞 宗淑, 외조 領議政 鄭 昌孫	음	司憲執義(세조14), 국장郎廳(성종5), 五衛副司直(6), 춘천府使(8), 예빈副正(13), 右通禮(16), 右副承旨(21), 工(22)·刑曹參議(24), 嘉善大夫강원관찰사(24)
金士衡	1348~1414	안동	父 副知密直事 蔵, 祖 僉議右政丞 永煦	음(고려)	교주강릉관찰출척사, 知密直事겸대사헌, 知門下, 三司右使(고려), 門下贊成事兼判尙書司事(태조1), 開國1등공신門下右侍中上洛府院君(1), 定社1등공신(7), 左政丞(태종1), 領司平府事(2), 府院君卒.
金瑞亨	(성종대)	안동	父 孝溫, 祖 子瞻	문(2)	成均學錄(6), 縣監(방목)
金石精	(성종대)	안동	父 府使 季老, 祖 府使 墩	문(14)	승문副正字(15), 吏曹佐郎(방목)
金誠童	1452~1495	안동	父 左議政 碩, 祖 同知中樞 宗淑, 장인 左贊成 姜希孟	?, 문(성종23)	司憲監察(姜希孟비명), 縣令, 通政大夫부평府使(성종23), 嘉善大夫富平府使(25)
金壽童	1457~1512	안동	父 僉知中樞 磧, 祖 同知中樞 宗淑	문(성종8)	效力副尉(~성종8), 문과, 權知承文副正字(8), 검열, 弘文正字兼承文正字, 承政院注書(10), 司憲監察(13), 禮曹佐郎(13), 弘文副撰(14), 司諫院正言(14), 修撰(15), 戶曹佐郎(17), 홍문교리(19), 吏曹正郎(20), 議政府檢詳(20), 議政府舍人(21), 遭喪(22), 사도僉正(24), 司憲掌令(24), 侍講院弼善(25) [연산이후: 홍문전한, 直提學, 副提學, 同副·左承旨, 전라관찰사, 禮曹參判, 경상관찰사, 吏曹參判, 京畿觀察使, 刑曹判書겸지춘추, 弘文提學, 吏曹判書, 議政府右議政, 左議政, 靖國2등공신永嘉府院君, 領議政]
金壽寧	1436~1473	안동	父 僉知中樞 瀟, 祖 刑曹參判 益精	문(단종1)	집현副修撰(단종1), 世祖原從2등功臣(세조1), 兵曹佐郎(2), 成均直講(3), 都體察使韓明澮從事官(4), 侍講院弼善(8), 司憲執義(9), 同副承旨(9), 僉知中樞(10), 禮曹參議(10), 左承旨(11), 僉知中樞(11), 工曹參議(11), 大司成(14), 同知中樞(예종1), 行大司諫(성종1), 佐理4등공신福昌君(2), 황해관찰사(2), 大司諫(2), 工曹參判(2), 戶曹參判(3), 복창군卒
金瀟	(세종~세조대)	안동	父 參判 益精, 祖 休		진천縣監(세종23), 戶曹佐郎(문종즉위), 司憲持平(1), 상의別坐(단종2), 府使(세조1), 世祖原從3등功臣(1), 內贍判事(6)

조선초기 관인 이력

金陞	(태조대)	안동	父 門下左政丞 士衡, 祖 右政丞 永煦		司憲中丞(2), 同知中樞(7)
金信行	(성종대)	안동	父 義敬	문(3)	掌樂院主簿(~9), 司憲監察(9)
金鏞	(태조4)	안동	父 按廉使 士廉, 祖 藏		司憲監察(~4), 京畿右道行臺(4)
金若晦	(세종~세조대)	안동	父 樞密 士淸, 祖 文鉉	무	司正(세종9), 경흥府使(31), 內乘(문종즉위), 通訓大夫慈城郡守(단종즉), 함길도채방別監(세조1), 제주按撫使(2)
金如晦	(세종~문종대)	안동	父 文鉉, 祖 中樞 士淸		전署令(~13, 파직), 의금知事(26), 낭관(문종2)
金延壽	(성종대)	안동	父 自靖, 祖 直提學 孟獻, 외조 左議政 金宗瑞	문(14)	피천邊將(22) [연산대: 兵馬節度使, 대사헌]
金五文	(세종대)	안동	父 判敦寧 九德, 祖 平章事 昴, 여 文宗世子嬪		上護軍(~9), 同知摠制(9, 世子嬪故), 右軍同知摠制(9), 收告身(11, 廢嬪故)
金瑗	(태조~세종대)	안동	父 季容	?, 문(우왕8)	掌服署直長(고려), 提學, 京畿觀察使(방목)
金棻	(태종~세종대)	안동		문(태종17)	成均直講(방목), 宗學博士
金陸	?~1408	안동	父 士衡		右承旨(태조7), 中樞副使(정종1), 承襲使(1)
金益廉	(태종~세종대)	안동	형 益精	문(태종8)	司憲持平(~태종15), 파직유배(15)
金益違 (達)		안동		?, 문(우왕6)	전농시丞(고려), 右副代言(閔霽묘지명), 提學
金益精	?~1436	안동	父 休, 祖 工曹典書 成牧	문(태조5)	諫官(정종1), 門下拾遺(태종2), 司諫院左獻納(3), 司憲掌令(9), 파직(9), 侍講院輔德藝文直提學(18), 知司諫(18), 同副·右副·左副·右·左代言, 知申事(18~세종4), 파직(4), 대사헌(7), 중군同知摠制(8), 刑曹參判(9), 좌군同知摠制(12), 파직(12), 京畿觀察使(13), 인순부윤(13), 吏曹左參判(14), 하정사(15), 慶昌府尹(15), 禮曹左(16)·戶曹左參判(16), 漢城府尹(16), 禮曹參判(16), 성절사(16), 刑曹參判(17), 경상관찰사(17), 刑曹參判졸
金璘	(세종~세조대)	안동	父 宗親府典籤 宗潤, 祖 密直副使 陞		영平縣令(세종23), 主簿(세조1), 世祖原從3등功臣(1)
金自均	(성종대)	안동	父 獻納 季友, 祖 成川府使 明理		參奉(즉), 縣監(족보)
金自垸	(세조1)	안동	父 戶曹參議 仲舒, 祖 成川府使 明理		縣監, 原從3등공신

金自行	(세종~성종대)	안동	父 掌令 晊, 祖 書雲正 綏		司憲持平(세종31), 軍資正(세조3), 僉知中樞(7), 성주牧使(8), 파직(11), 廣州牧使(성종즉), 刑曹參議(3), 刑曹參議겸황해관찰사(4), 황해관찰사兼兵馬節度使(5), 同知中樞(5), 강원관찰사(7), 副護軍(7), 工曹參議(9) 경상관찰사(11), 同知中樞(12)
金磌	?~1488	안동	형 碩	음, 문(성종8)	僉正(~성종8), 문과, 通政大夫兵曹參知(8), 同副(8)·左副(8)·左(8)·都承旨(8), 파직(8), 大司諫(11), 禮曹參判(13), 京畿觀察使(14), 刑曹判書(18), 刑曹判書졸
金積	(세조~성종대)	안동	父 同知中樞 宗淑		전刑曹正郎(~세조6, 파직), 개성斷事官(10), 전남양府使(예종1), 종부正(성종7), 廣州(14)牧使, 通政大夫驪州牧使(17)
金塡	(태종~세종대)	안동	父 郡事 七陽, 祖 檢校門下評理 厚	문(태종12)	禮曹佐郎(세종6), 영암郡守(~16), 母喪(16), 司宰正(23), 司憲執義(24), 藝文直提學(24), 서운判事(29)
金宗淑	?~1470	안동	父 左議政 碩, 祖 同知中樞 宗淑		司憲監察(~세종11), 파직(11), 양산郡事, 僉知中樞(세조3), 行僉知中樞, 同知中樞졸
金仲廉	(세종~세조대)	안동	父 司諫 顧, 祖 提學 益達		敦寧判官(세종25), 副知敦寧(28), 守司憲掌令(31), 충청經歷(문종즉위), 商議司饔院提學(단종2), 五司上護軍(1), 世祖原從3등功臣(세조1), 大護軍(2), 유배(5), 강릉府使(~12, 파직)
金仲舒	(세조13)	안동	父 府使 明理, 祖 大司成 九容		兼司憲執義
金仲淹	(세종대)	안동	父 摠制 五文, 祖 判敦寧 九德, 장인 부마 趙大臨	음	敦寧府丞(~11, 파직), 卒同副知敦寧(23)
金仲演	(세조~성종대)	안동	父 慶尙觀察使 自行, 祖 掌令 晊	문(세조12)	通善郎司憲監察兼承文校檢(성종1), 朝奉大夫監察兼承文校檢(2), 황해都事(~7, 파직), 교리(방목)
金智童	(세조~성종대)	안동	父 左議政 碩, 祖 同知中樞 宗淑		의영고관(~세조14, 파직), 파주牧使(~성종25, 파직)
金晊	(태조~태종대)	안동	父 書雲正 綏, 祖 政丞 永煦		司憲監察(태조4), 경기좌우도행대(4), 司憲雜端(~정종2, 유배), 강릉判官(태종2), 刑曹正郎(5), 경상풍흉審察使(5), 金山郡事(9), 司憲執義(10), 내자尹(11), 서북진휼사(11), 司憲掌令(12)
金碩	1422~1478	안동	父 同知中樞 宗淑, 祖 密直副使 陞, 장인 領議政 鄭昌孫	음, 문(세종32)	忠義衛, 副司直(~세종32), 문과, 成均主簿(32), 司諫院右正言(문종2), 兵曹佐郎(2), 成均司藝(단종2), 군기判事(세조2), 佐翼3등공신(2, 추록), 同副·右副·左副·左承旨(2~5), 兵曹參判上洛君(5), 평안관찰사(7), 工(9)·刑(9)·兵曹判書(11), 議政府右參贊(12), 崇政大夫左參贊

84 조선초기 관인 이력

					(13), 兼判義禁府事(13), 경상관찰사(14), 상락군兼判義禁府事(14), 議政府右議政(14), 左議政(14), 상락부원군(예종1), 사용도제조(성종1), 府院君(1), 佐理2등공신(2), 府院君(3), 右議政(5), 上洛府院君(8), 府院君졸
金漢	(단종~세조대)	안동	父 吏曹正郎 益廉, 祖 休	문(단종1)	司憲監察(세조1), 世祖原從2등功臣(1), 司諫院右正言(2), 봉상판관(4), 成均直講(방목)
金丸	(세종~세조대)	안동	父 知奏事 遇周, 祖 少尹 瀹	?, 문(세종24)	司正(~세종24), 문과, 사은사書狀官(문종즉위), 보령縣監(세조1), 承文判校(족보)
金漑	?~1484	安山	父 蓮城君 定卿, 祖 晉州牧使 星慶	음(세종4)	남부錄事(세종4), 世子右侍直(11), 主簿(17), 의금知事(31), 僉知中樞(단종1), 同知中樞(3), 僉知中樞(세조1), 世祖原從2등功臣(1), 同知中樞(1), 中樞副使(3), 中樞使(4), 僉知中樞(4), 資憲大夫知中樞(7), 正憲大夫, 僉知中樞(9), 中樞副使(9), 知中樞(10), 崇政大夫知中樞(11), 議政府左參贊(13), 兼都摠管(13), 파직(14), 五衛上護軍(성종3), 判中樞(4), 判中樞졸
金灌	(세종대)	안산	父 蓮城君 定卿, 祖 晉州牧使 星慶		護軍(김정경묘표), 강원관찰사, 君
金孟鋼	(성종대)	안산	형 孟鏻	문(14)	忠義衛, 成均典籍(20), 승문校勘(방목)
金孟鏻	(성종대)	안산	父 參贊 漑, 祖 君 定卿		문천郡守(2), 司僕副正(14), 前定平府使(~19), 풍덕郡守(19), 수운判官(24)
金孟鍒	(성종14)	안산	형 孟鏻		宣傳官, 僉知中樞(족보)
金孟銓	(성종대)	안산	형 孟鏻		장흥庫令(2), 문천郡守(3), 前豊儲倉守(~12), 제용副正(12), 司宰正(15)
金孟錘	(성종대)	안산	형 孟鏻	음	掌苑署官(~10), 儀賓府都事(10), 司瞻僉正, 현풍縣監, 평시署令(14)
金巖	(문종즉위)	안산	父 別將 泚, 祖 蓮城君 定卿		영평縣令
金定(鼎)卿	?~1419	안산	父 牧使 星慶, 祖 大提學 元祥		예빈(태조5), 전농判事(6), 漢城府尹(~태종1), 佐命4등공신蓮城君(1), 공안부윤(태종3), 군(3), 하정사(3), 左軍都摠制(4), 군(~8), 開城留侯경기우도순찰사(8), 蓮城君(14), 군졸
金泚	(태종대)	안산	父 蓮城君 定卿, 祖 牧使 星慶		別將(김정경묘표)
金滌	(태종대)	안산	父 君 定卿, 祖 牧使 星慶		別將(김정경묘표), 署令(15)
金澣	1409~1485	안산	父 君 定卿, 祖 牧使 星慶, 처 定宗女 高城 郡主	음	判通禮(문종즉위), 僉知中樞(2), 僉知敦寧府事(세조1), 通政大夫僉知敦寧(1), 世祖原從2등功臣(1), 中樞副使(2), 천추사(3), 僉知中樞(3), 五衛上護軍(4), 大護軍(8), 上護軍(8), 衛將(8), 五衛司直(성종6), 僉知中樞(8), 上護軍(9,

					請致仕, 不允), 知中樞(9), 同知中樞(14), 知中樞卒
金仁贊	?~1392	楊根	父 將仕郎 存一	태조잠저시위	開國1등공신(태조1), 中樞院使義興親軍衛同知節制使益和君
金艮	(태종~세종대)	彦陽	형 素		司憲監察(~태종1, 파직), 평안經歷(5), 大護軍上林園提擧(~세종11, 파직), 전농判事(16)
金慶長	(단종~세조대)	언양	父 吏曹參判 赭, 祖 全羅觀察使 守益		戶曹正郎(~단종2, 유배), 함안郡守(읍지), 부평府使(세조13)
金季甫	(세종30)	언양			제주判官(읍지)
金繼曾	(세조~성종대)	언양	父 判官 子騫, 祖 直學 文		行五司副司正(세조1), 世祖原從3등功臣(1), 봉산郡守(~성종16, 파직)
金灌(瓘)	1425~1485	언양	父 宣川郡事 叔甫, 祖 縣令 躍	문(문종1)	승문正字(문종1), 刑曹佐郎(~세조11), 禮(11), 兵曹正郎(12), 都摠使李浚從事官(13), 敵愾2등공신通訓大夫宗簿寺正(13), 강원관찰사(예종즉), 副護軍(1), 彦陽君(1), 충청(성종1), 황해(1), 영안관찰사(5), 同知中樞(8), 천추사(10), 언양군(10), 평안兵馬節度使(11), 전주府尹(12), 언양군(13), 사은사(14), 전라관찰사(15), 언양군(16), 군졸
金克敬	(세조1)	언양	父 知敦寧 艮, 祖 觀察使 守益		五司司正, 原從2등공신
金孟敦	(세조~성종대)	언양	父 開城斷事官 孟敦, 祖 黃海觀察使 素		五司副司正(세조1), 世祖原從3등功臣(1), 五衛部將(6), 함길도수령(13), 안주牧使(성종13)
金孟寶	(세종대)	언양	父 縣令 躍, 祖 晉州牧使 賞		司正(8), 副司直(10)
金汶	?~1448	언양	父 工曹典書 復生, 祖 敬直	문(세종2)	成均直學(세종6), 集賢殿修撰(17), 校理(21), 應敎(21), 直集賢殿(25), 直提學(27), 집현직제학졸, 贈世祖原從1등공신(세조1)
金伯行	(세종대)	언양	父 黃海觀察使 素, 祖 全羅觀察使 守益		선공直長(~11), 主簿(11), 司憲監察
金三俊	(성종대)	언양	父 直長 沃, 祖 司直 孟甫	문(17)	司諫院正言(성종25)[연산대: 군기시첨정, 司憲掌令]
金賞	(태조2)	언양	父 禮儀判書 勇輝, 祖 司僕寺事 突		진주牧使
金素	(태종~세종대)	언양	父 全羅觀察使 守益, 祖 府使 可器	문(고려)	知司諫(태종11), 제주牧使(세종6), 漢城府尹(7), 右軍同知摠制(8), 황해관찰사(8), 파직(8)
金叔甫	(세종16)	언양	형 孟甫		宜川郡事
金潤	(성종대)	언양	父 縣監 兆齡, 祖 典書 復生		전五衛司正(6), 김제(11)·울산郡守(17), 內禁衛(20)

金赭	?~1429	언양	父 全羅觀察使 受益, 祖 大都護府使 可器	문(태종8), 중(16)	承政院注書(태종12), 吏曹正郞(~16), 문과중사, 直藝文(16), 議政府舍人, 應敎, 司憲掌令(~17), 經筵檢討官(18), 集賢直提學(~세종3), 侍講院右輔德兼集賢殿直提學(3), 同副·右副·左副·右·左承旨(4~11), 左承旨졸
金子騫	(세조1)	언양	父 直提學 汶, 祖 工典書 復生	무(족보)	五司司直, 原從3등공신
金仲行	(세종대)	언양	父 黃海觀察使 素, 祖 觀察使 守益, 서 府尹 姜希顔		主簿(강희안비명)
金休	(세조1)	언양	父 縣監 克敬, 祖 知敦寧 艮	무(족보)	進義副尉, 原從3등공신, 宣傳官(족보)
金俊孫	1454~1525	燕岐		?, 문(성종17)	訓導(~성종17), 문과[연산이후: 靖國4등공신 燕城君, 知中樞]
金敬祖	(세조~연산군대)	延安		문(세조8), 중(성종10)	禮曹佐郞(성종3), 成均直講(6), 예조정랑(6), 成均司藝(~10), 문과중시, 掌隷院判決事(19), 通政大夫황해관찰사(20), 大司諫(22), 判星州牧使(22) [연산대: 전라관찰사(1), 刑(1)·吏曹參議(3), 대사헌(4), 유배(5)]
金勘	1460~1509	연안	父 府使 元臣, 祖 同知中樞 修	문(성종20)	經筵典經, 홍문박사(성종22), 副修撰(25) [연산이후:兵曹正郞, 홍문부교리, 應敎, 典翰, 直提學, 副提學, 僉知中樞, 同副承旨, 兵曹參知, 左副·右·都承旨, 成均知事, 靖國2등공신延昌君, 禮曹判書, 延昌府院君졸]
金俓	(세종~문종대)	연안	父 刑曹判書 自知, 祖 密直提學 壽		廣州判官(세종2), 坐讓寧大君유배, 司憲持平(10), 戶曹正郞(13), 강화府使(문종즉위), 관찰사
金謹思	(성종대)	연안	父 勉, 祖 元臣	문(25)	[연산이후: 司憲掌令, 右副, 左承旨, 弘文副提學, 大司諫, 兵曹參議, 吏·刑曹參判, 한성우윤, 대사헌, 한성판윤, 兵·吏曹判書, 議政府右議政, 左議政, 領議政]
金南秀(壽)	1350~1423	연안	父 密直副使 乙珍, 祖 五衛大護軍 勝碩	음 (공민왕19)	순제등처兵馬使, 吏·兵曹典書, 충청兵馬節制使(태종2), 파직(2), 右軍都摠制(6), 中軍都摠制(7), 中軍都摠制兼忠佐侍衛司上護軍(7), 충청都節制使(8), 길주도안무찰리사(9), 判恭安府事(12), 別侍衛左番節制使(12), 知義禁府事兼司僕判事(13), 工曹判書(14), 判左軍都摠府事(세종1), 파직(15), 전판도摠制졸
金濤		연안	父 光厚, 자 自知 汝知	문 (공민왕11)	密直
金輅	1355~1416	연안	父 密直提學 乙		上將軍(태조1), 開國3등공신(1), 중추(~5), 中

			父祖	과거	이력
			珍, 祖 大將軍 俊麟		樞兼泥城兵馬節制使(5), 同知中樞義興三軍府右軍同知節制使(7), 判中樞(7), 定社1등공신延城君(7) 都摠制府都摠制, 연성군졸
金崙	(세조~성종대)	연안	父 同知中樞 舜臣, 祖 中樞副使 脩	문(세조14)	展力副尉, 문과, 구례縣監(성종1), 承訓郎藝文副修撰(2), 吏曹佐郎(4), 戶曹正郎(8)
金嶙	(세조대)	연안	父 仍, 祖 開城留侯 自知	문(3)	成均學諭(방목)
金萬壽	?~1421	연안			上護軍(태종5), 三道助戰節制使(8), 경기좌도수군都節制使(8), 右軍同知摠制(8), 안주都節制使(9), 同知中樞義興侍衛司節制使(11), 안주都節制使(11), 개천都監提調(12), 별시위우2번節制使(12), 內侍衛左邊節制使(13), 영안도안무兼判吉州牧使(15), 都摠制(17), 하정사(17), 杖流(18), 左軍都摠制(세종2), 都摠制졸
金模	(세종26)	연안	父 署令 偉, 祖 刑曹判書 自知		司憲監察
金𡘊(崩)	?~1512	연안	형 崙	?, 문(성종13)	參奉(~성종13), 문과, 承政院注書(성종15), 司諫院正言(19), 吏曹佐郎(20), 正郎(22), 司憲掌令(23) [연산이후: 弘文典翰, 同副·右副承旨, 刑·禮曹參判, 경상節制使, 知中樞, 평안관찰사, 대사헌, 禮曹參判졸]
金備	(세조1)	연안	父 開城留侯 自知, 祖 密直提學 濤		五司司勇, 原從3등공신
金錫哲	(성종21)	연안	형 錫賢	무(족보)	五衛部將
金錫賢	(성종25)	연안	父 成均直講 易, 祖 參贊 汝知		의금부郎廳
金成脩		연안	서 義昌君 玒		도관찰사(선원세보기략)
金世臣	(예종~성종대)	연안	父 左軍司正 備, 祖 刑曹判書 自知	문(예종1), 중(성종7)	宣敎郎, 문과, 吏曹佐郎(성종4), 兵曹正郎(~7), 문과중시, 郡守(방목)
金脩(修)	(세종~세조대)	연안	父 開城留守 自知, 祖 密直提學 濤	음(족보)	直長(세종21), 司憲執義(문종즉위), 知司諫(단종1), 의금부鎭撫(1), 유배(2), 知通禮院使(세조1), 世祖原從2등功臣(1), 兼司憲執義(세조2), 예빈判事(3), 僉知中樞황해관찰사(5), 吏曹參判(6), 사은사(6), 僉知中樞(6), 光州牧使(11), 同知中樞(金勘비명)
金舜臣	(세조~성종대)	연안	父 中樞副使 攸, 祖 刑曹判書 自知	무(족보)	錄建州軍功(13), 장흥府使(예종즉위), 通政大夫(성종1), 장흥府使(1), 僉知中樞(3), 겸경상좌도兵馬節度使(4), 同知中樞(8), 정조副使(8), 의주牧使(9), 通政大夫僉知中樞(1), 경주府尹(13), 嘉善大夫慶州府尹(13), 僉知中樞

					(15), 同知中樞(16)
金昇	(세조대)	연안	父 參贊汝知, 祖 密直提學 濤	?, 문(6)	縣監(세조1), 原從3등공신(1), 通禮院奉禮(~6), 문과, 成均直講(방목)
金承重	(세조1)	연안	父 司諫 債, 祖 禮賓尹 致知		主簿, 原從3등공신
金諶	1445~?	연안	父 知中樞 友知, 祖 內資尹 俊	문(성종5), 중(10)	承政院注書(성종8), 佐郎(~10), 司贍僉正(14), 司諫院司諫(18), 군기正(20), 承文判校(~21), 弘文直提學(21), 副提學(22), 刑曹參議(22), 同副(23)·右副承旨(23), 大司成(23), 弘文副提學, 이조참의(25) [연산이후: 知中樞]
金巖	(세조대)	연안	父 郡守 仍, 祖 刑曹判書 自知		五衛攝司正(5), 길주判官(13)
金良臣	(세조대)	연안	父 俓, 祖 禮曹判書 自知	?, 문(5)	五衛司直(~5), 문과, 郡守(방목)
金汝知	1370~1425	연안	형 自知	음, 문(창왕1)	別將(~창왕1), 문과, 司憲糾正(창왕1), 司諫院右正言(공양왕2), 계림判官(3, 고려), 司諫院右獻納(~태종2), 안치(2), 司憲掌令(3), 知鳳州事(3), 藝文直提學(4), 內贍判事(8), 右(9)·左代言(9), 知申事(10), 파직(13), 藝文提學(14), 충청관찰사(15), 대사헌(16), 藝文提學(17), 工曹判書(17), 禮曹判書(18), 判漢城府事 겸세자좌빈객(18), 판한성(18), 刑曹判書(18), 하정사(18), 禮曹判書(세종), 議政府參贊(5), 사직(5), 전參贊졸
金永轍	(세종~세조대)	연안	父 君輅, 祖 密直提學 乙珍		護軍(세종12), 五衛大護軍(23), 世祖原從3등功臣(세조1)
金用寶	(성종6)	연안	父 縣監 瑛, 祖 京市署令 偉		해운判官, 수안郡守(읍지), 右通禮(족보)
金友臣	1424~1510	연안	父 內資尹 俊, 祖 刑曹判書 自知	음	성종잠저사부, 서용(세조11), 司贍直長(성종3), 한성參軍(3), 遭喪(4), 종부主簿(6), 해주判官(6), 파직(6) 군기主簿(10), 통진縣令(11), 工曹正郎, 단양郡守(17), 通政大夫丹陽郡守(21), 行五衛司直(22), 戶曹參議(22), 僉知中樞(24) [연산이후: 知中樞(노직)]
金元臣	(세조~성종대)	연안	父 同知中樞 修, 祖 刑曹判書 自知		錄事(세조1), 世祖原從3등功臣(1), 通訓大夫司憲執義(13), 선농제畿邑令(성종6), 전안동府使(~17, 유배)
金偉	(태조대~세종대)	연안	제 俓		戶曹正郎(~태조4, 유배), 가평縣監(세종12)
金攸	(세종대)	연안	형 俓		水站判官(20), 광주判官(23), 朝奉大夫禮賓少尹(31), 禮賓尹(~31, 파직)
金仍	(세종15)	연안	父 判漢城 自知, 祖 提學 濤		재령郡事

가

金自知	1367~1435	연안	父 密直提學 壽, 祖 密直提學 光厚	문(우왕11)	司憲執義(태종4), 司諫院司諫(8), 刑(8), 兵曹參議(13), 戶(세종즉)·刑(1)·禮曹參判(1), 대사헌(2), 평안관찰사(5), 평안관찰사左軍摠制(5), 예조參判(7), 開城副留侯(8), 開城留侯(9), 刑曹判書(10), 파직(12), 개성유후(16), 開城留侯졸
金詮	1458~1523	연안	父 知中樞 友臣, 祖 內資尹 俟	문(성종20)	弘文副修撰(성종20), 예안縣監(21), 弘文校理(25), 황간縣監(25) [연산이후: 弘文修撰, 典翰兼藝文館應敎, 大司成, 관찰사, 議政府右議政, 領議政졸]
金悌臣	1438~1499	연안	父 내자尹 俟, 祖 刑曹判書 自知	문(세조8)	進義副尉(~세조8), 문과, 都摠使龜城君李浚軍官(세조13), 祔廟都監假郎廳(성종3), 奉正大夫司諫院正言(3), 中訓大夫司憲持平(8), 司憲掌令(8), 파직(10), 決訟都監郎廳(12), 경상敬差官(12), 通訓大夫司憲執義(13), 敬差官(15), 侍講院輔德(16), 敬差官(17), 사신호송관(18), 承文判校(19), 吏曹參議(20), 同副(20)·右副(21)·左副(21)·左(21)·都承旨(21), 嘉善大夫京畿觀察使(22), 대사헌(23), 兵曹參判(23), 정조副使(24) 同知中樞(24) [연산대: 한성우윤, 대사헌, 禮曹參判]
金澍	(성종7)	연안	父 判事 達全		前漆原縣監, 被罪中 도망
金嶹	(세조~성종대)	연안	父 郡守 仍, 祖 刑曹判書 自知	?, 문(세조10)	五衛司直(~세조10), 문과, 의영庫令(성종4), 僉正(방목)
金潰	(세조~성종대)	연안	제 澍	문(세조2)	예문검열(세조5), 司諫院正言(10), 성주判官(~성종4), 別坐(4), 진郡守(~6), 掌樂院兼官(6), 임천郡守(10)
金處禮	(세종~예종대)	연안	父 兵曹判書 孝誠, 祖 判都摠制 南秀	문(세종23), 중(세조3)	황해都事(문종즉위), 영흥判官(1), 강령縣監, 府使(~세조3), 문과중시, 知兵曹事(5), 兵曹參議(5), 평안都節制使(5), 仁壽府尹(5), 五衛上護軍(6), 衛將(6), 禮曹參判(7), 사은사(7), 中樞副使(7), 上護軍(8), 護軍(10), 充官奴(11)
金處義	?~1465	연안	父 判中樞 孝誠, 祖 判都摠制 南秀		五司司直(단종1), 靖難3등공신(1), 折衝將軍忠佐侍衛司上護軍(세조3), 僉知中樞(3), 五衛上護軍(3), 衛將(5), 護軍(6), 上護軍(6), 講武大將(8), 知中樞(8), 延山君(9), 복주(11)
金處智	(세조대)	연안	형 處義		主簿(1), 原從3등공신(1), 宣傳官(5), 온성節制使(6), 전라水軍處置使(9), 충청관찰사(11, 充軍, 坐兄處義)
金何	?~1462	연안	父 開城留侯 自知, 祖 密直提學 壽	문(세종5)	署令(세종10), 承文院官(13), 吏曹正郎(14), 전사재副正(17), 僉知中樞(26), 漢城府尹(30), 경주府尹(문종즉위), 同知中樞(단종 즉), 파직(1), 府尹(1), 同知中樞(3), 禮曹判書(3), 世祖原

이름	시기	본관	가계	과거	관력
					從1등功臣(세조1), 禮(2)·工曹判書(2) 知中樞(3), 判漢城(3), 僉知中樞(5), 判中樞(6), 判中樞兼判兵曹事(6), 判中樞졸
金學知	?~1442	연안	형 自知		전농判官兼漢城判官(태종13), 知司諫(세종9), 資憲大夫황해관찰사(족보)
金俀	(세종대)	연안	형 何		토산縣監(12), 내자尹(金詮비명)
金好文	(성종대)	연안	父 郡守 漬, 祖 判事 達全		前縣監(24)
金滉(浻)	(세종~세조대)	연안	父 黃海觀察使 學知, 祖 密直提學 壽	문(세종1)	刑曹佐郎(세종13), 司諫院右獻納(20), 禮曹正郎(21), 司憲掌令(26), 승문判事(30), 僉知中樞(문종2), 예조참의(2), 工曹參判(단종1), 중추부사(2), 世祖原從2등功臣(세조1), 동지중추(3)
金孝誠	?~1454	연안	父 判都摠制 南秀, 祖 君輅	무	경시署令(태종7), 司憲監察(~13), 파직(13), 工曹佐郎(~14), 파직(14), 護軍(17), 兵馬使(세종1), 上護軍(4), 함길조전節制使(4), 충청좌도都萬戶(~8), 充軍(8), 안동府使(13), 內侍衛節制使(14), 戶曹右參議(14), 평안都鎭撫(15), 조전節制使(15), 中樞副使(15), 工曹左參判(16), 충청수군처치사(16), 工(18)·兵曹參判(18), 僉知中樞(24), 中樞副使(27), 함길兵馬都節制使(24), 中樞使(27), 兵曹判書(29), 평안兵馬都節制使(29), 工曹判書(30), 지중추(31), 謝恩副使(문종즉위), 判中樞都鎭撫(단종1), 靖難1등공신延山君(1), 延山府院君졸
金徽	(단종2)	연안	父 署令 偉, 祖 刑曹判書 自知		成均博士
金訢	1448~1492	연안	父 知中樞 友臣, 祖 內資尹 俀	문(성종2)	成均典籍(성종2), 파직(2), 成均典籍(4), 兵曹佐郎(4), 承文校檢(6), 藝文副校理(7), 弘文副修撰(8), 부교리(9), 교리(9), 日本通信使書狀官(10), 弘文副應敎(12), 典翰(14), 直提學(15), 護軍(17), 工曹參議(17), 五衛司直(病故, 18), 護軍(20), 副司果(21), 副司直(21), 副護軍(21), 졸
金塊	(성종대)	靈光	父 吏曹參判 筆, 祖 敬義	?, 문(5)	參奉(~성종5), 문과, 奉事, 司諫院獻納(8~9), 파직유배(9)
金勿(均)	(성종대)	영광	형 塊	문(20)	臺諫 [연산이후: 弘文典翰]
金思閔(閔)	(태조7)	영광		문(우왕14)	牧使(읍지)
金義精	(문종~세조대)	영광	父 水軍 自剛	문(즉)	典吏(~문종즉위), 문과, 縣監, 修撰(방목)
金摯(柢*, 霍)	(태조대)	영광(금산)	父 思順	문(공민왕11)	右司諫大夫(~10), 禮曹右參議(10)(*방목)

가

金瓘	(세종~성종대)	영광	父 敬義, 祖 工曹典書 台用	문(세종29), 중(세조3)	奉訓大夫吏曹佐郎(단종1), 副正(세조1), 徙民安集使(1), 直修文殿(2), 議政府舍人(~3), 문과중시, 司憲執義(3), 知刑曹事(5), 사재判事(8), 僉知中樞(9), 戶(10)·吏曹參議(11), 경기관찰사(11), 파직(12), 嘉善大夫忠淸觀察使兼兵馬水軍節制使(성종1)
金夏民	(태종~세종대)	영광	父 思敬	문(17)	承文校理(방목)
金旼	(세조~성종대)	永山 (永同)	父 參議 守和, 祖 少尹 訓, 숙부 領中樞 守溫		將仕郎(세조8), 刑曹佐郎(성종4)
金守經	(세조~성종대)	영산	父 少尹 訓, 祖 宗敬		司憲監察(세조5), 縣監(6), 世祖原從3등功臣(6), 보은縣監(~12), 司憲掌令(12), 성주, 通政大夫청주목사(성종4) [연산이후: 靖國3등공신]
金守溫	1409~1481	영산	형 守經	문(세종23), 중(세조3)	교서正字(세종23), 집현正字(23), 副司直(28), 훈련主簿(29), 守承文校理(30), 直長(~31), 兵曹正郎(31), 守典農少尹(문종1), 榮川郡守(단종1), 世祖原從2등功臣(세조1), 通訓大夫成均司藝(2), 僉知中樞(~3), 문과중시, 中樞副使(3), 하정사(4), 同知中樞(5), 漢城府尹(5), 僉知中樞(5), 判尙州牧使(6), 五衛上護軍(9), 同知中樞(9), 工曹判書(9), 知中樞(10), 同知中樞(11), 判中樞(12), 知中樞(13), 崇祿大夫(14), 輔國崇祿大夫(14), 佐理4등공신氷山府院君(성종2), 行判中樞(3), 領中樞(4), 氷山府院君(7), 府院君졸
金守和	(단종~성종대)	영산	형 守溫	?, 무(단종1)	함길도監練官(~단종1), 무과, 강진縣監(단종1), 世祖原從3등功臣(세조1), 선산府使(14), 通政大夫安東府使(성종1), 吏(4)·工曹參議(4)
金諱	(성종19)	영산	父 領中樞 守溫, 祖 少尹 訓		先農祭靑箱官
金訓	(정종~태종대)	영산	父 宗敬, 祖 吉元, 자 領中樞 守溫	문(정종1)	元子左同侍學(태종2), 禮曹佐郎(3), 前京畿經歷(14), 옥구진兵馬僉節制使(~16), 杖流(16), 典祀少尹(방목)
金積福	(단종~예종대)	英陽	父 仲祥, 祖 庥	문(단종2)	權知成均學諭(단종1), 世祖原從2등功臣(세조1), 정조사書狀官(11), 승문權知校理(예종1), 縣令(방목)
金濂	(정종~세종대)	永興		문(정종1)	府尹(방목)
金淡	1416~1464	禮安	父 縣監 孝良, 祖 中郎將 輅	문(세종17)	집현전正字(세종17), 吏曹佐郎(17), 吏曹正郎(29), 司諫院右獻納(29), 서운副正(31), 護軍(31), 司憲掌令(문종1), 知承文院事(1), 충주牧使(2), 通政大夫忠州牧使(2), 世祖原從1등功臣(세조1), 僉知中樞(3), 禮曹參議(4), 吏曹判書(9), 中樞使졸

金首孫	1430~?	예안	父 掌令 新, 祖 淑良	문(세조2), 중시(성종7)	황해都事(세조14), 司憲持平(성종1), 司憲掌令(3), 전라都事(3), 禮曹正郎(6), 行經歷(~7), 문과중시, 남원府使, 奉常正(7), 大司諫(17), 大司成(19), 通政大夫전주부윤(19), 兵曹參議(22), 兵曹參知(22), 兵曹參議(24), 황해관찰사(24), 嘉善大夫同知中樞(24) [연산대:황해관찰사, 刑曹參判, 同知中樞]
金新	(세조~성종대)	예안	父 淑良, 祖 輅	?, 문(세조10)	縣令(~세조10), 문과, 익산郡守(성종2), 禦侮將軍龍驤衛中領司直(성종1), 낙안郡守(~7, 파직), 司憲掌令(방목)
金祗	(단종~세조대)	예안	父 淑良, 祖 輅	?, 문(단종1)	敎導(~단종1), 문과, 訓導(1), 世祖原從2등功臣(세조1), 예천郡守(12), 司憲掌令(방목)
金澮	1387~?	예안	父 小良, 祖 輅	문(세종17)	金山郡守졸
金永齡	(세조~성종대)	龍宮	父 仲權, 祖 直	문(세조8)	왕비봉숭都監郎廳(성종11), 兵曹正郎(방목)
金鐸	(세종~세조대)	牛峯	父 瑞, 祖 益成	문(세종14)	개성敎授官(~세종29, 파직), 縣監(세조6), 世祖原從3등功臣(6), 司憲監察(방목)
金穩	(태조~태종대)	蔚山	父 摠郎 貽, 祖 判書 季興	?, 문(우왕13)	給料官(~우왕3), 문과, 司僕主簿(우왕3), 吏曹佐郎(3), 吏曹佐郎, 단양郡事(공양왕4), 함양郡事(태조1), 함길都事, 回軍原從功臣(1), 刑曹正郎(4), 밀양府使(7), 덕천고別監(~태종2), 파직(2), 양주府使(13)
金義剛	(세조5)	울산	父 司正 達孫, 祖 府使 穩		醫書習讀官
金堅壽	?~1489	原州	父 知中樞 連枝, 祖 中樞副使 乙辛		宣傳官(세조7), 行護軍(13), 함길북도巡邊使(14), 평안서(14), 영안남도節制使都事(성종1), 부상(2), 五衛上護軍(5), 中樞副使(6), 同知中樞(6), 평안兵馬節度使(7), 司贍提調(9), 戶曹參判(15), 천추사(15), 전주府尹(18)
金彌(眉)壽	(문종~세조대)	원주	父 直長 連宗, 祖 中樞副使 乙辛		龍津縣令(문종1), 채방別監(~세조3, 파직), 정평府使(11)
金連枝	1396~1471	원주	父 中樞副使 乙辛, 祖 牧使 得雨, 서 石保正 祿生	음(태종13)	刑曹佐郎, 刑曹都官正郎(~세종10), 파직(10), 전라敬差官(24), 大護軍(25), 知刑曹事(31), 禮(문종1)·刑曹參議(1), 전라관찰사(2), 工曹參判(단종2), 개성유수(3), 관찰사(세조1), 世祖原從2등功臣(1), 戶曹參判(3), 대사헌(3), 한성부윤(3), 漢城府尹겸황해관찰사(4), 충청都巡察使(5), 中樞副使겸경상관찰사(5), 中樞副使(6), 인수부윤(6), 대사헌(6), 인순부윤(6), 판한성(8), 中樞副使(8), 耆老(12), 崇政大夫(14)
金由敬	(세조~예종대)	원주	父 正郎 連幹, 祖 判書 克辛	역관	承訓郎(세조1), 世祖原從3등功臣(1), 사역僉正(14), 副正(예종1)

金乙辛	(태종~세종대)	원주	父 牧使 得雨, 祖 眩		태종원종공신, 大護軍(태종14), 嘉善大夫義州牧使(~세종5, 유배), 右軍同知摠制(9), 同知中樞(18), 慶昌府尹(18), 중추부사(20), 漢城府尹(22), 中樞副使(23)
金益壽	?~1467	원주	父 知中樞 連枝, 祖 中樞副使 乙辛		行副司正(세종16), 부령부사전사(세조13)
金中鍊	(성종12)	원주	父 府尹 堅壽, 祖 贊成 連枝		대정縣監(읍지)
金彭壽	(세조~성종대)	원주	父 直長 連宗, 祖 中樞副使 乙辛		五司護軍(세조1), 世祖原從3등功臣(1), 前司憲掌令(~8, 피죄), 通政大夫長興府使(성종8)
金禮源	(세조~성종대)	陰城		문(세조12)	翰林, 承政院注書(성종2), 兵曹佐郎(4), 成均司藝(방목)
金鏗壽	(성종대)	義城	父 養中, 祖 叔溫	문(20)	[연산대: 弘文典翰]
金明(命)重	(세종~성종대)	의성	父 叔良, 祖 參議 潞	문(세종26)	藝文奉敎(세종30), 副知通禮(단종1), 成均主簿(2), 兼司憲掌令(세조1), 行主簿(1), 世祖原從2등功臣(1), 경상分臺(2), 司憲掌令(3), 司憲執義(방목), 通訓大夫豊德郡守(6), 제용正(10), 경상도分臺(성종1)
金涉	(태조~세종대)	의성	父 政堂文學 居翼, 祖 左司尹 台權	문(태조5)	司諫院右正言(~태종2), 戶曹佐郎(2), 司諫院右獻納(7), 파직(7), 都統使柳廷顯從事官(세종1), 右(8)·左司諫(9), 杖流(9), 僉知中樞(14), 大司成(방목), 提學(방목)
金淑儉	(태종~세종대)	의성	父 參議 輅(潞), 祖 密直 光富	문(태종17)	내자直長(태종17), 北部令(세종7), 司憲監察(~9, 파직), 司諫院左正言(~14, 파직), 察訪(16)
金淳	?~1462	의성(방목*)	父 錫我	문(세종14)	守司諫院右獻納(세종25), 守司憲持平(26), 守司憲掌令(30), 成均司藝(문종즉위), 성주牧使(1), 刑曹參議(단종1), 경상관찰사(2), 강원관찰사(2), 刑曹參判(세조1), 中樞副使(1), 世祖原從2등功臣(1), 遭喪(2), 同知中樞(2), 대사헌(3), 吏(3)·兵曹參判(3), 慶昌府尹(5), 경상관찰사(5), 漢城府尹(5), 戶曹參判(5), 同知中樞(5), 경상관찰사(7), 知中樞(7), 知中樞졸[*영산(만성대동보)]
金崇老	(세조대)	의성	父 提學 涉, 祖 政堂文學 居賢		副錄事(1), 原從3등공신(1), 풍기郡守(읍지)
金愼言	(세조6)	의성	父 司正 訥, 祖 持平 光善		錄事, 原從3등공신, 令(족보)
金養中	(단종~세조대)	의성	父 생원 叔溫, 祖 參議 潞	문(단종1)	主簿(단종1), 判官(세조1), 原從3등공신(1), 加資(13, 征建州有功)
金英烈	?~1404	의성	父 密直使 紘, 祖 君 用庇		典書, 경상우도水軍僉節制使(태조3), 充水軍(6), 都摠制府摠制(정종2), 知三軍府事(~태종1), 佐命3등功臣義城君(1), 知義興府事(1), 풍해좌우도水軍都節制使(1), 동북강원都按撫

					使(2), 삼도水軍都指揮使(4), 參判承樞(4), 군졸
金用超	?~1406	의성	父 判事 修德	무(족보)	전충청兵馬節制使졸
金運秋	(예종~성종대)	의성	父 僉節制使 澹, 祖 政堂文學 居翼	문(세조8)	풍저直長(~예종1, 파직), 縣監(성종3), 成均直講(방목)
金瑗	(성종대)	의성	父 通事 許義	?, 문(14)	務功郎(~14), 문과, 司憲監察(19), 禮曹正郎
金益謙	(성종24)	의성	父 校理 養中, 祖 생원 叔溫	무(족보)	判官, 제주敬差官
金益齡	(세조~성종대)	의성	父 禮曹正郎 統, 祖 少尹 好智	문(세조5), 중(세조12)	通仕郎(~세조5), 문과, 吏曹佐郎(~14), 正郎(12), 司憲執義(12), 成均司成(예종1), 사옹正(~성종6), 파직(6), 五衛司果(7), 군적郎廳(8), 司諫院司諫, 3道體察使魚有沼從事官(10), 通政大夫成川府使
金巓(崩)	(성종대)	의성	父 安中, 祖 正言 叔儉	문(14)	司諫院正言(24), 寺正(방목)
金存誠	(태조대)	의성	父 持平 晉	?, 문(공민왕11)	行廊都監判官(고려), 禮曹判書
金添齡	(성종대)	의성	父 統, 祖 少尹 好智		영유縣令(3), 廣州判官(14), 고원郡守(김통묘표)
金軸	(성종1)	의성	父 郡守 崇老, 祖 大司憲 涉		삼화縣令(읍지)
金統	1408~1454	의성	父 少尹 好智, 祖 密直 永珍	문(세종17), 중(29)	司諫院正言(세종28), 禮曹正郎(~문종1), 파직(1)
金彼	(태종대)	의성	父 祇承	문(2)	
金漢啓	(세종~세조대)	의성	父 縣監 永命, 祖 都萬戶 洊	문(세종20)	司諫院右正言(세종31), 左正言(문종즉위), 의주점마別監(즉), 縣監(세조1), 世祖原從2등功臣(1), 直提學(방목)
金漢哲	(예종~성종대)	의성	형 漢啓	문(예종1)	禮曹正郎(방목), 郡守
金港	(세종대)	의성	父 澹, 祖 居翼	문(29)	교서校勘(방목)
金好智	(태조대)	의성	父 密直 永珍, 祖 判開城 子祉		少尹(金統묘표)
金孝孫	1373~1429	의성	父 存誠, 祖 晉, 동서 兵曹判書 朴習	문(태조2)	司憲雜端(~태종1), 파직(1), 司憲掌令(10), 議政府舍人(10), 司憲執義(13), 知刑曹事(~15, 파직), 左副(17)·右(세종즉)·左代言(즉, 파직), 禮曹參議(8), 右軍同知摠制(9), 刑(10)·禮曹參判(10), 大司憲(11), 대사헌졸
金自貽(怡)	(태종~세종대)	義興	父 萬貴, 祖 成甲	?, 문(태종14)	主簿(~태종14), 문과, 司諫院正言(~17, 파직), 司憲持平(세종6), 마전郡守, 영접都監判官(11), 경주判官(12, 13 파직), 영접都監判官(17)
金可行	(태조3)	一善	父 右代言 召鼎, 祖 君 達祥		동래縣令

金甲訥	(성종대)	일선	父 郡守 漢生, 祖 提學 孝貞		길주縣監(1, 읍지), 命敍用(21)
金季壽	(태조대)	일선	父 和義君達祥, 祖 提學 右錫		大將軍(4), 전라군용점庫使(4), 大將軍(6)
金吉德	(세종10)	일선	父 判府使 季壽, 祖 和義君 達祥		봉산郡守
金尙琦	(태종5)	일선	父 府使 可行, 祖 右代言 召鼎		의정부知印, 縣令(족보)
金召南	(태종~세조대)	일선	父 判府使 士渭, 祖 成均祭酒 文久		司憲監察(태종17), 刑曹正郞(세종10), 司憲掌令(26), 護軍(세조1), 世祖原從3등功臣(1)
金淑滋	1389~1456	일선	父 琯, 祖 思宥, 자 刑曹判書 宗直	문(세종1)	成均司藝(金宗直비명)
金宗碩	1423~?	일선	제 宗直	문(세조2)	成均學諭(~세조5), 除授閑官(5, 讀書), 成均直講(방목)
金宗直	1431~1492	일선	父 司藝 叔滋, 祖 琯	?, 문(세조5)	教導, 문과, 승문權知正字(세조5), 承文博士兼藝文館(8), 司憲監察(10), 兼藝文館(성종1), 朝散大夫藝文修撰(2), 함양郡守(2), 承文參校지제교(6), 선산府使(8), 모상(10), 弘文應教(13), 直提學(14), 副提學(14), 同副·右副·左副承旨(14~15), 都承旨(15), 吏曹參判兼同知經筵(15), 同知中樞(16), 僉知中樞(16), 경기(18)·전라관찰사(18), 工曹判書(18), 한성左尹(19), 刑曹判書(20), 刑曹判書兼經筵特進官(20), 知中樞(20), 知中樞졸
金漢生	(세종~세조대)	일선	父 提學 孝貞, 祖 郡事 自淵		副司直(세종13), 前부거縣事(~25), 司憲監察(25), 主簿(세조1), 世祖原從3등功臣(1), 온양郡守(13)
金孝貞	(태종~세종대)	일선	父 郡事 自淵, 祖 郡守 齊海	문(태종2)	戶曹右(세종14), 吏曹左參議(14)
金麟厚	(성종대)	臨津	父 自新	문(20)	承政院注書(23), 五衛副司正(24)[연산이후: 吏曹參議]
金根	(세조대)	中和		문(6)	縣令(방목)
金錫圭	(세조1)	昌寧	始祖		錄事, 原從3등공신, 主簿(족보)
金季昌	?~1481	昌原	父 參判 鏗, 祖 尙知	문(세조8), 발영시(12)	將仕郞(~세조8), 문과, 兼藝文館(10), 司諫院獻納(11), 侍講院文學(~12), 拔英試, 司憲執義(예종1), 掌樂院副正(1), 兼藝文館(성종1), 通訓大夫藝文應教(2), 철원府使(5), 成均司成(6), 司諫院司諫(8), 同副·右副·左副·右·左·都承旨(8~12), 吏曹參判(8), 參判졸
金靈雨	(성종대)	淸道	父 參贊 漸, 祖 議政府舍人 潾		五衛部將(15), 通禮院贊儀(16), 선공僉正(22, 25)

金宥孫	(세종3)	청도	父 參贊 漸, 祖 漢貴		護軍
金義孫	(세조~성종대)	청도	父 判書 漸, 祖 議政府舍人 潾		掌苑署別監(13), 파직(성종초)
金漸	?~1457	청도	父 漢貴, 祖 參奉 百鎰		전知星州事(태종9), 유배(9), 工曹參議(11), 경승부윤(14), 議政府參贊(17), 刑(세종1)·戶曹判書(2), 평안관찰사(2), 知敦寧(3), 파직(3), 전知敦寧졸
金哲孫	(성종대)	청도	父 議政府參贊 漸, 祖 漢貴		成均典簿(16), 사재副正(~24, 파직), 前栗峯道察訪(~25), 成歡道察訪(25)
金懷信	(세조~성종대)	淸州	父 重熙	문(세조6)	평양教授, 맹산縣監(성종15), 司憲監察(방목)
金灌	?~1416	淸風	父 散騎常侍 仲房, 祖 門下侍郎 昌祚, 서 景寧君 裶(선원세보기략)		三司司尹(태종8이전), 通禮院奉禮, 주부, 都摠制府僉摠制(16), 戶曹參議(16), 참의졸
金耆	(세조대)	청풍	형 礪		五衛副司正(1), 原從2등공신(1), 宣傳官(족보)
金吉通	1409~1473	청풍	父 孝禮, 祖 光茂	문(세종14)	義盈庫副使(세종14), 司憲監察, 兵曹佐郎(~18), 진잠縣監(18), 司諫院右獻納(22), 吏曹正郎(24), 예빈少尹(27), 司憲掌令(29), 成均司藝, 議政府檢詳, 議政府舍人(32), 知承文院事(문종1), 五衛大護軍知司諫(1), 종부判事(2), 右司諫(단종1), 황주牧使(2), 世祖原從3등功臣(세조1), 僉知中樞(3), 嘉善大夫上護軍(4), 전주府尹(4), 中樞副使(6), 대사헌(6), 인수윤(6), 同知中樞(6), 황해관찰사(7), 漢城府尹(8), 禮(8)·刑曹參判(10), 전라관찰사(10), 한성左尹(13), 長生殿提調(예종1), 知義禁府事(1), 資憲大夫同知中樞(1), 判漢城府事(성종1), 戶曹判書(1), 佐理4등공신崇政大夫月川君, 군졸
金礪	(세조대)	청풍	父 敬文, 祖 瀞	문(5)	藝文檢閱(방목)
金順命	1435~1487	청풍	父 戶曹判書 吉通, 祖 孝禮	문(세조2)	교서正字(세조2), 藝文待敎(5), 承政院注書(5), 主簿(7), 司諫院正言(8), 戶曹佐郎(8), 正郎(10), 都摠使龜城君李浚從事官(13), 敵愾2등공신(13), 軍資正(13), 掌隷院判決事(예종1), 右副(성종1)·左副承旨(2), 佐理4등공신(2), 禮曹參判淸陵君, 겸전라관찰사(6), 戶(8)·兵曹參判(9), 청릉군(10), 禮曹參判(10), 同知義禁府事(12) 황해관찰사(14), 파직(14), 청릉군(16), 군졸
金順生	(세조13)	청풍	제 順命	무(족보)	察訪

金崇海	(세조~성종대)	청풍	父 漢城府尹 倪之, 祖 戶曹參議 灌		五司護軍(세조1), 世祖原從2등功臣(1), 李施愛討伐軍都將(13), 行護軍(14), 영안남도助戰節制使(성종5), 通政大夫定州牧使(6), 경상좌도水軍節制使(~10), 동래縣令(10), 김해府使(14)
金汝礪	(세종1)	청풍	제 崇海		의금부鎭撫(1), 유배(3)
金珸	(세조6)	청풍	父 江原觀察使 義之, 祖 戶曹參議 灌		錄事, 原從3등공신, 別坐(족보)
金義之	(세종~문종대)	청풍	형 倪之		司僕主簿(세종5), 僉知中樞(21, 23), 通政大夫司僕判事(24), 僉知中樞(24), 강원관찰사(25), 戶曹參議(25), 同知中樞(26), 漢城府尹(26), 경상도節制使(~28), 인순府尹(28), 漢城府尹(28), 同知中樞(30), 僉知中樞(문종즉위), 中樞副使(즉)
金理	(세조대)	청풍	父 江原觀察使 義之, 祖 戶曹參議 灌		別坐(3), 世祖原從3등功臣(3), 경상좌도察訪(9)
金瀞		청풍	손 判安東府使 耋		殿中侍御史(金磧묘표)
金耋	1433~?	청풍	父 校尉 敬文, 祖 監察 瀞	문(세조5)	禮曹佐郎(성종2), 禮曹正郎(6), 司憲執義(방목)
金孝禮	(세종15)	청풍	父 光茂, 祖 執義 直方		양성縣監
金倪之	?~1455	청풍	父 戶曹參議 灌, 祖 判事 仲房		內贍寺尹(세종26), 兵(31)·吏曹參議(31), 同副(31)·右副(31)·左承旨(문종즉위), 인수부윤(즉), 漢城府尹(단종1), 부윤졸
金孟節	(세조~예종대)	平海	父 邊禮, 祖 文尙	?, 문(세조12)	奉事(~세조12), 문과, 의영直長(세조13), 함흥判官(예종즉위)
金瑞張	(세조대)	豊山	父 繼容, 祖 凝	문(2)	예문검열(방목)
金瑞陳	(세종~세조대)	풍산	父 繼學, 祖 凝	문(세종20)	司諫院右正言(세종31), 司諫院獻納(단종1), 正郎(세조1), 世祖原從2등功臣(1), 司憲掌令(2), 行成均司藝(8), 通政大夫承文院事(방목)
金瑄	?~1514	咸昌	父 遇賢	?, 문(세조14)	訓導(~세조14), 문과, 吏曹佐郎(성종6), 徙民從事官(15) [연산이후: 司憲執義, 兵曹參知, 전주府尹, 강원관찰사, 靖國3등공신咸安君, 知中樞, 군졸]
金爾音	?~1409	함창	父 勇	문(공민왕23)	右司諫(태종1), 通政大夫강원관찰사(5), 전강원관찰사졸
金漢珍	(세조12)	함창	父 縣監 續, 祖 參判 爾音	무(족보)	전동래縣令
金克柔	1390~1417	海平		문(태종5)	承文校理(~태종5, 파직), 前교리(10)

조선초기 관인 이력

金孟性	(성종대)	해평	父 郡守 遵禮, 祖 郡守 文尙, 사돈 刑曹判書 金宗直	기(유일), 문(7)	奉事(~성종7), 문과, 司諫院正言(8~9), 유배(9), 弘文修撰, 吏曹正郎(방목)
金遵禮	(세종대)	해평	父 郡守 文尙, 祖 判書 鉟		司憲監察(14), 임피縣令(21)
金永倫	(세종대)	熙川	父 熙川君 宇, 祖 萬戶 英庇		진천縣監(7), 刑曹都官佐郎(~16, 파직)
金英庇	(태조대)	희천	자 熙川君 宇		강계萬戶
金宇	?~1418	희천	父 江界萬戶 英庇	태종잠저시 종	佐命4등공신熙川君(태종1), 희천군兼左軍摠制(7), 안주도都節制使(9), 안주兵馬都節制使(12), 니성節制使(~13), 피죄(13), 右軍都摠制(15), 희천군졸
金恕	(단종~세조대)				선공判事(단종2), 判通禮院事(세조1), 겸군기正(1), 世祖原從3등功臣(1), 僉知中樞(2), 성주牧使(2)
金加介	(단종3)		父 骨看都萬戶 時久	여진귀화인	副萬戶
金哥尙可	(단종3)			여진귀화인	副萬戶
金哥尙介	(세조2)			여진귀화인	何多山等處萬戶
金加陽介	(단종~세조대)		父 都萬戶 時久	여진귀화인	上護軍(단종3), 果毅將軍(세조1), 하다산등처都萬戶(1)
金可畏	(세종10)				전司正(居대흥)
金可珍				문(공양왕2)	
金旰	(정종대)				右軍將軍(~2, 유배, 坐朴苞)
金幹	(세종29)				평양司獄署令
金澗	(세조6)				典律, 原從3등공신
金簡	(세종2)				전監務
金艮孫	(성종14)				청주判官, 陞職
金珹					해주牧使(읍지)
金敢	(세조대)				年老武人(세종17, 『세조실록』권1, 총서), 坐端宗復位피화(세조2)
金甘同	(성종24)				命敍用(이조)
金甲生	(세종5)				承文院書員, 副司正
金剛	(태종~세종대)			문(우왕8)	厚德府判官(고려), 中樞使
金剛	(단종3)			樂工	加資敍用
金强	(문종~세조대)			기(명사 尹鳳故)	授職(문종즉위), 行主簿(세조1), 世祖原從3등功臣(1), 진보縣監(2, 읍지)
金介	(세종7)			환관	內官
金鏗	(태종~세종대)			?, 문(태종14)	別將(~태종14), 司憲監察(세종17), 敎授(방목)

金巨	(태종12)				春秋館校書郎, 東部令
金居孫	(세조1)				進勇校尉(甲士), 原從2등공신
金巨原	(태조3)				日本回禮使
金巨波	(세종17)			여진귀화인	幹朶里千戶
金乞都革	(세조~성종대)			여진귀화인	也春等地副萬戶(세조3), 五衛上護軍(성종즉위)
金儉佛	(세조6)				還告身(병조), 樂工, 原從3등공신
金檢松	(세조1)				副給事, 原從3등공신
金格	(세종~세조대)				陵直(세종6), 五司司直(세조1), 世祖原從3등功臣(1)
金潔	?~1487			內官	內侍左承直(단종1), 유배(3), 예종시릉환관(성종2), 內侍府尙膳(7)
金潔	(세조1)				縣監, 原從3등공신
金庚	(태조~태종대)				司憲監察(태조7), 충청點兵船軍器使(7), 司憲持平(태종7), 察訪(13), 경상經歷(읍지)
金敬	(세종대)			환관	內官(13), 兼內侍府判事(15)
金敬	(세종대)				전사재監(12), 여연(13), 숙천郡事(13), 여연節制使(15)
金景達	(예종1)				전문화縣令
金敬禮	(세조대)				原從3등공신, 屬天文門
金京利	(성종3)				평양土官
金景武	(성종대)				司憲監察(11), 옥구縣監(14)
金敬善	(성종19)			환관	內官
金敬孫	(세조1)				行五司司直, 原從2등공신
金敬孫	(세조1)				五司司正, 原從2등공신
金敬守	(문종1)				甲士
金敬信	(단종2)				회령判官
金慶衍	(성종25)				兼司僕
金敬義	(태종16)				전典書
金敬義	(세종21)				평강縣監
金敬義	(세조1)				五司司正, 原從2등공신 [연산이후: 靖國3등공신]
金慶長	(세조1)				行五司司正, 原從2등공신
金敬哉	(태종17)				司憲監察
金敬節	(세조6)				전典律, 原從3등공신
金慶鍾	(세종9)		공신자손(가계불명)		司憲監察
金敬珍	(태종13)			의원	혜민국助敎
金敬昌	(세조13)				都摠使龜城君李浚軍官

金敬忠	(세조~성종대)				令史(세조1), 原從3등공신(1), 還告身(성종3)
金啓	(세종~문종대)				손실敬差官(8), 의금都事(23), 전縣監(28), 제용判官(문종즉위)
金季敬	(성종12)		환관		內官
金繼恭	(성종15)		환관		內官
金繼南	?~1467			?, 무(세조6)	進義副尉(1), 原從2등공신(1), 兼司僕(6), 함길軍官전사
金桂同	(태조4)				전別將(수원)
金繼童(季童)	(세조~예종대)				前廂中衛統長(~세조14, 充官奴), 甲士(예종1)
金桂蘭	(태조~태종대)				제주畜馬別監(태조7), 선공少監(태종3)
金繼文	(문종대)				선산府使(즉)
金繼文	(성종19)				內官
金繼朴	(세조~성종대)		역관		務功郞(세조1), 世祖原從3등功臣(1), 사역判官(14), 通訓大夫準職(성종1)
金係先	(태조2)				牛峯鐵所別監
金繼善	(문종1)				군기正
金繼孫	(성종4)				護軍
金繼孫	(성종25)				司憲監察
金繼孫	?~1462			?, 무(세종31)	內禁衛(~세종31), 무과, 삼척府使兼兵馬水軍僉節制使(단종1, 읍), 훈련관사(세조6), 僉知中樞(6), 五衛大護軍(6), 世祖原從3등功臣(6), 僉知中樞강원관찰사(6), 中樞副使강원관찰사(6), 평안도節制使(7), 복주(8)
金繼孫	(성종17)				전재령郡守
金繼壽	(세조12)				檢校예빈主簿
金繼元	(세조대)				判官(1), 原從2등공신(1), 僉知中樞(7)
金啓貞	(성종19)				在官
金繼貞	(세조~성종대)			?,무(세조11)	行五衛司直(세조11), 宣傳官(예종1), 경상좌도水軍節制使(성종3), 평안도助戰節制使(11), 司僕將(12)
金繼祖	(세종28)				전중추錄事, 護軍(족보)
金繼宗	(세조~성종대)				五司司勇(세조1), 世祖原從2등功臣(1), 건주군공1등(13), 充官奴(예종즉, 좌南怡), 영안북도節度使宣炯軍官(성종2), 行司勇(3), 영안북巡察使魚有沼從事官(3), 다대포·사량萬戶, 영안북도虞侯(4), 평안도조전節制使(5), 通政大夫會寧府使(9), 衛將(10), 充軍(11), 구성府使(12), 안주牧使(13), 종성(15)·회령府使(~16, 파직), 折衝將軍滿浦僉節制使(17), 훈련都正(19), 강계府使(19), 평안節度使(22), 영안북도

가

101

					虞侯(22), 征建州都將(22), 嘉善大夫永安南道節度使(23)
金繼志	?~1410				大護軍(태종2), 동북節制使(2), 左軍摠制(6), 전라都節制使(6), 都摠制府摠制(7), 풍해兵馬都節制使判海州牧使(8), 풍해都節制使(9), 전都節制使졸
金繼智	(성종1)				여산郡守
金保行	1431~1517			?, 문(성종11)	殿中直(~성종11), 문과, 고령縣監(11), 司諫院獻納(21), 弘文副修撰, 부교리, 교리, 應敎, 成均司成(24) 典翰(25) [연산이후: 副提學, 大司諫, 大司成, 同副·右·都承旨]
金季衡	(성종2)				司諫院正言
金繼厚	(성종22)				高山里甲士
金繼徽	(성종14)		역관		통사
金舠	(문종2)				거창縣令(읍지)
金高	(성종12)				함종縣令
金沽	(성종14~15)				司諫院正言
金高時加勿	(태종17)				都摠制府摠制
金高時帖木兒	(태종13)		여진귀화인		千戶
金古乙道介	(세종대)		여진귀화인		五衛護軍(21), 上護軍(~25, 파직)
金坤	?~1411				충청都節制使졸
金坤	(단종2)				景喜殿差備宦官
金坤	(성종대)				무신(4), 宣傳官(10), 부령府使(~13, 充軍), 敬差官(22), 通政大夫慶源府使(23)
金鯤	(세조13)				五衛部將
金鞏	(태종~세종대)				해주判官(태종15), 목천縣事(세종9)
金公望					해주牧使(읍지)
金公疎	(세조대)		여진귀화인		하다산등처萬戶(1), 上護軍(1)
金科	(태조~태종대)			문(창왕 즉위)	제주判官(태조7), 司農少卿兼世子侍讀(태종1), 右(5)·左代言(6), 漢城府尹同知經筵(7), 檢校議政府參贊(9), 유배(9, 坐閔無咎)
金琯	(태종~세종대)				경기敬差官(태종17), 황해站路察訪(세종즉)
金寬	(태종8)				종부令, 충청敬差官
金寬	(성종25)				行예문검열
金觀道	?~1411				종부判事(태종5), 判通禮졸
金光	(단종1)				別監
金光美	(태종대)				전摠郎(~12, 杖流)

金光寶	(태종6)				전典書, 별와요副提調
金光守	(세조4)				廣州甲士
金光義	(태조3)				여진百戶
金光義	(세조4)				司僕判事
金光轍					밀양縣監(읍지)
金光弼	(성종15)				삼착포僉節制使
金敎	(세종18)				左副承旨
金曒	(세종대)				길주千戶(1), 司直(1)
金咬哈	(세조대)			여진귀화인	골간올적합지휘僉節制使(~3), 驢吾里等地副萬戶(3)
金矩	(태종대)			문(1)	正字(방목)
金坵	(세종대)				掌久敎誨(21)
金球	(세종20)				加階敍用(자원강계방수, 期滿仍赴防)
金昫	(세조1)				行判官, 原從3등공신
金甌	(태종6)				견내량千戶
金九龍	(세조1)				令史, 原從3등공신
金九淵	(정종대)	불명		문(1)	26세졸(세종10)
金久閭	(세종4)				正郞兼書雲別坐
金九震	(성종23)				녹도萬戶
金仇音波	(세조2)			여진귀화인	常可下等處副萬戶
金俱知	(성종3)				東部主簿
金鞫					영해府使(읍지)
金國老					봉화縣監(읍지)
金國珍	(태종대)				전內侍衛護軍(~16, 定役)
金緇	?~1402				봉상시丞兼尙書司主簿(정종2), 巡軍提控(태종1), 복주(坐趙思義)
金勸	(태조2)				知郡事
金權	(세조대)				五司司勇(1), 原從3등공신(1), 언양縣監(2)
金權	(성종대)		父 三老	문(11)	司憲監察(방목)
金權老	(세종~세조대)			여진귀화인	吾郞哈指揮(24), 오랑합萬戶(~29), 都萬戶(29), 汝鋪都萬戶(단종1), 中樞(세조5)
金龜	?~1402				前部將(태조6), 前司直복주(태종2)
金龜	(세조12)				掌樂院掌樂
金龜	?~1473				온성鎭撫복주
金貴	(성종19)				수안郡守(읍지)
金貴岡	(세조13)				咸興旅帥
金龜年	(성종9)				五衛司直
金貴達	(세조3)				主簿, 原從3등공신

金貴龍	(태종~세종대)			역관	사역主簿(태종18), 곡산등지探訪判官(18), 僉知司譯院事(세종7)
金貴隆	(태종10)				司譯院舍人
金貴隆	(세종3)				전判官, 평안채은사
金貴命	(세종6)			환관	內官
金貴命	(세종대)				전라監練官, 沙邑時島兼監牧
金貴寶	(태종대)				경기우도助戰節制使(태종8), 左軍同知摠制(~14), 경성節制使(14), 右軍摠制(18), 左軍摠制(18), 경상우도兵馬都節制使(18)
金貴生	?~1398				전散員복주
金貴生	(세조대)			무(6)	
金貴孫	(문종~성종대)				은산縣監(문종즉위), 장흥副直長(~단종2, 파직), 直長(세조1), 世祖原從3등功臣(1)
金貴孫	?~1461				護軍(세조1), 原從3등공신(1), 五衛鎭撫(5), 경원節制使졸(6)
金貴孫	(세조1)				將仕郞, 原從3등공신
金貴孫	(성종22)				高山里甲士
金龜玉	?~1426				景福宮提擧司提控졸
金貴汀	(성종20)				수안郡守
金貴精	(성종22)				造山堡甲士
金貴之	(성종24)			환관	內官
金貴知	(성종4)				예안縣監
金貴知	(세조13)				別侍衛
金貴枝	(세조~성종대)				서운司辰(세조1), 世祖原從3등功臣(1), 관상正(성종3), 檢校漢城府尹(3), 折衝將軍五衛司正兼觀象監副提調(12), 行司果(13), 行司直(14)
金貴枝	(예종1)			환관	內官
金貴智	(세조6)				錄事, 原從3등공신
金貴珍	(태종4)				檢校典書
金貴珍	(세조1)				行五司護軍, 原從3등공신
金貴哲	?~1471				捕盜將전사
金貴玄	?~1475				황해甲士익사
金貴賢	(세조7)				온성진甲士
金貴亨	(성종9)				울진포萬戶
金貴輿	(단종1)			醫員	除東班職
金揆	(세종대)			문(2)	
金珪					봉화縣監(읍지)
金均行	(세조1)				行縣監, 原從3등공신

　　　　　　　조선초기 관인 이력

金克江	(성종19)		환관	內官
金克恭	(성종2)			甲士
金克己	(세조~성종대)			行五司大護軍(세조1), 世祖原從3등功臣(1), 前萬戶(9)
金克己	(성종대)			원주牧使(~12, 파직)
金克基	(성종4)			副提學
金克鍊	(세조~성종대)			선공直長(세조12), 宣傳官(14), 行五衛副護軍(예종즉), 영천郡守(성종8), 풍저倉守(14), 通政大夫長興府使(17), 僉知中樞兼衛將(22)
金克倫	(성종4)			양산郡守
金克明	(성종14)			醫員, 命敍用
金克孫	(성종6)			벽단甲士
金克柔	(세종대)			承文副校理(~5, 파직), 前교리(~12), 일본통신사書狀官(12), 司憲監察(12)
金克精	(세조1)			錄事, 原從3등공신
金克悌				해남縣監(읍지)
金克俊	(성종19)			承旨
金克致	(성종9)			돌산포兵房鎭撫
金克行	(세종대)	불명	문(29)	
金克孝	(세조13)			斜麼洞萬戶
金近明	(성종21)		무(성종21)	
金謹思	(세조대)			강계甲士(12, 성종15, 12, 정묘), 超3資(13, 건주군공1등故)
金禁	(세종8)			군위縣監
金及				울진郡守(읍지)
金兢	(세종24)			홍원縣監
金淇	(세종~세조대)			攝判通禮(~세종4, 파직), 判事(세조1), 世祖原從3등功臣(1)
金棄	(태종대)			司憲監察(~5, 파직), 경상관찰사都事(7)
金頎	(태종11)			장흥府使, 파직
金起南	(세종8)			前扶餘縣監
金期壽	(성종14)			世子左侍直
金起野	(성종13)			병조書吏
金器之	(세종12)			전구署令
金吉富	(태종~세종대)		환관	內官
金吉祥	(세조1)			令史, 原從3등공신
金吉孫	(세조~성종대)		문(세조6)	司憲監察(~성종3), 전주教授(3)
金吉陽	(성종7)			거창縣令(읍지)

가

105

金吉源	(세종10)				전郎將(홍주)
金吉浩	(문종~세조대)			醫員	內醫, 行五司司直(~세조1), 世祖原從2등功臣(1)
金男	(세조대)		외숙 明 太監 姜玉	기(14, 明使請)	授職(14, 강옥故)
金南	(단종~세조대)			통사	宣教郎(세조1), 世祖原從3등功臣(1)
金南	(세조6)				馬醫, 原從3등공신
金南	(세조13)				의주甲士
金南貴	(태종12)				전少監
金南斗	(태종대)				原從功臣(1), 前知豊州事(~2), 곡산등처知兵馬使(2), 五衛上護軍(13)
金南寶	?~1402				부산포千戶전사
金南寶	(세종대)			무(세종초)	連谷萬戶, 울산郡守(20)
金南濟	(세종7)				희천郡事
金南許	(세조2)			여진귀화인	蒲州등처副萬戶
金乃	(세조3)			환관	內侍飯監, 原從3등공신
金乃文					승문正字(江陽君 李蕑비명)
金內隱同	(세조대)			기(14, 明使姜玉故)	授職(14, 명사 강옥請)
金寧	(태종14)				인령府尹, 辨整都監提調
金寧	(태종~세조대)			문(태종2)	司憲監察(태종18), 禮曹佐郎(세종1), 刑曹都官正郎(8), 파직(~8), 제주判官(읍지), 兵曹正郎(15), 司憲掌令(16), 양근郡事(18), 監正(방목)
金寧	(세조대)				行五司司正(~1), 原從3등공신(1)
金祿生	(성종12)			환관	內官
金訥	(세조11)			환관	內官
金訥許	(세조12)			여진귀화인	야인副萬戶
金泥	(성종9, 10)				還告身, 命敍用(병조)
金尼老	(태종대)			문(16)	司憲監察
金多弄哈	(세조~성종대)			여진귀화인	兀良哈都萬戶指揮僉使(단종2, 세조3), 올량합中樞(세조7, 8), 올량합知事(예종1)
金端	?~1404				大護軍, 軍容點檢使졸
金達	(세조6)				正郎, 原從3등공신
金達成	(세종대)				刑曹都官署令(12), 평주(16), 봉산郡事(21)
金達全	(문종~세조대)		자 澍		창녕縣監(문종1), 司憲持平(2), 正郎(세조6), 世祖原從3등功臣(6), 兼司憲執義(9), 예빈尹(9), 제용判事(10), 충청救荒敬差官(10)
金湛	(세종대)			역관	사역主簿(9)
金擔	(세조1)				五司司直, 原從2등공신

金唐	(성종24)				전五衛司直
金堂	(태종18)				전護軍, 監築벽골제
金糖	(세종12)			기 (潛 邸 隨 從)	副司直
金簹	(성종15)				한성부假郎廳
金澩	(태종1)				知襄州事
金對					함양군수(읍지)
金大豆麻	(세종~성종대)			여진귀화인	올량합上護軍(~세종30), 都萬戶(30), 大護軍(성종10)
金大生	(성종21)				전五衛司正
金大陽	(세종7)			여진귀화인	授京職
金大平	(세종10)				忠武衛前領隊長
金臺賢	(태종~세종대)				戶曹佐郎(~태종9), 황주判官(~12), 영산縣監(~세종4)
金德恭	(단종~예종대)			환관	行內侍調者(단종1), 內官(예종1)
金德吉	(문종1)				제주鎭撫
金德連	(세조7)			환관	환관
金德明	(세종9)				副司正, 世子朝見養馬
金德門	(단종2)				성절사押馬
金德生	(성종6)				忠義衛
金德崇	(세종대)		父 檢校漢城尹 天益		한산郡事(8), 전郡事(26)
金德章	(태종대)		처제 明 皇妃 黃 氏	기(17, 처제 故)	錄事(17), 仁寧府丞(17)
金德載	(태종3)				파직(趙思義右翼故)
金德俊	(성종대)				전농判事(黃守身비명)
金德仲	(성종3)			화원	御眞화가
金到利	(성종대)				육조낭관
金道生	(태종대)				通禮門奉禮郎(6), 하양監務(8), 司憲監察(~10, 유배)
金都乙溫	(세종~세조대)			여진귀화인	오랑합추장(~세종22), 본토千戶(22), 萬戶(25), 동량북(단종1), 올량합都萬戶(3), 中樞(세조2)
金敎	(성종23)				直長, 파직
金敦	(세종~성종대)				成均直提學(세종조), 전成均館官(성종9)
金同	(단종~성종대)			환관	別監(단종1), 顯陵內侍飯監(2), 世祖原從3등功臣(세조1), 通訓大夫(성종12)
金同	(세조~성종대)		제 明太監 輔	기(세조12, 제 輔故)	別監(단종1), 世祖原從3등功臣(세조1), 虎賁衛副司果(14), 禦侮將軍行大護軍(성종12)

金科				문(우왕14)	右代言(방목)
金斗南	(태종~세종대)				知豊州事(~태종2), 곡산등처知兵馬使(2), 左軍同知摠制(세종즉)
金豆稱介	(태종5)				골간올적합萬戶
金得剛	(태종6)				3군錄事掌務
金得敬	(세조8)				평택縣監
金得命	(세종1)				삼화縣令(읍지)
金得麗	(성종1)				五衛鎭撫
金得明	(세종4)				전라鎭撫, 威容將軍
金得命	(세조6)				典事, 原從3등공신
金得門	(세조1)				五司護軍, 原從2등공신
金得邦	(태종11)				司直
金得祥	(태종~세종대)			무(태종11)	副司直(태종11), 前泗川兵馬使(세종5)
金得祥	(세종~단종대)			환관	行同知內侍府事(단종1), 景禧殿差備內官(2)
金得生	(세종4)				영종포萬戶
金得孫	(단종3)			환관	內官
金得綏				문(우왕3)	閤門祗侯
金得順	(단종2)				함길鎭撫
金得淵	(세종23)				함길土官
金得中	(성종대)			기(3, 효행)	隨才擢用
金得春	(단종1)				別監
金得海	(세종대)				함길鎭撫(6), 護軍(6)
金得希	(문종즉위)				전大護軍(居단천)
金滕	(세조1)				判官, 原從3등공신
金藤	(세조1)			일관	行書雲觀掌漏, 原從3등공신
金廬孫	(태종15)				양천郡守(읍지)
金廬遐	(태종대)			문(11)	判事(11), 단천郡事(~17, 파직)
金廉	(세종2)				제주判官(읍지)
金廉	(성종11)	숙부 明 太監 姜玉		기(강옥故)	宣略將軍行五衛副司勇
金濂	(태종4)				中部令
金磏	(세조대)				年少문신(10), 사은사書狀官(12)
金馬申介(哈)	(세조대)			여진귀화인	草串等處副萬戶(2), 초곳萬戶(5), 骨看萬戶(5), 都萬戶(5), 中樞副使(5)
金萬	(세종9)				전司正
金萬孫	(성종23)				사량萬戶
金萬守	(세조14)			환관	內官
金萬重	(세조1)				權知訓鍊錄事, 原從2등공신

金末文	(단종1)				나주牧使(읍지)
金末碩	(세조1)				五司司直, 原從3등공신
金末孫	(성종대)			환관	內官
金末中	(세조3)				藝文提學
金末行	(세조1)				僉知中樞
金邁卿	?~1423				승령부少尹(태종6), 知司諫(7), 유배(8), 內贍判事(12), 파직(13), 청주牧使(18)
金孟江	(성종12)				교동縣監
金孟卿	(세종23)				司憲掌令
金孟敬	(세종즉)				鐵山守
金孟敬	(성종대)			역관	사역判官(2)
金孟儆	(성종14)			역관	통사
金孟規	(세조~성종대)		자 友謙		남부錄事(세조6), 증산縣令(~성종3, 파직, 永不敍用)
金孟鈞	(세종3)				영유縣令(읍지), 전라우도都萬戶
金孟儆	(단종3)				전五衛副司正
金孟寶	(세조1)				通仕郎, 原從3등공신
金孟孫	(세조1)				承訓郎, 原從3등공신
金孟溫	(예종1)				別侍衛(성주)
金孟雲	(세종대)			기(10, 明使尹鳳故)	副司直(10, 尹鳳請故)
金孟銀	(성종2)				永建萬戶
金孟隱	(성종15)				安仁浦萬戶
金孟宜	(세종26)				제천縣監
金孟智	(세종10)				개령縣監
金孟河	(세종대)			기(11, 명사 李忠故)	副司正(11, 명사 李忠請故)
金孟衡	(단종~성종대)				풍저倉丞(단종2), 察訪, 통천郡守(~성종10), 군기副正(10)
金孟勳	(성종20)				의금經歷
金沔	(태종17)				通禮門判官
金明老	(세종6)				용궁縣監
金明道	(성종22)				거창縣令(읍지)
金命山	(세조6)			역관	통사
金命孫	(성종20)		서얼(가계불명)		王子君師傅
金明諤	(세종7)				안음縣監
金明浩	(성종21)			역관	통사
金耄	(성종15)				司憲掌令

가

金毛多吾	(단종~세조대)			여진귀화인	여진萬戸(단종3), 副萬戸(세조1), 乙阿阿毛端等處萬戸(2), 上護軍(6)
金蒙	(성종8)				경성府使(읍지)
金無里介	(세조1)				毛里安等處副萬戸
金汶	(태종대)				縣監(安瑗묘지)
金文幹	(세종4)				의금都事
金文卿	(세종대)			기(10, 明使尹鳳請)	司直(10, 尹鳳故)
金文敬	(성종대)				[연산대: 수안郡守(2, 읍지)]
金文基	(세종29)				함길都鎭撫
金文達	(단종~세조대)				사은사수종관(단종즉위), 五衛護軍(세조1), 世祖原從2등功臣(1)
金文孝	(세종대)			문(8)	집현正字(9), 直提學(방목)
金文厚	(태종대)			환관	內官
金民	(세조13)				加1資(李施愛亂留防공)
金博	(성종7)				능성縣令
金潘	(세종대)		서 修撰 金義貞		漢城庶尹(金揚震비명)
金方	(성종대)				破敵衛(~20), 領別軍將(20)
金方貴	(세종~세조대)				大護軍(~24, 遭喪), 行副司直(24), 行大護軍(26), 上護軍(31), 世祖原從1등功臣(세조1)
金背善	(세조6)				五衛司正, 原從3등공신
金伯勤	(세조대)			여진귀화인	愁州副萬戸(11), 指揮僉節制使(~12), 본처副萬戸(12)
金伯淳	(성종14)				珍原縣監
金伯隱	(태종2)				낭천縣監(읍지)
金法生	?~1400				무신, 侍射中졸
金炳文	(단종~세조대)			문(단종1)	訓導(단종1), 世祖原從2등功臣(세조1), 西部令(방목)
金寶	(태조~태종대)				前서운正(태조2), 태조원종공신(2), 檢校工曹典書(태종1)
金寶劍	(세조대)				전주土官(~4), 授京職(4)
金寶桂	(태조5)				진도萬戸
金甫南	(성종18)				小波兒權管
金寶安	(세종26)				수군節制使
金保重	(태종~세종대)				戸曹佐郎(태종16), 隨川郡事(~세종5), 杖流(5)
金寶重	(세종12)				전문천郡事
金保之	(세종~세조대)				吉州判官(세종23), 兼司憲持平(문종즉위), 司直(~즉), 충청都事(즉), 庫使(세조1), 세조原從3등공신(1)
金甫添	(성종10)				命敍用(이)

조선초기 관인 이력

金甫柒				장수縣監(읍지)
金寶(甫) 海	(태종대)			將軍(4), 졸護軍(13)
金服寬	(세종28)			풍기縣監(읍지)
金福根	(성종24)			親祀典樂令
金復禮	(세종대)			議政府典吏(~16), 司正(16), 副司直(25)
金卜山	(성종3)			管絃盲人, 授서반9品遞兒職
金福眞	(예종대)	처남 명 太監 崔安	기(1, 처남故)	宣略將軍五衛副護軍(1, 최안故)
金奉	(태종13)			護軍
金奉孫	(성종17)			北部主簿
金奉元	(세조~성종대)			군산萬戶(세조2), 부령軍官(6), 參西征(10), 충청水軍節度使(예종1), 피죄(성종3)
金奉曾	(세조~성종대)			4도都摠使李浚軍官(13), 高嶺鎭僉節制使(성종15), 벽동郡守(22)
金扶	?~1398			司憲監察 복주
金扶	(정종2)			司憲監察
金阜	(태종12)			前監務, 은율縣監(읍지)
金富	(세종~단종대)		환관	內豎(세종5), 判內侍府事(단종3)
金負石	(성종23)			강진縣監
金富弼	(단종~성종대)	父 如晦, 祖 2品 관 士淸	문(단종1)	權知正字(단종1), 世祖原從2등功臣(세조1), 교서正字(2), 成均直講(방목)
金不保	(세종4)			함흥부主事
金佛守	(세종21, 단종1)	父 仁哲		효행(만경현인), 旌門敍用
金佛從	(세조3)		환관	書房色, 原從3등공신
金貔	(태종대)		문(14)	縣監(방목)
金庀	(세종대)		기(13, 효행)	同正(제주), 녹용(13, 孝行故)
金狖	(세종대)			홍천縣監(10), 곡산郡守(17), 훈련判官(22)
金庀	(세조대)		기(13, 효행)	旌褒錄用(13, 孝行故)
金贇	(태조7)			안동判官(읍지)
金鎚	(세종25)			在職中, 加資
金思	(성종5)			五衛護軍
金辭	(태종대)		기(3, 明使 裵整故)	副司正(3, 裵整故)
金士恭	(세조~예종대)			行主簿(세조1), 世祖原從3등功臣(1), 五衛鎭撫(~7, 파직), 宣傳官(예종즉위)
金思道	(세조13)			건주정벌시 奉使
金思立	(세종21)		역관	啓稟使통사
金士文	(태종12)			永川郡守(읍지)

金士文	(성종17)				울진縣令(읍지)
金思美	(태종15)				五衛上護軍
金四守	(성종대)				전라우도水軍節度使(24), 充軍(25)
金思純	(태종2~3)				청주牧使
金士信	(세종대)				護軍(5), 前여연郡事(~14, 유배)
金寺彦	(태조2)				萬戶
金士溫	(성종대)				충청도栗峰察訪(~5, 유배)
金嗣元	(성종6)				先農祭畿邑令
金嗣源	(세조~성종대)				전전의縣監(세조12), 충훈부都事(14), 충훈부經歷(성종1), 수원(4)·숙천府使(11), 司僕副正(~18), 장단府使(18), 예빈(~24), 사도正(24)
金斜隱土	(세조2)			여진귀화인	無乙界等處都萬戶
金思義	(세종~문종대)				전縣令(세종2), 삼등縣令(~문종1, 파직)
金思一	(세조1)				五司司正, 原從2등공신
金士根	(세종3)				원주判官
金師碑	(태종~세종대)				풍저창副使(~태종12, 면직), 언양(16)·창녕縣監(세종4)
金斯中	(세종19)				경주判官
金四知	(태조대)				전署令(4)
金思震	(태종~세종대)			환관	掖庭署司鑰(~태종16, 파직), 掖庭署司謁(세종17)
金嗣昌	(세종대)	父 承旨 有讓			忠義衛, 兼司憲監察, 五衛司正, 副司直, 收職牒(세종29, 4, 21, 성종8, 1, 임인)
金四川	(태종9)				영해府使
金士清					영해府使(읍지)
金士忠	(세종10)				전인수副丞, 파직
金思忠	(세조7)	父 敬善			함길西北口子權管
金斯太	(태종8)				은율縣監(읍지)
金斯汰	(태종14)				전司憲監察, 充水軍
金師幸	?~1398			환관	判內侍府事(태조2), 判敬興府事同判都評議使司判司復司農繕工監事(6), 駕洛伯(6), 판경흥부사동판도평의사사輸忠輔理功臣(6), 피화(佐鄭道傳)
金思訓	(태조대)		기		시위甲士(태조총서)
金嗣興	(세종31)				理山郡事
金山	(세종16)			여진귀화인	올량합副司直, 加職
金山海	(세조1)				行五司司正, 原從2등공신
金蓼	(성종10)				울진縣令(읍지)
金三近	(세종대)	父 判官 繼權			조지서別坐(28), 비안縣監(金永銖묘갈명)

金三山	(세조1)			五司副司正, 原從2등공신
金三雨	(세종25)			千戸(甫淸浦戰時)
金相	(세종19)	祖 英烈		흥덕縣監
金商	(세조2)			高巒萬戸
金尙秉	(세조1)			行書雲觀掌漏, 原從3등공신
金尙起	(세조13)			五衛司直(定平)
金尙南	(세종대)		기(군공)	軍人(~6, 居경성), 副司正(6)
金尙寧	(태종~세종)			안동判官(태종9), 의금都事(18), 경상經歷(세종2), 순흥府使(9), 곤양郡事(16)
金尙呂	(세종30)			의정부錄事
金尙旅	(태종~세종대)			監正(태종5), 上護軍(14), 전라海島察訪兼損失敬差官(14), 左軍摠制(17), 충청兵馬都節制使(18), 削職充軍(세종1)
金尙麗	(성종7)		환관	주방內官
金尙廉	(세종대)		문(17)	縣令, 禮曹佐郎(방목)
金尙廉	(세조1)			五司副司正, 原從3등功臣
金尙廉	(세조6)			別坐, 原從3등공신, 용강縣令(읍지)
金尙禮	(세종29)			풍기縣監(읍지)
金尙文				함안郡守(읍지)
金尙美	(세조~성종대)		여진귀화인	五司副司正(세조1), 世祖原從2등功臣(1), 內侍衛(12), 兼司僕(성종즉위)
金尙保	(태종~세종대)			황주判官(~태종15, 파직), 동복縣監(세종9)
金尙善	(세종~문종대)			영광郡事(세종24), 영유縣令(문종즉위)
金尙安	(세종13)			의주判官
金尙義	(성종24)			司憲監察
金尙鼎	(태종12)			교서正字
金相佐	(성종24)			命敍用(이조)
金上佐	(성종대)			甫見羅將, 敍用(이조)
金尙珍	(세조~성종대)		醫員	五司副司直(세조1), 世祖原從2등功臣(1), 內醫(3) 僉知中樞(10), 同知中樞(13, 예종즉, 성종즉위), 行五衛上護軍(성종3)
金尙澄	(문종대)	父 超	?, 문(즉)	教導(~문종즉), 문과
金尙亨	(세조대)	장인 知中樞 金允壽		護軍(김윤수묘표)
金塞古持	(성종12)		여진귀화인	여진僉知
金塞古特	(세조11)		여진귀화인	護軍, 愁州副萬戸
金生	(세조6)			甲士
金生麗	(태종11)			전副正
金生阿	(세종20)	父 巨兒帖哈	여진귀화인	副司正

金生禹	(세종대)			기(2, 효행)	敍用(2, 생원, 孝行故)
金恕	(태조~태종대)				서운兼主簿(태조7), 副正(태종10)
金恕	(세종~세조대)				內贍少尹(세종29), 나주牧使(세조3)
金敍	(태종대)				전少監(11), 檢校判事(17)
金潝	(세조~성종대)				縣監(세조1), 世祖原從2등功臣(1), 영동縣監, 졸단양郡守(성종5)
金瑞通	(성종대)				通政大夫龜城府使(10), 경상우도節制使(12)
金瑞衡	(성종대)				충청兵馬節度使(~6, 유배), 嘉善大夫忠州牧使(9), 영안남도節度使(10), 온성府使(19), 강무衛將(20), 충청水軍節度使(21), 전라兵馬節度使(23)
金石	(세종13)				千戶(청주)
金石	(성종3)			화원	別監
金席					장기縣監(읍지)
金錫					의령縣監(읍지)
金石堅	(세조10)				中部甲士, 充軍
金石堅	(성종18)			역관	통사
金錫堅	(성종25)				의금經歷
金錫貢	(성종24)				打量敬差官
金石同	(성종5)				武臣
金石良	(성종23)				甲士
金錫老	(예종즉)				都摠府錄事
金碩命	(성종9)				兵曹參判
金石山	(세조대)				五司副司直(1), 原從2등공신(1), 토산甲士
金石山	(성종15)				토산甲士
金石山	(성종19)			천	지리학提調
金錫秀	(성종대)				書吏, 甲士(24)
金石梯	(세종~세조대)				司正(세종26), 主簿(세조1), 世祖原從3등功臣(1), 사재副正(3), 군기副正(5), 判事(5), 折衝將軍五衛護軍(~9, 파직), 行上護軍(~10, 파직), 졸관상감副提調(성종3)
金碩祖	(성종17)				전萬戶
金碩宗	(성종대)				삼수(~12), 위원(12, 西征戰功), 용천郡守(24)
金錫宗	(세조1)				權知訓鍊錄事, 原從2등공신
金石通	(단종~세조대)			문(단종1)	縣監(세조12), 判官(방목)
金璇	(단종1)				경성府使(읍지)
金宣	(성종대)				嘉善大夫장흥府使, 降通政大夫
金善	(성종대)			환관	환관
金善	(세조3)				隊長, 原從3등공신

金磑	(성종15)				한성부假郞廳, 敍동반
金銑					金溝縣令(읍지)
金善慶	(세조6)				別侍衛, 原從3등공신
金善道	(성종2)				都摠制府書吏
金善孫	(성종21)				지례縣監
金屑	(세조1)				令史, 原從3등공신
金設	(태종11)				노량萬戶
金成	(태조5)				百戶
金成	(태종10)				전判事
金成	(세종24)			기(鷹師)	전司正
金成侃	(태종2)				司憲持平
金成吉	?~1419	자 倫			水軍萬戶전사
金成烈	(세종21)				숙천府使
金成美	(정종2)				掌務將軍
金成美	(태종16)				군기시官
金成美	(세종14)				군기權知直長
金成寶	(성종대)				문경도察訪(3), 삼화縣令(19, 읍지)
金成福	(세조6)			여진귀화인	成均典簿五衛司正, 原從3등공신
金成富	(태조7)				전郞將
金成孫	(성종23)				웅천縣監
金成鼎	(세종대)				前監務(7), 지례縣監
金成中	(세조11)				신창縣監
金世甫	(세종즉)				전萬戶
金世英	(성종대)				의금부經歷, 司憲監察
金世用	(세종10)				전散員
金世勛	?~1490			무(성종5)	宣傳官(세조10), 정조사호송部將(10), 折衝將軍五衛副護軍(11), 判理山郡守(11), 通政大夫兵曹參知(12), 同副·右副·左副·右·左承旨(12~15), 嘉善大夫忠淸水軍節度使(15), 同知中樞(17), 충청관찰사(18), 刑曹參判(19), 經筵特進官(20), 僉知中樞(20), 僉知中樞졸
金世銓	(성종20)				司憲持平
金世俊	(성종21)				영안도軍官
金世忠	(세종1)			환관	內侍
金世通	(성종1)				거제縣令
金世衡	(성종대)				嘉善大夫僉知中樞(16)
金世壕	(성종15)				命敍用(이)
金世豪	(성종대)				司憲監察(5), 여주判官(10)

金沼	(세종12)			전節制使
金紹	(태종~세종대)	父 承緒		前水軍僉節制使(태종9), 嘉善大夫朔州兵馬節制使(세종즉)
金素大	(세종7)			한성府尹
金小良	(세종12)			영유縣令
金所應巨	(세종24)	여진귀화인		行司正
金續	(세종대)			의성縣令(9~12)
金束時	(세조10)			함길도探訪別監
金速時	(성종10)	여진귀화인		兼司僕
金孫之	(단종3)			전五衛司正
金灑生	(세조1)			아악서典樂, 原從3등공신
金粹	(태조~세종대)			정선郡事(태조2*), 단천郡守(태종6*), 충청都節制使鎭撫(세종1)(* 읍지)
金壽	(태조4)			안동府使(읍지)
金守	(세조1)			修義副尉, 原從2등공신
金琇	(성종14)			음죽縣監, 陞職
金守剛	(세종대)			함길도軍士(~25, 陞2資, 軍功故)
金壽康	(세조대)			宣傳官(세조13), 장수縣監(읍지)
金水堅	(세조1)			史官
金壽堅	(세조10)			이산郡事
金守謙	(성종9)			成均同知事
金守經	(세조4)		환관	환관
金粹經	(성종13)			內禁衛
金壽卿 (敬)	(세조대)		환관	內官(세조6), 世祖原從3등功臣(6)
金秀光	(세종~성종대)	父 不比	문(문종즉위)	禮曹佐郎(세조7), 司諫院獻納(9), 通訓大夫司憲執義(성종14), 원주牧使(20)
金守潭	(세조3)			諸司吏典
金壽全	(성종25)			내수사別監
金壽同	?~1467	父 承珪		회령軍官전사
金粹廉				해주牧使(읍지)
金壽禮	(세종10)			전陵直
金洙老	(성종17)			남평縣監
金秀命	(세조~성종대)		?, 문(세조6)	敎導(~세조6), 문과, 무반서용(성종10)
金秀文	(성종대)	父 謹	문(3)	守令(성종13), 司諫院獻納(21), 司憲持平, 의흥縣監(24)
金水山	(세조1)			五司司正, 原從2등공신
金守山	(성종22)			別侍衛

金壽山	(세종10)				司正
金水山	(세조1)				將仕郎, 原從3등공신
金壽山	(세조2)		환관		환관
金壽山	(단종1)				함길都節制使李澄玉軍官
金水生	(세조1)				錄事, 原從功臣3
金守生	(세종12)				동활인원祿官
金守善	(문종1)				성환도驛丞
金修實	?~1467				종2奉朝賀졸
金壽延	?~1455			무(세종10)	上護軍(세종17), 평안도按撫使崔潤德軍官(17), 경흥郡事(21), 僉知中樞(29, 31), 판삭주(문종즉위), 안변府使(즉), 同知中樞(1), 전中樞副使졸
金秀英	(성종대)	父 惠		문(14)	評事(24), 강원都事(방목)
金粹英	(성종23)				길주縣監(읍지)
金受益	(태조1)				전同知密直, 원종공신
金守雌					영해府使(읍지)
金壽長	(성종대)	종조 明 太監 金興	기(김흥고)		5품(11), 折衝將軍(14), 僉知中樞(14)
金守貞	(성종대)				창성甲士(6), 兼司僕(8), 府使(21), 行五衛司勇(22), 都元帥許琮從事官(22)
金粹精	(성종15)				문반임용
金粹正	(성종19)				선농제正衣
金壽貞	(세종23)				지례縣監
金壽重	(성종11)				承政院注書
金守知	(성종대)				[연산대: 거창縣監(2, 읍지)]
金守知	(세종대)	장인 參贊 成發道			司憲監察(12)
金壽澄	(태종대)		환관		內官
金守仟	(성종17)				前輸城道察訪
金壽千	(태종4)				嘉善大夫삼등縣令(태종2, 읍지), 전司尹
金秀賢	(성종대)			문(9)	봉상副奉事(12), 司憲監察, 영북評事(22), 충주敎授(24)
金壽亨	(세조11)	장인 左議政 權覽			풍저直長
金秀荊	(성종대)			문(11)	敎授, 司憲監察(방목)
金叔	(세조6)				부령부甲士
金淑	(성종대)			무(12)	청주判官(23)
金淑傲	(세조1)				知郡事, 原從2등공신
金叔恭	(세종대)				포천(17), 지평縣監(21)

金叔良	(태종8)				당진監務
金淑利(叔利)	(세종~문종대)	형 叔亨, 명사 尹鳳 질서, 장인 中樞副使 尹重富			광흥창副丞(세종14), 사재副正(문종즉위, 장인故), 강화府使(즉)
金叔甫	(세종6)				전知郡事
金叔甫	(단종3)				忠順衛
金叔孫	(성종5)				忠順衛
金叔孫	(성종19)		환관		內官
金淑孫	(성종대)				신창(3), 영동縣監(~25, 파직)
金叔演	(성종대)				전한산郡守(20), 사옹僉正(21), 청주牧使(25), 通政大夫定平府使(25)
金淑元	(성종20)				강무部將從事官
金淑亨	(성종17)				別侍衛
金叔箴	(세종대)				홍주判官(13), 定山縣監(16), 면천郡事(25)
金純	(태종17)				안협縣監
金順			문(우왕2)		중추부堂後官
金順	(세종~세조대)				司諫院右獻納, 司憲持平, 司諫院左獻納, 司憲掌令, 刑曹參判
金淳	(세종대)		환관		內官
金洵	(성종14)				경성府使(읍지)
金舜皐	(세조5)				경성府使(읍지)
金順同	(성종3)				甲士
金純禮	(세종10)				迎接都監錄事
金順理	(성종대)				상의원直長(3), 判官(11)
金舜輔	(세조~성종대)				의주判官(세조13), 군기別提(예종즉위), 敬差官(성종1), 捕盜部將(3), 훈련正(6), 고령僉節制使(6), 衛將(10), 通政大夫義州牧使(10), 창성(13), 수원府使(14), 안주(15), 충주牧使(17), 파직(19)
金純福	(세조~성종대)	자 明 太監 輔			忠佐衛副護軍(세조14), 衛將(성종3), 同知中樞(9), 정조副使(9)
金純善	(세조11)	종숙 明 太監 輔			진위縣監, 파직
金順成	(세조11)				정조사書狀官, 유배
金舜孫	(성종대)		환관		內侍府尙傳(23), 承傳宦官(25)
金順濕	(성종대)	친족 明 太監 金興			賜銀帶, 禦侮將軍將軍(14)
金順溫	(성종대)	친족 명 太監 金興			賜銀帶(12), 禦侮將軍將軍(14)
金順義	(성종15)				무장縣監(읍지)

조선초기 관인 이력

金順宗	(성종24)				정조사押物官, 유배
金順和	(단종1)			환관	行內侍府右承直
金崇	(태종14)				萬戶(~14), 兵曹佐郎(14)
金崇可	(태종11)				知沃州事(읍지)
金崇元	(세조~성종대)				학생(~세조1), 原從3등공신(1), 參樂譜改 定(성종17)
金崇祖	(성종대)				[연산대: 啓功郎校書副正字(2)]
金崇智	(세조~성종대)				五司司直(세조1), 世祖原從2등功臣(1), 萬戶, 기장縣監(성종7)
金崇漢	(성종대)				通訓大夫茂長縣監(2), 通政大夫숙천(6), 삼척府使(11), 유배(15), 갑산府使(17)
金習	(태종15)				풍해도經歷
金襲	(세종1)				강원敬差官, 파직
金習	(세종30)				거창縣監(읍지)
金繩	(세종21)				昆陽郡事
金承幹	(세조대)				副使(1), 原從3등공신(1), 제천縣監(8)
金承慶	(세조~성종대)				尙書錄事(세조8), 司憲監察(예종즉위), 郡守(姜子平비명), 종묘署令(성종7)
金承禮	(성종13)				五衛鎭撫
金承理	(태조2)				금성縣令
金承庇	(문종즉위)				전縣令
金承緖	(세조대)				五司副司直(1), 世祖原從3등功臣(1), 行五衛司正(8), 宣傳官(~8), 강무雜類將(8)
金承孫	(세조6)				判官, 原從3등공신
金承孫	(성종21)				신천甲士
金承順	(성종4)				大倉造成都監副使, 유배
金時	(태종8)				護軍, 유배
金時仇	(단종~세조대)			여진귀화인	골간都萬戶(단종3, 세조1)
金時具	(세종~세조대)			여진귀화인	골간萬戶(세종28), 都萬戶(세조1), 中樞(2)
金始生	(성종15)			환관	內官
金視石	(세종대)		父 興世	文科會試(5)	태인縣監(~22), 五部令(22)
金始用	(태조3)				경상도都事(읍지)
金時用	(태조~태종대)				京市署丞(태조6), 교서丞(정종1), 成均直講(2), 侍講院右諭善(태종2)
金時遇	?~1432			역관	세자입조奉禮郎打角夫(태종7), 上護軍(세종즉~8), 주문사(6), 慰諭使(7), 주문사(8), 都摠制府僉摠制(8~13), 진헌사(8), 同知摠制(~14), 中樞副使(14), 中樞副使졸
金時霆	(세종대)			문(17)	문의縣令(방목)

金時霍	(세조1)				主簿, 原從3등공신
金始忠	(세조1)				判官, 原從3등공신
金湜	1456~?		父 輝仲	문(태조2)	刑曹判書
金軾	(태종6)				檢校戶曹典書
金信	(세종대)				영유縣令(5), 단천郡守(11, 읍지)
金辛	(세종~세조대)			역관	奏聞使打角夫(세종12), 통사(22), 行五司司勇(문종1), 사역判官(세조1), 世祖原從3등功臣
金莘	(세조대)				行五衛司直(1), 世祖原從3등功臣(1), 元山島兼監牧(12), 거창縣令(성종10, 읍지)
金信仝	(성종22)				高山里군공3등
金信文(信沙也文)	(세조3)			왜귀화인	兼司僕
金伸輔	(성종6)				전萬戶, 充驛戶
金申復	(세조6)				진헌사押馬官
金申福	(태종18)		형 興復		파직
金愼孫	(성종대)				彰信校尉(~3), 都摠府都事(3), 宣傳官(3), 청안縣監(~9, 파직)
金臣節	(태종~세종대)			문(태종14)	승문校理(방목)
金愼祖	(세조1)				錄事, 原從2등공신
金愼之	(세종대)			문(5)	인제縣監(17), 司憲監察(방목)
金愼行	(세종~단종대)		고모부 右贊成 李承孫	무	거제縣令(23), 태안(문종즉위), 隨川郡守(1), 장흥府使(단종1)
金仍	(태종대)			문(5)	
金深	(세종대)				司禁(~3, 파직), 翊衛司左翊贊(8)
金阿剌	(세조~성종대)			여진귀화인	야춘등지副萬戶(세조6), 上護軍(~12), 僉知中樞(12), 都萬戶(성종5), 中樞(19)
金阿郎哈	(세조3)			여진귀화인	大護軍
金阿乙加	(세조3)			여진귀화인	於知未等地副萬戶
金安卿	(태종~세종대)				의금부都事(태종17), 戶曹正郎(세종2)
金安道					장기監務(읍지)
金安禮	(태종11)				사온署丞, 파직
金安土	(세종14)				錄事
金若衷	(성종18)				忠義衛, 春宮都監丹靑監役
金若海	(세종22)				三陟府使兼兵馬水軍僉節制使(읍지)
金良	(세조1)			樂工	아악署令, 原從3등공신
金亮	?~1406				전少尹복주(좌文可學)
金壤	(세종~단종대)			환관	行內侍府右承直
金良敬	(문종즉위)				석성縣監

金良謹	(성종14)				忠順衛, 全家徙極邊
金陽德	(세조11)				당진포萬戶, 파직
金養民	(태종17)				삼화縣令(읍지)
金陽普	?~1411				前監務익사
金良奉	(세조10)				司憲監察, 忠淸道行臺
金楊善	(세조14)				五衛鎭撫所書員
金良孫	(성종11)				司憲監察
金陽俊	(세조1)				前水軍僉節制使
金御注	(세조13)				前五衛司直(영흥)
金億之	(세종~세조대)				흥덕縣監(세종21), 僉知中樞(세조1), 通政大夫牧使(1), 世祖原從2등功臣(1)
金彦	(세종5)				伴倘遞兒副司正
金焙	(성종대)				宣敎郎行藝文待敎(연산2)
金彦庚	(세조~성종대)				회령判官(세조9), 通政大夫三陟府使(성종6), 西征輜重將(11), 嘉善大夫첨지중추(11), 경기水軍節制使(11), 경상우도兵馬節度使(14), 僉知中樞(16), 안주牧使(21), 充軍(23)
金彦卿	(세종6)				故知郡事
金言愼	(세조~성종대)				상주判官(세조14~성종3), 피죄(3)
金彦容	(태종~세종대)	자 甲山郡事 諧		역관	사신押物官(태종17), 僉知司譯院事(세종6)
金彦璋				문(공양왕2)	
金彦章	(세조10)				거창縣令(읍지)
金汝	(태종13)				전判事
金礪	(세조대)				藝文奉敎(8)
金余哥	(세조대)			여진귀화인	護軍(~3), 薰春等地萬戶(3)
金呂强	(성종10)				在官
金汝礪	(세조1)				行五司副司正, 原從3등공신
金汝昒					순천府使(읍지)
金麗山	(단종~세조대)				書員(단종즉위), 五司直(세조1), 세조原從3등공신(1)
金礪山	(세조대)			환관	掖庭署司謁(~6, 파직)
金呂生	(태종10)				경원鎭撫
金呂生	(세종~단종대)			醫員	전의副正(20)
金呂生	(세조~성종대)			환관	內侍府官(~세조10, 파직), 內官(성종19, 加資)
金汝俊	(세조1)				五司司直, 原從3등공신
金呂之	(세종21)				경원鎭撫
金礪志	(세종27)				병조知印
金麗珍	(태종대)				京市署丞(~12), 司憲監察(12)

가

金麗珍	(세조13)				고원郡守
金汝弼	(세종1)				知申事, 파직(坐王巨乙于音)
金麗淮	(성종4)				風憲官(사헌부관)
金亦留	(세조대)			여진귀화인	동량북등처副萬戶(2), 汝吾等處萬戶(5)
金衍	?~1453			환관	承傳宦官(단종1), 피화(1)
金延祐	(태조~세종대)				宣略將軍(태조7), 檢校漢城府尹(세종10)
金延祐	(세종17)	제 明 太 監 福	기(제故)		副司正
金英	(성종5)			醫員	醫員
金榮可	(태종3)				함안郡守(읍지)
金永肩	(성종1)				상의正, 奉先寺雜物監造官
金永南	(세조7)				해주甲士
金榮老	(세조1)				五司司正, 原從3등공신
金榮老	(세조대)				前璿源殿直(~13), 居山察訪(13)
金永輪	(태종3)				함안郡守(읍지)
金永蕃	(성종11)				行五衛司勇
金暎璧	(단종~세조대)	불명		문(단종1), 중(세조3)	權知成均學諭(세조1~3), 世祖原從2등功臣(1), 문과중시, 成均直講(3), 成均司藝(10), 郡守(~12, 파직)
金永保	(세조13)				內禁衛
金永寶	(세종1)				司僕兼官
金英富	(세종7)				檢校漢城府尹
金寧生	(성종14)				덕산縣監, 陞職
金永瑞	(성종대)				司憲監察(2), 推刷都監郎廳(19)
金英銖	(성종22)				司諫院正言
金永壽	(세조대)				五司護軍(1), 原從功臣3(1), 浪城浦萬戶(13)
金永洙					영덕縣令(읍지)
金永柔	(세종8)				서운副正
金寧胤	(성종13)				울진縣令(읍지)
金永湔	(문종~세조대)				주자소別坐(문종1), 정읍縣監(단종2), 世祖原從2등功臣(세조1), 영광郡事(7), 전郡守(~7), 평안도體察使申叔舟從事官(7)
金永銓	(성종6)				宣傳官, 파직
金永鼎	(세조~성종대)				檢律(세조1), 世祖原從3등功臣(1), 장수縣監(~성종2, 파직)
金永珍	(성종14)			환관	內官, 充軍
金永鍾	(성종대)				경주判官(성종2), 파직(4), 황해都事(~10), 工曹正郎(12), 합천郡守
金永和	(태종3)				순군사鎭撫

金禮	(세조대)			환관	內官(1), 原從3등공신(1), 掌內잠실(11)
金禮文	(세조~성종대)				承義郎承政院注書(성종2), 兵曹佐郎(4), 成均司藝
金禮生	(성종23)				지례縣監
金禮義	(단종2)				大司成
金吳	(성종대)				六曹낭관
金昕	(성종대)				臺諫
金吾看主	(단종즉)			여진귀화인	동량북올량합都萬戶
金吾看主	(단종~세조대)			여진귀화인	五司副司直(단종3, 시위), 司正(~세조1), 世祖原從3등功臣(1)
金吾光阿	(세종8)				올량합副司直
金吾麻之	(세종대)			환관	內侍(~5), 內侍飯監(5)
金五福	(태조4)				졸判事(양성)
金五福	(세종18)				맹산縣事
金吾乙廳	(세종2)			환관	內侍, 司饔
金吾乙麻之	(세종대)			환관	內侍(~5, 유배), 內侍府飯監(5)
金玉 (遇亨)	(태종대)				上護軍(9), 兼東北面別牌僉節制使(9), 鎭撫(10)
金鈺	(세조10)				현풍縣監(읍지)
金玉	(예종대)				甲士(~1, 파직)
金玉謙	?~1455			?, 무(단종2)	五司司直(문종1), 五司護軍(~단종2), 무과, 훈련知事(2), 收告身充軍(3), 피화(좌錦城大君瑜)
金玉謙	(태종대)			기	잠저시종, 上護軍(6~10, 파직)
金玉同	(성종24)				授職(이조)
金玉連	(성종19)			환관	內官
金玉丁	(단종1)				전객署令
金玉振	(세종대)			역관	사역主簿(16), 判官
金穩	(세조1)				萬戶, 原從3등공신
金溫	(세조대)			문(12)	承政院注書(방목)
金雍	(태종13)				전監務
金完	(태종대)			환관	환관(우왕14, 고려), 判內侍府事(~태종11), 파직(11)
金琓	(태종7)			환관	僉內侍府事
金完之	(성종대)				전이천府使(4), 吏曹參議(~4, 파직)
金浣之	(세종27)				충청道鹽戶摘奸使
金畏	(세종6)				刑曹正郎
金畏同	(성종22)				甲士, 高山里전공4등

金鐃	(세종대)			?, 무(21)	훈련主簿(~21), 무과, 임피縣令(21)
金用	(태종대)				상림원別監(12)
金湧	?~1429				경상우도水軍鎭撫(~세종11), 복주
金龍	?~1457				司礦局副使(~세조2), 피화(坐端宗復位)
金龍	(세종대)			환관	內官(12, 13)
金龍	1359~?				태조原從功臣, 전護軍(세종18, 居회양)
金龍俊	(태종18)				전郎將(狼川), 授職
金用均	(태조4)				전郎將
金用均	(태조6)				전密直(연로)
金龍奇	(태조~세종대)			환관	內官(태조2), 判內侍府事(태종18), 졸判內侍府事(단종즉)
金龍奇	(태종5)				통사
金用吉	?~1431				전百戶(제주)복주
金用達	(세조~예종대)				行護軍(세조13), 강무衛將(13), 建州군공3등(13), 함길助戰節制使(예종즉위)
金用利	(세조8)				司憲持平
金龍三	(태조7)				宣略將軍(전甲士)
金用生	(세종8)				전副司直, 유배
金龍守	(세조1)			기(臨瀛大君李珢奴)	別監, 原從3등공신
金龍乙	?~1433				전副司正(세종5), 軍官(여연)전사
金用精	(세조7)				內禁衛
金用智	(세조1)				五司司直, 原從3등공신
金用眞	(태조1)				정선郡事(읍지)
金祐	(태조대)	父 景成		?, 문(공민왕17)	陵直(~공민왕17), 문과(고려), 門下贊成事
金祐	(성종22)				홍천縣監
金亐豆	(세조~성종대)	父 巨乙加介		여진귀화인	올적합護軍(세조5), 上護軍(6), 군공1등(6), 中樞副使(6), 知中樞(8)
金雨霖	(세종대)	친족 明 太監 尹鳳		기(7, 尹鳳 청)	副司正(7), 副司直(10), 別侍衛(15), 行副司直(16)
金遇霖	(태종13)				전別將(양성)
金雨畝	(문종~성종대)				선공直長(문종즉위), 主簿(단종즉), 山陵都監別監(1), 判官(~세조1), 世祖原從3등功臣(1), 五衛司果(~성종6), 陞敍(6, 山林都監郎廳功故), 영월郡守(읍지)
金雨畝	(세조1)				五司副司果, 世祖原從3등功臣
金祐福	(세종3)				僉知司譯院事
金右副	(세종대)			문	藝文館官(~7, 피죄, 자손금고, 史草망실)

　조선초기 관인 이력

金祐生	(태종~세종)		형 將軍 德生		掌務護軍(태종8), 司宰正(~17, 파직), 上護軍(~세종4), 김해도察訪(4), 大護軍(8), 世子朝見시종관(8)
金遇淵	(성종20)				경상도審藥(~20, 파직)
金亏乙大	(세종15)				여진통사(길주)
金亏乙豆介	(단종1)		여진귀화인		行五衛副司正
金愚辰	(세조4)				결성縣監
金右虛乃	(세조1)		여진귀화인		五司護軍, 原從3등공신
金郁	(태종9)				가평監務, 정선郡守(세종23, 읍지)
金云貴	1333~?		자 佐		전개성府尹(~태조4, 유배)
金雄虎	(문종~세조대)				경상좌도都萬戶(문종즉위), 標旗鎭撫(~세조5, 充軍)
金元	(세종~문종대)		여 愼嬪	역관	동사(세종15), 僉知中樞(문종즉위)
金瑗	(성종대)				정읍縣監(~성종4), 永不敍用(4), 司憲監察(19)
金元桂	(태조6)				泥城道副萬戶전사, 子孫敍用
金元謹	(세조~예종대)			醫員	五衛司直(세조6), 原從3등공신(6), 內醫正(예 1)
金元吉	(세종11)			醫員	통사, 授土官(明使故)
金元老	(태종대)			문(8)	藝文奉敎(11), 世子司經(방목)
金元富	(세종12)				五衛司直
金元石	(세조1)				行五司司直, 原從3등공신
金元守	(성종22)				전中訓大夫令同正
金元信	(성종1)				여산郡守
金元潤	(성종대)				부평(1), 수원府使(4), 예빈正(7)
金原柱	(태종4)				은율縣監(읍지)
金元珍(原珍)	(세종12)			역관	왜통사
金原忠	(세종10)				전別將
金原浩	(태조6)				전判事
金元孝	(문종1)			환관	內直別監
金原孝	(세조대)				김포縣令(~11, 파직)
金月下	?~1424		자 富	여진귀화인	上護軍(태종15), 都摠制府僉摠制(세종1), 中軍摠制(3), 摠制졸
金瑋	(세종~세조대)				가평縣監(세종12), 議政府檢詳(세조1), 世祖原從2등功臣(1)
金偉	(세조1)				縣令, 原從3등공신
金渭	(단종대)				吏曹令史(~단종즉위), 仕滿去官(2)
金煒	(세종~문종대)			문(세종29)	成均博士(문종즉위), 대흥縣監(즉), 成均司藝(방목)

金渭	(세종대)				守令(~24, 파직), 別坐(24)
金庚	(태조대)				사행입명피화
金游	(세종대)			문(23)	成均主簿(방목)
金游	(문종1)				司憲監察, 양덕縣監
金有恭 (德)	?~1428				隊副졸(세종10)
金梵	?~1433				종학박사졸
金梵	(세조1)				成均司藝, 原從3등공신
金宥慊	(세종11)				迎接都監判官
金紐謙	(성종10)				同知成均
金由慶	(성종대)			역관	통사(8, 11, 12)
金有禮	(세종~예종대)			역과	사재主簿(세종25), 護軍(세조1), 世祖原從1등功臣(1), 知司譯院事(3), 通訓大夫僉知司譯院事(5), 僉知中樞(5), 진응사(5), 行五衛上護軍(6), 中樞副使(6), 주문사(6), 성절사(8), 行護軍(예종1)
金有倫					장흥府使(읍지)
金留里加	(세조2)			여진귀화인	阿乙加毛等處副萬戶
金兪甫	(세조대)				成均司成(세조1), 世祖原從2등功臣(1)
金有生	(세종대)			문(공양왕2)	禮曹正郎(~13), 풍천郡事(13)
金有生	(세종26)				五衛司勇
金有先	(국초)				진주牧使(읍지)
金有銑	(문종~세조대)				習陣訓導(문종1), 五司護軍(세조1), 世祖原從2등功臣(1), 折衝將軍五衛上護軍(4), 大護軍(6), 判星州牧使(~6, 파직)
金由性	(태종~세종대)				司憲掌令, 내자尹
金劉時應加	(세종6)			여진귀화인	侍衛軍
金有若	(단종2)				삼수郡事
金有讓	(세종~세조대)				監役官(~세종12, 파직), 전라按撫水軍處置使(26), 兵馬節制使(26), 僉知中樞(28), 同副(4)·右副承旨(4), 파직(29), 牧使졸, 贈世祖原從3등功臣(세조1)
金有完	(세조~성종대)			무	行五司副司正(세조1), 世祖原從3등功臣(1), 만포節制使(7), 삼수郡事(7), 西征大將康純裨將(13), 宣傳官(예종1), 通政大夫豊川府使(9), 정주목사(9), 僉知中樞(10), 通政大夫蔚山郡守(10), 삭주, 장연, 숙천府使, 衛將(10), 僉知中樞(19), 行五衛司果(20)
金有慄	(세조2)				남포縣監

조선초기 관인 이력

金由義	(세조13)				함종군甲士
金由長	(성종대)		父 龜石, 장인 領議政 鄭麟趾		都摠府都事, 군기判官, 경상도사(4), 선농제奉俎官(6)
金惟精	(세종6)		父 判密直 泂, 祖典客令 允仁		전정주牧使
金有知	(세종6)				司直
金有知	(문종1)				황해도敎諭
金有智	(태종8)				전散員(~8), 양천監考(8)
金有智	(세종~세조대)			醫員	內醫(세종27), 參修醫方類聚(27), 行五司司直(세조1), 世祖原從3등功臣(1), 內醫(세조5)
金有智	(세조1)				五司司直, 原從2등공신
金有直	(세종32)				刑曹佐郎(~세종32), 파직(32)
金由漢	(예종1)				당진포萬戶
金崙	(성종대)				承訓郎藝文副修撰(2), 奉訓郎藝文副修撰(3), 吏曹佐郎(4), 戶曹正郎(8)
金閏	(태종~세종대)				司憲監察(태종17), 서천郡事(세종1), 判事(2), 護軍(26)
金允	(성종12)				단천郡守(읍지)
金綸	(성종23)				마도萬戶
金潤	(태종~세종대)				司憲監察(태종17), 서천郡事(세종1), 무장진斂節制使
金潤	(성종6)				五衛司正(~6), 파직(6)
金潤	(성종7)				萬戶
金潤	(세종대)		장인 左議政 朴訔		五衛上護軍(박은비명)
金允傑	(문종1)				오포萬戶
金允劍	(태조3)				전水軍萬戶
金允南	(태종11)				낭천縣監(읍지)
金閏大	(세종1)				護軍
金允德	(문종즉위)				남해縣令
金允德	(세조1)				主簿, 令史, 原從3등공신
金允离	(예종1)				광흥창副奉事
金潤(閏)福	(세종~세조대)	불명		문(세종20)	진하사검찰관(세종24), 吏曹佐郎(27), 司憲持平(문종2), 郡事(2), 世祖原從2등功臣(세조1)
金允富	(세종~단종대)				무산萬戶(22), 경상우도水軍都萬戶(26), 부안縣監(31), 五衛上護軍(문종즉위), 충청水軍都按撫處置使(~단종1, 파직)
金潤生	(예종1)			환관	환관
金允碩	(국초)				함양郡守(읍지)

金允善	(문종~세조대)			풍수	풍수학訓導(문종2), 行五衛副司直(단종1), 行司正(세조1), 世祖原從3등功臣(1)
金潤善	(세조대)	불명	父 忱	?, 문(1)	敎導(~세조1), 문과, 司憲監察(1), 縣監(방목)
金允孫	(성종대)			기(15, 효행)	授賞職(15, 孝行故, 고산현)
金胤孫	(성종16)				宣傳官
金閏身	(성종대)				參議文衡(23)
金允濟	(성종대)				司僕判官(21), 折衝將軍滿浦僉節制使(22), 경상우도水軍節制使(25)
金閏宗	(세조대)				校書著作郎(6), 承文習讀官(~14), 일본통신사 書狀官(14)
金允珍	(태조3)				나주牧使(읍지)
金允濯	(세종30)				울진縣令(읍지)
金允濯	(성종18)				春宮都監丹靑監役
金胤弼					의령縣監(읍지)
金允河	(태종~세종대)				전郎將(~태종11), 단천등지채련사(11), 採訪別監(14), 五衛司直(~세종6), 전라경상採銅別監(6)
金允亨	(성종11)				五衛副司正
金允和	?~1428				사재副正졸
金允和	(세조1)				主簿, 原從3등공신
金硡	(성종대)				承文博士(13), 成均司成(20), 司憲掌令(21), 成均司藝(22), 司諫院司諫(24), 奉列大夫司憲執義(25)
金慄	(세종~문종대)	불명		문(세종26)	신창縣監(문종1), 成均直講(방목)
金乙敬	(세종29)				서흥甲士
金乙權	(태종1)				동래진兵馬使, 파직
金乙貴	?~1409				中樞副使(태조1), 태조原從功臣(1), 경상우도水軍都節制使(2), 판공안부사졸
金乙萬	(세종7)				副司正(경상우도)
金乙寶	(태조대)				경상우도水軍節制使(6)
金乙祥	(태조대)				前典醫判事(2), 봉상判事(3), 주문사(4), 禮曹典書(7)
金乙祥	(태조4)			역관	통사
金乙生	(태조6)				전判書, 하옥
金乙生	(태종17)				甲士(곡산)
金乙生	(세종26)				五衛司勇(산양회, 정탐有功)
金乙成	(태종12)				사재監, 유배
金乙孫	(세종~세조대)			무, 무과중시	定寧郡事(~세종20), 강계判官(20), 定寧縣令(문종즉위), 副使(세조1), 世祖原從3등功臣

					(1), 웅천節制使(2), 行軍器正(3), 五衛鎭撫(6), 都鎭撫(~7), 경원節制使(7), 경상우도節制使(10), 中樞副使(12), 進鷹使(12), 영흥府使(13), 강무衛將(13)
金乙雨	(태종1)			역관	司譯院官(~태종1), 파직(1),
金乙雨	(태종대)				경상兵馬使(6), 경상水軍僉節制使(8), 경상우도水軍都節制使(12), 전都摠制府摠制(17)
金乙玄 (賢)	?~1448			통사	사역知事(세종즉), 判事(9), 進香使(12), 大護軍(15), 僉知中樞(16), 사역提調(20), 中樞副使(22), 사은사(23), 中樞副使(27), 中樞副使졸
金乙玄	(세종대)				상의別監(즉)
金乙玄	(세종6)				전郞將(정주)
金乙和	(태종~세종대)				경성兵馬使(태종10), 길주都按撫察理使(10), 길주察理使(11), 진라水軍都節制使(11), 征對馬島右軍節制使(세종1)
金音	(태종~세종대)		외손 河福生(河久비첩자)		여산監務, 전司憲監察(~태종11, 피죄), 司憲監察(세종5)
金惜	(태종대)				司憲持平(3), 司諫院獻納(~4, 유배)
金應屢	(세조6)			환관	內直別監
金應門	(성종25)				禦侮將軍將軍(안산, 전甲士)
金應詳	(국초)				함양郡守(읍지)
金應成	(세종5)				현풍縣監(읍지)
金義	(태종7)			환관	掖庭署司鑰
金義	(세조대)			문(6)	
金毅侃	(성종대)				[연산2: 司憲持平]
金義囧	(성종9)				율학別提
金義達	(성종대)			환관	內官
金義德	(세종19)				三和縣貴林串千戶
金意全	(성종24)				경상都事(읍지)
金義文	(세조13)				甲士(벽동)
金義尙	(정종2)				평해郡事(읍지)
金義從			서 金順正		金溝縣令(金揚震비명)
金義重	(세조12)				甲士(大波兒多多洞)
金義智	(세조1)				五司司勇, 原從2등공신
金義琛	(성종대)				司憲監察(~24, 파직)
金義海	(성종12)				忠義衛, 還職牒(병)
金邇	(태종대)			문(공양왕2)	禮曹正郎
金耳	(세종9)				司直, 世子朝見監廚官
金膩	(세종대)			문(5)	司憲監察(방목)

金𨥭	(세종~세조대)			기(세종대, 특지)	승정원掾吏(세종2), 司僕寺官(세종대), 靖難政變有功(단종1), 行五司護軍(2), 世祖原從1등功臣(세조1)
金以坤	(세조1)				五司司勇, 原從2등공신
金理恭	(태종~세종대)				巡禁司司直(태종8), 충청都節制使經歷(~세종1, 유배), 안산郡事(~8, 파직)
金以南	(태종대)				戶曹正郎(~8), 司憲掌令(8)
金履道	(국초)				장기郡事(읍지)
金伊郎哈	(세조대)			여진귀화인	골간올적합司正(5), 汝吾里等處副萬戶(6)
金異常	(세종~세조대)				곤양郡事(세종23), 전김해부사(~문종즉위), 永川郡事(즉), 五衛鎭撫(세조6)
金履祥	(태종14)			문(공양왕1)	司諫院右獻納, 유배
金履素	(세종1)				金山郡事, 파직
金以仁	(세종3)				甲士, 充軍
金以仁	(성종14)				迎接都監錄事, 加資
金以章	(성종23)				黔生浦萬戶
金利貞	(세종~성종대)				강진縣事(~세종24), 파직(24), 宣傳官(세조13), 兵曹佐郎(14), 朝奉大夫司憲持平(성종1), 朝散大夫司憲持平(2), 刑曹正郎(3), 파직(5) [연산대: 五衛副司直(1)]
金伊朱	(세조6)			여진귀화인	副司正
金以忠	(세조1)				五司護軍, 原從2등공신
金理咸	(성종10)				敍用(이조)
金益濂	(태종15)				司憲持平, 유배
金益廉	(세종4)				言官, 유배
金益倫	(세조1)				錄事, 原從2등공신
金益孟	(단종2)				五司司直, 超2資(討李澄玉군공2등故)
金益祥	(세종대)				판울진縣事(11), 선공判事
金益生	(세종대)				남포진兵馬節度使(3), 左(9)·中軍同知摠制(10), 右軍軍摠制(13), 中軍同知摠制(13), 中樞副使(14), 하정사(15), 충청都節制使(16), 경상좌도水軍處置使(19), 中樞副使(25)
金益誠	(세종8)				左代言
金益壽	(성종1)				경성府使(읍지)
金仁	?~1422				전護軍복주
金仁	(세종13)				別監
金因	(세종12)				군기判事, 進獻使
金䄾	(세종대)				판강서縣事(~8), 제주牧使(8), 僉知中樞(15)
金鏻					장기縣監(읍지)

金仁㘖	(세종대)					僉知中樞兼三登縣事(15), 창성府使(20)
金仁景	(세종25)					甫淸浦戰有功, 加資
金仁貴	?~1412					檢校參贊門下(태종8), 前都摠制府摠制(9), 檢校參贊졸
金仁奇	(태종6)			역관		통사
金麟魯	(국초)					영해府使(읍지)
金仁達	(세종4)					司正, 充官奴
金仁德	(세조6)			醫員		馬醫, 原從3등공신
金忍德	(태종18)					사재直長, 파직
金仁門	(세조~성종대)					동활인원別坐(~세조11, 파직), 과천縣監(성종4, 체직시優遷)
金忍福	(태종10)					훈련錄事
金仁奉	(성종2)					奮順副尉(한성부 남부, 老職)
金仁鳳	(태종7)			환관		靜妃殿守門內官
金仁富	(태종대)					司直(~9), 押馬使(9), 中郞將(~10, 유배)
金仁祥	(태종6)					녹도千戶, 전공
金麟瑞	(세조12)					월송포萬戶
金引成	(세조6)					경성鎭撫
金仁祐	(태종15)					學士
金麟雨	(태종~세종대)					前萬戶(~태종16), 茂陵等地按撫使(16), 前判長鬐縣事(~세종7), 우산무릉도등지按撫使(7)
金引乙介	(세조대)			여진귀화인		孛加退等處副萬戶(2), 萬戶(5), 上護軍(6)
金仁義	(태종6)					知順州事
金仁義	(세종4)					甲士
金仁義	(세조1)					五司司直, 原從3등공신
金仁義	(세조6)					五衛司勇, 原從3등공신
金靭之	(세조1)					承義校尉(甲士), 原從2등공신
金軼	(성종4)					경성府使(읍지)
金一起	(태종~세종대)					知錦州事(태종15, 파직), 僉知敦寧(세종13), 戶曹右(16), 戶曹參議(16), 同知敦寧(17), 判羅州牧使(17), 同知敦寧(18~24), 同僉知敦寧(24)
金日容	(세조대)					行五司司直(1), 原從2등공신(1), 五衛部將(6), 숙천府使(7)
金日知	(세조14)					五衛部將
金臨	(세조3)					겸主簿, 原從3등공신
金入成	(세조3)			여진귀화인		驢吾里等地副萬戶
金滋	(태종12)					司憲監察, 유배
金自江	(세조4)			역관		왜통사

가

131

金自强	(세종대)			기(31, 효행)	受土官職(31, 孝行故, 居경원), 加資敍用(31, 孝行故)
金子騫	(세종대)				平陵驛丞(~20), 內禁衛副司直(20), 司憲監察(21)
金自堅	(세종~단종대)			醫員	醫員(세종13), 전의副正(단종2)
金自敬	(세종5)				고양縣監
金自龜	(태종~세종대)	父 商議中樞 積善			전주判官(~태종14, 파직), 순천군사(세종13)
金子均	(단종~세조대)				전선색別坐(단종2), 奉直郎(세조1), 世祖原從3등功臣(1)
金自南	(세종11)				군자直長, 유배
金自達	(세종~문종대)				곽산郡事(세종24), 기장縣監(문종즉위)
金子惇	(세종15)				의금都事, 파직
金自敦	(태종~세종대)			문(태종16)	승문正字(태종16), 신창(세종7), 영동縣監(12), 司憲監察(방목)
金自東	(태종17)				水站轉運判官, 파직
金者羅老	(세조6)			여진귀화인	五衛副司正
金自麗	(세종~세조대)			환관	陞8품(세종30), 五司副司直(세조1), 原從2등공신(1)
金自麗	(세조1)				五司司正, 原從3등공신
金自廉	(세종18)				의금부鎭撫
金自麟	1372~?			?, 문(태조22)	別將, 府使
金子孟				문(우왕6)	郎將
金自明	(세조~성종대)			환관	內侍(~세조12, 充軍), 永昌殿내관(성종1)
金自分	(성종대)				折衝將軍平安兵馬虞侯(12), 通政大夫慶源府使(13)
金自祥	(세조1)				五司司直, 原從3등공신
金自西	(태종대)				刑曹正郎(~10), 유배(10)
金子省	(세조1)				五司司直, 原從3등공신
金子誠	(세조1)				萬戶, 原從3등공신
金自省	(세조14)				면천郡守, 파직
金子綏	(정종2)				서운主簿
金自淑	(성종대)				參奉(韓致元비명)
金子恂	(태종대)				刑曹都官議郎(~4, 유배), 예빈判事(12)
金自安	(세종~세조대)			역관	사역主簿(세종13), 副知司譯院使(문종1), 慣習都監副使(단종2), 知司譯院使(세조1), 世祖原從1등功臣(1)
金自養	(태종대)				司直(태종11), 工曹正郎(14)
金自呂	(세조5)				刑房衙前

金自汭	(예종1)					甲士, 降資서용
金自溫						은율縣監(읍지)
金自雍	(세종~문종대)				?, 무(세종2)	副司直(~세종2), 무과, 司僕判官(세종2), 창성郡事(20), 僉知中樞(24), 평안兵馬都節制使(25), 전평안都節制使(~28, 수직첩), 同知中樞(문종즉위), 성절副使(즉)
金自琓	(세조대)					縣令(韓確비명)
金自燿	(세종8)					禮曹令史
金自雄	(세종대)					護軍(12), 포응사(12), 창성군사(19), 경상좌도都節制使(30)
金子猿	(성종대)				內官	承傳色(10), 내시부尙傳(~13, 수고신), 尙傳(20), 承傳色(20), 尙傳(~21, 收告身, 仍任), 尙傳(22)
金白原	(세조1)					宣務郎, 原從3등공신
金自埥	(단종1)					전구署丞
金自周	(성종10)					五衛司直(경원), 領船牌頭
金者叱同介	(세조대)				여진귀화인	伐引等處副萬戶(3, 5)
金自忠	(세종6)					경원百戶
金自海	(단종~세조대)				역관	사역直長(단종즉위), 主簿(세조1), 世祖原從3등功臣(1), 司譯院知事(8)
金自海	(세조1)					奉訓郎, 原從3등공신
金自海	(세조13)					甲士
金自行	(세조1)					司憲監察, 原從3등공신
金自獻	(성종3)					穩城衛將, 充軍
金子衡	(세조1)					서운監候, 原從3등공신
金自湖	?~1423					副司正, 일본사행중졸
金自還(小所)	(세종대)				여진귀화인	陞職(15, 西征有功故)
金自會	(세종17)					김포縣令
金廥	(태종~세종)				문(태종8)	한성參軍(태종8), 예문검열(~9, 파직), 兵曹正郎(18), 司憲掌令(세종2)
金漳	(태종10)					강원水軍僉節制使
金莊侃	(태종대)					전知郡事(~12), 상의別監(12)
金長孫	(세조12)					진보縣監(읍지)
金長孫	(성종대)					北征副元帥成俊軍官(~22), 자산진僉節制使(22)
金長守	(태종12)					전中郎將, 파직
金長守	?~1456					甲士震死

가

金長壽	(단종1)				別監
金再思	(정종대)			문(1)	
金載陽	(세종6)				평창縣監
金祗	(태조1)				禮曹議郎
金渚	(태종11)				고성郡事, 파직
金渚	(성종14)				折衝將軍五衛護軍
金渚	(성종13)			통사	사역訓導
金績	(태종15)				진보縣監, 영덕縣令(읍지)
金磧善	?~1397	자 自龜			호조典書(~태조4), 일본회례사(4), 商議中樞院事(5), 천추사(5), 商議中樞졸
金傅		서 掌令 金永銖			縣令(金永銖묘갈명)
金專	(세종12)	자 淑章			전司正
金田乙	(세종21)				內官, 充軍
金岾	(성종대)				僉節制使, 종5(~25), 훈련副正(25)
金丁	(세조3)			기(친족 遼軍 王式)	五衛司正, 原從3등공신
金定	(태종11)				전副司正, 加資제수
金貞	(세조1)				別監, 原從2등공신
金淀	(세조~성종대)	父 禮仲		문(세조2)	이성縣監(성종12)
金淨	(세조대)				흠곡縣令(~12), 파직(12)
金精	(세종6)			환관	內官, 充官奴
金精	(세조대)			환관	內侍府右承直(3)
金鼎	(세종15)				금성縣監
金定命	(세종1)				甲士
金正寶	(성종13)				강계軍官
金井缶	(성종24)				발포千戶
金丁孫	(성종24)				命敍用(이)
金精秀	(세종대)			역관	사역直長(9), 世子朝見타각부(9), 主簿(13), 判官(25)
金正安	(세조13)				舍下北萬戶
金精彦	(세종~세조대)			무(세종29)	僉節制使(세조1), 世祖原從3등功臣(1)
金貞之	(세조1)				行五司司正, 原從3등공신
金濟	(태조2)				知木州事(읍지)
金渭	(세종1)				삭주府使
金濟	(성종16)				翊衛司翊贊
金弟男	(단종1)				분예빈別坐
金肇	(태종대)			?, 문(우왕8)	충주判官(고려), 司憲掌令
金祖	(세종7)	父 船軍 乙甫		음(부공)	命敍用(父戰死공)

金租	(태종~세종대)		형 稠		전선공判事(태종10), 제용判事(~16, 파직), 천안郡事(~세종1, 파직)
金彤	?~1481				전쟁중 병졸
金稠	(태종대)			문(우왕3)	世子右諭善(태종4), 成均司藝(5), 敬承府司尹兼侍講院左弼善(~7, 파직), 전司尹(~8, 유배), 평양敎授官(9), 大司成(방목)
金藻	(태종13)				檢校參議
金祚	(세종8)				金川縣監
金祚	(세조~성종대)				五衛部將(세조10), 內禁衛(~성종1), 삼화縣令(1), 삼척府使(~15, 파직), 선농제挾侍(19), 通政大夫定州牧使(21)
金兆府	(태조1)				在官(고려공양왕4)
金存壽	(세조1)				書吏, 原從3등공신
金從	(태종7)				양주儒學敎授官
金鍾	(세조~예종대)				錄事(세조1), 世祖原從3등功臣(1), 경상都事(12, 읍), 保安道察訪(~예종1, 피죄)
金從謹	(성종대)			?, 문(8)	訓導(~8), 문과, 禮曹參議(방목)
金終(從)南	(태종대)				전少監(북청, 8, 17)
金宗亮	(세조1)				五司副司直, 原從3등공신
金宗禮	(세종21)				산음縣監
金從禮	(세종~성종대)				산음縣監(세종21), 금성縣令(~성종5), 직산(5), 양구縣監(18)
金從萬	(성종3)				어진제작別監
金從石	(성종10)				西征大將魚有沼軍官
金從善	(태종~세종대)				경상좌도都萬戶(태종18)
金從善	(세조1)				令史, 原從3등공신
金從涑	(성종5)				兩界赴防贖功(~5), 放免, 還職牒(5)
金從舜	?~1467				甲士복주
金宗衍	(태조1)				官人, 被罪逃
金宗義	?~1475				五衛司直(~세조4, 사은사호송중 익사)
金宗知	(세조대)			문(5)	
金從直	(단종대)			환관	內侍府右承直(1), 파직(3)
金從下	(성종13)				전주진휼관, 充軍
金從漢	(성종대)				종묘제大祝(8), 직산(~9), 과천縣監(9)
金宗興	(세종대)				예빈尹(14), 양주府使(15~17)
金佐	(태종11)				溫水監務, 파직
金佐明	(단종1)				禮曹參議
金湊	?~1404				門下贊成事(태조1), 예문춘추관대학사(2), 삼

					사좌복야(2), 신도궁궐造成都監判事(3), 門下侍郎贊成事(6), 서북면都察理使(6), 商議參贊門下府事(~7, 유배, 坐鄭道傳), 전商議參贊졸
金湊	(성종21)				전縣監(상주)
金主昌介	(세조1)			여진귀화인	五司副司正, 原從3등공신
金竹	(단종1)			역관	여진통사
金俊	(세종30)				於蘭浦萬戶, 파직
金峻	(성종6)				親耕籍田令
金俊行	(세조3)				隊長, 原從3등공신
金仲敬	(성종3)			화원	加資(어진제작고)
金重坤	(정종2)				경상都事(읍지)
金仲光	(정종1)				해주牧使(읍지)
金仲矩	(성종대)				군적郎廳(8), 수령(~25), 겸지평(25)
金仲權	(세종대)				주자소別坐, 평양判官, 吏曹佐郎(25)
金中(仲)貴	?~1440			환관	上王殿內官(세종2), 太宗侍陵환관(4), 判內侍府事졸
金仲均	(태종대)				大護軍(12), 蕁城鎭兵馬使(13)
金重良	(세종대)			문(17)	翰林(17), 절일사書狀官(28)
金仲老	(세조3)				主簿, 原從3등공신
金仲倫	(세조13)				함길節度使康孝文軍官
金仲璘	(태조2)				知沃州事(읍지)
金重寶	?~1413				大護軍(정종1), 豊海道兵馬兼水軍都節制使(태종8), 都摠制府摠制(8), 풍해都節制使(9), 中軍都摠制(10), 길주察理使趙涓助戰節制使(10), 都摠制兼胡貢侍衛司節制使(11), 파직(11), 開川都監提調(12) 충청兵馬都節制使(12), 전都摠制졸
金仲寶	(성종22)				忠贊衛
金仲本	(문종즉위)				울진縣監
金仲富	(세조~성종대)			환관	아차산잠실別監(세조11), 光陵差備內官(성종1)
金仲山	(예종1)			환관	內官
金仲善	(세조12)				이산체탐甲士
金仲善	(성종8)				사행押物官
金仲誠	(태조~세종대				司憲監察(태조7), 순성縣令(~태종17, 파직), 적성縣監(세종7), 의금부官(~10, 파직)
金仲誠	(성종14)				내자奉事, 加資
金仲孫	?~1477				법성포(세조9), 서북萬戶(~성종2, 유배), 당포萬戶복주(8)

金仲信	(세조~성종대)					학생(세조1), 世祖原從3등功臣(1), 忠贊衛(~성종12, 還職牒)
金仲彦	(세종13)					授土官
金重胤	(단종2)					선공錄事
金衆伊	(단종1)					別監
金仲渚	(태종~세종대)			역관		사역(태종17), 內贍主簿(세종4), 判官(15)
金仲節	(태종10)					전郎將, 유배
金仲諸	(세종3)			역관		內贍主簿
金仲宗	(세종대)			문(11)		部令(17), 通鑑訓義撰進官(17), 언양縣監(21), 縣令(방목)
金仲止						단천郡守(읍지)
金仲擢	(세종25)					吏曹佐郎
金仲賢	(세조1)					五司副司直, 原從3등공신
金仲湖	?~1467			환관		內官복주
金仲熙	(세종11)					行司直, 계품사수종관
金曾	(세종~세조대)					承文副校理(세종29), 禮曹佐郎(문종2), 郡事(세조1), 世祖原從2등功臣(1)
金知	(세종29)			醫員		醫官
金智	(세종~세조대)			醫員		內醫(단종1), 전의正(2)
金智	(세종~세조대)					巡威梁萬戶(~세종8, 피죄徒), 通政大夫正(세조1), 世祖原從3등功臣(1), 僉知中樞(3)
金漬	?~1493					하양縣監복주
金至剛	(세조1)					宣務郎, 原從3등공신
金之兼	(세조대)					전敎導(~6), 加資(6, 年老故)
金志道	(세조1)					司憲監察, 原從3등공신
金芝生	(세종23)					回北京
金之粹	(태조4)			醫員		御醫
金之純	(태종~세종대)					의정부知印(태종13), 합천郡守(세종18)
金之衍	(태조~태종대)			醫員		전의主簿(~태조6, 유배), 檢校漢城府尹(태종1)
金之義	(세조1)					五司司勇(甲士), 原從3등공신
金止忠	(세조1)					錄事, 原從3등공신
金只稱哥	(세조1)			여진귀화인		하다산등처副萬戶
金之下里	(세조~성종대)			여진귀화인		仲乙加退等處副萬戶(세조2), 萬戶(5), 僉知中樞(성종즉위), 都萬戶(4), 中樞(4)
金知逈	(태종대)			문(2)		刑曹都官佐郎(~태종14), 파직(14), 刑曹正郎(18), 郡守, 副正(방목)
金知孝	(태종대)			문(5)		世子左司經(방목)
金直	(세종1)					知兵曹事

金直	(성종3)			화원	御眞화가, 除準職
金珎	(성종24)				송화縣監
金珍	?~1475				황해甲士, 사신호송중익사
金晉	(태종3)				과천監務, 파직
金震	(문종~성종대)				司諫院左獻納(문종즉위), 僉知中樞(세조10), 선농제執樽(성종19, 加資)
金臻	(태종4)				開城留侯都事
金績	(태조2)				上洛君
金鎭	(예종~성종대)				超資(예종즉위, 南怡亂有功), 五衛上護軍(~성종10), 풍천府使(10), 군기僉正(10), 종부(10), 군기正(10), 知世浦萬戶(23)
金眞哥我	(세조대)			여진귀화인	草串等處副萬戶(1), 萬戶(5)
金振網	(세조1)				進勇校尉(甲士, 1), 原從3등공신(1)
金震陽	?~1392				左散騎常侍(공양왕4), 전左散騎常侍(1, 유배), 배소졸
金振祖					합천郡守(읍지)
金振宗	(성종14)				경성府使(읍지)
金晉賢	(성종3)				許沙浦萬戶
金秩	(태종대)				곡산府使(河崙묘지명)
金緝	(태종9)				전흥곡縣令, 充水站役
金緝	(세종7)				해주甲士
金詥	(성종24)				授職(이)
金澄	(성종대)		叔父 明 太監 興	기(명사고)	授銀帶(參上)職
金箚禿	(세조~성종대)			여진귀화인	어오리등지副萬戶(세조3), 萬戶(6), 護軍(성종2)
金瓚	(태종대)			문(1)	敎授(방목)
金贊	(세종13)			환관	飯監, 被囚
金瓚	(세조~성종대)				五衛部將(세조8), 경성判官(~성종5, 파직), 折衝將軍五衛副司正(11)
金贊奇	(세종7)			역관	의주통사
金昌古里	(세종27)			여진귀화인	護軍(올량합)
金彰壽	(세조1)				五司司直, 原從3등공신
金彩	(성종24)				打量敬差官
金處江	(세조1)				吹螺赤, 原從3등공신
金處謙	(세조1)				五司司正, 原從3등공신
金處生	(세조1)			일관	視日, 原從3등공신
金處善	(단종~성종대)			환관	內官(~단종3, 유배), 世祖原從3등功臣(6), 資憲大夫(성종9), 內侍府尙膳(19) [연산대: 成宗侍陵內侍, 피화]

金陟	(세종대)				司僕兼官(~1, 파직), 上護軍(7), 졸僉知中樞(16, 命子서용)
金陟	(세종대)			역관	사역主簿(세종3), 判官(8), 世子朝見시종(8), 充水軍(13)
金陟	(세종대)				전도염서錄事(~11), 大殿牽龍(11)
金天	?~1420			환관	內官복주
金浩	(태종13)				전中郎將(안동)
金賤	(세조대)				박사(3), 原從3등공신(3), 광흥창副使(3)
金闡	(태종대)				刑曹佐郎(1), 司憲持平(~2, 면직)
金千具	(태조4)				전典書
金天貴	(태종10)				전大護軍, 유배
金天理	(태종7)				參知議政府事겸대사헌
金天範	(태종6)				삼화縣令(읍지)
金天鳳(奉)	?~1433				평안都鎭撫복주
金天紋	(국초)				장기縣事(읍지)
金天錫	?~1411		자 布		서운관官(~태종1), 吏曹參議(~8), 停職(8), 前경기관찰사졸(11)
金天伸	(태조대)				경상수군僉節制使(4), 제주萬戶(7)
金天伸	(세종25)				제주牧使(읍지)
金天永	?~1420				평안도鎭撫복주
金天祐	(태조2)				태조原從功臣
金天乙	(세종6)				전大護軍(경성)
金天益	(태조7)		자 郡事 德崇		순군千戶
金天莊	(태조2)				전密直副使, 原從3등공신
金哲	(태종5)			역관	통사
金聽	?~1460			역과	承文僉知事(세종2), 大護軍(10), 判承文院事(15), 工曹右參議(16), 첨지중추(16), 慶昌府尹(21), 上護軍(23), 中樞副使(23), 승문提調(29), 同知中樞兼承文提調(문종즉위), 知中樞(즉), 同知中樞(즉), 僉知中樞(즉), 仁順府尹(즉), 知中樞(2), 승문提調(2), 인순府尹(단종1), 知中樞(1), 世祖原從2등功臣(1), 中樞副使(2), 知中樞졸
金淸海	(성종5)				주문사통사
金軺	(세조~예종대)			문(세조3)	兼藝文館(세조10), 전장례원司議(14), 戶曹正郎(~예종1), 파직(1), 經歷
金致	(세조1)			樂工	장악서典樂, 原從3등공신
金鎰	(세종5)				定寧縣監
金恥淇	(세조6)				졸主簿, 原從3등공신

金致唐	(태종16)				풍저창副丞, 파직
金致敦	(예종1)			환관	환관, 充軍
金致利	(세조~성종대)				宣傳官(세조7), 의영고直長(9), 충청分臺監察(11), 전佐郎(성종1), 장례원司議, 언양縣監(~7), 파직(7)
金致命	(단종1)				鎭撫, 充軍
金致明	(태종~세종대)				禮(세종7), 吏曹佐郎(9), 縣令
金致富	(세조대)				五司護軍(1), 原從3등공신(1), 전護軍(~3, 유배)
金致山	(세종대)			기(10, 明使尹鳳청)	五司副司正(10, 尹鳳故)
金致身	(세조1)				護軍, 原從3등공신
金致安	(성종21)				前副丞(~21), 加資(21, 年老故)
金致庸	(세종17)				삼등縣令
金致元	(세조~성종대)				五司司直(세조1), 世祖原從3등功臣(3), 折衝將軍五衛上護軍(7), 對馬島敬差官(7), 전라節制使(예종즉), 護軍(1), 전라도主將朴仲善郎將(1), 衛將(성종1), 行五衛司直(3), 충청水軍節制使(3)
金致殷	(단종1)				預原郡事, 피죄
金致精	(세조1)				丞, 原從3등功臣
金致齊	(세종11)			기(尹鳳청)	權知直長
金致濟 (軺)	(세조대)			문(3)	經歷(방목)
金致中	(문종즉위)				伊川縣監
金致中	?~1469			역관	왜통사복주
金恥之	(성종11)			역관	통사
金致許	(세종8)				武官
金致亨	(세조~성종대)				行五司司勇(세조1), 世祖原從3등공신(1), 前郡事(13), 通政大夫朔州(5), 龜城府使(9), 전라좌도水軍節度使(13), 곤양郡守(14)
金致和	(세조6)				五衛司直, 原從3등공신
金侔	(세조~성종대)				五衛假部將(세조10), 五衛部將(13), 行五衛副司直(예종1), 평안도體察使具致寬從事官(1), 行司直(1), 부평府使(~성종1, 파직), 강무部將(20)
金泰巖					察訪(묘갈명)
金土	(태종~세종대)				전의主簿(태종12), 승직(13), 慶昌少尹(~세종1, 파직), 전농判事(14)
金堆	(세종20)				진보縣監

조선초기 관인 이력

金琪	(세종~세조대)			역관	통사(세종31, 문종1, 세조4)
金退之	(세종대)	父 矩		문(2)	봉상少尹(방목), 진하사書狀官(10)
金退之	(세종13)			역관	통사
金波	(세조1)				行正, 原從3등공신
金波乙大	(세종~성종대)	父 亐老哈		여진귀화인	龍驤侍衛司護軍(세종21), 上護軍(27), 知中樞(세조7, 성종2)
金波地	(세조1)				在官
金波知	(세조1)				五司司勇, 原從2등공신
金彭老	(세종대)				전의(15), 청양縣監(23), 主簿(29)
金彭老	(세조대)				主簿, 原從2등공신
金平	(세조1)				五司司正, 原從3등공신
金坪	(성종15)				영평縣令
金布	(세종3)	처남 左議政 朴訔			判光州牧使
金布	(세종대)	처남 都摠制 辛引孫			평해郡事(12), 김해府使(19), 양산郡事(19), 영해府使(~21, 파직), 上護軍(26), 判通禮(28), 僉知中樞(29), 경상우도水軍處置使(29)
金鑛	(세종~세조대)				보령縣監(세종24), 길주判官(문종1), 世祖原從3등功臣(세조1)
金弼	(성종22)				평안甲士
金福	(세조1)				行五司司勇, 原從3등공신
金河	(세종7)				承政院注書
金河羅哈	(세조14)			여진귀화인	올량합都萬戶
金河山	(태종대)				이천, 양덕縣監(11이전)
金河山	(세조11)				居山道察訪
金河昌	(세조1)				五司司勇, 原從2등공신
金學文	(세종13)				散員(永川)
金學善	(성종1)			환관	永昌殿內官, 加資
金汗	(세종대)			역관	副司正(9), 사역主簿(13), 護軍(22), 졸護軍(세조4)
金漢	(세종17)			역관	주문사통사
金閑	?~1411				전都摠制府摠制졸
金漢卿	(국초)			무	울진郡守(읍지)
金漢京	(성종3)				三峯島審察指路使
金澣生	(세종대)	처 定宗女 高城郡主			中樞(선원세보기략)
金漢生	(문종즉위)				전上護軍(居북청)
金漢孫	(성종20)				평강縣監
金漢秀	(성종21)				內禁衛

가

金漢臣					양구縣監(읍지)
金漢義	(태종15)				전給事
金漢忠					해주牧使(읍지)
金涵	(세조1)				知印, 原從3등공신
金鍏	(세조9)				영유縣令(읍지)
金浩	(성종20)				제주牧使(읍지)
金部	(세조1)				五司護軍, 原從3등공신
金恒	(세종대)				포천縣監(6, 7)
金垓	(세조1)				主簿, 原從3등공신
金海	(태종대)			환관	사재監別坐(14), 徙(16)
金該	?~1419				갑산郡事(태종17), 對馬島征伐三軍都體察使 李從茂偏將전사
金幸	(세종29)			역관	통사
金嚙	(성종3)				현풍縣監(읍지)
金許義	(단종~성종대)	자 瑗		역관	통사(단종2), 副知司譯院事(세조2), 正(성종3)
金革	(세종8)				전驛丞
金革	(단종1)			환관	行司礚局副使
金革	(세조6)				중화郡事, 原從3등공신
金玄老	(세종23)				임진縣監
金賢孫	(성종18)	父 滿浦僉節制 使 繼宗			內禁衛
金賢佐	(세종8)				덕천郡事
金浃	(태종8)				전서운관丞, 日本報聘使
金泂	(세조12)				졸中樞副使
金潆	(세종17)				경기程驛察訪
金炯	(태종12)				吏曹令史
金荊寶	(성종25)			무(25)	內禁衛
金亨孫	(세조~성종대)			환관	內官
金湖	(세종3)				鹿島萬戶, 被鞠
金湖	(세조1)				知郡事, 原從3등공신
金浩	(세종대)			문(1)	臺諫
金好山	(세조13)				掌苑署別監, 超資서용
金好心波	(세종7)			왜귀화인	授職
金好義	(세조1)				五衛司正, 原從2등공신
金好義	(세조1)				五衛司正, 原從3등공신
金好仁	(문종~성종대)	父 都事 壽延		?, 문(문종즉위)	教導(~문종즉위), 문과, 승문저작(단종1), 縣監(세조1), 세조原從2등공신(1), 通禮院奉禮(4), 함길經歷(6), 의금부鎭撫(6), 전라좌도敬

				差官(7), 북청府使(7), 삼척포萬戶(~11, 永不敍用), 行護軍(14), 제주牧使(성종1)
金好衡	(세조~성종대)		문(1)	錄事(세조1), 原從3등공신(1), 관찰사(방목)
金混	(세조6)			南部令
金混都	(세조13)			加資(西征散料功)
金洪壽	(성종대)			還告身(10), 命敍用(13)
金洪毅	(세종21)			전縣監
金和	(세조대)			還告身(단종2), 五司司正(세조1), 原從2등공신(1)
金澕	(세조대)		문(*), 중(12)	通禮院引儀(~12), 문과중시(* 급제년 불명)
金譁	(성종17)			평시署令
金和尙	(태종~세종대)		환관	內贍寺別坐(태종14), 內官(세종11)
金碻	(성종대)		무(2)	通政大夫강계府使(21)
金活	(세조~성종대)	처남 彦陽君 金璡		行五衛司勇(세조1), 世祖原從3등功臣(1), 行五衛護軍(7), 衛將(7), 홍원縣監(13), 宣傳官(예종1), 경상좌도問民疾苦使(1), 창원府使(성종1)
金晃	(단종대)			禮曹參議(1), 工曹參判(1)
金璜	(세조4)			忠義衛
金惶	(세조12)			영덕縣令
金璜	(세종9)	공신자손(가계 불명)		司憲監察
金璜	(세조1)			五司護軍, 原從3등공신
金懷寶	(세조11)			침장고別坐, 파직
金孝乾	(세종26)			전縣監
金孝檢	(세조1)			五司司正, 原從2등공신
金孝卿	(세조~성종대)			忠義衛(세조5), 五司司勇(성종3)
金孝恭	(정종~태종대)		문(공양왕2)	司憲雜端(~정종1), 파직(1), 司憲侍御使(태종1)
金孝南	(성종1)			임실縣監, 파직
金孝當	(세조1)			五司上護軍, 原從2등공신
金孝同	(성종3)			牙山浦萬戶, 파직
金孝良	(세종대)		기(14, 효행)	敍用(11, 孝行故, 居창원)
金孝末	(성종21)			呂島萬戶, 充軍
金效孟	(세종~예종대)		문(세종23)	司憲監察(문종2), 刑曹都官正郎(세조5), 의금鎭撫(예종즉위), 司憲執義(방목)
金孝明	(세조1)			直長, 原從3등공신
金孝文	(세종22)			함길五衛鎭撫
金孝文	(세조~성종대)	숙부 明 太監 興	기(세조6, 김흥請)	行五衛司勇(세조6, 명사 金興故), 陞職(성종2)

金孝胖	(성종14)				정의訓導
金孝芬	(세종8)				상원郡事
金孝生	(세종16)				박천郡事
金孝生	(세종25)				尙衣院官 익사
金孝生	(단종~세조대)			환관	別監(단종1), 修義副尉(세조1), 世祖原從2등功臣(1)
金孝生	(세조4)				別侍衛(수원)
金孝先	(세조13)				猛牌右海靑衛將, 파직
金孝善	(태종대)				司憲掌令(安瑗묘지)
金孝善	(성종14)			환관	內官, 파직
金孝順	(세조8)				五衛副司直, 原從3등공신
金孝崇	(세종16)				음성縣監
金孝信	(세조대)				都摠使龜城君李浚軍官(13), 加資陞職(14, 賑恤有功故)
金孝新	(단종~세조대)			문(단종1)	訓導, 世祖原從2등功臣(세조1), 안주判官(방목)
金孝連	(성종22)				회령甲士
金孝瑛	(세조대)				錄事(1), 原從3등공신(1), 삼가縣監(5)
金孝溫	(세조1)				五司護軍, 原從2등공신
金孝源	(성종21)				토산縣監, 파직
金孝潤	(세조1)				五司副司正, 原從2등공신
金孝仁	(세조12)			환관	內侍
金孝祖	(세조대)				五司司直(1) 原從2등공신(1), 宣傳官(9), 都摠使李浚軍官(13), 猛牌左海靑衛將(13), 衛將(14), 充官奴(예종즉, 坐南怡)
金孝宗	(세조3)				主簿, 原從3등공신
金孝至	(세종6)				入直內禁衛
金孝知	(태종18)				在官
金孝智	(세조1)				五司護軍, 原從3등공신
金孝振	(예종1)				순안縣令
金孝昌	(세조~성종대)				侍講院文學(세조10), 司諫院司諫(성종8)
金孝誠	(세종14)				內禁衛
金孝洽	(문종즉위)				司諫院左正言
金孝興	1412~?			문(성종20)	
金後(復)	(태조~태종대)			?, 문(공양왕1)	군기直長, 강원經歷
金候	(태종대)			日官	서운副正(16, 18)
金厚	?~1444				司直(세종9), 世子朝見시종관(9), 교동縣事(16), 경원同僉節制使(22), 종성節制使(24), 節

					制使졸(26)
金厚	(단종대)			기(1, 효행)	학생(~1), 除土官(1, 孝行故)
金厚	(세조13)				加資(征建州留防功故)
金後生	(세종대)				충주判官(8, 12)
金訓	(태종대)				禮曹佐郎(~3), 파직(3)
金晅 (暄, 喧)	(세종대)				이천縣事(~12, 파직)
金萱	(성종대)				포도部將(3), 거제縣令(9), 벽동郡守(~18, 파직), 宣傳官(22), 都元帥許琮從事官(22), 전라우도水軍節度使(22)
金暉	(세종28)				刑曹都官佐郎
金暉(輝)	(성종대)				의금都事(4), 홍문교리(11~14), 典翰(14~15), 直提學(15), 상의원僉正(16), 典翰(16~17), 司憲掌令(~22, 파직)
金徽	(세조~성종대)				五司司正(세조1), 世祖原從3등功臣(1), 흥덕縣監(10), 都摠制府都事, 通政大夫嘉山郡守(성종11), 구성府使(17)
金徽孫	(성종12)				命敍用
金昕	(성종12)				在官
金欽	(문종1)				언양縣監
金興福 (復)	?~1428		제 申福		內贍少尹(~18, 파직), 전大護軍졸
金興緖 (瑞)	(태종대)			문(14)	
金興守	(성종대)			醫員	折衝將軍五衛副護軍(19), 中樞副使(22)
金興陽	(성종7)			환관	內官
金興祚	(태종3)				안협監務, 파직
金興祖					해주牧使(읍지)
金興宗	(세종16)				양주府使
金興亨	(성종11)		친족 명사	기(명사故)	展力副尉五衛副司勇
金熹	?~1419				征對馬島偏將 전사
金曦	(성종25)				集慶殿參奉, 파직
金希鏡	(태종~세종대)				충청수군都萬戶(~태종17), 경원府使(17), 갑산郡事(세종9), 判事(~13, 파직)
金熙璃	(세조8)				行五衛司正, 原從3등공신
金希福	(세종대)			역관	知司譯院事(~23, 파직)
金希善	?~1408		父 天理		戶曹典書(태조1), 경기우도관찰사(3), 中樞副使(4), 奴婢辨整都監判事(4), 충청경상전라問民疾苦使(5), 同知中樞(5), 嘉善大夫原州牧使(7), 參知議政府事西北面都巡察使(태종2), 서

					북면도순문사(2), 대사헌(4), 판공안부사(4), 경상관찰사(5), 형조판서(6), 議政府參贊겸대사헌(7), 戶曹判書(7), 전戶曹判書졸
金希丁	(태종13)			환관	內官
金希定	(태종5)			환관	內官, 放향리
金希直	(세조1)				五司護軍, 原從3등공신

나

성명	생애(仕官시기)	본관	가계	출신	관력
羅繼	(세종7)	居平	父 通禮院奉禮 仲浩, 祖 侍郞 純		副司正(~7, 파직)
羅得康	(세종대)	羅州	父 典客令 仲祐, 祖 同正 碩	문(1)	司諫院右正言(9), 左正言(10), 吏曹佐郞(12), 司諫院右獻納(13)
羅世	1321~1398	나주	父 守英, 祖 松奇		判書(공민왕13), 上元帥(우왕8, 고려), 연해등 처兵船助戰節制使(태조2), 參贊門下致仕(6), 경기풍해서북면등처都追捕使(6), 追捕使졸
羅殷	(태종17)	나주	父 順經, 祖 孝基		회양府使, 파직
羅洪緖	(세종~세조대)	壽城	父 少尹 衡之, 祖 牧使 有典	?, 문(세종17)	삼가縣監(세종7), 원주判官(~16), 문과, 함길 都事(24), 守司憲持平(26), 成均司藝(30), 司憲 掌令(32), 議政府舍人(문종1), 司諫院右司諫 (단종2), 刑曹參議(2), 황해관찰사(2), 參議(세 조1), 世祖原從2등공신(1)
羅敬(慶) 孫	(세종14)	安定	父 郡事 暉, 祖 閤 門祗侯 直卿		죽산縣事
羅嗣宗	?~1491	안정	父 郡守 裕善, 祖 縣事 慶孫	무(족보)	日本通信使押物官(성종10), 경흥府使(19), 府 使전사(22)
羅裕善	(세조대)	안정	父 縣事 慶孫, 祖 郡事 暉		判官(1), 원종3등공신(1), 義禁府知事, 양산郡 守(9)
羅可溫 (林溫)	(태조대)			왜귀화인	왜인萬戶(6), 宣略將軍郞將(7)
羅敬文	(세조대)				중추書吏(~13), 加資서용(13)
羅綺	(세조1)				令史, 원종3등공신
羅達線	(세조1)				錄事, 원종2등공신
羅得卿 (瓊)	(태종대)				영유縣令(3, 읍지), 황주儒學敎授(13)
羅得經	1369~?			문(태조2)	檢校漢城府尹(태종14)
羅孟呂	(태종13)				은율縣監(읍지)
羅文繡	(세조1)				修義校尉(甲士), 원종2등공신

羅福山	(세조1)				錄事, 원종3등공신
羅士冲					영해府使(읍지)
羅尙文	(태종9)				예안縣監(읍지)
羅相哈	(세조7)			여진귀화인	指揮(諸羅耳)
羅錫剛	(성종24)				打量敬差官
羅玉	(성종22)				甲士(參高山里戰)
羅友明	(예종1)			환관	火者
羅原圀	(태종7)				甲士
羅有綏	(태종~세종대)			문(태종8)	司諫院右正言(방목), 승문校理, 경상都事(~세종8), 파직(8)
羅有人	(태종3)				甲士
羅有精	(세조1)				敦勇校尉(甲士), 원종3등공신
羅寅	(세종~세조대)				함평縣監(세종11), 영암郡事(18), 少尹(세조1), 世祖原從2등공신(1)
羅仁圀	(태종17)				평양別牌
羅彷叱同	(세조1)				別監, 원종2등공신
羅仲山	(세조대)			문(5)	교서正字(방목)
羅愓					흥덕縣監(읍지)
羅致貞	(문종~세조대)				평양判官(문종1), 삼군鎭撫(1), 郡事(세조1), 世祖原從2등공신(1), 도총부經歷(14)
羅胡乃	(세조2)			환관	文昭殿盤監
羅洪敷	(문종즉위)				예빈主簿
南琴	(정종~세종대)	固城	父 恭安府尹 奇, 祖 議郎 永	문(고려)	고성縣監(~정종2), 풍해經歷(2), 해풍郡事(태종5), 철원府使(14), 兵曹參議(18), 강원관찰사(18), 경창府尹(18), 嘉善大夫廣州牧使(세종2)
南世聃	(성종대)	고성	父 益文, 祖 參議 琴	문(17)	司諫院獻納(24) [연산이후: 弘文校理, 府使]
南世周	(성종대)	고성	형 世聃	문(18)	司諫院正言(22) [연산이후: 司憲持平, 弘文校理]
南秀文	1408~1442	고성	父 參議 琴, 祖 府尹 奇	문(세종5)	集賢殿著作郎(세종8), 副修撰(15), 副校理(18), 直殿(24), 直提學(24), 집현직제학졸
南勝寶	(단종~세조대)	고성	父 得僑	?, 문(단종1)	敎導(~단종1), 문과, 成均學諭(세조1), 원종2등공신(1), 成均學正(방목)
南鼎	(세조~성종대)	고성	父 得僑, 祖 實	문(세조8), 중(12)	訓導(~세조12), 문과중시, 승문博士, 高山縣監(~성종17, 파직)
南友良	(세종~문종대)	英陽	父 參議 敬生, 祖 典書 暉珠	무(족보)	내이포萬戶(세종16), 兵(31)·工曹參議(31), 진헌사(문종즉위) 경상좌도水軍處置使(즉)
南簡	(세종대)	宜寧	형 左議政 智	?, 문(9)	刑曹佐郎(~세종9), 문과, 司諫院左正言(9), 禮曹佐郎(12), 司憲持平(12), 司諫院右獻納(14)

조선초기 관인 이력

					司憲掌令(18), 전藝文直提學(22)
南景文	(태조대)	의령	父 領議政 在, 祖 檢校侍中 乙蕃	음	議郎
南景祐	?~1482	의령	父 參贊 閨, 祖 檢校侍中 乙蕃		僉知中樞(세종21), 中樞副使(23), 同知中樞(단종즉), 知中樞(2), 同知中樞(3), 資憲大夫五衛上護軍(세조1), 宜城君(3), 宜寧君(3), 경주府尹(3), 의성군奉朝請(3), 宜城君졸
南季堂	(세조~성종대)	의령	父 少尹 輊, 祖 經歷 尙明	문(세조12), 중(성종10)	承仕郎(~세조12), 문과, 承政院注書(예종1), 吏曹佐郎(~3), 藝文副校理(3), 修撰, 兵曹正郎(~5), 五衛護軍(5), 司憲持平(8), 司諫院獻納(~10), 典設司守(~10), 문과중시, 담양府使(~15)
南季瑛	(세종대)	의령	父 府使 績, 祖 乙卿	문(9)	승문副校理(3), 전司憲監察(14), 吏曹佐郎(16), 兵曹正郎(20), 成均司成(31), 藝文直提學, 봉상判事(세조1), 世祖原從3등공신(1)
南季膺	(성종대)	의령	형 季堂		司憲監察兼參軍, 화순縣監(~21), 主簿(21), 工曹正郎(21), 郡守(25)
南袞	1471~1527	의령	父 郡守 致信, 祖 司諫 珪, 金宗直 문인	문(성종25)	翰林 [연산이후: 弘文修撰, 司諫院正言, 弘文修撰, 佐郎, 弘文應敎, 典翰, 副提學, 황해관찰사, 戶曹參判, 大司憲, 전라관찰사, 知中樞, 議政府右參贊, 右贊成, 左贊成, 禮·吏曹判書, 議政府左議政, 領議政]
南俅	(성종대)	의령	父 左議政 智, 祖 議郎 景文	음	工曹正郎(1), 國葬頓遞使從事官(5)
南沂	(성종대)	의령	父 부마 致元	음	敦寧參奉(남치원諡狀)
南倫	(세종~세조대)	의령	父 左議政 智, 祖 兵曹議郎 景文	음	刑曹正郎(~세종32), 敦寧判官(32), 경창少尹(단종1), 世祖原從3등공신(세조1), 通訓大夫司憲執義(7), 황해관찰사(11), 전주府尹(13), 工曹參判(13), 사은사(13)
南份	(세조5)	의령	父 宜山尉 暉, 祖 議郎 景文	음	전司憲監察
南蒜	(세조~성종대)	의령	父 直提學 季英, 祖 府使 績		別坐(세조3), 世祖原從3등공신(3), 行五衛司勇(성종24), 量田敬差官(24)
南實	(태조~태종대)	의령	형 在		商議中樞兼成川府使(태조5), 유배(7), 商議中樞(~태종13, 파직)
南深	(세종대)	의령	서 鎭南君 終生		上護軍(선원세보기략)
南陽德	(세종~세조대)	의령	父 實, 祖 乙蕃	문(세종2)	司諫院正言(세종15), 司諫院右獻納(17), 刑曹正郎(21), 司憲持平(22), 戶曹正郎(24), 成均司藝(세조1), 世祖原從3등공신(1)
南興	(문종1)	의령	형 智(庶弟)	음(1, 兄故)	授職(7~9)
南用信	(세조13)	의령	父 牧使 珥, 祖 參知政事 乙珍		의금부郎官, 피화

나

南潤宗	(세조~성종대)	의령	父 縣監 蓀, 祖 直 提學 季瑛	문(세조12)	司諫院正言(성종2), 通德郎藝文修撰(2), 朝奉 大夫修撰(3), 承文校檢(3), 司憲持平(3), 전正 郎(8), 파직(8), 司憲持平(13), 議政府檢詳(14), 議政府舍人(방목)
南慄	1452~1510	의령	父 監察 俊, 祖 直 提學 簡	문(성종20)	禮曹佐郎(성종24), 通德郎司憲持平(24) [연산 이후: 大司諫]
南誾	1354~1398	의령	父 檢校侍中 乙 蕃, 형 領議政 在	문 (공 민 왕 23)	社稷壇直, 문과, 鷹揚侍衛司上護軍兼軍簿判 書(공양왕1), 密直副使(1), 유배(3), 同知密直 (태조1), 開國1등공신判中樞義興親軍衛同知 節制事宜寧君(1), 知門下府事(2), 三司左僕射 (3) 부상(4), 參贊門下(5), 參贊門下兼判尙瑞司 事(5), 宜城君(6), 피화
南乙蕃	1320~1395	의령	父 郡事 天老, 祖 豊儲倉副使 益肵		密直副使(고려), 開國원종공신(태조1), 檢校 門下侍中(1), 檢校시중졸(4)
南椅	(단종~성종대)	의령	父 致和, 祖 珪	문(단종2)	訓導(세조1), 世祖原從2등공신(1), 通訓大夫 司諫院獻納(성종16)
南怡	?~1468	의령	父 主簿 份, 祖 宜 山尉 暉	무(세조6)	折衝將軍五衛副護軍(세조13), 敵愾1등공신 同知中樞宜山君(13), 五衛都摠管, 工曹判書 兼都摠管(13), 兼司僕將(13), 建州軍功2등 (13), 工曹判書(13), 工曹判書兼五衛都摠管宜 山君(14), 兵曹判書(14), 宜山君兼司僕將(14), 工曹判書피화
南珝	(태종~세종대)	의령	父 參知政事 乙 蕃, 祖 大蕃		司憲持平(~태종11, 파직), 정주牧使(세종12), 전牧使(19)
南在(謙)	1351~1419	의령	父 密直副使 乙 蕃, 郡事 天老	문 (공 민 왕 20)	判事(고려), 開國1등공신中樞學士兼大司憲 宜城君(태조1), 중추學士(2), 주문사(2), 參贊 門下(3), 三司左僕射(4), 奴婢辨定都監判事 (4), 풍해강원동북間民疾苦使(5), 藝文大提學 (5), 都兵馬使(5), 政堂文學(~7, 파직), 藝文提 學(태종3), 경상관찰사(3), 開城留侯(4), 門下 侍郎贊成事(4), 郎贊成事兼判義勇巡禁司事 (4), 兵曹判書(5), 贊成事兼판의용순금사사 (6), 吏曹判書(6), 陳慰使(7), 吏曹判書겸판의 용순금사사(7), 門下侍郎贊成事兼大司憲(8), 兵(8)·吏曹判書(8), 門下侍郎贊成事(9), 兼判 義勇巡禁司事(9), 宜寧君(11), 태종원종1등공 신(11), 宜寧府院君(12), 右政丞(13), 判議政府 事(14), 議政府左議政(14~15, 면직), 府院君 (15), 右議政(16), 府院君(16), 領議政府事(16), 府院君(16), 領議政府事(17), 府院君졸
南悌	(성종대)	의령	父 監察 俊, 祖 直 提學 簡, 종조 左 議政 智	?, 문(2)	五衛副司果(~성종2), 문과, 禮曹佐郎(5), 파직 (6), 전교校理(~9), 吏曹正郎(9), 成均司藝(방 목)

南智	1401~1453	의령	父 議郎 景文, 祖 領議政 在	음	승문副正(~세종8, 파직), 司憲執義(10), 同副·右副·左副·右承旨(11~14), 刑曹佐郎(14), 禮曹右參判(15), 경기관찰사(15), 刑曹右參判(15), 中樞副使(16), 충청관찰사(16), 刑曹參判(17), 성절사(17), 개성副留侯(18), 戶曹參判(20), 大司憲(20), 戶曹參判(21), 경상관찰사(21), 刑曹判書(22), 中樞使(22), 戶曹判書(23), 中樞使(27), 刑曹判書(27), 知中樞(28), 判中樞(30), 昭憲王后守陵官(30), 議政府右議政(31), 左議政(문종1), 領中樞(2), 領中樞졸
南輊	(세종~성종대)	의령	父 經歷 尙明, 祖 侍御史 深	문(세종24)	少尹, 折衝將軍行五衛護軍(성종2)
南贄	?~1398	의령	형 誾		將軍(태조2), 右廂節制使피화(7, 좌鄭道傳)
南振	(성종대)	의령	父 衡, 祖 用信	문(20)	成均學諭(방목)
南偶	(세조~예종대)	의령	父 直提學 簡, 祖 議郎 景文		진천縣監(세조10), 산릉도감낭청(예종즉위)
南致信	(성종대)	의령	父 司諫 珪, 祖 參知政事 乙珍		通德郎, 分禮賓寺郎廳(1), 敍用(1), 강동縣監(12)
南致元	(성종대)	의령	父 府使 憬, 祖 君 倫, 처 성종녀 慶順翁主	기(부마)	宜城尉(成宗誌文)
南俏	(세조~성종대)	의령	父 工曹參判 倫, 祖 左議政 智	음	佐郎(세조8), 刑曹正郎(12)
南暉	?~1454	의령	父 議郎 景文, 祖 領議政 在, 처 태종녀 貞善公主	기(부마)	崇政大夫宜山君(태종16), 宜山君義勇衛節制使(18), 內禁衛3番節制使(18), 사은사(세종1, 8), 유배(8), 의산군(10), 사은사(16), 宜山尉(문종2), 의산위졸
南忻	?~1492	의령	父 觀察使 倫, 祖 左議政 智	음	전司憲監察(성종11), 한성부假郎廳(13), 예빈判官(18), 同副·右副·左副·右承旨(21~23), 右承旨졸
南曦	(세조10)	의령	父 君 景祐, 祖 參贊 誾		양근郡事
南敬仁	(세조1)				五司司正, 원종2등공신
南季明	(성종21)				합천訓導
南季暎	(세조1)				봉상主簿, 원종3등공신
南俓	(세종대)				제용副正(즉), 전少尹(3), 五衛大護軍(6), 上護軍(12), 前判事(15)
南德中	(세조1)				五司護軍, 원종3등공신
南得恭	?~1424				단천郡事졸
南得良	(태종17)				大護軍, 강원도조전절제사
南得泰	(세종5)				단천郡守(읍지)

南濂	(세종9)				현풍縣監(읍지)
南孟雲	(세종26, 32)				풍기縣監, 제주判官(읍지)
南福	(세조13)			환관	환관
南鳳生	1333~?				전少監(~태종12, 유배)
南尙致					司憲持平(金係行묘갈명)
南尙亨	(세종~세조대)				선공副正(세종29), 五衛大護軍(세조1), 世祖原從3등공신(1), 길주牧使(5)
南成理	?~1398				전개성부윤(태조4), 태조원종3등공신(4), 궁성감독관졸
南成至	(태종12)		父 少監 鳳生		전내자主簿
南孫	(성종대)				五衛副司勇(~24), 司猛(24)
南秀明	(성종22)				합천訓導
南順宗	(성종25)				평양判官
南軾	(세조대)				行五司副司正(1), 世祖原從3등공신(1), 部將(14)
南信中	(성종18)				外叱怯權管
南伮	(성종1)				工曹正郎
南佑良	(단종대)				회령府使(~2, 파직)
南陸	(세종~세조대)				忠順衛(세종28), 鎭撫(단종즉), 行五司副司正(세조1), 世祖原從3등공신(1)
南允文	(예종~성종대)				宣略將軍(전甲士, 居강릉, 예종1, 성종3)
南儀	(세조대)				졸단양郡事(예종1)
南倚	(성종대)				司諫院獻納
南仁琠	(태종14)				工曹正郎
南軼	(세조~성종대)				佐郎(세조1), 世祖原從3등공신(1), 戶曹正郎(3), 司憲掌令(4), 전牧使(14)
南任	(세조12)				의금都事
南折	(성종20)				工曹正郎
南祚	(성종대)				參奉, 主簿, 司憲監察(~24), 여주判官(24)
南芝	(세조대)				양지縣監(~11, 피죄)
南天瀷	(성종8)				현풍縣監(읍지)
南致明	(문종즉위)				강서縣令
南致和	(세조6)				봉산郡守
南致孝	(세조1)				五司司直, 원종2등공신
南夏				문(우왕14)	
南夏	(세조2)				의주도水軍僉節制使
南顯	(세조9)				경성府使(읍지)
南渾	(세종17)				장연縣事

南薈	(세종~세조대)				護軍(세종20), 무릉도심찰사(20), 전司直(~27), 敬差官(27), 선천郡事(문종1), 署令(세조1), 世祖原從3등공신(1)
南孝純					의성縣令(읍지)
南熙	(성종대)				還職牒(5), 達梁萬戶(14)
南宮啓	(태종~세종대)	咸悅	父 少尹 祐, 祖 府使 贊	음?	司果, 태종원종3등공신(태종1), 大護軍(~13, 파직), 정주牧使(~세종8, 파직), 判義州牧使(8), 同知中樞(17), 漢城府尹(19), 전라兵馬都節制使(21), 漢城府尹(21), 中樞副使(25), 전中樞副使卒
南宮璨	(성종~중종대)	함열	父 生員 順, 祖 致	문(성종8)	藝文檢閱(성종20), 吏曹佐郎(24) [연산이후: 司諫院獻納, 弘文館校理, 副應敎, 議政府舍人, 副提學, 강원관찰사]
南宮玉	?~1467				부령甲士전사
浪仇難	(단종~세조대)		父 浪卜兒罕	여진귀화인	兀良哈上護軍(단종3), 甫乙浦等處都萬戶(세조2)
浪金世	(단종~세조대)		父 護軍 浪加加乃	여진귀화인	司直(단종3), 所乙古等處副萬戶(세조2), 吾弄草等處萬戶(5), 僉知中樞(6), 本處都萬戶(11)
浪得里卜	(세종~세조대)			여진귀화인	護軍(세종24), 世祖原從3등공신(세조1)
浪甫兒罕	(단종2)			여진귀화인	올량합萬戶
浪卜兒罕	(세종24)			여진귀화인	都萬戶
浪沙吾可	(세조3)		형 浪三波	여진귀화인	司正
浪斜隱豆都可	(단종3)		형 浪卜兒罕	여진귀화인	護軍
浪三波	(단종~성종대)		父 護軍 浪加加乃	여진귀화인	行五司司直(단종1), 五司護軍(3), 世祖原從2등공신(세조1), 僉知中樞(6), 兼司僕(6), 行五衛護軍(6), 行副護軍(성종3), 兼司僕(8)
浪東古	(세조3)			여진귀화인	洞良北等地副萬戶
浪愁音佛	(세조1)			여진귀화인	(斡朵里)護軍
浪阿哈	(세조2)			여진귀화인	동량북等處副萬戶
浪於乙巨	(세조~성종대)		형 浪伊升巨	여진귀화인	大護軍(세조3), 알타리副萬戶(성종16)
浪亏老哈	(세조대)			여진귀화인	侍衛(8), 資憲大夫兀良哈都萬戶(8), 知中樞(8)
浪伊升巨	(세종~세조대)		父 浪亨兒罕	여진귀화인	護軍兼司僕(세종26), 五司大護軍(단종1), 僉知中樞(3), 世祖原從2등공신(세조1), 中樞副使(2), 同知中樞(3)
浪將家老	(세조~성종대)		父 知中樞 浪亏老哈	여진귀화인	올량합指揮僉節制使(세조6), 副萬戶(6) 兼司僕(6), 行五衛大護軍(8), 僉知中樞(9), 兼司僕(성종4)
浪亨兒罕	(단종~세조대)			여진귀화인	東良北都萬戶(단종1), 知中樞(2), 복주(세조5)
盧仲(重)禮	?~1453	谷山	父 提學 誼, 祖 哲		內醫(세종3), 사재副正(5), 전의正(15), 判事(15), 僉知中樞(27), 전의正(28), 僉知中樞(29), 折衝將軍五衛上護軍卒

나

盧德基	(세조~예종대)	光州	父 淸州判官 處和, 祖 郡事 尙仁		五司司正(세조1), 世祖原從2등공신(1), 工曹參議(13), 同知中樞(예종1)
盧尙信	(태종대)	광주	형 尙仁		司憲監察(~2, 파직), 廣州判官(~13, 파직)
盧尙義	(태조대)	광주	형 尙仁		大將軍(4), 강릉도군용점고사(4), 파직(5)
盧尙仁	(태종14)	광주	父 檢校政丞 崇, 祖 持平 俊卿		양근군사, 파직
盧崇	1337~1414	광주	父 持平 俊卿, 祖 大護軍 葢	문(공민왕14)	同知密直兼大司憲(우왕8), 전라관찰사(창왕1) 知中樞(공양왕4, 고려), 開城留侯(태조4), 태조원종공신(4), 경기좌도관찰사(6), 正憲大夫三司左使(태종즉), 知議政府事(즉), 參判承樞(1), 사은사(2), 參贊議政(4), 參判司平(4), 議政府參贊(11), 檢校議政府右政丞(11), 檢校右議政졸
盧自亨	1414~1490	광주	父 義	문(문종즉위)	成均司藝(성종10), 成均司成(11), 大司成(13), 僉知中樞(19), 전大司成졸
盧熙善	(성종14)	광주	父 同知中樞 德基, 祖 判官 處和		경주判官
盧公奭	(성종9)	交河	형 公弼		외관, 戶曹正郎(盧思愼비명)
盧公裕	(성종대)	교하	父 領議政 思愼, 祖 知敦寧 物載	음	工曹佐郎(14), 奉正大夫司憲持平(18), 同副(24)·右副承旨(24)
盧公著	(성종대)	교하	형 公裕		현릉參奉(盧思愼비명)
盧公弼	1445~1516	교하	제 公裕	음, 문(세조12)	署令(~세조12), 문과, 成均直講(예종1), 兼藝文館(성종1), 藝文副應敎(4), 전한(6), 副提學(8), 兵(8)·禮曹參議(10), 同副(10)·右副承旨(10), 파직(11), 兵曹參議(11), 右·左·都承旨(12~14), 同知中樞(14), 兵曹參判(14), 大司憲(14), 同知中樞(15), 吏(17)·戶曹參判(18), 兼世子左副賓客(19), 工(20)·戶(20)·吏(21)·刑曹判書(22), 知中樞(22), 知中樞藝文大提學(23), 禮(23)·戶曹判書(24) [연산이후: 兼知義禁府事, 兵曹, 刑曹判書, 議政府右參贊, 경기관찰사, 戶曹判書, 議政府左贊成, 右贊成, 判敦寧文城君, 領敦寧, 領中樞, 문성군졸]
盧物載	?~1446	교하	父 右議政 開, 祖 大護軍 鈞	음	司憲監察(세종13), 僉知中樞(27), 同知敦寧(27), 同知敦寧졸, 贈世祖原從2등공신(세조1)
盧思愼	1427~1498	교하	父 知敦寧 物載, 祖 右議政 開, 외조 領議政 沈溫	문(단종1), 발영·등준시(세조12)	집현博士(단종1), 司憲監察(세조1), 집현副修撰(1), 世祖原從2등공신(1), 司諫院左正言(4), 藝文應敎(4), 侍講院文學(5), 司憲持平(6), 同副(8)·右副(8)·都承旨(9), 都承旨兼弘文館直提學(9), 戶曹參判(11), 충청관찰사(11), 戶曹判書(12), 拔英試, 登俊試, 翊戴3등공신宜城君(예종즉), 議政府右參贊(1), 議政府右贊成(1), 左贊成(성종1), 左贊成兼判吏曹事(1), 佐理3

					등공신(성종2), 領中樞(7), 領敦寧(10), 宜城府院君(13), 領中樞(16), 兼戶曹判書(16), 議政府右議政(18), 하등극사(18), 左議政(23) [연산대: 領議政, 府院君, 宜城府院君졸]
盧承德	(세종8)	교하	父 典書 瑛, 祖 尙書 闓		의주判官
盧湜	(세종~세조대)	교하	父 判官 承德, 祖 典書 瑛	무(족보)	결성縣監(세종24), 行五衛副司正(세조3), 世祖原從3등공신(3)
盧彦邦	(성종대)	교하	父 掌令 鐵剛, 祖 正 畢山		臺諫
盧由愼	(예종~성종대)	교하	제 思愼		광흥倉守(예종즉위), 산릉도감낭청(즉), 예빈正(성종1), 종묘제攝通禮(1)
盧璨	(성종22)	교하	父 戶曹正郎 公爽, 祖 領議政 思愼	음	參奉
盧鐵剛	(세조~성종대)	교하	父 正 畢山, 祖 議郎 敬		司憲監察(세조10), 종묘署令(성종5), 자산郡守(12)
盧弼	1355~1427	교하	父 君漢, 祖 政丞 頣	음(공민왕21)	別將(공민왕21, 고려), 禮曹典書(~태종1), 해주牧使(1), 都摠制府同知摠制(7), 右軍摠制, 右軍都摠制(~세종3), 전도총제졸
盧閈	1376~1443	교하	父 大護軍 鈞, 祖 昌城君 稹, 동서 太宗	음(공양왕3)	從仕郎積慶署丞(공양왕3, 고려), 사수감丞(4), 예빈少卿(정종1), 閤門引進使(2), 工曹議郎(2), 奉常卿兼知閤門事(태종1), 三司左使兼지합문사(1), 大護軍兼知司諫(1), 折衝將軍上護軍兼判閤門事(3), 右副(4)·左副承旨(5), 嘉善大夫吏曹典書(5), 경기관찰사(5), 左軍同知摠制(6), 천추사(7), 풍해관찰사(7), 漢城府尹(9), 파직(9, 좌閔無咎) 漢城府尹(세종9), 刑曹判書(9), 議政府參贊(10), 判漢城(13), 議政府贊成(14), 贊成大司憲(16), 贊成(16), 議政府右議政(17), 진하사(17), 右議政兼領經筵事(19), 파직(19), 전右議政졸
盧好愼	(세조~성종대)	교하	형 思愼, 서 昌原君 晟		司憲持平(세조11), 사재副正(예종), 司贍(성종4), 선공正(4), 전순천府使(9), 홍주牧使(25)
盧懷愼	(세종~단종대)	교하	제 思愼		敦寧主簿(세종14), 전佐郎(23), 예빈主簿(25), 여흥府使(단종1)
盧革	(태종~세종대)	萬頃	父 忠允, 祖 同正 謹	문(태종1)	牧使(방목)
盧皓(浩)	(세종~세조대)	善山	父 仁道	문(세종1)	군위(세종7), 대흥縣監(9), 장흥庫使, 경기經歷(25), 남양府使(30), 司憲執義(방목)
盧尙志	(세종대)	安康	父 衡, 祖 峯	문(5)	司諫院右正言(~10, 파직), 司諫(방목)

盧允弼	(세조~성종대)	安東	父 都事 潔, 祖 正元明		權知訓鍊錄事(세조1), 世祖原從2등공신(1), 行五衛護軍(성종3), 전縣監(~9), 부안縣監(9)
盧孝恭	(세조~성종대)	長淵	父 摠制 龜山, 祖 承宣 英壽		宗親府副典籤(세조1), 世祖原從3등공신(1), 법성포萬戶(성종25)
盧龜山	?~1419	장연	父 承宣 英壽, 祖 知中樞 贊	문(우왕11)	전密直提學(태종1), 左軍摠制(11), 都摠制(8), 內侍衛2번절제사(세종즉), 判漢城(즉), 右軍摠制(즉), 都摠制(1), 도총제졸
盧昐	(세조~성종대)	豊山	父 戶曹判書 叔仝, 祖 司正 馮	문(세조8), 발영시(12)	承義郎(~세조8), 문과, 承政院注書(~12), 拔英試, 兵曹佐郎(예종1), 전藝文校理(성종3), 應敎(방목)
盧叔仝	1403~1463	豊川	父 司正 馮, 祖 郎將 興吉	문(세종9), 중(18)	승문權知正字(세종9), 博士, 校理, 司憲監察, 집현修撰(17), 校理(18), 문과중시, 應敎(18), 侍講院弼善, 議政府舍人, 知司諫(30), 知通禮院使(31), 左弼善(문종즉위), 집현直提學(즉), 上將軍兼知兵曹事(즉), 同副(1)·左副(2)·左承旨(단종1), 戶曹參判(1), 藝文提學(세조1), 兼同知成均(1), 大司憲兼世子左賓客(1), 世祖原從2등공신(1), 同知中樞(2), 刑曹參判兼春秋世子賓客(2), 都鎭撫(2), 德寧府尹(3), 예문제학겸강원관찰사(3), 刑曹參判(4), 判晉州牧使(5), 僉知中樞(7), 僉知中樞겸경상관찰사(7), 漢城府尹(9), 同知中樞(8), 사은사(8), 五衛上護軍졸
盧昀	(세조14)	풍천	형 昐		진주判官
盧敬孫	?~1468				都摠使龜城君李浚군관(세조13), 피화(예종즉, 坐南怡)
盧敬信	(세조1)				主簿, 원종2등공신, 예안縣監(13, 읍지)
盧敬長	(성종24)				命敍用(이조)
盧珀	(태조1)		父 瑀		大將軍
盧龜祥	1381~1455				刑曹正郎(태종18), 大護軍(세종4), 工曹右(14), 刑曹右(14), 兵曹左(14), 禮曹左參議(16), 僉知中樞(16), 兵曹參議(16), 漢城府尹(22), 工曹參判(24), 免職(25), 전參判致仕귀향(상주, 문종즉위), 졸
盧吉蕃	(성종6)				훈련僉正
盧吉昌	(성종3)			무	呂島萬戶
盧大畜					보성郡守(읍지)
盧孟溫	(세종9)				고창縣監
盧瑁	(성종대)		父 珣, 祖 珍	문(8)	成均博士(13), 司憲監察(~16, 파직), 봉상主簿(20)
盧文理	?~1396				전別將전사

盧敏	(단종2)				충훈부書吏, 仕滿去官
盧伯孫	(성종3)				온성부部將, 充軍
盧卜(福)龍	(태종~세종대)			역관	통사
盧犇	(태종~세종대)			환관	환관
盧山	(단종2)				주자소別坐
盧湘	(태조~태종대)				刑曹正郎(~태조2, 유배), 議郎(~7, 파직), 군기判事(태종12)
盧相	(세종2)				회양府使
盧尙紋	(문종~세조대)				사역主簿(문종1), 漢(明)人管押使(1), 判官(단종3), 朝奉大夫(세조1), 世祖原從3등공신(1)
盧石崐	(세조1)				五司司正, 원종3등공신
盧石安	(세종대)			기(13, 효행녹용)	命敍用(13), 司瞻副直長(21)
盧石柱	(태조대)				工曹正郎(태조2), 上將軍(~4), 上將軍兼尙瑞司少尹(4), 右副承旨兼尙瑞司尹(6), 左副承旨(7)
盧善卿	(예종1, 성종10)				尙瑞司判官, 工曹正郎
盧成烈	(세종19)				제주牧使(읍지)
盧守恭	(세조13)				都摠使龜城君李浚군관
盧守仁	(세조13)				都摠使龜城君李浚군관
盧壽泉	(세종22)				僉知中樞
盧叔恭	(성종11)				命敍用(이조)
盧式	(세조1)				五司護軍, 원종3등공신
盧植	(태조7)				영일監務, 유배
盧信	(태종8)				정선郡事(읍지)
盧愼忠	(세종16)				결성縣監
盧嚴	(태종2)				선공判事
盧泳	(세종6)				通禮院奉禮
盧永謙	(성종21)		서얼(가계불명)		王子師傅
盧永國	(태종2)				나주牧使(읍지)
盧永敦	(세종9)				함평縣監
盧晤	(세종대)	父 益成		기(10, 효행)	命敍用(10)
盧玉崐	(세조1)				行五司司正, 원종3등공신
盧佑	(세조1)				五衛副司直, 원종3등공신
盧祐	(세조~예종대)				部將(14), 유배(예종1, 佐南怡)
盧原湜	(태종~세종대)				전大將軍(태종1), 유배(1), 都摠制府僉摠制(~10) 僉摠制경원조전절제사(10), 전摠制(세종1), 평양도兵馬都節制使(1), 判義州牧使(1), 좌군총제(9)

盧愿愼	(세종23)				전佐郎
盧惟慶	(태종8)				鎭撫
盧允	(태종3)				甘北浦千戶
盧允羹	(성종25)				예안縣監(읍지)
盧戎達	(세종16)				함안郡守(읍지)
盧乙俊	(태조2)				檢密直副使, 태조원종공신
盧倚	(태종11)				判蔚珍縣事, 피죄
盧義	(문종1)				土官
盧義順	(성종7)				親軍衛甲士(종성)
盧異	(태조~태종대)			문(태조5)	史官(정종2), 司諫院左正言(~태종4, 파직)
盧益剛	(세종15)				전여연郡事
盧仁矩	(태종대)				司諫院右正言(4), 左正言(4), 司諫院獻納(8), 豫原郡事(~12, 파직)
盧仁度	(태조대)				慶興府舍人(5), 입명구류(5)
盧任	(세종대)				문경縣監(12~14)
盧績	(태종3)			환관	내시別監
盧典	(정종1)				嘉善大夫三陟府使(읍지)
盧定	(단종1)			의원	醫官
盧証	(세종9)		형 從得		五衛護軍
盧定之	(세조1)				五司大護軍, 원종3등공신
盧定行	(세조8)				전通禮院通贊, 원종3등공신
盧珇	?~1398		父 瑀		上將軍(태조1), 特進輔國崇祿大夫歸義君(6), 賜死
盧趙卿	(세조~성종대)				군기錄事(세조13), 參奉(14), 전기장縣監(~성종10, 被鞫), 영덕縣令(읍지)
盧從德	(세종대)			기(9, 여 貢女故)	副司直(9), 司直(~15), 평해郡事(15)
盧從愼	(성종대)				울진縣令(15), 언양縣監(21)
盧仲濟	(태종대)				경상水軍僉節制使(4), 경상좌우도수군都萬戶(6), 충청水軍僉節制使
盧仲淸	(세조~예종대)				權知參軍(세조1), 世祖原從3등공신(1), 강계判官(~13, 파직), 이성縣監(~예종1, 파직)
盧祉	(세조1)				權知訓鍊錄事, 원종2등공신
盧珍	(세종대)				의금都事(즉), 榮川郡事(12)
盧晉諧	(세종대)			문(17), 중(18)	署丞(~18), 중시, 회덕縣監(23)
盧晉諧	(성종7)				成均館官
盧秩	(세종16)				능성縣監
盧處元	(성종24)				임실縣監
盧鐵堅	(성종5)				황해도行臺監察

盧治	(태종14)				은율縣監(읍지)
盧致	(세종6)				牽龍
盧致淑	(세종8)				낭천縣監(읍지)
盧漢卿	(세종5)				鎭撫
盧漢經	(성종23)				烏浦萬戶
盧賢守	(세조1)				五司司勇, 원종3등공신
盧皓	(단종~세조대)				鎭撫(세조1), 世祖原從3등공신(1)
盧孝慎	(성종대)				흥양縣監(6), 通政大夫泰安郡守(8), 종성府使(18), 평안도助戰將(22)
盧孝溫	(세조1)				進勇校尉(甲士), 원종3등공신
盧興俊	?~1429				전護軍복주
盧希鳳	(태종~세종대)			환관	大殿內官(태종3), 承傳色(6), 상왕전內官(세종즉), 사재감提調(즉), 判內侍府事(4)
魯克明	(태종대)	咸豊	父 誠之	문(16)	
魯達	(세종31)				高巒梁萬戶, 유배
魯穆	(단종~세조대)			풍수학	在官(단종즉위), 主簿(세조1), 世祖原從3등공신(1)
魯嗣宗	(성종대)			의원	醫官(~14, 승직, 산릉도감공)
魯參	?~1463				行五衛司正(세조3), 世祖原從3등공신(3), 五衛上護軍(5), 진응사(5), 行司直(9), 五衛上護軍(9), 行司直(9), 진응사귀국중졸
魯三同	(성종6)				徵召試射, 命敍用
魯存禮	(단종대)			기(2, 효행)	命敍用(2, 孝行故)
魯之生	(성종2)				斜下北萬戶
魯之忠	(태종8)				耽津浦萬戶, 充水軍
魯玄守	(태조~태종대)				親軍衛甲士(태조6), 護軍(태종8)
魯興道	(세종3)				築頭萬戶
尼加大	(성종23)			여진귀화인	올량합護軍

다

성명	생애(仕官시기)	본관	가계	출신	관력
多哥	(세조1)			여진귀화인	虛水剌等處副萬戶
段純	(태종8)				前횡천監務
段由仁	(세조11)				포천縣監, 파직
答失	(태종5)			여진귀화인	兀良哈萬戶
唐誠	1337~1413	密陽		원귀화	巡衛府評事, 典祀寺判事(고려), 戶曹典書(태조5), 파직(7), 檢校判漢城(~태종1), 개성副留侯(1), 恭安府尹致仕(9), 졸
唐孝良	(성종대)	밀양		역관	前副司果(~11), 선공判官(11)
唐夢龍	(태종4)				副司直
都衎	(태조대)	星州		문(우왕8)	郎將
都慶孫	(세조1)	성주	父 直長 思勉, 祖 膺		錄事, 원종3등공신
都夏	(세조대)	성주	父 校尉 賢, 祖 卿 彦㺚	문(4)	敎導, 司諫院正言(방목)
都大平	(세종대)		父 功臣(성명불명)		정포萬戶(14), 上護軍(~19), 僉知中樞(19)
都時羅	(태조6)		父 藤次郎	왜귀화인	司正
都彦臣	(문종1)				禮曹令史
都乙溫	(세종대)			여진귀화인	올량합千戶(5), 吾郞哈都督僉節制使(21), 都指揮僉節制使(23), 都萬戶(25)
都以恭	(세조1)				萬戶, 원종3등공신
都興	(태조대)				知密直(고려), 태조원종공신(1), 개성府尹(2), 商議知門下府事(5), 參知門下(7)
都熙	(태종3)				전少監
童家吾下	(세종7)			여진귀화인	동맹가첩목하管下人, 授職
童干古	(세종~세조대)			여진귀화인	알타리副司直(세종15), 大護軍(26), 上護軍(문종즉위), 世祖原從2등공신(세조1)
童干古里	(세종5)			여진귀화인	授職
童其吾車	(세조1)			여진귀화인	五司司正, 원종3등공신

童難豆	(세조11)			여진귀화인	本處副萬戶
童南羅	(단종3)		父 都萬戶 阿下里	여진귀화인	護軍
童都乙赤	(세조1)			여진귀화인	五司副司直, 원종3등공신
童敎道	(세종~세조대)			여진귀화인	오도리司直(~세종29), 副萬戶(29), 오롱초等處萬戶(세조1)
童羅麟哥	(세조2)			여진귀화인	吾音會等處副萬戶
童羅松介	(세종~문종대)			여진귀화인	吾都里上護軍(25), 僉知中樞(28), 中樞副使(문종1)
童理(豆里不花)	(세종19)			여진귀화인	副司正
童末所	(세종13)			여진귀화인	護軍
童孟哥帖木兒	(태조~태종)			여진귀화인	경성等處萬戶(태조1), 上將軍(태종대, 세조실록5.4.정묘)
童毛多吾赤	(세조대)			여진귀화인	오도리指揮(~1), 五司司直(1), 원종3등공신(1)
童夫里	(세조2)			여진귀화인	동량북等處副萬戶
童山	(세종대)		父 上將軍 孟哥帖木兒, 祖 揮護	여진귀화인	副司正(19), 上護軍(세종대, 세조5,4 정묘)
童三波老	(단종~세조대)		父 都萬戶 吾沙介	여진귀화인	副萬戶(단종3), 上護軍(세조1), 보을하등처都萬戶(2)
童所羅	(세종1)		父 沙里甫下	여진귀화인	建州衛指揮, 授職
童所老加茂	?~1464		父 都萬戶 於虛里	여진귀화인	胡賁侍衛司護軍(세종21), 大護軍(~23), 僉知中樞(23), 알타리都萬戶(28), 中樞副使(문종즉위), 中樞副使졸(세조10)
童速魯帖木兒	(단종~세조대)			여진귀화인	中樞(단종1, 居회령), 知中樞(2)
童松古老	(세종~세조대)			여진귀화인	授職(세종16), 副司直(23), 五衛司直(세조1), 世祖原從3등공신(1)
童約沙	(세조2)			여진귀화인	吾音會等處副萬戶
童陽河	(세조1)			여진귀화인	五司副司直, 원종3등공신
童於虛里	?~1444		이복형 孟哥帖木兒	여진귀화인	전護軍(~세종22), 將軍(22), 都萬戶졸
童於虛里	(세조1)			여진귀화인	五司副司正, 원종3등공신
童於虛主	(세종26)			여진귀화인	오도리指揮, 居京숙위
童吾沙介	(세종~세조대)			여진귀화인	斡朶里都萬戶(세종31, 세조2)
童玉	(세종~세조대)			여진귀화인	於虛里司直(세종22), 五司大護軍(세조1), 仕司僕寺(1), 五衛護軍(3), 世祖原從3등공신(3)
童流豆	(단종~세조대)		父 於虛主	여진귀화인	護軍(단종3), 올량합萬戶(세조1)
童伊時介	?~1456			여진귀화인	五衛大護軍(세조1), 世祖原從3등공신(1), 大護軍졸

다

童存中	(세조12)			여진귀화인	兼司僕, 副司果
童奏羊	(세조2)			여진귀화인	蒲州等處都萬戶
童淸周	?~1474			여진귀화인, 무(세조4)	五衛護軍(~세조4), 大護軍(4), 行五衛司直(6), 3품兼司僕(10), 行副護軍(성종3), 中樞졸
童賢	(세조1)			여진귀화인	五司護軍, 원종3등공신
豆稱介	?~1440			여진귀화인	骨幹兀狄哈萬戶(태종10), 萬戶졸(子 古邑同介 襲萬戶)
豆稱哈	(세종17)			여진귀화인	(알타리千戶)請侍衛, 授職
藤昆(昆時羅)	(태조7)			왜귀화인	降倭人萬戶, 散員
藤九(仇)郞	(세종~세조대)	父 七		왜귀화인	護軍(세종27), 大護軍(세조4, 居대마도)
藤茂村	(성종4)	형 安吉		왜귀화인	副司果
藤安吉	(세조대)			왜귀화인	五衛護軍(7), 行副護軍(13)
藤六	(태조대)			왜귀화인	降倭萬戶(~7), 宣略將軍中郞將(7)
藤賢(賢俊)	(태조7)			왜귀화인	散員

마

성명	생애(仕官시기)	본관	가계	출신	관력
馬勝	?~1457	長興	父 府院君 天牧, 祖 卿 榮		홍주牧使(세종24), 경상水軍處置使(28), 嘉善大夫안주牧使(31), 진하사(31), 강계府使(문종즉), 평안우도都節制使(즉), 中樞副使(즉), 강원都巡撫使(즉), 충청助戰將(1), 전라水軍處置使(1), 同知中樞(단종1), 경주府尹(2), 世祖原從2등공신(세조1), 中樞使(2), 長興君졸
馬仲規	(세조4)	장흥	父 中樞使 勝, 祖 府院君 天牧		部將
馬天牧	?~1431	장흥	父 奉常卿 榮, 祖 宗簿令 致遠	정안군시종	散員(우왕7, 고려), 大將軍(태조7), 上將軍(~태종1), 佐命3등공신都摠制府同知摠制(1), 中軍摠制會寧君(1), 회령군겸중군총제(~ 10, 유배), 龍騎侍衛司節制使(11), 전라兵馬都節制使(12), 長興君, 內侍衛節制使(18), 右禁衛1番節制使(18), 長興君(세종즉), 右軍判都摠府事(5), 장흥군(10), 長興府院君(11), 府院君졸
馬加乙愁	(세조1)		형 中樞 仇音波	여진귀화인	五司司直, 원종3등공신
馬咬搭	(세조2)			여진귀화인	包州等處副萬戶
馬仇音波老	(세조2)			여진귀화인	오음회等處副萬戶
馬麻看	(세조2)			여진귀화인	포주等處副萬戶
馬邊者	(세종~세조대)			여진귀화인, 통사	司直(세종4), 大護軍(12), 僉知中樞(15), 中樞副使(19), 同知中樞(26), 中樞副使(27), 同知中樞(세조1), 世祖原從1등공신(1)
馬甫郎介	(단종~세조대)			여진귀화인	五司副司正(단종2), 世祖原從3등공신(세조1)
馬淵大	(세종대)			역관	여진통사(12)
馬右其	?~1461			여진귀화인	兼司僕(세종31), 行五司司正(세조1), 世祖原從2등공신(1), 兼司僕졸
馬右延主	(세종10)			여진귀화인	侍衛

馬賢孫	(세조~성종대)		父 僉知中樞 興貴		都摠使龜城君李浚군관(세조13), 嘉善大夫 僉知中樞(13), 行五衛上護軍(14), 中樞副使(성종12), 行五衛司勇(13), 行司直(17)
馬賢守	(세조1)				五司副司正, 원종3등공신
馬興貴	(세종~세조대)			여진귀화인	副司直(세종22), 五司大護軍(단종1), 僉知中樞(3), 世祖原從2등공신(1), 兼司僕(6)
莫同	(세종5)				別司饔, 유배
滿禿哈	(세조대)			여진귀화인	司直(3), 毛里耶等地副萬戶(3), 本處萬戶(5)
萬同源	(세조8)				五衛司勇, 원종3등공신
萬石	(세조14)				別監
萬歲榮	(태종2)			환관	太上王殿內官
望沙門 (泄門)	(태조대)		父 羅可溫	왜귀화인	五衛副司正(6), 宣略將軍別將(7)
望時羅 (張望)	(태조7)			왜귀화인	散員
梅輔男	(세조~예종대)				都摠使龜城君李浚從事官(세조13), 五衛部將(~예종1, 파직)
梅佑	(세종~세조대)		父 大護軍 原渚, 祖 義州牧使 君瑞	통사	사재直長(세종18), 主簿(19), 通禮院奉禮郎(21), 상의別坐(25), 상의提擧(단종2), 判事(세조1), 世祖原從2등공신(1), 嘉善大夫五衛上護軍(6), 천추사(6), 同知中樞(7), 주문사(7), 사은사(9)
梅原渚	(태종대)		父 고려 征東行省提控 君瑞	통사	大護軍(4~6)
梅佐	(세종~세조대)				정읍縣監(문종즉위), 世祖原從3등공신(세조1), 縣令(4, 성종3, 2 계유), 僉知中樞(3)
梅俊	(성종2)				忠贊衛
孟歸美	(태종대)	新昌	父 左議政 思誠, 祖 副令 希道		供正庫副使(7), 司憲監察(8)
孟得美	?~1467	신창	형 歸美		行五司副司正(단종1), 司直(세조1), 世祖原從2등공신(1), 僉知中樞(8), 평안助戰 節制使(8), 평안都鎭撫(11), 평안虞侯(12), 都摠使龜城君李浚軍官 전사
孟思謙		신창	형 思誠	문(우왕14)	
孟思誠	1360~1438	신창	父 副令 希道, 祖 尙書 裕	문(우왕12)	春秋館檢閱(우왕12), 전의丞, 起居舍人, 司諫院右獻納, 수원判官, 知沔川郡事, 內史舍人, 禮曹議郎(~태조5), 파직(5), 右諫議大夫(정종1), 右散騎常侍(2), 左散騎常侍(2), 司諫院左諫(태종3), 파직(4), 同副(5)·左副承旨(5), 吏曹參議(6), 藝文提學(7), 漢城府尹(8), 한성부윤 兼世子右副賓客(8, 파직), 공안府尹(11), 判中樞牧使(11), 풍해관찰사(12), 吏曹參判(16), 禮

조선초기 관인 이력

					(16)·戶(17)·工曹判書(18), 사직(18, 父病故), 工曹判書(세종1), 吏曹判書(2), 議政府贊成事(3), 判左軍都摠府事(7), 진하사(7) 議政府右議政(9), 左議政(14), 좌의정致仕졸
孟碩欽	(세조~성종대)	신창			內禁衛(세조7), 敵愾2등공신(13), 征建州 군공1등(13), 建功將軍虎賁衛大護軍(13), 강무雜類將(14), 新昌君(성종3), 유배(4), 전충청兵馬節度使(16)
孟孝曾	(세종~세조대)	신창	父 監察 歸美, 祖 左議政 思誠		전구서錄事(세종7), 군기副正(15), 僉知中樞(단종즉), 中樞副使(1), 僉知中樞(1), 世祖原從2등공신(세조1), 中樞副使(3)
孟崇仁	(세조10)				전兼司僕(居경원)
孟玉	(태종17)				갑산僉節制使鎭撫
孟義初	(단종2)				회령부牌頭甲士
孟仁義	(세조12)		환관		환관
孟峻	(세조1)				五司護軍平順萬戶, 원종1등공신
明復初	(세조1)				五司副司正, 원종2등공신
牟恂	(태종~세종대)	咸平	父 僉正 世澤, 祖 平章事 時靈	문(태종17)	거창縣監(세종8), 司諫院右獻納(16), 左獻納(17), 司憲掌令(21), 議政府檢詳(22), 議政府舍人(25), 대마도通信副使(25), 司憲執義(26), 知司諫(26), 회양府使(~28), 守司宰判事(28), 황해도진휼사(28), 郡事(세조1), 世祖原從2등공신(1)
牟安叔	(정종2)				은율縣監(읍지)
毛多吾	(세조1)		父 都萬戶 加時波	여진귀화인	올량합指揮僉節制使, 吾治安等處副萬戶
睦仁海	?~1411	泗川	父 忠達, 祖 大護軍 君慶		護軍(태종3), 護軍복주(11, 誣告趙大臨故)
睦進恭	?~1426	사천	父 郎將 孫儉, 祖 진사 忠達		巡禁司大護軍(태종9), 義興府鎭撫(10), 전사判事(14), 경기관찰사(~17), 파직(17), 戶曹參判(세종4), 진하副使(4), 戶曹參判(6), 진위사(7), 전戶曹參判졸
睦哲卿	(성종대)	사천	父 郡守 繼男, 祖 戶曹參判 進恭	문(10)	전兵曹佐郎(13), 兵曹佐郎(14), 郡守(방목)
睦哲成	(예종~성종대)	사천	父 郡守 寶男, 祖 參判 進恭		判官(예종1), 안악郡守(~성종7, 파직)
睦加乙獻	(세종대)			여진귀화인	侍衛(6), 授官職(7)
睦子安	(성종18)				영해府使(읍지)
睦濟	(세종16)				전知郡事
睦哲	?~1402				見乃梁萬戶복주
文彬(傑)	(성종대)	甘泉	父 崇質, 祖 孫武	문(11)	司諫院獻納(방목), 僉正(방목), 양양府使졸

文孫貫	(세종대)	감천	父 監務 淑器, 祖 令 漢英	문(14)	成均司成(족보)
文汝良	(세종~세조대)	감천		문(세종11)	司憲監察(~세종8, 파직), 司諫院左正言(10), 守司憲持平(29), 持平(문종즉위), 전라(2), 황해都事(단종즉), 郡事(세조1), 世祖原從3등공신(1), 行司憲執義(7), 直提學(방목), 제주牧使(10)
文獻	(태종~세종대)	감천	父 質, 祖 秀才	문(태종2)	前제주判官(세종4), 영춘縣監(18), 校理(방목)
文可用 (庸)	(태조대)	南平	父 大學士 益夏, 祖 提學 叔宣	문(태조2)	成均學諭(방목)
文繼宗	?~1437	남평	父 贊成 達漢, 祖 少卿 璟		태조원종공신(태조1), 刑曹典書(~5, 하옥), 都摠制府摠制(태종18), 한성(18), 인수府尹(세종1), 嘉善大夫廣州牧使(1), 전牧使졸
文克貞	(성종대)	남평	父 中部令 承郁, 祖 少監 典, 장인 刑判 金宗直		僉正(김종직신도비명)
文達漢	(태종18)	남평	父 少卿 璟, 祖 令 允棠		宰臣
文敏	(세종대)	남평	父 判中樞 孝宗, 여 東宮承徽		巡軍司護軍(13), 서운判事(23), 判通禮(24), 僉知中樞(29)
文彬	?~1413	남평			大將軍(정종2), 佐命4등공신越川君(태종1), 월천군雲劒摠制(8), 풍해都節制使(9), 越川君졸
文尙行	(태종~세종대)	남평	父 縣監 琰, 祖 贊成 和	문(태종11)	제주判官(세종8, 읍지)
文敍	(세종대)	남평	父 判中樞 孝宗, 祖 贊成事 達漢		戶曹佐郎(~11), 파직(11), 牧使
文松壽	(단종대)	남평	父 持平 承祚, 祖 都摠制 繼宗		戶曹正郎(~2, 유배), 校理
文松子	(세종대)	남평	제 松壽	문(17)	종부直長(22), 교서校勘(방목)
文汝寧	(세종~세조대)	남평	父 軫, 祖 開城府尹 世鳳	문(세종9)	司諫院右正言(세종18), 司憲持平(29), 主簿(세조1), 世祖原從3등공신(1)
文汝楨	(세조1)	남평	형 汝寧		承義校尉(甲士), 원종3등공신
文汝忠	(세종24)	남평	제 汝寧		金山郡事
文贊	(성종대)	남평	父 司直 致, 祖 判中樞 孝宗	무	임치萬戶(20)
文天奉	(정종~태종대)	남평	父 長淵伯 萊, 祖 侍中 中實		司僕副正(정종2), 都摠制府僉知摠制(태종8), 동북別牌僉節制使(9)
文孝宗	1365~1444	남평	父 順平君 達漢, 祖 贊成事 璟	음	전僉知摠制(태종9), 동북僉節制使(5), 鷹揚衛右2番節制使(12), 都摠制府同知摠制(13), 摠制(~18), 左禁衛1番節制使(18), 左軍摠制(세

조선초기 관인 이력

					종3), 母喪(13), 兵馬都節制使겸좌군총제(5), 총제(7), 진향副使(7), 右軍都摠制(9), 좌군총제(13), 同知中樞(14), 知中樞(15), 同知中樞(17), 判中樞(22), 致仕(22), 졸
文益漸	1329~1398	丹城	父 提學 淑宣, 祖 允恪	문(공민왕9)	김해부司錄(공민왕9), 司諫院左正言, 전의主簿, 左司議大夫(고려), 전좌사의대부졸
文自修	(단종~세조대)	단성	父 令 穆, 祖 參議 尙行		장흥고副直長(~단종2, 杖流), 錄事(세조1), 원종2등공신(1)
文中啓	(태종11)	단성	父 司議大夫 益漸, 祖 提學 叔宣		의정부錄事
文中庸	(태종대)	단성	父 司議大夫 益漸, 祖 淑宣	음(태종1)	司憲監察(1, 父공), 司諫院正言(3)
文綱(絜)	(태종대)	靈山	父 副令 巨龍	?, 문(공양왕1)	前내시별將(~공양왕1), 문과, 刑曹正郞(태종5), 선산府使, 풍해經歷
文允明	(성종대)	영산	父 彦, 祖 承質	문(17)	司憲監察(23), 宗學司誨(24), 副正(방목)
文加乙巨	(단종~성종대)			여진귀화인	五衛護軍(단종3), 僉知中樞(~세조13), 都萬戶(13), 中樞(성종14)
文簡	(성종대)				통례문引儀(~1), 파직(1)
文傑	(성종대)				[연산대: 양양府使(5, 읍지)]
文敬修	(세종12)				鎭撫
文敬友	(세종29)				徒3年永不敍用
文季用	(성종대)				五衛司直(金伯謙비명)
文繼元	(세종15)				전라鎭撫
文具敏	(성종대)		父 子訥	문(5)	순천敎授(5), 봉상主簿(6), 縣監(방목)
文九宗	(성종9)				무주縣監
文貴	?~1439		이모 太祖妃 神懿王后		종부判官(~태종3, 유배), 大護軍(10), 同知敦寧(세종10), 右軍同知摠制(3), 총제(6), 同知敦寧(9), 中軍都摠制(11), 사은사(12), 중군총제(13), 嘉善大夫寧邊府使(14), 평안都節制使(15, 充軍), 中樞使(17), 진향사(17), 同知敦寧(17), 전라都節制使(19), 都節制使졸
文金鍾	(세조1)				액정서司鑰, 원종1등공신
文魯				문(우왕3)	
文德濬	(세조1)				令史, 원종3등공신
文得謙	(세종~단종대)			음양학	서운掌漏(세종30), 五衛副司直(단종즉위)
文得周	(세조대)				權知參軍(1), 원종3등공신(1), 前江西縣令(13)
文賽	(세조1)				行五司司勇, 원종3등공신
文孟儉	(세종~세조대)			술자	行司正(세종26), 서운主簿(문종즉), 通德郞(세조1), 世祖原從3등공신(1)
文孟孫	(세조대)			무(세조6)	內禁衛(전五衛司直, ~세조7), 兼司僕(7), 理山

				郡守兼節制使(11), 都摠使龜城君李浚군관(13)
文邦貴	(태종~세종대)	처남 參判 高得宗		전直長(태종13, 제주), 전主簿(세종2), 守令(~7), 예빈判官(7)
文方寶	(태종대)			전護軍(11), 濟州靜海鎭都司守(土官都千戶, 11)
文斯	(세종대)	父 공신(성명불명)		忠義衛, 전主簿(8), 護軍(~18, 削忠義衛籍, 유배)
文思俊	(세조1)			五司護軍, 원종3등공신
文尙連	(성종8)			시흥驛丞
文碩漢	(세조~성종대)			五衛部將(세조9), 삼가縣監(~12, 파직), 용강縣令(성종12)
文成章	(세종7)		기(7, 명사청)	副司正
文世麟	(세종18)			함안郡守(읍지)
文紹祖	(단종~세조대)		문(단종2)	訓導(세조1), 五衛司正(1), 世祖原從2등공신(1), 교서別坐(6)
文孫	(성종대)		환관	內官
文孫纘	(세종25)		환관	香室別監
文修德	(세조~성종대)			錄事(세조1), 世祖原從3등공신(1), 掌隷院司議(12), 군기(14), 상의僉正(14), 陞堂上官(예종즉위, 국상郞廳공), 通政大夫光州牧使(성종6), 行五衛司勇(12), 決訟都監당상(12)
文秀生	(태종9)			五衛司直
文守成(誠)	(정종~태종대)		문(정종1)	正字, 司諫院左獻納(태종8), 司諫院正言(13)
文叔器	(태종1)			진보縣監(읍지)
文純	(세종7)			이산縣事
文承達	(성종21)			五衛副司猛, 加資(年老故)
文承宥	(세종26)			鎭撫, 充官奴
文承祚	(세종대)			工曹佐郎(~7, 파직), 司憲持平(10)
文費	(성종대)		무, 중(7)	侍衛무신(6), 兼司僕(6), 內禁衛(~7), 陞職(7, 무과중시)
文贐	(성종대)			宣川郡守平安道助防將(9), 친제夾侍(24)
文汝良	(세조5)			司憲監察
文汝衡	(세조7)			예안縣監(읍지)
文用富	(태종대)		환관	太祖守陵內侍(8), 同判內侍府事(10)
文原	?~1412			檢校漢城府尹졸
文原佐	?~1400	생질 定宗		開寧君졸

文允慶				문(우왕11)	
文乙敬	(세종26)				전中郞將(居온양)
文義	(세조1)				학생, 원종3등공신
文以信	(성종16)				기장縣監
文自良	(성종22)				아이萬戶
文長壽	(세조~성종대)		자 處敬		학생(세조1), 世祖原從2등공신(1), 行五衛副司直(성종2)
文典	(태종16)				權知전의敎授
文節	(성종13)				下位(參下)官
文造	(태종12)				제용少監
文宗老	(세조1)				광양縣監
文俊	(성종대)				蛇島鎭僉節制使(~성종7, 파직), 영암郡守(13), 부산포僉節制使(25)
文俊	(성종21)				通禮院相禮
文苗	(단종1)				行내시부右承直
文仲可	(태종11)				大護軍, 영해府使(읍지)
文仲善	(단종~성종대)		내시		行내시부右承直(단종1), 資憲大夫(성종25)
文仲宣	(태종12)				전郞將(통주)
文質	(태종11)				의금鎭撫, 파직
文緝	(태조2)				마전監務, 杖流
文集賢	(단종1)				전옥副丞
文處敬	(세조~성종대)		父 行司直 長壽		都摠使龜城君李浚군관(세조13), 侍衛(성 11)
文忠德	(태종17)				전護軍(제주)
文聚	(태종13)				전사判事, 東界量田敬差官
文致	(성종14)		환관		內官
文致恭	(성종3)				거창監考
文致彬	?~1469				兼司僕복주(坐南怡)
文他乃	(세종12)		환관		내시別監, 피죄
文洺	(태종14)				別鞍色別監
文漢	(단종~성종대)		환관		行同僉內侍府事(단종1), 世祖原從3등공신(세조1)
文偘	(성종1)				通禮院引儀
文漢生	(세조1)				知印, 원종3등공신
文許逐	(단종1)				五衛司直, 仕司僕寺
文煥	(단종~세조대)		의원		內醫(단종1), 行五衛副司直(세조1), 세조원종3등공신(1), 內醫(4, 11)
文孝梁	(세조13)				修義副尉, 兼司僕
文孝良	?~1469				兼司僕(~예종1), 피화(1, 坐南怡)

文孝禮	(세종17)				사역主簿
文孝孫	(세조1)				守門甲士
文效安	(성종18)			역관	통사
文欣孫	(세조1)				五司司正, 원종3등공신
門必大	(세종즉)		외손 領議政 沈溫		郎將
閔開	1360~1396	驪興	父 判書 抃, 祖 大提學 迪	문(고려)	知申事, 密直副使, 大司憲(고려), 경상觀察黜陟使(태조2), 漢城府尹졸
閔開	(성종22)	여흥	父 判書 琳		司憲掌令
閔騫	?~1460	여흥	父 參判 不貪, 祖 大司成 開	일	군자直長(세종11), 司憲掌令(24, 26), 한성少尹(27), 副知敦寧(29), 同副(문종1)·右副(1)·左副(2)·左承旨(2), 工曹參判(2), 충청관찰사(단종1), 仁壽(2)·德寧府尹(세조1), 경기관찰사(1), 사은사(2), 同知敦寧(3), 刑曹參判(4), 大司憲(4), 同知中樞겸경기관찰사(5), 同知中樞(5), 同知中樞졸
閔謙	(세종즉)	여흥	父 府尹 德生, 祖 大提學 愉		仁寧府尹
閔敬達	(성종대)	여흥	친족 元敬王后		限品제수(6), 郎將(~14, 加資, 山陵功故)
閔慶生	(정종1)	여흥	父 大提學 愉, 祖 大提學 頔		禮曹典書
閔景翼	(성종대)	여흥	父 校理 友曾, 祖 直長 釋	문(12)	都事(20), 主簿(24) [연산대: 兵曹正郎]
閔繼生	(정종~태종대)	여흥	재종질 無咎		안악郡守(정종2), 刑曹典書(~태종2, 파직), 都摠制府同知摠制(3), 사은사(3), 漢城府尹(4), 전안동府使(8, 유배, 좌閔無咎), 漢城府尹(14),
閔繼點	(성종5)	여흥	父 縣監 懷參, 祖 參判 澄源		전錄事, 隨才敍用(孝行故, 居여주)
閔恭	(세종~세조대)	여흥	父 府尹 若孫, 祖 判書 壽生		刑曹佐郎(세종6), 刑(29)·禮曹參議(31), 同知敦寧(세조1), 世祖原從1등공신(1)
閔公生	(정종대)	여흥	처남 懷安君 芳幹		司憲雜端(1), 유배(2, 坐李芳幹)
閔捲	(예종~성종대)	여흥	친족 元敬王后		族親衛副司猛(예종1), 限品제수(성종6)
閔奎	1420~?	여흥	父 縣監 安慶, 祖 副正 輻	문(세종23)	봉상主簿, 判官(세종31), 司憲監察(단종2), 校理, 사재副正(세조8), 司憲掌令(8), 行五衛護軍(9), 敦寧僉正(성종20)
閔謹	(세종~문종대)	여흥	형 恭		양주府使(세종28), 한성少尹(~문종즉위, 파직)
閔蘭孫	(성종대)	여흥	父 兵使 憫, 祖 掌令 孝灌	무(성종14)	五衛部將(22)
閔磊	(세종17)	여흥	父 君 無悔, 祖 左政丞 霽		副司正

조선초기 관인 이력

閔大生	(단종~세조대)	여흥	父 令 中立, 祖 府院君 瑾, 서 領議政 韓明澮		전경창부少尹(단종1), 僉知中樞(세조1), 한성府尹奉朝請(8), 中樞副使奉朝請(8)
閔亮	?~1408	여흥	형 左政丞 霽		승령府尹(태종2), 공안府尹졸
閔無咎	?~1410	여흥	父 左政丞 霽, 祖 提學 忭		大將軍(태조7), 定社2등공신(7), 中軍摠制(태종1) 佐命1등공신驪江君(1), 參知承樞(2), 驪江君(~7), 유배(7), 자진
閔無疾	?~1410	여흥	형 無咎		戶曹議郎(태조7), 定社2등공신(7), 驪城君(태종1), 佐命1등공신(1), 사은사(1), 參知議政府事(2), 동북都兵馬使(2), 參知議政府事兼左軍摠制(4), 여성군兼右軍都摠制(5), 여성군겸좌군총제(6), 여성군(6), 大司憲(6), 여성군兼判義勇巡禁司事(7), 유배(7), 자진
閔無悔	?~1416	여흥	형 無咎	음, 문(2)	主簿, 驪山君, 공안府尹, 提學(16), 파직(16), 자진
閔無恤	?~1416	여흥	형 無咎		驪原君(태종3), 사은사(4), 여원군兼右軍同知摠制(10), 여원군(10), 左軍都摠制(12), 知敦寧(14), 파직(15), 자진
閔發	1419~1482	여흥	父 郡守 壽山, 祖 侍郎 伯萱	?, 무(단종1)	司直(세종30), 內禁衛(~단종1), 무과, 五司大護軍(1), 僉知中樞(세조1), 世祖原從1등공신(1), 兼司僕(2), 折衝將軍護軍(4), 上護軍(4), 僉知中樞(4), 上護軍(5), 僉知中樞(5), 大護軍(6), 上護軍(6), 同知中樞(7), 僉知中樞(8), 五衛衛將(8), 司僕將(10), 內禁衛將(12), 銃筒將(13), 敵愾3등공신驪山君(13), 資憲大夫同知中樞(13), 知中樞(14), 崇政大夫여산군(성종6), 여산군졸
閔忭	(세종3)	여흥	父 頔, 자 左政丞 霽		驪興君
閔別	(세종22)	여흥	祖 左政丞 霽		嗣驪興府院君閔霽奉祀(7~9)
閔輔翼	(성종대)	여흥	父 友曾, 祖 釋	문(14), 중(17)	弘文博士, 司諫院正言(18), 司憲持平(22), 弘文校理(24), 僉正(방목)
閔師騫	(성종~연산대)	여흥	父 上護軍 解, 祖 縣監 好問	문(성종8)	經筵檢討官(성종10), 弘文副校理 經筵侍讀官(13), 校理(14), 충청都事(15), 弘文副應教(15), 副應教兼司憲持平(17), 應教(20), 司憲掌令(21), 議政府檢詳(~24), 議政府舍人(24), 司憲執義(25) [연산이후: 司諫, 工曹參議, 충청관찰사]
閔士(斯)和	(세종14)	여흥	父 司諫 渫, 祖 府尹 慶生		전主簿
閔祥安	(성종~연산대)	여흥	父 判決事 貞, 祖 參軍 澄源	문(11)	翰林, 弘文修撰(19), 司憲持平(20, 21), 司憲掌令(25) [연산이후: 掌令, 大司憲]

閔敍	?~1468	여흥	제 發		司正(세종30), 피화(예종즉위, 坐南怡)
閔碩	(세조~성종대)	여흥	父 監察 斯和, 祖 司諫 渫		외잠실別坐(세조11), 국상郞廳(성종5)
閔渫	(태조~세종대)	여흥	父 府尹 慶生, 祖 大提學 愉		함안郡守(태조7, 읍지), 刑曹都官議郎(태종1), 司憲掌令(~4, 파직, 坐李佇), 侍講院弼善(9), 司憲執義(~9, 유배), 執義(10), 졸司諫(세종4)
閔消	(세종대)	여흥	父 佐尹 安仁, 祖 典書 璿		司憲持平(1), 파직(2), 한성判官(9)
閔紹生	(세종대)	여흥	형 大生		철산(8), 자성郡事(15), 護軍(19), 평안都節制使偏將(19), 三陟府使兼兵馬水軍僉節制使(23, 읍지)
閔粹	(세조~예종대)	여흥	父 執義 冲源, 祖 參判 審言	문(세조5)	將仕郎(~세조5), 문과, 인수부丞(5), 吏曹佐郎(8), 봉상僉正(~예종1, 피죄)
閔壽謙	(성종대)	여흥	父 校尉 安孫, 祖 司憲持平 和	문(17)	司諫院正言(24~25)
閔壽福	(성종대)	여흥	제 壽謙	문(16)	司憲持平(23) [연산이후: 司憲掌令]
閔順孫	(세종~세조대)	여흥	父 持平, 和, 祖 府院君 汝翼	문(세종29)	戶曹佐郎(단종2), 都事(세조1), 世祖原從2등공신(1), 議政府檢詳(~5), 議政府舍人(5)
閔承序 (緒)	?~1468	여흥	서 密城君 琛		진위縣監(세종19), 의주判官, 풍저倉使(25), 戶曹正郎(27), 監正(세조1), 世祖原從3등공신(1), 감정졸
閔軾	(세종18)	여흥			同知敦寧
閔伸	?~1453	여흥	父 寺尹 不害, 祖 大司憲 開		刑曹正郎(세종13), 同副(22)·右副(23)·左承旨(23), 工(23)·刑(24)·吏曹參判(26), 경기관찰사(27), 刑(29)·兵曹判書(31), 피화
閔愼之	(세종~세조대)	여흥	父 卿 公生, 祖 典書 璿		우봉縣監(세종17), 行令(세조1), 世祖原從3등공신(1)
閔審言	1363~1452	여흥	父 典農少尹 智生, 祖 密直大提學 愉		봉상協律郎(태조5), 司憲持平(태종4), 戶曹正郎(8), 僉知敦寧(세종10), 同知敦寧(10), 사은副使(10), 함흥府尹(11), 함길관찰사(12, 파직), 同知敦寧겸전라관찰사(16), 中樞副使(17), 戶(17)·刑曹參判(18), 개성留守졸, 贈世祖原從3등공신(세조6)
閔顔	(태조대)	여흥	父 天裕	문(2)	監務(방목)
閔安仁	(성종대)	여흥			[연산1: 司憲掌令]
閔若孫	(태조~세종대)	여흥	父 典書 壽生, 祖 大提學 愉		司憲執義(태종4), 知司諫(4), 서운判事(4), 경상軍容點考使(4), 內瞻判事(6), 풍해都觀察使(12), 진주牧使(14), 전주府尹(세종1)
閔洋	(성종대)	여흥	父 同知中樞 孝悅, 祖 中樞副使 大生		工曹佐郎(3), 양양府使(25, 읍지)

閔汝翼	1360~1431	여흥	父 都評議使司 珪, 祖 贊成 祥正	문(우왕6)	후덕부丞(우왕6), 三軍府經歷, 예조議郎, 成均司藝(고려), 兵曹議郎(~태조1), 開國3등공신(1), 右諫議大夫(1), 右副(2)·都承旨(5), 大司憲(5), 전라都觀察黜陟士(7), 左軍摠制(태종1), 驪川君(8), 參知議政府事(8), 충청관찰사(9), 여천군(12), 世子右賓客(15), 工曹判書(16), 議政府參贊(16), 判漢城(18), 禮曹判書(18), 여천군(18), 判右軍都摠府事(세종1), 驪川府院君(8), 府院君졸
閔永堅	(성종~연산대)	여흥	父 兵使 渾, 祖 掌令 孝灌		戶曹佐郎(성종1), 正郎(5), 양양府使(8), 敦寧副正(13), 인천府使(14), 通政大夫仁川府使(14) 刑曹參議(16), 嘉善大夫全州府尹(18), 義興侍衛司副司果(18), 성주牧使(19), 工曹參判(21), 同知中樞(23) [연산대: 同知敦寧]
閔永慕	(세조~성종대)	여흥	제 永堅		司僕主簿(세조14), 수안郡守(성종14), 선공副正(20), 순천府使(20)
閔禮達	(성종6)	여흥	父 參判 騫, 祖 參判 不貪		전副司果, 敍東班
閔悟	(성종25)	여흥	父 縣監 好禮, 祖 知奏事 由誼, 처남 右議政 韓伯倫		전죽산縣監(진천)
閔晤	(성종대)	여흥	父 判都摠制 無疾, 祖 左政丞 霽		司憲監察(2), 함열縣監(3)
閔友曾	(단종~세조대)	여흥	父 直長 釋, 祖 縣監 好問	?, 문(단종1)	訓導(~단종1), 문과, 五司司勇(세조1), 世祖原從2등공신(1), 成均學正(5), 西部令(방목)
閔瑗	?~1458	여흥	父 守貞, 祖 貴殷	문(세종8)	承政院注書(세종17), 奉直郎成均司藝(25), 사예(문종즉위), 봉상尹(2), 봉상判事(세조1), 世祖原從2등공신(1), 僉知中樞(2), 예조參判(3), 진하副使(3), 同知中樞(3), 전주府尹졸
閔原功	?~1400	여흥	인척 懷安君 芳幹		전少尹 복주(坐李芳幹)
閔闓	(성종대)	여흥	父 參判 永堅, 祖 兵使 渾		제용副奉事, 奉事(~23) 親祭奉俎官(24)
閔義生	1379~1444	여흥	父 版圖判書 中理, 祖 府院君 瑾	문(태조5)	司宰判事兼知兵曹事(세종3), 파직(4), 승문 判事(8), 兵曹參議(10), 仁壽府尹(11), 경기관찰사(~13), 유배(13), 僉知中樞(16), 同知中樞(16), 하등극副使(17), 同知中樞(17), 吏曹參判(18), 藝文提學(20), 工曹參判(20), 禮曹判書(20), 사은사(21), 知中樞(23), 知中樞졸
閔顗	1455~1505	여흥	父 輔德 順孫, 祖 持平 和	문(성종17)	奉訓大夫司憲持平(성종20), 禮曹正郎(~23), 僉正(23), 司憲持平(23), 司憲掌令(25) [연산이

					후: 나주牧使, 司憲執義, 弘文直提學, 大司諫, 충청관찰사]
閔麟生	(태조~세종대)	여흥	형 義生	문(태조2)	史官(~태조1, 유배), 主簿, 금성縣令(~9, 파직), 한성判官(세종10)
閔琳	(성종24)	여흥			親祭贊者
閔子溫	(세조1)	여흥	父 知中樞 義生		司憲監察, 원종3등공신
閔貞	(문종~성종대)	여흥	父 參軍 澄源, 祖 參判 審言	문(문종 즉위)	藝文檢閱(단종1), 藝文待敎(세조1), 世祖原從2등공신(1), 成均直講(4), 世子司經(5), 兵曹正郎(10), 司憲掌令(11), 成均司成(13), 通訓大夫司憲執義(성종3), 司成(4), 掌隷院判決事(11)
閔貞	(예종1)			의원	典醫正
閔精	(세종15)	여흥	父 郡守 浚源, 祖 參判 審言		珍城縣監
閔霽	1339~1408	여흥	父 驪興君 抃, 祖 密直大提學 頔	문(공민왕6)	國子監直學(공민왕6), 藝文春秋館檢閱, 典理正郎知製敎, 成均司藝, 전교副令, 知春州事, 소부判事, 禮儀判書, 開城府尹(창왕1), 商議密直(1), 예문춘추관提學(공양왕1), 禮曹判書, 한양府尹(고려), 政堂文學(태조), 예문춘추관太學士, 진하사(5), 驪興伯領禮曹事(6), 判三司事(정종1), 門下右政丞(2), 左政丞(2), 여흥백(태종1), 驪興府院君(2), 府院君 卒
閔宗元	(성종22)	여흥			參奉
閔仲理	(태조~태종대)	여흥	父 府院君 瑾, 祖 宰臣 祥白	문(공민왕17)	檢校中樞副使(태조7), 審무악산형세(태종4)
閔進	(태종3)	여흥	父 佐尹 安仁, 祖 版圖判書 璔	문(창왕1)	司憲雜端, 工曹正郎
閔澄源	(세조6)	여흥	父 參判 審言, 祖 少尹 智生		錄事, 원종3등공신, 參軍(족보)
閔冲源	(세조대)	여흥	父 審言, 祖 少尹 智生		전五衛司直(단종1), 五司副司正(세조1), 원종3등공신(1), 교하縣監(3), 兼司憲掌令(9)
閔致康		여흥	父 驪興君 抃	?, 문(우왕3)	倉丞(고려)
閔欄	(예종~성종대)	여흥	父 司憲掌令 孝懽, 祖 少尹 大生		巡將(예종1), 通政大夫昌城府使(성종12), 永不敍用(13), 구령萬戶(20), 西征都元帥許琮偏將(22)
閔誠(諴)	(성종대)	여흥	父 贊成 承序, 祖 御史 卿	?, 문(3)	訓導(~성종3), 문과, 司憲掌令(방목)
閔解	(문종~종종대)	여흥	父 縣令 好問, 祖 知奏事 由誼		영접도감判官(문종즉위), 司憲監察(단종1), 五衛護軍(세조1), 世祖原從3등공신(1), 上護軍(예종1)
閔亨	(세조~성종대)	여흥	제 貞		충주判官(세조8), 여산郡守(~예종1, 파직), 助戰敬差官(성종5, 7), 宗親府典籤(15)

閔亨孫	(세조대)	여흥	父 判官 慎之, 祖 卿 公生	무	五司護軍(1), 世祖原從2등공신(1), 평안節度使鎮撫(7)
閔憶	?~1469	여흥	형 渾		水陸社監役官(세조9), 司憲監察(10), 경기都事(14), 天陵都監使피화(예종1)
閔好禮	(태종18)	여흥	父 知奏事 由誼, 祖 判書 璿		예안縣監(읍지)
閔渾	(세조13)	여흥	父 司憲掌令 孝懽, 祖 中樞副使 大生		選將才, 兵馬節度使(족보)
閔和	(세종7)	여흥	父 府院君 汝翼, 祖 都評議使司 玹		司憲監察
閔煥	(태종14)	여흥	父 衡, 祖 霖		전의副正
閔孝根	(세조대)	여흥	父 府使 紹生, 祖 典校令 中立		命敍用(13, 軍功故), 경원府使(14)
閔孝男	(세조~성종대)	여흥	父 正 昌孫, 祖 典書 壽生		겸司憲掌令(세조12), 남양府使(성종4), 사도正(6), 밀양府使(~11, 파직), 敦寧僉正(11), 부평府使(15), 상의(15), 군기正(19)
閔孝孫	(성종대)	여흥	父 郡守 亨, 祖 參軍 澄源		사재直長(~24, 파직), 隨才敍用(25)
閔孝悅	(세종~성종대)	여흥	父 少尹 大生, 祖 典校令 中立	문(세종11)	종부直長(세종11), 禮曹佐郞(~18), 司諫院右獻納(18), 兵曹正郞(~23, 피죄), 顯信校尉(~단종2), 五衛護軍겸춘추(2), 少尹(세조1), 世祖原從2등공신(1), 僉知中樞(6), 同知敦寧(성종1)
閔孝源	(문종~성종대)	여흥	父 典書 義生, 祖 典書 中理		강계判官(문종1), 世祖原從3등공신(세조1), 僉知中樞(7), 강원함길都體察使都鎮撫(7), 경상좌도도절제사(11), 남평府使(13, 捕李孝純), 嘉善大夫(13), 강계府使(예종1), 中樞副使(1), 行五衛副司果2所巡將(성종1), 내불당監造副提調(1), 의주牧使(1), 同知中樞(4), 영안남도兵馬節度使(4), 副護軍(~11, 파직, 收告身)
閔孝曾	?~1513	여흥	父 監察 悟, 祖 縣監 好禮	문(성종7)	從仕郞(~성종7), 문과, 經筵典經(성종8), 藝文奉敎(10), 吏曹佐郞, 正郞(18), 通德郞司憲掌令(20), 서북都元帥李克均從事官(22), 司諫院司諫(24), 司憲執義(24) 성천府使(24) [연산이후: 刑曹參議, 工曹參判, 함길관찰사, 工曹判書, 判漢城, 議政府左參贊, 靖國3등공신驪平君, 驪平府院君졸]
閔孝懽	(세종~세조대)	여흥	제 孝悅	문(세종2)	司諫院右正言(세종8), 刑(9)·吏曹佐郞(12), 司憲掌令(26), 掌令(~세조1), 世祖原從2등공신(1)

마

175

閔厚生	(태종~세종대)	여흥	제 義生	?, 문(태종17)	健元陵直(~태종17), 문과, 禮曹佐郎(세종11), 司諫院右獻納(12), 파직(13), 戶曹正郎(19), 行直藝文館(31)
閔暉	(성종~연산대)	여흥	父 開城留侯 亨孫, 祖 判官 慎之	문(10)	司諫院正言(15), 司憲持平(23), 하책봉사尹甫書狀官(23), 司憲掌令(24) [연산대: 大司憲]
閔休	?~1431	여흥	父 府院君 汝翼, 祖 都評議使司 玹		전少尹졸
閔興霖	(성종대)	여흥	父 孝男, 祖 正 昌孫		親祀受俎官(~19), 사옹參奉(19)
閔寅	(태종~세종대)	榮川		문(태종17)	승문校書著作(~세종2, 파직), 청하縣監(8), 司諫院左正言(20), 司諫院右獻納(23)
閔瓊	(문종1)				봉상少尹
閔啓	(문종~세조대)				겸군기시官(문종즉위, 加資), 行五司司正(세조1), 世祖原從3등공신(1)
閔繼安					능주縣令(읍지)
閔寬	(성종22)				삼화縣令(읍지)
閔光美	(태종~세종대)			역관	사역舍人(태종10), 司直(15), 行司直(세종9), 上護軍(23)
閔光義	(세종20)				계품사從事官
閔校	(태종~세종대)				회양府使(태종11), 吏曹參議(세종2)
閔沂	(세조1)				五司司直, 원종3등공신
閔機	(세종8)				삼화縣事
閔寧	(세종9)				상주判官, 경성府使(읍지)
閔達生	(예종1)				族親衛副司猛
閔達孫	(세종15)				영춘縣監
閔湛	(성종21)				禦侮將軍, 加資(年老故)
閔澹	(성종5)				전司憲監察, 加資(年老故)
閔德生 (元閔生)	(태종~세종대)		父 판사 富	역관	하정사통사(태종2), 사역副使(17)
閔道生	(태조2)				청주判官
閔文	(태종17)				少尹, 富平道敬差官
閔彌老	(세종17)				낙안郡事
閔泮	(성종대)				工曹佐郎(2), 부묘도감郎廳(2), 講武廐兒(10)
閔普文	(태종~세종대)				戶曹佐郎(태종9), 선공副正(세종15)
閔普和	(세종~문종대)				제용(세종15), 司贍主簿(15), 五衛司直(27), 진잠縣監(문종즉위)
閔富	(태조7)				전判事
閔思正	(태조대)				刑曹佐郎(~2, 파직)

閔尙德	(세조10)				통사
閔生	(세종5)				中軍摠制
閔紋	(세조1)		급제		급제, 원종3등공신
閔犀角	(태종~세종대)				監察房主(태종8), 工曹正郎(~16), 파직(16), 김제郡事(~세종8, 파직), 察訪(~13, 파직)
閔旋	(세조6)				別坐, 원종3등공신
閔成麟	(세조7)	매형 僉知中樞 崔興孝			전主簿
閔世瑠					의성縣令(읍지)
閔逍	(태종18)				이천縣監
閔淳	(세조1)				行五司副司正, 원종3등공신
閔譚	(단종~세조대)				鎭撫(단종2), 용인縣令(~세조11, 파직)
閔時	?~1448				공안府尹졸
閔試	(태조6)				知沃州事(읍지)
閔慎	(세조1)				少尹, 원종3등공신
閔信達	(세조~예종대)				壯勇隊將(세조12), 도총부都事(~예종1, 하옥)
閔安修	(세조5)				檢戶曹參議(포천)
閔安修	(세조1)				五司護軍, 원종3등공신
閔安迪	(성종8)		무과		前함길관찰사
閔閱	(태종17)				영평縣令, 파직
閔瑛	(성종대)	장인 臨瀛大君 璆			五衛副司勇(~6, 陞職, 장인故)
閔永茂	(성종12)				수안郡事(읍지)
閔悰	(세조대)			무	五司副司直(1), 원종2등공신(1), 鎭撫(12), 경상우도水軍節度使(13)
閔瑜	(세조1)				副使, 원종3등공신
閔諭	(세종대)			무, 무과중시(29)	司正(~29), 무과중시, 陞職(29)
閔誼	(성종2)				겸司憲掌令
閔墻(牆)	(세조~성종대)		역관		사역主簿(세조12), 사역正(성종5)
閔仲孫	(태종6)				정선郡事(읍지)
閔晉文					戶曹佐郎(許稠묘지명)
閔質	(세조13)				정건주奉使, 加資
閔處寧	(세조13)				加資(정건주留防功故)
閔處貞	(세조10)				영유縣令(읍지)
閔滌之	(세조1)				五司 副司正, 원종2등공신
閔抽	(성종17)				증산縣令
閔忠達	(단종~세조대)				풍저倉丞(단종2), 別坐(세조3), 世祖原從3등공신(3)

閔誠(珹)	(세조~성종대)				錄事(세조6), 世祖原從3등공신(6), 前靑松府使(~성종14), 成均典籍(14), 禮曹佐郎(19), 司諫院獻納(20), 司憲掌令(220, 영광郡守(~24), 파직(24)
閔惠	(예종대)				在官(犯장죄, 성종6, 10 경인)
閔懷騫	(성종9)				덕천郡守
閔懷晳	(성종대)				點馬別監(6), 사량萬戶(~21, 充軍)
閔懷曾	(세조1)				五衛司正, 원종3등공신
閔孝幹	(세조~성종대)				行五衛司勇(세조1), 世祖原從3등공신(1), 강계府使(~13, 파직), 都摠使龜城君李浚군관(13), 경성府使(14), 折衝將軍司直(성종3), 전라水軍節度使(4), 평안조전장(6), 行五衛護軍(7)
閔孝騫	(세조1)				錄事, 원종2등공신
閔孝權	(세종25)				行司直
閔孝忻					判官(朴元亨행장)
閔後京	(세조6)				典樂署典律, 원종3등공신
閔僖	(세조대)			역관	副知承文(1), 원종2등공신(1), 정조사통사(11)

바

성명	생애(仕官시기)	본관	가계	출신	관력
朴始文	(성종대)	江陵	형 始行	?, 문(17)	訓導(~17), 문과, 成均典籍(방목)
朴始行	(예종~성종대)	강릉	父 判官 仲信, 祖 子儉	문(예종1)	고성군수(성종15), 司憲監察兼記注官(17), 弘文館官, 司憲掌令(방목)
朴時亨	(세조~성종대)	강릉	제 始行	문(세조5), 발영(12)	成均博士(세조8), 兼藝文館成均博士(8), 戶(11)·刑曹佐郎(~12), 拔英試, 弘文應敎(성종4), 평안評事(4), 同副承旨(4), 파직(5), 전밀양府使(9), 안동府使(9)
朴自儉	(세종즉)	강릉	父 之桂, 祖 典客令 演		여연郡事(~4, 超資通訓大夫), 단천郡事(6, 읍)
朴仲信	(세종~문종대)	강릉	父 府使 子儉	?, 문(세종20)	敎導(~세종20), 문과, 영흥判官(~문종즉위, 파직)
朴幹	세종대	慶州	父 司正 龜, 祖典書 瑜		승문校書著作郎(2), 맹산縣監(7)
朴幹	(태종~세종대)	경주	제 幹	문(태종16)	관찰사(방목)
朴季幹	(성종대)	高靈	父 縣監 仁孝, 祖 眞言	문(6)	吏曹佐郎, 大司諫, 大司憲(방목)
朴恭順	(세종~세조대)	고령	父 益林, 祖 興陽	문(세종20)	兵曹佐郎(~세종31), 파직(31), 主簿(세조1), 世祖原從3등공신(1), 正郎(방목)
朴文幹	(성종대)	고령	父 光陽縣監 仁孝, 祖 主簿 眞言	문(11)	承政院注書(12), 承文校檢(~14), 弘文修撰(14), 司憲持平(15), 兵曹正郎(16)
朴簿	(태조대)	고령	父 林宗	?, 문(우왕8)	直長, 봉상少尹
朴溥	(세종대)	고령	서 林堰正 祿生		少尹(선원세보기략)
朴思爛	(세종~세조대)	고령	父 正言 義生	문(세종20)	察訪(세조1), 世祖原從3등공신(1), 司憲監察(방목)
朴仲幹	(성종대)	고령	父 縣監 仁孝, 祖 主簿 眞言	문(11)	[연산대: 大司諫]
朴持	(태종대)	고령	父 寺事 原厚, 祖 知奏事 思謙		서흥縣令(~8, 유배), 豊海祿轉差使(7)
朴處綸	1445~1502	고령	父 監察 思爛, 祖	문(성종1)	藝文檢閱弘文館正字(성종2), 承政院注書(3),

			郡守 美生		弘文修撰(6), 宣務郞司諫院正言(7), 刑曹佐郞(9), 承義郞司憲持平(11), 禮曹正郞(14), 國喪都監郞廳(16), 兼司憲掌令(17), 친제大祝(19), 전남양府使(25), 陞通政大夫(25) [연산대: 大司諫, 弘文副提學, 刑曹參議]
朴喜宏	(세종23)	固城	父 就新, 祖 直提學 專古		비인縣監
朴希成	(세종27)	고성	제 喜宏		지郡事
朴蔓	(태조~태종대)	高陽	父 上護軍 林宗, 祖 府院君 雨生		삼척府使(태조4), 中樞副使(정종1), 황해조전절제사(태종1), 동북면도순문사(2), 폐서인(3)
朴壽山	(세종~세조대)	고양	父 縣監 珍, 祖 判事 林貴	무(족보)	훈련錄事(~세종29, 永不敍用), 감포萬戶(~세조11, 파직)
朴承老	(세종27)	고양	父 校理 季孫, 祖 少尹 景		五衛鎭撫
朴悌順	(세조~성종대)	고양	父 判書 益林, 祖 興陽	?, 문(세조14)	縣監(~세조14), 司憲掌令, 司憲執義(방목), 봉상副正, 이천府使
朴芷	(태종대)	고양	父 上護軍 林宗, 祖 府院君 雨生		前都摠制府僉摠制(~9), 경기좌도첨절제사(9)
朴眞言	(태종12)	고양	父 中樞副使 蔓, 祖 上護軍 林宗, 장인 右政丞 趙英茂	음(태종12, 장인故)	종묘署丞
朴炯	(세조대)	고양	父 郡守 承老, 祖 校尉 季孫		僉知中樞(1), 同知中樞(2), 都鎭撫(3), 中樞副使(3), 同知中樞겸경상우도兵馬都節制使(4), 僉知中樞겸경상우도兵馬都節制使(5), 中樞副使, 판종성府使(6), 正憲大夫咸吉道都節制使(6), 전라좌도水軍都節制使(~7, 파직), 副護軍(13), 경상좌도水軍都節制使(13)
朴蓍	(태종17)	龜山	父 參贊 威		남양府使, 파직
朴葳	?~1498	구산	始祖		김해府使, 경상순문사, 判慈惠府事, 知門下府事(고려), 전門下評理(태조2), 양광도방왜절제사(2), 參贊門下府事(3), 서북면도순문사(3), 參贊門下府事(7), 궁성감독관都提調(7), 親軍衛都鎭撫피화(7, 좌鄭道傳)
朴熙宗	(태종~세종대)	丘珍	父 監務 溫, 祖 水使 洪瑞	문(태종1)	승문正字(태종1), 吏曹佐郞(5), 군자丞(~6), 파직(6), 兵曹正郞(~7), 유배(7), 吏曹正郞(~10), 유배(10), 直藝文館(14), 영암郡守(~세종3), 直提學(3), 日本回禮使(4), 藝文直提學(~6), 파직(6), 남원府使(~8), 파직(8), 集賢殿提學兼大司諫(11)
朴茂陽	?~1419	軍威	父 典書 軒, 祖 侍郞 吉中	무	征對馬島偏將 전사, 군위郡守(족보)

朴枝茂	(세조8)	군위	父 偏將 茂陽, 典書 軒		行五衛司正, 世祖原從3등공신
朴崇文	(성종대)	羅州	제 崇質		通訓大夫開城府經歷(5), 연안부사(10), 선공正(15)
朴崇質	?~1507	나주	父 慶州府尹 萱, 祖 左議政 訔	문(세조2)	兼司憲持平(세조9), 兵曹正郎(13), 경기都事(14), 司憲掌令(예종1), 侍講院文學(성종2), 司諫院司諫(3), 창원(~8)·대구府使(8), 行五衛護軍(14), 禮曹參議(16), 同副(16)·右副(16)·左副(17)·都承旨(17), 父喪(18), 工曹參判(20), 경기관찰사(20), 戶曹參判(21), 大司憲(21), 同知中樞(22), 성절사(22), 漢城右尹(22), 左尹(23), 同知中樞(24), 한성좌윤(24), 戶(24)·刑曹判書(24), 파직(24), 五衛大護軍(25), 同知中樞(25), 判漢城(25) [연산이후: 刑曹判書, 영안관찰사, 知中樞, 戶·工曹判書, 知中樞, 判漢城, 議政府右議政, 左議政, 領中樞卒]
朴居信	(성종22)	沔川	父 秀生, 祖 典書 諶		碧潼郡守
朴三吉	1442~1509	면천	父 孝順, 祖 攸	문(성종5)	禮曹佐郎(성종16), 奉直郎司諫院獻納(19), 正郎(23), 通德郎司憲持平(23), 親耕祭籍田令(24), 朝奉大夫司憲掌令(24) [연산대: 大司諫, 兵·吏曹參議, 吏曹參判]
朴臨卿	(성종14)	務安	父 縣令 頤, 祖 郡守 亨		通訓大夫五衛部將, 授準職
朴解	(세조13)	무안	父 散員 安桂, 祖 允珝	무(족보)	都摠使龜城君李浚군관
朴离	(세조5)	무안	父 郡守 亨, 祖 知奏事 綱		남양府使
朴壕	(세조2)	무안			울진縣令(읍지)
朴宜中 (實)	(태조대)	文義	中始祖	문(공민왕11)	大司成, 密直提學(공민왕18, 고려), 예문춘추관學士(태조1), 參贊門下府事(1)
朴剛性 (生)	(태조~세종대)	密陽	父 府使 忱, 祖 判書 思敬, 女 太宗後宮 莊懿宮主	문(공양왕2)	兵曹正郎(~태종5), 파직(5), 진위사書狀官(8), 선공主簿(9), 전知麟州事(12), 議政府檢詳(12), 수원府使(~17), 파직(17), 通政大夫安邊府使(세종6), 府使卒, 증1품(26, 女 宮主故)
朴居謙	?~1481	밀양	父 正郎 景斌, 祖 大提學 宜中	음, 무(세종24)	護軍(세조8), 大護軍(~24), 무과, 훈련 知事(24), 북청府使, 훈련관使, 경흥府使(문종즉위), 通政大夫(즉), 경상우도水軍都節制使(단종1), 僉知中樞(세조1), 折衝將軍五衛上護軍(세조1), 世祖原從2등공신(1), 衛將(3), 中樞副使(3), 僉知中樞(3), 황해평안都體察使韓明澮部將(6), 嘉善大夫安州牧使(8), 中樞副使(11),

					衛將(13), 강원兵馬節度使兼江陵府使(예종1), 경상좌도兵馬節度使(1), 佐理4등공신(성종2), 경상우도節度使(4), 鐵城君(8), 資憲大夫全羅左道水軍節度使(10), 충청兵馬節度使(12), 都節度使졸
朴居明	(세조대)	밀양		?, 문(10)	縣監(1), 원종2등공신(1), 縣令, 郡守(방목)
朴健(楗)	1434~1514	밀양	父 左參贊 仲孫, 祖 校書正字 功問	문(단종1)	집현전修撰(단종1), 집현校理(세조1), 世祖原從2등공신(1), 吏曹正郎(5), 議政府檢詳(8), 議政府舍人(10), 右副(11)·右承旨(11), 通政大夫전라관찰사(예종즉), 通政大夫漢城右尹(1), 嘉善大夫漢城右尹(성종2), 戶曹參判(3), 진위사(3), 工曹參判(5), 강무衛將(6), 同知中樞(8), 兵曹參判(8), 同知中樞(10), 僉知中樞(10), 同知中樞(14), 천추사(14), 평안관찰사(15), 한성좌윤(17), 大司憲(17), 同知中樞(17), 僉知中樞(18), 禮曹參判(18), 大司憲(20), 資憲大夫判漢城(23), 知中樞(24), 同知中樞(24), 知中樞(24) [연산이후:刑曹判書, 議政府左參贊, 右贊成, 左贊成, 함길관찰사, 判中樞, 靖國2등공신密山君(중종1), 密山府院君졸]
朴堅	(세조~성종대)	밀양	父 旅, 祖 尙文	?, 문(세조14)	訓導(~세조14), 縣監(방목)
朴堅基	(태조~태종대)	밀양	父 三司左尹 乙材	문(우왕6)	司諫, 刑曹參議(방목)
朴敬武	(태종~세종대)	밀양	父 大提學 宜中, 祖 摠郎 仁杞, 장인 懷安君 芳幹		刑曹佐郎(태종16), 삭령郡事(세종8)
朴景文	(세종대)	밀양	제 景武		司憲監察(18), 參議
朴景斌	(태종~세종대)	밀양	제 景武		工曹正郎(~태종17, 파직), 낭천縣監(세종14, 읍지)
朴功問	(태종대)	밀양	父 副提學 剛生, 祖 判事 忱	문(11)	교서正字(방목)
朴訥生	(세종대)	밀양	형 剛生		훈련判官(4), 서산郡事(9), 五衛護軍(~14), 여연郡事(14), 순성진첨절제사(15), 평안都鎭撫(~22, 유배), 훈련지사(29)
朴大孫	(세종~세조대)	밀양	父 正字 功問, 祖 副提學 剛生		삼군鎭撫(세종26), 司僕主簿(29), 司憲掌令(단종즉), 宗親府典籤(1), 五衛護軍(1), 상의別坐(2), 牧使(세조1), 世祖原從3등공신(1), 僉知中樞(7), 진헌사(7), 通政大夫江陵府使(8)
朴盧東	(세조대)	밀양	父 維持, 祖 義林	문(세조2)	縣監(방목)
朴末柱	(성종9)	밀양		문(8)	전正字(居밀양, 被鞫)
朴文孝	?~1488	밀양	父 南樹	문(성종7)	도감郎廳(18), 通德郎司憲掌令(18), 掌令졸

조선초기 관인 이력

朴楣	1433~1491	밀양	父 左參贊 仲孫, 祖 正字 功問	음, 문(세조4)	直長(~세조4), 문과, 司諫院右正言(6), 左正言(6), 吏曹正郎, 通訓大夫司瞻副正(성종2), 이천府使(8), 同副(20)·左副承旨(20), 禮曹參議(20), 廣州牧使(22)
朴思東	(예종~성종대)	밀양	父 維持, 祖 義林	?, 문(예종1)	判官(~예종1), 문과, 司諫院正言(방목)
朴紹榮	(성종~연산대)	밀양	父 參議 楣, 祖 正字 功問	문(성종16)	臺諫[연산대: 副提學(방목)]
朴壽長	?~1463	밀양	祖 參判 好問		行錄事(세조1), 世祖原從3등공신(1), 宣傳官(5), 兼司僕(6), 折衝將軍五衛護軍(9), 강무右廂大將(9), 行大護軍(9), 都體察使韓明澮部將(9), 僉知中樞졸
朴壽宗	(세조대)	밀양	父 府使 哲孫, 祖 判書 好問		司憲監察(1), 郡守(金謙光비명)
朴承鳳	(세조14)	밀양	父 鴻, 증손 時衡		졸中郎將
朴承燧	(성종19)	밀양	父 府院君 楗, 祖 參贊 仲林	음	五衛副司勇
朴承爓	(성종대)	밀양	형 承燧	?, 문(14)	五衛司猛(~14), 문과, 承政院注書(15), 弘文副校理(18), 校理(19), 奉直郎司憲持平(19), 兵曹正郎(~20), 僉正(20), 議政府舍人(방목)
朴承煥	(성종대)	밀양	제 承燧		宣傳官, 掌隷院司評
朴始生	(태종~세종대)	밀양	父 中信, 祖 子儉	문(태종14)	兵曹佐郎(세종9), 奉直郎사재判官(13), 나주牧使(방목)
朴時衡	(세조~성종대)	밀양	父 鴻	문(세조2), 중(성종7)	直長(세조2), 昭格署令(~13), 피국(13), 南學教授(~예종1), 奉直郎藝文副校理(성종2), 中訓大夫司憲持平(3), 奉正大夫藝文副校理(3), 刑曹正郎(6), 成均直講(~7), 문과중시, 성균典籍(12), 밀양府使(방목)
朴信生	(태종~세종대)	밀양	형 剛生	문(태종14)	工曹正郎(태종17), 都摠制府僉摠制(세종11), 경창府尹(12), 工(12)·戶(13)·戶曹左(14)·戶曹右參判(14), 同知中樞(16), 천추사(16), 中樞副使(16), 同知中樞(20), 工曹參判(22)
朴審問	(세종~세조대)	밀양	형 功問	?, 문(세종18)	사온直長(~세종18), 문과, 禮曹正郎(~세종27), 파직(27), 判官(29), 都體察使從事官(30), 校理(세조1), 世祖原從3등공신(1), 司憲掌令
朴堧(然)	(태종~단종대)	밀양	父 三司左使 天錫, 祖 時庸	문(태종11)	전教授官(세종5), 악학別坐兼奉常判官(7), 봉상少尹(12), 봉상卿(12), 大護軍(13), 上護軍(14), 慣習都監使(14), 봉상判事(18), 僉知中樞(18), 工曹參議(21), 僉知中樞(22), 禮曹參議(24), 中樞副使(25), 同知中樞(27), 성절사(27), 中樞副使(27), 仁壽府尹(31), 藝文文提學(단종1), 유배(1)

朴說	1461~?	밀양	父 判官 思東, 祖 維	문(성종20)	[연산대: 奉正大夫行承文校勘知製教兼校書校理(2), 議政府贊成]
朴英	1471~1540	밀양	父 參判 壽宗, 外祖 讓寧大君 禔	?, 무(성종23)	건주위정벌都元帥李克均군관(세조13), 兼司僕, 宣傳官[중종대: 三浦討伐助戰將, 황간縣監, 의주牧使, 同副承旨, 김해府使, 영남좌도兵馬節度使졸, 국조인물고]
朴英(榮)孫	(세조~성종대)	밀양	父 順祖, 祖 蔚	?, 문(세조6)	教導(~세조6), 문과, 청주(~성종7, 파직), 영흥(9), 이천府使(10), 성주牧使(16), 正(방목)
朴元忠	(세조대)	밀양	父 禮曹正郎 審門, 祖 副提學 剛生	문(5)	홍주判官(~14, 파직), 縣監(방목)
朴嵋	(세종대)	밀양	父 潤福	문(11)	司諫院正言(18), 司憲持平(23), 吏曹正郎(27), 郡守(방목)
朴疑問	?~1429	밀양	형 審問, 매 世宗後宮 莊懿宮主		종부判官(세종26), 護軍졸
朴融	(태종~세종대)	밀양	父 翊, 祖 永均	문(8)	吏(~17)·刑曹佐郎(17), 吏曹正郎(세조5), 成司藝(7)
朴義榮	1456~1495	밀양	父 參議 楣, 祖 參贊 仲孫	문(성종13)	司諫院獻納(성종19), 大司諫(방목)
朴靖	?~1456	밀양	제 嶠		외관(문종즉위), 충청水軍處置使(~단종2), 공조參議(2), 僉知中樞(세조2), 피화
朴抵生	(태조~태종대)	밀양	父 判事 忱, 祖 典書 思敬		司憲雜端(태조3), 변정도감副使(~7), 東西窯監役(7), 護軍(태종2), 삼척郡事(~2, 파직)
朴栴	(세조1)	밀양	父 君 仲孫, 祖 正字 功問		錄事, 世祖原從3등공신
朴嶒	(세종23)	밀양	형 靖, 서 大司憲 金升卿		고양縣監
朴仲孫	1412~1466	밀양	父 校書正字 功問, 祖 安邊府使 剛生	문(세종17)	집현博士(세종17), 司憲監察(18), 吏曹佐郎(~20), 司憲掌令(26), 議政府檢詳(27), 議政府舍人(30), 守司憲執義(31), 승문判事(32), 知兵曹事(문종1), 右副(단종즉)·右(즉)·左(즉)·都承旨(1), 兵曹參判(1), 靖難1등공신密山君(1), 漢城府尹(2), 大司憲(2), 工(3)·吏曹判書(3), 藝文提學(세조2), 刑(2)·禮曹判書(2), 崇祿大夫議政府右參贊(3), 左參贊(4), 母喪(5), 密山君(8), 밀산군졸
朴增榮	1466~1494	밀양	형 義榮	문(성종14), 중(17)	弘文著作(~성종17), 문과중시, 博士, 校理(방목), 司諫院獻納
朴纘祖	(세종~성종대)	밀양	父 監察 蔚, 祖 大司憲 昡	문(세종29)	藝文奉教(~단종2), 成均主簿(2), 刑曹佐郎(세조1), 世祖原從2등공신(1), 평해府使(~12, 파직(12), 제용(~15), 사재正(~18, 파직(18, 以老)
朴哲孫	(단종~성종대)	밀양	父 咸吉都節制		종부主簿(단종1), 世祖原從3등공신(세조1),

조선초기 관인 이력

			使 好問, 祖 參判 信生		평양判官(3), 檢校參議(성종2)
朴春蘭		밀양	父 直長 億齡, 祖 判官 元忠		金溝縣令(읍지)
朴晛(開)	(태조~태종대)	밀양	父 中美	?, 문(우왕3)	散員(~우왕3), 문과, 大司憲, 判韓州事
朴好問	?~1453	밀양	父 參判 信生, 祖 判事 忱	무(세종1)	司僕少尹(세종12), 파직, 봉상시(15), 五衛上護軍兼司僕尹(16), 判會寧府使(18), 하옥(21), 삭주절제사(29), 파직, 工曹參判(단종즉), 冬至使(즉), 평안좌도都節制使都事(즉), 資憲大夫咸吉道都節制使(1), 피살(1), 贈議政府右贊成(2), 贈世祖原從1등공신(세조1)
朴薑	(세종~세조대)	潘南	父 左議政 블, 祖 典敎判事 尙衷	음	大護軍(세종26), 通訓大夫軍資正(27), 평안경차관(29), 僉知中樞(~31), 工(31)·吏曹參議(31), 평안都鎭撫(31), 황해都節制使(문종즉위), 황해관찰사兼判海州牧使(1), 中樞副使(단종즉), 佐翼3등공신錦川君(세조1), 知中樞(1), 都鎭撫(1), 금천군(2), 知中樞(2), 경상전라충청순찰사(2), 都鎭撫(3), 知中樞(3), 中樞副使(4), 知中樞(4), 선공제조(5), 中樞使(5), 황해도순찰사(5), 中樞使(6), 知中樞(6), 知中樞졸
朴葵	?~1437	반남	父 左議政 블, 祖 直提學 尙衷	음	判通禮(세종7), 刑(8)·戶(9)·吏曹參議(10), 황해관찰사(11), 禮(11)·戶(12)·刑曹參判(12), 평안관찰사(13), 유배(15), 同知中樞(16), 유배(16), 경상관찰사(18), 전관찰사졸
朴根	(세종대)	반남	父 副正 綸, 祖 知中樞 薑		刑曹正郎(13), 제용正(19), 敬差官(20), 都體察使從事官(23), 전농尹(23)
朴孟智	(단종~성종대)	반남	父 安敬, 祖 監察 玄修	문(단종2)	權知成均學諭(세조1), 世祖原從2등공신(1), 영안북도評事(5), 삼가縣監(6), 司憲執義(방목)
朴秉均	(세조1)	반남	父 參判 葵, 祖 左議政 블	음	主簿, 世祖原從3등공신
朴億年	1455~1496	반남	父 海州牧使 林宗, 祖 司直 秉文	문(성종20)	승문博士(성종24), 禮曹佐郎(25) [연산1: 弘文校理]
朴如恒	?~1419	반남	父 典書 尙眞, 祖 密直副使 秀		수안郡事졸
朴訔	1370~1422	반남	父 典敎判事 尙衷, 祖 密直副使 秀	문(창왕1)	厚德府丞(창왕1), 개성少尹(~공양왕4), 知錦州事(태조1), 충주敎授(2), 門下左補闕(2), 知榮州事(3), 司憲侍御史(6), 知春州事(6), 司憲中丞(7), 사수判事(정종1), 侍講院左輔德(1), 左散騎常侍(2), 刑曹典書(태종1), 佐命3등공신(1), 戶(1)·吏(1)·兵曹典書(1) 潘南君(1), 강원관찰사(2), 漢城府尹(3), 承樞府提學(3), 潘城君(4), 전라관찰사(6), 左軍同知摠制(6), 군

					(7), 參知議政府事兼大司憲(8), 參知議政府事(8), 刑曹判書(8), 반남군(9), 西北面都巡問察里使兼都節制使(9), 兵曹判書(10), 大司憲(11), 戶曹判書(11), 錦川君兼義勇巡禁司事(13), 議政府參贊兼義勇司判事(13), 금천군겸판의용순금사사(14), 군(14), 吏曹判書(15), 判右軍都摠府事(16), 議政府右議政(16), 左議政兼判吏曹事(16), 錦川府院君(세종3), 府院君졸
朴林楨	(성종대)	반남	父 司直 秉文, 祖 參判 葵		고창(~7, 파직), 김화縣監(~20, 파직)
朴林宗	(성종대)	반남	제 林楨		덕원府使(3), 풍덕郡守(~12, 파직), 司僕正(24), 內乘(25)
朴兆年	1459~1500	반남	父 牧使 林宗, 祖 司直 秉文	문(성종20)	吏曹佐郎(방목)
朴緇	(성종대)	반남	父 知中樞 薑, 祖 左議政 訔	음	刑曹正郎(2), 榮川郡守(읍지), 司憲執義(방목), 陞堂上官(25, 昌原築城功故)
朴萱	(세종~성종대)	반남	父 左議政 闔, 祖 直提學 尙衷		鎭撫(단종2), 五衛護軍(세조1), 世祖原從2등공신(1), 僉知中樞(7), 정조사(13), 折衝將軍五衛司猛(성종3), 通政大夫慶州府尹(7)
朴瑞生	(태종~세종대)	比安	父 中郎將 漸, 祖 禮部郎中 允甫, 吉再문인	문(태종1), 중(태종7)	成均學正(~태종7), 문과중시, 司諫院正言(7), 兵曹佐郎(~12), 파직(12), 司憲執義(세종1), 유배(2), 종묘大祝判事(10), 大司成(1), 日本通信使(10), 右軍僉摠制(11), 집현전副提學(12), 工(12)·兵·兵曹左參議(14), 안동府使(14), 大司憲(방목)
朴孝元	(세조~성종대)	비안	父 參奉 璟, 祖 大司憲 瑞生	문(세조11)	承政院注書(세조13), 司憲監察(14), 吏曹佐郎(예종1), 正郎(성종1), 朝奉大夫藝文修撰(2), 宗親府典籤(6), 中直大夫司憲掌令(7), 通訓大夫掌令(7), 司諫院司諫(8), 安平巡察使許琮從事官(8), 유배(9, 坐任士洪), 大司諫(방목)
朴光佑	(세조3)	尙州			의성縣令(읍지)
朴文老		상주	父 摠郎 瑗, 祖 承政		사재判事
朴士華	(성종대)	상주	형 士英, 장인 左議政 權覽		副正(~18, 피죄), 量田都會敬差官(24)
朴安臣 (信)	1369~1449	상주	父 司宰判事 文老, 祖 摠郎 瑗	문(정종1)	藝文檢閱(정종1), 司諫院左正言(태종8), 유배(8), 兵曹正郎(~16), 파직(16), 司憲執義(세종3), 內瞻判事(4), 파직(4), 선공判事(6), 日本回禮使(6), 上護軍(7), 충청도察訪(7), 司諫院右司諫(7), 左司諫(8), 工(8)·禮(8)·兵(8)·禮(8)·兵(12)·禮(12)·吏曹參議(12), 左軍同知摠制

					(12), 兵曹參判(13), 右軍同知摠制(14), 전라관찰사(14), 戶曹右(14)·兵曹(14)·禮曹左(14)·工曹右參判(15), 사은사(15), 判濟州牧使(16), 刑曹右(16)·刑曹參判(16), 평안관찰사(18), 工曹參判겸평안관찰사(19), 吏曹參判(20), 刑曹判書(21), 大司憲(22), 工(23)·吏曹判書(25), 藝文提學(27), 大提學졸
朴安義	(태조~세종대)	상주	제 安臣		司憲監察(태조7), 刑曹佐郎(정종1), 단양郡事(~태종2, 파직), 의금鎭撫(17), 전농判事(세종12)
朴允昌	(세종~세조대)	상주	父 判事 安義, 祖 判事 文老	?, 문(세종11)	敎導(~세종11), 문과, 主簿(25), 司諫院右獻納(28), 평해郡事(문종즉위), 世祖原從3등공신(세조1), 成均司藝(2), 行五衛護軍(3)
朴以寧	?~1455	상주	父 大提學 安臣, 祖 判事 文老		副司直(세종15), 함길도都節制使鎭撫(19), 大護軍(20), 慶源府使겸첨절제사(20), 僉知中樞(25), 전라都節制使(25), 전라水軍處置使(26), 僉知中樞(27), 평안都節制使(28), 부상(29), 判寧邊府使(31), 황해都節制使(32), 사은副使(문종즉위), 평안좌도都節制使(1), 中樞使(단종1), 充官奴피화(좌金宗瑞)
朴以昌	?~1451	상주	제 以寧	문(태종17)	司憲監察(세종8), 司憲持平(12), 내자少尹(16), 知司諫(23), 同副·右副·左副·右·左承旨(25~ 29), 인수府尹(29), 工曹參判(29), 황해관찰사(29), 戶曹參判(32), 평안관찰사(32), 황해관찰사(문종1), 中樞副使(1), 刑曹參判(1), 경창府尹(1), 성절사행중자진
朴遐	(태조대)	상주	父 判書 安禮, 祖 判事 安老		전회양府使(~7, 收職牒)
朴亨智 (地)	(세조14)	상주	父 縣令 濡, 祖 良生		前廂中衛部將(~14, 充官奴)
朴可實	?~1410	順天	형 可興		동북면도순문찰리사, 전判漢城府事(~10, 파직), 전判漢城졸
朴可興	?~1427	순천	父 府院君 天祥, 祖 侍郎 元龍	음(졸기)	開城留侯(태종4), 檢校議政府左參贊(14), 議政府右議政致仕(세종9), 致仕右議政졸
朴去非	(태종~세종대)	순천	父 府院君 錫命, 祖 檢校政丞 可興	음	大護軍(~태종13, 파직), 上護軍(~세종2, 파직), 都摠制府都摠制(12), 行大護軍(16), 中樞副使(22)
朴去疎	(세종~세조대)	순천	형 去非, 장인 領議政 沈溫	음	副司正(~세종16, 파직), 副知敦寧(단종2), 同知敦寧(세조1), 世祖原從2등공신(1)
朴去頑	(세종~세조대)	순천	형 去非	음	영유縣令, 忠義衛行司正, 五衛護軍, 世祖原從3등공신, 折衝將軍副護軍
朴耆年	?~1456	순천	형 彭年	문(문종1)	弘文修撰피화(세조2)

朴大年	?~1456	순천	형 彭年	문(세조2)	正字피화
朴文規	(세종21)	순천	父 副正 安命, 祖 可實		戶曹佐郎
朴錫命	1370~1406	순천	父 檢校右政丞 可興, 祖 府院君 天祥	문(우왕11)	代言(고려), 左散騎常侍(정종1), 안주牧使(1), 좌(~2), 都承旨(2), 佐命3등공신공신(태종1), 知議政府事(5), 知議政府事兼大司憲(6), 졸
朴叔善	(세조~성종대)	순천	父 知敦寧 去疎, 祖 府院君 錫命	무(세조6)	포응別監(세조10), 折衝將軍五衛大護軍(예종1), 嘉善大夫五衛司直(~성종4, 파직), 行護軍(9)
朴安命		순천	서 溫寧君 裎		副正(선원세보기략)
朴元宗	1467~1510	순천	父 判敦寧 仲善, 祖 知敦寧 去疎	음, 무(성종17)	宣傳官(~성종7), 무과, 宣傳內乘(7), 훈련僉正(21), 同副承旨(23), 工曹參議(23), 兵曹參知(24), 參議(25) [연산이후: 同副·右副·右·左承旨, 평안兵馬節度使, 同知中樞, 한성우윤, 平城君, 강원관찰사, 同知義禁府事, 靖國1議政府右議政平原府院君, 左議政, 定難1등공신領議政, 平城府院君졸]
朴允康	(성종대)	순천	父 縣監 文規, 祖 副正 安命		금성縣令(~5), 의흥縣監(5)
朴引年	?~1456	순천	父 吏曹判書 仲林, 祖 庫使 安生	문(문종1)	司諫院右正言(단종2), 吏曹佐郎피화(~세조2)
朴仲林	?~1456	순천	父 庫使 安生, 祖 工曹典書 元象	문(세종5), 중(9)	仁壽府丞(세종5), 집현修撰(~9), 문과중시, 司諫院左司諫(23), 僉知中樞전라관찰사(24), 僉知中樞(27), 兵曹參議(27), 右(27)·左承旨(28), 파직(28), 工曹參議(30), 兵曹參判(31), 경기관찰사(31), 兵(문종2)·工曹參判(2), 성절사(2), 戶曹參判(2), 大司憲(단종1), 刑(1)·工曹判書(1), 中樞使(3), 知中樞(세조2), 藝文提學(2), 피화(5子登科)
朴仲善	1435~1481	순천	父 副知敦寧 居疎, 祖 府院君 錫命, 서 齊安大君 玥	음, 무(세조6)	忠順衛, 五衛副護軍兼宣傳官~세조6), 무과, 훈련副使(6), 파직(6), 훈련지사, 예빈少尹, 副知通禮, 군기判事(~8), 知兵曹事(8), 兵曹參議(9), 兵曹參判(12), 兵曹參判兼五衛副摠管(13), 嘉靖大夫兵曹判書(13), 敵愾1등공신平陽君, 평안중도節度使(14), 翊戴3등공신(예종즉), 兵曹判書(즉), 平壤君(1), 영안북도節度使(성종2), 佐理3등공신(2), 평양군(2), 判中樞(~7), 사은사(7), 崇政大夫평양군겸경기관찰사(8), 평양군(9), 吏曹判書(9), 평양군(10), 判敦寧(11), 평양군졸
朴彭年	1417~1456	순천	父 吏曹判書 仲林, 祖 庫使 安生	문(세종16), 중(29)	集賢殿副修撰(세종21), 副校理(27), 校理(28), 直集賢殿(29), 侍講院左翊善(30), 집현直提學(문종즉위), 司憲執義(1), 左副·右·左承旨(단

조선초기 관인 이력

					종1~2), 집현副提學(2), 刑曹參判(2), 中樞副使(세조2), 피화
朴成(聖)章	?~세조13	驪州	父 中郞將 之碩		五衛司直전사, 贈堂上職(直子 超資, 賜奴婢 2口 田 40結)
朴經	1351~1414	寧海		음	전화령府尹(태조3), 大司憲(4), 경기우도관찰사(7), 都摠制府摠制(~태종2, 유배), 개성副留侯(5), 大司憲(11), 완산府尹(12), 전府尹졸
朴季孫	(세종15)	영해	父 判中樞 渡, 祖 昌齡		군기判事
朴愚		영해	父 府使 揚, 祖 府使 厚生		봉화縣監(읍지)
朴子靑	1357~1423	영해		기(공양왕1, 내시출신)	郞將(공양왕1), 中郞將(태조1), 護軍(2), 선공少監(3), 태조원종공신(4), 虎翼司大將軍(5), 禮曹典書(태종2), 都摠制府都摠制(4), 中軍都摠制兼判膳工監事(6), 中軍摠制(7), 中軍都摠制(7), 좌군도총제(7), 判恭安府事(8), 工曹判書(8), 都摠制兼三軍上鎭撫(9), 工曹判書兼知義興府事(9), 右軍都摠制(15), 사은사(15), 判漢城(15), 도총제(~18), 議政府參贊(18), 判右軍都摠府事(18), 판우군도총부사(세종2), 좌군도총제(5), 도총제졸
朴質	(태종~세종대)	영해	父 判都摠制 子靑		의영庫丞(~태종11, 파직), 고원郡事(18), 令(세종1)
朴瑞男	(세조대)	牛峯	父 厚林	문(2)	원주訓導(3), 成均典籍(방목)
朴信	1362~1444	雲峯	父 府使 之誼, 祖 贊成事 桂芳	문(우왕11)	司憲糾正, 中郞將兼三軍府都事, 禮·刑曹正郞(고려), 태조원종공신(태조1), 司憲侍御史(2), 봉상少卿(2), 監門衛大將軍兼司憲中丞(2), 刑曹都官正郞(4), 左散騎常侍(6), 大司成(정종1), 刑曹典書(1), 左副(태종1)·右承旨(1), 大司憲(2), 判廣州牧使(3), 參知議政府事(4), 사은사(4), 參知議政府事(5), 大司憲(5), 동북면도순문사(6), 參知議政府事(7), 工曹判書(7), 母喪(8), 서북면도순문사겸평양윤(8), 父喪(9), 知議政府事(10), 戶(12)·兵曹判書(15), 議政府贊成(16), 判右軍都摠府事(18), 兵(18)·吏曹判書(세종1), 파직(11), 전吏曹判書졸
朴從愚	?~1464	운봉	父 贊成事 信, 祖 府使 之誼, 처 太宗女 貞海翁主	기(태종18)	嘉靖大夫雲城君(태종18), 資憲大夫운성군(세종1), 正憲大夫운성군(9), 崇政大夫운성군(18), 경상좌도兵馬都節制使(18), 戶曹判書(24), 운성군兼判戶曹事(26), 遭喪(27), 함길都節制使(27), 議政府左贊成兼判吏曹事(29), 吏曹判書(29), 함길도체찰사(31), 雲城尉(~단종1), 靖難1등공신(1), 雲城府院君(1), 평안도체

姓名	연대	관향	父·祖	入仕	관력
					찰사(2), 雲城府院君(세조1), 府院君졸
朴從智	(세종대)	운봉	형 府院君 從愚, 서 益寧君 袗		장연진僉節制使(9), 判事(16)
朴有仁		蔚山	父 忠順衛 祉, 祖 參軍 誼生	무	장흥府使(읍지)
朴繼金	(세조대)	陰城	父 縣監 昭, 祖 上護軍 淳	?, 문(10)	종부主簿(8), 五衛司正(~10), 문과, 府使(방목)
朴昭	(세종~세조대)	음성	父 上護軍 淳, 祖 門下侍郎 元吉		청송郡事(세종24), 봉상判事(문종1), 僉知中樞(단종1), 折衝將軍五衛上護軍(세조1), 世祖原從2등공신(1)
朴叔達	(세조~성종대)	음성	父 監察 昕, 祖 上護軍 淳	문(세조8)	吏曹佐郎(예종10), 파직(성종1, 坐權孟禧) 吏曹正郎(6), 奉正大夫司憲持平(7), 司憲掌令(9), 왕비봉숭도감郎廳(11), 通訓大夫司憲執義(12)
朴叔榛	(세조~성종대)	음성	제 叔達		司憲監察(예종1), 掌隸院司議(성종2), 고양郡守(4), 사도副正(23), 사도正(25), 나주牧使(25)
朴叔蓁	(단종~성종대)	음성	제 叔達	?, 문(단종1)	五衛司勇(~단종1), 문과, 正字(세조1), 吏(10), 兵曹正郎(10), 成均直講(11), 書狀官(성종1), 군기正(3), 敬差官(5), 刑曹參議(8), 左副·右·左·都承旨(8~9), 吏曹參判(9), 大司憲(10), 漢城左尹(10)
朴叔暢	(세조~성종대)	음성	형 叔達	문(세조11)	승문正字(세조13), 評事(방목)
朴淳	?~1402	음성	父 門下侍郎 文吉, 祖 摠郎 玄桂		삼군經歷(정종1), 將軍(2), 大將軍(2), 司憲中丞(태종1), 上將軍(1), 上護軍전사
朴濟	(태종대)	음성	父 江華府使 文瑞, 祖 摠郎 玄桂	문(우왕14), 문중(태종7)	司憲監察(태종3), 司諫院左正言(3), 禮曹正郎(~7), 문과중시, 成均司藝(7)
朴瞳		음성		음	밀양府使(읍지)
朴昕	(세종대)	음성	父 上護軍 淳, 祖 門下侍郎 文吉		선공錄事(6), 前庫使(15), 司憲監察(~16, 파직)
朴瑾	(단종~성종대)	義興	父 得瑞	?, 문(단종1)	教導(~단종2), 문과, 主簿(세조1), 世祖原從2등공신(1), 의금부낭관(~13, 파직), 充軍(14), 교하(성종1), 영동縣監(1), 충주判官(1), 교하縣監(2), 成均典籍(3), 義盈庫令(11), 別坐(16)
朴更	(세종대)	竹山	父 摠郎 承秀, 祖 令 季以		甲士(~23), 司憲監察(23)
朴翶	(정종~세종대)	죽산	父 判漢城 永忠, 祖 起居郎 文珤	음(족보)	刑曹都官正郎(~정종2), 파직(2), 司憲掌令(태종1), 知司諫(8), 知襄州事(11), 刑曹參議(14), 전위利川縣事(세종5, 安置), 知刑曹事(7), 兵曹參議(8)
朴坤	(세종대)	죽산	父 都摠制 德公, 祖 尙書 守謙		전判官(4), 縣監(5), 都摠制府僉摠制(11), 戶曹參議(12), 通政大夫전라관찰사(14), 戶曹左參議(14), 漢城府尹(16), 禮曹參判(17), 漢城府尹(22)

朴期壽	(성종대)	죽산	父 珩潤, 祖 曾	문(23)	[연산대: 吏曹正郎, 府使]
朴德公	(태종대)	죽산	父 尙書 守謙, 祖 尙書 時滋		제주牧使(1, 읍지), 경성등처都兵馬使(5)
朴燾	(세종대)	죽산	父 判事 仲宜, 祖 典書 純		교하縣監(8), 전內贍主簿(~13, 파직, 授職牒)
朴培	(세종6)	죽산	父 都摠制 德公, 祖 君 守謙		司僕少尹
朴復卿	(세조대)	죽산	父 司正 景祉		行五司副司正(~1), 원종2등공신(1), 울산郡守(읍지)
朴守經	(성종18)	죽산	父 領中樞 安性, 祖 領議政 元亨	음	忠義衛(春宮丹靑監役)
朴安命	(세종대)	죽산	父 領議政 元亨, 祖 參議 翱	음	중군도총부經歷(8), 내자副正(朴元亨행장)
朴安性	?~1512	죽산	父 領議政 元亨, 祖 錄事 肇開	음, 문(세조5)	通禮院奉禮(~세조5), 문과, 副知承文(5), 戶曹正郎(10), 司諫(13), 선공副正(성종4), 봉상正(6), 刑曹參議(9), 大司諫(10), 刑(12), 吏曹參議(12), 황해관찰사(15), 同知中樞(17), 천추사(17), 同知中樞(17), 戶曹參判(18), 大司憲(18), 同知中樞(19), 전라관찰사(19), 工曹參判(20), 전라관찰사(21), 僉知中樞(22), 漢城左尹(25), 兵曹參判(25) [연산이후: 禮曹判書, 평안관찰사, 判漢城, 工·刑曹判書, 議政府左贊成, 右贊成, 左贊成, 領中樞졸]
朴如達	(세종8)	죽산	父 漢城判尹 坤, 祖 都摠制 德公		靑山縣監
朴燁		죽산	父 漢城判尹 坤		청산縣監(읍지)
朴英忠	(태조대)	죽산	父 起居郎 文珤, 祖 政堂文學 遠		漢陽尹(1), 同知中樞(~2, 파직), 강화절제사(2), 同知中樞(2), 태조원종2등공신(2), 천추사(2)
朴元貞	(세종~세조대)	죽산	형 元亨	문(세종26)	교서校勘(세종26), 春秋館記事官(문종즉위), 工曹佐郎(~2), 승5품(2)
朴元亨	1411~1469	죽산	父 兵曹參議 翱, 祖 判漢城 永忠	문(세종16)	兵曹佐郎(~세종25), 司僕判官(25), 전라경차관(25), 司僕判事(32), 충청경차관(문종1), 兼知司諫(단종즉), 右副·左副·右·左承旨(1~세조1), 佐翼1등공신(1), 都承旨(1), 吏曹參判(2), 戶(3)·刑曹判書(3), 中樞使(4), 형조판서(4), 사은사(5), 刑(5)·吏(8)·禮曹判書(9), 議政府右贊成兼判禮曹事(10), 議政府右贊政(12), 左議政(13), 延城君, 翼戴2등공신延城府院君(예종1), 領議政(1), 領議政졸
朴子晤	(세종~세조대)	죽산	父 祈, 祖 都摠制 德方	?, 문(세종14)	敎導(~세종14), 문과, 司憲持平(27), 工曹正郎(~31), 合排察訪(31), 司憲監察(세조1), 世祖原從3등공신(1), 郡守(방목)

朴積善 (孫)	(세종대)	죽산	父 梗化, 祖 承秀	문(11)	司諫院左正言(세종22), 禮曹佐郎(~24), 파직(24), 吏曹參議(방목)
朴峻山	(성종13)	죽산	父 縣監 如達, 祖 漢城判尹 坤		命敍用, 수안군수(세조12, 읍지)
朴仲容	(태조대)	죽산	父 君形, 祖 德龍	문(공민왕23)	密直提學
朴增	(단종~세조대)	죽산	父 義至, 祖 禱	?, 문(단종1)	直長(~단종1), 主簿(1), 成均直講(방목)
朴忠至	(세종~세조대)	죽산	父 縣監 禱, 祖 大司憲 仲宜	문(세종16)	工曹佐郎(세종25), 도관署令(~28), 工曹正郎(28), 郡守(방목)
朴苞	?~1400	죽산	父 贊成 門秀, 祖 政堂文學 遠		大將軍(태조1), 開國1등공신(1), 商議中樞(~5), 황주牧使(5), 竹城君(7), 定社2등공신(7), 知中樞義興三軍府右軍節制使(7), 복주
朴形	?~1398	죽산	父 典理判書 德龍	문(고려)	密直使(우왕6), 藝文春秋館大學士(태조초), 門下侍郎贊成事致仕卒(졸기)
朴弘文	(세종대)	죽산	父 正郎 襠, 祖 大司憲 仲宜		여연군관(19), 포천군사(22)
朴恕	(세종15)	珍原	父 副尉 進生, 祖 熙中		安陰縣監
朴璟	(성종대)	昌原	父 恭信, 祖 都摠制 齡	문(9)	勵節校尉(~10), 奉直郎司諫院正言(13), 禮曹佐郎(14), 봉상副正(23), 司憲執義(24), 副提學(방목)
朴齡	?~1434	창원	父 寺事 正分, 祖 寺事 樺		전江州鎮僉節制使(태조7), 유배(7), 上護軍(태종4), 동북선위사(4), 경원등처兵馬使(5), 길주도찰리사兼判吉州牧使(8), 判海州牧使(세종1), 中軍都摠制(3), 사은사(3), 전도총제졸
朴弘幹	(세종~세조대)	창원	父 都摠制 齡		포천縣監, 司憲監察(세종26), 主簿(세조1), 世祖原從3등공신(1)
朴弘信	?~1419	창원	父 都摠制 齡, 祖 寺事 正分		征對馬島都體察使李從茂偏將 전사
朴光先	(정종~태종대)	春川	父 元庇	문(정종1)	成均直講(방목)
朴旅	(세종~세조대)	춘천	父 成均直講 光先, 祖 元庇	문(세종8)	은진(세종19), 영동縣監(24), 縣令(문종즉위), 봉상判官(즉), 成均直講(세조1), 世祖原從3등공신(1)
朴亨良	(세조~성종대)	춘천		문(세조6)	通善郎行司諫院正言(성종2~4)
朴欽	(문종~세조대)	춘천			평산府使(문종1), 別坐(세조3), 世祖原從3등공신(3)
朴蘇	(태종~세종대)	忠州	父 議郎 光理, 祖 都僉議使司 世樺		司憲監察(태종16), 宜川郡事(세종즉)
朴良 (良生)	(세조~예종대)	충주	父 价川郡事 信誠, 祖 監察 蓁	문(세조8), 중(세조12)	正字(~세조12), 문과중시, 工曹佐郎(14), 正郎(방목)

朴信誠	(단종~세조대)	충주	父 監察 蓁, 祖 議郎 光理		예빈直長(단종1), 合排察訪(1), 兼司憲執義(세조13)
朴元(原)直	(세조8)	충주	父 府使 孝誠, 祖 監察 蓁		行直長, 世祖原從3등공신
朴元(原)昌	(성종대)	충주	형 原直		상주判官
朴悌誠	(세종~세조대)	충주	父 監察 蓁, 祖 議郎 光理	무(족보)	제주判官(~세종27), 司憲監察(27), 군기僉正(단종2), 五司護軍(세조1), 군기正(1), 世祖原從2등공신(1)
朴衡文	(성종대)	충주	父 正 悌誠, 祖 監察 蓁	문(성종6)	縣監(~6), 문과, 봉상僉正(12), 司憲掌令(12), 제용副正(~15), 司憲兼執義(15), 창원(~18), 장흥府使(~19), 파직(19), 풍천府使(22), 훈련 副正(~22), 파직(22)
朴孝誠	(문종대)	충주	父 監察 蓁, 祖 議郎 光理		嘉善大夫江陵府使(1)
朴衍生	(세조1)	泰仁	父 德明, 祖 承奉		五司大護軍, 世祖原從3등공신
朴矩	(태종~세종대)	咸陽			上護軍(태종7), 만산군압송사(7), 의주牧使(7), 禮曹左參議(9), 東北面助戰知兵馬使(10), 靑州절제사(11), 雄武侍衛司節制使(11), 강원兵馬都節制使(13), 강계兵馬都節制使兼判江界府使(17), 경상都按撫水軍處置使(4), 左軍摠制(5), 전총제졸
朴權	(성종대)	함양	父 成乾, 祖 彦	문(23)	司諫院正言(방목)
朴規	(세종1)	함양			中軍同知摠制
朴錦	(태종~세종대)	함양	父 佐郎 千佑, 祖 大提學 光實		진보縣監(태종4, 읍지), 戶曹佐郎(세종5)
朴敷	(태조2)	함양	父 侍郎 吉中, 祖 成均祭酒 理		竹州監務
朴成乾	(성종대)	함양	父 萬戶 彦, 祖 郡事 思敬	?, 문(3)	訓導(~3), 문과, 장수縣監(3, 읍지), 成均典籍(방목)
朴成陽	(세종대)	함양	父 中郎將 允厚, 祖 漢城判尹 斯直		中軍同知摠制(세종즉), 광주牧使(~1), 중군절제사(1), 討倭中軍節制使(1), 전同知摠制(6), 파직(6), 좌군총제(10)
朴紹禎	(성종16)	함양	형 紹祖		안동判官, 파직
朴紹祖	(세조1)	함양	父 縣監 而敬, 祖 判書 規		縣監, 世祖原從2등공신
朴遂智	(세조대)	함양	父 直長 羣, 祖 卿 得時		예산縣監(~1), 함평縣監(1), 全羅敬差官(12)
朴習	?~1418	함양	父 府使 德常(祥), 祖 尙書 元廉	문(우왕9)	大將軍(정종1), 左諫議大夫(2), 司諫院右司諫(태종9), 左副承旨(9), 강원관찰사(11), 인수府尹(12), 하정사(12), 전府尹하옥(13), 전라관찰

					사(15), 戶曹參判(16), 경상관찰사(17), 大司憲(17), 刑(18)·兵曹判書(18), 피화
朴實	?~1431	함양	父 都摠制 子安		전농正(~태종2), 유배(2), 남포진兵馬使(10), 都摠制府僉摠制(~11), 龍騎侍衛司節制使(11), 파직(11), 禮曹參議(14), 全羅備防巡審使(14), 경상水軍都節制使(17), 左軍同知摠制(18), 右禁衛1番節制使(18), 中軍摠制(18), 판홍주牧使(세종1), 左軍同知摠制(1), 右軍摠制(2), 都摠制(5), 성절사(5), 파직(7), 右軍都摠制(8), 전라水軍處置使致仕(8), 중군도총제(10), 進賀使(10), 右軍都摠制(11), 도총제졸
朴鐔	(세종대)	함양	父 兵曹判書 習, 祖 府使 德祥	기(遺逸薦)	司憲持平
朴安皐	(세조~성종대)	함양	父 冲武, 祖 副摠管 成陽	문(세조11)	承仕郞(~세조11), 문과, 正朝使書狀官(7), 司憲持平(10), 禮曹正郞(~14), 사옹僉正(14), 通訓大夫司憲掌令(15), 司憲執義(20)
朴彦	?~태조4	함양	父 郡事 思敬, 祖 直長 季元		前군기감졸
朴牖	(세종대)	함양	父 都摠制 子安		僉節制使(~1, 파직)
朴允儉	(세조대)	함양	父 萱	문(세조2)	前西學敎授(~13), 成均司藝(13), 成均司成(방목)
朴義孫	?~1418	함양	父 兵曹判書 習, 祖 德祥	?, 문(태종11)	主簿(~태종11), 문과, 司憲監察피화(坐父)
朴而敬	(문종즉위)	함양	父 典書 規, 祖 開城府尹 元澤		울진縣令
朴以寬	(성종대)	함양	父 邃和, 祖 直長 羣	문(성종23)	[연산대: 侍講院輔德]
朴子安	?~1408	함양	子 都摠制 實		전라좌도水軍都節制使(태조2), 도성조성도감提調(5), 전都節制使(6), 경상전라都按撫使(5), 杖流(5), 門下評理(정종2), 주문사(2), 參判義興三軍府事(태종1), 都摠制府都摠制(1), 경상兵馬都節制使(1, 5), 中軍都摠制(5), 判恭安府事(6), 파직(6), 경기충청전라水軍都體察使(8), 전도총제졸
朴珍(趍)	(세종대)	함양	父 儇, 祖 瑤	?, 문(17)	敎導(~17), 문과, 藝文檢閱, 운봉縣監(18), 郡守(방목)
朴礎	(태종~세종대)	함양	父 參判 吉中, 祖 成均祭酒 理		司諫院左獻納(태종4), 水軍都萬戶(~11), 파직(11), 日本通信使(13), 전郡守(15), 제주(17), 의주牧使(17), 전라水軍都節制使(18), 兵曹參議(세종1), 左軍同知摠制(1), 전라兵馬都節制使(1), 전水軍都節制使(2), 파직(3), 경상우도水軍處置使致仕(5), 左軍同知摠制(5), 전同知摠制(9), 강계절제사(13), 파직(15)

조선초기 관인 이력

朴坪	(단종대)	함양	父 得和, 祖 祥	?, 문(1)	教導(~단종1), 선공錄事(방목)
朴軒	(태조~태종대)	함양	父 侍郎 吉中, 祖 祭酒 理	문(우왕14)	中樞院堂後(태조4), 忠淸收稅帳籍使(6), 司憲監察(6), 낙안郡守(정종2), 司憲掌令(태종18)
朴煥	(세종대)	함양			行五衛司直(9), 三陟府使兼水軍僉節制使(10, 읍지), 이산郡事(30)
朴希文	?~1407	함양	父 右尹 居實, 祖 代言 瓊	문(우왕12)	司諫院獻納(~5, 파직), 豫原郡事졸
朴侃	세종대			기(10, 효행)	前正設司判官(10, 강서, 효행)
朴開奉	(성종11)		명사 姜玉 족친	기(11, 명사 故)	展力副尉五衛副司勇
朴賡	세종대		처 定宗女 咸陽郡主		同副知敦寧(~7, 유배)
朴居	(세종대)			의원	의원(~18, 降授), 전의助敎(18)
朴巨萬	(세조7)				의주體探甲士
朴居善	?~1455		처제 中樞 金銚	문(태종5)	교서散員(태종14), 敎授官(세종2), 전副司直(~11, 유배), 司憲監察졸
朴巨顔	(세종14)				영유縣令(읍지)
朴居仁					하동縣監(읍지)
朴去頑	(세종~예종대)				忠義衛行司正(세종20), 五衛護軍(세조1), 世祖原從3등공신(1), 折衝將軍司果(예종1)
朴居亨	(세조1)				五司司勇, 世祖原從2등공신
朴樞先	(성종14)				천추사
朴健順	(세종~세조대)				司憲監察(세종26), 충청都事(26), 司諫院右正言(30), 戶曹佐郎(단종1), 司憲持平(1), 持平(세조4), 司憲掌令(6), 司贍僉正(7), 僉知中樞(9), 관찰사(崔恒비명)
朴乾原	(세조1)				五司司正, 世祖原從2등공신
朴潔	(세종4)				예안縣監(읍지)
朴兼	(세조1)				郡事, 世祖原從3등공신
朴謙仁	(예종1)				구례縣監, 파직
朴謙之	(세종대)		父 雅	문(14)	縣監(방목)
朴耕	(예종즉)				五衛司正, 司勇
朴炳	(세조대)				僉知中樞(1), 折衝將軍五衛上護軍(1), 世祖原從1등공신(1), 경상우도都節制使(4)
朴敬禮	(성종14)			환관	內官
朴京文	(세종12)				천령縣監
朴慶孫	(세종~세조대)		父 復恒	문(세종8)	司憲監察(~세종16, 파직), 평강縣監(18), 兼成均主簿(21), 世祖原從3등공신(세조1), 成均直講(방목)
朴景愼	(세조1)				五司司直, 世祖原從3등공신

朴敬雲	(세조1)				五司司正, 世祖原從3등공신
朴景元	(세조대)				徵召(6, 전甲士, 居함안), 옥포萬戶(11)
朴溪	(태조~태종대)			문(우왕14)	원주牧使
朴界	(성종대)				忠贊衛(~2, 授5품관, 捕李施愛黨故)
朴季達	(성종5)				五衛副司果
朴季老	(세조1)				都萬戶, 世祖原從3등공신
朴繼生	(성종10)				行司果
朴繼先	(세종8)				용담縣令
朴繼姓 (性)	(단종~성종대)		父 呂孫	문(단종1)	成均學諭(세조1), 世祖原從2등공신(1), 禮曹佐郎(7), 정선郡守(~12), 파직(12), 議政府檢詳(14), 훈련副正(예종1), 함길경차관(1), 내자副正(성종1), 內贍(1), 봉상正(5), 通政大夫忠州牧使(6), 파직(9), 大司諫(14), 通政大夫황해관찰사(14)
朴季宗	(세조1)				錄事, 世祖原從2등공신
朴係宗	(세조12)				정선郡守(읍지)
朴沽	(성종대)				臺諫, 正郎
朴高里色目不花	(세조2)			여진귀화인	회춘等處副萬戶
朴古音龍	(세조6)				養馬, 世祖原從3등공신
朴棍	(성종대)				정희왕후부묘도감典樂(16), 親耕典樂令(19), 親祭典樂令(24), 官至4품, *능음률
朴恭	(단종3)			환관	官至2품
朴恭信	(단종2)				주자소別坐
朴寬	(태조대)			문(우왕14)	임천敎授
朴冠	(태종~세종대)				吏曹正郎(~태종8), 파직(8), 司憲執義(세즉), 司諫院右司諫(4), 左司諫(6), 공조參議(6), 영흥府使(7)
朴貫	(태조~태종대)			문(우왕8)	直提學, 交州道按廉使, 정주牧使(~태종2, 파직, 坐趙思義)
朴貫德	(세종16)				전副萬戶
朴光桂	(태종8)				三內島萬戶
朴光寶	(세종31)				거창縣監(읍지)
朴光衍	?~1425				경상水軍都節制使(세종즉), 都摠制府摠制(2), 진하副使(2), 충청都節制使(3), 判忠州牧使졸
朴光遠					영해府使(읍지)
朴光春	(태조5)			역관	하정사통사
朴矩	(태종9)				禮曹佐郎
朴苟	(세종19)				部令(鳳州)

朴君興					적성縣監(읍지)
朴貴	(세종대)			역관	왜통사(1, 26)
朴貴男	(성종7)				甲士, 피죄
朴貴老	(세조1)				五司司勇, 世祖原從3등공신
朴貴奉	(태종9)				풍주량萬戶
朴貴富	(세종6)				경성留防千戶
朴貴孫	(세조4)				內贍少尹
朴貴孫	(성종9)				甲士복주(남원)
朴謹	(성종12)				영암郡守(읍지)
朴根生	(문종즉위)				別侍衛
朴根生	(세조1)				行서운掌漏, 원종3등공신
朴謹孫	(성종25)				의금부都事
朴今剛	(세조1)				別監, 원종3등공신
朴今生	(성종대)		처남 명사 姜玉	기(11, 明使故)	超16資(11, 禦侮將軍五衛司勇, 明使故)
朴金孫	(단종1)				종묘署丞
朴己	(세조5)				百戶, 充軍
朴奇	(세종8)			역관	왜통사, 피죄
朴奇	(태종17)			환관	환관, 방출
朴頎	(태종~세종대)			문(태종5)	복직成均館官(태종12), 成均主簿(세종12), 行臺監察(세조2), 禮曹佐郎(4)
朴基命	(세종7)				신천縣監
朴麟孫	(성종1)				대정縣監(읍지)
朴吉生	(세조6)				五衛司勇, 世祖原從3등공신
朴訥	(태종1)				은율縣監(읍지)
朴訥於赤	(단종~세조대)			여진귀화인	五衛護軍(단종3), 大護軍(세조1), 世祖原從3등공신(1)
朴大生	(세종19)				火砲교습관
朴大生	(세조대)				五司司直(1), 世祖原從3등공신(1), 中樞副使(8), 천추사(8) 嘉善大夫五衛大護軍(9), 司直(11)
朴德山	(세조3)				別監, 世祖原從2등공신
朴德霖	(태종3)				전한양부判官
朴德中	(세종대)	父 萬戶 元寶		음(7)	錄用(7, 父功, 태종8 萬戶전사)
朴道幹	(태종11)				졸충주牧使
朴道弘	(태종대)				司憲持平(~3), 해풍郡事(3)
朴惇	(세종9)				정산縣監
朴敫	(세조7)				內禁衛

朴敦義	(태종~세종대)			大護軍(태종14), 풍해도察訪兼損失敬差官(14), 영해府使(세종8)
朴敦之 (啓陽)	(태조~태종대)		문(고려, 少時登科)	전비서監(태조6), 日本通信使(6), 전중判事(정종1), 檢校漢城府尹(태종1), 檢校中樞(2), 承樞提學(2), 사은사(2), 恭安府尹(2), 주문사(10), 檢校議政府參贊(10)
朴童	(성종4)			兼司僕, 降資
朴東起	(세조1)		무	權知參軍, 世祖原從3등공신
朴東文	(세조1)	父 將軍 得年		五司司直, 世祖原從3등공신
朴東美	(정종~태종대)			房主將軍(정종2), 上護軍(태종14), 전兵馬使(~16, 廢庶人)
朴東秀	(태종~세종대)			甲士(~태종7, 充水軍), 무장진兵馬使(세종3)
朴東植	(세종31)			졸안정監務
朴豆蘭	(세종29)			捕강도, 加資敍用
朴得年	(태종~세종대)			將軍(~태종1, 유배), 判三登縣事(세종6)
朴得鄰	(세종21)			知印
朴得知	(단종1)			別監
朴璘	(세종~세조대)		문(세종16)	禮曹佐郎(~세종28), 파직(28), 경상經歷(문종2), 司憲掌令(단종2), 成均司藝(세조1), 世祖原從2등공신(1), 司諫院司諫, 僉知中樞(세조12)
朴莫同	(단종~세조대)			行五衛司勇(단종1), 世祖原從2등공신(세조1)
朴萬	(세조1)			進義副尉, 世祖原從2등공신
朴埋	(세조6)			삼화縣令(읍지)
朴孟達	(세조7)			醫書習讀官, 유배
朴孟文	(세종10)			졸少監
朴孟孫	(세조대)			敦義副尉(1), 世祖原從2등공신(1), 都摠使龜城君李浚군관(13)
朴孟孫	(예종1)		환관	환관, 充官奴
朴明	(세조1)			五衛司正, 원종3등공신
朴命山	(세종14)			덕천郡守(읍지)
朴命山	(단종1)			五司司正
朴命世				김해郡守(읍지)
朴模	(태종대)			司直(~6), 護軍(6)
朴謨	(태종대)			護軍(~9), 유배(9)
朴茂	(태종~세종대)		역관	통사(태종7), 사역判官(8), 司直(10), 判官(15~세종9)
朴茂	(성종6)			창성府使
朴茂成	(성종19)			司憲府都吏
朴文經	(태종11)			의정부錄事

조선초기 관인 이력

朴文吉	(태종18)			환관	환관
朴文府	(세조3)				平陵道察訪
朴文富					영해府使(읍지)
朴文星 (山)	(세조~성종대)			문(4)	成均學諭(세조7), 황주判官(~성종7), 유배(7)
朴文崇	(태조~태종1)				태조원종공신(태조1), 判事(~태종2, 유배, 坐 趙思義), 前萬戶(16)
朴文實	(태종1)				환관
朴文祐	(세종23)				前縣令(현풍)
朴文祖	(성종23)				武臣侍射1등, 加資
朴文翰					연일縣監(읍지)
朴文衡	(성종19)				창원府使
朴文會	(세조1)				五司司直, 世祖原從2등공신
朴般者	(세조대)		제 金處善		別監(1), 世祖原從2등공신(1), 掖庭署司鑰(10)
朴培陽	(세종26)				椒水里(溫井)監考(종9품관)
朴蕃	(세조1)				五司護軍, 世祖原從3등공신
朴堡	(세종27)				경성府使(읍지)
朴保生	(세조대)				五司大護軍(1), 世祖原從3등공신(1), 折衝將 軍會寧(6), 富寧府使(6)
朴保錫	(세조대)				장수縣監(읍지), 判官(3), 원종3등공신(3)
朴桴	(세조1)				行五司司正, 원종2등공신
朴賁	(태종대)				군자監(~6, 유배), 檢校工曹參議兼成均司成 (13), 日本通信使(13), 兼成均司成(14)
朴芬	(세종6)				명사從事官
朴賁祖	(태종5)				평해郡事(읍지)
朴佛同	(세조1)				五司上護軍, 世祖原從1등공신
朴彬	(태종17)				전회양府使
朴彬	(세조10)				禮曹知印
朴思恭					하동縣監(읍지)
朴思貴	(태조6)				전密直
朴思德	(세종13)				졸將軍
朴師孟	(세조13)				함길節度使군관
朴思文	(세종13)		숙부 崢		동활인원別坐
朴思蕃	(세조대)			기(세조14, 明使故)	除授(14, 명사 姜玉請故)
朴思賁	(세종~세조대)				知印(세종26), 主簿(세조3), 世祖原從3등공신 (3)
朴士英	(성종6)				司憲監察
朴思義	(세종15)				함길都鎭撫

朴思亨	(세조~성종대)				五司司正(세조1), 世祖原從2등공신(1), 通政大夫金海府使(성종2), 평안조전절제사(5), 前行司正(~6, 薦助戰將)
朴山	(성종대)				甲士(13), 전의萬戶(21), 벽단첨절제사(23)
朴山守	(세조1)				五司司勇, 世祖原從3등공신
朴撒塔木	(세조~성종대)			여진귀화인	薰春等地副萬戶(세조2), 護軍(성종2)
朴撒哈塔	(세조대)				阿乙加毛等處副萬戶(2), 萬戶(6)
朴參	(문종1)				함종縣令, 파직
朴尙絅	(태조~태종대)				밀양府使(태조7), 檢校漢城府尹(태종13)
朴尙文	(태조6)				倉使
朴尙復	(세종9)				光陽縣監
朴生厚	(세종대)				전直長(~15), 溫井監考(15)
朴序	(세종29)				前平康縣監
朴敍	(태종~세종대)	父 臣佐, 祖 文翊	문(태종14)		成均博士, 縣監(방목)
朴墅	(성종16)				獻陵參奉
朴曙	(태종18)				평강縣監
朴徐昌	(세조~성종대)				成均直講(세조1), 世祖原從2등공신(1), 司僕少尹(6), 司僕判事(11), 兵曹參議(12), 同知中樞(13), 함길남도관찰사(13), 파직(14), 僉知中樞(예종1), 해주牧使(성종3), 行五衛司直(6), 同知中樞(11)
朴徐昌	(성종대)				전司僕少尹(~17), 司憲掌令(17)
朴晢	(성종5)				兼司僕
朴石山	(세조1)				五司護軍, 世祖原從3등공신
朴碩孫	(성종1)				碧團萬戶
朴善					울진郡守(읍지)
朴善南	(성종10)				別侍衛
朴善孫	(성종19)				경상都事(읍지)
朴挈	(세종대)				慶尙左道경차관(4), 함길經歷(9), 의금知事(12), 經歷(13), 대흥縣監(13), 여산郡守(25)
朴贍	(세조1)				參軍, 世祖原從3등공신
朴成德	(세종대)				전司正(~10, 居의령), 명서용(10, 孝行故)
朴成良	(세종대)				副司正(6, 시위, 能射), 司正(7), 武人(세조1, 세조총서)
朴成林	(성종20)			환관	內官
朴成物	(세조13)				兼司僕
朴成栢	(문종1)				五司護軍
朴成富	(태종~세종대)			환관	檢校僉內侍府事(태종7, 세종7)
朴成糞	(성종10)				講武麻兒

朴成生	(세조1)				五司司勇, 世祖原從2등공신
朴星生	(세조1)				五司司勇, 世祖原從2등공신
朴星孫	1419~?				行五司司直(세조1), 世祖原從1등공신(1), 전험節制使(7), 遭喪(7), 평안虞侯(12), 慶尙右道水軍節度使(예종1), 평안조전절제사(성종5), 嘉善大夫훈련都正(6), 평안절도사(7), 同知中樞(9), 사은사(9), 경상좌도水軍節度使(9), 영안북도兵馬節度使(12), 兵曹參判(15, 17), 전주府尹(18), 훈련都正(19), 전라兵馬節度使(20), 同知中樞(21)
朴成玉	(세조13)				전千戶
朴成祐	(태종대)		환관		궁방內官
朴成治	(세종12)				회덕縣監
朴世達	(세종12)				명사從事官
朴素	(세조3)				五衛鎭撫
朴紹	(세종6)				司憲監察, 파직
朴紹祖	(세조3)				行五衛司勇, 世祖原從3등공신
朴松壽	(성종10)				內禁衛, 講武經
朴穗	(세조1)		무과		급제, 世祖原從3등공신(1)
朴壽堅	(성종대)				관인(25), 五衛司直(金謙光비명)
朴秀卿	(성종12)				司諫院司諫
朴竪起	(태종대)				순흥府使(~8, 정직), 예빈判事(~13, 파직), 司諫院右司諫(~14, 徒2년), 右司諫(16)
朴竪基	(태조~정종대)				言官(~태조7), 경원敎授(7), 起居注(정종1)
朴壽彌	(세종~세조대)				서운副正(단종2), 行五衛護軍(세조1), 世祖原從2등공신(1), 行五衛副司正(2)
朴首生	(정종2)				知沃州事(읍지)
朴壽昌	(성종대)				邊將(~8, 유배), 兵曹參議(20)
朴叔陽	(세종대)		역관		僉知司譯院事
朴叔義	(태종대)				知文州事(~2, 囚, 坐趙思義), 放(2)
朴順	(태종10)				한성少尹, 파직
朴順達	?~1467				攝五衛司勇(단종1), 行司勇(세조1), 世祖原從2등공신(1), 길주判官전사
朴順孫	(성종5)				禦侮將軍鍾城甲士, 유배
朴順祖	(세조1)				知印, 世祖原從3등공신
朴崇敬	(세종대)				종성判官(23), 護軍(31)
朴崇連	(세조1)				五司副司正, 世祖原從3등공신
朴崇燁	(성종대)				한성부假郎廳(~15), 敍동반직(15)
朴崇仁	(성종대)				영종포萬戶(5), 강무部將從事官(20)

朴崇之	(세조~성종)				우봉縣令(~세조13, 파직), 장연縣監(~성종7, 파직)
朴崇地	(예종~성종대)			문(예종1)	司憲監察(방목)
朴昇	(태종11)				檢校工曹參議
朴承明	(세종23)				진주判官
朴升茂	(세조1)				五司司正, 世祖原從2등공신
朴升孫	(세조1)				進勇校尉(甲士), 世祖原從3등공신
朴承嘗	(세조13)				茂長甲士
朴承漢	(세종15)			효행	命敍用
朴恃	(태종대)			문(11)	縣監(방목)
朴時明	(성종대)				전參軍(居창원,~25), 命敍用(25)
朴式	(태종~세종대)			문(태종5)	成均司成(방목)
朴埴	(세조~성종대)				宣傳官(세조10), 전라점마別監(12), 都摠使龜城君李浚從事官(13), 敵愾3등공신(13), 折衝將軍五衛大護軍(13), 工·刑曹參議, 강원水軍都度使(예종1), 전라兵馬節度使(성종3), 僉知中樞(5), 鐵城君(6), 황주牧使(9), 순천府使(9), 충청兵馬節度使(10), 同知中樞(12), 천추사(13)
朴殖	(성종6)				在官
朴晨	(세종대)				강진縣監(9), 벽동郡事(13)
朴信誠	(성종3)				价川郡守
朴臣佑	(태종8)				전郎將, 限6품제수
朴信亨	(세종26)				울진縣令(읍지)
朴阿堂古	(세조대)			여진귀화인	會春等處副萬戶(2), 萬戶(6)
朴芽生	(세종대)		장인 任守山		司直(13), 通訓大夫瑞山郡事(16~18)
朴阿信					적성縣監(읍지)
朴牙失塔	(세조2)				亏沙里等處副萬戶, 護軍
朴晏	(세조11)				命敍用
朴安遇	(세종10)				副司直
朴安義	(세조대)				회양府使(읍지)
朴安中	(태종대)			환관	환관
朴安止	(세조1)				五司司正, 世祖原從2등공신
朴巖	(성종대)				만포節制使(13), 通政大夫會寧府使(17), 전라우도水軍都度使(20), 평안조전장(23), 折衝將軍永安南道兵馬節度使(25)
朴巖臣	(세조대)			문(6)	教授(방목)
朴鵞	(태종대)			?, 문(1)	教導(~1), 문과
朴盎	(세종8)				陣法訓導官

朴若雲	(성종2)				남양甲士
朴陽茂	(세조8)				甲士
朴陽孫	(세종~세조대)				司諫院掾吏(세종22), 五司護軍(세조1), 世祖原從3등공신(1)
朴養孫	(세조1)				縣監, 世祖原從3등공신
朴良守	(세조8)				掖庭署司鑰, 世祖原從3등공신
朴良信 (臣)	(세조~성종대)				창성節制使(세조12), 함길북도조전절제사(예종즉위), 僉知中樞兼忠淸道兵馬節度使(성종3), 평안조전절제사(5), 嘉善大夫僉知中樞(6), 벽단조전절제사(6), 僉知中樞兼五衛衛將(6), 工曹參判(7), 진하사(7), 전同知中樞(8), 유배(8), 通政大夫兵曹參知(9), 嘉善大夫全羅左道水軍節度使(10), 僉知中樞(12)
朴彦謙	(성종대)				明川縣監(8), 춘궁수리도감郎廳(18)
朴彦貴	(태종10)				鎭撫
朴彦忠	(세종8)				경상좌도兵馬都節制使
朴汝亨	(세조2)				永柔縣令
朴如晃	(단종2)				군기判官
朴如晄	(세조7)				五衛鎭撫
朴如滉	(단종~세조대)				判官(단종2), 世祖原從3등공신(세조1)
朴延世	(세종~문종대)			?, 무(세종9)	副司正(~세종9), 무과, 副司直(9), 진해縣監(22), 경주判官(문종즉위)
朴延壽	(성종22)				高山里甲士
朴恬	(태종~세종대)				서운丞(태종5), 副正(~6, 유배), 通訓大夫副正(세조7), 正(10), 회덕縣監(~세종22, 유배)
朴榮	(성종7)				거창縣監(읍지)
朴英蔓	(세조1)				行五司司勇, 世祖原從3등공신
朴永文	(성종대)				武臣(22) [연산이후: 靖國1등공신]
朴英文	(태조~태종대)			환관	전라경상진도강습심찰사(태조7), 知內侍府事(태종7), 承傳色(8)
朴英寶	(세조14)				졸五衛司正(甲士)
朴英生	(태종16)			일관	서운掌漏
朴榮生	(세종6)				경성留防千戶
朴榮生	(세조1)				承義校尉, 世祖原從3등공신
朴永水	(세조5)			역관	통사
朴英祐	(태종대)				풍해도水軍僉節制使(~11, 파직), 萬戶(~11, 파직)
朴永懿	(성종13)				命敍用
朴英弼	(태종~세종대)			환관	掖庭署司鑰(태종18), 전副正(세종15)

朴永亨	(성종12)				풍천府使, 함안郡守(17, 읍지)
朴隷	(문종1)				전구서典廳別坐, 署令
朴禮生	(세조1)				進勇校尉(甲士), 世祖原從3등공신
朴禮崇	(세종~문종)				司憲監察(세종22), 고창縣監(문종즉위)
朴吾麻知	(단종1)				別監
朴壅(擁)	(세조~성종대)				사신호송장(세조10), 嘉善大夫會寧府使(성종4), 평안조전장(7), 전五衛護軍(~8, 파직), 충청水軍都度使(8), 의주牧使(11), 同知中樞(14), 사은副使(14), 경원府使(15)
朴容	(태종~세종대)			문(태종14)	목천縣監(세종15), 피죄(22)
朴龍萬	(세종대)				行司直(6), 兼司僕(8)
朴龍壽	(태조6)				槍浦萬戶
朴用珍	(세종4)			역관	왜통사, 피죄
朴佑					해주牧使(읍지)
朴彧	(태종~문종대)		父 桂生	문(태종5)	典祀直長(태종12), 대정縣監(세종16), 전영해敎授(~17), 함길도都節制使道使(17), 成均司藝(30), 成均司成(문종즉위)
朴頊	(성종20)			음	敍用(공신적장)
朴雲仝	(세종24)				경성府使(읍지)
朴雲孫	(성종대)				회인縣監(~2, 파직)
朴云信	(세종7)				忠扈衛大護軍, 提擧
朴元	?~1490				鹿島部將피주
朴原	(태조2)				전密直使
朴垣	(세조6)				삼등縣令(읍지)
朴元奇	(태종대)				甲州萬戶(~4, 파직)
朴原禮	(태종5)				예안縣監(읍지)
朴原茂	(세종대)				五衛護軍(15), 삭주郡事(17)
朴元寶	?~1408				槍浦萬戶전사
朴元富	(태종1)				전判事, 유배
朴元生	(세조1)				五衛護軍, 世祖原從3등공신
朴元先	(세종9)			內官	司正, 朝見世子隨從내시
朴元秀	(성종대)			문(1)	司諫院獻納(12), 司憲持平(12)
朴元順	(성종대)			문(1)	縣監(방목)
朴元信	(성종5)				司圃署司圃
朴原愚	(성종11)				안동判官(읍지)
朴元意	(세종15)				제주鎭撫
朴元懿	(성종9)				제주判官
朴原廷	(태조6)				안주도水軍萬戶

조선초기 관인 이력

朴原智	(세종9)				수안郡事
朴元昌	(성종20)				鹿島군관
朴元孝	(성종대)				臺諫
朴爲	(태조대)			문(우왕3)	都事
朴柳星	(세종31)				평안都節制使鎭撫
朴嶠	(태조대)			환관	內官(8, 11), 유배(13)
朴葵	(세종26)				山羊會萬戶
朴維	(국초)				장기監務(읍지)
朴裕問	?~1445				한성判官졸
朴有山	(성종25)				平安廣平堡甲士
朴有生	(세종~단종대)			역관	통사(세종30), 加資敍用(왜통사, 단종3)
朴柳星	(세종~문종대)				副正(세종23), 護軍(23), 평안도都鎭撫(31), 의주牧使(문종1)
朴有孫	(태조~태종대)				전司水監判事(태조7), 유배(태종1)
朴有孫	(세조1)				五司司正, 원종2등공신
朴惟時	(문종즉위)				黃海道첨절제사
朴由信	?~1464				甲士(~세조10), 傷虎卒
朴惟誼	(세조5)				고양郡事
朴惟仁	(세조1)				五衛司正, 世祖原從3등공신
朴有典	(세종대)				율학別坐(14), 前사재副正(15)
朴惟精	(세조6)				五司司直, 世祖原從3등공신
朴有昌	(성종21)				평안鎭撫
朴惟昌	(세조1)				行書雲監候, 世祖原從3등공신
朴由孝	(성종대)			기(19, 효행)	旌門(3, 효행), 隨才敍用(19)
朴倫	(세조13)				겸司憲執義
朴閏	?~1456			환관	환관피화
朴綸	(성종11)				超3資(西征偵探有功)
朴潤	?~1455			환관	內侍府事(문종1), 行內侍府右承直(단종1), 僉內侍府事(2), 피화(세조1)
朴允					의령縣監(읍지)
朴閏敬	?~1481				전라水軍虞侯전사
朴允德	(태조~세종대)			의원	전의主簿(태종17), 內醫(~17, 유배), 의원(세종1), 內醫(8), 전의副正(10), 內醫(14), 전의副正(15)
朴允萬	(세종29)				別司饔
朴允文	(성종25)				遞職
朴允斌	(세조1)				知印, 世祖原從3등공신
朴允英	(정종~태종대)			문(정종1)	전사判官(~태종12, 파직)

바

205

朴允英	(성종4)				거창縣監(읍지)
朴允忠	(태종대)				大護軍(~12), 동북면(12), 영길도채방別監(14), 江原道採銀경차관(17), 화주牧使(18)
朴允亨	(문종~세조대)				개천郡事(문종즉위), 五衛護軍(세조1), 世祖原從3등공신(1)
朴殷 (殷孫)	(성종7)				別侍衛, 피죄
朴乙生	(세조~성종대)		환관		환관
朴乙玄	(세조13)	父 直長 成長			超資(戰死父功故)
朴應	(성종6)				京官
朴應宗	(성종16)				경성府使(읍지)
朴毅	(태종대)		문(공민왕20)		황해관찰사 · 知議政府事(방목)
朴倚	(태종1)				前判事, 유배
朴誼	(태종대)		문(5)		수원敎授(방목)
朴義	(세조11)				병조錄事
朴義龍	(세종24)				제주牧使(읍지)
朴義林	(정종1)				낭천縣監(읍지)
朴義生	(세조대)	父 공신(성명불명)			別侍衛(11), 都撫使龜城君李浚군관(13), 兼司僕(13)
朴怡	(예종1)				환관
朴理	(태조5)				전司宰監, 도성조성도감役官
朴肄	(세종24)				구례縣監
朴履	(태종15)	처남 領議政 南在			五衛上護軍
朴益	(세종대)		문(14)		成均學正(방목)
朴益	(성종대)				광흥창奉事(~3, 파직)
朴益文	(태종4)				전영광郡事, 유배
朴因	(세종1)				司直
朴訒(認, 璘)	(성종대)				司諫院正言(21), 掌隷院司議(25)
朴禋	(태종대)				司憲監察(~14, 파직), 卒判官(세종10)
朴寅	(성종25)				평창郡守(읍지)
朴仁幹	(태종대)				上將軍(6), 강릉府使(7), 嘉善大夫(7), 강계兵馬使(9), 前江陵府使(~10, 유배), 경상水軍都節制使(~18, 파직)
朴仁敬	(세조~성종대)				前通禮院奉禮(세조2, 성종23)
朴仁貴	(태조대)				전司宰少監(~6), 대마도通信使(6)
朴仁吉	?~1425				유배(정종2, 좌朴苞), 영일진병마사(태종17), 장연진兵馬節制使(세종3), 강계兵馬使(3), 兵馬使卒

조선초기 관인 이력

朴仁孫	(성종대)			환관	종5, 정5품직
朴仁孫	(성종22)				경흥軍官
朴仁乙	(태조3)				刑曹都官正郎
朴仁宗					하동縣監(읍지)
朴仁贊	(태종1)				전將軍, 유배
朴林	(세종4)				平安道都節制使군관
朴林	(세조1)			환관	內官, 世祖原從3등공신
朴霖	(세종14)				인동縣監
朴自崑	?~1467			기(무예)	宣傳官(세종28), 五衛司直(세조10), 五衛衛將(10), 북청判官전사(直子 超資敍用)
朴滋根	(세종대)			기(31, 효행)	命敍用(31)
朴子良	(세종13)				前知泰州事
朴自茂	(세조6)				五衛司勇, 世祖原從3등공신
朴自範	(성종25)				대마도경차관군관
朴自安	(세종2)				전牧使
朴子暎	(세조대)				3軍鎭撫(2), 5衛鎭撫(3), 자산郡事(7)
朴滋昌	(단종대)			기(1, 효행)	除경성土官(1)
朴自興	(세종15)				전副司直
朴長壽	(세종대)				花之梁萬戶(~4, 파직)
朴長守	?~1456				甲士震死
朴長胤	(단종~세조대)	장인 判書 金文起		음(단종즉)	東部錄事(단종즉위), 世祖原從3등공신(1), 充驛吏(2)
朴枂	(태종12)				풍기郡守(읍지)
朴迪孫	(성종대)				운봉(~10), 광양縣監(10)
朴甸	(태종~세종대)				前佐郎(태종1), 전監務(4), 전順安縣事(세종5), 평산判官(17)
朴箋	(태종~세종대)				司憲監察(~태종13, 파직), 평창郡事(세종8)
朴旃	(세종대)				제용主簿(4), 함길경차관(4), 음성縣監(9), 박천郡事(14)
朴哲	(성종16)				회령判官
朴節	?~1471				前驛丞복주(안주, 李施愛당)
朴淨	(세종대)				前副司正泰仁蠶室監考(~9, 서용)
朴楨	(세종~세조대)				知印(세종23), 萬戶(세조1), 世祖原從3등공신(1)
朴靖	(세조2)				雲劒
朴淳	(세조11)				현풍縣監(읍지)
朴貞同	(세조9)			환관	掖庭署司鑰
朴精孫	(세조~성종대)	父 恒進		문(세조14)	成均典籍(방목)

朴廷信	(세종대)			上護軍(~14, 피죄), 僉知中樞(19)
朴廷實	(단종1)			졸上護軍
朴正義	(세종15)		기	甲士(~15, 超資敍用, 中甲士試)
朴操	(세종8)			고원郡事
朴藻(澡)	(태조~태종대)	父 乙陽	문(태조2)	전禮曹正郎(~태종16), 천추사書狀官(16), 郡守(방목)
朴存壽	(단종~세조대)		환관	內侍府奉直郎(단종1), 內侍掌務(세조14)
朴種	(문종1)			양구縣監
朴宗大	(세조1)			郡事, 世祖原從2등공신
朴宗武	(세조1)			錄事, 世祖原從2등공신
朴宗文	(세조대)			進義副尉(1), 世祖原從2등공신(1), 主簿(3), 咸吉道都事전사(13)
朴從瑞	(세종~세조대)		의원	의원
朴從秀	(세조13)			加資(정건주유방공故)
朴宗元	(성종대)		무신	三峯島敬差官(3), 선천郡守(~9), 상의判官(9), 훈련副正(~11, 유배)
朴從義	?~1465		의원	內醫자살
朴從義	(세조1)			行五司副司直, 世祖原從3등공신
朴冑	(성종대)			전郡事(~1, 加資錄用, 孝行故)
朴雋	(성종대)			순창郡守(~17, 파직)
朴儁	(성종대)			양천縣令(~4, 優待遞職)
朴衆生	(세조1)			五衛副司直, 世祖原從3등공신
朴仲先	(세조7)			나주甲士
朴仲達	(성종19)		환관	內官
朴仲愚	(단종대)			제용直長(~2, 피죄)
朴仲宗	(세조대)			判官(6), 世祖原從3등공신(6), 大山串兼監牧(12)
朴仲畛	(성종대)			臺諫
朴仲質	(태조3)			鹽場官
朴仲畜	(세종22)	처 元敬王后 친족		護軍
朴仲賢	(세종32)			정선郡事(읍지)
朴仲賢	(성종22)			위원權管
朴地	(성종대)		기(3, 효행)	隨才擢用(3)
朴芷	?~1437			別侍衛절제사(세종3), 전同知摠制졸
朴枝	(태종~세조대)		통사	司直(~태종13, 피죄), 司正(세종23), 성절사통사(단종2), 行判官(세조1), 世祖原從2등공신(1), 사역判事(5), 通訓大夫五衛副司正(8), 사역正(13)

朴智	(성종6)				武臣侍射
朴之蕃	(예종~성종대)			기(무예)	兼司僕(~예종즉), 翊戴2등공신竹城君(즉), 경상우도水軍節度使(성종7), 죽성군(7), 戶曹參判(14), 군(14), 경상우도水軍節度使(14), 파직(16), 죽산군(20)
朴之生	(세조1)				五司司直, 世祖原從3등공신
朴地生	(세조13)				除高原郡土官(亂中保守令故)
朴枝生	(태종18)			환관	內官
朴枝生	(세종7)				임강縣監
朴之成	(태종9)			역관	통사
朴眞	(세종8)		숙부 명사 白彦	기(8, 명사故)	右軍副司正
朴振	(세종~세조대)				양덕縣監(세종14), 判官(세조1), 世祖原從3등공신(1)
朴趍	(세종~문종대)				成均學諭(세종10), 금천縣監(22), 풍기郡守(문종2, 읍)
朴趍	(세조6)				副錄事, 世祖原從3등공신
朴臺	(태종~세종대)			문(태종14)	여산縣監(세종10), 司憲監察(방목)
朴昌	(성종2)				昌陵守陵官陪吏, 去官
朴彰善	(세종26)				三軍知印
朴處良	(세조11)				別侍衛
朴天奇	(세종15)			역관	통사
朴天登	(세종7)			환관	掖庭署司鑰
朴天茂	(세종13)				전평양少尹, 유배
朴天祥	(태조대)				전화령府尹(~6, 收職牒, 居外方不到侍衛故), 전判開城府事(6), 赦宥(7)
朴哲	(성종5)				內禁衛
朴鐵山	(세조1)				行五司副司正, 원종2등공신
朴鐵山	(세조대)				行五司司直(1), 원종3등공신(1), 內禁衛(2)
朴超	(세조1)				五司司直, 世祖原從2등공신
朴酋	(세종~세조대)				司諫院左正言(세종18), 司憲持平(23), 吏曹正郎(27), 풍덕郡事(문종즉위), 成均直講(세조1), 世祖原從3등공신(1)
朴樞	(세조대)				내자主簿(~4, 降資)
朴春	(세종10)		선조 永興伯 崔氏		전郎將
朴春敬	(세조~성종대)				五司司勇(세조1), 世祖原從2등공신(1), 加資(성종19, 親耕耆民故)
朴春貴	?~1420				檢校漢城尹, 도성수축도감提調졸
朴春茂	(세종대)			환관	환관
朴春美	(세조1)			환관	掖庭署司鑰, 世祖原從3등공신

朴春富	(세종25)			자성千戶
朴春山	(세조대)			進勇校尉, 世祖原從3등공신, 加資(13, 정건주 유방공)
朴冲武	(세종~세조대)			강계判官(~세종22, 徒), 五衛司直(세조1), 世祖原從3등공신(1)
朴忠恕	(세종~세조대)			3軍鎭撫(세종26), 縣監(세조1), 世祖原從3등공신(1)
朴忠恕	(세조1)			縣監, 원종3등공신
朴忠順	(단종대)		기(2, 효행)	隨才敍用(2, 孝行故)
朴忠信	(성종6)	제 良信		被薦조전장
朴忠祐	(세종대)		효행(세종9)	命敍用
朴就新	(세종3)			충주判官
朴致禮	(세조1)			萬戶, 世祖原從3등공신
朴致明	(단종~세조대)	父 立基	문(단종1)	權知成均學諭(세조1), 世祖原從2등공신(1), 主簿(방목)
朴致明	(세조1)			五司司勇, 원종2등공신
朴致山	(성종8)			무관
朴忱	(세종6)			일본회례사從事官
朴忱	(세종대)	父 上護軍 履		副司正(~14), 서용(14, 孝行故, 居천안)
朴他乃	?~1466			甲士 傷虎卒, 直子敍用
朴坦	(세조7)			삼화縣令
朴波伊大	(단종3)	父 指揮 末阿土		五衛護軍(居會伊春)
朴河	(태종대)			司憲監察(~4, 파직)
朴河	(단종~세조대)		의원	의원(別坐考滿, ~단종1, 除文班), 副正(세조1), 世祖原從3등공신(1)
朴夏	?~1453			司憲監察(문종1), 고양縣監(단종즉), 피화(1, 좌安平大君瑢)
朴漢生	(세종~세조대)		천(세종13, 효행)	命敍用(세종13, 이), 行五衛副司直(세조1), 世祖原從2등공신(1)
朴漢孫	(성종14)			무신
朴漢柱	?~1504	父 敦仁	문(성종16)	司諫院獻納(방목), 갑자피화
朴恒	(성종대)			司諫院正言(20), 파직(21)
朴恒卿	(성종대)			온성判官(~3, 充軍), 興陽兼樂安郡守(~21, 파직)
朴赫孫	(성종6)			徵召(무신)
朴賢生	(세조1)			五司護軍, 원종3등공신
朴賢祐	(세종대)			전라水軍都節制使鎭撫(4), 千戶(~4), 威勇將軍(4), 前萬戶(13)
朴絜	(세종11)			護軍

조선초기 관인 이력

朴亨根	(성종대)				折衝將軍五衛副司果(11), 훈융진첨절制使(~15, 充軍)
朴衡文	(세조대)				前廂中衛部將(~14), 充官奴(14)
朴荊山	(세조1)				五司護軍, 원종3등공신
朴亨長	(성종대)				司諫院正言(2), 加資(通德郎正言, 2)
朴好生	(태종~세종대)				예천縣監(태종11, 읍), 전監務(세종18), 命敍用(19, 문종1)
朴洪	(세종20)				경상도教諭
朴烘	(세조1)				權知參軍, 世祖原從3등공신
朴弘信	(세조3)				行五衛副司直, 世祖原從3등공신
朴和	(태종대)				司直(8), 일본통신관(8, 10)
朴華	(태종9)				진보縣監(읍지)
朴和羅孫	(세조2)			여진귀화인	斡朶里護軍
朴擴	(세조8)				司憲監察(李伯剛묘표), 전判官
朴煌	(세조대)				行司勇(1), 원종3등공신(1), 文川屯兵將(13)
朴回	(세조대)				전농直長(12), 의금都事(24), 통례문通禮(25), 내자判官(26), 刑曹都官正郎(~30, 유배)
朴曉	(세종대)				영광郡事(8), 평안經歷(14), 안산郡守(17)
朴孝康	(세조1)				五司司勇甲士, 원종3등공신
朴孝恭	(성종13)				兼司僕
朴孝達	?~1467				軍官전사
朴孝同	(성종대)				전司僕寺官(~20, 천兼司僕)
朴孝童	(세조1)				五司副司正, 원종2등공신
朴孝璘	(세조1)				進勇校尉(甲士), 世祖原從3등공신
朴孝麟	(세조3)				別侍衛
朴孝孫	(태종1)				낭천縣監(읍지)
朴孝順	(성종19)			역관	賀登極使통사
朴孝義	(성종1)				忠贊衛(부여)
朴孝悌	(태종대)			문(2)	主簿(방목), 전監務(~14, 收告身)
朴孝誠 (誠?)	1387~?				청주牧使(세종26), 僉知中樞(문종즉위), 강릉府使(1)
朴墺	(세조1)				行副司直, 원종3등공신
朴厚生	(세종23)			특지	中軍副司直(善목욕절차故)
朴厚植	(태종대)				檢校漢城府尹(~13, 收告身)
朴輝(暉)	(세조~성종대)		父 直長 仁崇, 장인 領議政 具致寬		行五司司勇(세조1), 世祖原從3등공신(1), 刑曹正郎(9), 都體察使韓明澮從事官(10), 임천郡事(11), 훈련正(성종1), 안변府使(5), 국장도감郎廳(5), 折衝將軍평양虞侯(5), 行五衛護軍(~8, 充軍)

朴徽	(세조~성종대)				전五衛部將(~세조14), 五衛部將(14), 파직(성종5)
朴撝謙	(세종~세조대)				內禁衛司勇(~세종31, 徒), 行五衛副司正(세조1), 世祖原從3등공신(1)
朴輝丞	(세조대)				광흥창副使(~3, 파직)
朴洽	(세조대)			?, 문(세종1)	敎導(~세종1), 문과, 司憲監察, 원주判官(7), 兵曹佐郞(13), 正郞, 郡守(방목)
朴興居	(세조대)				우봉縣令(~5, 파직), 司憲監察(~9, 徒)
朴興茂	(태종3)			환관	상왕전牽龍
朴興美	(세조대)				副司直(~30, 유배)
朴興福	(태종대)			환관	內官
朴興生	(세조9)				전縣監
朴興孫	(세종~성종대)				함흥主事(세종7), 五衛司正(세조1), 世祖原從3등공신(1), 회령甲士(~성종16, 充軍)
朴興信	(문종즉위)				평양甲士
朴興藝	?~1458				陣法訓導官(세종8), 僉知中樞(세조1), 구성郡事(1), 行龜城郡事(3), 中樞副使奉朝賀卒
朴希茂	(정종~태종대)				태조원종공신, 서원郡守(정종2), 前靑州府使(~태종6, 유배), 行廊都監使(14)
朴喜成	(세조1)				行五司司正, 원종3등공신
朴喜孫	(성종18)				司諫院正言
朴希中	(성종10)				전日本通信使
朴希賢	(태조대)			문(우왕6)	
潘佑亨	(성종대)	巨濟	父 愃, 祖 珽	문(5)	藝文檢閱(방목), 大司憲(방목)[연산이후: 靖國4등공신歧城君]
潘悌老	(태종~세종대)	거제	父 守明, 祖 濬	문(태종17)	司憲監察(방목)
潘熙	(세조~성종대)	거제	父 參判 孝恭, 祖 參判 社濟	음(족보), 武科, 登俊試(12)	內禁衛(세조10), 兼司僕(10~12), 登俊試, 부산포僉節制使(12), 동래縣令(성종즉위), 경상水軍節度使(1), 嘉善大夫義州牧使(4), 회령府使(13), 전라좌도水軍節度使(15)
潘耆					榮川郡守(읍지)
潘碩澈	(성종대)				前主簿(~1, 加資錄用, 居김해)
潘泳	(태종15)				工曹正郞
潘佑昌	(성종대)				啓功郞敎授(~24, 降授, 訓導)
潘汀	(세종7)				전縣監, 유배
潘忠仁	(성종6)				入侍從
潘衡	(세조1)				萬戶, 世祖原從3등공신
潘孝孫	?~1454				護軍(세종23), 棘城조전절제사(문종1), 훈련知事(1), 僉知中樞兼黃州牧使(1), 判會寧府使卒(단종2)

潘孝順	(문종대)				군기判事(~1), 府使(1)
方有寧	1460~1529	軍威	父 司猛 仲止, 祖 思友	문(성종20)	[연산이후: 兵曹參議]
方綱	(세종~성종대)		父 藝孫	문(세종29)	직산縣監(~세조2, 파직), 縣監(12, 薦師表), 宗學司誨(성종6), 흠곡縣令(6), 成均典籍(6), 成均直講, 成均司成(13)
方桂山	(세조1)				五司護軍, 원종3등공신
方繼忠	(세조3)			풍수학	行主簿, 원종3등공신
方九齡	(태종8)				전라우도都萬戶
方敏	(태종16)			의원	의원
方復生	(세종3)				左軍牌頭
方瑞同	(세조13)				함길鎭撫
方與權	(태종대)				전戶曹議郎(11), 졸議郎(세종6)
方演	(태종대)			환관	掖庭署司鑰(~14, 充公役)
方演修	(태종13)			환관	掖庭署司鑰
方有信	(세종15)				전少監
方震	(성종6)				대정縣監(읍지)
方致和	(세종~문종대)				사역主簿(세종13), 진헌마管押官(문종즉위)
方河山	(성종대)			의원	의원(~14, 승직, 山陵都監功)
房九達	(태종~세종대)	南陽	父 典儀丞 士良, 祖 上護軍 柱	문(태종14)	禮曹佐郎(세종4), 군자副正(~10), 杖流(10)
房九行	1381~?	남양	형 九達		司諫院正言, 군자正(문종즉위), 世祖原從3등공신(세조1)
房貴元	?~1469	남양	父 縣監 順孫, 祖 縣監 九成	문(세조11)	史官(세조11), 藝文奉敎졸
房士良	(태종1)	남양	父 上護軍 柱, 祖 上護軍 松衍		제생원知事, 전의丞
房玉精	(성종대)	남양	父 有倫		경성判官(18), 侍講院文學(25)
房貴和	(성종대)				신계縣令(~10), 사역主簿(10), 佐郎(14), 영접도감郎廳(14), 命敍用(14)
房文仲	(태종대)			풍수학	교서校勘(~18, 充官奴)
房恂文	(세조3)				錄事, 世祖原從3등공신
房順孫	(성종2)				포천縣監
房喜慶	(세종대)				所訖浦萬戶(~20, 捕倭中표류사)
裵寅	(세종~세조대)	金海		문(세종2)	史官(세종5), 藝文奉敎(~8), 봉상主簿(8), 司諫院右獻納(~14, 辭歸, 노모年78세故), 左獻納(9), 監正(세조1), 世祖原從3등공신(1)
裵孟達	(단종~성종대)	大邱 (達城)	父 厚, 祖 侍御使 玄祐	무(족보)	行五司司直(단종1), 五司護軍(세조1), 世祖原從1등공신(1), 兼司僕(8), 종성府使(10), 僉知中樞(11), 진응사(11), 만포절제사(12), 敵愾2

					등공신(13), 行虎賁衛上護軍昆山君(13), 건주군공4등(13), 五衛衛將(14), 昆山君(예종1), 同知中樞곤산군(1), 경상우도兵馬都節度使(성종12), 충청兵馬節度使(12), 곤산군(14)
裵嗣宗	(성종24)	대구	父君 孟達, 祖 厚		司憲監察
裵惠	(세종대)	대구	父 同正 吉祥, 祖 平章事 仲林	무(족보)	경성判官(14), 옥구僉節制使
裵季厚	(성종대)	盆城	형 孟厚		선공判官(~14, 加資, 侍陵功), 남원(~23), 경주判官(23)
裵孟厚	(세조~성종대)	분성	父 主簿 緝, 祖 直長 有興	문(세조8)	校書著作郎(세조8), 동국통감修撰郎廳(12), 吏曹佐郎(~예종1), 正郎(1), 兼藝文館(성종1), 경상경차관(2), 司憲掌令(3), 제용僉正(3), 국장도감郎廳(5), 議政府舍人(5), 日本通信使(6), 承文參校(~9), 弘文典翰(9), 戶(10)·吏曹參議(10)
裵緝	(단종즉)	분성	父 直長 有興, 祖 府尹 允遜		吏曹錄事, 主簿(족보)
裵襸(讚)	(세종대)	분성	父 廷斐, 祖 平章事 端	무(세종5)	무창郡事(~28, 被罪逃)
裵矩	(태조대)	星山	형 規		靑州府使(~7), 內乘蓼牧所提擧(7)
裵規	(태조3)	성산	父 典書 晉文, 祖 樞密使 用成		掌務補闕
裵克廉	1325~1392	성산	父 少尹 賢輔, 祖 宰臣 勁仲	음	상주牧使, 계림, 화령府尹, 진주도都元帥, 경상도都巡問使, 경상도원수, 密直副使, 요동정벌조전원수, 判開城府事, 門下侍郎贊成事, 三軍府中軍摠制使, 判三司事, 門下右侍中(고려), 開國1등공신星山伯(태조1), 門下左侍中 졸(졸기)
裵閏	(태종대)	성산	父 大司諫 規, 祖 判事 晉孫	문(태종11)	兵曹佐郎(~태종14), 파직(14), 吏曹佐郎(15), 司諫院右獻納(17), 直提學(방목)
裵仲有		성산	형 仲線	(공민왕17)	中樞堂後官, 承旨
裵樞	(태종~세종대)	성산	父 直提學 閏, 祖 規	문(태종11)	校書正字(~태종15), 파직(15), 司諫院左獻納(세종13~14), 파직(14)
裵閑	(태종~세종대)	성산	제 閏	문(태종14)	藝文檢閱, 司諫院右正言(태종10), 成均直講(~세종20), 敎授官(20)
裵希	(세종6)	성산	父 雄, 祖 倪		함안郡守(읍지)
裵杠	(세종대)	興海	父 判事 尙志, 祖 僉議評理 詮	?, 문(8)	전敎導(~세종8), 문과, 成均直學(~10), 파직(10), 吏曹佐郎(17), 司諫院獻納(19), 吏曹正郎(24)
裵權	(세종대)	흥해	제 杠		전戶曹正郎(7), 司憲持平(9)
裵楠	(태종~세종대)	흥해	제 杠	문(태종11)	봉상主簿(세종4), 司憲監察(방목), 경상우도경차관(4)

裵屯	(태종~세종대)	흥해	父 直提學 尙度, 祖 僉議評理 詮	문(태조2)	書狀官(~태종9, 유배), 철원(~세종1), 강화府使(1), 예빈尹(4), 군자判官(12), 군자判事(~14), 司諫院右司諫(14), 左司諫(15), 刑曹右參議(16), 僉知中樞(16), 兵曹參議(16), 通政大夫황해관찰사(17), 刑曹參議(19)
裵尙度	(태조대)	흥해	父 詮	문(공민왕18)	直提學
裵素	(태종~세종대)	흥해	父 典書 尙恭, 祖 僉議評理 詮, 장인 右議政 權軫	문(태종8)	전사재主簿(태종17), 경주採訪判官(17), 전강원都事(17), 司諫院正言(세종4), 吏曹正郎(방목)
裵益臣	(성종대)	흥해	父 漢城判尹 著, 祖 兵使 庚亮	문(23)	[연산이후: 府使]
裵止訥	1400~?	흥해	父 觀察使 屯, 祖 直提學 尙度		司僕直長(세종23), 경기點馬別監(23), 진천縣監(~세조12, 파직), 이천府使(예종1, 연산군7)
裵桓(恒)	1379~1448	흥해	父 寺事 尙智, 祖 僉議評理 詮	문(태종1)	兵曹正郎(세종2), 도성수축도감副使(4), 五衛護軍(5), 평안안주도경차관(5), 경기經歷(6), 左軍經歷(7), 藝文直提學(13), 유구선위사(13), 司諫院右司諫(16), 知兵曹事(17), 兵曹參議(17), 通政大夫황해관찰사(19), 僉知中樞(20), 工曹參議(20), 僉知中樞(21), 刑曹參議, 전라관찰사(24), 判晋州牧使(30)
裵孝崇	(세종~세조대)	흥해	父 觀察使 桓, 祖 判事 尙志	문(세종29)	佐郎(세조1), 世祖原從2등공신(1), 司諫院獻納(3), 府使(방목)
裵敬良	(세조1)				五衛副司直, 世祖原從2등공신
裵敬之	(세종8)				전제주教諭
裵敬興	(세조대)				內禁衛(10), 行五衛司勇(11)
裵敬興	(세조13)				수교刑典
裵鈞	(세조1)				修義校尉(甲士), 世祖原從3등공신
裵奎	(성종18)				대정縣監(읍지)
裵鈞	(세종10)				고령縣監
裵錦	(태종대)			문(1)	縣監(방목)
裵湛	(세종~세조대)				中衛中所訓導官(세종8), 영덕縣事(9), 鎭撫(~25, 유배), 行五衛司正(세조1), 世祖原從3등공신(1), 五衛上護軍(2)
裵德文					의성縣令, 울진郡守(읍지)
裵敦	(세조1)				五司副司直, 世祖原從2등공신
裵孟宗	(예종1)				5衛部將
裵文郁	(세조1)				五衛副司直, 世祖原從2등공신
裵尙禮	(세조1)				行五衛司勇, 世祖原從2등공신
裵尙文	(세종~세조대)			기(起衙前, 의원)	醫官(~세종, 加資, 錦城大君治療功故), 內醫(25), 上護軍(30, 父年 88세), 行五司護軍(세조1), 世祖原從1등공신(1), 常仕내약방(졸기)

裴尙祉					영해府使(읍지)
裴尙忠	?~1402			일관	서운관官(태조5), 서운관관복주(태종2)
裴瑞鳳	(세종24)				回巖驛丞
裴碩亨	(세조~예종대)				別侍衛(세조7), 전행五衛司勇(예종1)
裴宣	(단종1)			환관	行內侍府右承直
裴挈	(세종3)				합천郡事
裴袖	(성종9)			역관	통사
裴愁耳應哥	(세조1)			여진귀화인	伐引等處副萬戶
裴順	(단종3)				內禁衛
裴崇禮	(세종24)				高嶺把截權管
裴臣柱	(세종17)				卒郎將
裴安生	(단종~성종)				行內侍府左承直(단종1), 薛里(세조3), 世祖原從3등공신(6), 영창전內官(성종1)
裴熵	(태종~세종대)			문(태종17)	檢律(태종10), 每陰縣監(세종8)
裴若中	(세조1)				承仕郎, 世祖原從3등공신
裴良德	(태종~세종대)			?, 무(태종16)	副司正(~태종16), 무과, 司正(16), 함길도都鎭撫(~세종22, 유배)
裴連	(성종대)			화원	御眞화원(~3, 加資), 陞敍(7)
裴廉	(성종23)		서 僉知中樞 李伯常		南部錄事
裴溫(蘊)	(태종~세종대)			역관	議政府舍人(태종6), 사역僉知(14), 진하사從事官(세조6), 사역僉知(7), 사역知事(10)
裴元呂	(태종10)				강원水軍千戶
裴有仁	(세조1)				五司司勇, 원종2등공신
裴有貞	(세조1)				五司司勇, 원종2등공신
裴乙富	(세종11)				전副正
裴乙成	(태종대)				甲士(~14, 파직)
裴應襞	(성종3)				청도郡守(읍지)
裴自錦	(세종1)				兵曹知印
裴從彦	(성종8)				五衛護軍
裴仲倫	(태조~세종대)				교서少監(정종1), 經筵侍講官(1), 戶曹典書(~태종1, 유배), 卒檢校漢城府尹(세종7)
裴處卿	(세조1)				權知參軍, 원종3등공신, 장기縣監(읍지)
裴哲	(세종17)				司正
裴締	(단종1)				남포萬戶
裴樞(錘)	(성종9)			역관	통사
裴瀚	(태종대)			문(2)	司諫院正言(방목)
裴憲	(태종4)				供造署令

조선초기 관인 이력

裵弘混	(세종대)			기(10, 효행)	命敍用(10, 이조, 유학)
裵弘漸	(태종대)				함길도武官(~2, 유배, 坐趙思義)
裵桓	(성종6)				전綠楊銀溪道察訪
裵孝思	(세조대)				五司副司直(1), 원종3등공신(1), 五衛部將(6)
裵孝修	(성종대)				鉢浦萬戶(5~6)
裵厚	?~1396				일본회례사(태조3), 예빈少卿(~5), 日本回禮使졸(우왜구)
裵玗	(단종대)				五司司直(~1), 仕司僕寺(1)
裵玗文	(세조1)				五司司直, 世祖原從2등공신
裵萱	(세종대)			환관	內官
裵興道	(성종1)				親軍衛(~1, 除堂上官實職, 捕李施愛공)
白勛	(세조~성종대)	南陽	父 孝甫	문(세조6)	우봉縣監(성종3), 개성教授(5), 昭格署令(8), 승문校理(방목), 선농籍田令(19)
白思粹	(단종~세조대)	水原	父 持平 效參, 祖 寶城縣監 繪	문(단종2)	進義副尉(~단종2), 문과, 權知正字(2), 世祖原從2등공신(세조1), 刑曹佐郎(13), 承文校校(방목), 副正(방목), 장단府使(읍지)
白繪		수원	父 密直 仁景, 祖 承旨 璉		진보縣監(읍지)
白效參	(세종대)	수원	父 縣監 繪, 祖 典書 仁景	?, 문(9)	教導(~9), 문과, 진응사書狀官(16), 司直(17), 司憲持平(24)
白受禧	(문종~성종대)	稷山	父 乙生	?, 문(문종즉위)	教導(~문종즉위), 문과, 司諫院右獻納(세조5), 府使, 전교別提(~성종8, 授官職祿俸, 修의방유취유공), 봉상判官(12)
白宮咸	(성종대)				훈련參軍(~2, 隨闕敍用, 被薦承文院官)
白貴麟	(세조7)			의원	醫官
白貴孫	(세조6)			의원	馬醫, 원종3등공신
白道生	(세종11)				祿官
白同	(세조13)				命授職(優人, 年老故)
白孟夏	(성종23)				연기縣監
伯伯太子	(태조~정종대)				耽羅城主(太子)
白墳	(세조1)				五衛司正, 원종2등공신
白思儉	(태종1)				見乃梁水軍萬戶
白士廉	?~1476				곡성甲士복주
白守	(세종대)		父 桓, 孫子 明 太監 彦	기타(8, 孫子故)	군기判官(8, 孫子故)
白壽長					흥해郡守(읍지)
白淳	(태종16)			환관	掖庭署司鑰
白愼之	(문종즉위)				과천縣監

白信忠	?~1468			환관	內官震死
白良寶	(세조1)				五司司正, 원종3등공신
白彦麟	(태조2)				서북면僉節制使
白汝明	(세종17)				무주縣監
白英蕃	(성종13)				下位관
白玉瓊	(세종대)				副司直(~25, 超3資陞職, 甫淸浦戰有功)
白龍	(세종8)		祖 判官 守, 제 明 太監 彦		예빈少尹
白瑀	(문종1)				龍岡縣令
白雲	(세종26)				司勇, 山羊會偵探有功
白雲寶	(세종대)				護軍(6), 상의원別坐(7), 別監(9), 전護軍(~9, 世子朝見司衣)
白維	(세종12)				伊川縣監
白璃	(세종~세조대)				은율縣監(세종10, 읍), 황주判官(세종16), 縣令(세조1), 世祖原從3등공신(1)
白仁京	(세조12)			환관	환관
白麟孫	(성종24)				打量敬差官
白仁雨	(성종대)		祖 判官 守, 제 明 太監 彦	기(9, 弟故)	五衛司正(9)
白瓷尊	(성종대)			화원	御眞화원
白終隣	(성종대)			화원	加資(~3, 世祖御眞제작공), 西班直서용(7)
白終生	(세조1)				五司司直, 원종3등공신
白質	(세조1)				書吏, 원종1등공신
白天祐	(태조1)				雙阜監務(파직, 不識文字故)
白春	(세종대)			기타(9, 명사 白彦고)	副司正(9)
白忠信	?~1468			환관	환관震死
白波令	(세종26)				廣平大君喪 주관
白桓	(세종대)		종손 明 太監 彦	기타(8, 太監 彦고)	사재主簿(8)
白環	(태종~세종대)				護軍(태종18), 평안도採訪副使(18), 右軍經歷(세종2), 行護軍(6), 경상우도鑄錢別監(6), 경상採訪別監(6), 大護軍(11), 상의提擧(~12, 파직)
白孝元	(단종~성종대)				副丞同正(단종즉위), 隨才擢用(성종3, 孝行特出故)
白希寶	(세조1)				庫使, 원종3등공신
卞綱之	?~1493	密陽	父 兵使 宗仁, 祖 正 禮生	문(성종23)	승문正字(방목)

卞季良	1369~1430	밀양	父 檢校判中樞 玉鷺, 祖 上護軍 原	문(우왕11), 중(태종7)	전교主簿(우왕11), 司憲侍史, 成均樂正, 直藝文館, 사재少監, 兼藝文館應敎(고려), 千牛衛右領中郞將兼典儀寺丞(태조1), 校書丞知製敎(5), 試侍御使(6), 藝文直提學(~태종7), 문과중시, 禮曹參議(7), 兼侍講院左輔德(8), 藝文提學同知中樞(9), 藝文提學(10), 世子右副賓客(12), 檢校判漢城(12), 예문제학(15), 修文殿제학(16), 경승府尹(16), 藝文提學(17), 禮曹判書(17), 藝文提學(18), 議政府參贊(18), 參贊兼集賢殿大提學(2), 參贊(세종3), 判藝文館提學(5), 判右軍府事(8), 전판우군부사 졸
卞九祥	(세종대)	밀양	父 雍, 祖 檢校判中樞 玉鷺	문(1)	成均司藝(방목)
卞英壽	(세종8)	밀양	父 大提學 季良 (서), 祖 檢校判中樞 玉蘭		副司正(奉祀季良(서자, 無嫡子故)
卞玉蘭	1322~1395	밀양	父 上護軍 原, 祖 散員 珠		戶·兵·吏曹判書(공양왕2~4), 태조원종공신(태조1), 檢校判中樞(2), 判中樞졸
卞宗仁	1433~1500	밀양	父 正 禮生, 祖 吏曹參議 乙明	음, 무(세조6)	敵愾1등공신陞堂上官(세조13), 陞嘉善大夫五衛護軍(성종6, 昌州군공), 서북조전장(6), 通政大夫龜城府使(9), 工曹參判(12), 전라관찰사(14), 영안북도절도사(16), 同知中樞(18), 진위사(18), 충청水軍節度使(19), 工曹參判(21), 資憲大夫永安南道兵馬節度使(21), 영안북도절도사(23), 知中樞(24) [연산대 이후: 평안절도사, 경상우도水軍節度使, 知中樞, 工曹判書, 知中樞졸]
卞仲良	(태조~태종대)	밀양	父 檢校判中樞 玉蘭, 祖 上護軍 原	문(공민왕14)	전중卿(~태조3, 유배), 大司成(7), 右散騎常侍(~7, 파직, 좌鄭道傳), 世子賓客(~태종18, 피죄)
卞季孫	1368~?	草溪	父 主簿 寬, 祖 同正 仁璧	문(태조2)	司諫院正言(태종7), 예빈少尹(17), 司諫院右司諫(세종12), 左司諫(12), 전判利川縣事(13)
卞宏	(세종대)	초계	父 判漢城 南龍, 祖 門下評理 贇		燕岐縣監(~1, 파직), 손실경차관(8)
卞鈞	(세종30)	초계	父 府尹 孝文, 祖 漢城判尹 南龍		獻陵直
卞純	(태종~세종대)	초계	父 判漢城 南龍, 祖 門下評理 贇		工曹正郎(~태종15), 파직(15), 7站察訪(세종1), 校理, 전少尹(6)
卞玉崑	(성종1)	초계	父 袍, 祖 校理 純		덕천郡守
卞哲山	(성종대)	초계	父 澄源	문(3)	전생서主簿(5), 전司憲監察(~6), 成均典籍(6), 司諫院正言(7), 吏·兵曹正郎(방목)

卞袍	?~1488	초계	父 校理 純, 祖 侍郎 南龍	기(세종14, 효행), 무	서용(세종14, 孝行故), 훈련參軍(~29, 徒), 김해(세조5)·장흥府使, 翊衛司右司禦(9), 翊衛司右翊衛(9), 五衛上護軍(10), 전라경차관(10), 경상좌도都節制使(10), 折衝將軍五衛上護軍(예종즉), 진위사(즉), 護軍(1), 通政大夫定州(성종2), 淸州牧使(6), 충청捕盜使(13), 장악提調(14), 僉知中樞졸
卞渾	?~1401	초계	父 判漢城 南龍, 祖 門下評理 賫		尙書錄事(~태조3, 파직), 전司僕主簿 복주
卞孝敬	?~1456	초계	父 判漢城 南龍, 祖 門下評理 賫	문(세종1)	承政院注書(세종7), 승문知事(22), 司諫院右司諫(27), 僉知中樞(29), 吏(29)·兵曹參議(문종1), 인수府尹(단종1), 정조副使(1), 判永興府使(3), 世祖原從2등공신(세조1), 졸
卞孝文	1396~?	초계	제 孝敬	문(태종14)	禮曹佐郞, 전禮曹正郞(세종11), 봉상少尹(19), 內贍判事(21), 僉知中樞(22), 파직(22), 僉知中樞(24), 日本通信使(24), 僉知中樞(25), 경창府尹(28), 파직(문종즉위 이전), 陰陽學提調(단종1), 中樞副使(2), 경주(2)·전주府尹(2), 世祖原從2등공신(세조1), 전주府尹(3), 永不敍用(3)
卞孝孫	(태종12)	초계	제 孝文		예조正郞
卞居仁	(세조대)				前廂中衛統將(~14, 充官奴)
卞貴生	(세종8)				전司正
卞兢	(세종7)				전驛丞
卞紀	(세조1)				知印, 원종3등공신
卞南龍	(태조4)				전開城府尹
卞論	(조선초)				장기監務(읍지)
卞崇仁	(성종16)				영안북도節度使都事
卞玉熙	(세조6)				副錄事, 원종3등공신
卞雍	(태조대)				예안監務(~4, 유배)
卞聞文	(단종대)			기(3, 효행)	隨才敍用(3, 孝行故)
卞應夢	(정종1)				장기監務(읍지)
卞以文	(세조1)				五司副司正, 원종2등공신
卞宗悌	(세종23)				언양縣監
卞瓚	(성종24)				打量敬差官
卞勳男					金溝縣令(읍지)
邊大海	?~1463	原州	父 中樞副使 處厚		내자主簿(~세종27), 郡事(세조1), 世祖原從3등공신(1), 선공判事(7), 판사졸
邊祥	(성종대)	원주	父 倉直 德順, 祖 監察 尙同	문(17)	侍講院輔德(방목)
邊尙覿	(세종대)	원주	父 摠制 頠, 祖 領三司 安烈		군기主簿(15), 전判官(~23), 화포감련관(23)

邊尙同	(세종대)	원주	제 尙觀		行首(~9, 유배), 司憲監察(족보)
邊尙服	?~1455	원주	제 尙觀, 처 定宗 女 德川君主		僉知中樞(단종즉), 강릉府使졸
邊尙聘	(세종~세조대)	원주	제 尙觀		行臺監察(세종29), 五司司直(세조1), 世祖原 從3등공신(1)
邊尙朝	(세조1)	원주	제 尙觀		行五司司正, 원종3등공신
邊尙會	1399~1473	원주	형 尙觀	문(세종16)	承政院注書(세종17), 守判官(세조1), 世祖原 從3등공신(1), 檢校戶曹參判(성종9)
邊脩	(성종~중종대)	원주	父 參判 尙會, 祖 摠制 顥	무	兵曹參知(성종10), 同副·右副·左副·右·左承 旨(10~12), 파직(12), 兵曹參知(15), 경상우도 水軍節度使(15), 工曹參議(15), 경상우도절도 사(23) [연산이후: 영안북도절도사, 內禁衛將, 靖國3등공신原川君, 五衛副摠管, 충청水軍節 度使, 鳳山君]
邊豫	(태종8)	원주	父 領三司 安烈, 祖 千戶 諒	무(족보)	房主護軍
邊伍千	(성종대)	원주	형 脩		內禁衛(5), 兼司僕(5), 宣傳官(10), 훈련副正 (15)
邊佑	(성종6)	원주	형 脩	음(족보)	先農祭執尊
邊旭	(성종대)	원주		?, 문(5)	訓導(~5), 문과, 正字(방목)
邊頤	(세종대)	원주	父 領三司 安烈, 祖 千戶 諒		摠制(~6), 사은副使(~6, 유배)
邊定	(세조대)	원주			直長(1), 원종3등공신(1), 隨川郡事(7)
邊次禧	(세종10)	원주	父 摠制 顥, 祖 領 三司 安烈		부안진兵馬僉節制使
邊處寬	(세조대)	원주	형 處良		학생(1), 원종3등공신(1), 전五衛司正(7), 內禁 衛(10), 함흥判官(13)
邊處寧	(성종대)	원주	父 別坐 克忠, 祖 奉常判事 顯	무(족보)	折衝將軍五衛副司直(11), 通政大夫定州牧使 (13), 同副(17)·右副承旨(17), 嘉善大夫全羅水 軍節度使(17), 경상좌도절도사(20), 同知中 樞(22), 훈련都正(22), 진하副使(23), 파직 (23)
邊顯	(태종대)	원주	父 領三司 安烈, 祖 千戶 諒	?, 문(우왕8)	掖庭署內謁者監(고려), 재관(~2, 유배), 別侍 衛(18), 判事(방목)
邊孝同	(세조대)	원주		무(족보)	진사(1), 원종3등공신(1), 풍저창副丞(7), 鎭撫 (7)
邊孝順	?~1456	원주	父 監察 尙同, 祖 摠制 顥, 처 昭信 翁主	기(부마)	嘉善大夫柔川君(세종10), 柔川尉(단종2), 유 천위졸
邊希孝	(성종대)	원주	父 洗馬 定, 祖 牧 使 次禧(熹)	?, 문(17)	五衛副司直(~17), 문과, 刑曹佐郎(방목)

邊靖(靜)	(세조~성종대)	黃州	父 判書 承俊, 祖 中郎將 遷		行五司副司正(세조1), 世祖原從3등공신(1), 宣傳官(9), 종성府使(성종2), 경상水軍節度使(6), 嘉善大夫副護軍(11), 경기水軍節度使(14), 훈련都正(22), 경상우도水軍節度使(22)
邊嵓	(성종9, 12)				還告身, 敍用
邊克坤 (嵓)	(성종대)				折衝將軍五衛司果(10), 通政大夫江界府使(14), 北征將軍(都將, 22)
邊克濬	(성종대)				[연산1: 용강縣令, 읍지]
邊克忠	(세조6)				五衛副司正, 원종3등공신
邊起坤	(성종대)		문(23)		[연산이후: 成均典籍]
邊起宗	(태종~세종대)		문(태종17)		縣監(방목)
邊達	(세종대)		무(세종9, 新恩)		전副司直(~세종9), 무과, 甲士(9)
邊尙	(세종1)				回대마도
邊相	(세종11)			귀화왜인	副司直
邊石崈	(세조~예종대)				錄事(세조1), 世祖原從3등공신(1), 五衛部將(예종즉위)
邊叔寬	(성종3)				行五衛司直
邊肅觀	(세조6)				유배중, 원종3등공신
邊循	(성종15)				入侍
邊崇老	(세종대)		기(16, 효행)		敍用(16, 孝行故)
邊寧	(세조대)				五司副司正(1), 원종3등공신(1), 五衛部將(12)
邊源深	(세종25)				五衛司正(제주)
邊頤元	(세종5)				中軍摠制
邊自中	(세종대)				前隊長(~6, 收職牒充軍)
邊佐	(세종26)			왜귀화인	五衛副司正
邊鎭	(세종대)			역관	천추사打角夫(~5, 피죄)
邊鎭道	?~1439			역관	관압사통사졸
邊澄源	(성종14)				평택縣監
邊次憙	(태종11)		장인 同知摠制 沈龜齡		장흥고直長
邊處良	(성종17)				右副承旨
邊處誠	(세종12)			역관	통사
邊處厚	1373~1437		父 龜壽, 祖 永仁	문(태조2)	내자判事(~태종10, 모상), 승문判事(~14, 면직), 兼尙書少尹(~15, 파직), 양양府使(세종2), 判定州牧使(3), 훈련提調(11), 同知中樞(15), 中樞副使(18), 中樞副使졸
邊淸	(성종10)				敍用
邊袍	(세조1)				五司副司直, 원종2등공신

邊漢山	(세종~단종대)			의원	內醫, 行右軍司正
邊厚	(성종12)				영유縣令(읍지)
邊希達	(성종24)				親祭捧俎官
卜矛(予)	(세종~세조대)	沔川	父 掌令 偁, 祖 直長 渭龍	문(세종17)	司諫院左正言(세종28), 佐郎(세조1), 世祖原從3등공신(1), 成均直講(방목)
卜承利	(세조~성종대)	면천	父 郡守 吾, 祖 掌令 偁		行五司司勇(세조1), 世祖原從3등공신(1), 五衛部將, 훈련知事, 제주안무사, 被薦함길조전장
卜承貞	(세조~성종대)	면천	형 承利	문(세조11)	전藝文檢閱(성종3), 司諫院正言(5), 禮曹佐郎(6), 奉直郎司憲持平(10), 전陽根郡守(19), 擢從3品職(19), 이천府使(24, 考滿), 仍任(24)
卜吾	(세종~세조대)	면천	제 予		구례縣監(세종18), 判官(세조1), 世祖原從3등공신(1)
卜偁	(태종대)	면천	父 直長 渭龍, 祖 議政府舍人 祺		司憲監察(4), 司憲掌令9~14, 유배)
卜思義	(정종1)				甲士
卜崇老	(세종대)			기(16, 효행)	命敍用(16)
卜閏文	(단종대)			기(1, 효행)	隨才敍用(1)
卜繪	(단종~성종대)			內官	行內侍府司謁(단종1), 내시부右副承直(2), 行內侍府左承直(3), 右承直(3), 同知內侍府事(3), 加資(성종14, 山陵功故)
奉繼孫	?~1465	河陰	父 江城君 石柱, 祖 中樞副使 安國	무과(세조6)	兼司僕(세조6), 복주(11, 坐父)
奉珪(奎)	(세조1)	하음	父 府使 原良, 祖 府尹 由仁		主簿, 원종3등공신
奉礪	1375~1436	하음	父 判事 由禮, 祖 承旨 文	음	창녕縣監(세종10), 종부少尹(11, 女冊世子故), 僉知敦寧(12), 吏曹參議(13), 右軍同知摠制(13), 刑曹右參議(14), 경창府尹(14), 兵曹右(14)·刑曹左參判(14), 하정사(14), 刑曹右參判(15), 同知敦寧(15), 戶曹右(16)·戶曹左(16)·工曹(16)·戶曹參判(16), 진헌副使(17), 吏曹參判(17), 知敦寧(18), 知敦寧졸, 收4品이상告身(廢世子嬪故)
奉石柱	?~1465	하음	父 中樞副使 安國, 祖 府使 厚長		副司直(세종24), 內禁衛(단종1), 靖難2등공신(1), 折衝將軍五司護軍(1), 僉知中樞(2), 中樞副使(세조2), 都鎮撫(2), 同知中樞(2), 五衛上護軍(4), 전라水軍處置使(6), 行上護軍(7), 江城君(8), 복주
奉安國	1383~?	하음	父 府使 厚長, 祖 正 由儉		僉知中樞(세종29), 折衝將軍五司大護軍(문종1), 中樞副使(단종1)

奉元(原)良	(태조대)	하음	父 府尹 由仁, 祖 典書 質		예빈少卿(~7, 유배)
奉元孝	1426~?	하음	父 縣令 奎, 祖 府使 原良	?, 문(성종5), 중(7)	訓導(~성종5), 문과, 司憲監察(~7), 문과중시, 司憲掌令(방목)
奉璋	세조~성종대	하음	父 縣監 安邦, 祖 府使 厚長	무(족보)	縣監(세조1), 世祖原從3등공신(1), 춘천府使(성종13)
奉訴					의성縣令(읍지)
奉汝諧	?~1456				사옹別坐(세조2), 피화(2, 坐端宗復位)
奉掌令	(성종19)			환관	掖庭署司鑰
奉忠孝	(세조대)				鎭撫(~3, 유배)
奉繪	(단종~세조대)		父 由敬		영덕縣監(~단종즉위), 敬差官(즉), 五司護軍(세조1), 世祖原從3등공신(1), 역內禁衛, 영덕, 박천郡守(성종12, 2, 계축)
佛丁	(세종대)		모 世宗유모	기(2, 母故)	洗手間別監(2)

조선초기 관인 이력

사

성명	생애(仕官시기)	본관	가계	출신	관력
沙門吾羅	(태조7)			왜귀화인	散員
舍安土	(세종6)			여진귀화인	올량합千戶
史黎均	(태조3)				龍義令
史周卿	(세종대)			역관	사역主簿(3), 전判官(8)
史曾	(세조1)			일관	서운監候, 원종3등공신
斜澄巨	(세조대)			여진귀화인	포주等處副萬戶
司空濟	(태종11)				慶尙道採銀使
撒魯多陽 可毛多吾	(세조2)			여진귀화인	동량북等處副萬戶
撒羊弗古	(세조2)			여진귀화인	동량북等處副萬戶
三寶羅平 (改 張寶)	(태조7)			왜귀화인	散員
尙陽	(세종1)				參征對馬島
生德生刺納	(세조2)			여진귀화인	蒲州等處副萬戶
徐尙文	(세종대)	佳城		?, 문(17)	敎導(~17), 문과, 主簿(방목)
徐居正	1420~1488	達成	父 牧使 彌性, 祖 戶曹典書 義, 외조 贊成事 權近	문(세종26), 重(세조3)	사재直長(세종26), 集賢殿博士兼世子司經(27), 집현副修撰知製敎兼侍講院右正字(29), 집현副校理(문종1), 부상(단종1), 집현應敎知製敎經筵檢討官(세조1), 成均司藝(2), 藝文應敎(2), 侍講院左弼善兼左中護藝文應敎(2), 司諫院右司諫(3), 工(4)·禮(4)·吏曹參議(6), 謝恩使(6), 刑曹參判(6), 大司憲(9), 경기관찰사兼兵馬節度使 개성留守(10), 中樞副使(10), 藝文提學同知中樞(11), 禮曹參判(12), 陞資憲大夫(12), 刑曹判書兼五衛都摠管(13), 知成均館事藝文大提學(13, 自後常兼兼館閣主文), 工曹判書(13), 知中樞(13), 世子左賓客(14), 漢城府尹同知經筵(14), 戶曹判書(예종1), 議政府右參贊(성종1), 佐理3등공신達城君(2), 평안관

					찰사(2), 大司憲(3), 崇政大夫左參贊(6), 議政府右贊成(7), 달성군(8), 弘文館大提學(9), 判漢城(9), 吏曹判書(10), 달성군(11), 兵曹判書(12), 議政府左贊成(14), 달성군(16), 졸
徐渡	(세조대)	달성	父 副丞 文翰, 祖 少監 沈	문(11)	成均學諭(방목)
徐彌性	(세종대)	달성	父 典書 義		경기經歷(2), 내자尹(4), 司憲執義(4), 제용 判事(7)
徐濟	(세조~성종대)	달성	父 副正 文翰, 祖 少監 沈		錄事(세조1), 世祖原從3등공신(1), 의정부 知印(3), 前縣監(성종3)
徐坐	(태조대)	달성	父 政堂文學 鈞衡, 祖 君穎	문(우왕6)	副令
徐忱(沉)	(세종대)	달성	父 政堂文學 鈞衡, 祖 君穎		갑산郡事(13), 영해府使(읍지), 전上護軍(~15), 僉知中樞(15), 전라水軍處置使(16)
徐彭召	(성종대)	달성	父 彦陽縣監 居廣, 祖 執義 彌性	문(7)	從仕郎(~7), 經筵典經(8), 藝文待敎(9), 吏曹佐郎(17), 通德郎司憲持平(21), 承文校勘(~25), 유배(25), 司憲掌令(방목)
徐益	?~1412	夫餘		기(행오)	右軍同知摠制(태종1), 佐命4등공신麻城君(1), 都摠制府摠制(4), 마성군(8), 풍해조전절제사(8), 雲劒摠制(8), 마성군졸
徐貞壽	(세조대)	부여	父 奉禮郎 悅, 祖 判官 進		예산縣監(~14, 파직)
徐宗秀	(성종25)	連山	父 參軍 義敏		定山縣監
徐趜	(성종8)	利川	父 郡守 遭, 祖 縣監 達		김포縣令(읍지)
徐岡	(세종~세조대)	이천	父 混, 祖 校理 晉	문(세종29)	大司成(방목), 論불법피화(세조대)
徐赿	(세조~성종대)	이천	父 直長 遇, 祖 寶文學士 晉	문(세조8)	進勇校尉(~세조8), 문과, 通訓大夫司憲持平(성종3, 5, 7), 군기判官(8), 兵曹正郎(8), 司憲掌令(9)
徐達	(세종대)	이천	父 判漢城 選, 祖 密直 遠, 장인 領議政 黃喜		前縣事(~9, 유배)
徐赴	(성종대)	이천	父 通政郡守 遭, 祖 縣事 達	문(3)	從仕郎(~3), 문과, 兵曹正郎(15), 司憲持平(방목)
徐山甫	(성종대)	이천	父 大司成 岡, 祖 混	문(17)	奮順副尉(~세조11), 문과, 司憲掌令(방목)
徐選	1367~1433	이천	父 密直 遠, 祖 內府判事 璡	문(태조2)	都事(~태종3), 議政府舍人(3), 刑曹議郎(4), 유배(4), 司憲掌令(5), 유배(5), 司諫院右司諫(8), 하옥(9), 부평郡守, 禮曹右參議(13), 同副·右副·左副·右·左承旨(13~17), 충청관찰사(17), 吏曹參議(17), 漢城府尹(세종1), 파직(2), 산릉도감提調(2), 경상관찰사(2), 刑(3)·吏曹參判

					(5), 同知摠制(6), 禮曹參判(6), 刑曹判書(9), 파직(9), 개성留守(10), 判漢城(11), 節日使(11), 都摠制府都摠制(13), 中樞使(14), 判漢城(14), 判漢城卒
徐綏	(문종~성종대)	이천	父郡守 矩, 祖郎 將 模		상원郡事(문종즉위), 行五衛司正(세조1), 世祖原從2등공신(1), 북청府使(~5, 유배), 都摠使龜城君李浚군관(13), 재령郡守(성종1)
徐愈	1356~1411	이천	父 司宰判事 孝孫, 祖 承旨 勗	문(우왕12)	司憲中丞(정종1), 諫議大夫(2), 侍講院左輔德(2), 左散騎常侍(2), 右副承旨(태종1), 佐命4등공신(1), 풍해관찰사(2), 利城君(9), 戶(9), 禮曹參判(9), 이성군(10), 이성군졸
徐允志	(세조~성종대)	이천	父府使 迥, 祖縣 監 係陵	(세조6)	안협縣監(성종1), 문과, 判官(방목)
徐峻	(세조대)	이천	父 縣監 孝男, 祖 正 祾		연기縣監(~7, 피죄)
徐晉	(태종대)	이천	형 愈	?, 문(1)	承政院注書, 의금鎭撫(~1), 兵曹正郎(17), 通政大夫軍器判事(방목)
徐昌	(성종대)	이천	父 參軍 擢, 祖縣 監 皞	무(족보)	別侍衛, 사량萬戶(18, 19)
徐陟	(태종2)	이천	형 愈		낭천縣監(읍지)
徐超	(세조~성종대)	이천	父 郡守 遭, 祖縣 監 達	무(족보)	都摠使龜城君李浚군관, 右射隊將(~세조13), 通政大夫安邊府使(성종7), 평양조전절제사(11)
徐迥	(세종~세조대)	이천	父 縣監 係陵, 祖 典書 補	문(세종26)	署令, 원종3등공신, 府使
徐灝(顥)	(태조4)	이천			평해郡事(읍지)
徐克哲	(성종대)	長城	父 興仁	문(16)	[연산이후: 兵曹參議]
徐簡	(세종8)				회인縣監
徐諫	(세종20)				풍기縣監(읍지)
徐居廣	(세종~세조대)				훈련원官(~세종29, 徙3년), 權知訓鍊參軍(세조1), 원종3등공신(1), 엉양縣監(읍지)
徐甄	(태종대)				司憲掌令(공양왕4, 고려), 전司憲掌令(12)
徐敬生	(세조~성종대)			환관	還告身(세조5), 翊戴3등공신(예종즉위), 嘉善大夫峯城君(1), 內官(성종17)
徐敬愚	(세종19)			역관	사역主簿
徐係稜	(태종~세종대)				전사재少監(태종17), 전知郡事(세종5), 判咸從縣事(8)
徐耆	(세조1)				내자尹, 원종3등공신
徐九成	(세종31)				驛丞
徐九淵					함양郡守(읍지)
徐貴龍	(정종2)				軍官

徐貴孫	(단종3)			환관	내시부左副丞直
徐鈞	(성종20)			역관	통사
徐克一	(조선초)				울진郡事(읍지)
徐金光	(태조대)			기(軍士)	태조잠저휘하軍士(태조총서)
徐今叱同	(단종1)				別監, 靖難有功
徐德生	(세종2)			역관	여진통사
徐都致	(성종23)				別監, 被鞫
徐得貴	(세조1)				五司司直, 원종3등공신
徐禮	(단종즉)				別侍衛, 파직
徐倫	(태조대)			문(5)	敎授(방목)
徐莫同	?~1477				別監(성종3), 別監物故
徐孟達	(세종14)				錄事
徐門敬	(단종1)				의정부知印
徐文命	(세종8)	父 補充軍 哲			재관
徐文寶	(성종14)				圖畫署9品遞兒
徐文殊	(세종8)				收官職
徐門湜	(단종~세조대)				令史(~단종1, 靖難有功, 仕滿去官), 令史(세조1), 원종3등공신(1)
徐思敏	(태종17)				楊花渡丞
徐省	(태종~세종대)			문(태종2)	司憲持平(~태종13), 파직(13), 工曹(16)·兵曹正郞(17), 從事官(세종1), 유배(1), 司憲掌令(8), 司諫, 大司諫(방목)
徐盛代	?~1455			환관	傳令內官(세종31), 行掖庭署謁者(단종즉), 피화(세조1)
徐省材	(세종1)				대마도정벌參戰
徐淑	(세종대)				前護軍(~5, 徒), 前將軍(~10, 유배)
徐順	(세조1)				前典律, 원종3등공신
徐崇禮	?~1467				別侍衛전사(直子陞資敍用)
徐軾	(세조1)				五司司勇, 원종3등공신
徐識	(성종대)				錄事(~14, 加資, 迎接都監從事功故)
徐安禮	(태종1)				高蠻梁千戶
徐彦	(태조대)			기(軍士)	태조잠저휘하軍士(우왕6, 태조총서)
徐永南	(세조대)				牽馬去官(~14, 敍用)
徐永生	?~1489				회령甲士복주
徐遇賢	(단종2)				齋郞(參奉), 仕滿去官
徐元奇	(태종5)				說諭여진
徐原弼	(세종12)				전司僕少卿
徐越					時稱萬戶, 경성府使(읍지)

徐孺	(세종3)				전라別牌
徐有山	(성종대)			역관	對馬宣慰使통사(7), 대마경차관통사(25)
徐乙寶	(태종12)				전典書(居高州)
徐義	(단종~세조대)			환관	환관
徐義珍	?~1435				大串萬戶익사
徐益誠	(세조6)			음관	典樂, 원종3등공신
徐仁達	(성종대)			역관	왜통사(13, 18)
徐仁道	(세종대)				선공正(~15), 別窯別坐(15), 선공判事(17)
徐仁庇	?~1398			기(잠저태조휘하)	태조원종공신(태조1), 사재監졸
徐自明	(성종22)				서북면都元帥許琮隨從甲士
徐勤	(태조~세종대)				태조원종공신(태조1), 戶曹正郎(태종17), 副正(18), 전평안經歷(세종3), 僉知通禮使(3)
徐績	(세조3)				전郡事
徐遭	(단종~세조대)				三軍鎭撫(단종1), 知郡事(세조1), 世祖原從2등공신(1)
徐存	(단종~성종대)				환고신(단종2), 加資(성종24, 친제耆民)
徐宗俊	(정종~태종대)				司憲監察(~정종2, 파직), 평창郡事(태종10), 知司諫(~11, 파직)
徐仲誠	(세조1)			의관	錄事, 원종2등공신
徐仲誠	(예종~성종대)			의관	의원(예종즉위), 전의正(성종4)
徐鷲	(세종대)			기(14, 효행)	敍用(14, 知禮縣학생, 孝行故)
徐止敬	(세종9)				금성縣令
徐智文	(세조대)		父 孝孫, 祖 彌	?, 문(3)	錄事(~세조3), 문과, 司諫院正言(성종1), 校理(방목)
徐志學	(세조~성종대)			문(세조6)	郡守(방목)
徐晉	(세종9)				榮川郡守(읍지)
徐澄	(성종6)				선농제雜樂令
徐處恭	?~1461				의주甲士익사
徐千壽	(성종대)				司果, 禦侮將軍(~6), 安奇道察訪(6, 성종6, 1, 병인)
徐哲	(세종대)				隊副(~8, 收職牒)
徐就	(태종대)				司憲監察(~12, 피죄)
徐致	(태종대)				유배(12), 행랑조성監役官(~15, 피죄)
徐致淮	(세조1)				五司司直, 원종2등공신
徐沈	(세종대)				갑산郡事, 僉知中樞(15), 전라水軍處置使(16)
徐賀	(세종9)			의원	前食醫, 敍用
徐漢	(성종18)				춘궁조성도감郎廳
徐皓	(세종대)				司憲監察(~11, 파직)

사

徐混	(세조6)				청송府使(읍지)
徐效虞	(세조대)		父 俊智	문(3)	校書著作郎(7), 司憲掌令(방목)
徐厚	(성종25)				從仕郎藝文檢閱
徐興禮	(단종~세조대)		형 興儀, 제 興信	기(효행)	隊副(1, 홍원土官), 전陵直(~세조2), 敎導(2)
徐興信	(단종대)			기(1, 효행)	隊副(1, 홍원土官)
徐興義	(단종대)			기(1, 효행)	隊副(1, 홍원土官)
石琚	(태종대)	忠州	父 摠郎 仁正, 祖 直提學 文成	음	五衛副司直(~13, 승진, 父 造官衙功故)
石仁正	(태종대)	충주	父 直提學 文成, 祖 提擧 汝明		前摠郎(~13), 判事致仕(13)
石加老	(세종31)				在官
石根	(성종대)			기(14, 효행)	授賞職(14)
石蟾	(단종~예종대)			역관	통사(단종1), 世祖原從3등공신(1), 사역正(예종즉위)
石淵深	(세조12)			환관	환관
石子議	(단종~예종대)				五衛司正(~단종1), 司僕寺官(1), 五衛司直(세조1), 世祖原從2등공신(1), 兼司僕(4)
石自義	(예종대)				破敵衛(~1, 超2資準職敍用, 捕南怡功故)
石浩	(세종25)				鎭撫(고령)
宣尙謹 (根)	(예종1)	寶城	父 時正, 祖 龜齡		內禁衛, 보성郡事
宣重倫	(성종10)	보성	父 遇賓, 祖 左通禮 尙進		대정縣監(읍지)
宣憲		보성			울진郡守(읍지)
宣炯	(단종~성종대)	보성	父 府使 和, 祖 郡守 光裕		경흥府使(단종2), 判事(세조1), 世祖原從2등공신(1), 경상좌도水軍處置使(2), 안주牧使(6), 嘉善大夫僉知中樞(6), 漢城府尹(6), 종성府使(6), 五衛上護軍(6), 都體察使韓明澮從事官(6) 회령兵馬節制使(6), 인수府尹(9), 中樞副使(10), 漢城府尹(10), 의주牧使(12), 황해절도사(13), 刑曹參判(13), 僉知中樞(13), 敵愾3등공신, 황해兵馬水軍節度使楡城君(13), 西征右將(예종1), 資憲大夫(1), 경기관찰사(성종1), 佐理4등공신(2), 영안북도절도사(2), 正憲大夫유성군(3, 4, 5), 知中樞(8), 刑曹參判(13), 僉知中樞(13)
宣化(和)	(세종8)	보성	父 郡守 光裕, 祖 典書 安赫		損失敬差官
宣敬眞	(세종11)				덕천郡事
宣教	(세종23)				司憲監察
宣三達	(세종16)				龍潭縣令

宣錫年	(세종~세조대)				行副司正咸吉道都巡檢使(세종18), 五司上護軍(세조1), 世祖原從2등공신(1), 五衛衛將(3), 行五衛司直(4)
宣碩弼	(성종대)				평안도군관(~24, 加資, 秋坡防禦功故)
宣崇烈	(세종14)				昭格殿直
宣允沚	(태조7)				경기右道程驛使
宣存義	(태종~세종대)			역관	賀正使통사(태종3), 奏聞使(13), 僉知司譯院事(16), 大護軍(세종3년이전)
宣孝光	(세조대)				웅천縣監(~12, 파직)
宣孝祥	(세종21)				전문화縣監, 被鞫
偰慶壽	(태조대)	慶州(회흘)	父 元崇文監 遜, 자 同知中樞 循	문(우왕2)	按廉使, 교서監
偰耐	(태종~세종대)	경주	父 判三司 長壽, 祖 元崇文監 遜	역관	봉상令(태종7), 사역(9), 예빈判事(세종13)
偰眉壽	1360~1415	경주	父 元崇文監 伯僚 遜, 祖 哲篤	문(우왕2)	司農判事(태종1), 僉知中樞(2), 戶(2)·刑(3)·兵曹典書(3), 中軍摠制(6), 參知議政府事(6), 判漢城(7), 知議政府事(7), 工曹判書(8), 知議政府事(8), 判漢城(10), 禮曹判書(10, 14), 檢校議政府右參贊(14), 右參贊(14), 參贊졸
偰循	(태종~세종대)	경주	父 校書監 慶壽, 祖 富原侯 遜	문(태종8), 중(세종9)	禮曹佐郎(태종18), 成均直學, 應教(~9), 문과중시, 吏曹右(세종16), 吏曹參議(16)
偰猷	(세종~문종대)	경주	父 檢校參贊 眉壽	무(세종11)	護軍(세종13), 동래(17), 옥구兵馬使(21), 동래縣事(~23, 追徵장물), 五司護軍(~문종1), 五司司正(1)
偰長壽	?~1399	경주	父 富原侯 遜	?, 문(공민왕11), 원 귀화인	政堂文學(우왕14), 유배(태조1), 사역提調(3), 判三司(5), 사은사(6), 원종공신(6), 判三司月城君(7), 하정사(7), 진향사(정종1), 判三司졸
偰振	(세종대)	경주	父 判三司 長壽, 祖 富原侯 遜	역관	右軍副司直(9), 진하통사(17)
偰衛	세종대				전護軍(~8), 世子朝見타각부(8), 영접도감副使(14)
偰從	(세조1)				行判官, 원종3등공신
偰琛	(세조~성종대)				命敍用(세조11), 영광郡守(성종1)
薛繼祖	?~1467	淳昌	父 直長 繡,] 祖 摠郎 凝		靖難3등공신(단종1), 五司副司直(1), 龍驤司護軍(1), 宗親府副典籤(세조1), 典籤(1), 군기副正(2), 司僕(3), 내자少尹(3), 折衝將軍五衛上護軍(8), 五衛衛將(8), 護軍(8), 경상우도수군처치사(9), 안주牧使(11), 玉川君(11), 옥천군졸
薛群	(태조대)	순창	父 師德	문(공민왕17)	典書

薛成	(세조1)	순창			行五衛司正, 원종2등공신
薛順祖	1430~?	순창	형 繼祖		五司副司直(세조1), 世祖原從2등공신(1), 都摠使龜城君李浚군관(13), 通政大夫濟州牧使(성종4), 평안조전절제제사(11), 부산진첨절제사(14), 通政大夫尙州(17), 星州牧使(21), 김해府使(24), 황주牧使(25)
薛英(崇)祖	(세조4)	순창	형 孝祖		영유縣令(읍지)
薛緯	(세종~단종대)	순창	父 摠郞 凝, 祖 典書 安統	?, 문(세종1)	敎導(~세종1), 문과, 강원經歷(21), 成均司成(단종즉위), 大司成(방목)
薛存		순창	서 順平君 蕓生		사재判事(선원세보기략)
薛柱	(성종대)	순창	父 判書 繼祖, 祖 直長 繡	음(성종24, 功臣嫡長故)	사도主簿(24, 功臣嫡長故)
薛孝祖	(세종~세조대)	순창	형 繼祖	무(세종17)	別侍衛(세종18), 안무사(세조1), 世祖原從2등공신(1), 제주牧使(4), 工曹參議(4), 折衝將軍五衛上護軍(8), 五衛衛將(8), 護軍(8)
薛經	(태종대)				戶曹正郞(~12, 파직)
薛孟孫	(성종대)			환관	내시부尙傳(~2, 收職牒), 承傳色(10), 내시부尙傳(19), 承傳色(23)
薛茂林	(성종대)				前府使(6), 折衝將軍慶尙左道節度使(9), 通政大夫청송(18), 성천府使(23)
薛晳	(세종대)				五衛副司正(~9, 파직, 奸甘同故), 刑曹都官佐郞(19)
薛晟	(세조대)				담양府使(~12, 파직)
薛成林	(세조3)				경성鎭撫
薛崇	(정종2)				전典書(정종2), 유배(2, 坐李芳幹)
薛澳	(세조2)				단천郡守(읍지)
薛儞	(태조대)			문(공민왕23)	世子右副賓客
薛丁新	?~1467				主簿(세종23), 증산縣監(문종1), 五司護軍(세조1), 世祖原從3등공신(1), 선천郡守(3), 僉知中樞兼全羅水軍按撫處置使(4), 의주牧使(6), 갑산郡事(~7), 五衛大護軍(7), 同知中樞(9), 嘉善大夫慶源府使(10), 同知中樞(10), 護軍(11), 전라水軍處置使(11), 上護軍(11), 길주牧使전사(13)
薛澄新	(세종10)				길주牧使(읍지)
薛昌新	(세조대)				進勇校尉(1), 원종2등공신(1), 당진縣監(~12, 收告身)
薛春信	(세조1)				五衛司勇, 원종3등공신
薛俌	(태종대)				成均司成(3), 겸종학博士(3), 元子左諭善(4), 인령부左司尹(7), 세자입조書狀官(7), 侍講院

조선초기 관인 이력

					輔德, 司諫院左司諫, 禮曹右參議(8), 禮曹右參議兼輔德(8), 공안府尹兼世子副賓客(10)
葉千枝	(성종대)	慶州	父 別坐 平仲, 祖 判官 贊	?, 문(16)	단양訓導(~16), 문과, 成均典籍(방목)
葉孔賁	?~1424			역관	사역주부, 사신押物官졸
葉孔秦	(세종1)			역관	사은사통사
葉漢龍	(세종3)				突山萬戶
成可義	(세조~성종)	昌寧	父福同, 祖孝祥	문(세조6)	문화縣令, 參判(방목)
成侃	1427~1456	창녕	父 漢城判尹 念祖, 祖 知中樞 揜	문(단종1)	弘文校理졸
成槪(槩)	?~1440	창녕	父 寶文大學士 石瑢, 祖 侍中 汝完	음, 문(태종16)	主簿(~태종16), 문과, 禮(세종5)·戶(7)·吏曹參議(8), 同知摠制(9), 兵曹參判(9), 左軍同知摠制(10), 사은副使(10), 모상(10), 工曹右參判(16), 경기관찰시(16), 전경기관찰사졸
成健	1438~1495	창녕	父 刑曹參判 順祖, 祖 判中樞 揜	음, 문(세조14)	參奉(~세조14), 문과, 成均典籍(14), 具致寬從事官(성종1), 經筵侍讀官(4), 藝文校理(6), 通訓大夫司憲持平(6), 成均直講(7), 司僕僉正(8), 司憲掌令(10), 司僕僉正(10), 司憲執義(13), 弘文典翰(13), 直提學(13), 副提學(11), 同副·右副·左副·右·左·都承旨(14~17), 경기관찰사(17), 禮(18)·兵曹參判(18), 大司憲(18), 僉知中樞(18), 사은사(19), 同知中樞(19), 經筵特進官(20), 工(20)·刑曹判書(22), 議政府右參贊(22), 吏(22)·吏曹判書兼世子左賓客(22), 禮曹判書(22), 知中樞(23), 刑曹判書(24), 刑曹判書졸
成繼曾	(세조~성종대)	창녕	父君龜壽, 祖參議 志道	음	함평縣監(~세조11, 파직), 郎將(예종즉), 예천郡守(성종2, 파직), 五衛副司猛(~3, 유배)
成懼	(세종23)	창녕	父 右議政 奉祖, 祖 知中樞 揜	음	敍用, 郡守(족보)
成貴達	(세조~성종대)	창녕	父 府尹 得識, 祖 贊成事 抑		訓導(세조1), 世祖原從3등공신(1), 겸선전관, 충청水軍處置使(10), 파직(11), 遭喪(13), 의주牧使(13), 충청兵馬節度使(예종즉), 파직(1), 通政大夫兵曹參知(성종6), 兵曹參議(6), 同知中樞(8), 平安兵馬水軍節度使, 漢城左尹(10), 同知中樞(10) 한성좌윤(11), 僉知中樞(11), 吏曹參判(12), 파직(13), 西征선봉장, 同知中樞(16), 훈련都正(20)
成龜壽	(세종~세조대)	창녕	父 參議 志道, 祖 領議政 石磷	음(조부)	副司直(세종20), 僉知中樞(세조12)
成念祖	1400~1450	창녕	父 同知中樞 揜, 祖 禮曹判書 石珚	음, 문(세종1)	直長(~세종1), 문과, 司憲監察, 司諫院正言, 禮曹佐郎(5), 司憲持平(6), 파직(7), 持平(7), 吏曹正郎(9), 司憲掌令(10), 議政府舍人(12), 掌

					令(13), 司憲執義(15), 사직(15, 父病故), 부상(16), 同副(19)·右(20)·左副(20)·右(20)·左承旨(21), 吏曹參判(23), 하정사(23), 경상관찰사(24), 경창府尹(25), 司直(25, 病故), 兵(26)·刑曹參判(28), 判漢城(28), 개성留守(29), 司直(29, 病), 僉知中樞(29), 知中樞(32), 전知中樞졸
成達生	1376~1444	창녕	제 概	음(공양왕2), 무(태종2, 중(10)	郎將(공양왕2, 고려), 護軍(~정종2), 무과, 大護軍(태종2), 흥덕진兵馬使(7), 무과중시, 예빈判事(10~11), 神武侍衛司첨절제사(11), 嘉善大夫星州牧使(13), 경성절제사(15), 中軍同知摠制(16), 전라관찰사兼兵馬節制使(17), 同知摠制內禁衛3番절제사(~세종즉, 파직) 함길兵馬都節制使兼判吉州牧使(즉), 中軍摠制(1), 삼도水軍處置使(1), 左軍同知摠制(1), 左軍摠制(2), 경상우도水軍都節制使(2), 左軍摠制(4), 資憲大夫평안관찰사(4), 파직(5), 총제(6), 평안都節制使(7), 工曹判書(9), 진응사(9), 都摠制都摠摠(10), 함길都節制使(13), 함길都節制使兼判吉州牧使(14), 함길都節制使(16), 崇政大夫知中樞(17), 判中樞(22), 判中樞졸
成聘年	(성종대)	창녕	父 校理 熺, 祖 參判 概	음, 문(1)	參奉(~성종1), 문과, 藝文修撰(~8), 司諫院正言(8), 工曹正郎(10), 校理(방목)
成得識 (植)	(세종~세조대)	창녕	父 知中樞 揜, 祖 禮曹判書 石珚	음	知司諫(세종23), 司僕判事(~30), 僉知中樞(30, 문종즉위), 吏曹參議(즉), 同知中樞(2), 성절사(2), 中樞副使(단종2), 파직(2), 中樞副使奉朝請(세조5)
成發道	?~1418	창녕	父 領議政 石璘, 祖 侍中 汝完	음, 무(태종2)	知司諫(태종1), 中軍同知摠制(6), 전라兵馬節制使(7), 左軍摠制(8), 경기좌도都節制使(9), 胡賁侍衛司摠制(11), 左軍都摠制(11), 內禁衛右2番절제사(12), 刑曹判書(13), 파직(14), 判漢城(15), 刑曹判書(16), 判漢城(16), 工曹判書(17), 議政府參贊(17), 전參贊졸
成奉祖	1401~1474	창녕	형 得識	음	順承府行首, 한성少尹(세종11), 풍덕郡事(12), 司憲掌令(22), 知司諫(23), 同副(23)·右副承旨(25), 刑曹參議(25), 通政大夫全羅兵馬節制使(25), 工(25)·刑曹參議(25), 僉知中樞(25), 刑曹參議(26), 경상관찰사(26), 戶曹參議(26), 충청관찰사(27), 嘉善大夫경상都節制使(29), 전라관찰사(31), 漢城府尹(문종1), 大司憲(2), 中樞副使(2), 진하사(26), 刑曹參判(단종1), 함길관찰사(1), 知敦寧(세조1), 世祖原從1등공신(1), 崇政大夫知敦寧(1), 工(2)·刑曹判書(2), 議政府右參贊(3), 吏曹判書(4), 右參贊(5), 左

					參贊(9), 議政府右贊成(9), 右贊成兼判戶曹事(13) 輔國崇祿大夫領中樞(14), 佐理3등공신領中樞昌城府院君(성종2), 議政府右議政(2), 昌城府院君(5), 府院君졸
成溥	1359~?	창녕	父 大提學 士達, 祖 知奏事 彦臣	?, 문(우왕6)	署令(고려), 巡軍知事(태조3), 전승문판사(세종22, 侍宴老人), 僉知中樞(28, 태종동방故特敍)
成敷錫	(태종대)	창녕	父 湑, 祖 之傑	문(1)	承政院注書(방목)
成三問	1418~1456	창녕	父 知中樞 勝, 祖 判中樞 達生	문(세종20), 중(29)	集賢殿修撰(세종28), 直集賢殿(29), 집현直提學(문종1), 副提學(1), 司諫院右司諫(1), 靖難3등공신(1), 左司諫(1), 집현副提學(2), 禮曹參議(2), 同副(3)·右副承旨(세조1), 佐翼2등공신(1), 左副承旨(2), 피화(2)
成三聘	?~1456	창녕	형 三問		府使(~세조2), 피화(2)
成三省	?~1456	창녕	형 三問		正郎(~세조2), 피화(2)
成石璘	1338~1423	창녕	父 侍中 汝完, 祖 版圖摠郎 君美	문(공민왕6)	昌原君(고려), 三司左使, 門下侍郎贊成事, 判開城, 判漢城府事, 태조원종공신, 西北面都節制使평양윤, 門下贊成事, 左政丞, 佐命3등공신昌城府院君, 議政府領議政, 右·左·領議政, 府院君졸
成石珚	?~1414	창녕	형 石璘	문(우왕3)	강원(태종3), 충청관찰사(5), 右軍摠制(6), 大司憲(7), 藝文大提學(7), 파직(8) 刑(8)·戶曹判書(9), 파직(9), 禮曹判書(14), 禮曹判書졸
成石瑢	?~1403	창녕	형 石璘	문(우왕2)	開城留侯(~태조6), 부상(6), 大司憲(7), 전개성유후졸
成世明	1447~1510	창녕	父 吏曹判書 任, 祖 判中樞 念祖	문(성종6)	司諫院正言, 司憲持平, 弘文典翰, 司憲執義, 典翰, 副提學[연산이후: 大司諫, 知敦寧(방목)]
成世純	1463~1514	창녕	父 忠達, 祖 漢城庶尹 得識	문(성종23)	[연산이후: 大司憲]
成世貞	1460~?	창녕	형 世純	문(성종20)	[연산이후: 예조正郎兼承文校理, 大司憲]
成壽嶙(璘)	(단종~성종대)	창녕	父 以恭, 祖 路	문(단종2)	권지正字, 世祖原從2등공신, 承政院注書, 司諫院正言(방목), 弘文校理
成守恒		창녕	父 判書 紀	?, 문(우왕6)	철원府使
成俔	?~1504	창녕	父 觀察使 順祖, 祖 知中樞 揄	음, 문(세조2)	전戶曹佐郎(~세조11), 문과, 議政府舍人(예종1), 通訓大夫承文校校(성종2), 弘文直提學經筵侍講官(10), 弘文副提學(11), 兵曹參議(12), 大司諫(14), 僉知中樞(15), 折衝將軍全羅兵馬節度使(18), 僉知中樞(18), 刑(18)·戶曹參議(18), 嘉善大夫漢城府尹(18), 경상관찰사(19), 황해관찰사(21), 同知中樞(22)[연산10: 피화]

成順祖	(세조~성종대)	창녕	형 念祖		知司諫(세조5), 府使(6), 世祖原從3등공신(6), 僉知中樞(7), 吏曹參議(예종1), 通政大夫강원관찰사(성종2), 刑曹參判(3), 同知中樞(3)
成勝	?~1456	창녕	父 判中樞 達生, 祖 大提學 石瑢	무(족보)	兼司僕, 大護軍, 경상兵馬節制使, 창성첨절제사, 中樞副使, 都鎭撫, 경상우도처치사, 中樞副使, 判義州牧使, 충청수군도처치사, 兵馬都節制使, 中樞使, 同知中樞, 知中樞(~세조2), 피화(2)
成愼義	(성종대)	창녕	父 郡守 重識, 祖 左贊成 抑	문(성종17)	禮曹正郎(방목)
成安重	(성종대)	창녕	父 祐, 祖 郡事 自諒	?, 문(23)	訓導(~23), 승문교리(방목)
成抑	1386~1448	창녕	형 揆	음	供正庫主簿, 군자副正(~태종14), 부상(14), 大護軍(14), 同副承旨(16), 左軍同知摠制(17), 敬承(18)·順承(18)·경창(세조1)·경순(3)·인수府尹(3), 左軍摠制(5), 전라관찰사(7), 工曹參判(7), 右軍摠制(8), 都摠制(9), 母喪(9), 左軍摠制(11), 工曹判書(12), 都摠制(12), 주문사(13), 議政府參贊(13, 14), 성절사(15), 工曹判書(17), 議政府右贊成(21), 中樞使(24), 判中樞(26, 27), 判中樞兼判兵曹事(28), 判中樞졸
成揆	?~1434	창녕	父 判書 石珚, 祖 侍中 汝完	문(정종2)	司憲監察(~정종2), 파직(2), 司憲持平(~태종5), 유배(5), 戶曹正郎(~9), 파직(9), 司憲執義(17), 同副·右副·左副·右·左承旨(18~18), 刑曹參判(18), 右軍同知摠制(세종1), 左軍摠制(1), 강원관찰사(1), 漢城府尹(2), 戶曹參判(3), 大司憲(4), 右軍同知摠制(4), 右軍同知摠制겸황해관찰사(5), 兵曹參判(6), 右軍摠制(7), 吏(8)·戶(8)·兵曹參判(9), 判漢城(9), 평안관찰사(11), 請遞(12), 파직(13), 右軍摠制(14), 同知中樞(14), 同知中樞졸
成汝完	1309~1397	창녕		문(충숙복위5)	典法判書, 해주, 충주牧使, 簽書密直, 政堂文學(고려), 檢校門下侍中(태조1), 昌寧府院君졸(태조잠저친우)
成玩	(성종8)	창녕	父 直長 孝淵, 祖 僉知中樞 溥		戶曹佐郎
成允文	(세조~성종대)	창녕	父 郡事 善, 祖 翼之	문(세조3)	通仕郎(~세조3), 문과, 五衛司勇(3), 世祖原從3등공신(3), 한성參軍(3), 吏曹佐郎(5), 正郎(8), 議政府舍人(~12), 司諫院司諫(12), 成均司成(12), 左副承旨(13), 工曹參判(예종즉), 경기관찰사(1), 경기관찰사兼開城留守兵馬水軍節度使(성종1), 同知中樞황해관찰사(3), 刑曹參判(4), 同知中樞겸충청관찰사(5), 파직(6),

조선초기 관인 이력

					漢城左尹(6)
成允祖	1459~1509	창녕	父 可義, 祖 福同	문(성종23)	藝文檢閱, 待敎(방목)[연산이후: 漢城右尹(방목)]
成慄	(세조~예종대)	창녕	父 右議政 奉祖, 祖 知中樞 捭		行陵直(세조1), 世祖原從3등공신(1), 司憲持平(7), 刑曹佐郎(9), 司贍副正(~예종1), 工曹參議(1)
成任	1421~1484	창녕	父 知中樞 念祖, 祖 判中樞 捭	음, 문(세종29), 중(세조3)	健元陵直(~세종29), 문과, 承文院注書(30), 成均主簿(32), 兵曹佐郎(단종즉), 집현副校理(2), 吏曹正郎(세조1), 直藝文館(~3), 문과중시, 군기判事(3), 僉知中樞(4), 工曹參議(5), 同副·右副·左副·右承旨(5~6), 都承旨(7), 吏(7)·工曹參判(8), 中樞副使(8), 工(9)·刑曹參判(10), 전라관찰사(10), 인수府尹(11), 戶曹參判(12), 刑曹判書(12), 中樞使(13), 吏(13~예종1), 工曹判書(성종2~5), 개성留守(7), 知中樞(7), 議政府左參贊(13), 知中樞(13), 知中樞졸
成自諒	(세종대)	창녕	父 踁, 祖 萬庸	?, 문(1)	敎導(~1), 문과, 承政院注書(1), 司諫院右正言(8), 左正言(~8, 파직), 청송郡事(21)
成載	(태종~세종대)	창녕	父 仲庸, 祖 侍中 乙臣	무(족보)	護軍(~태종12, 파직), 水軍僉節制使(세종2), 영해府使(읍지), 판의주牧使(5)
成俊	1436~1504	창녕	형 俶	문(세조5)	正字(세조6), 佐郎(10), 司憲掌令(예종1), 侍講院弼善(1), 成均司藝(성종1), 司諫院司諫(2), 折衝將軍五衛大護軍(2), 大司諫(2), 파직(4), 吏曹參議(7), 五衛司直(8), 吏曹參議(12), 右副·左副·右承旨(12~17), 刑曹參判(13), 刑曹判書(16), 영안관찰사(17), 大司憲(19), 吏曹判書(20), 議政府右參贊(21), 성절사(21), 영안북도절도사(22), 北征副元帥(22), 崇政大夫영안관찰사(23), 兵曹判書(25)[연산대: 議政府右贊成, 議政府右議政, 左議政, 領議政, 갑자피화]
成重識	(세조대)	창녕	父 判中樞 抑, 祖 判書 石珚		司憲監察(6), 봉산郡守(14)
成重淹	(성종대)	창녕	父 彭老, 祖 廉	문(25)	[연산이후: 弘文博士兼世子司經]
成志道	(세종16)	창녕	父 領議政 石璘, 祖 侍中 汝完	음	參議
成忠達	(세조대)	창녕	父 漢城府庶尹 得識, 祖 判中樞 抑		沈藏庫別坐(~9), 司憲監察(9)
成漢	(세종대)	창녕		문(8)	參判(방목)
成俔	1439~1504	창녕	형 俊	문(세조8), 중(성종7)	승문正字(세조8), 兼藝文館(10), 藝文檢閱(10), 議政府司錄(~12), 博士(12), 成均直講(예종1), 兼藝文館(성종1), 藝文修撰(3), 司憲持平

					(5), 한성判官(5), 校理(6~7), 문과중시, 사용正知製教(7), 弘文直提學(8), 승문判校(9), 弘文副提學(9), 大司諫(10), 大司成(10), 同副·右副·左副·右承旨(11~13), 掌隷院判決事(13), 工曹參議(13), 右承旨(14), 刑曹參判(14), 강원관찰사(14), 同知中樞(15), 僉知中樞(16), 천추사(16), 漢城左尹(16)·右尹(17), 평안관찰사(17), 同知中樞(19), 사은사(19), 大司成(20), 兼同知成均(21), 大司憲(24), 경상관찰사(24), 禮曹判書(24) [연산대: 判漢城, 工曹判書兼弘文大提學, 大司憲, 知中樞졸]
成栩	(세종대)	창녕	父 大提學 石瑢, 祖 侍中 汝完		司憲監察(~9, 파직), 장연縣監(~13, 체직)
成蹊	(태종대)	창녕	父 典書 萬庸, 祖 贊成 士弘		의령縣監(~17, 파직)
成孝祥	?~1427	창녕	父 正 者, 祖 副提學 大庸		해주判官(~태종12, 파직), 해주判官(세종2), 司憲監察(6), 강음縣監(9), 縣監졸
成孝源	(세조6)	창녕	父 僉知中樞 溥, 祖 大提學 士達		縣監, 원종3등공신
成熺	(문종~세조대)	창녕	父 參判 槩, 祖 大提學 石瑢	?, 문(문종즉위)	參軍(~문종즉), 문과, 교서校理兼承文校理(단종2), 유배(세조2, 坐端宗復位)
成希顔	1461~1513	창녕	父 判官 覘, 祖 直長 孝淵	문(성종16)	藝文檢閱(방목), 司諫院正言, 弘文校理[연산 이후: 군기副正, 西征都元帥 李季全 從事官, 同知中樞, 刑·吏曹參判 兼五衛都摠管, 行五衛副司勇, 靖國1등공신昌山君, 刑·吏曹判書, 昌山府院君兼判義禁府事, 實錄廳總裁官, 議政府右議政, 右議政兼全羅慶尙都體察使, 兵曹判書, 左議政, 領議政졸]
成希曾	(성종대)	창녕	제 希顔	문(11)	司諫院正言(17), 弘文館正字(방목), 校理(방목), 正郎
成繼性	(세종~성종대)				남부錄事(세종28), 회인縣監(~세조12, 파직), 옥천郡守(성종3)
成九淵	(세조~성종대)				行五司司正(세조1), 世祖原從3등공신(1), 內禁衛(성종23)
成揆	(세종대)				副司正(~9, 유배), 副司正(11)
成扱	(세종~문종대)				내자判官(~세종4, 파직), 인천郡守, 사재正(23), 원주牧使(24), 僉知中樞(문종즉위)
成大生	(세조대)				行五衛司勇(~3, 유배)
成老	(태조3, 4)				진보, 예안縣監(읍지)
成孟溫			장인 參贊 金謙光		別坐(김겸광비명)
成夢宜				무	장흥府使(읍지)

조선초기 관인 이력

成文治	?~1455				五衛護軍(~세조1, 充軍, 복주)
成伯英	(태조3)				諫官
成三龜					봉화縣監(읍지)
成世英	(세종23)				청도郡守(읍지)
成小積	(세종~세조대)				거제縣令(세종30), 行五司司正(세조1), 世祖原從3등공신(1)
成守謙	(성종대)				하양縣監(11), 개천郡守(~22, 체직)
成守卿	(태종9)				침장고別坐
成守良	(태종4)				예안縣監(읍지)
成秀才					제주牧使(읍지)
成叔儉	(성종22)				무장縣監(읍지)
成叔明	(성종3)			의관	전의僉正
成順仝	(성종대)				侍射무신(13), 거제縣令(20)
成廉	?~1425				前少尹(~세종7), 평양경차관(7), 出使중졸
成裕	(세조~성종대)				錄事(세조1), 世祖原從3등공신(1), 광흥창副使(~3, 파직), 전주判官(~성종2, 파직, 永不敍用)
成有智	(세조8)				回북경
成以乾	(세조대)				五司護軍(1), 원종3등공신(1), 영해府使(~4, 充軍), 전벽동郡事(~8, 收告身, 沒장물), 함길節度使康孝文군관(13)
成翌	(성종21)			무(21)	
成翼之	(태종~세종대)				홍천監務(태종11), 김화縣監(세종8)
成任金	(세종32)				成均主簿
成自達	(세조1)				五司司勇, 원종3등공신
成自潤	(세조대)				성환도察訪(~11, 파직)
成章	(세조1)				五司司正, 원종2등공신
成準	(성종23)				加資陞職
成重性	(세조~성종대)				五衛部將(세조9), 해남(예종즉), 목천縣監(성종18), 안주判官(23)
成之信	(세조11)				상원敎導
成晉	(세조대)				司憲監察(11), 兼藝文館(11)
成希哲	(성종대)				[연산2: 藝文奉教]
蘇起坡	(성종대)	晉州	父 孝軾, 祖 禧	무(족보)	五衛部將(22), 北征元帥許琮군관(22), 김제郡守·전라兵馬節度使(읍지)
蘇斯軾	(성종대)	진주	父 承文判校 禹錫, 祖 司僕判事 仁達	문(5)	前參奉(~성종7), 藝文檢閱(7), 世子司經(8), 경기都事(14), 禮曹佐郎(17), 工曹正郎(18), 府使(방목)
蘇榮	(성종9)	진주	父 辛, 祖 浩		侍衛무관, 府使(족보)

蘇禹錫	(세조~성종대)	진주			문(세조5)	승문判校(방목)
蘇好仁	1356~?	진주	父 義		문(태조2)	司憲監察(태종5)
蘇鈞	(세조1)					五衛副司正, 원종2등공신
蘇起東	(세조9)					內禁衛, 破敵衛衛將
蘇得之	(세조13)					都摠使龜城君李浚군관
蘇世安	(성종21)					봉산郡守
蘇雄弼	(성종7)					司僕判事卒
蘇仁達	(성종7)		父 司僕判事 雄弼			권지直長
蘇會	(세종대)					五衛司正(~8, 陞司直, 파직)
所弄可	(세조2)				여진귀화인	포주等處副萬戶(올량합)
所澄哥	(세조1)				여진귀화인	甫靑等處副萬戶
孫士明	(성종대)	慶州	父 登祖, 祖 玄儉		문(성종5)	승문校理(방목)
孫士(思)晟	(세종대)	경주	父 監察 登, 祖 中樞副使 玄儉			司憲監察(~8, 파직), 승문博士(11), 司諫院左獻納(26), 영천郡守(29, 읍지)
孫士溫	(세조8)	경주	형 士晟			음성縣監
孫昭	1433~1484	경주	父 參議 士晟, 祖 監察大夫 登		문(세조5)	승문正字(세조5), 承政院注書(8), 成均主簿(9), 兼藝文館(10), 兵曹佐郎(10), 종묘署令, 平虜將軍從事官(13), 敵愾2등공신內贍正(13), 공조參議(성종6), 嘉善大夫雞川君(3), 안동府使(4), 군(7), 진주牧使(7), 군(7), 雞林君卒
孫旭	?~1467	경주	제 昭		문(단종1)	刑曹佐郎(세조11), 함경경차관遇害(13)
孫仲暾	1463~1529	경주	父 參判 昭, 祖 參議 士晟		문(성종20)	藝文檢閱, 臺諫 [연산이후: 議政府參贊, 月川君]
孫元老	(성종대)	求禮	父 嗣興		문(8)	寺正(방목)
孫顧	(세조~성종대)	密陽	父 有文		문(세조14)	都事(방목)
孫蕃	(세조~성종대)	밀양	父 次綱		문(성종11)	내자判事(세조1), 世祖原從3등공신(1), 司憲掌令, 승문判校(방목)
孫比長	(세조~성종대)	밀양	父 順祖		문(세조10)	通禮院奉禮(세조10), 吏曹正郎(성종2), 藝文修撰(5), 敬差官, 通訓大夫司憲掌令(6), 藝文副提學(7), 大司諫(8), 右副(8)·左副承旨(8), 大司諫(8, 9), 파직(9) 假承旨(13), 工曹參議(17), 掌隷院判決事(17)
孫尙長	(성종대)	밀양	형 比長		문(3)	봉상直長(6), 경산縣令(14), 가산郡守(21)
孫敍	(문종~세조대)	밀양	父 少尹 元嗣, 祖 府尹 湊			三陟府使兼兵馬僉節制使(문종1, 읍지), 五衛護軍(세조3), 원종3등공신(3)
孫敍倫	(성종대)	밀양	父 參奉 順祖, 祖 縣監 文禮		문(3)	縣監(방목)
孫億	(단종대)	밀양	父 糾正 若水, 祖 縣監 仲堅			전옥別坐(1)

孫幼	(세종5)	밀양	父 左尹 孝貞, 祖 監務 松柏		전萬戶
孫閏(潤)生	(세조대)	밀양	父 郡守 幼, 祖 左尹 孝貞		都萬戶(1), 원종2등공신(1), 전현풍縣監(~12, 收告身)
孫以恂	(세종대)	밀양	父 承旨 承吉, 祖 門下評理 季卿		거제縣事(7), 司僕少尹(9), 世子朝見押馬官(9)
孫執經	(성종대)	밀양	父 孝行, 祖 現	문(11)	東學訓導(13), 진주敎授(~19), 成均典籍(19), 成均司成(방목)
孫纘祖	(세조대)	밀양	父 善復, 祖 節度使 以恂		산음縣監(~13, 파직)
孫昌	(세조~성종대)	밀양	父 진사 壽齡, 祖 監察 億	문(세조14)	展力副尉(~세조14), 문과, 奉訓郎藝文奉敎(성종2), 단성縣監(16), 成均典籍(20), 兵曹正郎(20)
孫衡(衛)	(세조1)	밀양	父 秀昌		五司副司直, 원종3등공신
孫寬	(태종~세종대)	一直	父 漢城判尹 永裕, 祖 代言 得壽		司憲監察(~태종13, 파직), 태인縣監(세종9)
孫原(元)裕	(태종9)	일직	父 代言 得壽, 祖 判事 洪亮		沈藏庫提擧, 判事족보)
孫肇瑞	(세종~세조대)	일직	父 府使 寬, 祖 左尹 永裕	문(세종17)	藝文檢閱, 兵曹正郎(문종1), 戶曹參議(방목)
孫舜孝	1426~1497	平海	父 郡守 密, 祖 郎將 有禮	문(단종1), 중(세조3)	慶昌府丞(단종1), 司憲監察(~세조3), 문과중시, 都事(3), 兵曹佐郎, 刑曹正郎, 司憲掌令(12), 藝文典翰(14), 司憲掌令(14), 昭格署令(성종1),兼藝文館(1), 通訓大夫司憲執義(1), 刑曹參議(2), 掌隷院判決事(5), 藝文副提學(6), 同副·右副·左副承旨(7~8), 刑曹參議(8), 左(8)·都承旨(9), 戶曹參判(10), 刑曹判書(11), 知中樞(11), 하정사(11), 경기관찰사(12), 工曹判書(13), 工曹判書兼世子左賓客(14) 崇政大夫大司憲(14), 判漢城(15), 兵曹判書(15), 議政府左參贊(16), 知中樞(16), 경상관찰사(16), 知中樞(17), 강원(17)·경상관찰사(17), 議政府右贊成(18), 判中樞(21) [연산3: 判中樞졸]
孫澍	(성종대)	평해	父 右贊成 舜孝, 祖 郡守 密	문(23)	承政院注書,司諫院正言, 弘文修撰[연산이후: 議政府參贊(방목)]
孫可興	(태종~세종대)				檢校漢城府尹(태종13), 同知敦寧(세종7)
孫敬宗	(세조1)				五衛司正, 원종2등공신
孫敬中	(세조1)				縣監, 원종3등공신
孫繼傛	(성종15)				命敍用(이조)
孫繼恭	(성종19)				通政大夫寧遠郡守
孫季良	(예종즉)				兼司僕

孫繼良	(성종대)				通政大夫경원府使(5), 안주(9)·정주牧使(9), 嘉善大夫五衛副護軍(11), 충청水軍節度使(13), 僉知中樞(16), 충청水軍節度使(18), 兵馬節度使(19)
孫季崟				문(세종23)	
孫季(繼)溫	(세조~성종대)				五衛司正(세조1), 원종2등공신(1), 充官奴(예종1)
孫繼祖	(세종~세조대)				평안동도관찰사감호관(세종27), 行五衛護軍(세조1), 世祖原從2등공신(1)
孫繼宗	(단종3)			역관	대마도경차관통사, 加資敍用
孫光衍	(세종9)				전千戶(안성), 울진郡守(읍지)
孫光裕	(태조6)				전密直
孫君達	(태종대)				군기直長(~14, 파직)
孫德	(성종8)				전의감관
孫得光	(태조대)				전郞將(~7), 收告身(7)
孫林	(세종17)				해주判官
孫明曉	(세조12)				萬戶
孫美玉	(태종~세종대)			문(태종14)	절일사檢察官(세종10), 金山郡事(17,~23, 유배)
孫敏	(단종1)				전곡성縣監
孫發	?~1431				금산敎授복주
孫贇					영해府使(읍지)
孫尙曾	(성종8)				別侍衛
孫生	(세종7)			환관	內官
孫城	(세종14)				진보縣監(읍지)
孫壽山	(세종~세조대)			역관	行司勇(세종27), 藝文奉禮郞(28), 世祖原從3등공신(세조1), 行五衛司正(4), 사역判事(9), 海靑진헌사(9)
孫壽永	?~1480				參西征中졸
孫倣	(성종11)		父 世祖原從功臣 次綿		忠贊衛
孫叔老	(세조1)				五司司正, 원종3등공신
孫叔老	(세조1)				陵直, 원종3등공신
孫筍	(문종대)				榮川訓導(~즉), 敎導(1)
孫順生	(예종1)				番上甲士(상주)
孫順仲	(태종8)				佐郞
孫億	(세조대)				錄事(1), 원종3등공신(1)
孫用中	(세종2)				副司正
孫用和	(세조8)				거창縣令(읍지)

孫禹場	(성종13)			命敍用
孫元孝	(성종대)			臺諫
孫渭	(성종대)			五衛部將(~14), 加資(14, 산릉공)
孫有文	(세종~문종대)			守令(세종대), 충청都事(문종즉위)
孫閏祖	(태종대)	父 府尹 興宗		大護軍겸지통례(~8, 파직)
孫益昌	(성종대)			[연산4: 은율縣監, 읍지]
孫日强	(세조1)			五司司勇, 원종3등공신
孫日宣	(세종대)		기(13, 효행)	隨才敍用(13, 慶山)
孫重根	(성종대)		역관	통사(10), 정조사통사(23)
孫止	(단종대)	자 若非	기(3)	학생(隨才敍用, 居가평)
孫之普	(태종15)			진보縣監(읍지)
孫眞	(성종6)			영안북도절도사呂義輔군관
孫次綿	(단종~예종대)	자 俶	?, 문(단종2), 발영(세조12)	訓導(세조1), 世祖原從2등공신(1), 안동敎授(4), 成均典籍(~12), 拔英試, 兵曹正郎(예종즉위), 司憲掌令(방목)
孫次純	(세조1)			行五司司正, 원종3등공신
孫策	(태종대)	父 興發(양인)		成均正錄(~17), 罷黜(17, 母 失行故, 세종14, 3, 3)
孫致京	?~1491			高沙里甲士전사
孫七星	(성종대)			전隊副(21), 加資(14, 親祭耆民, 年老故)
孫襃	(성종24)			맹산縣監
孫何		父 禋	문(세종8)	
孫旱雨	(성종8)			甲士
孫會	(정종~태종대)		문(정종1)	通禮院奉禮(방목)
孫孝文	(세종~세조대)		?, 문(세종29)	敎導(~세종29), 문과, 成均學正(~문종1, 파직), 成均學錄(단종1), 縣監(방목)
孫孝思	(세종18)			五衛副司直, 회령절제사李澄玉軍官
孫孝崇	?~1447			평양刑房主事복주
孫孝胤	(세조~성종대)			五司副司正(세조1), 世祖原從2등공신(1), 울산郡事(~6, 파직), 討李施愛獅子衛衛將(13), 五衛司猛(13), 만포절제사(14, 성종1)
孫孝子	(성종19)			나주牧使
孫喧	(태종16)			풍기縣監(읍지)
孫洽	(태종1)			전將軍, 유배(坐上王定宗)
孫興祖	(태종9)		환관	內官
孫興宗	(태조~태종대)			上將軍(태조1), 開國3등공신(1), 刑曹典書(~3), 中樞副使(3), 진헌사(3), 伊川君東北面兵馬節度使永興府尹(7), 承寧府尹(정종2), 이천군(~태종9), 유배(9)

宋仲文	(단종~세조대)	金海	父 관찰사 吉貞	무(족)	五司副司直(단종1), 훈련副使(세조1), 世祖原從1등공신(1), 五衛大護軍(2), 宣傳官(3) 경흥府使(4), 通政大夫鐵山郡守(8)
宋褒	1380~?	김해		문(태종2)	藝文待教(태종9), 포천縣令(~17), 파직(17), 司憲掌令(~세종10), 파직(10) 司憲執義(15), 전농尹(15), 直藝文館(16), 전농判事(16), 知刑曹事(18)
宋啓	(태종~세종대)	德山	父 郎將 璆, 祖 典書 文	문(태종14)	덕산縣監(세종7), 司憲掌令(방목)
宋元昌	(문종~성종대)	덕산	父 掌令 啓, 祖 郎將 璆	문(문종1)	刑曹正郎(성종8), 成均典籍(13), 縣監
宋仁昌	(세종~세조대)	덕산	父 掌令 啓, 祖 郎將 璆	문(세종14)	司諫院左獻納(문종1), 戶曹正郎(~단종2), 유배(2), 世祖原從3등공신(세조1), 司憲監察(5), 兼司憲執義(9), 府使(방목)
宋宜豪	(성종1)	新平	父 炎, 祖 府使 珠		장기縣監
宋欽	1459~1547	신평	父 可元, 祖 處般	문(성종23)	臺諫, 弘文館官[연산이후: 議政府贊成]
宋希景 (璟)	(태종~세종대)	신평	父 知州事 玄德, 祖 府使 謙		司諫院正言(~태종4, 유배), 司諫院左獻納(9), 동북면經歷(13), 금산郡事(15), 인령少尹(세종2), 대마도회례사(~2), 선공正(2, 대마도使 行功故陞)
宋吉昌		冶城	父 觀察使 構, 祖 平章事 綺		영해府使(읍지)
宋琳		야성	父 縣監 自啓, 祖 司直 休		判事(金德生행장)
宋千祐	(태종13)	야성	父 君 吉昌, 祖 觀察使 構		전判事, 收告身
宋希美	(태종~세종대)	야성	父 濟民, 祖 平章事 廉		전라水軍都按撫處置使(세종4), 都摠制府同知摠制(8), 謝恩副使(9), 右軍同知摠制(9~10), 경상右道水軍處置使(~11), 파직(11), 判慶源府使(17)
宋希瓊	(조선초)	彦陽	父 署令 九賢, 祖 少尹 興道		장기縣事(읍지)
宋琚	(성종대)	礪山	父 領敦寧 玹壽, 祖 知中樞 復元	음, 무(성종12)	內禁衛(6), 宣傳官(12), 歷淸要職(22)
宋居信	(태조~세종대)	여산	父 政堂文學 詹, 祖 贊成 壹山		別將, 郎將(태조4), 군자少監(태종1), 佐命4등공신(1), 大護軍(3), 礪良君(8~12), 別侍衛左2番節制使(12), 中軍都摠制(세종1), 資憲大夫礪山君(1), 判左軍都摠制府事(5), 輔國崇祿大夫礪山君(8~29), 礪山府院君卒
宋瓊	(문종~세조대)	여산	父 郡事 繼陽, 祖 典書 橲		在官(문종즉위), 안악郡事(~세조2), 통진縣監(2), 主簿(3), 世祖原從3등공신(3)
宋慶元	1419~1510	여산	父 郡守 治善	음(세조1)	전라都事(遯堅集)

조선초기 관인 이력

宋繼商	(세종16)	여산	父 參奉 寬,祖 成均直講 承祖		예안縣監
宋繼性	(세종대)	여산	서 守道正 德生		府使(선원세보기략)
宋繼陽	(세종7)	여산	父 典書 禧,祖 陵令 郊		전울산郡事
宋繼殷	(성종1)	여산	父 縣監 觀,祖 郡守 有徵		영안輸城道察訪
宋觀	(성종대)	여산	父 郡守 有徵,祖 正 祉		萬戶, 선공監役(4), 부안縣監(5)
宋克昌	1431~?	여산	父 倉丞 倫,祖 縣監 忠孫	문(단종1)	刑曹佐郎(~세조8), 파직(8), 경기都事, 예빈副正(성종7)
宋萬達	(세종~문종대)	여산	父 副正 辰生,祖 正 祉	무(족)	온양郡事(세종23), 都差使員(25), 行五司司直(문종1)
宋文琳	1411~1476	여산	父 承旨 仁山,祖 牧使 瑛	음, 문(세조3)	경덕宮直, 戶曹佐郎, 少尹(~세조3), 문과, 司憲掌令(3), 遭喪(3), 知司諫(4), 司憲持平(5), 司憲執義(5), 知兵曹事(7), 兵曹參議(7), 僉知中樞 전라관찰사(9), 中樞副使(11), 五衛上護軍(12), 평안사민순찰사(12), 충청관찰사(12), 大司諫(13), 파직(14), 東所衛將(14), 通政大夫大司憲(예종1), 龍驤衛上護軍(1), 戶曹參判(1), 告訃請諡使(1), 僉知中樞(1), 戶(성종1)·兵曹參判(1), 佐理2등공신礪城君(2), 吏曹參判(2), 礪城君졸
宋復	(태종~세종)	여산	父 令孫,祖 都摠制 珣	문(태종5)	창평縣令(세종2), 掌隸院判決事(방목)
宋福山	(세종~단종대)	여산	父 判牧使 瑛,祖 參議 允蓄	음(족)	전양성縣監(~6, 파직), 해주牧使(단종2)
宋復元	(세종~세조대)	여산	父 府使 繼性,祖 典書 禧, 서 永膺大君 琰		종부直長(세종12), 예빈主簿, 의영庫使, 통례判官(~27), 사재副正(27), 전농尹, 上護軍, 僉知中樞, 工曹參議(단종2), 中樞副使(2), 世祖原從2등공신(세조1), 僉知敦寧(2)
宋碩孫	?~1467	여산	父 府使 萬達,祖 副正 辰生		府使(세조1), 世祖原從3등공신(1), 온성절제사(11), 李施愛토벌중전사(13)
宋壽	(성종25)	여산	父 郡守 胤殷,祖 縣監 觀		隨闕敍用(이조)
宋叔琪	(세조~성종대)	여산	父 持平 福山,祖 判牧使 瑛	기(遺逸薦)	直長(세조1), 世祖原從2등공신(1), 장단郡事(7), 경기經歷(10), 司憲持平(1), 의금鎭撫(예종1), 풍덕郡守(성종5), 선공副正(8), 司瞻正(20)
宋軾	(성종대)	여산	父 府使 碩孫,祖 府使 萬達	문(21)	成均典籍(22)

宋瑛	?~1495	여산	父 司正 玎壽, 祖 知中樞 復元	음, 문(성종16)	司憲監察(예종1), 工曹正郎(성종11), 司憲掌令(12), 司憲持平(13), 掌令(14, 15), 府使(~성종16), 문과, 兵曹參知(16), 同副·右副·左副·右·左·都承旨(17~20), 工曹參判(20), 大司憲(20), 同知中樞(20), 戶曹參判(20), 경기관찰사(21), 僉知中樞(22), 吏曹參判兼世子右副賓客(22), 영안순찰사(23), 禮曹參判兼世子左副賓客(25) [연산대: 禮曹參判졸]
宋乙開	(태종~세종대)	여산	父 瑜, 祖 少尹 元美	문(태종5)	兵曹佐郎(~태종18, 유배), 成均主簿(세종19), 옥천군守(26, 읍지)
宋義孫	(세조대)	여산	형 碩孫	무(족)	五司副司直(1), 원종3등공신(1), 高嶺萬戶(7)
宋益孫	?~1482	여산	父 郡事 瓊, 祖 郡事 繼陽, 처형 左議政 洪達孫		선공直長(단종1), 靖難3등공신(1), 선공(3), 한성判官(3), 선공副正(세조2), 전농, 종부, 한성, 예빈少尹, 副知通禮門事, 世子右司禦, 선공判事(5), 僉知中樞(7), 礪山君(9), 嘉善大夫羅州牧使(9), 여산군(11), 同知中樞礪山君奉朝賀(예종1), 여산군(성종1), 行五衛副護軍졸
宋麟	(세조13)	여산	父 敎授 承山, 祖 將軍 萬康		加資(建州征伐防禦有功故)
宋仁山	?~1432	여산	父 牧使 瑛, 祖 參議 允蕃		刑曹佐郎(태종12), 의금都事(15), 司憲掌令(세종1), 경기經歷(2), 司憲執義(~7), 掌令(7), 知司諫(8), 知刑曹事(9), 都摠制府僉摠制(11), 刑曹參議(11), 右副(13), 左副承旨(13), 승지졸
宋軼	1454~1520	여산	父 都正 恭孫, 祖 府使 萬達	문(성종8), 진현(성종13)	弘文正字兼世子司經(~성종13), 進賢試, 博士(13), 侍講院文學(14), 司憲持平(16), 兵曹正郎(18), 司憲掌令(20), 弘文直提學(24), 副提學(25), 同副承旨(25) [연산이후: 右副·右承旨, 황해·평안관찰사, 刑·工·戶·吏曹參判, 겸동지춘추, 知義禁府事, 禮·刑曹判書, 경기관찰사, 禮曹判書, 靖國3등공신礪原君, 함경체찰사, 吏曹判書, 議政府右議政, 左議政, 領議政, 府院君졸]
宋瑛(典)	?~1435	여산	父 參議 允蕃, 祖 政丞 瑞		知殷州事(태종4), 한성少尹(7), 충청水軍都萬戶(7, ~13, 파직), 判羅州牧使졸(세종17)
宋玎壽	?~1455	여산	父 知中樞 復元, 祖 府使 繼性	음	五衛司正졸
宋齊岱	(정종~태종대)	여산	父 君璿, 祖 元尹 憚		藝文館學士(~정종2, 유배), 개성留侯(태종2)
宋辰生	(태종대)	여산	父 正祉, 祖 判事 仁蕃		전副正(~15), 監役官(15), 도성조성도감判官(16)
宋纘	(성종9)	여산	父 持平 福山, 祖 牧使 瑛		司憲監察

조선초기 관인 이력

宋昌	(성종대)	여산	父 世珩, 祖 郡守 演孫	?, 문(성종1)	訓導(~1), 문과, 成均典籍(~15, 陞4품)
宋千喜	(성종대)	여산	父 副正 克昌, 祖 丞倫	문(성종20)	藝文檢閱(방목), 承政院注書, 司諫院正言[연산이후: 知中樞, 吏曹判書(방목)]
宋春琳	(세조대)	여산	父 代言 仁山, 祖 牧使 瑛		直長(1), 원종3등공신(1), 司憲持平(~5), 파직(5), 司憲持平(5), 전라좌도點馬別監, 兼司憲掌令(8)
宋寊	(태종대)	여산	父 判事 允時, 祖 承旨 瑠	문(태종5)	司諫院右正言(9), 巡禁司司直(10), 兵曹正郎(~11, 파직)
宋玹壽	(세종~세조대)	여산	형 端宗國舅 玎壽	기(세종27, 永膺大君夫人故)	전구副丞(세종27, 영응대군부인故), 풍저창副使(단종2), 同知敦寧礪良君(2, 女 選端宗妃故), 知敦寧(2), 判敦寧(3)
宋瑚	(성종대)	여산	父 君 益孫, 祖 郡事 瓊		점마別監(6), 五衛部將(~8), 折衝將軍宣傳官(8)
宋虎生 ·	(세종대)	여산	형 辰生		비인縣監(~1, 방왜유공, 陞軍器副正), 풍천郡事(9)
宋斯(嗣)殷	(태종대)	延安	父 副司直 有良, 祖 政堂文學 偲		횡천監務(~11, 파직)
宋石堅	(세조대)	연안	父 縣監 嗣殷, 祖 副司直 有良		知世浦萬戶(6~7)
宋守殷	(세조대)	연안	형 嗣殷	문(4)	校書著作郎(7), 용궁縣監(~12, 充官奴)
宋有良	(세조대)	연안	父 政堂文學 偲, 祖 侍御使 雲龍	기(7, 明使 尹鳳故)	副司正(7, 윤봉故) 副司直(10, 明使故)
宋義剛	(세종3)	연안	父 郡守 田實, 祖 平章事 允庶		錄事(3), 은율縣監(15, 읍), 府使(족)
宋殷商	(성종대)	禮安		?, 문(12)	直長(~12), 문과, 승문校理(방목)
宋嚴卿	(세조대)	龍城	시조		郡事(1), 원종3등공신(1), 창성절제사(7)
宋繼祀	(세종~세조대)	恩津	父 副司勇 愉, 祖 克己		의금都事(세종25), 司憲監察(26), 主簿(세조1), 世祖原從3등공신(1)
宋順年	(예종~성종대)	은진	父 判官 繼祀, 祖 僉知中樞 愉	?, 문(예종1)	都事(~예종1), 문과, 禮曹正郎(성종3)
宋汝諧	1412~1510	은진	父 禮曹正郎 順年, 祖 持平 繼祀	음, 문(성종25)	參奉, 奉事, 直長, 한성參軍, 司憲監察, 刑·戶曹佐郎(~성종25), 문과, 司憲掌令(25), 奉列大夫司諫院獻納(25)[연산이후: 중추都事, 제용正, 禮曹參議, 안동府使졸]
宋遙年	1422~1499	은진	제 順年	?, 문(성종10)	別坐(세조6), 世祖原從3등공신(6), 군수(~10), 문과, 상주(성종13), 홍주牧使(17), 監正(방목)
宋誠	(성종대)	鎭川	父 僉知中樞 衣, 祖 郡事 翼	문(20)	[연산이후: 郡守]
宋啓後	(세종대)	진천	父 知中樞 箕, 祖 典書 光祐		내자直長(~27, 파직)

宋箕	(태종~세종대)	진천	父 典書 光祐, 祖 郡守 珩		刑曹佐郎(태종14), 司憲掌令(세종6), 경창少尹(15), 知中樞, 禮曹判書
宋翌	(태종~세종대)	진천	父 府使 愚, 祖 署令 琳		工曹佐郎(~태종14), 파직(14), 남양府使(12)
宋盤	(세종~세조대)	진천	父 匡輔, 祖 郡守 珩	문(세종21)	校書館正字, 少尹(세조3), 世祖原從3등공신(3), 府使, 通政大夫(방목)
宋連宗	(성종대)	진천	父 縣監 宣, 祖 少尹 啓後	문(8)	啓功郎(~8), 문과, 사은사書狀官(9), 兵曹佐郎, 刑曹正郎(방목)
宋愚	?~1422	진천	父 署令 琳, 祖 贊成 之伯	문(우왕2)	司憲執義(태종2), 평양도察訪(2), 左司諫(6), 禮曹參議(6), 藝文提學(7), 判定州牧使졸
宋胤宗	(성종대)	진천	형 連宗	문(8)	왕비봉숭도감郎廳(성종11), 전戶曹佐郎(13)
宋衣	(세종~성종대)	진천	父 郡事 翼, 祖 府使 愚		제용直長(세종24), 藝文奉禮(26), 佐郎(세조1), 世祖原從3등공신(1), 악학都監使(8), 折衝將軍五衛大護軍(2), 僉知中樞
宋儲	(태종~세종대)	진천	父 匡度, 祖 郡守 昭		巡禁司副司直(태종10), 홍천縣監(17), 司憲持平(세종4), 보성郡事(15), 평양少尹(23)
宋處儉	?~1460	淸州	형 處寬	문(세종16)	集賢殿副修撰(세종26), 兵曹正郎(문종1), 副知通禮(단종1), 少尹(세조1), 世祖原從2등공신(1), 僉知中樞(5), 日本通信使(5), 行五衛上護軍익사
宋處寬	1410~1477	청주	父 俱, 매부 司成 柳誠源	문(세종14), 중(29), 발영(세조12)	侍講院右正字(세종14), 司憲監察, 成均直講, 司憲持平(28), 承文校理(~29), 중시, 禮曹正郎(29), 청풍郡事(31), 승문判事(세조1), 집현副提學(1), 世祖原從2등공신(1), 吏曹參議(2), 假宣傳官(2), 禮曹參判(3), 주문사(4), 中樞副使(4), 同知中樞(6), 工曹參判(6), 주문사(6), 僉知中樞(7), 中樞副使(7), 僉知中樞(7), 中樞副使(7), 五衛上護軍(9), 中樞副使(~12), 拔英試, 資憲大夫護軍(12), 파직(성종4), 知中樞졸
宋瑚	1373~?	泰仁	父 之毅, 祖 守	문(태조2)	辨定院副使(방목)
宋守中	(세종~세조대)	興德	父 聞慶	문(세종23)	兵曹佐郎(~세종30), 杖流(30), 主簿(세조1), 世祖原從3등공신(1), 전副知通禮門事(10)
宋介臣	1373~?			문(태조2)	
宋傑	(성종대)				有職무신(~15), 훈련僉正(15), 태안郡守(20)
宋潔	(태조7)				司憲侍御使
宋謙	(태종10)				錄事
宋瓊	(태종9)			기(9, 女故)	忠佐侍衛司副司直(여 入明故)
宋敬持	(세조6)				학생, 원종3등공신
宋啓	(세조대)				成均直講(6), 원종3등공신(6)
宋繼商	(세조1)				司憲監察, 원종3등공신
宋繼璋	(세조11)				別侍衛

宋繼適	(세종17)				예안縣監(읍지)
宋繼宗	(성종대)			의원	醫官(~14, 命敍用, 영접도감공)
宋啓後	(세조6)				副錄事, 원종3등공신
宋公孫	(세조13)				內禁衛
宋恭孫	(성종대)				武官(5, 6, 能射)
宋郊	(성종19)				加資(親祀雅樂令故)
宋具	(세종21)				하양縣監
宋矩	(세종~세조대)				개성都事(세종12), 司憲掌令(17), 司憲執義(26), 예빈尹(26), 世祖原從3등공신(세조1)
宋權	(세종대)				전中郞將(~17), 4품司直(17)
宋貴	(세종3)			환관	환관
宋貴行	(세조3)			환관	行掖庭署謁者, 원종3등공신
宋克良	?~1419				판동래縣事(태종8), 知善州事(~11, 면직), 장흥府使(~15, 파직), 순천府使졸
宋克蟾	(태종대)				철원府使(~태종9, 유배)
宋沂	(태종9)				知沃州事(읍지)
宋耆	(세조1)				五司副司正, 원종3등공신
宋南直	(태종~세종대)				刑曹都官正郞(~태종12, 파직), 知鳳州事(~13, 피죄), 經歷(~세종1, 陞3품)
宋臺	(세종8)				진성縣監
宋滔	(세종대)			기(10, 효행)	命敍用(10, 이조, 울산생원, 孝行故)
宋得居	(태조5)				司衣司直
宋得師	(태조~태종대)				사재少監(태조3), 예빈卿(4), 경기우도水軍僉節制使(~태종14, 充水軍)
宋孟涓	(세조2)				전공主判官
宋孟容	(세조1)				縣監, 원종3등공신
宋孟現	(문종1)				전구署令
宋勉	(태종~세종대)				刑曹佐郞(태종4, 유배), 전농判官(10), 전知郡事(세종16)
宋命山	(태종~세종대)				刑曹佐郞(태종14), 司憲執義(세종7), 司憲持平(8), 刑曹正郞(9)
宋文中	(태조대)				교서判事(2), 원종공신(2), 左副承旨(2), 풍해都觀察黜陟使(5)
宋敏山	(세종대)				황간(9), 고창縣監(24)
宋復利	(세종대)				別侍衛(~세종9, 파직, 奸甘同故)
宋復明					연일縣監(읍지)
宋傅	(세조3)				萬戶, 원종3등공신
宋溥	(세종30)				서생포萬戶
宋斯敏	(태종2)				전將軍

宋師禹	(세조8)			환관	환관
宋思忠	(세조1)				承訓郎, 원종3등공신
宋庠	(단종대)			기(3, 효행)	隨才敍用(3, 여흥유학, 孝行故)
宋昔童	?~1456				果毅將軍(세조1), 世祖原從3등공신(1), 僉知中樞(2), 피화(2, 좌端宗復位)
宋石同	(문종즉위)	장인 判書 成發道			벽동郡事
宋碩孫	(세조1)				五司司直, 원종2등공신
宋宣	(세조6)				五衛司正, 원종3등공신
宋善忠	(세조~성종대)				別坐(세조8), 교하縣監(성종8~10)
宋成立	(태종~세종대)			역관	사역主簿(태종8), 司直(9), 世子朝見타각부(9), 右軍司直(11), 상의원別坐(12), 護軍(15), 진하사통사(18), 謝恩使沈溫종사관(~세종1, 囚禁)
宋成立	(세종6)				前主簿, 吹鍊銀別監
宋世琳					능주縣令(읍지)
宋世雨	(세종26)				司勇(理山군인, 偵探有功故)
宋守錫	(성종13)				命敍用
宋壽長	(성종1)				양구縣監
宋壽正	(성종대)				제용參奉(~24, 파직)
宋承積	(세종27)				萬戶
宋愼	(세조대)				顯信校尉甲士(~11, 陞宣略將軍)
宋諶	(성종10)			문(세조14)	전守令(10, 7, 무진)
宋安	(태종대)				於瀾梁水軍萬戶(~17, 파직)
宋筵	(태종1)				김제郡守(읍지)
宋廉	(태종대)				行司直(~태종1, 파직, 奸羅世女, 도피)
宋濂	(태종~세종대)				창평縣監, 공주判官, 都城修築差使員, 司膳署令(세종4)
宋玉山	(단종1)				司直, 除土官(孝行故)
宋愚祥	(세조6)				書吏, 원종3등공신
宋云富	(태종12)				동북면赴防甲士
宋元年	(세종24)				당진縣監
宋流	?~1402				護軍전사(討趙思義중)
宋瑠	(성종11)				풍저奉事
宋由禮	(세조12)	父 萬戶 鳘			錄事
宋有山	(세조1)				서운司曆, 원종3등공신
宋宥仁	(세종대)				정대마도3軍都體察使李從茂鎭撫(1), 결성縣監(24)
宋倫	(성종13)				司僕寺官

조선초기 관인 이력

宋倫	(세종대)			기(10, 효행)	命敍用(10, 이조, 안성학생, 孝行故)
宋允卿	1321~?				檢校漢城府尹(태종11)
宋允知	(세종대)			문(17)	主簿, 진보縣監(문종1, 읍지)
宋允和	(단종대)			기(2, 효행)	隨才敍用(2, 김해)
宋殷	(태종~세종대)			?, 문(태종14)	풍저丞(~태종14), 문과, 兵曹佐郎(~세종7), 파직(7)
宋乙					하양縣監(읍지)
宋義蕃	(태종4)				전典書
宋因	(태조~태종대)				司憲侍御使(~태조4, 유배), 상주, 나주牧使(태종1, 읍지), 司諫院右司諫(~태종2, 파직), 左司諫(4), 강원都觀察黜陟使(10)
宋因禮	?~1466				進勇校尉(세조1), 원종3등공신(1), 別侍衛(~12, 복주)
宋了郊	(태조6)				경상都事(읍지)
宋自淳	(세종15)				知印, 야인압송사
宋重(仲)	(세조~성종대)			환관	內官
宋重文	(세조13)				都摠使龜城君李浚軍官
宋衆善	(세종13)				전藝文奉禮
宋仲孫	(세조1)				主簿, 원종3등공신
宋重孫	(세종대)				강원程驛察訪(21), 죽산縣監(23)
宋遲	(세조6)				判官, 원종3등공신
宋之道	(태종13)			환관	內官
宋之精	(세조1)				五司司正, 원종3등공신
宋之澄	(세종17)				석성縣監
宋珍	(성종19)				陞敍
宋昌	(태종5)				護衛將軍
宋昌	(성종대)			환관	內官
宋處恭	(세종22)				대구郡事
宋天成	(단종1)				거창縣令(읍지)
宋天佑	(태조대)				大將軍(~7, 充水軍)
宋鐵(哲)山	(단종~성종대)				군기直長(단종2), 世祖原從3등공신(세조1), 제용正(성종6), 行五衛司果(7), 예빈提擧(10), 通政大夫晋州牧使(14), 軍資監造成都監提調(19), 工曹參議(20), 광주牧使(22), 僉知中樞(25)
宋瞻	(단종~성종대)			의관	內醫(단종즉위), 行五司司直(세조1), 世祖原從3등공신(1), 內醫正(성종7)
宋翠	(세종~세조대)				경기都事(세종17), 司憲持平(21), 충청都事(23), 제용副正(문종1), 五司上護軍(단종1), 종부判事(2), 兼判通禮門事(2), 上護軍(세조1),

						世祖原從3등공신(1), 僉知中樞(2)
宋琛	(성종대)					전司憲監察, 縣令
宋太平	(세조1)				악관	掌樂院典樂, 원종3등공신
宋表						僉知中樞(李滋비명)
宋漢	(성종23)					무산萬戶
宋漢文	(성종대)				기(1, 효행)	隨才錄用(1, 칠원학생)
宋憲	?~1460					전萬戶전사
宋憲昌	(단종즉)					司諫院左獻納
宋玄祐	(태종대)					五衛副司直(~9, 파직)
宋虎	(세조1)					行五司副司直, 원종3등공신
宋琥	(성종23)					평안도都元帥李克均軍官
宋虎美	(세종16)					경원절제사
宋鷰	(세종~성종대)					忠順衛(세종31), 禦侮將軍(~성종21, 加資, 年老故)
宋環周	(성종대)					선공監役官(~14, 加資, 山陵功故)
宋孝瑄	(성종대)					전연사別提(~1), 掌隷院司評(1), 良才道察訪(~8, 유배)
宋休明	(세조대)					尹(1), 원종3등공신(1), 광주牧使(3), 行富寧府使(10)
宋欣	(세종18)					中樞副使
宋欽	(성종대)				의관	內醫, 僉知中樞
宋興	(태조~세종대)					변정도감判官(태조7), 司憲監察(~정종2, 유배), 司憲持平(태종2), 司憲掌令(7), 한성少尹(~14), 京畿海道察訪겸손실정차관(14), 전사判事(세즉), 刑曹參議(~3, 充軍), 양주牧使(12), 전參議졸
宋興門	(단종~세조대)				?, 문(단종1)	五司司直(~단종1), 문과, 直長(1), 司憲監察(세조1), 원종3등공신(1)
宋熙堅	(성종20)				환관	書房色
宋希景	(세종대)				기(11, 明使尹鳳고)	別侍衛(11)
宋希明	(태종10)					전中郎將, 蒙語訓導官
宋希靖	(태조~태종대)				역관	사수監(태조3), 押馬使(3), 군자監(태종1), 檢校漢城府尹(10)
宋希獻	(세조14)				기(14)	戶曹佐郎
升巨	(세종31)				여진귀화인	兼司僕
承安道	(세종대)	光山	父 郎將 由仁, 祖 中郎將 祐			臨淄萬戶(~4, 充水軍)
時方介	(세종~단종대)				여진귀화인	여진指揮(세종23), 졸都萬戶(단종3)
時乙豆	(세조대)				여진귀화인	斜地等處副萬戶, 본처萬戶

조선초기 관인 이력

申末舟	1415~?	高靈	형 領議政 叔舟	문(단종2)	權知正字(단종2), 世祖原從2등공신(세조1), 司諫院右獻納(5), 禮曹正郎(7), 司憲執義(10), 大司諫(12), 刑曹參議(12), 宣傳官(13), 通政大夫全州府尹(성종7), 진주牧使(10), 창원府使(14), 折衝將軍慶尙右道兵馬節度使(18), 大司諫(18), 僉知中樞(19), 전라水軍節度使(19)
申孟舟	(세종대)	고령	제 領議政 叔舟		庶尹
申泗	1438~1467	고령	父 領議政 叔舟, 祖 工曹參判 檣	음	行副丞(세조1), 世祖原從2등공신(1), 司憲掌令(7), 右副(9)·右(10)·都承旨(11), 同知中樞(13), 함길관찰사(13), 관찰사피살(李施愛軍)
申輔	(예종즉)	고령	제 泗		守令
申溥	(성종~연산대)	고령	형 泗	음	折衝將軍五衛司果(성종5), 兵曹參知(10), 工(11), 吏曹參議(11), 五衛大護軍(12), 성주(16), 여주(21), 홍주牧使(25) [연산6: 강원관찰사]
申碩	(세조~성종대)	고령	숙부 叔舟	무(세조11)	五衛部將(성종22)
申松舟	(세조대)	고령	형 叔舟	음, 문(3)	直長(세조1), 원종3등공신(1), 佐郎(~3), 문과, 司憲持平(5, 6), 司憲掌令(8)
申叔舟	1417~1475	고령	父 工曹參判 檣, 工曹參議 包翅	문(세종21), 중(29)	선농直長(세종21), 日本通信使卜孝文書狀官(25), 집현副修撰(26), 副校理(~29), 문과중시, 應敎(29), 侍講院右翊善(30), 司憲掌令(~문종즉위), 守司憲執義(즉), 집현直提學(단종즉), 사은사書狀官(즉), 執義(즉), 同副(1)·右副承旨(1), 靖難2등공신(1), 右(1)·左(1)·都承旨(2), 佐翼1등공신(세조1), 藝文大提學高靈君(1), 주문사(1), 兵曹判書(2), 判中樞兼判兵曹事(2), 議政府右贊成 겸판병조사(2), 左贊成(3), 議政府右議政(4), 左議政(5), 領議政(8), 高靈府院君(~12), 領議政(12) 翊戴1등공신(예종즉), 領議政(즉~6), 佐理1등공신(성종2), 領議政졸
申永澈	(성종대)	고령	父 參判 澥		命許通(16)
申用漑	1463~1519	고령	父 參判 泗, 祖 領議政 叔舟	문(성종19)	吏曹佐郎(성종22), 正郎(24), 弘文校理(25), 司憲持平(25) [연산대이후: 弘文副應敎, 直提學, 同副·右副·左副·右·左承旨, 충청水軍節度使, 刑·禮曹參判, 議政府左議政졸]
申潤輔	(성종대)	고령			해주牧使(읍지)
申子杠	(세조1)	고령	형 子橋		行五司司正, 원종3등공신
申子橋	1410~?	고령	父 梯, 祖 參議 包翅	?, 문(문종즉위)	五衛司勇(~문종즉위), 문과, 승문博士(~단종1, 파직), 主簿(세조1), 世祖原從2등공신(1), 司諫院右正言(1), 司諫院右獻納(~2, 파직) 함양郡守(읍지), 前行成均司成(성종9, 연산6, 居南원)

申檣	1382~1433	고령	父 工曹參議 包翅, 祖 典儀判書 德隣	문(태종2)	吏曹正郎(태종11), 집현直提學(세종2), 副提學(3), 侍講院左輔德(3), 집현副提學(5), 左軍同知摠制(8), 右軍(8)·中軍摠制(8), 中軍同知摠制(10), 同知摠制(13), 工曹判書(13), 工曹左參判(14), 參判졸
申瀞	1443~1482	고령	형 浻	음, 문(세조12)	宗親府典籤(~세조12), 문과, 藝文直提學(13), 都摠使龜城君李浚從事官(13), 僉知中樞五衛護軍(예종즉), 兵曹參知(1), 參議(1), 同副(1)·左副承旨(성종1), 佐理4등공신(2), 右(2)·左(3)·都承旨(5), 吏曹參判(6), 父喪(6), 吏曹參判(8), 高陽君(9), 高川君(9), 工曹參判(9), 평안관찰사(12), 피국복주
申從沃	(성종대)	고령	형 從洽		參奉(申叔舟비명)
申從濩	1456~1497	고령	父 奉禮 澍, 祖 領議政 叔舟	문(성종11), 중(17)	弘文修撰(성종11), 천추사書狀官(12), 경주敎授(13), 弘文校理(14), 경차관(15), 弘文應敎(~17), 문과중시, 直提學(17), 副提學(19), 同承旨(20), 파직(20), 僉知中樞(20), 禮曹參議(20), 左副(20)·右(21)·都承旨(21), 禮曹參判(21), 大司憲(22), 禮(23)·兵曹參判(23), 同知中樞(23), 경기관찰사(25) [연산이후: 同知中樞, 禮曹參判, 禮曹參判兼藝文提學, 졸]
申從洽	(성종대)	고령	제 從濩	음	宗親府典籤(~9), 한성庶尹(9), 춘추관修撰官(13), 敦寧僉正(~15), 사재副正(15), 군기僉正(19), 부평府使(~23, 파직)
申澍	(세조대)	고령	父 領議政 叔舟, 祖 參判 檣	음	학생(6), 원종3등공신(6), 藝文奉禮(족)
申浚(埈)	1444~1509	고령	형 浻	음, 문(성종1)	五衛副司果, 무장縣監(~세조10, 파직), 부사과(~성종1), 문과, 兵曹參知(성종1), 佐理4등공신(2), 兵曹參議(3), 同副(8)·右(8)·左(8)·都承旨(8), 戶(9)·吏曹參判(11), 충청관찰사(13), 嘉靖大夫高陽君(14), 禮曹參判(14), 資憲大夫高陽君(14), 영안관찰사(15, 17), 判漢城(17), 知中樞(17), 吏曹判書(17), 파직(18), 工曹判書(19), 고양군(23), 判漢城(24), 고양군(24), 사은사(25) [연산대이후: 工曹判書, 大司憲, 工曹判書, 議政府右參贊, 左參贊, 議政府左贊成, 靖國2등공신 高陽府院君, 府院君졸]
申仲舟	(세종~세조대)	고령	제 領議政 叔舟		司憲監察(세종14), 봉상(15), 內贍判官(~27, 파직), 判官(세조1), 世祖原從3등공신(1)
申沚	(세조대)	고령	父 郡守 仲舟, 祖 工曹參判 檣		藝文奉禮(~11), 工曹佐郎(11), 五衛司直署令(11), 사옹判官, 五衛副護軍(14), 府使
申澄	(성종대)	고령	父 掌令 松舟, 祖 參判 檣	문(23)	藝文檢閱(방목)[연산이후: 藝文奉敎, 侍講院文學(방목)]

조선초기 관인 이력

申濟	(세조~성종대)	고령	父 領議政 叔舟, 祖 參判 檣		司瞻主簿(세조4), 전판官(~7), 통례判官(7), 황해경차관(10), 知通禮門事(11), 嘉善大夫황해관찰사(성종6)
申枰	(세종대)	고령	父 參議 包翅, 祖 典書 德獜	?, 문(세종16)	副提控(~16), 문과, 司諫院正言(19)
申包翅	(세종대)	고령	父 典書 德獜, 祖 副護軍 思敬	문(우왕9)	司諫院右諫議(10), 左諫議(12), 工曹參議(12)
申弼	(예종~성종대)	고령	父 領議政 叔舟, 祖 參判 檣		守令(예종즉위), 掌隷院司評(성종1), 掌隷院司議(22)
申泌	(성종대)	고령	형 洴		五衛司果(申叔舟비명)
申沆	1477~1507	고령	父 參判 從濩, 祖 奉禮 洴, 처 성종녀 惠淑翁主	기(성종21, 부마)	高原尉(21)
申洞	1449~?	고령	형 洴	?, 문(성종5)	五衛司正(~성종5), 문과, 司憲掌令(방목), 司瞻正(신숙주비명)
申渙	(세조~성종대)	고령	형 泟	음, 문(세조3)	倉丞(~세조3), 문과, 錄事(3), 世祖原從3등공신(3), 사재主簿(4), 司諫院右正言(4), 刑曹正郎(10), 司僕正(성종5), 牧使(방목)
申澮	(성종대)	고령	父 郡守 仲舟, 祖 參判 檣		도감郎廳(5), 안협縣監(7)
申卜倫	(단종~세조대)	谷城	父 粹	문(단종2)	權知正字(단종2), 원종2등공신(세조1), 교서관校書郎(~6, 파직)
申淑生	(세종대)	淳昌	서 熙寧君 衵		僉知(선원세보기략)
申士廉	(세조1)	鵝洲	父 令富, 祖 按廉使 祐		宗親府典籤, 원종3등공신
申希忠	(세종8)	아주	父 知奏事 光貴, 祖 中郎將 勉		하동縣監
申蕡	(세종대)	殷豊	父 維, 祖 允泰	?, 문(11)	教導(11), 문과, 縣監(방목)
申商	1372~1435	은풍		문(공양왕2)	司憲侍御使(~정종2), 파직(2), 經歷(태종3), 五衛上護軍(3), 야인曉諭使(3), 父喪(3), 右司諫(7), 刑(17)·工(17)·禮曹參判(18), 주문副使(18), 大司憲(세종1), 파직(1) 吏曹參判(2), 漢城府尹(4), 吏曹參判(4), 성절사(6), 禮(6)·刑曹判書(7), 파직(7), 禮曹判書(8~17), 崇政大夫(17), 전禮曹判書졸
申綱	(세종22)	平山	父 典書 允恭, 祖 監察 仲令		전縣監
申槩	1374~1446	평산	父 宗簿令 晏, 祖 典理判書 諨	문(태조2)	藝文待敎(태조6), 左正言(~태종2), 파직(2), 吏曹正郎(8), 議政府舍人(9), 파직(10), 司諫院司諫(~14), 파직(14), 兵曹佐郎參議(15), 工曹參判(17), 천추사(17), 전라(세종1)·경상(2)·황해관찰사(4), 刑曹參判(5), 判晋州牧使(6), 左

					軍摠制(7), 刑曹參判(9), 유배(9), 左軍摠制(12), 藝文大提學(12), 大司憲(13), 都摠制府摠制(13), 관찰사(14) 大司憲(14), 同知中樞(15), 吏曹判書(15), 사은사(16), 刑曹判書(17), 議政府參贊(18), 議政府右贊成(18), 左贊成(19), 左贊成兼集賢殿大提學(21), 議政府右議政(21), 左議政(27), 좌의정졸
申虔	(세종대)	평산	형 槩	?, 문(2)	副丞(~2), 문과
申經	(성종~중종대)	평산	父 孟一	문(성종5)	承政院注書, 司諫院正言(성종11), 吏曹佐郎(~14), 司憲持平(14), 戶曹正郎(16), 보성郡守(17), 奉列大夫司憲掌令(23) [연산이후: 순창郡守, 공주牧使]
申敬宗	(세종~문종대)	평산	서 厚寧君 衦		令(세종대, 선원세보기략), 五司大護軍(문종즉위)
申末平	(성종20)	평산	父 관찰사 自準, 祖 左議政 槩		朝官, 宗親府典籤(申槩비명)
申世霖	(세종대)	평산		화원	화원, 金溝縣令(읍지)
申鈺	(성종24)	평산	형 鎺		도화別提, 別坐(申槩비명)
申叔根	(성종대)	평산	형 叔禎	문(12)	春秋館記事官(13) [연산이후: 영월郡守(연산1, 읍), 府尹]
申叔胥	(단종~성종대)	평산		문(단종1)	成均典籍, 제천縣監(~성종9, 파직)
申叔楨 (楨)	(세조~예종대)	평산	父 大司成 自繩, 祖 左議政 槩	문(세조6)	藝文奉敎(세조9), 禮曹正郎(예종1), 司憲掌令(방목)
申叔枝	(세종대)	평산	형 叔禎		參奉(申槩비명)
申叔平	(성종대)	평산	父 觀察使 自準, 祖 左議政 槩		庶尹(申槩비넹)
申叔檜	(세종대)	평산	형 叔禎		判官(申槩비명)
申允童	(세종대)	평산	서 寧海君 瑭		한성府尹(선원세보기략)
申允甫	(문종~성종대)	평산	祖 判書 孝昌		금성縣令(문종즉위), 양양府使(~세조7, 父喪), 진주牧使(~11, 유배) 성주牧使(성종4)
申允元	(예종~성종대)	평산	父 同知中樞 自準, 祖 判書 孝昌		한성判官(예종1), 장흥府使(~성종21, 收告身)
申允宗	(세조~성종대)	평산	형 允元		錄事(세조1), 世祖原從3등공신(1), 강화府使(성종4), 尙衣院첨정(5), 괴산郡守(~8), 상의원첨정(8, 收告身)
申自敬	(세종~문종대)	평산	父 都摠制 孝昌, 祖 參議 璶		전直長(세종9), 司憲監察(~13, 파직), 예빈尹, 인수少尹, 行五司護軍(~문종1, 파직)
申自守 (修)	(세종~세조대)	평산	형 孝昌, 서 廣平大君 璵		전錄事(~세종16), 司憲持平(25), 겸사재副正(27), 의염別監(27), 中軍護軍(28), 사재正(31), 知司諫(32), 判事(문종1), 僉知中樞(1), 同知中樞(단종1), 中樞使(2), 정조사(2), 嘉善大夫五

이름	시대	본관	가계	과거	관력
					衛上護軍(세조1), 世祖原從2등공신(1), 同知中樞(4)
申自繩	(세종~성종대)	평산	父 左議政 槩, 祖 宗簿令 晏	음, 문(세종26)	主簿(~세종26), 문과, 左正言(26), 刑曹都官正郞(문종1), 司憲持平(2), 禮曹正郞(단종1), 副知敦寧(세조1), 世祖原從3등공신(1), 知司諫(4), 파직(4), 兼司憲執義(9), 大司成(예종1)
申自準	(세종~세조대)	평산	제 自繩	음	司憲掌令(세종27), 봉상判事(세조1), 世祖原從3등공신(1), 僉知中樞(3), 刑曹參議(6), 僉知中樞(8)
申自衡	(세조대)	평산	형 自繩		直長(1), 원종3등공신(1), 禮葬都監判官(3), 兼司憲掌令(13), 司憲執義(申橃비명)
申仲平	(성종대)	평산	형 叔平		宗親府典籤(申橃비명)
申鏋	(성종대)	평산	父 執義 自衡, 祖 左議政 槩		監役, 五衛護軍(申橃비명)
申浩	?~1432	평산	父 翰林 琿, 祖 進賢觀學士 君平		刑曹典書(태종2), 풍해관찰사(6), 전개성留侯(~10), 파직(10), 나주牧使(12), 전라관찰사(세종2), 右軍摠制(2), 戶曹判書(3), 유배(4), 전戶曹判書졸
申曉	(태종~세종대)	평산	형 槩	문(태종2)	司諫院右正言(~태종4, 유배), 낭관, 敎授官(세종8)
申孝昌	?~1440	평산	父 將軍 璿, 祖 進賢館學士 君平, 장인 左政丞金士衡	음	戶曹典書(태조3), 上將軍(4), 경상軍容點考使(4), 大司憲(4), 漢城府尹(5), 파직(5), 태종원종공신(태종1), 承寧府尹(2), 同知中樞(3), 충청관찰사(4), 都摠制府同知摠制(5), 전摠制(8), 左軍都摠制(18), 黜外方(18), 전도총제졸
申可權	(세종9)		父 공신(성명불명)		전縣監, 온수縣監
申可義	(세종2)				中軍都事
申澗	(성종대)				강진縣監(1), 개성都事(~24), 司圃署司圃(24)
申景洸					해주牧使(읍지)
申敬敷	(성종대)				함열縣監(8), 평양判官(20)
申敬元	(세종즉)				司憲掌令
申敬原	(태종대)				司憲持平(~5, 유배), 刑曹正郞(14), 의금知事(18)
申景章	(성종19)				加資(先農親祭掌牲令故)
申繼性	(문종1)				임진縣監
申繼義					한성參軍, 삼등縣令(연산4) (읍지)
申繼宗	(성종대)		숙부 判內侍府事 雲	기, 무(9), 무과중시	내자判官(~9), 무과, 僉正, 副正, 司贍正(~15), 무과중시, 通政大夫(19)
申國樑					울진郡守(읍지)
申權	(세조1)				五司副司正, 원종3등공신

申貴	(세종~문종대)			趙明干萬戶(세종19), 僉知中樞(31), 行五司上護軍(문종즉위)
申貴孫	(성종13)			甲士(居나주)
申貴玉	(세조13)			甲士(居단천)
申均	(세종~세조대)			안성郡事(세종21), 知通禮門事(세조1), 世祖原從3등공신(1)
申澹	(성종대)			영산縣監(20), 내자主簿(20), 고령縣監(22)
申德海 (希)	?~1422		환관	世子殿환관(태종9), 承傳宦官(16), 行判內侍府事(세조4), 太宗守陵宦官卒
申圖	(태종대)		문(5)	원주教授官(15), 司諫院獻納(방목)
申得守	(세종22)			前司勇(居여연, 野人防禦有功故)
申得騂	(성종대)		의원	內醫僉正(~8, 加資)
申得海	(세종대)			大護軍(4), 충청海導察訪(4), 都萬戶(8), 世子朝見시종관(9), 여연郡事(~15), 僉知中樞(15), 同知中樞(20), 경상좌도도절제사(21)
申臨	(태종~세종대)			공안부少尹(태종6), 前監正(세종10)
申末應介	(세종7)			別監(居함흥), 피죄
申溟	(세종대)			나주牧使(읍지)
申命	(세조10)			영천郡守(읍지)
申命之	(세조~성종대)			五司司正(세조1), 世祖原從3등공신(1), 前永川郡守(~12, 收告身)
申白	(세종3)		환관	飯監
申甫	(성종6)			五衛副司直
申保安	?~1475			光州牧使피살
申補(保)宗	(성종대)		의원	內醫正(2)
申復命	(세조1)			五司護軍, 원종3등공신
申士恭	(세종9)			흥덕縣監
申碩敎	(세조9)			授軍職(敎誨有功故)
申碩(石)同	(세조~성종대)			중추錄事(세조7), 진보縣監(성종5)
申碩廉	(세조14)			송화縣監
申石崇	(성종6)			남포萬戶
申紹	(성종6)			司憲監察
申秀武	(성종6)			武臣(能射)
申守祉	(단종대)			의금부郎廳(~2, 파직)
申叔良	(문종~성종대)			정읍縣監(문종1), 선산(세조12), 남원府使(성종7)
申安善	?~1451			전訓導(~세종13, 隨才敍用, 孝行故), 태인縣監(17), 황주判官卒

申揚	(태종11)			환관	경복궁提控
申億年	(성종8)				守令
申汝和	(세종대)			기(10, 효행)	命敍用(10, 이조, 북청학생, 孝行故)
申營	?~1467				武班전사(直子陞資錄用)
申永綏	(성종21)				양지縣監
申永和	(성종대)				內贍奉事(許琮묘지명)
申玉山	(성종5)				武臣(能射)
申溫良	(태종대)				군기主簿(~6, 유배)
申用灌	(성종대)	장인 參贊 金謙光			宣傳官(김겸광비명)
申用明	(태종대)			환관	환관
申用茂	(태조2)				고만량萬戶
申龍鳳	(태조7)				甲士
申友灝	(성종대)	서 甄城君 惇			사재參奉(16), 參奉(25)
申雲	(단종~성종대)			환관	내시부左丞直(단종3), 判內侍府事(예종즉) 翊戴1등공신(즉), 資憲大夫興陽君(즉), 홍양군(성종14~25)
申雲秀	(태종4)				通政大夫三陟府使(읍지)
申雲行	(세조1)			환관	내시부左丞直, 원종2등공신
申元厚	(세조13)				단천甲士전사, 直子超資敍用
申濡					문경縣監(읍지)
申允範	(세조대)				의영고官(~13, 收告身)
申允悟	(세조7)				전五衛司勇
申允底	(단종~성종대)				東部令(단종1), 司憲監察(세조1), 世祖原從3 등공신(1), 오위鎭撫(3), 제용正(성종3), 통례 원右通禮(6), 僉知中樞(~8, 收告身)
申乙卿	?~1423				甲士副司直졸(捕虎傷)
申義	(세종19)				여연鎭撫
申義亨	(성종대)				五衛部將(~20, 收告身)
申以經					장흥府使(읍지)
申以希 (熙)	(태종~세종대)			환관	환관
申翊	(세종3)				忠順衛
申仁耉	(성종13)				삼등縣令(5, 읍), 命敍用
申仁壽	(세종18)				강음縣監
申自謹	?~1454				刑曹正郎(세종12), 知司諫(26), 知兵曹事(28), 僉知中樞(28), 吏曹參議(29), 황해관찰사(29), 파직(32), 行僉知中樞(문종1), 仁順府尹(2), 전 府尹졸

申子儀	(세조3)				兼主簿, 원종3등공신
申自周	(성종대)			?, 문(11)	도감관(12), 敎授, 承文校勘(방목)
申自行	(세조1)				行五司司正, 원종3등공신
申磧	(성종24)				打量敬差官
申丁道	(태종~세종대)				전監務(태종4), 서운副正(세종22)
申丁理	(세종대)				司憲掌令(3~4), 파직(4), 護軍(5), 中軍經歷(7), 우군경력(~8), 호군(8)
申瀞友	(예종1)				兵曹參議
申梯	(세종대)				포천(9), 지평縣監(17)
申宗之					상주牧使(읍지)
申碩	(성종24)				打量敬差官
申澄					臺諫
申清	?~1395				강원도水軍萬戶복주
申緻	(태종16)				旌義縣監(不赴, 養親老故)
申致復	(세조1)				五司司勇, 원종3등공신
申通禮	(세종12)				五衛護軍, 伐木監役官
申誧	(성종3)				在官
申漢	(세종22)				김제郡守, 光州縣監・광주牧使(읍지)
申僩	(태종8)				司憲掌令
申翮	(태종대)				監役官(~15, 피죄)
申礥	(성종대)				강진縣監(~7, 파직), 命敍用(10, 이조)
申孝(效)教	(세종대)			역관	진하사통사(13, 15)
申孝同	(성종대)			화원	還職牒(5, 병조), 화원(18)
申孝良	(세종대)			기(2, 효행)	料量서용(2, 함창유학, 孝行故)
申孝誠	(세조1)				進勇校尉(甲士), 원종3등공신
申孝溫	(세종대)			기(1, 효행)	料量서용(1, 孝行故)
申孝源	(세종32)				縣令(重創三聖祠)
申孝義	(세조1)				五司司正, 원종2등공신
申孝忠	(세조1)				五司司勇, 원종3등공신
申候	(태조1)				안동判官(읍지)
申興禮	(세조대)			무, 무과중시(3)	行五司司勇(1), 원종2등공신(1), 五衛護軍(~3), 무과중시, 部將(3), 전종성判官(~6, 피국)
申興智	(세조대)				五司副司直(1), 원종3등공신(1), 宣傳官(5), 吉州牧使겸절제사(6), 종성절제사(8)
申熙	(세종~세조대)				副司正簡儀臺郎廳(세종6), 司正, 副司直(24), 서운判官(31), 서운副正(세조1), 世祖原從3등공신(1), 서운判事(5)

申希信	(세종9)				길주判官
申希擇					金溝縣令(읍지)
辛鍵	(성종대)	靈山	父 知中樞 肅, 祖 仁	문(13)	承政院注書, 司諫院正言(방목), 영안북도評事, 司憲持平, 司憲掌令
辛繼參	(태종~세종대)	영산	父 直提學 靖, 祖 典書 慶芸		司憲監察(태종3), 司憲持平(세종3), 파직(4)
辛繼祖	(세종~세조대)	영산	父 刑判 引孫		광흥창副使(~세종20), 司憲監察(20), 戶曹佐郎(25), 강원都事(~문종즉위, 파직), 縣監(세조1), 世祖原從3등공신(1), 兼司憲執義(10)
辛均	(세종~예종대)	영산	父 典書 中善, 祖 參判 慶芬		순흥府使(세종24), 제용判事(문종즉위), 檢校資憲大夫(~예종1), 行五衛司直(1)
辛克禮	?~1407	영산	父 左政丞 貴, 祖 漢城判尹 富		上將軍(태조7), 定社2등공신(7), 禮曹典書(정종2), 左軍同知摠制(2), 佐命2등공신鷲山君(태종1), 풍해도절제사(2), 參判司評府事(3), 參知承樞府事(4), 취산군(4), 議政府參贊(6), 취산군(6), 파직(7, 坐閔無咎), 취산군졸
辛孟和	(태종7)	영산	父 參贊 克禮, 祖 左政丞 貴		東部令
辛福聃	(예종~성종대)	영산	父 繼祖, 祖 判書 引孫		황해(예종1), 金郊道察訪(성종1)
辛服義	(성종대)	영산	父 尙殷, 祖 智	문(12)	藝文檢閱(방목), 掌隷院司評, 司諫院正言, 司憲掌令(방목)
辛石堅	?~1456	영산	형 碩祖	문(세종8)	集賢殿著作郎(세종8), 撰官(16), 判官(17), 吏曹判書피화
辛碩祖	1407~1459	영산	父 兵曹判書 引孫, 祖 判書 有定	문(세종8)	集賢殿著作郎(세종8), 應敎(24), 直提學(25), 副提學(~문종즉위), 집현副提學兼侍講院左輔德(즉), 吏曹參議(단종즉), 吏曹參判(1), 世祖原從2등공신(세조1), 大司憲(2), 吏曹參判(3), 吏曹參判겸경기관찰사(3), 吏曹參判겸경기관찰사병마도절제사(4), 吏曹參判(4), 漢城府尹(5), 개성留守(5), 留守졸
辛世璉	(성종대)	영산	父 郡守 禮聃, 祖 潤祖		[연산대: 秉節校尉忠佐衛副司果(2)]
辛壽聃	(단종~성종대)	영산	父 留守 碩祖, 祖 判書 引孫		예빈直長(단종1), 군기錄事(2), 世祖原從3등공신(세조1), 연천縣監(~13, 파직), 良才道察訪(성종3)
辛肅	(세조~성종대)	영산	父 仁, 祖 府使繼參		內贍少尹(세조1), 世祖原從3등공신(1), 산릉도감郎廳(성종5), 判官(11), 예빈正(~14, 陞通政大夫, 산릉공)
辛叔和	(태종~세종대)	영산	형 孟和, 공신후손		敬承府丞(~태종15), 司贍直長(15), 군기主簿(세종5), 前副司直(~8, 유배)

辛息	(태종6)	영산	父 典書 斯蕆, 祖 大夫 有鄰		내이포水軍萬戶
辛有定	1343~1426	영산	父 判開城 富, 祖 原慶	음	散員, 精勇將軍(우왕12), 太祖原從공신(태조1), 三司左咨議(2), 刑(2), 兵曹議郎(2), 예빈卿(5), 충청전라경상경차관(5), 伊山鎭병마절제사(6), 嘉善大夫(7), 봉상判事(정종2), 禮(2)·刑曹典書(2), 內侍衛左軍僉摠制(3), 강원조전兵馬使(3), 강릉府使(3), 左軍同知摠制(6), 승령府尹(6), 의주牧使(~7), 파직(7), 경원도병마절제사(7), 左軍都摠制(10), 조전절제사(10), 左軍都摠制完山侍衛牌節制使(10), 충청병마도절제사(12), 평안도按撫使(14~15), 전도안무사졸
辛昀	1395~1473	영산	父 判書 中善, 祖 判事 慶芬	음	同副錄事, 안성郡事, 순천府使, 통례원知事, 제용判事, 檢校漢城府尹, 僉知中樞(성종1), 檢校戶曹參判, 行五衛護軍, 知中樞졸(졸기)
辛潤祖	(세조대)	영산	형 碩祖		判官(1), 世祖原從3등공신(1), 의금부知事(3), 평안經歷(3)
辛以中	(세조~성종대)	영산	父 義, 祖 府使繼參		五司護軍(~세조2, 充官奴), 赴防함길도(7), 行五衛護軍(성종3), 경기수군절도사(6), 行五衛護軍(11), 전라병마절도사(13), 行護軍(19)
辛引孫	1384~1445	영산	父 都摠制 有定, 祖 漢城判尹 富	문(태종8)	검열(태종8), 承政院注書(13), 禮曹正郎(~세종2), 내섬少尹(2), 議政府舍人(6), 함길도察訪(7), 司憲執義(10), 선공正(11), 전농尹(12), 集賢殿直提學(12) 종부判事兼知刑曹事(12), 左司諫(14), 刑曹右(14), 工曹右參議(14), 通政大夫경상관찰사(15), 兵曹左參議(16), 右(16)·左(16)·都承旨(17), 兵曹參判(20), 주문사(26), 判漢城(26), 刑曹判書(26), 母喪(26), 전刑曹判書졸
辛自今 (金)	(성종9)	영산	父 司勇 堹, 祖 判書 中善		赤梁萬戶
辛中善	(태종4)	영산	父 參判 慶芬, 祖 判事 引裾		전正郎
辛晉保	(세종~문종대)	영산	父 子寧, 祖 水軍節度使 息		벽당郡事(~세종19, 유배, 패전故), 大護軍(29), 경상수水軍處置使(문종즉위)
辛招(礎)	(세조~성종대)	영산	父 兵馬節度使 琓, 祖 世斑		五衛副司直(세조6), 원종3등공신(6), 현풍縣監(성종4, 읍지)
辛厚聃	(성종18)	영산	父 繼祖, 祖 判書 引孫		결성縣監
辛季琚	(성종대)	寧越	父 觀察使 永孫, 祖 牧使 顥	문(8)	將仕郎(~8), 문과, 弘文校理(방목), 經筵檢討官

조선초기 관인 이력

辛永貴	(세종12)	영월	형 永孫, 여 愼寧宮主		卒檢校工曹參議
辛永孫	(세종~세조대)	영월	父 牧使 顯, 祖 左尹 喜	문(세종21)	吏曹佐郎(세종32), 충청전라경상體察使鄭苯從事官(32), 司憲掌令(세조1), 司憲執義(7), 僉知中樞황해관찰사(8), 僉知中樞충청관찰사(9), 僉知中樞(10), 通政大夫강원관찰사
辛義卿	(문종~세조대)	영월	父 恕(黍), 祖 方佑	문(문종1)	승문正字(~단종1, 파직), 校書著作(세조1), 世祖原從2등공신(1), 工曹正郎(~10), 承文僉知(10), 承文參校(방목)
辛頤	(태종~세종대)	영월	父 左尹 喜, 祖 判密直 廉		경기經歷(14), 少尹(17), 尙衣院別監(~세즉, 파직, 좌沈溫)
辛仲琚	(세조~성종대)	영월	父 觀察使 永孫, 祖 牧使 顯	문(세조11)	奉直郎司憲持平(성종3), 工曹正郎(5), 경차관(10), 經歷(10), 西征大將魚有沼從事官(10), 議政府舍人(방목)
辛回	(태종~세종대)	영월	父 左尹 喜, 祖 判密直 廉	무(족보)	司憲監察(태종14), 파직(14), 刑曹佐郎(~세종즉, 파직)
辛可欽	(세조1)				五司司勇, 원종2등공신
辛季磷	(세조~성종대)				行五衛司正(세조1), 世祖原從3등공신(1), 제주判官(성종3)
辛繼賢	(성종대)				典涓司奉事(~23, 유배)
辛繼和	(성종대)				道安浦萬戶(~9, 파직)
辛龜奉	(태종10)				전五衛護軍, 유배
辛珪	(성종대)				主簿(14), 전라경차관(22)
辛克恭	(태조~태종대)				中樞副使(태조5), 정대마도兵馬使(5), 개성副留侯(~7, 파직), 완산府尹(태종13)
辛帶紅	(세종대)		장인 領中樞 趙末生		전司憲監察(8), 회인縣監(13)
辛得恭	?~1423				전전주府尹졸
辛得止	(세종대)				前副司直(~6, 充軍), 前司正(8)
辛崙					예천郡守(읍지)
辛臨	(태종12)				단천郡守(읍지)
辛麻	(세조대)		환관		환관(~11, 充官奴)
辛孟磷	(세종~세조대)			무(세종31)	內禁衛(세종31), 五司司直(세조1), 世祖原從3등공신(1)
辛孟譴	(세조6)				五衛司勇, 원종3등공신
辛邦祐	(태조대)				知春州事(파직, 태종6, 2 신미)
辛伯溫	(세종대)			역관	사은사從事官(6), 사역判官(8), 사역僉知事(21)
辛奮	(정종1)				길주都鎭撫
辛思勉	(세조1)			무	權知訓練錄事, 원종3등공신

辛斯鳳	(세조3)				行五衛副司直, 원종3등공신
辛尙調	(세조12)				전능성縣監
辛黍	(세종12)				사은사李澄從事官
辛錫康	(세조~성종대)			무(세조11)	折衝將軍五衛副司直(성종11), 평안捕盜使(17), 通政大夫鍾城府使(19), 경상좌도수군절도사도사(20), 황주牧使(21)
辛錫禧	(성종18)				선공僉正
辛成安	(태종7)				함안郡守(읍지)
辛秀武	(성종즉)				함길절도사軍官
辛秀茂	(성종12)				황주判官
辛修晴	(문종1)				경상우도도절제사
辛淑良	(세종23)				藝文奉禮郎
辛叔(淑)晴	(세종~문종대)				仇良梁萬戶(세종20), 온성郡事(23), 僉知中樞(31), 경상우도병마절제사(문종즉위)
辛淑淸	(태종13)				司憲監察
辛良(樑)	(예종대)		父 井保		兼司僕(~즉, 坐南怡유배)
辛汝海	(세조1)				五司司勇, 원종3등공신
辛悅	?~1418				右軍同知摠制(태종15), 삭주도병마절제사判朔州府使(15), 상주진주도병마도절제사(16), 경상우도병마도절제사(16), 都摠制府摠制(17), 하정副使(17), 判安邊府使(18), 임소졸
辛永理	(성종5)				전군위縣監
辛玉山	(성종대)				親軍衛(~1, 加資, 捕李施愛故), 兼司僕(5)
辛龍鳳	(태종2)				군자判事
辛禹鼎	(성종16)				전옥서參奉
辛惟善	(태종17)				고성포萬戶
辛有賢	?~1411				도성조성도감提調(태조5), 中樞副使(5), 사은副使(5), 조전절제사(6), 前泥城都兵馬使(~태종6, 유배), 전都兵馬使졸
辛殷尹	(성종대)				五衛副司猛(21), 宣傳官(23) [연산이후: 靖國4등공신]
辛以剛	(세종대)				덕산縣監(9), 司憲監察(~15, 피죄途)
辛以剛	(세조6)				五衛副司正, 원종3등공신
辛子寧	(조선초)				장기縣事, 영해府使(읍지)
辛琠	(세종대)				前護軍(17, 居김포, 효행), 철산郡事(18)
辛鼎保	(세조대)				五司護軍(1), 원종3등공신(1), 都摠使龜城君李浚軍官(13)
辛井保	(세조~예종대)				在官(세조14, 被薦能射), 피화(예종즉위, 坐南怡)

辛祖義	(성종25)					司瞻正, 德津行香使
辛存亮	(성종22)				환관	환관
辛從聃	(성종대)					王子師傅(~22), 中樞副使主簿(22)
辛宙(寅)	(태종~세종대)			문(태종11)		통진縣監(세종12)
辛鑄(柱)	(세조~연산대)					五衛護軍(세조6), 世祖原從3등공신(6), 회령절제사, 衛將, 온성절제사, 行五衛司猛, 평안조전장, 五衛大護軍, 전라병마절도사(13), 함길남도절도사(~14), 사직(14, 母病故), 行五衛副司直(예종1), 刑曹參判(성종10), 영안북도절도사(10), 同知中樞(12), 都摠管(12), 刑(13)·兵曹參判(13), 강원관찰사(13), 僉知中樞(16), 전라우도수군절도사(16), 同知中樞(18), 하정사(19), 훈련도정(21), 전라병마절도사(21), 同知中樞(24), 경상우도병마절도사(25) [연산대: 五衛副摠管, 개성留守, 同知中樞, 工曹參判]
辛仲磷(麟)	(세조~성종대)					결성縣監(세조14, 예종1), 3도조선경차관(성종6)
辛仲賢	(성종대)					臺諫
辛處康	?~1453					知延日縣事(세종18), 제주안무사(23), 僉知中樞(25), 주문사(26), 兵曹參議(31), 충청병마도절제사(32), 同知中樞(단종즉), 전中樞副使졸
辛忠卿	(세조1)					知印, 원종3등공신
辛致義	(세조1)					承義副尉, 원종3등공신
辛弼周						연일縣監(읍지)
辛鶴	(세조3)					울진縣令(읍지)
辛漢	(성종18)					경기도察訪
辛澣	(세조1)					五司副司正, 원종2등공신
辛憲	(세종즉)					司僕直長(~즉, 파직, 坐辛顥)
辛鉉	(세조1)					郡事, 원종3등공신
辛好文	(세종2)					경상도鹽場官
辛鴻生	(태종~세종대)					司憲監察(태종11), 곽산(세종4), 박천郡事(13)
辛孝忠	(세종10)					전司正(脫喪)
辛庥	(성종12)					命敍用
辛興寄	(태조4)				환관	환관
慎繼元(源)		居昌	父 同知中樞 先庚, 祖 觀察使 發	음		장흥府使(읍지)
慎幾	(태종~문종대)	거창	父 都事 以衷, 祖 漢城府尹 仁道	문(태종11)		승문正字(태종15), 충청都事(세종9), 吏曹正郎(12), 司諫院右司諫(25), 左司諫(26), 刑曹參議(26), 전라관찰사(27), 戶(28)·兵曹參議(28), 강원관찰사(29), 戶曹參議(31)

慎敦義	(성종대)	거창	父 郡守 承命, 祖 觀察使 詮		옥천郡守(연산7) (읍지)
慎孟終	(단종~세조대)	거창	父 署令 言, 祖 都事 以衷		의금鎭撫(단종1), 五衛護軍(세조1), 世祖原從3등공신(1)
慎先甲	(세조1)	거창	父 觀察使 幾, 祖 都事 以衷		直長, 원종3등공신
慎先庚	(단종~성종대)	거창	형 先甲		의금都事(단종1), 承訓郎(세조1), 世祖原從2등공신(1), 五衛司直(2, 女 冊東宮昭訓故), 司憲持平(2), 同知中樞(성종7)
慎成終 (宗)	(성종6)	거창	형 孟從		무신, 장기·진보縣監(14, 읍지)
慎守勤	1450~1506	거창	父 領議政 承善, 祖 黃海觀察使 詮, 매부 燕山君	음(성종15)	通訓大夫司憲掌令(성종15), 兼掌令(17), 同副·右副·左副承旨(23~24), 僉知中樞(24), 戶曹參議(24) [연산이후: 左副·都承旨, 吏曹判書, 議政府右贊成, 敦寧僉正, 議政府右議政, 左議政, 피화]
慎承福	(성종대)	거창	제 承善		전의縣監(~14, 陞職, 山陵功故)
慎承善	1416~1502	거창	父 黃海觀察使 詮, 祖 都事 以衷, 서 燕山君	음, 문(세조12), 발영(12)	正郎(세조8), 兵曹參知(~12), 문과, 吏曹參判(12), 拔英試, 吏曹參判兼藝文提學(13), 工(13), 兵曹參判(14), 翊戴3등공신兵曹參判居昌君(예종즉), 거창군(1), 兵曹參判藝文提學(1) 佐理3등공신(성종2), 資憲大夫거창군(3), 천추사(7), 知敦寧(10), 工曹判書(12), 거창군(15), 兵曹判書(17), 議政府左參贊(18), 崇政大夫(19), 判漢城(19), 禮(20)·吏曹判書(22), 사직(23, 身病故), 거창군(23), 議政府右議政(25) [연산대: 左議政, 領議政, 居昌府院君피화]
慎以衷	(태종~세종대)	거창	父 府尹 仁道, 祖 郡事 思敬		前知甫州事(~태종10, 有), 判利川縣事(~세종2, 파직)
慎自建 (健)	(성종대)	거창	형 自準	기(11, 遺逸, 족보)	命敍用(11, 이조), 商議直長(~14, 加資, 山陵功故) 司憲持平, 司憲掌令(20), 전라都事(~22, 파직, 犯贓, 收告身, 永不敍用)
慎自濟	(성종대)	거창	父 大司諫 後甲, 祖 觀察使 幾		덕산(8), 金化縣監(20)
慎詮	(세종~세조대)	거창	형 幾	문(세종11)	司諫院右獻納(세종27), 禮曹正郎(~28), 파직(28), 副知通禮(30), 경상都事(31), 藝文直提學(단종1), 直修文殿(1), 司憲執義(2), 左司諫(2), 世祖原從2등공신(세조1), 僉知中樞(2), 戶曹參議(2), 황해관찰사(2)
慎後甲	(세종~세조대)	거창	父 觀察使 幾, 祖 都事 以衷	음, 문(세종20)	直長(~세종20), 문과, 司諫院右正言(23), 吏曹佐郎(23), 守司諫院右獻納(26), 吏曹正郎(~29), 파직(29), 司憲持平(31), 少尹(세조1), 世祖原從2등공신(1), 五衛大護軍(5), 봉상判事(7), 平

					安道戶籍경차관(7), 僉知中樞(9), 戶曹參判(10), 진위사(10), 충청군적사(10), 파직(11), 大司諫(12)
愼幾	(세조1)				判事, 원종3등공신
愼蘭					양구縣監(읍지)
愼蘭武					흥덕縣監(읍지)
愼言	(세종29)				예안縣監(읍지)
愼原節	(태조3)				昌平縣令
信吾(吾音甫)	(태조7)			항왜	散員
沈道源	1365~1439	富有	父 大提學 孝生, 祖 知州事 仁立	문(태조5)	禮曹佐郎(태종10), 刑曹都官正郎(~13), 파직(13), 經歷(14), 議政府舍人(17), 司憲執義(세종2), 司諫院右司諫(3), 左司諫(4), 刑(5)·戶曹參議(6), 馬籍奏本使(6), 通政大夫경기관찰사(6), 右軍同知摠制(8), 戶(8)·吏曹參判(8), 강원관찰사(9), 경창府尹(9), 右軍同知摠制(9), 中(10)·左(10)·右軍同知摠制(10), 戶曹參判(10), 한성(11)·인순(11)·인수府尹(11), 황해관찰사(13), 摠制(13), 吏曹佐郎(14), 禮曹左(14)·戶曹左參判(14), 中樞副使(15), 漢城府尹(15), 함길都體察副使(15), 戶曹左(16)·禮曹左參判(16), 同知中樞(16), 함길도순무사(16), 戶曹參判(17), 진하사(17), 吏曹參判(17), 戶曹判書(17), 戶曹判書졸
沈愼	?~1456	부유	父 直長 哲甫, 祖 戶曹判書 道源	문(문종 즉위)	집현修撰(단종2), 左正言(2), 吏曹佐郎(6), 피화
沈孝生	1349~1398	부유	父 知州事 仁立	문(우왕9)	중추堂後官(우왕9), 司憲中丞(태조1), 開國3등공신(1), 경상안렴사(1), 大將軍(~3), 첨절제사(3), 吏曹典書(3), 中樞學士(4), 경상관찰사(4), 同知中樞(6), 藝文大提學(7), 富城君복주
沈家甫	(세조~성종대)	三陟	父 孟恩	?, 문(세조14)	訓導(~세조14), 문과, 흥곡縣令(성종15)
沈山甫	(단종~세조대)	삼척	제 家甫	?, 문(단종1)	敎導(~단종1), 문과, 함열縣監(세조7), 司憲持平(8)
沈濟	(세조~성종대)	삼척	父 文桂, 祖 忠寶	문(20)	司憲監察(세조1), 世祖原從2등공신(1), 禮曹佐郎(방목)
沈決	1419~1470	靑松	父 領議政 溫, 祖 左侍中 德符	음(문종 즉위)	敦寧主簿(문종즉위), 同僉知敦寧, 同副知敦寧(세조1), 世祖原從2등공신(1), 僉知中樞(10), 嘉善大夫僉知中樞(2), 同知中樞(2), 仁順府尹(5), 中樞使(6), 工曹判書(7), 判中樞(9), 大匡輔國崇祿大夫判中樞(성종즉), 判中樞졸
沈龜	(문종2)	청송	父 司謁長己, 祖 領議政 溫		五司司勇

沈德符	?~1401	청송	父 典理正郎 龍, 祖 祗侯 淵	음(고려)	左右衛錄事參軍, 都巡問使(우왕3), 門下侍郎贊成事(11), 判三司事(11), 門下侍中(공양왕1, 고려), 靑城伯(태조1), 開國1등공신(1), 靑城府院君(2), 청성백(정종1), 領三司事(1), 門下左政丞(2), 청성백졸
沈潾	(세조~성종대)	청송	父 領議政 澮, 祖 領議政 溫	음	산음縣監(세조17, 읍지), 敦寧都正(성종1), 工(2), 兵曹參議(20), 僉知中樞(20)
沈末同	(세조~성종대)	청송	昭憲王后 有服親	기(세조잠저시종)	堂上官(世祖潛邸時有功 不拘限品至堂上官, 성종6, 6, 경자)
沈湄	(문종~성종대)	청송	父 領中樞 濬, 祖 領議政 溫	음(족보)	전농直長(문종1), 知通禮門事(세조7), 嘉善大夫僉知中樞(성종16), 여주牧使(17)
沈濱	(성종19)	청송	父 兵馬節度使 安仁, 祖 觀察使 璿		親祀先農祭監
沈璿	?~1467	청송	父 判官 石雋, 祖 府尹 澄		司憲監察(세종25), 判事(세조1), 世祖原從3등공신(1), 工(9)·禮曹參議(10), 僉知中樞(10), 경기관찰사(10), 嘉善大夫僉知中樞(11), 中樞副使(11), 하정사(11), 황해관찰사(12), 行五衛副護軍졸
沈安禮	(세조~성종대)	청송	형 安仁		隨闕敍用(세조14), 간성郡守(성종15)
沈安義	1438~1476	청송	형 安仁, 처 태종녀 貞安翁主	기(부마)	靑城尉(세조1), 원종1등공신(1), 都鎭撫(10~12), 五衛都摠管(12), 五衛衛將(13)
沈安仁	(세조~성종대)	청송	父 觀察使 璿, 祖 判官 雋	무(족보)	錄事(세조6), 원종3등공신(6), 三峯島초무사(11), 국장도감郎廳(성종5), 훈련副正(6), 通政大夫경원府使(7), 北征元帥魚有沼從事官(10), 안주牧使(12), 전라우도수군절도사(14), 僉知中樞(16)
沈馮	(성종대)	청송	父 靑城尉 安義, 祖 觀察使 璿	음	司憲監察, 개성부都事(21)
沈涓	(태종~세종대)	청송	父 繼年, 祖 左政丞 德符	문(태종14)	司憲監察(~세종7, 파직)
沈溫	?~1418	청송	父 左政丞 德符, 祖 正郎 龍, 서 世宗	문(우왕12)	龍武侍衛司大護軍(정종즉), 大護軍知閣門使(태종즉), 大護軍兼內侍茶房使(4), 龍虎侍衛司上護軍兼判通禮門事(4), 同副(7), 右副承旨(8), 左軍同知摠制(8), 풍해관찰사(11), 參知議政(13), 大司憲(13), 右軍摠制(14), 刑(14)·戶曹判書(15, 파직), 戶曹判書(15), 左軍都摠制(15), 判漢城(16), 議政府參贊(17), 吏(17)·工(18)·吏曹判書(18), 議政府贊成(18), 議政府領議政(18), 사은사귀국중 자진
沈湲	?~1467	청송	형 潾	음(족보)	함길점마別監戰死
沈仁鳳	(태조~세종대)	청송	형 溫		中軍摠制(태종7), 謝恩副使(8), 侍衛軍節度使

조선초기 관인 이력

					(8), 강원兵馬都節制使(~9), 파직(9), 鷹揚衛1番節制使(12), 좌군총제(세종즉), 유배(2)
沈長己	(문종~세조대)	청송	父 領議政 溫(첩자), 祖 左政丞 德符	환관	掖庭署司鑰(문종2), 掖庭署司謁(세조1), 世祖原從3등공신(1)
沈長壽(守)	(세조대)	청송	父 領議政 溫(첩자)	환관	典事(1), 원종3등공신(1), 掖庭署司鑰(2)
沈泟	?~1418	청송	형 溫		都摠制府同知摠制피화(좌兄沈溫)
沈貞源	(세조~성종대)	청송	父 領敦寧 決, 祖 領議政 溫		세자參軍(세조9), 宣傳官(13), 僉正(13), 부상(성종1), 군기正(3), 折衝將軍五衛司勇(12), 결송도감당상(12), 전라수군절도사(12), 영해府使(16), 行五衛副護軍(19)
沈淙	(태조~태종대)	청송	제 領議政 溫, 처 태조녀 慶善公主	기(태조2,부마)	青原君(태조7), 定社2등공신(7), 青原侯, 청원군(정종2), 상주진주도절제사(태종9), 廢庶人, 유배(16)
沈周南	(성종6)	청송	父 儀賓 安義, 祖 觀察使 璿		加資
沈澄	(태조~세종대)	청송	父 左政丞 德符		大將軍(~태조5, 파직), 경창府尹(~세즉, 유배, 坐沈泟)
沈天雨	(태조대)	청송	父 漣, 祖 晟		영해府使(읍지)
沈翰	1436~1482	청송	형 潾	음(단종2)	五司攝司正(단종2), 藝文奉禮郎(세조5), 兼司憲掌令(9), 사재(~12), 司僕(12), 내자正(14), 折衝將軍부호군(~예종1, 파직), 同副承旨(성종2), 佐理4등공신(2), 右副(3)·左副承旨(3, 파직), 吏曹參議(5), 漢城右尹青川君(7), 청천군(9), 평안절도사(11), 청천군졸
沈灝	(세종~세조대)	청송	父 都摠制 仁鳳, 祖 左政丞 德符		황간縣監(세종23), 判官(세조1), 世祖原從3등공신(1)
沈澮	1418~1493	청송	父 領議政 溫, 祖 左政丞 德符	음(문종즉위)	敦寧主簿(문종즉위), 副知敦寧(단종2), 僉知中樞(2), 同知敦寧(세조1), 世祖原從1등공신(1), 衛將(~3), 中樞使(3), 工曹判書(3), 中樞副使(4), 判漢城(4), 判中樞(5), 刑曹判書(7), 경기관찰사(9), 議政府左議政(12), 議政府領議政(13), 領中樞(13), 翊戴2등공신領中樞青松府院君(예종즉), 府院君(1), 佐理2등공신(성종2), 右議政(8), 府院君(10), 졸
沈光輔	(성종대)	豊山	父 郡守 胄, 祖 郡守 實	?, 문(21)	五衛司果(~21), 문과, 兼司僕(24) [연산이후: 禮曹參議]
沈光弼	(성종대)	풍산	제 光輔		還告身(6), 才品敍用(6, 이조, 功臣嫡長故)
沈龜齡	(태조~태종대)	풍산	父 判事 承慶, 祖 縣監 長源		大將軍(정종1), 上將軍(태종1), 佐命4등功臣(1), 兼中軍同知摠制(6), 西北面都巡問使(8), 京畿兵船率領助戰節制使(8), 豊山君(9), 千秋

					使(9), 兼同知義禁府事(9~10), 파직(10), 知義興三軍府事(11), 三軍別侍衛右軍節制使(12), 豊山君졸
沈寶	?~1425	풍산	父 都摠制 龜齡, 祖 寺事 承慶		上護軍(~태종17), 공신도감使(17), 工曹參議(세종1), 別司禁僉摠制(2), 判江陵府使(3), 파직(4), 산릉도감提調(4), 漢城府尹(4), 충청도 절제사(4), 파직(5), 전同知摠制졸
沈實	(세종대)	풍산	형 寶		광흥창副丞(~6, 파직), 풍덕郡事(24)
沈膺	(세조~성종대)	풍산	父 牧使 實, 祖 都 摠制 龜齡		內禁衛(세조12), 敵愾2등공신(13), 折衝將軍 龍驤衛護軍(13), 僉知中樞(성종6), 嘉善大夫 會寧府使(9, 11 파직), 豊山君(14), 풍산군奉朝賀(15), 北征將帥(22)
沈冑	(성종대)	풍산	父 都事 實, 祖 都 摠制 龜齡		도감郎廳(~15), 刑曹正郎(15), 五衛護軍
沈寅	(세종~성종대)	풍산	형 寶		兼漢城參軍(세종19), 충훈부經歷(단종3), 世 祖原從2등공신(세조1), 僉知中樞(4), 通政大 夫南原府使(성종7)
沈亨	(성종대)	풍산	父 君膺, 祖 牧使 實		內禁衛(21), 通政大夫穩城府使(22), 折衝將軍 平安虞侯(24), 通政大夫慶源府使(24) [연산이 후: 靖國3등공신]
沈肩貞	(성종13)				命敍用
沈啓蒙	(태조~세종대)				刑曹佐郎(태조5), 상주判官(~태종11), 司憲持 平(11), 파직(11), 강진縣事(~세종1), 파직(1)
沈關石	(세조6)				副錄事, 원종3등공신
沈龜麟	(태종~세종대)				巡禁司司直(태종9), 전라병마도절제사 首領 官(17), 行護軍(세종6)
沈龜壽	(태조~태종대)				知印(태조6), 司直(태종14), 수군萬戶(16)
沈德京	(성종21)				군기서攝事, 被擄
沈童	(세조6)				副管事, 원종3등공신
沈東老	(태조3)				藝文供奉
沈淚	(세조7)				中樞副使
沈末生	(세조1)			환관	掖庭署副謁者, 원종2등공신
沈士廉	(세조1)				宗親府典籤, 원종3등공신
沈山甫	(조선초)				평해郡事졸(읍지)
沈舒	(태종대)				사재少監(7), 朝見世子司衣(7), 선공少監(~11, 파직), 尙衣院提擧(16)
沈粹	(세종대)		父 宜生	?, 문(8)	敎導(~8), 문과, 縣監(방목)
沈彦光	(세조11)				경성府使(읍지)
沈援	(성종24)				내자判官
沈義儉					의성縣令(읍지)

沈睍	(세종대)			기(2, 효행)	散員(2, 料量敍用, 孝行故, 居안음)
沈朝	(세종7)				인동縣監
沈從義	(세종11)				甲士
沈濬	(세종대)				監察(26), 贈世祖原從2등공신(세조1)
沈仲恩	(단종~세조대)				兼軍器判官(단종2), 겸군기正(세조1), 世祖原從2등공신(1)
沈證	(성종16)				졸府尹
沈智	(성종대)				한강渡丞(~3, 加資)
沈摠	(세종15)				三軍鎭撫
沈淄	(세조12)				경시署令
沈致敬	(단종1)				예빈權知直長
沈孝源	(문종즉위)				諫官

아

성명	생애(仕官시기)	본관	가계	출신	관력
阿時羅(表時)	(태조7)			왜귀화인	散員
阿乙他	(세조2)			여진귀화인	포주등처副萬戶
阿哈	(단종~성종대)			여진귀화인	올량합副萬戶(단종2), 萬戶(세조1), 伐引等處副萬戶(1), 都萬戶(성종24)
安止	1385~1464	康津	父 士宗	문(태종14)	成均博士(태종14), 승문正字(~16), 집현修撰(세종2), 집현副提學(16), 吏曹參判(23), 藝文提學동지춘추(24), 工曹參判(26), 중추부사(27), 仁順府尹(27), 戶曹參判(28), 中樞副使(28), 工曹判書(29), 藝文大提學(30), 파직(32), 知中樞(세조1), 知中樞知經筵事(1), 世祖原從1등공신(1), 檢校議政府贊成(2), 퇴거(7), 領中樞奉朝請졸
安德孫	(세종~세조대)	公山	父 習, 祖 翼	문(세종29)	刑曹佐郎(단종1), 郡守(방목)
安省	?~1421	廣州	父 判事 器, 祖 署令 海	문(우왕6)	개국원종공신(태조1), 봉상卿(~5, 유배), 司憲侍御使(정종2), 司憲中丞(2), 知甫州事(2), 右司諫(~태종4, 유배), 경상都觀察黜陟使(8), 參知議政(11), 하정副使(11), 大司憲(13), 漢城府尹(13), 강원都觀察黜陟使(13), 의금提調(14), 공안府尹(15), 개성留侯(세종1), 전留侯졸
安完慶	?~1453	廣州	父 牧使 處善, 祖 郎將 鼎	음, 문(세종5), 중(18)	殿直(~세종5), 문과, 사재直長(5), 司諫院右獻納(9), 兵曹正郎(10), 종부少尹(12), 경기經歷(~13), 파직(13), 藝文直提學(~18), 문과중시, 右司諫(22), 兵曹參議(29), 左副承旨(29), 파직(31), 僉知中樞(31), 刑曹參判(31), 사은사(32), 大司憲(문종즉위), 刑曹參判(1), 同知中樞(1), 충청관찰사(단종1), 피화
安潤德	1457~1535	廣州	父 安東判官 彭老, 祖 縣監 從生	문(성종14), 중(연산3)	權知承文副正字(성종14), 成均學諭(14), 博士 議政府司錄(~18), 종부主簿(18), 宣務郎司諫院正言(19), 戶曹佐郎(20), 母喪(20), 兵曹佐郎(22), 司憲持平(25)[연산이후: 刑·兵曹正郎, 商

					議, 장악僉正, 議政府檢詳, 議政府舍人, 司諫院司諫, 通禮院相禮, 弘文直提學, 同副·左副·右·左承旨, 경상관찰사, 刑曹參判, 弘文副提學, 한성좌윤, 中宗原從공신, 刑·兵曹參判, 知中樞, 判漢城, 刑曹判書, 평안관찰사, 知中樞, 工曹判書, 知中樞, 議政府左參贊, 戶曹判書, 전戶曹判書졸]
安潤孫	1390~1460	廣州	父 克辨, 祖 鐵山	문(성종7)	承政院注書, 藝文檢閱(방목), 經筵典經, 修撰官, 副校理, 司憲持平, 司憲掌令, 大司憲(방목)
安自立	1398~?	廣州	父 弘祚, 祖 止善	문(세종8)	禮曹正郎(세종32), 世祖原從3등공신(세조1), 府使(방목), 檢校戶曹參議(10), 檢校參判(예종1)
安從生	(세종30)	廣州	父 參知議政 省, 祖 判事 器		전司憲監察
安鐵山	(태종대)	廣州	장인 都摠制 金定卿		군자主簿(~16, 파직), 署令(김정경묘표)
安彭老	(성종12)	廣州	제 彭命		경상도判官(읍지)
安彭命	1447~1492	廣州	父 縣監 從生, 祖 參贊 省	문(성종3)	藝文奉敎春秋館記事官(성종5), 刑曹正郎(17), 朝散大夫司憲掌令(19), 司憲執義(21) 成均司藝(21), 執義(22), 司諫院司諫(22), 예빈副正(23), 졸
安以康	(태조7)	狼川			縣監(읍지)
安璟	(세종~세조대)	順興	父 牧使 從約, 祖 典書 珆		고산縣監(세종1), 졸檢校參判(세조6)(*5子登科)
安景儉	(태조~태종대)	순흥	형 景溫		左散騎常侍(태조2), 諫官(태종2), 工曹正郎(~14)
安景恭	?~1421	순흥	형 景溫	?, 문(우왕2)	의영고副使(고려), 都承旨(태조1), 開國3등공신(1), 大司憲, 전라관찰출척사(2), 興寧君(~태종6), 判漢城(6), 군(11), 興寧府院君(18), 府院君졸
安景良	?~1398	순흥	형 景溫	문(공민왕23)	서북면도순문사(태조3), 中樞副使, 藝文提學졸
安景溫	(태조대)	순흥	父 判門下 宗源, 祖 贊成 軸	문(공민왕11)	密直提學
安寬厚	1417~?	순흥	父 漢城府尹 璟, 祖 海州牧使 從約	문(세종29)	풍저창副使(단종2), 戶曹正郎(~세조3), 파직(3) 主簿(3), 世祖原從3등공신(3), 禮曹正郎(5), 강원함길都體察使申叔舟從事官(6), 議政府舍人(7), 藝文直提學(7), 경상도 御使(8), 僉知中樞(11), 禮(성종2)·戶(4)·禮曹參議(4), 通政大夫강원관찰사(7), 강원관찰사겸병마절제사(8), 大司諫(9), 嘉善大夫경상관찰사(10), 同知中樞(11), 僉知中樞(15)
安覯	(성종25)	순흥		?, 문(25)	訓導(~25), 문과[연산이후:司諫院司諫(방목)]

安玖	(태종~세종대)	순흥	父 海州牧使 從約, 祖 典書 瑗	?, 문(태종17)	內贍主簿(~태종17), 문과, 工曹正郎(~세종7), 파직(7), 直提學(방목)
安九經	?~1428	순흥	父 判中樞 壽山, 祖 領敦寧 天保	음?	領軍鎭撫大護軍(~세종14), 僉知中樞(14), 兵曹右參議(15)
安謹厚	(세조~성종대)	순흥	형 重厚	문(6)	成均典籍, 縣監(방목)
安耆	(단종~세조대)	순흥			前錄事(~단종3, 收告身), 錄事(세조7)
安訥	(세조~성종대)	순흥	父 大司憲 崇孝, 祖 贊成 純		통례문奉禮(세조3), 內贍判官(예종즉위), 직산縣監, 내자判官, 別坐, 영변判官(성종3), 음 즉현감(4)
安瑭(塘)	1461~1520	순흥	父 成均司藝 敦厚, 祖 府尹 璟	문(성종12)	藝文檢閱(방목), 司諫院正言 [연산이후: 成均司成, 議政府左議政]
安敦厚	(세조~성종대)	순흥	형 重厚	문(세조6)	봉산郡守(성종12), 成均司藝(방목)
安琳	(성종대)	순흥	父 執義 謹厚, 祖 漢城府尹 璟	문(8)	承仕郎(~8), 문과, 禮曹正郎(방목)
安萬哲	(성종대)	순흥	父 俊, 祖 修己	문(21)	[연산이후: 司憲掌令(방목)]
安璿	(성종대)	순흥	형 瑚		司憲持平(9), 兼司憲掌令(15)
安瑈	(단종2)	순흥	형 寬厚		청풍府使(읍지)
安修己	(세조대)	순흥	父 判事 耋, 祖 永孚	문(1)	藝文檢閱(1), 司諫院右獻納(12), 兵曹正郎(~14), 파직(14), 한성少尹
安壽山	?~1434	순흥	父 領敦寧 天保, 祖 君 千善, 매부 領議政 沈溫	음	司憲監察, 司憲持平, 判通禮門事(~세종 즉), 유배(즉, 坐沈溫), 都摠制府僉摠制(1), 同知敦寧(1), 工(1)·刑曹參判(2), 知敦寧(9), 진헌사(9), 判中樞(16), 判中樞졸
安璹	(세종23)	순흥	父 僉知敦寧 宗廉, 祖 留侯 瑗		연천縣監(23), 副司直(~29, 파직, 불효故)
安純	1371~1440	순흥	父 興寧府院君 景恭, 祖 判門下 宗源	음(우왕6), 문(14)	행랑도감判官(우왕6), 장흥고直長(~14), 문과, 成均學諭(공양왕2), 成均直學(태조1), 사재主簿(2), 司憲監察(2), 拾遺知製敎(3), 김해判官(5), 禮曹佐郎世子右侍直(6), 강화都事(7), 司憲雜端(7), 파직(정종1), 서북經歷(2), 兵曹正郎兼刑曹都官正郎(태종1), 내자少尹(2), 종부(2), 봉상副令(2), 兼司平府經歷(3), 司憲掌令(3), 刑曹都官議郎(3), 내자尹, 봉상, 종부令, 내자判事(~7), 通政大夫判通禮門事(7), 右副·左副·右承旨(7~9), 吏曹參議(9), 左軍同知摠制(9), 경상관찰사(9), 左軍同知摠制(11), 參知議政府事(11), 개성副留侯(~13), 파직(13), 공안府尹(세종1), 工曹判書(1), 함길관찰사(5), 議政府參贊(5), 戶曹判書(6), 진위사(6), 戶曹判書(9), 崇政大夫戶曹判書(12), 判中樞兼判戶曹事(14), 議政府贊成事(18), 判中樞(19), 사직(22, 身病故), 前判中樞졸

安崇善	1392~1452	순흥	父 判中樞 純, 祖 府院君 景恭	음, 문(세종2)	司憲監察(~세종2), 문과, 司憲持平(2), 吏曹正郎(5), 경상察訪(5), 司憲掌令(8), 司憲執義(6), 파직(6), 大護軍(11), 계품사書狀官(11), 同副承旨(12), 知申事(13), 사직(17, 母病故), 母喪(17), 大司憲(19), 工(20)·禮曹參判(22), 刑曹判書(25), 성절사(26), 知中樞(26), 兵曹判書(27), 평안관찰사(29), 藝文大提學(30), 유배(31), 中樞使(문종즉위), 議政府右參贊(즉), 左參贊(1), 左參贊兼判兵曹事(1), 左參贊(2), 좌참찬졸
安崇信	(세종9)	순흥	형 崇善		刑曹佐郎, 유배
安崇直	(세종~세조대)	순흥	제 崇善		折衝將軍司直(세종20), 의금鎭撫(25), 충청수군처치사(25), 충청병마절제사(26), 僉知中樞(27), 경상우도절제사(29), 僉知中樞(31), 안동府使(문종즉위), 中樞副使(단종2), 경창府尹(2), 성절사(3), 同知中樞(세조1), 경창府尹(2)
安崇孝	?~1460	순흥	형 崇善		守司憲掌令(세종26), 知刑曹事(문종1), 戶(단종1)·吏曹參議(1), 경기관찰사(2), 덕령府尹(세조1), 世祖原從2등공신(1), 大司憲(2), 工曹參判(2), 工曹參判겸전라관찰사(3), 仁順府尹(3), 중추부사겸전라관찰사(4), 戶曹參判(4), 同知中樞겸충청관찰사(5), 관찰사졸
安堯卿	(성종대)	순흥	父 縣監 永, 祖 僉知中樞 從義	기(遺逸, 족보)	통진縣監(~4, 체직시優待除授, 善政故), 臺諫(4)
安友騫	(성종대)	순흥	父 持平 誼, 祖 判書 崇善		宣傳官(성종10), 掌隸院判決事(20), 兵曹參知(21), 兵曹參議(22), 전라좌도수군절도사(22), 刑曹參判(24) [연산대: 兵·刑曹參判]
安友參	(세조~성종대)	순흥	제 友騫		刑曹正郎(세조14), 부평(성종6), 남양府使(~19), 선공正(20)
安友夏	(성종대)	순흥	형 友參		參奉(密城君 李琛비명)
安瑗(定)	?~1411	순흥	父 順城君 元崇, 祖 順興君 牧	문(공민왕23)	刑曹判書(공양왕2), 左副代言(고려), 右軍同知摠制(태종1), 사은副使(1), 경상관찰사(4), 判漢城(7), 대사헌(7), 개성留守(8), 동북都體察使(8), 전留守졸
安位	(세종~세조대)	순흥	父 典書 知碩, 祖 直提學 玖		中衛訓導官(세종8), 길주判官(9), 진도郡事(문종1), 대정縣監(1), 五衛上護軍(세조1), 世祖原從2등공신(1), 僉知中樞(2)
安誼	(세종~세조대)	순흥	형 訓		忠義衛(세종31), 司憲監察(세조1), 世祖原從3등공신(1), 司憲持平(4), 연안府使(8)
安以寧	(태조대)	순흥	중궁외척		司憲監察(3), 三司諫議(~7, 파직)
安仁厚	(세조~성종대)	순흥	제 寬厚		行縣監(세조1), 世祖原從3등공신(1), 僉知中樞(6), 만포(7), 강계절제사(7), 都摠使龜城君 李浚軍官(13), 경기수군절도사(성종4), 折衝

					將軍五衛上護軍(6), 충청병마절도사(8), 경상좌도수군절도사(10)
安璋	(성종대)	순흥	父 成均司藝 敦厚, 祖 府尹 璟		五衛司果(왕자사부 ~22), 主簿(22)
安詮	(세종~세조대)	순흥			전옥승(세종30), 主簿(세조1), 世祖原從3등공신(1)
安祖同	(태조대)	순흥	父 元崇	문(우왕2)	直提學
安宗儉	(태조대)	순흥	父 開城留侯 瑗, 祖 君 元崇	기(軍士)	태조잠저휘하(태조총서), 參議(安瑗묘지)
安從(宗)廉	?~1447	순흥	형 從約		司憲監察(태종9), 判官, 중군經歷(세종2), 兆陽鎭첨절제사(8), 상원郡事(17), 上護軍(22), 僉知中樞(23), 僉知敦寧(~27, 유배), 前僉知敦寧졸
安從禮	(세종대)	순흥	형 從約		司憲監察(安瑗묘지)
安從信	(태종~세종대)	순흥	형 從約		황해(태종18), 전라經歷(세종3)
安從約	(태종~세종대)	순흥	父 開城留侯 瑗, 祖 大提學 元崇	문(우왕14)	황주判官(태종1), 司憲掌令(3), 내자判事(~18, 파직), 창원府使(세종7), 해주牧使, 參議(安瑗묘지)
安宗源	1324~1394	순흥	父 門下侍郎贊成事 軸	문(충혜후2)	門下侍郎贊成事(고려), 領三司事(태조1), 太祖原從功臣(2), 사은사(3), 判門下府事졸
安從義	(세종대)	순흥	형 從約		보령縣監(~8, 파직)
安柱	(태조1)				知密直(고려), 錄太祖原從공신
安俊	(태조2)	순흥	父 中郎將 孫柱, 祖 君 天善	문(고려)	담양府使, 봉상判事, 전라충청경상都體察使(고려), 나주牧使(읍지)
安重厚	(세종~세조대)	순흥	父 府尹 璟, 祖 牧使 從約	?, 문(세종29)	司勇(~세종29), 문과, 成均主簿(단종1), 博士(1), 司憲監察(3), 司憲持平(세조1), 世祖原從2등공신(1), 陞職(10, 開墾有功故)
安知歸	(세종~세조대)	순흥	父 直提學 玖, 祖 牧使 從約	문(세종14)	전농主簿, 戶曹佐郎, 함길都事, 집현直提學(세조1), 世祖原從2등공신(1), 大司成(~5), 진주(5)·공주 牧使(5), 僉知中樞(6), 禮曹參議(6), 전주府尹(6)
安進(珍)	(세종~단종대)	순흥	父 經歷 從信, 祖 典書 瑗, 장인 府院君 趙大臨	음(세종4)	敦寧府丞(세종4, 졸기), 主簿(10), 監護官(16), 同僉知敦寧(28), 僉知中樞(세종28), 工.(29)·兵曹參議(29), 同知敦寧(29), 사은사(30), 同知敦寧(문종즉위), 사은사(즉), 同知敦寧(단종1)
安質	?~1447	순흥	父 縣監 守眞, 祖 體察使 俊文	문(세종5)	承政院注書(세종8), 吏曹佐郎(12), 前司直(14), 유배(14), 경상경차관(19), 守司憲執義(27), 知司諫(28), 同副承旨(28), 승지졸
安耋	(태종대)	순흥	父 永孚, 祖 君 輯		司憲持平(7), 해풍郡事(11), 知司諫(13)
安天保	1339~1425	순흥	父 君 千善, 祖 文凱, 외손 世宗妃		別將(공민왕12, 고려), 檢校漢城尹(태조8), 檢校議政府參贊(9), 檢校議政府贊成(9), 議政府

					左議政치사(세종즉), 領敦寧치사졸
安琛	1445~1515	순흥	형 瑚	문(세조12)	議政府司錄(~예종즉), 司憲監察(즉), 奉訓郎藝文副修撰(성종2), 副修撰經筵檢討官(3), 通德郎司諫院正言(4), 평안都事(6), 朝散大夫司諫院獻納(8), 經筵試讀官(9), 경차관(10), 經筵侍講官(11), 군기正(~14), 弘文直提學(14), 副提學(16) 同副·右副·左副·右承旨(15~16), 파직(16), 양주牧使(18), 禮曹參議(22), 弘文副提學(22), 吏曹參議(24), 嘉善大夫同知中樞(24), 僉知中樞(24), 大司成(25), 吏曹參判(25) [연산이후: 吏曹參判, 同知中樞, 僉知中樞, 전라관찰사, 大司憲, 同知中樞, 경상우도절도사, 한성좌윤, 戶曹參判, 충청관찰사, 知中樞, 工曹判書, 知敦寧졸]
安該	(성종대)	순흥	父 大司憲 崇孝, 祖 贊成 純		의금都事(18), 經歷(21)
安好	1437~1503	순흥	제 琛	?, 문(세조12)	參奉(~세조2), 參判(방목)
安瑚	1437~1502	순흥	父 全州府尹 知歸, 祖 軍器判事 玖	음(세조6), 문(12)	사재參奉(~세조12), 문과, 藝文奉教(12), 장흥고主簿(13), 司憲監察(성종1), 書狀官(1), 사옹判官(1), 평안都事(2), 朝奉大夫司憲持平(3), 戶(4)·吏曹正郎(4), 都事(~5), 議政府檢詳(5), 議政府舍人(10), 司諫院司諫(11), 사도(11), 사재副正(12), 전라경차관(12), 사재副正(14), 군기正(17), 弘文直提學(~18), 副提學(18), 大司諫(19), 左副承旨(20), 兵曹參知(21), 管押使(22), 禮曹參議(22), 僉知中樞(23), 大司諫(23), 僉知中樞(24), 通政大夫전주府尹(25) [연산대: 禮, 刑曹參議, 황해관찰사, 兵曹參知, 大司諫, 禮曹參議졸]
安好文	(세종대)	순흥	父 參議 九經, 祖 判中樞 壽山	기(16)	差定서용(16, 중궁외척故)
安訓	(세종~예종대)	순흥	父 參贊 崇善, 祖 贊成 純		忠義衛, 奉禮郎, 평안都事, 世祖原從2등공신(세조1), 署令, 예빈尹, 兼司憲執義, 尙衣院僉正, 陞堂上官(국장도감낭청공)
安慶孫	(세종~성종대)	安山		기(軍士)	內禁衛(세종19), 五司副司直(단종1), 靖難3등공신(1), 胡賁司前領護軍(3), 五司大護軍(세조1), 三軍鎭撫(1), 내자尹(1), 僉知中樞(1), 折衝將軍五衛大護軍(3), 인순府尹(9), 진하사(9), 公山君(11), 同知中樞공산군(예종1), 공산군(성종3)
安根	(세조~성종대)	안산	父 重寶	문(6)	안주判官(성종16)
安敬之	(세종6)	竹山	父 知密直 叔老, 祖 竹山君 克仁		광흥창副丞

安季仁	(세종대)	죽산	父 令 曾, 祖 受祉		署令(13), 초계郡事(15)
安克終		죽산			교동縣監兼水軍萬戶(읍지)
安魯生	(태조~세종대)	죽산	父 正言 勉	문(우왕2)	杖流(태조1), 左諫議(~정종1), 철원府使(1), 경상안렴사(태종1), 左司諫(3), 진주牧使(5), 禮(6)·刑曹右參議(7), 개성副留侯겸경기관찰사(7), 충청도관찰사, 判廣州牧使(11), 인령府尹(13), 경성修補都監提調(13), 吏曹參判(세종1)
安騰	?~1417	죽산	父 三司左尹 天老, 祖 政堂文學 克仁	음	司憲侍御使(정종2), 知司諫(태종4), 예빈判事(8), 경상海道察訪(8), 左副代言(8), 知申事(9), 參知議政(10), 경상관찰사(11), 사직(12, 병), 大司憲(14), 인령府尹(14), 충청(15)·경상관찰사(15), 漢城府尹(16), 刑曹判書(16), 사직(17, 병), 전刑曹判書卒
安望之	?~1424	죽산	제 敬之		한성少尹(태종10), 司憲執義(15), 경상좌우도군기점검경차관(~16, 파직), 刑曹參議(18), 吏曹參判(세종즉), 進獻種馬使(즉), 공안府(1), 함길관찰사(1), 前관찰사卒
安孟聃	1415~1462	죽산	父 觀察使 望之, 祖 都巡問使 叔老	기(세종10, 부마, 치 태종여 貞懿公主)	竹城君(세종10), 延昌尉(세조1), 世祖原從1등공신(1)
安孟毅	(세종23)	죽산			임실縣監
安貧世	1445~1478	죽산	父 延昌尉 孟聃, 祖 관찰사 望之	음(세조11)	宣傳官(세조11), 同副(12, 超7資)·右副承旨(13), 工曹參判(13), 한성좌윤(성종3), 嘉靖大夫漢城左尹(4), 知中樞卒
安桑雞	(성종대)	죽산	父 延昌尉 孟聃, 祖 관찰사 望之	음?	通政大夫양주牧使(18), 敦寧都正(23)
安紹之	(세종대)	죽산	父 都巡問使 叔老, 祖 大提學 克仁		인산郡事(9), 양주牧使(17)
安叔老	?~1394	죽산	父 君 克仁, 祖 杜景		전知密直卒
安承慶	(태종15)	죽산	父 判書 克昌, 祖 杜景		전정주府使, 廢庶人
安信孫	(단종~세조대)	죽산	형 哲孫	문(단종1)	藝文檢閱(방목), 世祖原從2등공신(세조1)
安自誠	(성종24)	죽산	父 參判 逊, 祖 郡事 季仁		司憲持平
安緝	(세조~성종대)	죽산	父 縣監 孟毅	문(세조6)	吏曹正郎(~예종1), 함길(1), 영안評事(성종1)
安哲孫	(세종~성종대)	죽산	父 摠郎 魯生	문(세종23)	司憲監察(세종27), 강원都事(문종 즉), 少尹(세조1), 世祖原從3등공신(1), 개성經歷(2), 조전경차관(6), 僉知中樞(7), 戶曹參議(7), 嘉善大夫僉知中樞(11), 충청관찰사(14), 파직(예종1) 內禁衛將(성종4)

安迢	1420~1483	죽산	父 郡事 季仁, 祖 典校令 曾	문(세종29)	승문著作郎(문종즉위), 禮曹佐郎(세조1), 世祖原從2등공신(1), 吏曹正郎(4), 通政大夫전라관찰사(12), 刑曹參議(13), 안동府使(성종7), 嘉善大夫同知中樞(10), 刑曹參判(10), 황해관찰사(12), 戶曹參判(13), 同知中樞(13), 同知中樞졸
安彭守(壽)	(성종대)	죽산	父 繼性, 祖 仲善	문(23), 중(연산3)	臺諫[연산이후: 司諫院正言(연산3), 大司諫]
安尙縝	(세종~단종대)	忠州	父 束		工曹佐郎(세종11), 한성少尹(문종2), 원평府使(~단종1, 파직)
安束	(태조~태종대)	충주		?, 문(우왕9)	諫官(~태조4), 知錦州事(태종10), 左司諫(~8, 유배), 兵曹參議(11)
安良生	(성종대)	충주	父 謙, 祖 尙鎭	?, 문(3)	參奉(~성종3), 문과, 經筵檢討官(5), 吏曹佐郎(8), 司憲持平(13), 承旨(방목)
安晉生	(예종~성종대)	충주	父 自立, 祖 弘祚	문(예종1)	藝文檢閱, 司諫院正言, 친제奉靑箱官(성종24)
安處良(康)	(세조~성종대)	충주		문(세조10)	藝文檢閱(세조10), 藝文奉敎(예종1), 通德郎藝文奉敎(성종2), 朝散大夫司憲持平(5), 禮曹正郎(6), 장악僉正(8), 司憲掌令(9), 救荒使(13), 通訓大夫掌令(13), 司諫院司諫(14), 弘文副提學(15), 兵曹參議(16), 同副·右副·左副·右·左·都承旨(16~18), 吏曹參判(18), 진하사(19), 僉知中樞(19), 황해관찰사(19), 大司諫(20), 전주府尹(22), 漢城右尹(25) [연산대: 漢城左尹, 右尹, 경상관찰사, 한성우윤·좌윤, 정조副使, 한성좌윤, 刑曹參判]
安居	(태조~태종대)			환관	知內侍府事(태조2), 太祖原從공신(2), 判內侍府事(태종1), 경기우도巡察副使(8)
安儉					영해府使(읍지)
安格	(세종대)				五衛副司直(~8), 전라水軍節制使營鎭撫(8)
安扃(隔)	(세종대)				강령(13), 거제縣事(15), 평해郡事(24, 읍지)
安堅	(세종대)			화원	護軍(8), 4品官(성종3, 6, 무진)
安慶	(태조2)				진주牧使, 원종공신
安敬禮	(세조1)				五司司正, 원종3등공신
安敬直	(세종~문종대)				청하(세종18), 진잠縣監(문종즉위)
安繼性	(세조1)				錄事, 원종3등공신
安繼孫	(성종4)		父 少尹 貴興(서자)		해운포萬戶
安繼宋	(성종1)				전守令
安季毅	(세조1)				錄事, 원종2등공신
安繼仁	(세종17)				덕천郡事

安繼祖	(성종3)			입직甲士
安國	(세종10)			양근敎導
安權	(세종대)			高灣梁海領萬戸(~1, 削職赴防)
安貴山	(태종14)			경상도안렴사(읍지)
安貴生	(단종~성종대)		화원	화원(단종2), 五司副司直(세조1), 世祖原從3등공신(1), 別提(~성종3), 陞堂上官(3, 御眞製作功故)
安貴孫	(문종즉위)			서산郡事
安貴行	(세종대)		문(26)	縣令(방목)
安貴欽	(성종대)	父 春景	문(3)	縣監(방목)
安貴興	(성종4)			졸예빈少尹
安珪	(세종대)		문(5)	
安規	(세종17)		문(5)	김포縣令(방목)
安克辨	(세조3)			五衛司直, 원종3등공신
安克思	(세조~성종대)			通善郎(세조1), 世祖原從3등공신(1), 평안經歷(8), 진향사(예종1), 通政大夫驪州牧使(성종1), 折衝將軍五衛副司直(6), 덕원府使(8)
安克祥	(세조대)			收告身(~10), 醫方類聚편찬관(10)
安克治	(성종대)			통례문引儀(14), 金溝縣令(23)
安懃	(태조대)			戸曹佐郎(~4, 유배)
安謹	(세조~성종대)			五司副司果(세조1), 世祖原從2등공신(1), 금천縣監(성종4)
安謹	(세조1)			修義校尉(甲士), 원종3등공신
安謹孫	(세조3)			의정부知印
安紀	(태종대)			흠곡縣令(~3, 파직)
安起	(세종~세조대)			수원府使(세종24), 世祖原從3등공신(세조1)
安起知	(세종22)			수원府使
安吉	(태종~세종대)			別坐(~태종11, 피죄), 護軍(세종8), 行司直(10)
安南	(세종8)			기장縣事
安德希	(세종9)			인산郡事
安堵	(태종대)		문(우왕14)	전사判官(~10, 파직), 司諫院右獻納(~14, 파직)
安東	(태조4)			諫官, 파직
安得祥 (詳)	(세종대)		역관	左軍司直(3), 押馬使(3), 사역判官(6), 押馬使(6)
安璐(潞)	(단종~세조대)		환관	行내시부左丞直(단종1), 判內侍府事(3), 世祖原從2등공신(세조1), 內官(~11, 파직)
安慮	(문종~세조대)			북청府使(문종1), 都摠使龜城君李浚軍官(세조13)

조선초기 관인 이력

安邦彦	(성종25)		서 檜山君 恬		奉事
安邦顯	?~1425				前郎將(태종12), 檢校副正進貢馬使行中익사 (세종8)
安保海	(세종16)				간성郡事
安福山	(세조6)				五衛上護軍, 원종3등공신
安復志	(세종9)				副司正(~9), 右軍司正(9, 女 選入貢女故)
安復初	(세종대)				함길都事(13), 담양府使(17)
安貧	(세조14)				강무輜重將
安瓚	(태조대)				전합포진첨절제사(~7, 유배)
安思吉	(세조4)				여흥府使
安思義	(세종~세조대)				副司直(세종16), 전兼司僕(세조6, 鳳山)
安士欽					의성縣令(읍지)
安尙瑱	(세조6)				副使, 원종3등공신
安尙鎭	(세종~단종대)				전라우도水站轉運判官(8), 경기水站判官(8), 工曹佐郎(~11, 파직), 함길經歷(13), 경기程驛察訪(15), 원평府使(~단종1, 파직)
安瑞德	(태종~세종대)				호조錄事(태종16), 삼화縣監(세종9)
安石强	(세조1)				五司司正, 원종3등공신
安石根	(성종18)				전縣令
安錫福	(단종1)				藝文奉禮郎
安善	(세종대)			환관	內官(~3, 除授)
安成萬	(태종10)				內侍衛行司直
安成雨	(세종22)				行隊長
安成祐	(세종31)				隊副
安世英	(성종23)				경성判官(읍지)
安素	(세종27)				五衛護軍
安紹禧	(성종대)		父 護軍 堅	문(9)	司憲監察(10), 成均典籍(방목)
安綏	(세종대)				고부(2), 정선郡事(7)
安秀岑					합천郡守(읍지)
安壽希	(세종23)				청산縣監
安叔孫	(세조대)				錄事(1), 원종3등공신(1), 가평縣監(7)
安順	(태종7)				中宮殿守門內官
安舜齡	(성종대)				사도直長(~16, 收職牒)
安舜民	(세조1)				行五司副司正, 원종3등공신
安順孫	?~1457				順興判官피화(坐錦城大君瑜)
安崇武	(세조2)				전五司司正, 加資
安崇仁	?~1493				司憲監察자살
安承祖	(세조1)				五衛司正, 원종2등공신

安升俊	(태조총서)			기(軍士)	태조잠저휘하(태조총서)
安愼之	(세조대)				中樞副使甲士(~10, 充軍)
安億壽	(세조6)				예안縣監(읍지)
安淹慶	(세종~세조대)				경상經歷(세종17), 府使(세조1), 世祖原從3등 공신(1)
安業信	(세종14)				경기都事
安餘慶	(태종13)				지평縣監
安如獺	(성종16)				命重厚敍用(이조)
安瑛	(성종12)				司憲掌令, 儀賓府經歷
安英祿	(세종24)				전司直
安玉同	(단종1)				別監, 靖難有功
安龍	(태종8)			기(관노출신)	副司勇, 限7품
安遇祥	(단종대)			환관	行掖庭署司謁(1), 유배(3)
安遇世	(태종대)				上護軍(6), 군공3등(6, 體探야인사변), 檢校漢 城府尹(13)
安遇臣	(성종10)				武官, 講武隨從
安雲壽	(세조1)				五司護軍, 원종2등공신
安愈	(세종~세조대)	외조 領議政 趙 浚(비첩자)			副司正(세종26), 五司司直(세조1), 世祖原從1 등공신(1)
安有謙	(세종8)				평양鎭撫
安有仁	(세종2)				兵曹令史
安六孫	(세종대)			기(13, 효행)	料量敍用(13, 居川寧, 孝行故)
安潤福	(성종21)				在官
安允時	(태종대)				비서少監(1), 사은사書狀官(1)
安乙貴	(태조~태종대)				宣略將軍(~태조6, 피죄), 行司直(~태종10), 경 원진左右翼都千戶(10, 充軍)
安乙貴	(문종즉위)				전護軍(居길주, 年老辭歸)
安誼	(세조1)				主簿, 원종2등공신
安義	(세종2)	여 淑善翁主			判漢城치사
安義	(세조~성종대)				主簿(세조1), 원종2등공신(1), 鎭撫(성종19)
安義	(성종10)			역관	통사
安宜之					연안府使(尹泙묘지명)
安義致	?~1426				檢校判漢城좔
安益	(성종1)				고창縣監
安翊	?~1410				전門下侍郞贊成事(태조2), 太祖原從공신(2), 參贊門下府事(5), 檢校贊成좔
安仁達	(성종14)			환관	內官, 加資(救火功故)
安仁義	(예종~성종대)			역관	정조사통사(예종1), 사역副正(성종3), 사역直 長(5), 통사(17)

조선초기 관인 이력

安仁智	(성종대)			역관	통사(12), 사역判官(14), 당인解送使(14)
安自敬	(세조~성종대)			환관	內官(세조6), 世祖原從3등공신(6), 景安殿 內官(성종3)
安自義	(성종5)				智陵參奉
安自賢	(세종대)				奉禮郎(~25, 土官), 맹산縣監(25)
安忬	(성종14)				世子左衛率
安濟倫	(세조1)				五司護軍, 원종3등공신
安濟定	(세종22)				교동縣事
安從儉	(세조1)				行尹, 원종3등공신
安從道	(세조8)				別坐, 經歷(李琛비명)
安潛	(성종10)				司憲持平
安仲敬	(단종~성종대)			환관	行掖庭署司謁(단종1), 내시부左丞直(3), 承傳色(세조10), 翊戴3등공신(예종즉), 嘉善大夫咸安君(즉), 改原城君(즉), 承傳宦官(1), 內侍府尙傳(성종7), 資憲大夫원성군(9, 성종9, 12, 무술)
安仲聃	(세조대)				광흥倉使(~3, 파직)
安仲文	(성종21)				만포甲士
安仲寶	(성종14)			환관	內官
安仲夫	(예종1)			환관	환관
安仲富	(성종7)			환관	주방內官, 加資
安仲毅	(세종대)			문(17)	承政院注書(22), 정조사書狀官(23), 成均直講(방목)
安仲佐	(성종대)	형 仲敬		기(9,형故)	문소전參奉(9), 五衛司直參奉(13)
安仲賢	(성종13)	제 仲敬			除서반직
安志復					영해府使(읍지)
安至善	(세종~세조대)			통사	통사(세종29), 行五司司直(단종3), 世祖原從3등공신(세조1), 주문사통사(4)
安至善	(문종1)				장흥府使
安璡					의성縣令(읍지)
安處	(성종12)			역관	통사, 漢(明)人解送使
安處善	(태조~태종대)				경상수군첨절제사(태조3), 判晋州牧使(태종8)
安處性	(세조1)				五司副司直, 원종3등공신
安處仁	(단종~예종)				武臣(단종3), 사신호송장(예종1)
安處仁	(성종대)			역관	성절사통사(3), 사역正(21)
安處直					金溝縣令(읍지)
安天儉	(태종10)				萬戶
安天祿	(태종대)				付處(~13, 宥), 隨駕(13)

安哲山	(성종대)			환관	還職牒(5), 轎子侍衛(19)
安哲石	(세종대)				護軍(24), 무진군事(32)
安哲成	(세조6)				卒直長, 원종3등공신
安哲貞	(세조11)			환관	書房色
安樞	(성종12)				訓導(원주)
安春萬	(세종대)			기(17, 효행)	命敍用(17, 殷山)
安忠彦	(단종~성종대)			환관	내시부左承直(단종3), 內侍府事(세조1), 世祖原從1등공신(1), 僉內侍府事(3, 加2資), 光陵侍陵내시(성종1)
安忠仁					金溝縣令(읍지)
安致康	(단종~성종대)				고성郡事(~단종즉위, 파직) 尙衣院提擧(2), 府使(세조1), 世祖原從3등공신(1), 司禁(6), 진주牧使(성종1)
安惠	(문종~예종대)		형 愈, 외조 領議政 趙浚		司勇(문종즉위), 五司司直(세조1), 世祖原從3등공신(1), 五衛司直(5), 副司直(11), 別坐(예종즉위), 陞堂上官(즉, 寫佛經功故)
安好	(세종5)				일본회례사
安好善	(성종7)				운산甲士
安鴻起	(세종대)			문(1)	縣監(방목)
安和尙	(태종11)			환관	內官, 審察慶尙道監造火器
安孝禮	(세종~성종대)			풍수	行五衛司勇(세조1), 世祖原從3등공신(1), 서운副正(3), 관상正僉正(12), 관상正(12), 折衝將軍五司副司直(예종즉), 副司猛(1), 五衛司正(성종1), 行五衛護軍(~1, 파직)
安孝禮	(세조대)			무(6)	전농書吏, 훈련副使(10)
安孝文	(세조1)				修義副尉, 원종2등공신
安欽	(세조1)				進勇校尉(甲士), 원종3등공신
安希德	(세종대)			문(우왕9)	단천郡守(태종11, 읍), 의금鎭撫(세종즉), 判書
安希福	?~1423				大護軍(세종3), 갑산郡事卒
艾純	(태종대)				서운正(10), 서운判事(13)
艾仁浩	(세조~성종대)				五司副司正(세조1), 원종2등공신(1), 소강첨절제사(성종7)
也克	(단종~세조대)			여진귀화인	蘆包等處萬戶(단종1), 都萬戶(세조2)
也失哈德兀	(세조2)			여진귀화인	蒲州等處副萬戶
梁灌	(세종3)	南原	父 川至, 祖 郡事 經		司憲持平
梁九疇	(태종대)	남원	父 寺事 碩堅, 祖 典書 祐		知沃州事(11, 읍), 청풍郡事(17)

조선초기 관인 이력

梁權	(태종~세종대)	남원	父 寺事 宜生, 祖 典書 思道	문(태종1)	錄事, 교서校理(~태종18, 파직), 司憲持平(세종5)
梁湛	(세종16)	남원	父 郡守 允寬, 祖 同正 得龍		충주判官
梁思遜	(태종~세종대)	남원	父 公呂, 祖 崧	문(태종5)	校理(방목), 서산郡事(세종14)
梁誠之	1415~1482	남원	父 禮賓尹 九疇, 祖 判事 碩隆	문(세종23)	경창부丞(세종23), 成均主簿, 집현副修撰, 應教, 直集賢殿(세조1), 世祖原從2등공신(1), 通政大夫世子左輔德(2), 서운判事(~3), 僉知中樞(3), 上(4)·五衛大護軍(5), 同知中樞(6), 경창府尹(6), 주문副使(6), 同知中樞(7), 동지춘추(7), 上護軍藝文提學(8), 僉知中樞(9), 同知中樞(9), 資憲大夫弘文提學(9), 吏曹判書(10), 知中樞(11), 大司憲(11), 工曹判書(예종1), 工曹判書겸지춘추(1), 佐理3등공신南原君(성종2), 大司憲(8), 工曹判書(8), 남원군(10), 副護軍(12), 知中樞(12), 崇政大夫同知中樞(12), 知中樞卒
梁順石	(단종~성종대)	남원		문(단종1)	權知正字(단종1), 世祖原從2등공신(세조1), 承政院注書(3), 注書兼春秋館記事官(3), 兵曹正郎(7), 體察使具致寬從事官(7), 경상經歷(10), 掌隷院判決事(예종1), 禮曹參議(1), 通政大夫황해관찰사(1), 황해관찰사겸병마수군절도사(성종1), 吏曹參議(1), 吏曹參判(3), 성절사(3), 충청관찰사(7)
梁淵	(세종~세조대)	남원	父 縣監 思輔, 祖 直長 首生		정읍縣監(세종29), 진주判官(문종1), 世祖原從3등공신(세조3)
梁瑗	(세조~성종대)	남원	父 判書 誠之, 祖 主簿 九疇		진위縣令(세조12), 隨才敍用(성종20, 功臣嫡長故), 도총經歷(24)
梁允寬	(태종대)	남원	父 同正 得龍, 祖 典書 祐		刑曹正郎(9~10, 유배), 郡守
梁子由	(세조~성종대)	남원	父 內贍判官 淵, 祖 縣監 思輔	문(세조14)	承仕郎(~세조14), 奉訓郎藝文奉教(성종2), 奉直郎奉教(3), 禮曹佐郎(6), 司憲持平(7), 工曹正郎(8), 司憲執義(방목)
梁子瞻	(성종대)	남원	제 子由		흥덕縣監(~17, 파직)
梁自海	(성종~연산대)	남원	父 宗漢	문(23)	訓導[연산대: 成均典籍]
梁瓚	(예종~성종대)	남원	父 行知中樞 誠之, 祖 禮賓少尹 九疇	음	五衛部將(예종즉위), 삼척府使(성종1), 通政大夫濟州牧使(9), 同副承旨(13), 수원府使(17)
梁夏	(성종대)	남원	父 觀察使 順石	문(18)	禮曹佐郎(~25), 承議郎司憲持平(25)
梁琥	(세조12)	남원	형 瓚		낭천縣監
梁洪	(세종1)	남원	父 正郎 工俊, 祖 培		청도郡守(읍지)

아

285

梁瓊	(세종19)	濟州	형 約		해진郡事
梁鳳來	(세종대)	제주		문(1)	藝文奉敎(5), 司憲監察, 칠원縣監(12)
梁約	(세종9)	제주	父 漢瑞, 祖 君棟 材		行司直, 世子朝見시종관
梁井明	(단종~성종대)	제주	父 郡守 瓊, 祖 漢瑞	문(단종1)	成均典籍, 宗學司誨, 장수縣監(~성종7, 파직)
梁震孫	(세조대)	제주	父 漢達, 祖 好	기(특지), 문(11)	宣傳官(~11), 문과, 禮曹正郎(방목)
梁處恭	(세조1)	제주	父 禹聖, 祖 棟		行五司司正, 원종2등공신
梁潔	(태종3)		世蔭子弟(가계 불명)		甲士
梁敬老	(문종~세조대)				전순천府使(~문종즉위), 온성府使(즉), 중화郡事(1), 副使(세조6), 世祖原從3등공신(6), 함길都鎭撫(8), 안동府使(~14, 파직)
梁繼統	(세조1)				縣監, 원종3등공신
梁灌(瓘)	(성종대)				斜麻洞萬戶(~17), 五衛司勇(17), 고산리진첨절제사(18), 덕천郡守(22), 通政大夫甲山府使(25), 회령府使(25)
梁金石	(문종대)				단성縣監(~즉, 파직)
梁歧	(세종17)				무진郡事
梁忘吾之	(세조1)				直律, 원종3등공신
梁孟智	(세종8)				전정의縣監
梁文明	(세종24)		환관		掖庭署司鑰
梁鳳鳴	(세종21)				언양縣監
梁思正	(세종16)				副司直
梁石堅	(성종대)				榮川郡守(읍지)
梁需	(태종대)			문(우왕8)	해주牧使(4), 日本通信使(10), 刑(11, 파직)·兵曹參議(12), 강릉(12)·강화府使(~14, 파직), 同知中樞, 摠制
梁琇	(성종8)				정선郡守(~8), 군기正(8, 읍지)
梁水岸	(세조1)				令史, 원종3등공신
梁深	(태종13)				直長(孝行)
梁余	(세종23)				영일縣事
梁郁	(세종대)			기(14, 효행)	敍用(14, 居山음, 孝行故)
梁云石	(문종대)				兼司僕(~2, 파직)
梁雲石	(세조1)				郡事, 원종2등공신
梁元沚	(성종대)			기(軍士)	內禁衛, 사량萬戶(23)
梁有德	(단종2)				전護軍(居從성)
梁有中	(태종17)				伊山縣監(營繕차사원)

梁潤	(성종대)				서빙고別檢(~24, 파직), 隨闕敍用(25, 이조)
梁允澄	(세조1)				典吏, 원종3등공신
梁仁達	(세종31)				제주牧使(읍지)
梁仁壽	(세조1)				五司司正, 원종3등공신
梁自崑	(세조1)				五司護軍, 원종3등공신
梁自山	(태종대)			환관	환관(~17, 定官役)
梁自漢	(세조1)				令史, 원종3등공신
梁長守	(세종대)				종성軍官, 甲士(~18, 파직)
梁甸	(성종대)				진천縣監(~16, 收職牒)
梁漸	(세종대)				司僕少尹(1), 大護軍(4), 전라좌도水軍都萬戶(6), 강령縣事(15), 내이포萬戶(21)
梁從生	(세조13)				都摠使龜城君李浚從事官
梁從恒	(세조13)				都摠使龜城君李浚從事官
梁洲	(세조1)				五司副司直, 원종3등공신
梁埈	(세종~세조대)				司憲監察(세종16), 守司憲持平(26), 正郎(세조1), 世祖原從3등공신(1)
梁仲寬	(태종9)				전兵曹正郎
梁繽	(태종5)				제주判官(읍지)
梁鷲	(성종20)				朝散大夫萬戶
梁峴	(세종9)				진보縣監(읍지)
梁珥	(세조12)				낭천縣監(~12), 군기主簿(12, 읍지)
梁活	(세종대)				司憲掌令(6), 파직(7), 掌令(~9, 파직), 창원府使(12)
梁淮	(태종14)				군기判官
梁孝淳	(성종9)				天文學敎授
梁孝舜	(성종14)				奉事
梁孝深	(성종6)				濟州子弟, 資窮(通訓大夫)
梁熙參					金化縣監(읍지)
梁希賢	(태조4)				전副正(孝行)
楊添植	(태조대)	光山	父 順誠	역관	工(태조4), 戶曹典書(5)
楊美	(세종12)	中和	父 寺事 元格, 祖 副令 伯厚		충주判官
楊斯悌	(세조1)	중화	父 縣令 濂, 祖 寺事 元格		五司司勇, 원종2등공신
楊守泗	(세조~성종대)	중화	父 郡守 師悌, 祖 忠州判官 渼	?, 문(세조12)	五衛副司猛(~세조12), 문과, 通德郎刑曹佐郎(성종2), 永不敍用(3)
楊愚(遇)	(태조4)	중화	父 元植	문(우왕11)	使臣入明拘留
楊熙止	(성종~연산대)	중화	父 孟純, 祖 忠州判官 渼	문(성종5)	승문正字(성종7), 兵曹正郎(~20), 僉正(20), 通德郎司憲掌令(23), 朝奉大夫掌令(24)[연산대:

					弘文典翰, 直提學, 副提學, 同副·右副·左副承旨, 五衛副摠管, 大司憲]
楊季(繼)源	(세종~세조대)	淸州	父 主簿 培, 祖 尙書 震	문(세종8)	군기直長(세종8), 司諫院右正言(10), 左正言(11), 右正言(11), 兵曹佐郎(12), 파직(14), 강원경차관(25), 개성斷事官(~29, 파직), 개성經歷(문종1), 兵曹正郎(세조1), 世祖原從3등공신(1)
楊孟渭	(세조10)	청주	父 檢校參判 脩, 祖 護軍 有宗		補充軍去官, 許通
楊沔	1444~1500	청주		문(성종6)	司諫院獻納, 司憲掌令(방목)
楊脩	1383~?	청주	父 尙書 震, 祖 門下贊成事 之壽, 매형 領議政 黃喜		刑曹佐郎(태종14), 三軍鎭撫(~세종4), 파직(4), 경기都事(12), 전강화府使(31), 의금鎭撫(~문종즉위), 군기判事(즉), 副正(즉), 少尹(세조1), 世祖原從3등공신(1), 檢校判漢城(10)
楊洵	(세종~세조대)	청주	父 監察 龍生, 祖 副使 榮秀	문(세종17)	양현庫丞(세종25), 判官(세조1), 世祖原從3등공신(1)
楊順達	(세조~성종대)	청주	父 治, 祖 震	문(세조3)	교서正字(~세조6, 파직), 함길(성종1), 경기都事(4)
楊榮發	(태종8)	청주	父 贊成 自淵, 祖 政丞 成柱		의정부知印
楊有宗	1405~?	청주	父 漢城判尹 脩, 祖 尙書 震		前護軍(居종성), 유배
楊汀	?~1466	청주	父 湛	기(郡事)	內禁衛(~단종1), 靖難2등공신(1), 知兵曹事(1), 兵曹參議(2), 함길도절제사(세조1), 工曹判書(3), 知中樞(3), 함길도절제사(3), 判中樞 함길도절제사(5), 楊山君(6), 평안도절제사 겸영변府使(9), 양산군(11), 복주
楊芝孫	(성종~연산대)	청주	父 君汀, 祖 湛	문(성종14)	[연산대: 禮曹參議]
楊震	(태조대)	청주	父 門下贊成事 之壽, 祖 政丞 起		工曹典書(黃喜묘지명)
楊秩	(태종~세종대)	청주		문(태종5)	成均學諭(태종5), 파직(6), 承政院注書(11), 司諫院正言(~14), 파직(14), 의금都事(~17), 파직(17), 兵曹正郎(세종5), 경기우도察訪副使(5), 경기강원察訪(7), 議政府舍人(9), 司憲掌令(9), 파직(10)
楊治	(세종~세조대)	청주	형 脩	무(족보)	內禁衛(세종6), 벽동郡事(20), 영광郡守, 行臺監察(~21), 收告身, 甲士(30), 영일縣監(세조12)
楊浩	(세조대)	청주	형 汀		直長(1), 원종3등공신(1), 신천縣監(~12, 파직), 좌兄汀)
楊厚	(세종~문종대)	청주	父 戶曹典書 添植, 祖 門下贊成		少尹(세종14), 右副(20)·左副承旨(20), 僉知中樞(20), 工(21)·戶曹參議(21), 母喪(23), 僉知中

			事 之壽, 질녀 세종후궁 惠嬪		樞兼知兵曹事(25), 同知中樞(26), 사은겸진하사(26), 충청관찰사(28), 同知中樞(31), 同知中樞졸
楊舜卿	(성종대)	忠州	父 繼緖, 祖 正郎 汝恭	문(5)	戶·吏曹佐郎(3), 경상都事(읍지)
楊汝恭(*)	1378~1419	충주	父 肅, 祖 煥	문(태종5)	兵曹正郎피화(좌朴習)(* 방목 梁汝恭)
楊可	(세조1)			여진귀화인	五司司正, 원종3등공신
楊景	(세종27)		여 世宗惠嬪 楊氏		졸남평縣監(贈議政府左贊成)
楊繼童	(세조3)				行五衛副司正, 원종3등공신
楊琁源	(성종15)				낭천縣監(읍지)
楊根生	(세조6)			역관	통사
楊根生	?~1467				길주軍官(~세조13), 體探李施愛軍(13), 兼司僕전사(13, 追贈3資, 直子1資超資서용)
楊澹	(성종대)			무, 무과중시(10)	졸縣監(25)
楊道	(세종~세조대)				진천縣監(세종15), 청도郡守(25), 守少尹(세조1), 世祖原從3등공신(1)
楊得春	(태종3)				追奪職牒(좌趙思義)
楊木答兀	(세종8)			여진귀화인	여진千戶
楊美	(세종대)				鷹師(~10), 進鷹使(10)
楊培	(태종대)				萬戶(~11, 유배)
楊斐	(세종13)			화원	화원
楊守道	(예종1)				졸縣監
楊深	(세종12)				전教導(제주, 효행)
楊安植	(세종대)				의주도첨절제사(~2, 充官奴)
楊安渭	(세조1)				五司副司正, 원종2등공신
楊億	(세종대)		父 震, 祖 之壽	?, 문(8)	教導(~8), 문과, 承政院注書(방목)
楊延壽	(세조1)				行五司司勇, 원종3등공신
楊英發	(태종16)				전縣令, 收職牒
楊五福	(태종대)				知蔚州事(~9, 유배)
楊元植	(태조3)				前典書
楊有泚	(성종18)				이산縣監(監木材차사원)
楊仁伯	(세조~성종대)				府使(세조1), 원종2등공신(1), 衛將(10), 부령府使(13), 평안조전장(성종6), 옥구縣監(7), 通政大夫瓮津縣令(19)
楊子淳	(세조대)				還告身(6), 廣州判官(9)
楊汀茂	(세조1)				知印, 원종3등공신
楊濟南	(세종13)		父 檢校漢城尹 弘達(의관)		陞3품

楊仲生	?~1466				刑官복주(濫刑故)
楊質	(성종6)				전은계도察訪
楊惕	(세종25)				工曹正郎
楊天植	(태조대)				戶曹典書(~6, 收職牒)
楊鐵	(세종15)				옥천郡事(읍지)
楊春茂	(태종~세종대)			기(軍士)	甲士(~태종7), 充水軍(7), 折衝將軍兼司僕僉摠制(~세종8, 파직), 兼司僕僉摠制(9), 파직(11), 判江界府使(15)
楊春發					영해府使(읍지)
楊湖	(성종22)				忠贊衛
楊弘達	(태조~세종대)			의원	行전의正(태종1), 工曹典書(4), 파직(5), 전의判事(7), 檢校漢城尹(12), 內醫(17)
楊弘遂 (壽)	(태종~세조대)			의원	전의令史(태종대, 단종즉, 5, 을묘), 大護軍(세종23), 五司上護軍(세조1), 世祖原從3등공신(1)
楊弘遠	(태조4)			의원	전의監
楊弘迪	(태종대)			의원	檢校工曹參議(9), 태종원종공신(12)
楊淮南	(세종13)		父 典醫判事 弘達	기(免賤爲良)	事잠저세종, 陞3품(세종13년 9월 8일)
楊孝順	(예종1)				甲士(居중화)
楊嘻	(세조대)			의원	行五司副司正(1), 원종3등공신(1), 3품內醫(4)
陽浚源	(성종대)				司饔院提檢(~14, 命敍用), 司憲監察(15)
魚得海	(문종~세조대)	忠州	父 牧使 重淵, 祖 升震	?, 무(세조3)	태천郡事(문종1), 司僕尹(~단종1), 온성府使(1), 무과, 僉知中樞(세조3), 世祖原從2등공신(3), 衛將(4), 行五衛上護軍(4), 嘉善大夫僉知中樞경상좌도수군처치사(5), 上護軍(7), 종성절제사(7), 평안도절제사(7), 강계절제사(8), 上護軍(11), 僉知中樞(11)
魚有沼	1434~1489	충주	父 同知中樞 得海, 祖 牧使 重淵	기, 무(세조2)	內禁衛(~세조2), 무과, 司僕直長(2), 통례원通贊(6), 折衝將軍知兵曹事(7), 行五衛護軍(9), 嘉善大夫회령府使(10), 行上護軍(13), 李施愛討伐大將(13), 敵愾1등공신평안병마수군절도사葯城君(13), 父喪(예종 즉), 예성군(즉), 겸五衛將(1), 西征大將(1), 예성군(1), 함경북도절도사(성종즉), 영안북도절도사兼鏡城府使(10), 佐理4등공신(2), 母喪(2), 崇政大夫영안북도순찰사(3), 議政府右參贊영안북도절도사(6), 議政府右參贊(6), 兵曹判書(8), 議政府右贊成(9), 西征大將(10), 3道都體察使(10), 파직(11), 吏曹判書(12), 同知中樞(12), 영안도순찰사(13), 예성군(15이전), 判中樞(19), 예성군졸

魚仲(重)淵	(세종대)	충주	父 升震		밀양府使, 廣州牧使(15)
魚孟淳	(성종대)	咸從	父 判書 世恭, 祖 判書 孝瞻		司憲監察(13), 한성判官(16)
魚變甲	(태종~세종대)	함종	父 縣令 淵, 祖 三司左尹 伯游	문(태종8)	집현直提學(방목)
魚變尾	(세종8)	함종	형 變甲		함안敎導
魚世謙	1430~1500	함종	父 判中樞 孝瞻, 祖 知司諫 變甲	문(세조2)	從仕郎(~세조2), 문과, 승문正字(2), 봉상錄事(~5), 吏曹佐郎(8), 戶曹正郎(10), 都體察使韓明澮종사관(10), 吏曹正郎(10), 강원경차관(11), 中直大夫宗簿正(12), 선전관(13), 藝文直提學(13), 右副(13)·右承旨(13), 翊戴3등공신右承旨 咸從君(예종즉), 평안관찰사(1), 함종군(성종1), 禮曹參判(2), 함종군(3), 함종군兼五衛副摠管(9), 함종군(10), 吏曹參判(10), 주문사(10), 함종군(11), 전라관찰사(11), 吏曹參判(12), 工曹判書(12), 同知中樞(12), 함종군奉朝賀(13), 大司憲(13), 刑曹判書(14), 경기관찰사(16), 함종군(17), 判漢城(17), 戶(18)·兵曹判書(18), 함종군藝文大提學知成均(19), 議政府左參贊(20), 崇政大夫判漢城(21), 議政府右贊成(21), 左贊成(22), 遭喪(23), 함종군兼弘文大提學(25)[연산대: 議政府右議政, 左議政, 파직, 咸從府院君졸]
魚世恭	1432~1485	함종	형 世謙	문(세조2)	승문正字(세조2), 校書著作(~5), 博士(5), 한성參軍(6), 승문副校理(8), 工曹佐郎(~11), 成均直講(11), 충청경차관(11), 兵曹正郎(~12, 파직), 成均司藝(12), 同副(12)·右副(12)·左承旨(13), 嘉靖大夫함경북도관찰사(13), 敵愾2등공신함경북도관찰사牙城君(13), 資憲大夫(13), 아성군(예종1), 사은사(1), 判漢城(10), 아성군(성종1), 禮曹參判(2), 知中樞(3), 工曹判書(5), 判漢城(8), 兵曹判書(9), 議政府右參贊(10), 刑曹判書(11), 파직(12), 刑(13)·戶曹判書(13), 知中樞(15), 아성군졸
魚淵	(태조대)	함종	父 三司左尹 伯游, 祖 署令 得龍		하양監務(~7, 杖流)
魚孝瞻	1415~1475	함종	父 藝文直提學 變甲, 祖 大丘縣令 淵	문(세종11)	藝文檢閱(세종11), 待敎(12), 世子左司經(16), 集賢殿校理(26), 應敎(28), 直集賢殿(31), 司憲執義(문종즉), 내자判事(~단종1), 大司成(1), 禮(1)·吏曹參議(6), 세조 원종2등공신(세조1), 嘉善大夫(1), 吏(2)·戶(3)·刑(4)·戶曹參判(4), 大司憲(4), 中樞副使(4), 漢城府尹(4), 刑曹參

					判(5), 中樞副使(5), 工曹參判(5), 中樞副使(7), 吏曹判書(9), 中樞使(9), 知中樞(10), 崇政大夫(14), 同知中樞(14), 전五衛大護軍(~성종5), 判中樞奉朝賀(5), 봉조하졸
魚得湖					연일縣監(읍지)
魚孟游	(태조대)				延山府使(~7, 收職牒)
魚變成	(성종대)				別侍衛副司果(~12), 司果(12), 곤양郡守(12, 전공), 五衛司猛(12)
魚思漢	(태종대)				知端州事(~6, 수직, 유배, 방면)
魚叔正					의성縣令(읍지)
魚承震	(태조4)			의원	御醫(태조4), 피죄(태종3, 좌趙思義)
魚元海	(태종6)				경상도兵船押領上鎭撫
魚自淵	(문종~세조대)				희천郡事(문종1), 世祖原從3등공신(세조6)
語得淮	(세조대)				行五司司勇(1), 원종3등공신(1), 고령진첨절제사(12)
嚴幹	(태종~세종대)	寧越		문(태종14)	봉상副錄事兼成均學錄(세종2), 봉상直長兼成均博士(11), 承政院注書(방목), 세자正字(방목)
嚴松壽	(세조~성종대)	영월	父 克仁, 祖 同知摠制 有溫	?, 문(세조14)	縣監(~세조14), 문과, 승문校理(방목)
嚴有溫	?~1419	영월	父 郎將 俊, 祖 軍器監 英佐		左軍同知摠制(세종즉), 전同知摠制졸
嚴自治(永壽)	(태종~세조대)	영월		환관	內官(태종17), 充官奴(세종1), 行同內侍府事(27), 靖難2등공신(단종1), 行同判內侍府事(세조1), 世祖原從2등공신(1), 嘉善大夫寧城君(1), 判內侍府事(1) 收告身削功臣籍籍沒家產充官奴(3)
嚴孝良	(성종대)	영월	父 國材	?, 문(7)	訓導(~7), 문과, 成均博士(13), 成均典籍(방목)
嚴幹	(세종대)			기(2, 효행)	봉상副錄事兼成均學錄, 봉상直長兼成均博士(11)
嚴敬之	(세조~예종대)			환관	承傳色(~세조5, 충군), 환관(7), 承傳色(~13, 파직), 환관(예종1)
嚴光哲	1363~?				前司直(세종24, 居안협, 연80세)
嚴貴孫	(성종대)				內禁衛(10), 折衝將軍五衛副司直(11), 평안조전절제사(11), 僉知中樞(~21, 파직), 北征都將(22), 평안虞侯(23)
嚴克寬	(세종대)				刑官(~12, 피죄, 濫刑故)
嚴謹	(성종10)				有職(船軍牌頭)
嚴孟義	(세조3)				承義校尉(甲士), 원종3등공신
嚴龍	?~1430				司僕諸員(~세종12, 傷猪死)

嚴用善	(성종대)			환관	4品內侍府尙傳(7), 行內侍府尙茶(8), 承傳色(內侍府尙傳, 15), 陞嘉善大夫(25)
嚴悠久	?~1467				함흥錄事전사
嚴益謙					해주牧使(읍지)
嚴仲孫	(성종대)			환관	內官(1), 加資(14, 山陵功故)
嚴僙	(태종4)				전戶曹典書
呂克諧	(성종1)	星山 (星州)	형 克禋		전錄事
呂稽	(태종9)	咸陽	父 都摠制 稱, 祖 令 吉孫		군자直長
呂賨	(세종대)	함양	父 都摠制 稱, 祖 署令 吉孫		선공直長(~3, 파직), 察訪(13)
呂自新 (義輔)	(성종~연산대)	함양	父 唐津縣監 宗肅, 祖 戶曹佐郎 稽		通政大夫장흥府使(성종1), 부안縣監(5), 兵曹參知(5), 知中樞겸영안북도절도사(6), 파직(8), 刑曹參判(9), 영안북도절도사(10), 兵曹參判(10), 경기관찰사(10), 파직(11), 兵曹參判(13), 영안남도절도사(17), 前영안남도절도사(20), 工(21)·兵曹參判(21), 知中樞(23), 工曹判書(23), 평안절도사(24) [연산이후: 五衛都摠管, 전라·영안(함경)관찰사, 知中樞]
呂忠輔	(성종대)	함양	형 希輔		司憲監察(2), 함양郡守(~10, 除京職)
呂稱	1351~1423	함양	父 署令 吉孫, 祖 密直副使 公係		양광경상전라도助戰副使(태조1), 제주畜馬點考使(7), 刑曹典書(~정종2), 청주牧使(2), 戶(태종1), 吏曹典書(2), 주문사(2), 右軍同知摠制강원관찰사(2), 강원관찰사(2), 사은사(4), 동북면도순찰사겸도병마절제사(4), 동북면도순문사(5), 개성留侯(5), 유배(7), 中軍都摠制(12), 刑曹判書(12), 知議政府事(12), 欽問起居使(13), 左軍都摠制(13), 前도총제졸
呂簏	(세조~성종대)	함양	父 原琥, 祖 遇	문(세조6)	司諫院正言(성종1), 司憲掌令(방목)
呂希寧 (輔)	(성종대)	함양	父 縣監 宗肅, 祖 佐郎 稽	무(족보)	길주判官(13, 읍지), 內禁衛(~18), 진도郡守(18), 仇寧萬戶(23)
呂巨	(세조2)			여진귀화인	포주등처副萬戶
呂經	(성종대)				內禮軍官(~9, 充軍)
呂貴眞	?~1410				충좌사五衛護軍(태종8), 明 光祿寺少卿(9), 少卿졸
呂克諧	(태종13)				檢校漢城府尹
呂近道	(세조1)				五司司正, 원종2등공신
呂奇	(세조11)			환관	內竈室환관
呂謨	(세종13)				東活人院祿官

아

呂賓周	(태종~세종대)			문(태종17)	
呂承堪	(성종대)				4품이상무신(14), 군기僉正(21), 전라都事(21), 北征都元帥許琮從事官(22), 折衝將軍제포첨절제사(23~25)
呂允哲	(성종24)				折衝將軍경상좌도수군절도사
呂義	(태종4)				진보縣監(읍지)
呂儀	(태종대)				군자主簿(~9, 유배)
呂義孫	(태조~태종대)				제주牧使(태조5), 典書(태종4), 일본보빙사(4), 유배(6)
呂偁	(태종9)				개성留守(읍지)
呂自中	(성종10)				嘉善大夫경기관찰사
呂宗敬	(단종~세조대)				고산도察訪(단종1), 전司憲監察(세조8), 世祖原從3등공신(8)
呂箎	(성종대)				司諫院獻納, 司憲兼持平(3), 通訓大夫司憲掌令(9), 안악郡守(13)
余德潤	(세종대)	宜寧	父 典書 仲淹, 祖 郎將 文靖		황해經歷(2), 都事(2), 刑曹正郎(9), 천안郡事(15)
余成烈	(세종대)	의령	父 仲富, 祖 郎將 文靖		평안수군첨절제사(17), 숙천府使(22)
余孝溫	(세종대)	의령	父 正郎 德潤, 祖 典書 仲淹	문(16)	司諫院右正言(23), 左正言(24), 兵曹佐郎(26)
余慶	(세종9)				副司直
余吉昌	(예종~성종대)			무(예종1)	경성口子軍官(성종24)
余伯熏	(세종10)			환관	졸茶房別監(경주)
余興烈	(태종17)				강원도연안수령
亦剌哈撒朶	(세조2)			여진귀화인	포주등처副萬戶
亦里哈	(세조2)			여진귀화인	포주등처副萬戶
延慶	(세종~세조대)	谷山	父 府院君 嗣宗, 祖 君 柱		僉知中樞(세종14), 行上護軍(20), 嘉善大夫안주牧使(22), 同知中樞(27), 충청수군처치사(28), 中樞副使(문종즉위), 사은副使(즉), 資憲大夫中樞副使(단종 즉), 僉知中樞(즉), 同知中樞(1), 知中樞(2), 同知中樞(3), 五衛上護軍(세1), 世祖原從2등공신(1), 谷山君(3), 中樞使(3), 谷山君奉朝賀(3)
延庇	(세종~세조대)	곡산	형 慶		흠곡縣令(세종14), 署令(세조1), 世祖原從3등공신(1), 通政大夫肅川府使(6)
延嗣宗	?~1434	곡산	父 谷城君 柱, 祖 參贊 丹瑞		征遼將軍鎭撫(우왕13), 太祖原從공신(태조1), 戊辰회군공신(1), 將軍(7), 大將軍(태종1), 佐命4등공신(1), 右軍同知摠制(2), 判漢城兼右軍摠制(7), 摠制(9), 議政府參贊(~10), 동북

					병마도절제사(10), 유배(10), 谷山君(~11), 義興侍衛司節制使(11), 父喪(11), 동북도순문사(12), 동북도순문사兼永興府尹(13), 谷山君(13), 모상(15), 三軍都鎭撫(16), 議政府參贊(17), 곡산군(17), 사은사(18), 判中樞都摠制(세종1), 곡산군(1), 谷山府院君(4), 太宗수릉관(4), 유배(8), 府院君(8), 府院君졸
延廡	(세종16)	곡산	형 慶		회양府使(읍지)
延井洌	(성종대)	곡산	父 府使 廡, 祖 府院君 嗣宗		옥천郡守(~3, 파직), 別提(5), 연안府使(~7, 收告身), 동래縣令(18)
延德生	(세조~성종대)			환관	薛里(세조3), 內侍府尙傳(성종15)
延保	(성종대)				忠義衛, 修理都監郎廳(~15), 陞 司宰正(15, 修理都監郎廳功故)
延壽恬	(문종~세조대)				三軍鎭撫(문종1), 果毅將軍(세조1), 世祖原從2등공신(1)
延孝善	(성종17)				은산縣監
廉怡	(세종12)	坡州(瑞原)	父 寺事 致中, 祖 大提學 國寶		전僉知中樞(나주), 杖徒
廉致庸(致和)	(태종대)	파주	父 大提學 國寶, 祖 侍中 悌臣	음, 문(우왕3)	吏曹考功司佐郎(우왕3), 문과(3, 고려), 工曹參議(태종11), 유배(13), 전황주牧使(~15, 하옥), 籍沒家産充官奴(17, 亂言故)
廉得河	(세조11)			환관	환관
廉穆	(성종대)				함길도변장(1), 內禁衛(6)
廉文達	(세조13)				別侍衛, 李施愛討伐將軍金嶠軍官
廉尙恒	(세조13)				단천郡守
廉淳	(세조1)				錄事, 원종2등공신
廉承原(源)	(세조~성종대)			역관	從仕郎(세조3), 世祖原從3등공신(3), 청승습사통사(성종1), 五衛司勇(4)
廉有耻	(태종대)			환관	掌景福宮役軍(8), 전라敬差內官(8)
廉有恒	(단종1)				內禁衛
廉恥(耻)	(세종12)			역관	正朝使통사
廉抱	(세조1)				五司副司正, 원종2등공신
永善	(예종1)				宣傳官
英雨	(세종13)				別監
甯漢	(세조13)				加資(討李施愛散料功故)
芮承錫	?~1476	缶溪(의흥)	父 監務 思文, 祖 參議 蘭	문(세종29)	司諫院左獻納(세조4), 掌隸院判決事(12), 吏曹參議(12), 大司諫(14), 五衛大護軍(예종1), 通政大夫강원관찰사(1), 강원관찰사겸병마수군절도사(성종1), 義興衛護軍兼同知成均(2), 工曹參判(4), 하정사(4), 전라관찰사(5),

성명	생몰/시대	본관	父祖	과거	관력
					漢城右尹(6), 한성우윤졸
芮亨昌	(세조~성종대)			역관	통사(세조12, 성종17)
吳碩福		高敞	父 判官 榮, 祖 府使 淹		의령縣監(읍지)
吳慎交	(세종20)	羅州	父 參議 穎達, 祖 中郎將 季眞		삼화縣監(읍지)
吳自治	(세조~성종대)	나주	父 慎中, 祖 郡事 穎達		都摠使龜城君李浚軍官(세조13), 敵愾2등공신, 五衛大護軍(13), 行義興衛護軍(13), 宜山君(예종1), 평안조전장(성종6)
吳潔 (伯顏)	(세조~성종대)	樂安		문(세조11)	都事(방목)
吳繼孫	(성종대)	同福	父 中樞 靖, 祖 判中樞 陞		忠贊衛, 萬戶(4)
吳陞	1364~1444	동복	父 典醫判事 仲和, 祖 門下侍郎贊成事 僅	문(우왕9)	諫官(태조4), 知司諫(태종4), 右司諫(~7), 刑曹參議(7), 同副承旨(8), 兵曹參議(8), 漢城府尹(11), 경기관찰사(11), 漢城府尹(세종즉), 判漢城(3), 개성留侯(4), 工曹判書(5), 藝文大提學(8), 工曹判書(10), 하정사(11), 議政府參贊(12), 大司憲(13), 中樞使(14), 判漢城(14), 中樞使(14), 崇政大夫參贊(16), 藝文大提學(18), 判中樞(22), 判中樞졸
吳靖	(세종~단종대)	동복	父 判中樞 陞, 祖 判密直 中和		司憲監察(~세종6, 파직), 中樞副使(단종즉위), 천추사(즉), 嘉善大夫僉知中樞(1), 안동府使(2)
吳中華 (和)	?~1396	동복	父 龜城君 僎, 祖 贊成 潛		判密直事(고려), 三司左僕射, 檢校參贊門下府事졸
吳天經		동복	父 諫議 軾	문(공민왕23)	
吳孟經	(문종~세조대)	寶城	父 正郎 備, 祖 漢城判尹 執	문(문종1)	敎導, 主簿(세조1), 원종3등공신(1), 判官(방목)
吳蒙乙	?~1398	보성	父 尙書 伯, 祖 贊成 允貞	문(우왕6)	大將軍(태조1), 開國1등공신(1), 中樞(~5), 연산府使(5), 강원관찰사(~7), 寶城君(7), 피화(坐鄭道傳)
吳傅	(태종~세종대)	보성	제 備		諫官(태종2), 의주判官(9), 判唐津縣事(세종13)
吳備	(태종~세종대)	보성	父 漢城判尹 執, 祖 提學 延禮	?, 문(태종11)	主簿(~태종11), 문과, 전禮曹正郎(세종8), 新安站路察訪(~12, 充官奴)
吳思忠	1327~1406	보성 (방목*)	父 諫議大夫 洵 (족보 父 節制使 廣信, 祖 祈之)	문(공민왕4)	司憲執義, 掌隸院左司議(고려), 戶曹典書(태조1), 開國3등공신(1), 中樞副使(3), 교주강릉관찰사(3), 商議中樞院事(4), 政堂文學(5), 경기좌도관찰사, 判承寧府事(태종1), 判司平府事(4), 寧城君(4), 영성군졸

吳召南	(태종대)	보성	父 判書 蒙乙, 祖 尙書 伯		通禮門奉禮郎(~6, 파직)
吳儼	(세종22)	보성	형 備		연산縣監
吳子慶	?~1478	보성	형 召南	무(단종2), 무과중시(세조12)	內禁衛(~단종2), 무과, 義州牧使成勝軍官(2) 權知訓練錄事(세조1), 世祖原從2등공신(1), 의주赴防軍官, 五衛護軍(~7), 함길都鎭撫(7), 경원府使, 上護軍(~12), 무과중시, 衛將(12), 都體察使具致寬裨將(13), 敵愾3등공신資憲 大夫寶山君(13), 僉知中樞兼五衛將(13), 僉知 中樞(14), 보산군(14), 평안중도절도사(예종 즉), 보산군졸
吳佺	(세종대)	보성	제 備		내자直長(~27, 파직)
吳點	(태종~세종대)	보성	父 仁守, 祖 柱臣	문(태종1)	大司成(방목)
吳達善	?~1466	蔚山	父 判官 欽老, 祖 觀察使 湜		전산음縣監복주
吳湜	?~1426	울산	父 受天, 祖 承宣 賢乙	문(태종2)	남원府使(태종6), 파직(9), 刑曹參議(17), 파직 (17), 인령府尹(17), 都摠制府同知摠制(세종 4), 左軍摠制(4), 경주府尹졸
吳欽老	(세종~문종대)	울산	父 觀察使 湜, 祖 受天		경덕宮直(세종26), 제용錄事(29), 황주判官 (문종즉위)
吳以洽	(세조대)	平海	父 縣監 永汝, 祖 參判 時義	기(4)	생원(4, 고강통), 五衛司勇(4)
吳敬之	(세종대)	咸陽	父 逢吉, 祖 天道	?, 문(2)	敎導(~2), 문과, 藝文奉禮(방목)
吳凌	(성종대)	함양	父 致仁, 祖 尙德	?, 문(14)	訓導(~14), 臺諫, 府使(방목)
吳尙文	(문종~세조대)	함양	父 善良, 祖 興	문(문종1)	전충주判官(세조5)
吳凝	1422~1470	함양	父 判書 致仁, 祖 少監 尙德	음, 문(세조3)	殿直(세조1), 世祖原從3등공신(1), 문과, 禮曹 佐郞(4), 同副承旨(11), 함길관찰사(12), 파직 (13), 한성좌윤(예종1), 전라관찰사(성종1), 전라관찰사졸
吳繼終(戒 從)	(성종대)	海州	형 從舜	무(족보)	察訪(18), 기장縣監(21)
吳湘	(세조~성종대)	해주	父 參判 明禮, 祖 大提學 溥		五司司直(~세조1), 世祖原從3등공신(1), 의주 判官(~9), 充軍(9), 방면후부방(9), 종성府使 (14), 通政大夫江界府使(성종9), 의주牧使 (10), 곤양郡守(13~14)
吳滋	(세조~성종대)	해주	형 湘		都摠使龜城君李浚軍官(세조13), 의주단련사 (예종1), 희천郡守(~1, 파직), 제포水軍僉節制 使(성종3), 영안조전장(6), 通政大夫慶興府使 (7), 京職(7), 의주牧使(14), 영안북도虞侯(17), 황주牧使(19), 경원府使(21), 서북虞侯(22), 평 안都元帥虞侯(23)

吳先敬	(정종~세종대)	해주	父 典書 光庭, 祖 倉丞 孝冲	문(정종1)	司諫院正言(태종8), 司憲持平(10), 전少尹(~16), 段子織造色別監(16), 議政府舍人(세종1), 都體察使柳廷顯從事官(1)
吳純(淳)	(성종~연산대)	해주	父 成式, 祖 大提學 潘		通政大夫온성府使(성종6), 同副承旨(12), 전라좌도수군절도사(16), 工曹參判(17), 경상좌도병마절도사(18), 훈련都正(21), 평안절도사(22), 서북면副元帥(22), 파직(23) [연산대: 五衛副摠管, 영안북도절도사, 工曹參判]
吳順(舜)從	(성종23)	해주	父 輪, 祖 少尹 顯	무(족보)	공주判官
吳有信	(예종~성종대)	해주	父 孟重, 祖 先敬	?, 문(예종1)	敎授(~예종1), 문과, 縣監(방목)
吳眞	(태조~태종대)	해주		역관, 명귀화인	사역副使(태조5), 내자尹(태종4), 인령부右司尹(7), 戶曹參議(9), 주문사(9), 檢校漢城府尹, 공안府尹(17), 졸府尹(세종12)
吳軸	(세조3)	해주	父 少尹 顯, 祖 郡事 士雲		判事, 원종3등공신
吳漢	(성종18)	해주	형 湘		전평양判官
吳廣善	(성종대)	興陽	父 牧使 益昌, 祖 大司憲 寧老	음(6, 父功, 西征전사)	試才授職(6, 父功故)
吳伯昌	1415~1473	홍양	父 大司憲 寧老, 祖 郡守 佩?	음, 문(문종즉위)	敎導(~문종즉위), 문과, 藝文檢閱(즉), 承政院注書(단종1), 司憲監察(2), 경기都事(2), 佐郎(세조1), 世祖原從2등공신(1), 경기都事, 兵曹正郎(4), 宣傳官(4), 體察使申叔舟從事官(4), 성천府使(6), 藝文直提學(6), 右副承旨(10), 평안관찰사(11), 건주군공4등(13), 禮曹參判(14), 兼五衛都摠管(예종1), 同知中樞(1), 大司憲(1), 同知中樞(1), 정조사(1), 佐理4등공신興原君(성종2), 경상관찰사(2), 資憲大夫흥원군(3), 파직(3), 흥원군奉朝賀(4), 五衛副護軍(4), 행부호군졸
吳順孫	?~1467	홍양	父 大司憲 伯昌, 祖 大司憲 寧老	무(족보)	五衛司勇(세조1), 世祖原從3등공신(1), 陞兼司僕(3, 무과초시장원故), 敵愾2등공신(13), 折衝將軍義興衛大護軍(13), 兼司僕(13), 折衝將軍上護軍졸
吳安老	(세종8)	홍양	제 寧老		해주判官
吳寧老	(태종~세종대)	홍양	父 郡守 佩, 祖 參贊 嗣宗		司憲持平(태종15), 廣州判官(17), 충청經歷(세종2), 전라경차관(6), 한성少尹(8), 원평府使(9), 五衛大護軍(18)
吳義孫	(성종2)	흥양	父 大司憲 伯昌, 祖 大司憲 寧老		북부參奉
吳益昌	(단종~세조대)	홍양	제 伯昌		內禁衛(단종3), 五司護軍(세조1), 世祖原從2등공신(1), 부령府使(5), 길주牧使(6)

吳幹	(단종~세조대)				함길감련관(단종2), 守五衛護軍(세조1), 世祖原從3등공신(1), 五衛護軍(5)
吳幹	(세조대)				中訓大夫(세조6), 원종3등공신(6), 단천郡守(9, 읍지)
吳乞濟				문(창왕1)	
吳決	?~1466				刑官 복주(濫刑致死故)
吳璟	(성종25)				사천訓導
吳敬倫	(성종대)			의원	내의正(4, 陞당상관, 齊安大君疾病治療故)
吳敬民	(세종15)				진안縣監
吳慶祐	(태조6)			의원	전의감官
吳敬宗	(성종8)				麟山萬戶
吳敬忠	(세종26)			환관	傳香別監
吳季年	(태조6)				순군知事
吳戒達					장기縣監(읍지)
吳繼門	(성종11)			역관	통사
吳繼善	(성종대)				參奉, 군적郎廳(8), 경차관(17)
吳繼孫	(세조11)			환관	환관
吳繼宗	(세종대)		父 司平府事 思忠		전농判官(6), 상주判官(9)
吳季昌	(예종1)				전옥參奉
吳克仁	(세조대)				목포萬戶(~11, 파직)
吳得陽	(세종대)				단천萬戶(~11, 파직), 五衛副司正(11)
吳明善	(성종1)				內官, 加資
吳明秀	(세조1)				五司司勇, 원종3등공신
吳明義	(세조대)				護軍(11), 파직(12), 守少尹(15), 내자尹(15), 갑산郡事(19)
吳蒙禮	(세조1)				五司護軍, 원종3등공신
吳蒙義	(세조1)				五司護軍, 원종3등공신
吳文	?~1406			왜귀화인	散員(태조7), 捕倭中익사
吳旼庚	(세종대)			기(14, 효행)	서용(14, 居用인, 孝行故)
吳伯顔	(예종1)				評事
吳報				문(우왕11)	
吳溥	(태종11)				五衛護軍
吳庇民	(세조~성종대)			문(세조10)	화순縣監(성종1)
吳思敏	(태조~태종대)				토산監務(~태조2, 장류), 전判事(태종13)
吳嗣宗	(태종6)				檢校議政府參贊
吳事夏	(세조1)				五司副司直, 원종2등공신
吳尙禮	(세종~세조대)				副司直(~세종30), 전라 銃筒箭監造使(30), 五司副司直(~세조1), 世祖原從3등공신(1)

吳尙明	(태조대)		父 臣岡	문(태조2)	제주判官(세종28, 읍지)
吳尙信	(세종~세조대)			의원	內醫(세종25), 전의正(세조1), 世祖原從3등공신(1)
吳善	(세조1)			환관	內官, 원종3등공신
吳世謙	(태조7)				使行入明拘留
吳淑	(정종2)				제주判官(창왕1), 예안縣監(읍지)
吳舜民	(세종27)				아산縣監
吳純衡	(성종대)				命敍用(11, 이), 行五衛司勇(14)
吳崇年	(세조1)				五司副司直, 원종3등공신
吳承祖 (胤)	(성종6)				전錄事, 決杖充軍(奸처제故)
吳慎孫	(성종3)			화원	화원
吳慎之	(세종~세조)			문(세종8)	藝文奉敎世子右副正字(세종5), 봉상錄事(~11), 藝文待敎(11), 主簿(17), 刑曹佐郞(19), 守司諫院右獻納(28), 知通禮門事(세조1), 世祖原從3등공신(1), 參判(방목)
吳斡	(단종1)				行五司副司正
吳衍	(세조대)				行五司副司直(1), 원종2등공신(1), 兼司僕(6), 평안부방軍官(7), 萬戶(~12, 收告身)
吳演	(성종25)			역관	통사
吳璉	(세종대)				남평(13), 정읍縣監(21)
吳泳	(세조9)				別侍衛
吳永錫	(성종10)				아오지萬戶
吳永和	(세조1)				五司副司直, 원종3등공신
吳禮江	?~1494				회령甲士전사
吳玩	(태종대)				성주牧使, 밀성府使, 전判事(태종7)
吳用權	(태조~태종대)				大將軍(태조5), 충청전라경상경차관(5, 비왜), 上將軍(~5, 收職牒), 上將軍(~정종2, 유배, 坐李芳幹), 전典書(~태종14, 廢庶人)
吳耘	(태종대)				의영直長(~11, 파직), 刑房錄事(~12, 피죄)
吳惟精					영해府使(읍지)
吳有終	(성종16)				上將軍(居진천)
吳惟顯	(세조1)				行五司司勇, 원종2등공신
吳允恭	단종2				檢律
吳允德	(세조6)			의원	馬醫, 원종3등공신
吳允明	(세종대)			?, 문(세종1)	訓導(~세종11), 문과, 용안縣監(22)
吳允孫	(세조~성종대)			역관	사역主簿(~세조11, 收告身), 副正(성종16)
吳栗山	(단종~성종대)			환관	掖庭署謁者(단종1), 定屬官奴(~세조5, 放, 授官職), 加資(성종1)

吳乙濟	(태종~세종대)			兵曹正郎(~태종12), 파직(12), 別監(16), 내자少尹(17), 전안성郡守(9), 被杖(9)
吾音甫 (改 信吾)	(태조7)		왜귀화	散員
吳義	(태종~세종대)		역관	사역判官(태종7, 세종1~5)
吳益念	(성종대)	父 僉正 孝夫	문(성종25)	[연산군대: 成均典籍]
吳益師	(성종5)			武臣, 能射
吳益生	(태종~세종대)		무, 무과중시 (태종16)	五衛護軍(~태종16), 무과중시, 大護軍(16), 남포진兵馬使(세종1), 上護軍(1), 嘉善大夫沃溝(3), 경성병마절제사(7)
吳仁老	(성종대)		문(11)	主簿(방목)
吳一	(태조대)		기(軍士)	잠저태조휘하(태조총서)
吳一德			문(공양왕2)	
吳自明	(세조1)			五司司直, 원종3등공신
吳子善	(세조대)			남포縣監(~12, 파직), 鎭北將軍康純軍官(13)
吳子信	(성종대)			용양副司果(20), 충청병마虞侯(21)
吳長松	(태조대)			성천府使(읍지)
吳専(溥)	(세종8)			五司大護軍
吳禎	(성종대)	장인 知中樞 金友臣		縣監(김우신비명)
吳貞貴	(세종대)		역관	사역主簿(10), 判官(12), 主簿(14), 判官(16)
吳廷邦				흥덕縣監(읍지)
吳正智	(성종15)			命敍用(이조)
吳貞賢	(세종9)			통사, 進鷹使
吳存志	(태조6)			전중少卿, 西北面存恤使
吳從孫	(성종21)	父 兵馬虞候 子信		忠順衛
吳仲貴	(태종3)			낭천縣監(읍지)
吳仲瞳	(세조1)			五司護軍, 원종3등공신
吳重寶	(세종12)			謝恩使押物
吳智生	(세종4)			제용主簿, 황해경차관
吳珍	(태조7)			明使行中拘留
吳晉卿	(태종17)			대진萬戶
吳澄	(세조1)			五司司勇, 원종3등공신
吳徵	(세종14)			상정소錄事(7~8品遞兒, 超6等授職)
吳彰	(세조1)			錄事, 원종2등공신
吳偶	(세종대)			右軍副司正(8), 牧監(9), 右軍司正(~12), 副司直(12, 女立明故), 영춘縣監(23)
吳天	(정종2)			散員

吳淸	(세종2)				경창副丞
吳忠	(성종6)				친경籍田令, 加資
吾忠孝	(세종10)			역관	사역主簿
吳致	(태종6)				三軍錄事
吳致權	(세조~예종대)				入侍(무인, 세조14), 피화(예종즉위, 坐南怡)
吳致善	(태종~세조대)		외숙 領議政 黃喜, 장인 將軍 金德生	음(태종13, 장인故)	藝文奉禮郎(태종13, 장인故), 司憲監察(18), 전라都事(세종12), 前署令(~13), 충청전라경차관(13), 護軍(19), 고부(22), 무진郡事(24), 少尹(세조1), 世祖原從3등공신(1)
吳致衍					장수縣監(읍지)
吳致仁	(성종대)				여주判官(~17, 收職牒)
吳致中	(성종2)				金化縣監
吳致智	(세조1)				五司副司直, 원종2등공신
吳致行	(세종~세조대)				장수縣監(세종16), 主簿(세조1), 世祖原從3등공신(1)
吳擢	(세조1)				錄事, 원종3등공신
吳翰	(태조5)				전의주判官
吳澣	(세조대)				守五司護軍(~1), 원종3등공신(1), 함길첨절제사(7)
吳漢相	(성종대)		父 秀孫	문(22)	成均學錄(23)
吳海德	(세종12)				監營繕
吳亨	(세조대)			문(12)	縣令(방목)
吳濚	(세조11)				침장고別坐
吳桐孫	(성종8)				兼司僕
吳孝文	(세종16)			문(1)	主簿(방목), 아산縣監
吳孝夫	(세조~성종대)			?, 문(세조10)	訓導(~세조10), 문과, 僉正(방목)
吳孝常					영해府使(읍지)
吳孝永	(세조1)				縣監, 원종3등공신
吳效夏	(세조1)			일관	行觀象監視日, 원종3등공신
吳興武	(성종대)				徵召(1), 突山(~9, 充軍), 包伊浦萬戶(23)
玉沽	1382~1434	宜寧	父 監務 斯美, 祖 진사 安德	문(정종1)	대구縣事(태종8), 禮曹正郎(세종5), 吏曹正郎, 歷3邑守令, 봉상尹, 司憲掌令졸
玉礪	(단종~세조대)	의령		문(단종1)	司諫院獻納(방목)
玉斯溫		의령		문(창왕1)	
玉崗	(세종8)				봉화縣監
玉麟	(태종~세종대)				都摠制府同知摠制, 충청水軍都節制使, 전라水軍處置使, 中樞副使
玉山奇	(태조~태종대)				司農判事(태조4), 押馬使(4), 단주萬戶(~태종4, 파직), 제주牧使(읍지)

조선초기 관인 이력

玉衡	(성종24)				경흥判官
玉活	(세종3)				禮曹正郎, 전라察訪
兀丁奇束時	(세조2)			여진귀화인	포주등처副萬戶
王康	(태조대)	開城	父 順興君 昇	문(공민왕20)	3도都體察使(고려), 전同知密直(~태조2), 戊辰回軍功臣(2), 관습도감判事(2), 유배(3)
王珇	?~1394	개성			鈴平君(~태조3), 유배중복주(3, 坐占卜王氏事)
王鬲	(태조1)	개성			永福君, 謝恩使(고려), 永福君 유배
王廉	(태조대)	개성	父 萬戶 昇	?, 문(우왕9)	別將
王㬔	(태조6)	개성			전교서監, 收職牒
王昉	(태조1)	개성			順安君(고려)
王徇禮 (牛知)	(단종~성종대)	개성			奉事고려태조(단종즉위), 崇義殿副使(~세조5, 收告身), 숭의전使(12, 23, 五衛司直), 숭의전副使(성종2)
王昇	(태조1)	개성		문(우왕9)	順興君
王瑀	?~1397	개성	형 恭讓王 瑤		歸義君, 奉王氏祀(태조1), 귀의군졸
王珇	?~1398	개성	父 恭讓王 瑤		歸義君, 定唐君
王裨	(태조대)			문(우왕11)	右拾遺(~2, 유배)
王賓	(태조2)				전계림府尹, 太祖原從3등공신
王尙德	(단종대)				甲士(五衛副司直,~3, 파직)
王時家老	(세종20)			여진귀화인	副司正
王安	(세조11)			역관	통사
王安德	(태조2)				判三司事, 원종2등공신
王也叱大	(세종20)			여진귀화인	副司正
王彦	(태종7)			환관	內官
王隣	(태종대)				上護軍(~13, 파직)
王麟	(태종~세종대)				都摠制府同知摠制(~태종18), 파직(18), 충청수군도절제사(세종1), 別侍衛절제사(5), 전라수군처치사(13), 中樞副使(14), 선위사(15), 전라都按撫水軍處置使(~15), 中樞副使(15), 졸중추부사(문종2)
王章				문(우왕1)	
王庭	?~1410				동북면鎭撫복주
王宗禮	(성종대)				通政大夫江陵(14), 順天府使(17)
王宗信	(세조~성종대)				通政大夫김해府使(세조5), 파직(7), 평안도순문사軍官(8), 嘉善大夫五衛護軍(11), 평안조전절제사都事(11), 경상우도병마절도사(12), 전라우도수군절도사(20), 회령府使(21), 西征中衛將(22), 僉知中樞(25)

王浩仁	(세종8)				司饔所別監
王和	?~1394				南平君피화
王孝乾	(세종대)				문의縣監(~6, 파직)
王孝忠	(세조6)				副丞, 원종3등공신
龍希壽	?~1397	洪川	父 大護軍 緒, 祖 典書 海		太祖原從공신(태조1), 檢校典書졸
龍孟孫	(성종대)				경흥府使(~22, 充水軍)
龍奉	(성종7)			환관	내시부飯監
龍安	(태종10)				郞將
龍永孫	(성종대)		형 孟孫		강무部將從事官(20), 경흥府使(22)
禹敬夫	(태종~세종대)	丹陽	父 開城副留侯 希烈, 祖 侍中 福生		전司憲監察(~태종15, 명서), 개성留侯司都事(~17, 파직), 강원經歷(세종1), 임천郡事(18)
禹繼蕃	(세종~세조대)	단양	父 吏曹判書 承範, 祖 大提學 洪壽	문(세종20)	守司諫院右正言(세종25), 禮曹正郎(세조3), 世祖原從2등공신(1), 파직(3), 司憲掌令(9), 강화府使(12), 파직(12)
禹繼孫	(세조1)	단양	父 參判 承範, 祖 大提學 洪壽		행主簿, 원종3등공신
禹繼忠	(세조3)	단양	형 繼孫		別坐, 원종3등공신
禹貢	?~1473	단양	父 大提學 秀老, 祖 典書 洪富	기(軍士), 무(세종26), 무과중시(29)	內禁衛(~세종26), 무과, 丑頭浦萬戶(29), 五衛鎭撫(단종1), 경원判官(1), 군기判官(세조2), 경성判官(3), 훈련원使(6), 通政大夫安邊府使(6), 嘉善大夫義州牧使(9), 의주절제사(11), 父喪(12), 義州牧使(12), 李施愛討伐銃筒副將(13), 敵愾3등공신丹城君(13), 資憲大夫忠武衛上護軍(13), 兼五衛將(13), 丹城君(14), 경상수군절도사(성종즉), 하정사(1), 行上護軍兼都摠管(2), 佐理4등공신(2), 단성군졸
禹恭老	(세조대)	단양	父 正郎 承瓊, 祖 典書 洪富		죽산縣監(~11, 파직)
禹碩孫	(성종6)	단양	형 賢孫		內禁衛, 함창縣監(읍지)
禹成範	(세종3)	단양	父 大提學 弘壽, 祖 侍中 玄寶, 장인 공양왕	기(부마)	丹陽君
禹守(秀)老	(세조3)	단양	父 典書 洪富, 祖 侍中 玄寶		鎭撫
禹承瓊		단양	서 領議政 朴元亨		군기直長(박원형행장)
禹承範	?~1438	단양	父 大提學 洪壽, 祖 侍中 玄寶	음, 문(태종8), 중(세종9)	敦寧府丞(~태종8), 문과, 藝文檢閱經筵檢討官(8), 承文校理(~9), 문과중시, 司諫院正言(12), 파직(12), 吏曹正郎(17), 侍講院左文學

					(~18), 파직(18), 사은사沈溫書狀官(세종즉), 司憲執義(8), 右司諫(9), 파직(9), 兵(11)·禮(12)·吏曹參議(12), 황해관찰사(12), 파직(12), 별요副提調(13), 兵曹參判(13), 左軍同知摠制(13), 천추사(13), 兵(14)·兵曹右(14)·工曹右(14)·吏曹右參判(14), 경창府尹(15), 개성副留侯(16), 刑(18)·禮(19)·工(20)·戶曹參判(20), 경주府尹卒
禹良壽	?~1422	단양	父 檢校政丞 仁烈, 祖 侍中 福生	음?	고성郡事卒
禹埏	(세조~성종대)	단양	父 提學 孝剛, 祖 都事 良壽		학생(세조1), 世祖原從3등공신(1), 判官(성종1), 단양郡守(14), 藝文奉禮(17), 通禮院相禮(24), 안변府使(24)
禹元珪	(태종11)	단양	父 大提學 洪康, 祖 侍中 玄寶	음?	司瞻署丞
禹元琪	(세종25)	단양	형 元珪		삼화(삼등?)縣令, 읍지)
禹仁烈	1337~1403	단양	父 시중 福生, 祖 密直使 抨	음	도평의사사錄事, 監察御使, 경상都元帥(고려), 太祖原從공신(태조1), 判開城府事(1), 門下侍郞贊成事(1), 判開城府事(2), 商議門下府事(3), 分都評議使司(3), 개성留侯(4), 三司左僕射(5), 商議門下府事(6), 수군都監體察使(6), 商議門下府事(7), 문하시랑찬성사(7), 三司左僕射(정종2), 判三司事(2), 承寧府判事(2), 판삼사사(태종1), 判司平府事(1), 檢校左政丞(3), 檢校좌정승卒
禹塤	(성종대)	단양	父 孝安, 祖 良壽	문(3)	成均學錄(방목)
禹楫	(성종~연산대)	단양	父 埏, 祖 孝剛	문(18)	[연산이후: 成均司藝]
禹玄(賢)孫	(성종~중종대)	단양	父 縣令 恭老, 祖 正郞 承瓊		웅천縣監(성종3), 折衝將軍五衛司直(11), 경우도수군절도사(11), 戶曹參議(15), 경상수군절도사(15), 僉知中樞(18), 刑曹參議(19), 전라좌도수군절도사(19), 유배(20), 通政大夫金海府使(22)[연산대: 충청절도사(4)]
禹洪康	1357~1423	단양	父 侍中 玄寶, 祖 典書 吉生	음, 문(우왕3)	司憲糾正(~우왕3), 문과, 司諫院右正言(3), 삼사判官, 典理正郞, 成均司藝, 전교副令, 典工摠郞, 강원안렴사, 親御衛大護軍(고려), 杖流(태조1), 左司諫, 判通禮門事, 공주·청주牧使, 禮(태조7)·吏曹參議(10), 진헌사(10), 공안府尹(11), 면직(11), 漢城府尹, 태종원종공신(12), 강원관찰사(13), 파직(13), 안동府使, 홍주牧使, 資憲大夫開城留侯(세종3), 전留侯卒
禹洪得	?~1392	단양	형 洪康	문(우왕2)	司憲執義(~태조1, 유배, 配所卒)

禹洪命	?~1392	단양	형 洪康	문(우왕11)	典校署令(~태조1, 유배, 배소졸)
禹洪富	?~1414	단양	제 洪康	?, 문(우왕8)	장복署令(고려), 收職牒, 유배(태조1), 工曹參議(태종5), 개성副留侯, 태종원종공신(12), 전副留侯졸
禹洪壽	?~1392	단양	제 洪康	?, 문(우왕3)	郎將(고려), 同知密直(~태조1, 유배, 배소졸)
禹孝剛	?~1456	단양	父 郡守 良壽, 祖 左政承 仁烈	음, 문(세종8), 중(18)	전錄事(~세종8), 문과, 承政院注書(10), 司諫院右正言(14), 左正言(15), 兵曹佐郎(15), 校理(~18), 문과중시, 司憲掌令(21), 同副·右副·左副·右·左承旨(문종즉위~2), 인수府尹(단종2), 刑曹參判(2), 주문사(2), 同知中樞(세조1), 世祖原從1등공신(1), 工曹參判졸
禹興範	(세종대)	단양	형 成範		용진縣令(8), 보은縣監(15)
禹希烈	?~1420	단양	형 仁烈	음	典書(태종4), 전판원주牧使(8), 수직첩(8), 충청監役都體察使(13), 左軍摠制(13), 경성수보도감提調(13), 경기충청권농사(14), 충청(15)·경기관찰사(15), 判廣州(17)·判淸州牧使(18), 전청주牧使졸
禹堅	(세조10)				은율縣監(세종15, 읍지), 문의縣令
禹垌	(성종19)				제수判官(읍지)
禹敬之	(세종21)				의흥縣監
禹均	(태조~세종대)				知永州事(태조7), 예빈尹(태종7), 밀양郡事(~9, 파직), 김해府使(14), 兵曹參議(17), 경상관찰사(17), 인수府尹(세종즉), 判義州牧使(즉), 監役提調(11)
禹克漸	(세종9)				정읍縣監
禹德中	(세종31)				삼화縣令(읍지)
禹導	(태종대)				巡軍副司直(~9), 司直(9)
禹博	(태조~세종대)				연안府使(태종2), 上護軍(10), 의주都兵馬使(10), 의주절제사(11), 의주牧使(~12), 兵曹參議(13), 摠制(세종즉), 司禁左邊절제사(즉), 中軍摠制(즉), 제주도안무사判濟州牧使(1), 征대마도중군절제사(1), 경상병마도절제사(1), 경상우도병마도절제사(2), 中軍摠制(4), 충청수군처치사(5), 右軍摠制(9)
禹潑	(세종1)				경상도안렴사(읍지)
禹伯敏	(세조8)				別侍衛(순창)
禹贇					해주牧使(읍지)
禹錫寶	(성종1)			효행	修義副尉(예안), 陞資錄用
禹成	?~1427				남평縣監졸
禹晟	(문종1)				함안郡守
禹樹	(성종6)				先農祭奉俎官

조선초기 관인 이력

禹壽老	(세조대)					직산縣監(~10, 파직)
禹承恭	(단종즉)					졸散員(居용강)
禹承珪	(세종14)					낭천縣監(읍지)
禹晨	(세조대)					학생(1), 원종3등공신(1), 司僕主簿(13), 佐郎
禹臣忠	(태조1)			기(軍士)		태조잠저휘하(태조총서)
禹元	(태종18)					대마도사행回
禹元老	(세종~성종대)					자성(세종31), 덕천(세조7), 자산郡事(10), 前 천안郡守(성종7)
禹允恭	(성종대)					종부, 군자主簿(~15), 署令(15), 光州判官(16), 의영主簿(20), 예빈判官(~24, 파직)
禹場	(세조대)					行五司司勇(1), 원종3등공신(1), 풍기郡守(~12, 파직)
禹跡	(태종대)			환관		世子殿환관(~16, 축출)
禹奠	(세조13)					정건주奉使, 加資
禹傳	(세종대)					우봉縣監(9), 진위縣令(16)
禹傳	(세조1)					少尹, 원종3등공신
禹奠山	(성종대)			기, 무(16)		內禁衛(~16), 무과
禹鼎	(성종대)					參奉(~7, 收告身)
禹疇	(세종6)					司直
禹贊林	(성종16)					命敍用(이조)
禹昌信	(세조1)					五司司直, 원종3등공신
禹昌新	(세조13)					洪原縣監피살(李施愛군)
禹致善	(세조1)					五司副司直, 원종3등공신
禹倬						영흥府使(읍지)
禹夏	(태조1)					나주牧使(읍지)
禹垓	(세조대)					縣監(6), 원종3등공신(6), 밀양府使(~12, 收告身)
禹衡	(태종15)					右軍錄事
禹弘慶	(세종즉)					경창府尹
禹洪道	(태조5)					臺官
禹繪孫	(성종15)					용강縣令(읍지)
禹孝先	(세조1)					行五司司正, 원종2등공신
禹孝新	(세조대)					主簿(3), 원종3등공신(3), 영변判官(7)
禹孝宗	(성종12)					문화縣監
禹孝忠	(성종대)					防垣(3), 固城浦萬戶(22)
禹訓	(세종23)					산음縣監
牛安德	(세종대)					護軍(18), 경상수군鎭撫(30)
右延主	(세종8)			여진귀화인		副司直
亐弄可	(세조2)			여진귀화인		포주등처副萬戶

亐乙主	(단종3)			여진귀화인	올량합萬戶
雲吉	(세조6)			역관	여진통사
元乃仁	(세종대)	原州	父 諿	문(11)	籞官署丞(12), 成均進德博士(13), 司諫院獻納(28)
元孟康	(세조~성종대)	원주	父 校理 孝濂, 祖 直提學 昊	?, 문(세조11)	教導(~세조11), 문과, 翰林, 司憲監察, 이천縣監(성종6)
元閔生	?~1435	원주	父 檢校中樞副使 賓	역관	전농副正(태종5), 左軍僉摠制(17), 都摠制府同知摠制(18), 사은사(18), 摠制(세종1), 진헌사(1), 中軍(5), 右軍摠制(5), 주문사(6), 총제(7), 선위사(7), 총제(9), 선위사(9), 中(10)·左軍都摠制(10), 선위사(11), 주문副使(11), 左(12)·右軍都摠制(12), 同知中樞(14), 인수府尹(15), 전府尹졸
元甫崐	(성종대)	원주	父 司諫院正言 自敦, 祖 縣監 洞	무(족보)	臺諫, 영안북도巡察使魚有沼從事官(3)
元甫崙	(세조~성종대)	원주	형 甫崐	문(세조8)	司憲持平(방목)
元賓	(세종17)	원주	자 閔生		檢校中樞副使
元庠	(태종~세종대)	원주			檢校議政府參贊(태종13), 判中樞(세종17), 判中樞치사(18)
元尙孚	(세종~단종대)	원주	父 郡事 致, 祖 稀		倭감호관(세종30), 교동縣監(단종1)
元序	(태조대)	원주	父 大提學 松壽, 祖 同知密直 善之	문(우왕2)	中書(3~6)
元素	(정종~세종대)	원주	父 府使 乙規, 祖 寺尹 廣德	문(정종1)	監正(방목), 훈련관使(방목)
元肅	?~1425	원주	父 道, 祖 大器	문(태종1)	史官(태종1), 兵曹正郎(9), 議政府檢詳(11), 승문判事兼尙瑞司少尹(~16), 知襄州事(~17), 右副·左副·右·左承旨(17~18), 兵曹參議(18), 知申事(18), 吏曹參判(세종2), 大司憲(4), 파직(5), 전인수府尹졸
元叔康	?~1469	원주	父 孝廉, 祖 昊	문(세조6)	藝文待敎(세조9), 行司諫院正言(예종1), 복주(坐閔粹)
元良輔	(세조~성종대)	원주	父 尙明, 祖 理	?, 문(세조14)	訓導(~세조14), 문과, 成均典籍, 연천縣監(~10, 장류), 命敍用(12)
元畬	(성종대)	원주	父 少尹 孟檖, 祖 判書 孝然		經歷(金浤묘비명)
元潁	(예종~성종대)	원주	父 四端, 祖 湜	?, 문(예종1)	訓導(~예종1), 掌隷院司評(방목)
元自敦	(세종대)	원주	父 洞, 祖 天錫	?, 문(11)	教導(~11), 문과, 공주判官(16), 司諫院右正言(20), 홍천縣監(23)
元自直	(태종~세조대)	원주	父 郡守 恂, 祖 府使 賓	?, 문(태종17)	縣令(~태종17), 문과, 兵曹正郎(세종26), 兼宗學博士(세조1), 世祖原從2등공신(1), 司憲掌令(방목)

元仲秬	(성종대)	원주	父 縣監 孝而, 祖 判官 滉	무(족보)	都尉(7), 折衝將軍만포절제사(11), 경흥府使(19), 兵曹參知(20), 의주牧使(23), 嘉善大夫訓鍊都正(24), 영안북도절도사(24)
元衷 (昌命)	1363~1444	원주	父 判中樞 庠, 매 太祖誠妃		僉知敦寧(세종13), 禮曹右參議(14), 右軍僉摠制(14), 中樞副使(16), 同知中樞(18), 인수府尹(18), 中樞副使(19), 同知敦寧(22), 知敦寧(23), 同知敦寧(25), 知敦寧(25), 正朝使(25), 知敦寧졸
元致	(태종8)	원주	父 稀, 祖 台輔		단천郡守(읍지)
元昊	(태종~세종대)	원주	父 郞將 憲, 祖 仲良	문(태종7)	司諫院右正言(세종8), 左正言(8), 成均主簿(8), 낭천縣監(18, 읍지)
元滉	(태종13)	원주	제 縣監 昊		藝文奉禮郞兼漢城參軍
元孝廉	(문종~세조대)	원주	父 直提學 昊, 祖 郞將 憲	문(문종1)	承文校檢(방목)
元孝然	?~1460	원주	父 正郞 滉, 祖 郞將 憲	문(세종14)	함길도鎭撫南佑良從事官(세종31), 황해都事(문종1), 司憲掌令(단종즉), 議政府檢詳(1), 議政府舍人(1), 左司諫(2), 僉知中樞(2), 대마도경차관(2), 禮曹參議(세조1), 경상관찰사(1), 佐翼3등공신(1), 吏曹參議(2), 禮曹參判(2), 大司憲(2), 덕령府尹(3), 하등극副使(3), 同知中樞(3), 평안관찰사(3), 刑曹參判(5), 原城君(6), 전라관찰사원성군(8), 仁順(9)·漢城府尹(9), 원성군(9), 禮曹判書(10), 전禮曹判書졸
元孝哉	(세조12)	원주	형 判書 孝然		강원察訪
元據於	(세종31)				五衛司正
元泗	(세종2)				풍기縣監(읍지)
元矩	?~1453				內禁衛副司正(세종29), 피화(좌安平大君瑢)
元龜	(세조3)			풍수	察世子墓地
元舊	(성종대)				文昭殿參奉(韓伯倫비명)
元多沙	(세조~성종대)		父 司正 大陽介	여진귀화인	訓戎等地副萬戶(세조3), 五衛上護軍(5), 僉知中樞(성종14)
元孟達	(세조6)				五衛司勇, 원종3등공신
元孟孫	(세조대)		부 공신(성명불명)		의영庫使(3), 사재副正(~4, 파직), 전신녕縣監(13, 연산)
元孟毬	(세조~성종대)				少尹(세조8), 行五衛司直(성종6)
元穆	(세종대)				五衛大護軍(~5, 파직)
元守義					해남縣監(읍지)
元恂	?~1425				巡禁司司直(태종5), 개성留侯司斷事官(~16, 廢庶人), 황해經歷(세종2), 운산郡事졸
元崇敬	?~1449				五衛護軍졸
元崇祖	(성종23)				현릉參奉

元英守	(태조1)			기(軍士)	잠저태조휘하(태조총서)
元郁	(태종~세종대)				知印(태종6), 司憲監察(~17, 파직), 제천縣監(세종8)
元胤	(정종~세종대)				護軍(~정종2), 유배(2, 坐懷安大君芳幹), 右軍同知摠制(세종즉), 충청水軍都節制使(2), 中軍同知摠制(4), 左軍(6)·中軍摠制(10), 선위사(11)
元益壽	(세종~문종대)				군기正(~세종29, 파직), 上護軍(문종즉위), 判閣(1)
元益秀	(세종~문종대)				行司勇(세종23), 산릉보수감독관(25), 평안도鎭撫(문종1), 겸군기正(1)
元仁贊	(태종대)				행랑조성監役官(~15, 피죄)
元自江	(성종21)				축산포萬戶
元自明	(단종~세조대)				兵曹令史(단종1), 五衛副司正(세조1), 世祖原從3등공신(1)
元自正	(세종~세조대)				司憲監察(세종26), 縣監(세조1), 世祖原從3등공신(1)
元自貞	(단종~세조대)		祖 공신(성명불명)		의금낭관(~단종2, 收告身), 五司副司直(세조1), 世祖原從2등공신(1)
元志於	(세종~세조대)				尙瑞司錄事(세종6), 工曹佐郎(13), 선공判事, 제주牧使(세조4), 僉知中樞(7)
元盡性	(문종~세조대)				결성縣監(~문종즉위, 파직, 不孝故), 行五司司正(세조1), 世祖原從3등공신(1)
元處中	(세조1)				五司副司正, 원종2등공신
元就	(세종9)				양구縣監
元蕾	(성종19)		서 桂城君 恂		司憲監察
元致義	(세종9)				馬醫, 世子朝見수종
元鶴	?~1421			의원	醫官(태종10), 전의助教(18), 전의判事졸
元孝貞	(세조1)				五司副司直, 원종2등공신
袁幹	(세조13)				전철산郡守, 薦조전장
原繼宋	(성종7)				忠贊衛
魏繼良	(세조대)				군산포萬戶(~11, 파직), 都摠使龜城君李浚軍官
魏德海	(태종3)				횡천監務
魏明禮	(문종대)				원평教導(~즉, 파직)
魏思玉	(태종대)			일관	書雲司辰(~6, 파직)
魏升富	(세종8)			환관	內侍
魏臣忠	(태종대)				護軍(10, 居경원), 함주千戶(15)
魏忠	(태조6)				前判事還(捕倭)
魏种	(태종대)				內贍判事(~5, 유배), 別侍衛牌頭(8)

310

魏忠良	(세종21)				五衛副司正(청양), 陞資敍用
魏孝順	(세조10)			의원	醫官
柳敞(敬)	?~1431	江陵	父 平章事 天鳳 祖 松栢	문(공민왕20)	成均學諭(공민왕20), 博士, 門下注書, 通禮門祗侯(우왕1), 典理, 工曹佐郎, 禮儀, 軍簿正郎, 成均司藝(공양왕1), 戶曹議郎, 成均祭酒(고려), 開國2등공신大司成(태조1), 左散騎常侍(1), 左副承旨(2), 中樞副使玉城君(3), 簽書中樞, 藝文大提學, 藝文提學(태종2), 玉川君(6), 太祖수릉관(8), 議政府參贊(10), 玉川府院君(15), 府院君졸
柳濕	(태조~세종대)	高興	父 僉議政丞 濯, 祖 判密直 有奇	음	上將軍(태조1), 태종원종공신(태종1), 충청병마수군도절제사(5), 左軍同知摠制(8), 경기좌도도절제사(9), 총제(11), 胡賁侍衛司節制使(11), 개천도감提調(12), 別侍衛右2番節制使(12), 中軍都摠制(세종1), 대마도정벌右軍元帥(1), 別侍衛左번절제사(1)
柳宗敍	(세종대)	고흥	父 縣監 仲卿(敬), 祖 判三司事 濬	문(5)	승문博士(방목), 통진縣監(17)
柳濬	1321~1406	고흥	祖 政丞 淸臣, 여 태조후궁(貞慶宮主)	음	明威將軍全鎭邊萬戶府達魯花赤世官(원), 商議密直副使(고려), 太祖原從功臣(태조1), 參贊門下府事, 高興伯(6), 判三司事치사(정종2), 치사판삼사졸
柳仲敬	(세종대)	고흥	父 判三司事 濬, 祖 判官 坊		덕산(1), 무주縣監(7)
柳好池	(세조~성종대)	고흥	父 司正 濆, 祖 都摠制 濕		武官(세조14), 命召(성종10, 함양)
柳穀	1415~?	文化	父 陵直 仲之, 祖 牧使 衛	문(세종23)	佐郎(세조1), 司憲掌令(방목), 通政大夫수령(~7), 피죄(7)
柳江	?~1458	문화	父 同知中樞 殷之, 祖 門下贊成事 蔓殊		司僕直長, 護軍(세종11), 진헌사(11), 파직(12), 僉知中樞(15), 工曹參議(17), 파직(18), 창성부사(22), 여연절제사(24), 경상우도처치사(25), 경상좌도병마절제사(26), 中樞副使(27), 의주牧使, 회령절제사, 同知中樞(문종1), 中樞副使(단종2), 진위사(2), 경상수군처치사(세조1), 世祖原從2등공신(1), 知中樞졸
柳江生	(세종대)	문화	父 文城府院君 亮, 祖 密直使 繼祖		前副令(~5, 유배), 忠義衛副司直(20)
柳更生	(성종4, 10)	문화	父 大提學 思訥, 祖 正 臨		月串鎭僉節制使, 命敍用(이조)
柳坰	(성종대)	문화	父 參議 源之, 祖 知中樞 江	문(14)	司諫院獻納(23), 司憲持平(24) [연산이후:僉知中樞]

柳京生	(세조1)	문화	父 右議政 亮, 祖 典書 甫發	음?	少尹, 원종3등공신
柳季聞	1383~1445	문화	父 右議政 寬, 祖 三司判官 安澤	문(태종8)	吏曹正郎(~세종4), 議政府舍人(4), 사재判事兼知刑曹事(4), 파직(4) 야인慰諭使(6), 司諫院右司諫(6), 左司諫(6), 禮曹參議(7), 충청관찰사(8), 吏曹參議(9), 刑曹參判(10), 大司憲(12), 파직(13), 부상(15), 강원관찰사(17), 漢城府尹(18), 하정사(18), 황해관찰사(20), 刑曹參判(21), 파직(22), 인수府尹(23), 戶曹參判(23), 사은사(23), 判漢城(23), 刑曹判書(23), 개성留守(25), 留守졸
柳桂芬	(단종~성종대)	문화	父 吏曹正郎 承順, 祖 議政府舍人 士根	문(단종1)	從仕郎(~단종1), 문과, 承政院注書(세조1), 世祖原從3등공신(1), 司諫院右正言(2), 吏·禮曹正郎, 郡守, 파직(예종1이전), 權知校理(1), 行五衛司勇(성종2)
柳寬(觀)	1346~1433	문화	父 三司判官 安澤, 祖 僉議評理 混	문(공민왕21)	典理正郎, 전교副令, 봉산郡事, 成均司藝(고려), 內史舍人(태조1), 司憲中丞, 大司成(~6), 左散騎常侍(6), 刑曹典書(7), 파직(7), 中樞副使(정종1), 강원·전라관찰사, 大司憲(태종1), 계림府尹(2), 유배(3), 전라관찰사(5), 藝文大提學(6), 判恭安府事(6), 世子左副賓客(6), 刑曹判書(6), 판공안부사(6), 개성留侯(8), 藝文大提學(9), 藝文大提學兼知春秋館事(9), 大司憲(14), 議政府參贊(15), 檢校議政府贊成(15), 藝文大提學兼世子左賓客(18), 兼知經筵事(18), 判中樞都摠制(세종1), 집현大提學(2), 贊成(2), 藝文大提學(3), 議政府右議政(6), 右議政치사(8), 치사우의정졸
柳睟	(세조~성종대)	문화	父 判書 季聞, 祖 右議政 寬	문(세조2)	司諫院右正言, 刑曹佐郎, 司僕判官, 兼藝文(성종1), 藝文直提學(1), 副提學(2), 大司成(3), 藝文副提學(3), 同副·右副·左副·右·左承旨(3~7), 嘉善大夫강원관찰사(7), 兵曹參判(7)
柳謹	(태종대)	문화	형 佑		世子侍直(4), 戶曹正郎(~10), 파직(10), 한성少尹(柳亮묘지명)
柳聃年	(성종대)	문화	父 監察 阮, 祖 刑曹判書 季聞	무(족보)	內禁衛(21), 薦將才(21), 侍射(24, 能射)
柳亮	1355~1416	문화	父 密直使 繼祖, 祖 寺事 甫發	음, 문(우왕2)	護軍(~우왕2), 문과, 전의副令, 版圖·典理摠郎, 司僕正, 전교令, 大護軍, 三司右尹, 종부判事(창왕1), 大司成, 내부, 전교判事, 戶·刑·工曹典書(공양왕4, 고려), 吏曹典書(태조1), 中樞副使(2), 교주강릉都觀察使(2), 太祖原從공신(3), 계림府尹(5), 商議中樞院事(6), 사은사(6), 강릉府使(7), 參知三軍府事(태종1), 佐命4

이름	생몰	본관	父祖	과거	관력
					등공신資憲大夫文城君(1), 풍해都觀察使(2), 藝文大提學(4), 參判司平府事兼大司憲(4), 刑曹判書(5), 知議政府事(5), 判漢城(5), 刑曹判書(6), 議政府參贊(6), 兵曹判書(7), 吏曹判書兼大司憲(9), 崇政大夫參贊兼判義勇巡禁司事(9), 문성군(~12), 文城府院君(12), 議政府贊成事(12), 府院君兼판의용순금사사(13), 議政府右議政(15), 府院君(15), 府院君졸
柳蔓殊	?~1398	문화	父代言摠,祖贊成事 敞		密直副使(우왕3), 門下評理(고려), 太祖原從공신(태조1), 判開城府事(1), 門下侍郎贊成事(2), 피화(坐鄭道傳)
柳孟聞	(태종~단종대)	문화	제 季聞	문(태종1)	司諫院正言(태종8), 吏曹佐郎(~12), 파직(12), 禮曹正郎(~15), 파직(15), 知刑曹事(~세종5), 파직(5), 전사재判事(6), 司諫院右司諫(9), 左司諫(10), 都摠制府僉摠制(12), 禮(12)·兵(12), 吏曹參議(12), 中軍摠制(13), 禮(13)·禮曹右參判(14), 사직(養親故), 강원관찰사(15), 判忠州牧使(17), 同知中樞(26), 전參判(단종3)
柳孟孫	(세종대)	문화	父 穗, 祖 京生	?, 문(11)	敎導(~20), 문과
柳沔	(세종26)	문화	형 博		전萬戶
柳博	(정종~태종대)	문화	父府使 沄,祖牧使 濡	문(정종1)	成均主簿兼尙瑞司錄事, 吏曹佐郎, 司憲持平, 司憲執義(방목)
柳伯孫	(성종대)	문화	父參贊 洙,祖知中樞 殷之		국장도감郎廳(5), 경상경차관(6)
柳晡	(세조~성종대)	문화	형 晱		行五司司勇(세조1), 世祖原從2등공신(1), 도총부鎭撫(13), 都摠使龜城君李浚軍官(13), 단천郡守(13), 僉知中樞, 衛將(~성종3, 피죄)
柳泗	1323~1471	문화	父 知中樞 殷之, 祖 贊成事 蔓殊	기 (세종29, 內禁衛)	內禁衛, 副司正(~세종29, 피죄), 靖難3등공신(단종1), 五司副司直(1), 龍驤司大護軍(1), 鎭撫所鎭撫(3), 五司上護軍(세조1), 선공(3), 사재判事(4), 僉知中樞(5), 折衝將軍五衛上護軍(6), 僉知中樞(6), 진헌해청사(6), 전라처치사(7), 破敵衛將(7), 文原君(12), 同知中樞(예종1), 睿宗수릉관(성종즉), 문원군(즉), 資憲大夫文城君(1), 工曹判書졸
柳士根	?~1453	문화	父 潝, 祖 濡	문(태종1)	강원經歷(세종1), 司憲掌令(7), 議政府舍人(방목)
柳思訥	1376~1440	문화	父典農正 臨,祖郡事 安澤	문(태조2), 중(태종7)	司憲監察(~정종2), 유배(2), 吏曹佐郎(~태종5), 파직(5), 兵曹正郎(7), 吏曹正郎(7), 문과중시, 司憲掌令(7), 議政府舍人(8), 司憲執義(9), 유배(9), 안악郡守(10), 右司諫(11), 左副·右·左代言, 知申事(11~16), 유배(16), 判尙州牧使(16), 파직(16), 判洪州牧使(17), 경상관찰사

					(17), 파직(17), 左軍同知摠制(17), 함길도순문사(17), 함길(18), 강원관찰사(세종4), 漢城府尹(5), 漢城府尹겸경기관찰사(5), 경창(7)·인수(8)·인순府尹(9), 左軍摠制(10), 漢城府尹(10), 藝文大提學(10), 사은사(10), 同知中樞(14), 인수府尹(15), 충청도순검사(16), 전判漢城(18), 中樞副使(20), 藝文大提學(21), 大提學졸
柳思義	(세조대)	문화	父 判官 淙, 祖 知中樞 原之		修義副尉(2), 원종3등공신(2), 郡守(족보)
柳士枝	(세종~세조대)	문화	父 牧使 衛, 祖 牧使 濡		戶曹佐郎(세종20), 온성府使(세조1), 世祖原從3등공신(1), 僉知中樞(3)
柳瞻	(세종대)	문화	父 判書 孟聞, 祖 議政 寬	?, 문(16)	전농直長, 藝文奉禮(~13), 문과, 司憲監察(13)
柳常	(예종~성종대)	문화	父 士祗, 祖 淹	?, 문(예종1)	訓導(~예종1), 문과, 臺諫, 兵曹參議(방목)
柳尙榮	(세종대)	문화	父 令 佐, 祖 府院君 亮		군자主簿(11), 司直졸
柳激	1407~1485	문화	형 江	음(족)	左軍副司正(세종11), 五司攝副司直(단종1), 靖難3등공신(1), 忠佐司左領護軍(3), 五司上護軍(세조1), 僉知中樞(5), 文川君(12), 資憲大夫문천군졸
柳善	(태조~태종대)	문화	父 府尹 元顯, 祖 君 鎭		司憲監察(태조2), 광흥倉使(~7, 파직), 경기程驛察訪(태종8), 司憲掌令, 이산郡事(~17, 파직)
柳誠源	?~1456	문화	父 議政府舍人 士根, 祖 淹	문(세종26) 중(29)	集賢殿博士(~세종29), 문과중시, 成均司成피화
柳洙	1415~1481	문화	父 知中樞 文之, 祖 門下贊成事 曼殊	음	靖難3등공신(단종1), 折衝將軍忠武司上護軍(3), 戶曹參議(세조1), 경상우도병마도절제사(2), 仁順府尹(3), 中樞副使(3), 戶(4)·工曹參判(4), 성절사(4), 僉知中樞(4), 中樞副使(4), 仁順府尹(4), 同知中樞겸전라병마도절제사(5), 문성군겸전라절제사(5), 刑曹參判(5), 문성군(6), 함길도순찰사(8), 議政府左參贊(13), 문성군(예종1), 경상포도장(1), 佐理4등공신(성종2), 문성군(2)
柳守剛	(세종~세조대)	문화	父 參議 顗, 祖 左議政 廷顯	음	同副·右副·左副承旨(세종16~18), 僉知中樞(18), 兵曹參議(19), 刑曹參判(22), 경기관찰사(22), 漢城府尹(25), 中樞副使(25), 사은사(25), 漢城府尹(26), 同知中樞(27), 判江陵府使(28), 同知中樞(문종1), 경창府尹(2), 고부청시사(2), 同知中樞(2), 中樞副使(단종2, 세조4), 工曹參判(8), 하정사(8)
柳洵	1431~1517	문화	父 洗馬 思恭, 祖 判官 淙	문(세조8), 중(12)	承政院注書(세조9), 成均主簿(11), 禮曹佐郎(~12), 문과중시, 戶曹佐郎(13), 兼藝文(성종1), 藝文校理經筵侍講官(3), 副應教經筵侍講

조선초기 관인 이력

					官(5), 應敎(7), 同副(9)·右副承旨(9), 兵曹參知(13), 弘文副提學(14), 假宣傳官(14), 工曹參判(15), 大司憲(15), 同知中樞(17), 刑曹參判(17), 同知中樞(18), 천추사(18), 嘉靖大夫知中樞(18), 同知中樞(18), 刑曹參判(18), 황해관찰사(19), 工(20)·兵曹參判(20), 大司憲(21), 同知中樞(21), 개성留守(21), 大司成(23), 同知中樞(23), 僉知中樞(24), 同知中樞(24), 工曹判書(25) [연산이후: 刑·吏曹判書, 五衛都摠管, 判漢城, 刑曹判書, 知中樞兼藝文提學, 議政府左參贊, 戶曹判書, 議政府右議政, 左議政, 領議政, 靖國2등공신, 文城府院君졸]
柳順行	(세조대)	문화	父 翰林 睒, 祖 判書 孟聞		臺諫, 田制詳定都監別監(~11, 收告身)
柳承淵	(태종~세종대)	문화	父 正 堤, 祖 府尹 祿	?, 무(태종14)	司正(~태종14), 무과, 副司直(14), 경상察訪(18), 정주牧使(세종12), 영흥府使(14)
柳軾	(성종대)	문화	형 轂	?, 문(3)	訓導(~3), 문과, 弘文典翰(방목)
柳穎	?~1430	문화	父 檢校判漢城 元顯, 祖 文化君 鎭		禮曹正郎(~태종6), 파직(6), 司諫院獻納(7), 刑曹正郎(7), 司憲掌令(9), 成均司成(13), 知刑曹事(~17), 파직(17), 同副(세종즉)·左副(1)·右承旨(2), 모상(3), 충청관찰사(5), 충청관찰사 兼慶昌府尹(5), 大司憲(6), 파직(6), 仁順府尹(6), 刑曹參判(7), 면직(7), 漢城府尹(8), 禮曹參判(8), 인순府尹(10), 府尹졸
柳偶生	(성종2)	문화	父 漢城判尹 思訥, 祖 典書 臨	무(족보)	助羅浦萬戶
柳源之 (原枝)	?~1398	문화	父 贊成事 蔓殊, 祖 右副代言 總		中樞副使피화(坐鄭道傳)
柳殷	(성종12)	문화	父 贊成事 蔓殊		졸知中樞
柳殷之	1370~1441	문화	父 門下贊成事 蔓殊, 祖 右副代言 總	음	吏·兵曹正郎, 判通禮門事(~태종3), 유배(3) 長淵鎭兵馬使(8), 풍해병마도절제사(9), 都摠制府摠制(12), 개천도감提調(12), 別司禁右邊提調(12), 同知摠制(13), 摠制(14), 左禁衛2番節制使(18), 右軍都摠制(세종11), 左軍摠制(13), 도총제(13), 함길都體察使(13), 진응사(13), 同知中樞(~14), 유배(14), 知中樞(16), 中樞使(16), 同知中樞(17), 유배(17), 同知中樞졸
柳應龍	(성종24)	문화	父 領議政 洵, 祖 洗馬 思恭		加資(親祭盟洗位故)
柳顗	(태조~태종대)	문화	父 領議政 廷顯, 祖 君 鎭	?, 문(태조5)	내시直長(~태조5), 문과, 司憲掌令(태종9), 예빈尹(11)
柳議	(세종6)	문화	父 領議政 廷顯, 祖 君 鎭		철원府使

柳黃	(정종~세종대)	문화	父 判事 光秀, 祖 郎將 松節	문(정종1)	承政院注書, 提學(방목)
柳眙	(세조1)	문화	형 瞬		直長, 원종3등공신
柳麟童	(성종대)	문화	父 校理 桂芬, 祖 吏曹正郎 承順	?, 문(6)	參奉(~6), 문과, 世子司經(8), 承訓郎司諫院正言(15), 吏曹正郎(18), 僉正(방목)
柳仁濡	(성종대)	문화	형 仁壕	문(8)	翰林(방목), 臺諫, 僉正(방목), 兵曹參議(방목)
柳仁(麟)種	(성종대)	문화	형 麟童	문(11)	翰林(방목), 弘文正字(방목), 司諫院正言(18) [연산대: 獻納, 寺正(방목)]
柳仁壕	(성종~중종대)	문화	父 郡守 孝章, 祖 縣監 衡	문(성종7)	效力副尉(~성종7), 문과, 司諫院正言(9), 承訓郎봉상主簿(10), 吏曹佐郎(12), 禮曹正郎(19), 通德郎司憲掌令(23) [연산이후:司諫院司諫, 工曹參議]
柳仁洪	(성종대)	문화	형 仁壕	문(12)	司憲持平(방목)
柳子晃	(문종~세조대)	문화	父 縣監 洽, 祖 中樞副使 原之	문(문종1)	直藝文館(세조2), 侍講院左弼善(3)
柳璋(璋)	?~1425	문화	형 顥	監市(태조2)	掌務正言(태종4), 兵曹佐郎(~8), 유배(8), 兵曹正郎(~10), 파직(10), 直藝文館, 禮(세종즉)·刑(즉)·吏曹參議(1), 공안府尹(1), 齋郎都監提調, 左軍同知摠制(2), 황해관찰사(3), 경창府尹(4), 中軍同知摠制(5), 仁壽(7)·경창府尹(8), 전府尹졸
柳腚	?~1473	문화	父 萬戶 貫聞, 祖 右議政 寬		兼司僕(예종즉), 회령府使졸
柳正孫	(세조~성종대)	문화	父 郡守 孝聯, 祖 參判 穎		경기도察訪(세조14), 禁火司別提(성종15), 除無관직(18)
柳庭秀	1451~1502	문화	父 霍, 祖 尙榮	문(성종14)	司憲掌令(방목)
柳廷顯	1355~1426	문화	父 文化君 鎭, 祖 門下贊成事 墩	음	左代言(고려), 兵曹典書, 承寧府尹(태종3), 전라관찰사(4), 충청관찰사(7), 충청관찰사判淸州牧使(8), 刑曹判書(10), 면직(10), 禮曹判書(10), 判恭安府事兼義勇巡禁司事(10), 東北都兵馬水軍處置使(10), 大司憲(11), 吏曹判書(12), 議政府參贊(13), 兵曹判書(13), 성절사(14), 同判議政(14), 右參贊(14), 參贊(15), 議政府贊成(15), 議政府左議政(16), 領議政(16), 領敦寧(18), 領議政(18), 領敦寧(세종6), 左議政(8), 면직(8), 전領議政졸
柳睇	세종~성종대	문화	형 腚	무(족보)	兼司僕(성종4), 경기수군절도사(10), 通政大夫鍾城(15), 穩城府使(16), 경상우도수군절도사(20), 평안도조전장(22), 황주牧使(22), 僉知中樞(25)
柳悌根	(성종15)	문화	父 監察 承祖, 祖 卿 昭老		修理都監郎廳(~15), 군기僉正(15, 郎廳功故)

柳眺	(성종10)	문화	父 判書 季聞, 祖 右議政 寬	음?	통진縣監
柳淙(綜)	(세종8)	문화	父 知中樞 原之, 祖 贊成 蔓殊		양구縣監, 파직
柳佐	(태조~태종대)	문화	父 府院君 亮, 祖 密直使 繼祖		工曹正郎(~태조6), 파직(6), 典祀令
柳仲孫	(성종대)	문화	父 參贊 洙, 祖 知中樞 文之	음(20, 공신 적장)	隨才敍用(20)
柳輊	(단종~성종대)	문화	父 縣令 自湄, 祖 縣監 洽	문(단종1)	훈련副使(세조11), 전라경차관(11), 通訓大夫 司憲執義(성종1), 同副(1)·右副承旨(2), 佐理4 등공신(2), 左副·右·左·都承旨(3~7), 경상관 찰사(7), 戶(8)·刑曹參判(8), 大司憲(9), 工(10)· 兵曹判書(11), 議政府右參贊(12), 文陽君(14), 禮曹判書(16), 判漢城(20)
柳軫	(성종대)	문화	형 輊		연기縣監(19), 점마別監(23), 한성判官(24)
柳輯	(성종대)	문화	형 輊	기(13, 특지)	命敍用(13), 翊衛司洗馬(16), 擢顯職(22, 成三 問外孫故)
柳瞻	(세종~세조대)	문화	父 判書 孟聞, 祖 右議政 寬	음?	刑曹佐郎(세종21), 강원경차관(25), 判官(세 조1), 世祖原從3등공신(1)
柳彭碩	(성종대)	문화	父 滋, 祖 守剛	문(21)	[연산대: 侍講院弼善]
柳河	1415~1474	문화		기(軍士), 무 (단종1)	內禁衛(세종2), 宣略將軍, 靖難2등공신(단종 1), 僉知中樞(2), 평안도절제사(세조1), 文城 君, 인순府尹(4), 行五衛上護軍(5), 正憲大夫 (10), 崇政大夫(성종3)
柳漢生	(태조~세조대)	문화	父 府院君 亮, 祖 密直使 繼祖		司憲持平(태종12), 평안經歷(세종24), 남원府 使(31), 少尹(세조1), 世祖原從3등공신(1)
柳洽	(태종~세종대)	문화	제 淙		司憲監察(태종13), 工曹佐郎(14), 풍기縣監 (세종9, 읍지)
柳泂(炯)	(세조1)	문화	父 中軍 思問, 祖 判官 淙		五司護軍, 원종3등공신
柳衡	(세종15)	문화	형 善		직산縣監
柳壕	(성종대)	문화	父 參議 原汶, 祖 知中樞 江	문(5)	判官(방목)
柳孝聯	(세종~문종대)	문화	父 參判 穎, 祖 府 尹 元顯		인수判官(세종24), 司憲持平(31), 인천郡事 (문종1)
柳孝班	(세종~세조대)	문화	형 孝聯		사재主簿(세종24), 世祖原從3등공신(세조1), 少尹(~3, 유배)
柳孝順	(세조1)	문화	父 府使 善, 祖 府 尹 元顯		행主簿, 원종3등공신
柳孝章	(예종~성종대)	문화	父 縣監 衡, 祖 檢 校判漢城 元顯	?, 문(예종1)	察訪(~예종1), 문과, 工曹正郎(성종5), 兼司憲 掌令(7), 郡守(방목)

柳孝眞	(세조1)	문화	형 孝順		錄事, 원종3등공신
柳希渚	(성종대)	문화	父 郡守 順行, 祖 翰林 賥		[연산대: 奉訓郎禮曹佐郎(2)]
柳蒙	(정종~태종대)	白川	父 乙淸, 祖 成	문(태조5)	광흥창사, 副正(방목)
柳洽	(태조~태종대)	白川	父 乙淸, 祖 成	문(태조2)	송화縣監(~태종14), 工曹佐郎(14), 파직(15), 知珍州事(15)
柳沂	?~1410	瑞山	父 三司右尹 厚, 祖 贊成 淑		收職流外(태조1), 봉상卿(태종1), 佐命3등공신(1), 左散騎常侍(1), 代言(2), 전라관찰사(2), 瑞寧君(7), 하정副使(8), 유배후복주(坐尹穆)
柳渶	(태종~세종대)	서산	父 提學 伯濡, 祖 府尹 方澤		吏曹佐郎(~태종8, 파직), 司諫院左獻納(~세종4, 유배), 철원府使(7), 의금낭관(~10, 파직), 右司諫(~18, 파직)
柳方善	1388~1443	서산	父 三司右尹 厚, 祖 贊成事 敬	기(遺逸)	主簿(李原비명)
柳伯淳	?~1420	서산	형 伯濡	문(우왕2)	大司成(태종6), 左司諫(8), 大司成(12), 吏曹參議, 仁寧府尹行大司成(~세종1), 大司成졸
柳伯濡	(태종7)	서산	父 府尹 方澤	문(공민왕17)	左司諫大夫
柳爰廷	?~1399	서산			한양윤(고려), 전漢陽尹(태조1), 開國3등공신 瑞城君(1), 中樞副使(1), 서해都觀察使(2), 瑞城君(5), 서성군졸
柳允謙	1420~?	서산	父 主簿 方善, 祖 正言 沂, 외조 領議政 李原	문(세조8), 발영(12)	司憲監察(~세조11), 校理(~12), 拔英試, 전성均司成(성종11), 弘文副提學(13), 工曹參議(14), 大司諫(15), 弘文副提學(18), 同副承旨(18), 戶曹參議(19), 敦寧都正(19)
柳漢	?~1448	서산	父 左司諫 伯濡, 祖 府尹 方澤	?, 문(정종1)	散員(~정종1), 문과, 吏曹佐郎(태종8), 大護軍(~15), 파직(15), 中軍同知摠制(12), 정조사(12), 파직(13), 전라도절제사(14), 中樞副使(16), 同知中樞(19), 判羅州牧使(20), 吏(21)·刑曹參判(22), 전參判졸
柳惠康	(태종대)	서산	형 渶		別司禁(1), 大護軍(~10, 유배)
柳惠全	(성종대)	서산	父 參議 允謙, 祖 主簿 方善	문(5)	成均典籍(9), 한성判官(14), 선공監役官(14), 侍講院弼善(17), 兼司憲執義(17), 侍講院輔德(방목)
柳孝達	(성종12)	서산	父 郡事 之仁, 祖 判牧使 沼		재령郡守
柳孝復	(세조~성종대)	서산	父 方敬, 祖 沂	문(세조10)	승문校理(방목)
柳休復	(세조13)	서산	제 允謙		승문副校理
柳漢	(예종즉)	星州		환관	翊戴3등공신
柳守濱	(세종대)	楊口	서 從義君 貴生		正(선원세보기략)
柳宗揆	(정종~세종대)	延安		문(정종1)	翰林(방목), 直藝文館(방목), 관찰사(방목)

조선초기 관인 이력

柳規	1401~1473	靈光	父 代言 斗明, 祖 憑	음, 무(세종8)	啓聖殿直(~세종8), 무과, 훈련權知錄事(세종8), 縣監(14), 황해都事(문종즉위), 훈련判官, 司憲掌令(단종1), 知通禮門事(1), 군기副正(2), 司憲執義(2), 司僕判事(2), 僉知中樞(3), 刑曹參議(3), 황해관찰사(세조1), 世祖原從2등공신(1), 戶曹參議(2), 嘉善大夫慶州府尹(~3), 파직(3), 僉知中樞(13), 知中樞(13, 子 子光 공신책록故), 知中樞졸
柳斗明	?~1408	영광	父 憑		門下府掌務郎舍(태조1), 교서監(7, 파직), 司憲掌令(~태종1), 밀양府使(1), 司憲執義(4), 右司諫(7), 同副承旨(7), 左副承旨(7~8, 病卒)
柳子光	1439~1512	영광	형 大司憲 子煥	기(軍士), 문(세조14)	甲士(~세조13), 兼司僕(13), 兵曹正郎(~14), 문과, 兵曹參知(14), 翊戴1등공신武寧君(예종즉), 황해관찰사, 무령군[연산이후: 兵曹判書, 靖國1등공신武寧府院君, 유배중졸]
柳子煥 (子渙)	?~1467	영광	父 知中樞 規, 祖 代言 斗明	?, 문(문종1)	陵直(~문종1), 문과, 承政院注書(단종즉), 靖難3등공신(1), 都統使首陽大君(世祖)從事官(1), 通善郎司憲持平(3), 종부少尹(3), 同副·右副·左副·右·左·都承旨(5~8), 吏曹參判箕城君(8), 中樞副使(8), 戶曹參判(8), 大司憲(9), 전라관찰사(12), 資憲大夫기성군졸
柳季潘	(단종~성종대)	全州	父 執義 末孫, 祖 府使 濱	문(단종2)	修義副尉(~단종2), 문과, 司憲監察(세조1), 世祖原從2등공신(1), 吏曹正郎(5), 司憲掌令(8), 兼掌令(9), 陞秩(10, 開墾功), 通政大夫成均司成(11), 군기判事(11), 折衝將軍五衛副司直(예종1), 掌隷院判決事(성종9), 吏曹參議(11), 行五衛護軍(11), 파직(11)
柳末孫	(세종~세조대)	전주	父 府使 濱, 祖 提學 克恕	음(족보)	知印(세종21), 단성縣監(세조5), 世祖原從3등공신(6), 兼司憲掌令(13)
柳孟沂	(세조13)	전주	父 令 敬孫, 祖 府使 濱		전縣監
柳世華		전주			김해府使(읍지)
柳潤	(태조~태종대)	전주		문(공양왕1)	議政府舍人·判書(방목)
柳義孫	1398~1450	전주	父 府使 濱, 祖 直學 克恕	문(세종8), 중(18)	藝文權知正字(세종8), 集賢殿校理(16), 應教(~18), 문과중시, 直集賢殿(20), 行集賢殿直提學兼詹事院詹事(24), 同副承旨(25), 僉知中樞(25), 右·左·都承旨(25~28), 工(28)·吏曹參判(28), 집현副提學(29), 禮曹參判(29), 전禮曹參判졸
柳翼之	(정종~세종대)	전주	父 仁洽, 祖 仲淵	문(정종1)	司諫院正言(~태종8), 유배(8), 司諫院獻納(9), 禮曹正郎(9), 나주判官(11), 전經歷(~17), 전라도채방副使(17), 금산郡事(~세종5), 파직(5) 김해府使(방목)

柳之盛	(성종3)	전주	형 孟沂		前署令, 徒1년
柳阡	?~1486	전주	父 正字 慶安, 祖 正字 克成	문(단종2)	權知正字(세조1), 世祖原從2등공신(1), 무안縣監(성종16), 의학教授졸
柳軒	1462~1504	전주	父 僉知中樞 季澤(章), 祖 執義 末孫	문(20)	[연산이후: 司憲持平, 大司諫]
柳孝潭	(세종~세조대)	전주	형 孝川	문(세종23)	司諫院右正言(문종즉위, 파직), 전라都事(2), 主簿(세조1), 世祖原從3등공신(1), 永川郡事(~4, 파직), 밀양教授(4), 司憲執義(방목)
柳孝川	(세종대)	전주	父 正郎 汀, 祖 提學 克恕	문(17), 중(20)	正字(~20), 문과중시, 임피縣令(~28), 파직(28, 酷刑故), 平壤教授官(31), 고령縣監(~단종즉), 파직(즉), 成均直講(방목)
柳謙	(태종대)	晉州	父 政堂文學 玽, 祖 知郡事 惠芳	문(우왕6)	廣州牧使(7), 파직(7), 司諫院右司諫(8), 左司諫(9), 刑曹參議(9), 奏聞使(10)
柳季孫	(성종대)	진주	父 承旨 安生, 祖 判書 漬		五衛司直(~9), 도총부經歷(9), 신계縣令(20)
柳玽	?~1398	진주	父 知郡事 惠方		전주府尹(태조1), 藝文春秋大學士(4), 입명구류(5), 晉川君(5), 三司右僕射(6), 예문춘추관大學士졸
柳均	(문종~예종대)	진주	父 知敦寧 子偕, 祖 錄事 怡	무(문종즉위)	司僕判官(문종즉위), 世祖原從2등공신(세조1), 정주牧使(7), 折衝將軍五衛護軍(10), 衛將(12), 行上護軍(13), 行護軍(예종즉위)
柳潭	(세종~세조대)	진주	父 縣監 璜, 祖 密直 惠孫		횡성縣監(세종21), 副正(1), 世祖原從3등공신(1)
柳文通	1438~1498	진주	父 宗植, 祖 都巡問使 依	문(세조6)	승문正字兼藝文檢閱(세조8), 問弊경차관(예종1), 司諫院獻納(성종1), 예산縣監(2), 吏曹正郎(8), 通訓大夫司憲持平(12), 司憲執義(20), 행司諫院司諫(23)
柳濱	?~1509	진주	父 宣傳官 濕, 祖 僉知中樞 均	문(성종14)	宣教郎司諫院正言(성종20), 承義郎司諫院正言(21) 吏曹正郎(23), 通德郎司憲掌令(25) [연산이후: 司憲執義, 弘文副提學, 兵曹參知, 吏曹參議, 兵曹參知, 刑曹參判, 함경관찰사, 工曹參判, 兵·吏曹判書, 知中樞, 경기관찰사졸]
柳世琛	(성종대)	진주	父 宗潤, 祖 諧	문(21)	臺諫 [연산이후: 大司憲(방목), 충청관찰사]
柳繢	(성종대)	진주	父 郡守 榮磵(생부 郡守 自坊), 祖 監察 闓	문(성종23)	[연산이후: 承旨(방목)]
柳順汀	1459~1512	진주	父 正 壤, 祖 知敦寧 子偕	문(성종18)	弘文典籍, 훈련判官, 함경, 평안評事 [연산이후: 司諫院獻納, 弘文校理, 副應教, 司憲執義 의주牧使, 工曹參判, 평안관찰사, 靖國1등공신靑川府院君, 兵曹判書, 議政府右議政, 定難1등공신, 左議政, 경상전라都體察使, 領議政졸]

柳崇祖	1452~1513	진주	父 令 之盛, 祖 令 敬孫	문(성종20)	翰林(방목)[연산이후: 玉堂(방목), 同知成均(방목)]
柳升濡	(태종~세종대)	진주	父 伯通, 祖 蕃	?, 문(태종14)	錄事(~태종14), 문과, 世子司經(~18, 파직), 前判官(세종9), 前첨절제사(17), 司諫院左獻納(20)
柳安生	(세종대)	진주	父 濆, 祖 之濕		삼척府使, 경상도수군都萬戶(읍지)
柳壤	(세조~성종대)	진주	형 均		五司副司直(세조1), 원종2등공신(1), 무주縣令, 서천郡事(11), 예빈正(성종2), 담양府使(5), 예빈正(17), 광주牧使(18), 檢校參判(金謙光비명)
柳陽植	(세종~세조대)	진주	형 宗植		광주判官(세종17), 內贍少尹(~27, 파직), 府使(세조1), 世祖原從3등공신(1)
柳淵	(세종대)	진주	父 副知敦寧 仲昌		商議門下侍郎贊成事(16)
柳悅	(세종~세조대)	진주	父 參議 謙, 祖 政堂文學 珣	음(족보)	北部令(세종14), 世祖原從3등공신(세조1)
柳琰	(태종대)	진주	父 門下評理 惠孫, 祖 贊成 洧	?, 문(우왕6)	判官(고려), 전라도관찰사(2), 判漢城(17), 判晋州牧使(18)
柳榮澗	(세조~성종대)	진주	父 監察 闓, 祖 參議 伯達		五司司正(세조1), 원종3등공신(1), 장원서掌苑(성종11)
柳永脩	(세조~성종대)	진주	제 文達		정건주奉使(세조13), 곡산郡守(성종22)
柳龍生	?~1434	진주	父 門下贊成事 淵		中軍摠制(태종1), 聖節使(2), 경상도절제사(4), 경상도절제사겸수군도절제사(6), 工曹判書(7), 議政府參贊(7), 성절사(8), 判承寧府事(8), 參贊(8), 戶曹判書(9), 中軍都摠制(9), 刑曹判書(9), 杖流, 전刑曹判書졸
柳源	(세종10)	진주	父 右僕射 之淀, 祖 開城尹 玗		영유배縣令(읍지)
柳仁老	(세조대)	진주	父 縣監 圍, 祖 副使 暉	?, 문(4)	教導(~4), 문과, 佐郎(방목)
柳仁濕	(단종~세조대)	진주	父 中樞使 均, 祖 知敦寧 子偕	무(족보)	內禁衛(단종2), 行五司司勇(~세조1), 世祖原從2등공신(1), 赴防軍官(7)
柳子文	(세종~성종대)	진주	父 令 悅, 祖 參議 謙	문(세종29)	司憲監察(단종즉), 진하사검찰관(즉), 훈련主簿(2), 상주教授(2), 世祖原從2등공신(세조1), 숙천府使(성종3)
柳自汾	(성종대)	진주	형 自漢	?, 문(세조12)	縣監(~세조12), 문과, 中直大夫行成均典籍(성종2), 宗親府典籤(방목)
柳自濱	(세조~성종대)	진주	父 戶曹參判 陽植, 祖 都巡問使 依	문(세조8)	修義校尉(세조1), 世祖原從3등공신(1), 彰信校尉(~8), 문과, 司憲持平(10), 正郎(~10), 군자僉正(10), 議政府舍人(성종3), 군기副正(6)
柳自漢	(세조~성종대)	진주	형 自濱	문(세조6), 중(12)	경기경차관(세조10), 司憲持平(11), 藝文副校理(성종6), 應教(~9), 司贍副正(9), 군기僉正

					(9), 內贍副正(10), 都事(~12), 문과중시, 장악正(14), 양양府使(17~20)
柳子偕(諧)	(세조1)	진주	父 錄事 怡, 祖 參議 謙		同副知敦寧, 원종2등공신
柳績	(성종23)	진주	父 榮碿(생부 自坊)	문(23)	[연산이후: 승지]
柳汀	(태종16)	전주	父 提學 克恕, 祖 宣傳官 濕		戶曹正郎, 경차관
柳宗植	(세종~세조대)	진주	父 都巡問使 依, 祖 判事 光輔		산음縣監(세종12), 신천郡事(22), 개성都事(~29, 파직), 창원府使(문종1), 침장고別坐(단종2), 五司護軍(세조1), 世祖原從3등공신(1)
柳宗濠	(세조~성종대)	진주	父 郡守 潭, 祖 縣監 塡		尙衣院別坐(세조10), 간경도감낭관(~예종1, 陞당상관), 선공副正(성종15), 除서반직(15), 회양府使(16, 읍지)
柳仲昌	(세종대)	진주	자 淵		判官(10), 副知敦寧(28)
柳聞	(세종대)	진주	父 參議 伯達, 祖 密直 藩		침장고別坐(~27, 杖流)
柳惕	(세종~세조대)	진주	형 悅		의금都事(세종15), 외관(25), 刑曹正郎(~25, 파직), 봉상尹(세조1), 世祖原從3등공신(1)
柳奕	(태조대)	진주	父 蕙孫	?, 문(우왕9)	判官(고려), 大提學(방목)
柳公綽	(성종대)	豊山	父 子溫, 祖 五衛護軍 沼, 장인 都承旨 金係行		郡守(김계행묘갈)
柳陽春	(세조~성종대)	풍산	父 護軍 壽昌, 祖 司直 湑	문(세조14)	成均典籍(성종2), 行五衛副司勇(5), 군자主簿(~9), 승문校理(9), 刑曹正郎(18), 行五衛護軍
柳侑	(태종대)	興陽	父 務, 祖 澤	문(11)	副使(방목)
柳儀	(태조2)	흥양	父 務, 祖 澤	문(2)	縣監(방목), 경상도經歷(태종2, 읍지)
柳値	(세종대)	흥양	父 務, 祖 澤	문(세종5)	南部令(방목)
柳孝山	1439~1509	흥양	父 宗敍, 祖 仲敬	문(6)	군기判官(성종14), 전라순찰사鄭佸從事官(22), 承文判校(방목)
柳諫	(문종~세조대)				연풍縣監(~문종즉위, 파직), 判官(세조1), 世祖原從3등공신(1)
柳潤生	(단종~세조대)				內禁衛(단종3), 五司副司正(세조1), 世祖原從3등공신(1), 都摠使龜城君李浚軍官(13)
柳江孫	(성종2)				아랑포萬戶
柳嘡	(세조대)				봉화縣監(~12), 파직(12)
柳開	(세조22)				삼화縣令
柳介同	(성종대)		장인 工曹判書 金禮蒙		別提(김예몽묘표)
柳涇	(성종대)				遊軍將(10), 함안郡守(19, 읍지)

조선초기 관인 이력

柳穎	(세종3)				右代言(~3, 母喪)
柳季	(성종6)				入侍
柳桂	(세조1)				承政院注書
柳季孫	(문종~성종대)				홍원縣監(문종1), 司憲執義(세조9), 회양府使 (성종1)
柳恭	?~!423				靑寶郡事卒
柳光煥	(세조8)				承旨
柳九思	(태종대)			문(5)	禮曹佐郎(17), 世子司經(18)
柳龜	(세조1)				進義副尉, 원종2등공신
柳克敬	(세종~세조대)				別侍衛(세종20), 五司司直(세조1), 世祖原從3 등공신(1), 한산知郡事(2), 춘양縣監(~11, 파 직)
柳克恭	(세조대)				예천·옥천郡守(읍지)
柳克泰					金溝縣令(읍지)
柳汲	(세종7)				副正
柳嗜	(세조1)				內禁衛, 원종3등공신
柳乃也	(세조대)				올량합上護軍(1), 沙吾耳等處都萬戶(1)
柳湛	(태종1)			환관	내시부官
柳湛	(태종대)				檢校戶曹典書(~5, 삭직), 전개성留侯(13)
柳覃	(세종13)				知印, 出使함길도, 回
柳塘	(세종대)				서운正(~2, 피수)
柳塘生	(태종대)			일관	서운丞(~10, 유배), 副正(~14, 囚禁)
柳臺	(단종대)			역관	行同判內侍府事(1), 收告身流, 복주(3)
柳德	(세조3)				行五衛副司直, 원종3등공신
柳德粹					현풍縣監(읍지)
柳塗	(성종21)				청도郡守(읍지)
柳倫	(성종8)				영유縣令(읍지)
柳孟敦	(단종~세조대)				주자소別坐(단종2), 行五司司直(세조1), 원종 3등공신(1)
柳孟溥	(세종28)				守司憲持平
柳孟河	(세종대)				書吏, 權知直長, 별요別坐(~10), 결성縣監(10, 파직)
柳夢翼					의성縣令(읍지)
柳茂	(세종22)				경성府使(읍지)
柳文義	(태종13)			환관	內官
柳美	(성종19)				加資(親耕典樂令故)
柳彌邵	(단종3)				아산縣監
柳盤	(태종10)				의정부知印

柳房	(성종대)	공신후손(가계 불명)	음(20)	命敍用(20, 이조, 공신적장故)
柳方澤	(태조2)			檢校密直副使, 太祖原從공신
柳培	(세조대)			五衛副司正(6), 원종3등공신(6), 萬戶(10)
柳莆	(세종19)			副司直
柳復中	(태종~세종대)			司憲監察(태종13), 金化縣監(17), 守令(~세종 1, 徒)
柳復河	(성종3)			行五衛司猛
柳濱	(세조~성종대)			진보縣監(세조8), 영천郡守(성종14, 읍지)
柳士植	(세종20)			낭천縣監(읍지)
柳士繢	(세조6)			五衛護軍, 원종3등공신
柳尙	(성종2)		환관	昌陵飯監, 陞資
柳尙同介	(세조대)		여진귀화인	올량합中樞(5, 7)
柳瑞鳳	?~1394			千戶졸
柳泄	(단종대)	공신후손(가계 불명)		鎭撫(~2), 회양府使(2)
柳誠	(세조~성종대)			선공奉事(~세조14, 파직), 영동縣監(성종9)
柳世宗				하동縣監(읍지)
柳晔	(세조1)			進勇校尉(甲士), 원종3등공신
柳綏	(세조1)			都事, 원종3등공신
柳遂良	(세종14)			司憲掌令
柳壽長	(성종21)			司憲監察
柳秀昌	(세조1)			五司司勇, 원종3등공신
柳守昌	(성종대)			충주判官(申叔舟비명)
柳塾	(세조대)		?, 무(6)	五司副司直(~1), 원종2등공신(1), 무과
柳順孫	(세조1)			五司副司正, 원종2등공신
柳升	(태종대)			前都事(~13), 전라경차관(13), 안주判官(16), 봉화縣監(세종7, 읍)
柳承孫	(성종대)			內禁衛(20), 陞折衝將軍(20, 告變功), 折衝將軍 평안虞侯(21), 제포첨절제사(25)
柳承源	(성종5)			국장도감郎廳
柳植	(태종대)			前監務(~16, 收職牒)
柳紳	(세조1)			忠義衛
柳沈	(성종대)			參奉(~10, 파직)
柳潘	(세종26)			守軍기錄事
柳約	(성종6)			商議判官, 함안郡守(읍지)
柳楊	(태조3)			순군千戶
柳於應介	(세조1)		여진귀화인	五司副司直, 원종3등공신

柳泇	(태종대)				제천監務(2), 제용主簿(~10, 유배)
柳衍之	?~1432				判義州牧使(세종5), 兵(5)·吏曹參議(8), 遭喪(8), 判鏡城郡事(9), 左軍同知摠制(12), 工曹左參判(14), 경성절제사(14), 절제사졸
柳永	(태조6)				삼화縣令(읍지)
柳榮門	(태조7)				刑曹正郎
柳英孫	(세조1)				五司護軍, 원종3등공신
柳永河	(세종10)				현풍縣監(읍지)
柳羿智	(성종8)				邊將
柳塙	(세조~성종대)				主簿(세조1), 원종2등공신(1), 宣傳官(성종1), 通禮院相禮(4)
柳緩	(세조~성종대)				경상경차관(세조9), 前郡守(성종13)
柳瑤	(세조10)				파직
柳溶	(태종대)				前단주萬戶(3), 工曹參議(~17), 파직(17)
柳用義	(단종2)				거창縣令(읍지)
柳庸之	(세종17)				죽산縣監
柳雨	(세조1)				典律, 원종3등공신
柳訏	(성종7)				중화郡守
柳郁	(세조13)				都摠使龜城君李浚軍官
柳雲	(태조~정종대)				전密直副使(태조2), 商議中樞院事(6), 사은사(6), 경흥府尹(7), 中樞副使(정종1)
柳原茂	(태종대)		환관		掖庭署司鑰(~11, 파직)
柳圍	(세종대)				司憲監察(6), 마전縣監(9)
柳渭濕	(성종13)				무장縣監(읍지)
柳圍	(세종21)				전영해縣監
柳惟寧	(태종14)				제주判官(11, 읍지), 고부郡事
柳誼					동복縣監(읍지)
柳義濕	(성종4)				武臣, 能騎射
柳益厚	(성종15)				工曹郎官
柳者	(세종16)		여진귀화인		除授(自願侍衛고)
柳者李	(세조1)		여진귀화인		五司副司直, 원종3등공신
柳自湄	(세조1)				司憲監察, 원종3등공신
柳自英	(성종대)				안변府使, 종부正, 사재副正(19), 通政大夫會寧府使(19), 北征都將(22), 강계府使(24)
柳子忠	(성종3)				거창縣監
柳自湖	(세조6)				判官, 원종3등공신
柳長壽	(성종16)		악관		加資(영령전典樂故)
柳裁					해주牧使(읍지)

柳諍	(단종~세조대)		서 典農尹 金承珪	司憲監察(~단종1, 파직, 坐金宗瑞), 원종3등공신(세조1)
柳渚	(태조6)			은율縣監(읍지)
柳佃	(세종10)			영접도감官
柳恮	(문종~세조대)			신계縣令(문종즉위), 主簿(세조1), 世祖原從3등공신(1)
柳正文	(세조1)			五司司正, 원종3등공신
柳條	(세조1)		외조 左代言 尹須	萬戶, 원종3등공신
柳從京	(성종1)			낭천縣監(세종25, 읍지), 순창郡守
柳宗貴	(성종10)			산음縣監
柳宗相	(세종16)			전縣監
柳種善	(세종4)			충청도관찰사
柳從善				양구縣監(읍지)
柳宗琇	(성종대)			토산縣監(2), 掌隷院司議(16)[연산대: 삼화縣令(2, 읍지)]
柳宗姻	(세조3)			行五司司直, 원종3등공신
柳宗濬	(세조13)			抄北征錄資料
柳宗炯	(성종6)			漢學습독관
柳從華	(세조대)			行五司副司正(1), 원종2등공신(1), 종성府使(13)
柳俊	(태종2)			안동判官(읍지)
柳浚	(세조13)			장원서官
柳仲發	(세조9)			심등縣監
柳地	(세종6)			藝文奉禮
柳之禮	1364~?			밀양(세종13)·남원府使(28), 성주牧使(30), 영접都監使(문종즉위), 僉知中樞(즉), 황주牧使(1), 棘城鎭兵馬使兼判黃州牧使(1), 中樞副使(2), 世祖原從3등공신(세조1)
柳之信	(단종~세조대)			의금鎭撫(단종즉위), 行五司司正(세조1), 世祖原從3등공신(1)
柳之如(洳)	(세조14)			거창縣監(읍지)
柳之潤	(세조1)			五司護軍, 원종3등공신
劉智周	(세종21)			世子侍直
柳之智	(세종8)			陣法訓導官
柳之涵	(세종대)			刑曹佐郎(9), 司憲持平(11), 刑曹都官正郎(12), 刑曹正郎(12)
柳(劉?)直	(태종~세종대)		문(공양왕2)	內贍少尹(태종6), 제용判事(세종5), 연안府使(8)

조선초기 관인 이력

柳珍	(성종대)				진보縣監(5, 읍), 도총부都事(20)
劉進	(단종1)			환관	行내시부左副承直(1), 充官奴(3)
柳瓚	(태종대)				군기少監(~10, 파직)
柳纘	(세조1)				宗親府副典籤, 원종3등공신
柳千之	(성종22)				현풍縣監(읍지)
柳哲孫	(성종대)		처종형 光陽君 李潗		商議直長(~6, 유배)
柳春寄	(세조1)				五司副司正, 원종2등공신
柳春發					흥덕縣監(읍지)
柳忠彦	(조선초)				장기監務(읍지)
柳致知	(세종~문종대)				정선郡事(세종28, 읍지), 파직(문종즉위)
柳澤	(세조~성종대)				五司司勇(세조1), 世祖原從3등공신(1), 군자主簿(성종16)
柳坡	(성종대)				아산萬戶(~24, 충군)
柳河植	(세조1)				錄事, 원종3등공신
柳漢				?, 문(공양왕1)	別將(고려)
柳垓	(성종1)				영변도수군僉節制使
柳諧	(세조1)				五司護軍, 원종3등공신
柳珦	(태종1)				경기우도안렴사
柳珩					해남縣監(읍지)
柳灝	(태조대)				前光州牧使(~6), 천추사(6), 전의判事(7)
柳渾	(성종대)				司饔(2), 군기正(9), 창원府使(25)
柳孝康	(성종5)				함안郡守(읍지)
柳孝明	(세조8)				연산縣監
柳孝明	(성종22)				경흥부通事
柳孝生	(세종2)				司憲監察
柳孝孫	(세조1)				五司副司正, 원종3등공신
柳孝孫	(세조1)				행主簿, 원종3등공신
柳孝庸	(세조1)				五司護軍, 원종3등공신
柳孝祖	(세조6)				前인천郡事, 유배
柳孝中	(성종대)				와서別提(~9), 창평縣令(9)
柳孝池	(세조1)				縣監, 원종2등공신
柳孝眞	(문종~세조대)				의금都事(문종1), 군자副正(세조5), 개령縣監(6), 兼司憲執義(13)
柳厚	(태조7)				안동府使(읍지)
柳訓	(세조대)				行五司司正(1), 원종3등공신(1), 함안郡守(~12, 파직)

柳興茂	(세조대)				제포萬戶(~1, 파직), 僉知中樞(6), 衛將(7), 경상수군처치사(11), 都摠使龜城君李浚部將(13), 銃筒將(13), 衛將(14)
柳興皀	(세종대)				맹산縣監(8), 고양縣令(12)
柳興源	(단종대)			기(3, 효행)	敍用(3, 孝行故, 居여흥)
劉季(繼)周	(세조12)	江陵	父 判書 仁統, 祖 君 敏		吏曹佐郎, 守令
劉仁統	(태종대)	강릉	父 君 敏, 祖 平章事 天鳳		司瞻署令(~15, 파직)
劉璟	(성종~연산대)	金城	父 監察 昭, 祖 曒	문(성종11)	吏曹佐郎(성종18), 司憲持平(22), 司憲掌令(25)[연산3: 長城郡守]
劉瓚	(성종대)	금성	父 昭, 祖 曒	문(7)	司諫院正言(방목)
劉旱雨	(태조~태종대)	延安	父 舜臣	기(태조잠저시종)	서운副正(태조3), 서운正(5), 工曹典書(7), 檢校判漢城(~태종7), 파직(7)
劉强	(문종즉위)				중화郡事
劉繼根	(세조대)				甲士(~12, 奪告身)
劉寬	(성종8)				聖節使李封館牌
劉得良	(세조5)				前敎諭(居평창)
劉梁	(성종22~23)				司憲持平
劉孟乾	(성종대)				五衛部將(~18), 경성判官(18)
劉德生	(세종대)				상림원別監(~5, 充官奴)
劉伯熙	(성종20)		화원		화공(能畵)
劉補	(세조대)		무과등준(세조12)		
劉寶明	(단종대)				함길甲士(~즉, 移변군)
劉斌	(태종5)				百戶
劉思德	(세종~세조대)			기(19, 효행)	命敍用(세종19, 유학), 品官(~30), 司勇(30), 陞職(단종2), 授準職(세조4)
劉尙友	(태종~세종대)			문(태종14)	書狀官, 양구縣監(세종18)
劉世	?~1454				여진통사복주
劉昭	(세조대)				司憲監察, 遞兒職(左議政權摯伴倘), 前홍산縣監(~14, 充官奴)
劉所應哈	(세조2)		여진귀화인		也剌等處都萬戶
劉孫	(예종~성종대)		환관		內官
劉信	(태종1)		의원		馬醫, 授檢校職
劉安稻	(세종9)				연안府使
劉列者格	(세조3)				與毛里等地副萬戶
劉要時老	(단종~세조대)		여진귀화인		護軍(단종3), 愁州等處副萬戶(세조2), 上護軍(~5), 都萬戶(5), 中樞使(9, 居수주), 知中樞(10)

劉用平	(성종15)				行五衛司勇
劉有信	(세조10)				別侍衛
劉伊項哈	(세조2)				何多山等處都萬戶
劉益明	(세조10)				함흥甲士
劉仲恭	(세조1)				五司司正, 원종3등공신
劉仲誠	(성종22)				加資(高山里軍功2등故)
劉瓚	(태종4)				겸교漢城府尹
劉處康	(세조대)				五衛護軍(6), 원종3등공신(6), 居山察訪(11)
劉鐵丁	(성종18)		화원		화원
劉致	(세종~문종대)		여진귀화인		戰功2등(세종6, 올적합), 前護軍(문종즉위, 居북청)
劉致仁	?~1485				전라좌도水軍虞侯복주
劉忱	(태종~세종대)		환관		內官(태종5), 充官奴(세종2)
劉虎	(성종22)				堂上官, 都元帥許琮都將
劉好土	(단종~세조대)		여진귀화인		여진萬戶(단종3), 골간올적합副萬戶(세조1), 초곳등처副萬戶(1)
劉興達	(태조1)				낭천縣監(읍지)
劉興道	(세종26)				土官종7(遞兒正8), 加資제수
俞好仁	1445~1494	高靈	父 蔭, 祖 中郞將 信(족보 由珍)	문(성종5)	效力副尉(~성종5), 문과, 봉상副奉事(7), 전거창縣監(~16), 工曹佐郞(16), 의성縣令(19), 朝奉大夫司憲掌令(25), 합천郡守졸
俞牧老	(세종대)	杞溪	父 大司諫 孝通, 祖 典書 顯	?, 문(20)	倉丞(~20), 문과, 成均直講(방목)
俞臣老	(성종대)	기계	형 牧老	?, 문(2)	參奉(~2), 문과, 成均典籍(방목)
俞元老	(세조~성종대)	기계	父 藝文提學 孝通, 祖 典書 顯	?, 문(세조12)	奉事(~세조12), 문과, 成均直講(14), 서산郡守(성종3), 掌隷院司議(13)
俞應孚	?~1456	기계			僉知中樞(세종30), 경원府使(31), 의주牧使(단종즉), 평안좌도도절제사(1), 평안도절제사(1), 判江界府使(3), 同知中樞(세조1), 피화(坐단종복위)
俞孝通	(태종~세조대)	기계	父 典書 顯, 祖 軍器寺事 成利	문(태종8), 중(세종9)	兵曹佐郞(태종18), 집현校理(세종6), 문과중시, 藝文直提學(9), 집현直提學(12), 工曹參議(18), 강원관찰사(20), 경주府尹(21), 兵曹參議(26), 同知中樞(26), 中樞副使(26), 藝文提學(26), 집현提學(세조1), 世祖原從3등공신(1)
俞希益	(세조~성종대)	務安	父 定	문(2)	成均主簿(세조6), 전成均直講(9), 直講(11), 成均司藝(13), 大司成(방목)
俞勉	?~1419	仁同	父 斯貴, 祖 天佐	문(태종5)	장흥고副使(태종5), 강원行臺監察(7), 禮曹佐郞(7), 司憲持平(9), 예빈少尹, 司憲掌令(13), 흥해郡事졸

아

兪鎭	(세조~성종대)	인동	父 司宰副正 興俊, 祖 생원 仁守	?, 문(세조8)	教導(~세조8), 문과, 成均主簿(~11), 兵曹佐郎(11), 司憲掌令(예종1), 成均司藝(성종6), 藝文(8), 弘文副提學(9), 파직(9)
兪尙理	(태종대)	昌原	父 工曹典書 貴生, 祖 司宰令 弘	?, 문(8)	의정부錄事(~8), 문과, 禮曹正郎(방목)
兪尙智	?~1432	창원	제 尙理	문(태종5)	刑曹都官佐郎(태종17), 집현校理(세종2), 應教(5), 直集賢殿(6), 副提學(9), 同副承旨(13), 左副承旨卒
兪造	(세조~성종대)	창원	父 集賢提學 尙智, 祖 工曹典書 貴生	?, 문(세조14)	教導(~세조14), 문과, 宣教郎藝文奉教(성종2), 五衛司果(6), 禮曹正郎(7), 피죄(9, 會飲故), 朝散大夫司諫院獻納(15), 봉상正(방목)
兪巨海	(태종4)			역관	사역知事
兪卿老	(단종즉)				分禮賓寺錄事
兪冠	(태종8)				兵曹佐郎
兪光右	(태조7)				경주府尹(읍지), 檢校參贊門下府事
兪九經	(세조~성종대)				承訓郎(세조1), 世祖原從3등공신(1), 관상正(성종2)
兪龜壽	(세종9)				檢校漢城府尹
兪山寶	(세조~성종대)				五司副司直(세조1), 원종2등공신(1), 의주단련사(13), 울산郡守(성종3)
兪善	(세종9)			기(9, 효행)	서용(9, 居江陰, 孝行故)
兪順	(예종1)				行신천郡守
兪信	(세종대)				자산郡事(9), 大護軍(14)
兪信	(세종대)				평양教諭(~25), 평양儒學教授官(25)
兪實	(세종대)			환관	內侍(1), 兼司僕(5), 내시(14)
兪汝平	(세조1)				五衛副司正, 원종2등공신
兪汝諧	(세종~세조대)				別侍衛(세종3), 현풍縣監(세조1, 읍지)
兪元老	(세조~성종대)			의원	內醫(세조10, 성종24)
兪應辰	(단종2)				북청府使
兪益明	?~1455				司直(세종9), 世子朝見시종(9), 자성郡事(19), 僉知中樞(22), 함길都鎭撫(23), 의주牧使(25), 判會寧府使(31), 中樞副使(문종즉위), 회령절제사(즉), 同知中樞(단종즉), 정조사(즉), 嘉善大夫僉知中樞(1), 경상좌도병마도절제사(1), 경상우도병마도절제사(3), 전라水軍處置使卒
兪仁吉	(태조~세종대)			기(軍士)	태조잠저휘하, 太祖原從공신(세종1, 居포천)
兪仁達	(성종대)				前西部令(~3, 命敍用)
兪仁奉	(세종대)			기(2, 효행)	授職(2, 居서천)
兪仁壽					현풍縣監(읍지)

兪仁孝	(세조1)				五司司直, 원종2등공신
兪自恭	(성종대)				甲士(~3, 充軍)
兪自明	(성종3)				甲士
兪宗秀	(세종대)			역관	사역主簿(9), 世子朝見수종(9), 사은사통사(17)
兪忠吉	(정종1)				卒前少監
兪布益	(세조14)				經筵侍講官
兪顯	(태종~세종대)				승문知事(~태종11, 면직), 左司諫(세종1), 嘉善大夫남원府使(3)
兪顯進	(세종1)				大司諫
兪顥	(성종대)				웅천縣監(17), 평안虞侯(24), 裨將(24)
兪灝	(성종대)				고산리軍官(22), 折衝將軍忠武衛司直(22)
兪好善	(세조1)				五司司勇, 원종2등공신
兪好讓	(성종대)			역관	通仕郞(6), 授堂下準職(14, 明使請故)
兪渾	(단종1)		외조 領議政 皇甫仁		사직서錄事
兪孝全	(성종대)			?, 문(8)	訓導(~8), 문과, 刑曹佐郞(방목)
兪孝之	(성종21)				訓戎鎭僉節制使
兪興達	(세조대)				錄事(1), 원종3등공신(1), 甲士(4)
兪興俊	(태종~세종대)			역관	사역舍人(태종10), 判官(세종3), 司直(6), 상의원別坐(12), 사재副正(14), 사역첨지(16)
兪希孟	(세조대)				文臣(13, 讎校刑典), 侍講(세조대, 성종4, 1, 정사)
庾龜山	(태종대)	茂松(平山)	父 左贊成 鏜		내자判事(~2), 안변府使(2), 전工曹參議(~6), 濟州按撫賑恤使(6), 都摠制府僉摠制(6), 前判原州牧使(~8), 유배(8)
庾得和	(세종대)	무송	父 營, 祖 崇	문(24)	훈련主簿(방목)
庾順道	(태조~세종대)	무송	父 公裔, 祖 司僕判事 權	문(태조5)	전正郞(세종7), 司直(13)
庾智	(세종~세조대)	무송	父 長壽, 祖 公寬	문(세종14)	집현博士(17), 司諫院右獻納(23), 左獻納(24), 개성經歷(~29, 파직), 司憲掌令(단종2), 五司大護軍(세조1), 世祖原從3등공신(1), 훈련使(5), 左司諫(5), 廣州牧使兼鎭將(6~8)
庾思達	(성종19)			역관	聖節使통사
庾善言	(세조12)				守令
庾彦剛	?~1422				풍저副使(~태종16, 파직), 大護軍복주
庾曾孫	(세조1)				行五司司勇, 원종2등공신
庾智行	(세조7)				廣州牧使
陸麗	(태조대)	沃川	父 君 巨遠, 祖 府尹 希實		上萬戶(우왕9, 고려), 양광도병마도절제사(1), 太祖原從공신(1)

陸文洙	(세조1)				訓導, 원종2등공신
陸英(永)生	(세종1)			환관	內侍
陸晉	(태조7)				司僕主簿
陸閑	(성종대)				兼司僕(2), 4품이상(12), 사온署令(18), 通政大夫穩城府使(19), 평안虞侯(22), 北征都將(22), 경원府使(23)
尹臨	(태종~세종대)	南原	父 門下評理 璜, 祖 守均		성주牧使(태종8), 제주도안무사(12), 刑曹參議(14), 파직(18이전), 함길관찰사(~세종2), 파직(2), 中軍摠制(9)
尹末孫	(세조~성종대)	남원	형 左參贊 孝孫		武臣(세조7), 宣傳官(8), 박천郡事(10), 敵愾2등공신(13), 刑(13)·工曹參議(13), 折衝將軍五衛大護軍(14), 평안중도절도사都事(14), 假衛將(성종2), 行江界府使(3), 咸安君(7), 전라(10)·경상좌도병마절도사(13), 함안군(16), 황주牧使(16), 전주府尹(19), 함안군(19), 영안북도절도사(20), 充軍(22)
尹處寬	(세종대)	남원	父 監務 希, 祖 郎將 孝材		흥덕縣監(읍지)
尹孝孫	1431~1503	남원	父 郡守 處寬, 祖 監務 希, 장인 領議政 朴元亨	문(단종1), 중(세조3)	승문正字(단종1), 校書著作(세조1), 世祖原從2등공신(1), 승문博士, 전농主簿(~3), 문과중시, 司諫院右獻納(3), 禮曹正郎(4), 成均司藝, 議政府檢詳(8), 議政府舍人(10), 장흥府使, 훈련副正(13), 左通禮(성종4), 戶(4)·禮曹參議(4), 通政大夫全州府尹(4, 母病故) 工(7)·刑曹參判(8), 경상관찰사(8), 漢城右尹(9), 漢城左尹(9), 大司憲(9), 同知中樞(9), 순창郡守(13), 나주牧使(13, 親養고), 同知經筵(20), 하정사(20), 兼經筵特進官(21), 황해관찰사(22), 한성좌윤(23), 刑曹判書(24), 議政府右參贊(24), 양전순찰사(25) [연산대: 判漢城, 刑曹判書, 議政府左參贊, 右參贊, 崇政大夫左參贊졸]
尹江	(세종대)	茂松	父 漢城府尹 會宗, 祖 三司副使 龜生		전正郎(4), 刑曹正郎(6)
尹謹	(태종14)	무송	父 混, 祖 昌宗		군기錄事, 副正(족보)
尹彌堅	(세종12)	무송	형 奉教 自堅		司諫院右正言
尹卞	(세종대)	무송	서 惠寧君 祉		司直(선원세보기략)
尹紹宗	?~1393	무송	父 副使 龜生, 祖 大提學 澤	문(공민왕14)	修撰官, 司諫院右正言, 전교丞, 전교副令(우왕14), 藝文應教, 成均司藝, 典理摠郎, 右司議大夫, 大司成, 左常侍(공양왕4, 고려), 兵曹典書(태조1), 太祖原從3등공신(1), 兵曹典書동지춘추졸

조선초기 관인 이력

尹自堅	(태종대)	무송	父 郡事 忠輔, 祖 校理 湜	문(11)	藝文奉教(방목)
尹子濚	(단종~세조대)	무송	父 沐, 祖 正郎 江	?, 문(단종1), 중(세조12), 발영(12)	敎導(~단종1), 문과, 藝文檢閱(1), 藝文奉敎(2), 主簿(세조1), 世祖原從2등공신(1), 봉상主簿(4), 의령縣監(5), 成均直講(5), 副知事譯(7), 兼司憲掌令(9), 경상經歷(10), 봉상副正(~12), 문과중시, 拔英試, 종부正(14)
尹宗文	(태조대)	무송	父 散郎 得明, 祖 密直提學 澤	?, 문(우왕9)	內侍(고려), 佐郎(방목)
尹徽(澄)	(성종대)	무송	父 副正 廉幹, 祖 副正 禧		命敍用(10, 이조), 공주判官, 군적郎廳(18)
尹潝	(세조~성종대)	무송	父 領議政 子雲, 祖 副正 景淵	음	僉正(~1, 파직)
尹涵	(세조~성종대)	무송	父 正言 彌堅, 祖 郡事 忠輔		함평縣監(세조14), 광흥창主簿(~성종3), 司憲監察(3, 收告身)
尹淮	1380~1436	무송	父 修文殿學士 紹宗, 祖 典農判事 龜生	문(태종1)	사재直長(태종1), 文書應奉司錄事(1), 兵曹佐郎(6), 吏曹正郎(9), 吏曹正郎春秋館記事官(9), 승문僉知(10), 전의判事(18), 承文判事兼經筵侍講官(18), 同副·右副·左副承旨(18~세종1), 兵曹參議(1), 파직(4), 집현副提學(4), 都摠制府同知摠制(5), 同知摠制겸동지춘추(5), 藝文提學(5, 9, 12), 모상(15), 中樞使兼大司成(15), 藝文提學(16), 大提學(17), 大提學졸
尹會(孝)宗	(태조~태종대)	무송	父 判事 龜生, 祖 密直提學 澤	문(우왕3), 중(태종7)	사재副令(고려공양왕1), 戶曹議郎(~태조4, 유배), 成均館藝(~태종7), 중시, 成均司成(7), 左(12)·右司諫(14), 변정都監使(~14, 유배), 大司成(16), 밀양府使(17)
尹得洪	1372~1448	務安			경기수군첨절제사(~세종1), 左軍僉摠制(1), 右軍同知摠制(2), 경기수군도절제사(2), 경기水軍都按撫處置使(3), 전라수군도절제사(5), 전라수군도절제사兼右軍同知摠制(~8), 파직(8), 摠制(~11), 유배(11), 中樞副使(16), 진하副使(17), 知中樞(20, 23), 中樞副使(23, 27), 中樞使(27), 同知中樞졸
尹子雲	1416~1478	茂長	父 副正 景淵, 祖 中樞使 淮, 매제 領議政 申叔舟	음, 문(세종26)	司正(~세종26), 문과, 藝文檢閱(26), 집현副修撰(29), 司諫院左獻納(32), 집현應敎(문종1), 吏曹佐郎(2), 都統府經歷(단종1), 五司大護軍兼知司諫(세조1), 佐翼3등공신(1), 同副(2)·右副(2)·右(3)·左(3)·都承旨(5), 모상(6), 吏曹參判(6), 주문사(6), 인수府尹(6), 兵曹判書(8, 10), 議政府右參贊(11), 左參贊(12), 左參贊兼判義禁府事(12), 左參贊兼五衛都摠管(13), 左參贊(13), 議政府右贊成(13), 議政府右議政

					(예종1), 左議政(1), 領議政(성종1), 佐理1등공신領議政茂松府院君(2), 府院君(2), 茂松府院君兼判禮曹事(6), 右議政(7), 右議政졸
尹期	(세종대)	楊州	父 萬戶 壽, 祖 寺事 德方	?, 문(26)	五衛司勇(~26), 문과, 主簿(방목)
尹璋	(성종대)	양주	父 縣監 志夏, 祖 主簿 期	문(14), 중(연산3)	翰林(방목), 경상都事(21, 읍지)[연산이후: 工曹判書, 靖國4등공신]
尹達莘	(성종대)	驪州		문(12)	충주判官(15)
尹兢(就)	(세종~성종대)	永川			司諫院獻納(세종20), 吏曹正郎(20), 戶(성종21)·吏曹參議(21), 承旨, 관찰사, 戶曹判書
尹祥	1373~1455	醴泉	父 善, 祖 參議 臣端	문(태종5)	縣吏(~태종5), 문과, 禮曹正郎(태종15), 僉知中樞(세종20), 僉知中樞兼成均司成(24), 藝文提學(26), 同知中樞(27), 慶昌府尹兼成均司成(27), 藝文提學兼司成(28), 전提學졸
尹壽榮	(세조14)	예천		문(6)	봉산訓導(방목)
尹延年	(예종1)	載寧	형 延命		졸창원府使
尹緯	(태종16)	재령	父 府使 延年		전典書
尹自任	(문종~세조대)	재령	父 莘卑	문(문종 즉위)	司諫院正言(방목)
尹堡(保)	(성종대)	漆原	父 正 世安, 祖 府尹 子良		守令(~13), 원주判官(13, 영불서용, 수령시 濫刑故)
尹碩輔	(성종대)	칠원	父 思, 祖 署令 參	문(3)	풍기郡守·성주牧使(읍지)[연산대: 司諫院司諫, 弘文直提學, 大司諫]
尹子當	?~1422	칠원	父 控, 祖 贊成 吉甫		兵曹典書(태종1), 佐命4등공신漆原君(1), 칠원군(~7), 경상병마도절제사(7), 진주상주병마도절제사(8), 진주상주병마수군도절제사(8), 진주상주병마도절제사(9), 칠원군(11), 雄武侍衛司절제사(11), 遭喪(11), 길주도찰리사(11, 12), 欽問起居使(14), 평안병마도절제사(세종즉), 칠원군(3), 성절사(3), 漆原府院君(4), 府院君졸
尹作	(세조1)	칠원	父 君抵, 祖 三司左司尹 樺		五司護軍, 원종3등공신
尹柢 (方慶, 邦慶)	?~1412	칠원	父 左司尹 樺, 祖 贊成 吉甫	기(태종잠저시종)	上將軍(태조1), 太祖原從(1), 刑曹典書(3), 商議中樞院事(4), 안동府使(5), 경원도절제사(6), 파직(6), 商議중추원사(~정종2), 巡軍萬戶(2), 都督中外諸軍事上鎭撫(2), 知三軍府事(태종1), 佐命3등공신漆城君(1), 司平右使(1), 參判承樞府事(2), 參判司平府事(3), 巡禁司萬戶(4), 칠성군兼判義勇巡禁司事(5), 兵曹判書(7), 議政府參贊(7), 議政府贊成事(8), 吏曹判書(9), 漆原君(11), 嘉禮色提調(11), 漆原君졸

尹惠	(세조~성종대)	칠원	父 商佑, 祖 都摠管 道源		司贍主簿(세조9), 파직(10), 전佐郎(14), 司憲持平(예종1), 전谷城縣監(성종2), 中直大夫持平(5)
尹侃	(성종대)	파평	父 領議政 弼商, 祖 郡守 坰	음	戶曹佐郎(성종8), 경기都事(9), 한성庶尹(~13), 通禮門贊儀(13), 司憲掌令(13), 경상진휼사韓致亨從事官(15), 通訓大夫司憲執義(15), 강릉府使(20), 通政大夫驪州牧使(23)
尹學	(태종대)	파평	父 天寶, 祖 瑞	문(2)	縣監(방목)
尹繼謙	1442~1483	파평	父 右議政 士昕, 祖 判中樞 璠	음(세조3)	世子右參軍(세조3), 戶曹正郎(10), 儀賓府經歷兼宣傳官(13), 同副(13)·右副承旨(13), 翊戴3등공신左副承旨鈴平君(예종즉), 右(1)·左承旨(1), 戶曹參判(성종1), 강원관찰사(2), 佐理3등공신(2), 영평군겸경기관찰사(3), 工曹參判겸경기관찰사(3), 吏曹參判(5), 資憲大夫大司憲(6), 刑曹判書(8), 영평군(8), 刑曹判書(8), 경상관찰사(11), 工曹判書(12), 영평군(13), 鈴平君졸
尹季童	?~1454	파평	父 判書 向, 祖 門下評理 承順, 처 태종녀 貞信翁主	기(부마)	鈴平尉(세조1), 世祖原從2등공신(1)
尹繼興	(세조1)	파평	父 校理 惇, 祖 典書 恃		判官, 원종3등공신, 삼척府使(8, 읍지)
尹坤	?~1422	파평	父 判開城府事 承順, 祖 鈴平君 陟	문(고려)	大將軍(태조7), 右軍同知摠制(태종1), 佐命3등공신(1), 摠制(2), 파직(6), 坡平君(8), 사은사(8), 계림안동도병마도절제사(13), 파평군(~17), 議政府參贊(17), 평안관찰사(18), 工曹判書(세종1), 崇政大夫右參贊(1), 파평군(3), 坡平君졸
尹救	(세종대)	파평	父 提學 就, 祖 令 輔	음	원평府使(~5, 杖流)
尹珪	1365~1414	파평	父 版圖判書 承禮, 祖 軍簿判書 忓	음, 문(우왕9)	別將(~우왕9), 문과(8, 고려), 전禮曹正郎(~태조7), 명사書狀官(7), 內書府舍人(~태종2), 파직(2), 刑曹佐郎(8), 兵曹參議(9), 右副承旨(9), 모상(10), 左副承旨(11), 吏曹參議(12), 경승府尹(13), 전府尹졸
尹瑾	(세조대)	파평	父 大提學 炯, 祖 府尹 珪		五司司正(1), 원종3등공신(1), 광흥倉使(~7, 파직)
尹金孫	1458~1548	파평	父 副正 之岡, 祖 參判 岑	문(성종22)	[연산이후: 弘文副校理, 議政府舍人, 司憲執義, 弘文副提學, 영흥府使, 議政府右贊成, 坡城君졸]
尹耆	(세종~성종대)	파평	父 司成 尙殷, 祖 典涓 智孫	문(세종17)	成均直講(세조6), 한산敎授(~14, 收告身), 成均典籍(성종9), 成均司成(~13, 파직)

尹惇	(태종~세종대)	파평	父 典書 悙, 祖 尙書 仁善	?, 문(태종14)	別將(~14), 문과, 通禮門奉禮郎(~17), 파직(17), 司憲監察(세종6), 校理(방목)
尹磷	(세조~성종대)	파평	父 領中樞 師路, 祖 參議 垠	음?	五衛司正(尹師路비명), 常參入侍(세조13), 宣傳官(예종즉), 중추經歷(성종2)
尹末	(세조3)	파평	형 掌令 培		훈련參軍
尹孟謙	(태종~세종대)	파평	父 瑞, 祖 宗簿寺事 孝珍	문(태종14)	行臺監察(세종1), 司諫院右獻納(6), 左獻納(7), 개성經歷, 吏曹正郎(방목)
尹敏	(단종~성종대)	파평	父 知司諫 須彌, 祖 府尹 普老	문(단종1)	副尉(~단종1), 문과, 藝文檢閱(1), 世祖原從2등공신(세조1), 군자僉正(예종1), 通訓大夫司憲執義(성종10), 戶曹參議(18), 兵曹參知(18), 通政大夫황해관찰사(18), 禮曹參議(19), 刑(20)·兵曹參判(21), 경상우도수군절도사(22)
尹發	(태조~태종대)	파평	父 得仁, 祖 粱	문(태조5)	敎授(방목)
尹培	(세종~세조대)	파평	父 漢城府事 希齊, 祖 坡平君 坤	음, 문(세종23)	五衛司正(~세종23), 문과, 司諫院右正言27), 左正言(~28), 兵曹佐郎(~30), 유배(30), 佐郎(세조1), 世祖原從2등공신(1), 校理, 司憲掌令(방목)
尹伯焞	(세조~성종대)	파평	父 漢城府尹 慈, 祖 代言 須		사온參奉(~세조14), 五衛司直(14), 掌隷院司評(성종12), 通訓大夫司憲持平(21)
尹璠	1386~1450	파평	父 版圖判書 承禮, 祖 鈴平君 陟, 서 世祖	음	청주判官, 신천縣監(세종6), 군기判官(~10), 副正(10, 女 嫁首陽大君故), 工曹右(14)·吏曹右(14)·吏曹左參議(16), 工曹右(16)·戶曹右(16)·戶曹(16)·工曹(16)·吏曹參判(18), 경창府尹(20), 경기관찰사(20), 工曹參判(21), 大司憲(21), 議政府右參贊(22), 工曹判書(23), 僉知中樞(28), 判中樞(29), 判中樞졸
尹甫	(성종대)	파평	父 右議政 士昐, 祖 判中樞 璠	음	坡陵君(14), 사은사(14), 工曹參判(16), 파릉군(16), 賀冊封使(23)
尹寶弓	(세조1)	파평	父 判三司事 虎, 祖 令 尹 周輔	음?	五司護軍, 원종3등공신
尹普老	(태조~세종대)	파평	제 判中樞 璠		중군將軍(태조5), 전사재監(~태종8), 義興侍衛司大護軍(8), 右軍僉摠制(세종1), 判晋州牧使(2), 파직(4), 仁順府尹(11), 府尹졸, 추증世祖原從1등공신(세조1)
尹輔商	(성종대)	파평	형 領議政 弼商	무(18)	
尹贇	(성종대)	파평	父 參贊 炯, 祖 府尹 珪	문	刑曹正郎(尹炯비명)
尹士昀	1409~1461	파평	父 判中樞 璠, 祖 版圖判書 承禮	음, 문(세종18)	副司正(~세종18), 문과, 司諫院右正言(20), 司諫院右獻納(24), 左獻納(25), 守司憲掌令(28), 掌令(문종2), 奉訓大夫軍資正(~단종1), 成均司藝(1), 靖難2등공신(1), 司諫院右司諫(2), 左司諫(2), 僉知中樞(2), 刑曹參議(세조1), 佐翼3

조선초기 관인 이력

					등공신(1), 通政大夫判通禮(1), 藝文提學坡城君(1), 工(4)·禮曹參判(5), 工曹判書(5, 7), 工曹判書졸
尹師路	1422~1463	파평	父 參議 垠, 祖 漢城府事 希齊, 처 태종녀 貞顯翁主	기(부마)	鈴川君(세종17), 通憲鈴川尉(27), 文宗수릉관(단종즉), 崇德大夫(즉), 興德大夫영천위(2), 佐翼1등공신鈴川君(세조1), 議政府左贊成(2, 3~4), 領中樞(2), 鈴川府院君(3), 領中樞(3), 鈴川府院君(3), 府院君졸
尹士昐	1401~1471	파평	父 判中樞 璠, 祖 版圖判書 承禮	음(세종8)	中樞府錄事(세종8), 世子右衛率, 司憲監察, 刑曹都官佐郎, 戶曹佐郎, 한성判官, 刑曹都官正郎, 예빈判事(~세조1), 僉知中樞(1), 世祖原從1등공신(1), 전僉知中樞(~4), 인수府尹(4), 工曹參判(5), 資憲大夫中樞副使(5), 中樞使(7), 判中樞(7), 議政府左贊成(10), 知中樞(12), 議政府右議政(14), 判中樞(예종1), 領敦寧(성종1), 영돈령졸
尹師商	(성종대)	파평	형 領中樞 師路		五衛司直, 선농제조자(6), 通禮院引儀(~6), 충훈經歷(6), 상주判官(13), 대정縣監(15, 음)
尹師殷	(성종14)	파평	父 掌令 培, 祖 府尹 希齊		곡성縣令
尹師夏	(성종대)	파평	형 領中樞 師路		충훈經歷(4), 司贍副正(8), 장단府使(~14, 승직), 예빈正(19), 경기點馬別監(19), 醫書刊行都監郎廳(20), 右通禮(23)
尹士昕	1422~1485	파평	형 右議政 士昐	음	正郎(세조1), 世祖原從1등공신(1), 전軍器少尹(~4), 副知通禮(4), 刑曹參議(5), 同副承旨(5), 戶(5)·吏(5)·戶曹參判(6), 파직(6), 인순府尹(7), 파직(7), 中樞副使(7), 中樞使(8), 同知中樞(11), 工曹判書(11), 知中樞(12), 大匡輔國崇祿大夫(성종즉), 佐理2등공신坡川府院君, 領中樞(2), 議政府右議政(6), 坡川府院君(7), 부원군졸
尹三山	(세종~세조대)	파평	형 護軍 希夷		한성少尹(~세종24), 司憲掌令(24), 判通禮門事(세조1), 世祖原從2등공신(1), 파직(2), 知兵曹事(2)
尹商老	(성종대)	파평	祖 僉知中樞 三山		直長(~21), 主簿(21)
尹尙殷	(태종~세종대)	파평	父 典涓 智孫, 祖 司評 自誠	문(태종1)	典祀寺主簿, 순창郡事, 成均司成(방목)
尹生	(세조1)	파평	父 參贊 炯, 祖 府尹 珪		令史, 원종3등공신
尹恕	(세종~문종대)	파평	형 漢城左尹 慈	문(26)	승문副正字(세종26), 承政院注書, 司憲監察(문종1), 司諫院右正言(1), 左正言(1), 追贈世祖原從3등공신(세조6)

尹晢	(세조~성종대)	파평	父 府使 繼興, 祖 校理 惇	문(세조12)	承政院注書, 司諫院正言, 禮曹·刑曹佐郎, 진주判官, 안악郡守, 司僕副正, 해주牧使(읍지), 司諫院司諫(방목), 直提學, 右通禮
尹瑄	(성종18)	파평	왕비지친		收告身3등
尹世霖	(성종23)	파평	父 之崇, 祖 參判 岑	문(25)	[연산이후: 寺正]
尹須	?~1408	파평	父 珍, 祖 之彪	문(우왕9)	諫官(~태조4, 파직), 禮曹正郎(7), 司憲執義(~태종4, 유배), 右司諫(~5), 파직(5), 左副(7)·右(7)·左代言(7), 대언졸
尹粹	(태종~세종대)	파평	父 典書 恬, 祖 尙書 仁善	?, 문(태종8)	別將(~태종8), 문과, 司憲持平(16), 禮曹正郎(세종5), 同副·右副·左副承旨(12~13), 禮曹(13)·禮曹左參議(14)
尹須彌	(태종~세종대)	파평	父 府尹 普老, 祖 判書 承禮	문(우왕9)	戶曹佐郎(태종15), 守令(세종8), 司憲掌令(9), 파직(10), 大護軍(12), 상의원副正(12), 知司諫(12), 代言
尹俶	(성종대)	파평	형 牧使 侃	음	掌隸院司評(13), 工曹佐郎(14), 正郎(~18), 副正(18), 同副·右副·左副承旨(23~24), 僉知中樞(24), 사직(24, 身病故), 兵曹參知(25)
尹恂	(세종대)	파평	父 安仁, 祖 千壽	문(2)	縣令(방목)
尹承禮	?~1398	파평	父君陟, 祖 都僉議使司 安淑		版圖判書졸
尹巖	?~1461	파평	父 생원 太山, 祖 仁壽府尹 普老, 처 태종녀 淑慶翁主	기(부마)	의금提調, 宮城南面절제사(단종즉), 佐翼2등공신坡平君(성종2), 파평군졸
尹琰	(성종대)	파평	父 儀賓 泙, 祖 府尹 敞		北部參奉(尹泙비명)
尹愚	?~1433	파평	父 上護軍 須彌, 祖 府尹 普老, 처 태종녀 淑寧翁主	기(부마)	嘉善大夫坡城君(세종7), 파성군졸
尹垣	(성종~중종대)	파평	형 右議政 壕	음	五衛副司果(~성종1), 宣傳官(3), 右通禮(19), 同副(20)·右副承旨(20), 파직(20), 刑曹參議(20), 左副(20)·右副承旨(22), 漢城府尹(23), 충청관찰사(23), 僉知中樞(25) [연산이후: 同知義禁府事, 靖國4등공신, 判敦寧]
尹垠	(세조대)	파평	父 判漢城 希齊, 祖 參贊 坤		判事(세조1), 원종3등공신(1), 工(3)·刑(3)·工曹參議(4), 僉知中樞(4), 刑(5)·戶曹參議(5), 嘉善大夫僉知中樞(5), 判廣州牧使(5)
尹殷老	(성종~연산대)	파평	父 領敦寧 壕, 祖 僉知中樞 三山	음	전戶曹佐郎(성종13), 司憲掌令(14), 파직(14), 同副(16)·左副(16)·右(17)·左副承旨(17), 工曹參判(18), 漢城府右尹(18)·左尹(18)·右尹(19), 한성우윤兼經筵特進官(20), 吏曹參判(20), 파직

					(21), 한성좌윤(24), 同知中樞(25), 내약방제조(25)
尹任	(세조1)	파평	父 參贊 炯, 祖 府 尹 珪		錄事, 원종3등공신
尹慈	(세종~성종대)	파평	父 代言 須彌, 祖 府尹 普老	문(세종29)	司憲持平(단종3), 世祖原從3등공신(세조1), 通訓大夫司憲執義(4, 5), 내자判事(7), 知兵曹事(9), 경기관찰사(11, 12), 漢城左尹(예종1), 경상관찰사(1), 한성좌윤(성종1)
尹孜善	(성종8)	파평	父 護軍 秕, 祖 掌令 將		司憲掌令
尹岑	(문종~성종대)	파평	제 坡平君 巖		刑曹都官佐郎(문종2), 正郎(세조1), 世祖原從3등공신(1), 右承旨(9), 파직(9), 僉知中樞(10), 원각사조성도감副提調(10), 工曹參議(11), 파직(11), 刑曹參判(13), 강원관찰사(~성종5)
尹琠(堧)	(태조~세종대)	파평	父 判書 承禮, 祖 君 陟	문(우왕9)	典書(~태종6), 경상전라採訪使(6), 안동채방사(세종5)
尹堤	(세조6)	파평	父 參贊 炯, 祖 府 尹 珪		五衛司直, 원종3등공신
尹俊民	(성종대)	파평	父 君 巖, 祖 太山	음(20, 功臣 子)	才品敍用(20, 功臣衆子故), 풍저창主簿(21)
尹俊元	(성종21)	파평	형 俊民	음	예빈僉正
尹進	(세조1)	파평	父 參贊 炯, 祖 府 尹 珪		五衛司直, 원종3등공신
尹贊	(세종~예종대)	파평	父 左參贊 炯, 祖 大提學 珪	음	司憲監察(세종25), 正郎(세조1), 世祖原從3등공신(1), 경차관(3), 僉知中樞(8), 知兵曹事(9), 刑曹參判坡城君(10), 工曹參判(11, 13), 파성군(예종1)
尹敏	(태종~세종대)	파평	父 大提學 就, 祖 宗簿令 輔		司憲監察(~태종6), 파직(6), 전남양府使(세종16), 兵(21)·工(26)·戶曹參議(26), 僉知中樞(26), 中樞副使(27)
尹就	(태조대)	파평	父 宗簿令 輔, 祖 代言 安迪	문(공민왕20)	左代言(방목)
尹湯老	(성종대)	파평	형 殷老	무(17)	敦寧奉事(14), 충훈經歷(21), 훈련副正(24), 內乘(25) [연산이후: 靖國3등공신, 判中樞]
尹泙	1420~1467	파평	처 태종녀 淑順 翁主	기(부마)	坡原尉(세조1), 원종2등공신(1)
尹弼商	1427~1504	파평	父 郡守 坰, 祖 漢 城府尹 希齊	문 (문 종 즉 위), 중(세조 3)	승문著作(단종1), 佐郎(세조1), 世祖原從2등 공신(1), 좌랑(~3), 문과중시, 侍講院輔德(8), 同副(9)·左副(10)·左(11)·都承旨(13), 資憲大夫議政府右參贊兼都承旨(13), 敵愾1등공신右參贊坡平君(13), 議政府右贊成(성종1), 佐理4등공신右贊成坡平君(2), 右贊成겸경기관

					찰사(3), 右贊成(3), 右贊成兼判吏曹事(5), 右贊成(5), 파평군(8), 左贊成(9), 주문사(8), 輔國崇祿大夫領中樞(9), 議政府右議政(9), 左議政(10), 北征都元帥(10), 사은사(12), 左議政兼世子傅(14), 領議政(16), 坡平府院君(24), 내약방提調(25) [연산대: 유배중피화(10)]
尹垓	?~1491	파평	父 僉知中樞 三山, 祖 坡平君 坤	음	五衛副司直(성종4), 청송府使(14), 通政大夫충청관찰사(16), 兵曹參知(17), 戶(18)·刑(18)·兵曹參議(19), 通政大夫경주府尹졸
尹向	1374~1418	파평	父 門下評理 承順, 祖 鈴平君 陟	음	同副(태조6), 右副承旨(6), 吏曹參議(7), 전라관찰사(7), 參知議政府事(9), 경상좌도병마도절제사兼鷄林府尹(10), 황해관찰사(14), 兵(17)·刑曹判書(18), 判書졸
尹顯孫	(세조~성종대)	파평	父 牧使 達蒙, 祖 參議 粹	문(세조8)	전교正字(세조10), 朝散大夫兵曹佐郎(성종2), 司諫院獻納(4, 6), 僉正(방목)
尹炯	1391~1453	파평	父 敬承府尹 珪, 祖 版圖判書 承禮	음(태종11), 문(세종2)	社稷壇直(태종11), 군자直長(~세종2), 문과, 승문博士(2), 承政院注書(3), 司憲監察, 司諫院左獻納(8), 吏(8)·兵曹佐郎, 右獻納, 刑曹都官正郎, 吏曹正郎8), 파직(8), 刑曹都官正郎(8), 司憲掌令(10), 사재副正(11), 전라경차관(11), 종부少尹(12), 議政府舍人(13), 知司諫(14), 同副·右副·左副·右承旨(14~17), 僉知中樞(17), 충청관찰사(18), 禮曹參議(19), 藝文提學(19), 禮曹參判(22), 경기관찰사(23), 刑曹參判(24), 경창府尹(26), 禮曹參判(26), 判漢城(28), 刑曹判書(28), 大司憲(29), 工(31)·戶曹判書(31), 議政府左參贊(단종즉), 藝文大提學(즉), 大提學졸, 贈佐翼2등공신(세조4)
尹虎	?~1393	파평	父 令尹 周輔, 祖 府尹 諝		門下侍郎贊成事(태조1), 判三司事(1), 開國2등공신(1), 판삼사사(2), 사행중졸
尹壕	1424~1496	파평	제 垓, 여 成宗後宮(淑儀)	음, 문(성종3)	行丞(세조1), 世祖原從3등공신(1), 牧使(~성종3), 문과, 通政大夫楊州牧使(3), 兵曹參知(3), 嘉善大夫경상관찰사(6), 工曹參判(7), 정조사(7), 경기관찰사(7), 兵曹參判(10), 영돈령(12, 女 冊王妃故), 議政府右議政(25), 領敦寧(25), 영돈령졸
尹煥	(세종대)	파평	제 參贊 炯		工曹佐郎(세종4), 郡守
尹璜	(세조1)	파평	父 司憲掌令 將, 祖 令 輔		五司副司直, 원종3등공신
尹壎	(세조대)	파평	형 參議 垠		五司護軍(1), 원종3등공신(1), 파주牧使(~12, 유배)
尹欽	1418~1485	파평	제 參判 甫	음, 문(세종32)	남부錄事(~세종32), 문과, 司憲監察, 司憲持平(단종2), 파직(2), 同副知敦寧(세조1), 世祖

조선초기 관인 이력

					原從2등공신(1), 內贍少尹, 선공正(~7), 同副(7)·右副(8)·左副(8)·左承旨(9), 파직(9), 僉知中樞(9), 경상관찰사(10), 同知中樞겸경상관찰사(10), 中樞副使(11), 훈련都正(12), 兼五衛副摠管(13), 兵曹參判(13), 충청병마도절제사(14), 훈련都正(예종즉), 坡平君兼五衛都摠管(즉), 資憲大夫同知中樞(1), 知中樞(성종5), 知中樞겸경기관찰사(5), 判漢城(6), 戶曹判書(8), 知中樞(10), 知敦寧(12), 知敦寧졸
尹興義	(태종대)	파평	父 典書 珹, 祖 判書 承禮		前副使(~18), 강원도채방(金)副使(18)
尹熺	(세조6)	파평	父 府尹 珪, 祖 判書 承禮		졸直長, 追贈原從3등공신
尹喜孫	(성종대)	파평	父 參議 敏, 祖 代言 須彌	문(7)	경상都事·춘천府使(읍지), 副提學, 大司憲
尹希夷	(태종대)	파평	父 君坤, 祖 門下評理 承順		護軍(~17), 공신도감副使(17)
尹希齊	(세조대)	파평	형 護軍 希夷		僉知通禮(1), 원종3등공신(1), 檢校判漢城(11)
尹遵	(성종8)	咸安	父 判事 起畎, 祖 縣監 應	음	敦寧參奉
尹起畎 (畝)	(세종~세조대)	함안	父 縣監 應, 祖 典書 得龍, 외손 燕山君	문(세종23)	世子司經(문종1), 司憲持平(단종2), 郡事(세조1), 원종2등공신(1), 김해府使(읍지), 봉상判事(방목)
尹將	(태조대)	함안	父 得龍	문(우왕6)	右補闕(~2, 유배), 司諫院左獻納
尹定	(태조대)	함안	父 典書 得龍, 祖 司饔院提擧 禧	문(2)	불명
尹起磻	(단종~성종대)	海平	父 內禁衛 登良, 祖 觀察使 思永	문(단종1)	權知正字(단종1), 世祖原從2등공신(세조1), 경기都事(~13), 파직(13), 兵曹正郎(예종1), 삭령郡守(성종3), 通訓大夫司憲持平(7), 兵曹正郎(8), 司憲掌令(12), 司憲執義(12), 司僕副正(14), 成均司成(방목)
尹達誠	?~1434	해평	父 參判 思修, 祖 同知密直 邦晏		양성縣監(~세종3, 파직), 피죄중졸
尹沔	(세종~성종대)	해평	父 府使 處誠, 祖 參判 思修	문(세종14)	司諫院左正言(세종24), 경기都事(26), 左正言(27), 司憲持平(문종즉위), 行五衛司勇(성종2), 司憲掌令(방목)
尹思修	1367~1411	해평	父 同知密直 邦晏, 祖 政堂文學 之賢	문(우왕9)	右司諫兼都評議使司經歷(정종1), 左司諫(태종1), 刑(2)·戶(2)·刑曹典書(2), 경기관찰사(4), 右副(5)·右(6)·左代言(7), 藝文提學(7), 강원관찰사(8), 강원관찰사兼判原州牧使(8), 參知議政府事(9), 參知議政府事졸

尹思永 (思齊)	(태조~태종대)	해평	제 參知議政 思修	문(우왕11)	禮曹正郎(~태조4), 파직(4), 右諫議(~정종1), 유배(1), 司憲執義(태종4), 右司諫(~6), 파직(6), 戶曹參議(11), 사직(12, 母病故), 左代言(17), 藝文提學(17), 천추사
尹思齊	(태조대)	해평	父 密直提學 邦晏, 祖 政堂文學 之賢	문(우왕11)	(3~6)
尹延命	?~1458	해평	父 縣監 達成, 祖 執義 彰, 처 태종녀 昭淑翁主	기(부마)	海平君, 海平尉
尹殷輔	(성종대)	해평	父 萱, 祖 司憲掌令 泗	문(성종23)	[연산이후: 승문校檢, 議政府領議政]
尹彰	(태조~태종대)	해평	父 贊成 珍, 祖 門下評理 彪		司憲侍御使(태조3), 司憲執義(~태종2, 파직), 양주牧使(읍지)
尹處敬	(태종대)	해평	父 參知議政府事 思修, 祖 同知密直 邦晏		典祀直長(~10, 파직)
尹處恭	?~1453	해평	형 處敬		司憲監察(세종9), 刑曹都官佐郎(12), 제주선위別監(15), 경기經歷(21), 평양少尹, 수원府使(~28, 파직), 군기判事(문종2), 坐癸酉政變피화
尹處誠	(태종~세종대)	해평	제 處敬		변정도감副使(태종14), 충청經歷(15), 예빈尹(세종8), 평안察訪(8), 수원府使(12)
尹處信	(문종대)	해평	형 處敬		진도郡事(~1, 파직), 남원府使(2)
尹孝篤	(성종21)	해평	父 判事 處恭, 祖 參知議政 思修		司憲持平
尹諫	(세종~세조대)			?, 무(세종14)	宜川郡事(~세종8, 파직), 안변府使(세조8)
尹堪	(태종12)				진보縣監(읍지)
尹愷	(태종대)				知善州事(~8), 파직(坐閔無咎), 춘천府使(15)
尹謙	(세종대)				正(~20, 收職牒)
尹焆	(세종5)				朝散大夫議政府舍人, 태종실록편찬기사관
尹卿	(세종29)				졸萬戶
尹敬老	(세종4)				司直
尹敬安	?~1467				단천郡守전사
尹景淵	(세종10)				정선郡事(읍지)
尹敬義	(성종1)				別侍衛
尹啓生	(세조13)				都摠使龜城君李浚軍官
尹季殷	(세조3)				行副丞, 원종3등공신
尹繼丁	(성종대)				율봉도察訪(~14, 승직, 山陵都監功故)

尹繼智	(세조~성종대)				과천(~세조12, 파직), 강음縣監(성종17)
尹公載	(세종8)		증손 明 太監 鳳	기(봉고)	증사재判事
尹蒿	(세종8)				陣法訓導官
尹光	1356~?			노직	敦勇校尉, 顯義校尉(전甲士, 居서흥)
尹睠	(세조1)				인순府尹, 원종2등공신
尹貴	(태조7)			환관	內官
尹龜年	(성종대)				修理都監郎廳(~15), 陞司㵢僉正(15, 都監郎廳功故)
尹龜齡	(성종대)				중추都事(3), 진위縣令(~14, 陞職, 山陵功故)
尹龜山	(세조~성종대)				縣監(세조1), 世祖原從3등공신(1), 行五衛護軍(예종즉), 坡州牧使(1), 商議正(성종1), 충주(3), 양주牧使(13)
尹貴生	(세종10)				正
尹龜澤	(태조1)				千戶(고려공양왕2)
尹沂	(세조대)		여 동궁후궁(昭訓)	기(2, 여고)	行太一殿直(2)
尹奇	?~1455			내시	知內侍府事(단종1), 判內侍府事피화(세조1, 坐和義君瓔)
尹吉	(세종대)			환관	內官
尹吉富	(세조6)				養馬, 원종3등공신
尹吉祥	(문종대)		숙부 明 太監 鳳	기(즉, 윤봉고)	司直(즉)
尹吉生	(문종~세조대)		양부 明 太監 鳳		의영고副使(문종즉위), 判官(세조1), 世祖原從3등공신(1), 中樞副使(4), 하정副使(4), 行五衛護軍, 上護軍(6), 주문사(6), 同知中樞(12), 사은사(12), 嘉善大夫僉知中樞(14)
尹澹	(세조8)				行五衛司勇
尹塘	(단종대)		장인 領議政 皇甫仁	음(1, 장인)	사재主簿(1), 유배(2)
尹德山	(세종11)				官人
尹德仁	(태종~세종대)			환관	內官(태종18, 세종8)
尹德興	(태종8)			환관	환관
尹敦(焞)	(태종~세종대)				藝文奉禮郎(~태종17, 파직), 主簿(세종4), 평안경차관(4), 司憲監察(6)
尹敦智	(태종7)			지관	서운副正
尹得民	(세종대)				大護軍(2), 경기海道察訪(4), 上護軍(4), 都萬戶(13)
尹得富	(문종~세조대)			환관	內侍府事(문종1), 行內侍府左丞直(단종1), 行知內侍府事(세조1), 世祖原從2등공신(1), 포응채방별감(2), 捕鷹採訪使(11)

尹末行	(세조1)				權知參軍, 원종3등공신
尹孟枝	(성종대)				萬戶(7), 充官奴(8), 부령府使(21)
尹銘	(태종대)				檢校工曹參議(~6), 日本報聘使(6)
尹明生	(세조1)				行五司司勇, 원종3등공신
尹穆	?~1410		외숙 左政丞 李茂		변정도감副使, 吏曹參議(~정종2, 유배), 전 中軍將軍(태종1), 佐命4등공신(1), 봉상卿(1), 知陜州事(1), 原平君(3), 전漢城府尹(5), 원평군(5), 천추사(5), 평양府尹(7), 원평군(9), 사은副使(9), 유배(9, 亂言故), 유배중복주
尹務	(태종~세종대)			문(태종14)	司憲監察(세종6), 강원都事(12), 郡守(방목)
尹文卿	(세종8)				만경縣令
尹彌老	(세종12)				안동判官
尹璞	(세종대)				富居縣監(~23), 被薦장수(23)
尹方敬	(세종5)				안동府使(읍지)
尹方正	(태조2)				양천縣監(읍지)
尹伯顔	(태조8)			환관	內官, 충청처녀간선경차내관
尹堀	(예종1)				종부主簿
尹寶	(세조1)				別監, 원종3등공신
尹普	(세조대)			문(10)	敎授(방목)
尹甫介	?~1419				함흥別將복주
尹甫尙	(성종8)				영월郡守(읍지)
尹復仁					의성縣令(읍지)
尹復興	(세조7)				价川郡事
尹逢	(태조대)			문(우왕13)	남양敎授(방목)
尹敷	(태종16)				군기判官
尹思寬					金化縣監(읍지)
尹士昫	(단종2)				右司諫
尹思(師)德	?~1394				判開城府事(태조1), 三司右僕射(2), 원종2등공신(2), 사은사(2), 전우복야졸
尹思禮	(태종대)				壽寧府司尹(~1, 流, 宥)
尹思禮	(세조1)				行五司司勇, 원종2등공신
尹師晳	(세조9)				兼司憲掌令
尹師有	(세조대)				別坐(6), 원종3등공신(6), 영월郡守(13, 읍지)
尹思恩	(세종7)				副司正
尹思翼	(세조14)				경성府使(읍지)
尹師周	(성종18)				춘궁조성단청監役官
尹思智	(세조1)				五司司正, 원종2등공신
尹思沈	(세조~성종대)				刑曹錄事(세조12), 還職牒(성종13)

尹思奕	(태종13)			2품관(피핵, 居外方故, 命居京)
尹三繼	(세종20)			경성府使(읍지)
尹三聘				하동縣監(읍지)
尹三元	(문종즉위)			생원(參上官, 依例居成均館屬太學)
尹常	(세종7)			청양縣監
尹尙信	(태종~세종대)		?, 문(태종17)	敎導(~태종17), 司憲監察(방목)
尹尙俊	(태조1)		기(軍士)	잠저태조휘하(태조총서)
尹生	(성종3)			어진제작別監
尹瑞	(세조11)			졸이천監務
尹碩	(세종대)			副正(6), 主掌王女喪
尹碩	(예종~성종대)		환관	內官
尹石岡	(세조1)			行副正, 원종3등공신
尹石乙同	(성종25)		환관	文昭殿飯監
尹善末	(세조1)			知印, 원종3등공신
尹設	(세종대)			용인縣令(8), 연기縣事(20)
尹成岡	(성종22)			兼司僕, 北征都元帥許琮軍官
尹成美	(세조1)			承義校尉(甲士), 원종3등공신
尹成孫	(성종22)		환관	內官
尹性孫	(성종24)			打量敬差官
尹誠源	(단종1)			司憲持平
尹成仁	(성종13)	공신적장(가계불명)		선공監役官(13), 서용(15), 才品敍用(20, 功臣嫡長故)
尹誠之	(세종9)			副正, 掌救療有功
尹世珍	(태종4)			水軍僉節制使
尹紹甫	(성종16)			강음縣監
尹廈	(세종1)			내자正, 撰進葬日通要
尹秀夫	(세종대)		문(1)	봉상錄事(~4, 유배), 승문正(방목)
尹壽域	(세조1)			主簿, 원종2등공신
尹壽泉	(성종대)			용인縣令(10), 군기僉正(~24, 파직)
尹壽台	(태조대)		문(공양왕2)	知製敎
尹崇老	(세조1)			行서운司曆, 원종3등공신
尹升	(세조13)		환관	中宮燈燭房환관
尹承世	(성종24)			친제贊引
尹承安 (案)	(세조대)	父 任	문(2)	
尹承祖	(성종23)			訓戎鎭僉節制使
尹時遇	(세조1)			行五司副司正, 원종3등공신

尹信	(세조1)				五司護軍, 원종3등공신
尹莘傑					영해府使(읍지)
尹莘達	(태조3)			지관	태조원공신, 서운判事
尹慎德	(세조대)				상정소郎廳(7), 五衛副司正(~9, 파직), 하동縣監(~12, 파직)
尹莘老	(태조대)			문(우왕8)	刑曹佐郎(~2, 파직)
尹臣發	(세종대)				재령郡事(16), 전郡事(30, 捕馬强盜)
尹莘孫	(세조1)				五司司正, 원종2등공신
尹莘遇	(단종~성종대)				內禁衛(단종3), 五衛大護軍(세조1), 世祖原從2등공신(1), 駕前訓導(2), 行五衛司猛(3), 부산포첨절제사(성종3)
尹深	(단종1)				양주敎導
尹諶	(태조대)				刑曹郎官(~7, 파직)
尹安鼎	(태조5)				전判事
尹良	(세종대)			기(7, 明使 尹鳳청)	副司正(7), 副司直(10)
尹陽老	(성종16)				敦寧僉正
尹彦	(단종~세조대)			환관	行내시부左丞直(단종1), 파직(세조5)
尹彦行	(세조1)			환관	同知內侍府事, 원종1등공신
尹呂	(세종대)				唐津浦萬戶(~8, 收職牒)
尹呂	(세조14)				형조書吏
尹礪	(성종20)				侍直
尹汝霖	(성종대)				의금都事(18), 안동判官(읍지)
尹與安	(문종즉위)	숙부 明使 鳳			明使館伴, 陞職(尹鳳故)
尹汝平	(세조1)				五司副司正, 原從2등공신
尹永義	(세조1)				判官, 원종2등공신
尹汭	(세종대)				전농直長(~28, 全家徙邊)
尹禮卿	(세종대)				강원程驛察訪, 大昌道察訪(~3, 充驛吏)
尹塢	(단종~세조대)				의금郎廳(~단종2, 收告身), 五司大護軍(세조1), 世祖原從2등공신(1), 司禁(6), 평안채방別監(7), 翊衛司左翊衛(7)
尹溫	(세종17)				사재直長
尹愚	(세조~성종대)				直長(세조6), 世祖原從3등공신(6), 敦寧參奉(성종8)
尹遇	(성종3, 8)				정선, 옥천郡守(읍지)
尹雄	(성종20)				대정縣監(읍지)
尹沆	(성종대)				高山縣監(申叔舟비명)
尹元謹	(세조1)				錄事, 원종3등공신
尹源大	(세조6)				五衛司勇, 원종3등공신

尹元常	(세종대)			기(10, 효행)	命敍用(10, 이조, 居하양)
尹偉	(성종24)				정조사押物官
尹爲仁	(세종24)				회덕縣監
尹兪	(단종대)				군기錄事(~2, 收告身)
尹愈	(세조1)				錄事, 원종3등공신
尹惟忠	?~1418				上護軍(~태종11), 龍騎侍衛司첨절제사제(11), 강계都兵馬使(11), 右軍同知摠制(~15), 파직(15), 摠制(18), 함길도절제사졸
尹惟澤	(태종6)				司直
尹柳漢	(문종즉위)				전府使
尹殷	(태종~세조대)	처숙 王麻			巡禁司副司直(태종10), 강진縣事(세종8), 홍주牧使(23), 僉知中樞(문종즉위), 判事(세조1), 世祖原從3등공신(1)
尹殷保	(세종대)			기(14, 효행)	서용(14, 孝行故, 居지례)
尹膺	(세종대)				지평縣監(~4, 收職牒)
尹義	(세조6)				五衛護軍, 원종3등공신
尹義	(성종3)				御容製作別監
尹儀	(태조2)				사수監丞, 全羅道點考兵馬團練使, 知沃州事(태종2, 읍지)
尹義從	(문종즉위)			역관	영접도감通事
尹佶	(세조3)				少尹, 원종3등공신
尹利	(세조대)				낙안郡守(~12, 파직)
尹寅	(세종6)				전司正
尹嶙	(세종대)				兼尙瑞司少尹(~6, 徒), 大護軍(11)
尹璘	(태종대)				別侍衛, 少監, 護軍(~12, 피죄)
尹璘	(성종대)				內乘(4), 인천府使(7)
尹麟	(세종대)				선공副正(1), 判事(~3, 파직), 開川都監監役官(~12, 파직), 上護軍(23)
尹麟	(성종24)				전散員(90세)
尹仁甫(保)	(태종~성종대)			역관	倭客通事(태종14), 일본회례사통사(세종2), 護軍(6), 日本通信使통사(12), 上護軍(22), 일본통신副使(25), 五司上護軍(세조1), 世祖原從3등공신(1), 五衛上護軍(성종6)
尹仁富	(태종~세종대)				司直(~태종16), 護軍(16), 승진(세종9)
尹仁紹	(세종대)			역관	倭語통사(18), 行五衛司正(26)
尹仁始	(세종~단종대)	형 仁保		역관	倭통사(세종6, 단종즉위)
尹臨	(태종~세종대)				성주牧使(태종8), 제주도안무사(12), 刑曹右參議(~14, 徒), 경기관찰사(15), 함길관찰사(세종2), 판공주牧使(5), 中軍摠制(9)
尹仍甫	(세종31)			역관	倭통사

尹自磾	(문종1)			전典農直長
尹自信	(문종1)			화순縣監
尹自中	(세종대)	이성종4촌 明使 李忠	기(17, 李忠 고)	副司正(17)
尹適	(세종대)		?, 문(11)	敎導(~11), 문과, 縣監(방목)
尹貞	(세조~성종대)			郡事(세조1), 원종3등공신(1), 府使望(성종5)
尹提	(성종5)			別提
尹濟	(단종1)			전五司護軍
尹諸	(세종2)			銀溪道驛丞
尹楷	(태종1)			안성學長
尹存	(단종대)			성천甲士(~2, 杖流)
尹琮	(태종대)			護軍(~2, 收告身)
尹宗順	(문종대)			기장縣監(~즉, 파직)
尹宗貞	(태종대)			右軍護軍(~7, 停職), 삼척郡事(12)
尹珠	(세종대)		기(13, 효행)	命敍用(13, 이조, 居음죽)
尹仲(重)富	(세종~문종대)	형 明 太監 鳳		副司正(세종5), 副司直(7), 大護軍(9), 世子朝見押馬官(9), 陞都摠制府僉摠制(11, 免金銀故), 同知摠制(13), 中樞副使(14), 경상우도처치사(21), 충청수군처치사(22), 中樞副使(26), 전라병마도절제사(28), 知中樞(문종즉위)
尹增	(문종대)	공신자손(가계 불명)		司憲監察(~1, 파직), 풍저창副使(~1, 유배)
尹志	(세조3)			縣監, 원종3등공신
尹遲	(성종8)			동복縣監
尹摯(漬)	(성종대)			前五衛部將(~20), 포천縣監(20)
尹墀	(성종대)	장인 工曹參議 金訢		縣令(김흔비명)
尹之崐	(세조1)			五司副司正, 원종3등공신
尹之慮	(문종즉위)			보령縣監
尹之成	(세조1)			五司司正, 원종3등공신
尹之峻	(세조13)			군자奉事
尹之和	(태종대)			전구署令(~11, 파직)
尹震孫	(성종16)			世子侍直
尹處信	(세조1)			修義副尉, 원종2등공신
尹處莘	(단종2)			삼수甲士
尹處安	(세조1)			錄事, 원종3등공신
尹哲山	?~1433			副正졸
尹瞻	(태종18)			官人
尹春來	(세종24)			溫井監考(품관, 8~9)

尹忠信	(세종17)				창원府使
尹忠佐	(태종13)			내시	內官
尹就	(성종대)				吏曹參議(21)
尹就新	(세조1)				府使, 원종3등공신
尹坦	(성종3)				宣傳官
尹統	(태종~세조대)			문(태종14)	경주訓導(~세종10, 명서), 成均直講(25), 서운副正(31), 副知通禮(단종즉), 副正(세조1), 世祖原從3등공신(1), 五衛大護軍(3), 通政大夫直修文殿(방목)
尹統	(단종즉)			풍수학	南部敎授官
尹河	(문종즉위)				司憲持平
尹夏	(정종~세종대)			?, 무(태종2), 무 과 중 시 (10)	內書舍人(~정종1), 유배(1), 五衛副司直(~태종2), 무과, 大護軍(~10), 무과중시, 上護軍(10), 동북경차관(10), 上護軍兼判通禮門事(10), 유배(10), 경원兵馬使(세즉), 右軍同知摠制(2), 평안도절제사(4), 中軍同知摠制(5), 충청도水軍處置使(5), 中軍摠制(8), 左軍同知摠制(8), 中軍摠制(9), 판충주牧使(~12), 유배(12)
尹濚	(성종대)		父 大相		상서원判官(~8), 五衛司直(8)
尹亨	?~1475				사신호송甲士익사
尹衡老	(성종25)				용강縣令(20, 읍), 예빈判官(~25), 兼司憲持平(25)[연산이후: 靖國4등공신]
尹衡殷	(세종8)				은진縣監
尹惠行	(세조대)				司贍主簿(9), 상정소郎廳(~9, 파직)
尹渾	(예종1)				전옥主簿
尹洪	(세조~예종대)				主簿(세조1), 世祖原從3등공신(1), 金山郡事(~11, 파직), 의금鎭撫(예종1)
尹弘中	(성종대)				[연산대: 경성府使(4, 읍지)]
尹晦	(태조6)				광흥창官
尹孝同	(세조1)				宮直, 원종3등공신
尹孝祥	(단종대)				전五司司勇(~2, 收告身)
尹孝宗	(태조~태종대)			문(우왕3), 중(태종7)	成均司藝(~태종7), 司成(방목)
尹厚生	(성종25)			역관	통사
尹暉	(세종~세조대)				參軍(세종19), 判官(세조1), 世祖原從3등공신(1)
尹興阜	(태종대)			환관	承傳宦官(8), 承傳色(13)
尹興商	(성종7)				忠義衛, 영유縣令(15)·김제郡守(읍지)
尹興莘	(성종대)				銀溪道察訪(22), 副正(23), 갑산府使(25)
尹興智	(세종대)			기(10, 효행)	敍用(10, 이조, 居부평, 孝行故)

尹興智	(세조1)				錄事, 원종3등공신
尹希男	(세종23)				울진縣令(읍지)
尹熙富	(세종12)		族弟 明使 崔眞	기(崔眞故)	熙川千戶
尹希壽	(세조1)			환관	掖庭署司鑰, 원종3등공신
殷汝霖	(태조~태종대)	幸州	父 參議 長孫, 祖 直學士 莘尹	문(태조5)	계림判官(태종8), 司諫院右獻納(13), 吏曹正郎(15), 경상經歷(15), 永川郡守(읍지)
殷長孫	(성종23)	행주	父 直學士 莘尹, 祖 注書 麟好		唐浦萬戶
殷渡	(세종9)				진원縣監
殷孟傳	(세조대)			기(4, 관개유공)	전주土官(4, 태인생원, 灌漑有功故)
殷阿里	(태종~세종대)			여진귀화인	五衛司直(태종11), 嘉善大夫僉知中樞(세종14), 中樞副使(15~19)
殷汝中	(세조~성종대)				五司護軍(세조1), 世祖原從3등공신(1), 行五衛司直(성종4)
乙奉	(세종15)				길주將校
乙取	(세종15)			여진귀화인	侍衛(甲士)
李承福	(성종대)	嘉山	父 世門	문(1)	司諫院正言(17)
李多林	(태종~세조대)	加平	父 都評議使 忱, 祖 判書 椿桂	무(태종12, 족보)	僉知中樞(세조2), 同知中樞
李鐵根	(성종대)	가평	父 副摠管 亨孫, 祖 同知中樞 多林		포천縣監(~15), 陞資(15, 修理都監郎廳功故), 전五衛大護軍(~25), 서용(25, 才勘任故)
李忱	(태조6)	가평	父 判書 春桂		전제주牧使, 收告身
李亨孫	(세종~성종대)	가평	父 同知中樞 多林, 祖 都評議使 司 沈	무(세종24, 족보)	僉知中樞, 行五衛護軍, 敵愾2등공신(세조13), 嘉善大夫全羅兵馬節度副使連山君(13), 전라절도부사兼全州府尹嘉平君(13), 공주牧使(성종3), 內禁衛將(8), 청주牧使(~8), 파직(8), 嘉平君(14)
李世衡 (亨)	?~1442	康津		문(태종17), 중(세종18)	진하사書狀官(세종4), 승문校理(8), 大護軍(~18), 문과중시, 승문判事(19), 右副(20)·左副承旨(22), 함길관찰사(22), 함길도절제사(22), 都節制使졸
李善老	?~1453	江興	父 光後	문(세종20)	兵曹正郎, 副正피화
李匡世	(세조13)	開城	父 判書 宣, 祖 開川尉 䇻		加資(征建州散料功)
李德時	(태종5)	개성	父 持平 敏, 祖府尹 次璥		전判事, 유배
李登	1379~1457	개성	父 判事 德時, 祖 持平 敏, 처 태조 녀 宜寧翁主	기(부마)	將軍(정종2), 開城君, 啓川君, 啓川尉

李渲(宣)	?~1459	개성	父 啓川尉 登, 祖 判事 德時	음, 문(세종14)	護軍(~세종14), 문과, 集賢殿副提學(14), 同知中樞(17), 禮曹參判(18), 聖節使(19), 中樞副使(19), 賀正使(19), 藝文提學(20), 刑曹參判(20), 漢城府尹(22), 刑曹參判(22), 謝恩使(23), 戶(23)·禮曹參判(23), 知敦寧(25), 경기관찰사(25), 파직(26), 同知敦寧(26), 知敦寧(26), 개성留守(27), 兵曹判書(29), 개성留守(29), 中樞副使(30), 知中樞(31), 知敦寧(31), 告訃使(문종즉위), 藝文大提學(즉), 工曹判書(즉), 中樞使(단종즉), 知敦寧(세조1), 世祖原從2등공신(1), 知敦寧졸
李晏(安)	(성종대)	京山	父 大司憲 興門, 祖 府使 蕃		徵召(6, 命敍用), 단천군수(7, 읍지), 군자僉正(12)
李興門	(세종대)	京山	父 府使 蕃, 祖 府尹 珹		副司正(~7, 피죄), 三軍鎭撫(27), 제주牧使(29), 判興海郡事(許稠묘지명)
李堪	(세조~연산대)	慶州	父 司直 吉安, 祖 監務 侗	문(세조12)	司諫院正言(성종4), 刑曹佐郎(5), 司憲掌令(11), 通訓大夫掌令(13), 영접도감郎廳(14), 成均典簿(14), 議政府舍人(15), 원주牧使(~20), 파직(20), 충청量田敬差官(23), 司饔正(25)[연산대: 사도正, 大司諫]
李鏗	(세종12)	경주	父 大司憲 繩直, 祖 蔓寬		파직(坐父)
李繼蕃	(세조1)	경주	형 文炯		五衛副司直, 원종3등공신
李繼善	(세종~세조대)	경주	父 府使 允商, 祖 磚	문(세종14)	승문著作(세종16), 司諫院左正言(23), 吏曹佐郎(25), 司憲持平(26), 피죄(27), 승문副知事(세조1), 世祖原從2등공신(1), 直集賢殿(2)
李姁	(세조13)	경주	父 參判 寧商, 祖 同知密直 簿(방목 端)		의금부낭관
李具商	(태종~세조대)	경주			司憲持平(세종13), 工曹正郎(16), 파직(20이전), 五衛護軍(세조1), 世祖原從3등공신(1), 少尹
李龜	1469~1526	경주	父 縣令 公遴, 祖 觀察使 尹仁	문(23)	승문正字, 예빈直長 [연산이후: 禮曹佐郎, 고성縣監, 면천郡守, 吏曹佐郎, 戶曹正郎, 司憲持平, 司諫院正言, 校理, 修撰, 應敎, 同副承旨, 충주·홍주·상주牧使, 掌隷院判決事]
李克靖	(성종대)	경주	父 參議 姁, 祖 參判 寧商		上土萬戶(18)
李堂	(태조~세종대)	경주	父 大提學 敬之, 祖 副正 邁	?, 문(우왕8)	別將(고려), 종부副令(태종7), 司憲掌令(8), 司憲執義(14), 파직(14), 내자判事(~세종4), 파직(4)
李來(徠)	1362~1416	경주	父 右正言 存吾, 司宰丞 吉祥	음(공민왕20), 문(우왕10)	전객錄事(~공민왕20), 문과(20, 고려), 右諫議(~태조1), 유배(1), 左諫議(정종1), 교서判事(~2), 左軍同知摠制(2), 藝文學士(2), 佐命2등

					공신鷄林君(태종1), 中軍同知摠制(2), 簽書承樞府事(2), 參判司平府事(4), 하정사(4), 鷄林君(5), 大司憲(5), 藝文大提學(5), 계림군(6), 工曹判書(6), 계림군(7), 隨世子入朝(7), 계림군졸
李孟畛	(단종~성종)	경주	숙부 副正 命敏		安置(단종1, 좌癸酉政變), 還告身(성종3)
李命敏	?~1453	경주	父 大司憲 繩直		戶曹佐郎(세종32), 守선공副正(문종1), 피화
李文饒	(단종~세조대)	경주	父 縣監 從, 祖 繕工令 适	문(단종2)	權知成均學諭(~세조1), 世祖原從2등공신(1), 成均典籍, 정읍縣監(10)
李文佐	(성종대)	경주	父 繼祥, 祖 權生	문(14)	成均典籍, 안협縣監(14)
李文炯	?~1466	경주	父 慶尙觀察使 暳, 祖 代言 擔	음, 문(세종29)	宮直(~세종24), 문과, 史官(29), 司諫院左正言(단종2), 成均主簿兼西部儒學敎授(2), 禮曹佐郎(2), 禮曹正郎(세조1), 世祖原從2등공신(1), 종부僉正(3), 議政府檢詳(~6), 司憲執義(6), 同副·右副·左副·右·左承旨(7~9), 刑(9)·吏曹參判(9), 천추사(9), 漢城府尹(10), 同知中樞(11), 中樞副使(11), 사은사(11), 사행중졸
李文煥	(단종~세조대)	경주	형 知中樞 文炯	문(단종1)	進義副尉(~단종1), 藝文檢閱(1), 宣敎郎藝文待敎(세조1), 世祖原從2등공신(1), 吏曹佐郎(3), 史曹正郎(6), 司憲掌令(8), 成均司藝(9), 右副承旨(11), 禮曹參議(방목)
李勿敏	(세종대)	경주	父 大司憲 繩直, 祖 蔓寬	문(26)	藝文奉敎(30), 主簿(방목)
李蟠	(태조~세종대)	경주	父 開城尹 彰路, 祖 右政丞 齊賢	음, 문(우왕9)	參軍(~우왕9), 문과(9, 고려), 전正郎(태조6), 內史舍人(태종1), 司憲掌令(1), 파직(1), 右司諫大夫(세종6), 工曹參議(7), 원주牧使(10), 파직(11)
李伯黔	(세종대)	경주	父 署令 侚, 祖 典書 延備	?, 문(2)	直長(~세종2), 문과, 司諫院右正言(10), 左正言(10), 右正言(11), 兵曹佐郎(12), 파직(13), 世子右司經(14), 파직(14)
李扶	(태조1)	경주	父 檢校右政丞 誠中		전大護軍, 유배
李晳	(세조~성종대)	경주	父 監察 孝商, 祖 漢城判尹 携		청안縣監(~세조11, 파직), 은율縣監(성종3, 읍지), 장원서別提(성종2)
李成茂	(성종5)	경주	父 僉知中樞 崇焉, 祖 參判 延孫		안동判官(읍지)
李誠中	1332~1411	경주	형 達衷	문(고려)	密直提學(고려), 太祖原從공신, 도성축성도감提調(태종5), 判恭安府事, 檢校左政丞(11), 檢校정승졸
李崇壽	(세조~성종대)	경주	父 參判 延孫, 祖 判官 昇		行錄事(세조1), 世祖原從3등공신(1), 죽산縣監(14), 예빈判官(~성종1, 陞職), 司贍僉正(~2, 유배), 敦寧僉正(10), 陞당상관(14), 僉知中樞(족보)

李昇	(태종17)	경주	父 知州事 元普		전判官, 유배
李升商	?~1413	경주	父 同知中樞 簿 (방목 端), 祖 典理判書 達衷	문(우왕8)	司諫院正言(태조4), 司憲中丞(정종2), 右代言 兼尙瑞司尹(태종1), 佐命4등공신(1), 左代言 (2), 知議政(5), 鷄林君(6), 刑曹判書(11), 계림 군(12), 계림군졸
李繩直	(태종~세종대)	경주	孫 議政府舍人 宗準		巡禁司護軍行臺監察(태종10), 司憲掌令(11), 大護軍, 司憲執義, 양주府使(~세종7), 파직(7), 工(9)·刑曹參議(9), 경상관찰사, 大司憲(11), 파직(12), 전大司憲졸
李伸	(태조~태종대)	경주	父 知奏事 德林, 祖 直直提學 達尊		嘉善大夫삼척진절제사(태조6, 읍지), 제주按撫使(태종2)
李實		경주	父 敬之	문(우왕11)	刑曹議郞
李陽生	(세조~성종대)	경주	父 郡守 昭(족보 從直)	기(郡事)	敵愾3등공신(세조13), 兼司僕(13), 行虎賁衛 中部司直(13), 兼司僕(13), 捕盜將(성종1), 鷄林君(3), 捕盜將(14)
李涓	(세조대)	경주	父 判事 長得, 祖 判事 傁		啓功郎(1), 원종3등공신(1), 연산縣監(~13, 파직)
李延(連)孫	?~1463	경주	父 判官 昇, 祖 知州事 元善	무(족보)	五司上護軍(세조1), 世祖原從1등공신(1), 工曹參議(3), 僉知中樞(3), 禮(4)·刑曹參議(4), 嘉善大夫僉知中樞(5), 中樞副使겸전라관찰사(5), 漢城府尹(6), 工曹參判(8), 參判졸
李榮門	(세종대)	경주		문(5)	承政院注書(16), 영평縣監(19), 司憲持平(방목)
李寧商	(세종~세조대)	경주	父 同知密直 簿, 祖 判書 達衷		司憲持平(세종19), 파직(19), 刑曹正郎(20), 司憲掌令(28), 參判
李禮孫	?~1459	경주	父 刑曹參議 之直, 祖 典敎判事 集	문(세종16)	右(세종18)·司諫院左正言(20), 司憲持平(22), 吏(23)·兵曹正郎(26), 외관(32), 右司諫大夫(단종2), 파직(2), 僉知中樞(세조3), 僉知中樞兼황해관찰사(3), 世祖原從2등공신(3), 刑曹參議(4), 僉知中樞(4), 管押使사행중졸
李鰲	(성종대)	경주	父 縣令 公麟, 祖 觀察使 尹仁	문(성종17)	經筵典經문신(17), 吏曹佐郎(방목)
李鼀	(성종대)	경주	형 佐郎 鰲	문(20)	봉상參奉(23), 奉事(24) [연산대: 禮曹正郎]
李有仁	?~1492	경주	父 樂安郡守 繼蕃, 祖 知郡事 伸	문(세조5)	司諫院獻納(세조11), 훈련僉正(14), 通政大夫司僕正(성종8), 掌隷院判決事(8), 戶曹參議(9), 通政大夫全州府尹(10), 假承旨(14), 折衝將軍五衛護軍(15), 兵曹參知(16), 右副承旨(16), 通政大夫강원관찰사(16), 嘉善大夫羅州牧使(18), 大司憲(22), 同知中樞(22), 禮曹參判졸
李允商	(태종대)	경주	제 參判 寧商		司憲持平(11), 道經歷(16), 榮川郡守(읍지)

李尹仁	1419~1475	경주	제 大司憲 有仁	문(세종29)	宣務郎通禮院奉禮(문종2), 吏曹佐郎(단종2), 世祖原從2등공신(세조1), 司憲掌令(7), 兼知兵曹事(10), 漢城右尹(13), 의주牧使(13), 五衛大護軍(13), 전라관찰사(13), 上護軍(예종즉), 평양府尹(1), 평안관찰사兼平壤府尹(성종1), 전평안관찰사졸	
李翊(瀷)	(문종~세조대)	경주	父 參判 寧商, 祖 判江陵府使 薄	음, 문(문종1)	通禮院奉禮(~문종1), 司憲監察(1), 성절사書狀官(1), 奉訓郎吏曹佐郎(단종2), 奉直郎工曹佐郎(2), 成均直講(세조1), 世祖原從2등공신(1), 議政府舍人(3), 侍講院左輔德(5), 충청推刷敬差官(5), 司憲執義(6), 兼知兵曹事(6), 兵·禮(7)·吏曹參議(7)	
李益培	(세조대)	경주	父 思和, 祖 亮直	문(8)	兼藝文館(10), 禮曹佐郎(13)	
李箴	(세조~성종대)	경주	父 司憲持平 繼善, 祖 牧使 允商	?, 문(세조8)	縣監(~세조8), 문과, 평해郡守(읍지), 府使(방목)	
李箴	(예종~성종대)	경주	父 繼孫, 祖 佗	문(예종1)	監正(방목)	
李在仁		경주			보성郡守(읍지)	
李廷堅	?~1409	경주	형 廷俌	문(공민왕23)	諫官, 承樞副提學, 僉知承樞府事, 僉知承樞졸	
李廷俌	(태조7)	경주	父 少監 毓, 祖 君敬中		경기좌도관찰사	
李存斯		경주	父 寺丞 吉祥, 祖 掌令 孫寶	문(우2)		
李從 (족보 造)	(태조~세종대)	경주	父 令 适, 祖 典書 元美	문(태조5)	삼등縣令(세종12)	
李從允	(세조~성종대)	경주	父 縣監 衡, 祖 簽書密直 廷堅	문(세조14)	禮曹正郎(성종7), 杖流(9), 朝散大夫司諫院獻納(13), 奉列大夫司憲掌令(14), 고양郡守(~15), 파직(15), 通訓大夫掌令(20), 司憲執義(20), 通政大夫제주牧使(21)	
李種仁	(세종~세조대)	경주	父 牧使 蟠, 祖 開成尹 彰路		戶曹佐郎(세종11), 강원經歷(19), 의금知事(22), 五司護軍(세조1), 世祖原從3등공신(1)	
李宗準	(성종대)	경주	父 時敏, 祖 大司憲 繩直	문(16)	의성縣令·경상都事(22, 읍), 司憲持平, 함길評事[연산대: 議政府舍人]	
李從直	(태종~세종대)	경주	父 郡守 昭		홍주判官(태종16), 풍천府使(세종8), 양근郡事(10), 파직(10)	
李柱	(태종17)	경주	父 執義 堂, 祖 大提學 敬之		副司直	
李直生	(세종7)	경주	父 鷄城君 來(서자), 祖 正言 存吾		大護軍	
李鐵堅	1435~1496	경주	父 參判 延孫, 祖 典農判官 昇	음(세조1), 무(6)	陵直(세조1), 世祖原從2등공신(1), 무과, 한성判官, 司僕判官(~12), 宣傳官(13), 行五衛大護軍(13), 破敵衛將(13), 훈련都正(14), 兼五衛將	

					(예종즉), 충청절도사(즉), 衛將(1), 上護軍(1), 資憲大夫평안서도절도사(1), 사직(성종1, 母病故), 同知中樞(1), 佐理4등공신月城君, 資憲大夫경기관찰사(2), 월성군겸경기관찰사(3), 월성군(3), 刑曹判書(3), 知敦寧(6), 군(6), 戶曹判書(10), 崇政大夫평안관찰사(11), 월성군(12), 議政府左參贊(12), 경상관찰사(12), 漢城判尹(15), 월성군(15), 漢城判尹(16), 議政府左贊成(17), 월성군(22) [연산대: 월성군졸(2)]
李詹(擔)	1370~1405	경주	父 小府尹 學林, 祖 寶文提學 達尊	문(태조2)	直藝文館, 司憲掌令, 吏曹典書(태조7), 學士(7), 右司諫大夫(태종1), 유배(1), 直藝文館(2), 司憲掌令(2), 군자判事(4), 右副代言(4), 代言졸
李聰	(세종22)	경주	祖 參議 蟠		전군기主簿
李通	(성종대)	경주	父 縣監 壽仁, 祖 畔	문(23)	[연산이후: 大提學]
李合	(태조~태종대)	경주	父 正言 存吾, 祖 司宰丞 吉祥	문(공양왕2)	成均司成
李衡	(태종~세종대)	경주	父 密直 廷堅, 祖 少監 毓		刑曹佐郞(~태종4, 유배), 함창縣監(~세종8, 파직)
李孝林	(세조대)	경주	父 判漢城 携, 祖 政丞 誠中		五司護軍(~1), 원종3등공신(1), 五衛大護軍(崔恒비명)
李携	(태종~세조대)	경주	父 檢校政丞 誠中, 祖 門下評理 倩		봉상尹(세종9), 知司諫(9), 해주牧使(17), 僉知中樞(25), 世祖原從2등공신(세조1), 檢校漢城府尹(4)
李興商	?~1464	경주	제 參判 寧商		함흥訓導(~세종7), 수원府使(28), 의금鎭撫(단종1), 靖難3등공신僉知中樞(1), 鷄林君(2), 中樞副使(3), 僉知中樞(세조2), 都鎭撫(3), 계림군졸
李暱	(세종대)	경주	父 代言 擔, 祖 學林		예빈判事(세종22), 刑(25)·工曹參議(25), 경상관찰사(25)
李長孫	(예종~성종대)	高靈			조전절제사(예종즉위), 경원府使(즉), 通政大夫濟州牧使
李伯瞻	(세종~세조대)	古阜	父 安平君 楫, 祖 司書 脘	문(세종1)	承政院注書(세종5), 藝文奉教(10), 司憲監察(11), 刑曹佐郞(14), 교서校理(16), 司憲掌令(25), 의금鎭撫(26), 副正, 司憲執義, 府使(세조1), 世祖原從3등공신(1)
李順命	(성종대)	고부		?, 문(5)	訓導(~5), 문과, 成均司藝(방목), 함안郡守(25, 읍지), 司憲掌令(25)
李希孟	(성종대)	고부	父 從根	문(23)	弘文修撰 [연산이후: 장수縣監(읍지), 司憲掌令, 司諫院司諫, 刑曹參議, 左副承旨, 관찰사, 都承旨, 大司成, 吏曹參議]

李谷	(세종대)	固城	형 臺		前都事(9), 五衛大護軍(李原비명)
李浤	1441~1516	고성	父 增, 祖 領議政 原	?, 문(성종11)	五衛司果(~성종11), 문과, 通訓大夫司諫院獻納(24), 司憲持平(24) [연산이후:留守]
李皎然	1423~1475	고성	父 司憲中丞 璥, 祖 判事 云老	음, 문(세종24)	錄事(~세종24), 문과, 司憲監察(24), 司諫院左正言(26), 禮(27)·吏曹佐郎(27), 司諫院左獻納(31), 종부少尹(문종1), 司憲掌令(2), 밀양府使(단종1), 直藝文館(1), 원주牧使(2), 世祖原從3등공신(세조1), 折衝將軍五衛大護軍(3), 知兵曹事(4), 兵曹參議(4), 右副·左副·右·左承旨(5~6), 刑(6)·戶曹參判(6), 하정사(6), 大司憲(7), 中樞副使(7), 개성留守(7), 충청관찰사(11), 僉知中樞(12), 禮曹參判兼同知義禁府事(13), 刑曹參判(14), 충청관찰사, 漢城左尹(예종1), 五衛副護軍(성종1), 副護軍졸
李絪	(태종대)	고성			은율縣監, 都事(읍지)
李懃	?~1398	고성			左承旨(~태조1), 開國3등공신(1), 大司憲(2), 判中樞(5), 피화(7, 坐鄭道傳)
李臺	?~1443	고성	父 左議政 原, 祖 密直副使 崗	음	同副(세종5), 右副承旨(5), 전承旨(13), 僉知中樞(23), 中樞副使(23), 中樞副使졸
李陸	1438~1498	고성	父 司諫 堰, 祖 左議政 原	음, 문(세조7), 발영(12)	五衛副司正(~세조8), 문과, 兼藝文館(10), 宗學司誨(~12), 拔英試, 司憲掌令(예종1, 성종2), 掌隸院判決事(2), 大司成(3), 判決事(5), 工曹參議(5), 충청관찰사(8), 禮(9)·吏(10)·戶曹參議(10), 兵曹參知(14), 刑曹參議(15), 嘉善大夫경상관찰사(15), 漢城右尹(16), 同知中樞(19), 刑曹參判(19), 강원관찰사(19), 禮曹參判(20), 하정사(21), 兵(24), 刑曹參判(24) [연산대: 告訐使, 경기관찰사, 大司憲, 漢城左尹, 右尹, 戶曹參判, 兵曹參判졸]
李博	(성종대)	고성	父 庚, 祖 臺	문(3)	行藝文檢閱兼經筵典經(3)
李賁然	(세조~성종대)	고성	형 皎然		천령縣監(세조7), 전府使(성종9, 7, 계유)
李坤	(문종~세조대)	고성	父 左議政 原, 祖 密直副使 岡		전邊郡守令(~단종2), 五司上護軍(~세조1), 世祖原從1등공신(1), 僉知中樞(2), 衛將(3), 行五衛上護軍(4), 僉知中樞(4), 上護軍(4), 僉知中樞(6), 同知中樞(6), 行五衛上護軍(6)
李彬	?~1410	고성	父 大護軍 蔭, 祖 侍中 崑		漢陽尹(고려), 太祖原從공신(태조1), 경기우도관찰사(2), 判中樞(4), 유배(5), 충청조전절제사(정종1), 서북도순문사(태종2), 司平府右使(2), 서북도절제사(2), 司平府左使(3), 兼右軍都摠制(3), 사은사(3), 議政府參贊(4), 參判司平府事(4), 巡軍萬戶(4), 刑(9)·戶曹判書(9), 유배(4, 坐閔無疾), 피화

李云老	(태종대)	고성	父 代言 貴生, 祖 侍中 琳, 여 惠順 宮主	문(우왕9)	군자監(~8, 유배), 체용判事(~10, 유배)
李原	1368~1429	고성	父 密直副使 崗, 祖 侍中 嵒	문(우왕11)	司僕丞(우왕14), 工·禮曹佐郎, 兵曹正郎(고려), 司憲持平(태조1), 司憲侍御使(2), 유배(2), 司憲中丞(2), 양근郡事(3), 典校寺官, 右副(정종1), 左承旨(2), 佐命4등공신(2), 大司憲(~태종1), 파직(1), 경기좌우도관찰사(2), 承樞提學(3), 동지겸하정사(3), 參知議政府事(6), 참지의정兼判義勇巡禁司事(6), 大司憲(6), 判漢城(6), 파직(7), 경상관찰사(8), 鐵城君(9), 모상(13), 영안도순찰사(13), 禮曹判書(15), 大司憲(15), 議政府參贊(16), 兵曹判書(16), 判右軍都摠制府事(17), 議政府贊成(17), 議政府右議政(18), 전우의정졸
李胤	(성종대)	고성	父 署令 坤, 祖 增	문(17)	[연산이후: 副提學]
李儀	(성종6)	고성	父 中樞 埦, 祖 左議政 原		충훈都事
李懿孫	(성종대)	고성	父 壽福	문(14)	[연산이후: 承旨]
李場	(문종~세조대)	고성	父 左議政 原, 祖 密直副使 崗		守五司大護軍(문종1), 習陣訓導(1), 五司大護軍(~단종즉, 파직), 五司上護軍(세조1), 世祖原從1등공신(1)
李胄	(성종대)	고성	父 泙, 祖 增	문(19)	藝文檢閱, 함길都事(18, 읍) [연산대: 司諫院正言]
李茁	(태종~세종대)	고성	父 吏曹判書 則, 祖 少尹 坯	문(태종2)	廣州判官(세종7), 判官(12)
李中至	?~1446	고성	父 判中樞 懃, 祖 校理 希祕	무(태종5), 무과중시(10)	都摠制府僉摠制, 충청병마도절제사(세종1), 총제(3), 진하副使(3), 경상우도병마도절제사(4), 右軍同知摠制(5), 判義州牧使(5), 摠制(8), 右軍摠制(10), 사은사(11), 兵曹參判(12), 유배(13), 漢城府尹(14), 사은副使(14), 中樞使(14), 진위사(17), 同知中樞(21, 22), 知中樞졸(28), 추증世祖原從1(세조1)
李增	(세조1)	고성	형 中樞副使 臺		錄事, 원종3등공신, 영산縣監(李原비명)
李墀	1420~1486	고성	父 左議政 原, 祖 密直副使 岡	?, 문(4)	判官(~세조4), 문과, 直藝文館(5), 司憲掌令(6), 知司諫(8), 안변府使(11)
李垤	(세조~성종대)	고성	형 中樞副使 臺		한성少尹(李原비명)
李則	1438~1496	고성	父 한성少尹 坯, 祖 左議政 原	문(세조8)	承義副尉(~세조8), 문과, 장흥고直長(8), 兼藝文館(10), 議政府檢詳兼承文副校理(성종2), 兵曹佐郎(~5), 吏曹正郎(5), 議政府舍人(6), 주문사검찰관(8), 通訓大夫司憲執義(8), 兼藝文館(10), 刑曹參議(10), 大司成(11), 通政大夫전

					라관찰사(11), 牧使(12), 刑(12, 13)·戸(14)·吏曹參議(15, 17), 同副·右副·左副·右承旨(17~18), 吏曹參判(18), 파직(18), 大司憲(19), 同知中樞(20), 經筵特進官(20), 大司成(20), 충청관찰사(20), 同知中樞(21), 資憲大夫평안관찰사(23), 知中樞(25)[연산2: 知中樞졸]
李衡	(성종대)	고성	父 大司憲 皎然, 祖 司憲中丞 璁		안동判官(읍지)
李明德	1375~1444	公州	父 典工判書 暉, 祖 典工侍郎 璊	문(태조5)	藝文춘추관官(태조1), 司諫院左獻納(태종4), 司憲掌令(6), 파직(6), 議政府舍人(9), 司憲執義(10), 左司諫大夫(11), 刑曹右參議(13), 父喪(13), 戸曹參議(~16), 同副(16)·左副代言(16), 파직(17), 左代言(17), 知申事(18), 吏(18)·兵曹參判(18), 강원관찰사(세종4), 파직(5), 禮曹參判(5), 大司憲(6), 파직(7), 황해관찰사(7), 禮曹參判(8), 파직(8), 摠制(8), 禮曹參判(8), 파직(8), 漢城府尹(8), 左軍摠制(10), 刑曹參判(10), 인순府尹(11), 유배(11), 工(12)·兵(13)·工曹判書(13), 파직(14), 中樞副使(18), 전라관찰사(19), 藝文提學(20), 정조사(20), 中樞副使(21), 한성(21)·인수府尹(23), 同知中樞(25), 知中樞(26), 藝文大提學(26), 判中樞(26), 判中樞졸
李明保	(태종10)	공주	父 前工判書 暉, 祖 僉議政丞 思孫		戸曹佐郎(~태종10), 파직(10), 司憲持平
李明誠	(태조대)	공주	제 判中樞 明德, 祖 判書 暉		적성縣監(읍지)
李敷	?~1422	공주			開國3등공신興原君(태조1), 봉상判事, 摠制(태종2), 分領外甲士(2)
李暉	(태조대)	공주	父 侍郎 璊		전라안찰사(세종즉, 12, 15)
李元根	(세종대)	공주	父 判中樞 明德 祖 判書 暉		강원都事(10), 개성留侯司斷事官(15)
李孝根	(세종23)	공주	父 判中樞 明德, 祖 判書 暉		졸司憲監察
李茂芳	1319~1398	光陽	父 仁英		政堂文學(고려), 檢校門下侍中光陽府院君, 府院君졸
李達善	(성종대)	光山 (光州)	父 副提學 亨元, 祖 大提學 先齊	문(16)	翰林, 侍講院說書(~20), 成均典籍(20), 司諫院正言(21), 司憲持平(23), 弘文校理(25)[연산이후: 장악, 종부, 훈련正]
李復善	?~1504	광산	父 獻納 始元, 祖 提學 光齊	?, 문(성종5)	參奉(~성종5), 문과, 司憲監察(~10), 司諫院正言(10), 吏曹佐郎(12), 司憲持平(14), 吏曹正郎(15), 議政府舍人(18), 봉상副正(21), 司憲執義(21), 사도副正(22), 군기正(23) [연산대 大司諫, 通政大夫강원관찰사, 피화]

조선초기 관인 이력

李先齊	(세종~단종대)	광산	父 府使 暎, 祖 密直提學 弘吉	문(세종1)	藝文檢閱(세종5), 行集賢殿直提學兼詹事院同詹事(25), 刑曹參議(25), 僉知中樞兼知兵曹事(26), 兵曹參議(26), 강원관찰사(26), 禮曹參議(28), 戶(29)·工曹參判(30), 하정사(30), 戶曹參判(31), 藝文提學(문종즉위, 2), 경창府尹(단종즉)
李始元	(세종~성종대)	광산	父 大提學 先齊, 祖 府使 日英	?, 문(세종29)	五衛司正(~세종29), 문과, 司諫院右獻納(세조2), 경상경력(5, 읍지), 보성郡守(성종2)
李調元	(문종~세조대)	광산	제 副提學 亨元		함평縣監(문종2), 世祖原從3등공신(세조3), 전라어사(12)
李仲明		광산		문(태조2)	
李亨元	?~1479	광산	父 副提學 先齊, 祖 府使 日英	문(태종1)	전刑曹正郎(세조11), 고부郡事(11), 成均典籍(14), 선공僉正(예종1), 일본국왕선위사(성종1), 通訓大夫司憲執義(3, 5), 通禮院相禮(7), 弘文典翰(9), 副提學(10), 日本通信使歸還中졸
李克堪	1423~1465	廣州	형 克培	문(세종26), 중(29)	集賢正字(세종26), 校書著作郎(28), 집현博士(~29), 문과중시, 副修撰(29), 世子右贊讀(30), 世子右司經(문종즉위), 議政府檢詳(단종1), 司憲持平(1), 집현校理(2), 佐翼3등공신(세조1), 議政府舍人(1), 五司大護軍(2), 군기判事(3), 吏曹參議(4), 同副(4)·左副·右·左·都承旨(5~6), 吏(6)·戶曹參判(7), 廣城君(8), 刑曹判書(8), 父喪(11), 母喪(11), 광성군졸
李克堅	(성종대)	廣州	형 克基		성주牧使(읍지)
李克圭	(성종대)	廣州	父 長孫, 祖 參議 之直	문(3)	전라, 황해都事(~17), 영안도사(17), 侍講院輔德, 司諫院司諫(23), 司憲執義(25)[연산대: 戶曹參議, 大司諫]
李克均	1437~1504	廣州	형 克培	문(세조2)	成均主簿(세조5), 宣傳官(13), 만포절제사(13), 정주군공3등(13), 獅子衛將(예종1), 경상우도병마절도사(1), 同知中樞(성종3), 천추사(3), 刑曹參判(3), 전라관찰사(5), 刑曹參判(5), 同知中樞(5), 사은副使(5), 영안관찰사(6), 刑曹參判(8), 同知中樞(9), 영안북도절도사(10), 戶曹參判(10), 강원절도사(10), 兼同知義禁府事(12), 평안절도사(12), 判漢城(14), 知中樞(15), 大司憲(15), 知中樞(16), 判漢城(16), 兵(16)·刑曹判書兼經筵特進官(17), 영안북도절도사(18), 知中樞(19), 議政府左參贊(21), 吏曹判書經筵特進官(22), 西征都元帥(22), 左參贊(22), 崇政大夫경상관찰사(24)[연산대: 判義禁府事, 知中樞, 평안관찰사, 判中樞, 議政府左贊成, 議政府右議政, 左議政, 議政피화]

李克基	?~1489	廣州	父 黃海觀察使 禮孫, 祖 參議 之直	문(단종1)	權知승문正字(단종1), 世祖原從2등공신(세조1), 書筵官(8), 司憲掌令(11), 종부少尹(11), 議政府檢詳(12), 司瞻副正(예종1), 通政大夫강원관찰사(성종2), 大司成(2), 藝文副提學(3), 右副·左副·右·左承旨(5~8), 嘉善大夫강원관찰사(8), 大司憲(9), 吏曹參判(10), 漢城右尹(10), 同知中樞(10), 漢城左尹(11), 右尹(12), 工曹參判(13), 공조참판兼同知成均館事(15), 경상관찰사(16), 同知中樞(16), 同知中樞졸
李克墩	1435~1503	廣州	형 領議政 克培	음, 문(세조3)	전농主簿(세조3), 署令(~3), 문과, 刑曹佐郎(5), 통례원判官(~7), 成均直講(7), 藝文應敎, 侍講院弼善, 司憲執義(13), 禮曹參議(14), 通政大夫漢城右尹(예종1), 通政大夫大司憲(1), 刑曹參判(성종1), 佐理3등공신廣原君(2), 강원관찰사(3), 광원군(4), 성절사(4), 예조참판(5), 주문사(5), 兵曹參判(9), 군(9), 영안관찰사(10), 資憲大夫判漢城(18), 평안관찰사(19), 兵曹判書經筵特進官(21), 議政府左參贊(22), 戶曹判書(22), 崇政大夫경상관찰사(23), 廣城君(24), 吏曹判書(24)[연산대: 議政府右贊成, 左贊成, 廣原君, 兵曹判書, 광원군졸]
李克培	1422~1495	廣州	父 右議政 仁孫, 祖 刑曹參議 之直, 제 克墈, 克增, 克敦, 克均	문(세종29)	승문正字(세종29), 司憲監察(문종즉위), 司諫院正言(10, 兼兵曹佐郎(1), 正郎(단종2), 佐翼3등공신(세조1), 判通禮門事(2), 禮曹參議(3), 工曹參議경상관찰사(3), 廣陵君겸경상관찰사(5), 兵曹參判(5), 한성(5)·경창府尹(5), 禮曹參判(5), 성절사(5), 資憲大夫仁順府尹(6), 광릉군(6), 吏曹判書(8), 광릉군(8), 刑(8)·禮曹判書(8), 광릉군(8, 9), 모상(11), 광릉군(13), 司僕將(13), 兵曹判書(13), 權평안절도사(13), 광릉군(13), 평안절도사(13), 建州軍功4등(13), 평안중도절도사(14), 평안관찰사(14), 議政府右參贊(예종1), 兵曹判書(성종1), 左參贊(1), 佐理2등공신(2), 崇政大夫兵曹判書(5), 判中樞(8), 삼도순찰사(8), 領中樞(10), 廣陵府院君(10), 領中樞(12), 領中樞判戶曹事(12), 廣陵府院君(15), 議政府右議政(16), 府院君(18), 議政府領議政(24)[연산대: 府院君졸(1)]
李克增	1431~1494	廣州	형 領議政 克培	음, 문(세조2)	종묘錄事(~세조2), 문과, 군기直長(2), 世子右正字(~5), 兵(5)·吏曹佐郎(6), 吏曹正郎(7), 成均直講(8), 成均直講兼議政府檢詳(9), 議政府舍人(12), 行五衛副司直兼宣傳官(13), 五衛副護軍(13), 同副(13)·右副(13)·右(13)·左承旨(13), 翊戴2등공신(예종즉), 嘉善大夫左承旨

					廣川君(즉), 都承旨(즉), 사옹원提調(1), 資憲大夫吏曹參判(성종1), 佐理3등공신(2), 戶曹判書(4), 광천군겸전라관찰사(8), 議政府右參贊(9), 부상(9), 兵曹判書(10), 광천군兼知經筵事(12), 刑曹判書(12), 右參贊(13), 하정사(13), 右參贊(13), 兵曹判書(14), 議政府左參贊(14), 광천군(15), 崇政大夫兵曹判書(15), 判漢城(19), 廣川君(19), 광천군졸
李世傑	(성종대)	廣州	형 判中樞 世佐	음(20), 문(23)	五衛司勇(~23), 문과[연산이후: 吏曹正郞, 僉知中樞]
李世卿	(성종대)	廣州	형 府使 世銓	문(11)	掌隷院司議(방목)
李世匡	(성종대)	廣州	父 領議政 克培, 祖 右議政 仁孫	문(6)	奉直郎司諫院正言(성종6), 吏曹正郎(7), 司憲持平(8), 經筵試讀官(10), 朝散大夫司憲掌令(13), 萬戶, 守令不法摘奸使(15), 侍講院輔德(18), 藝文直提學(20), 弘文副提學(20), 同副承旨(20), 僉知中樞(20)
李世綸	(성종22)	廣州	父 贊成 克敦, 祖 右議政 仁孫		還告身(이), 훈련正(족보)
李世佑	1449~1503	廣州	父 刑曹判書 克墈, 祖 右議政 仁孫	음, 문(성종6)	五衛副司正(~성종6), 문과, 刑曹正郎(~12), 피죄(12), 4品官(~15), 同副·右副·左副承旨(15~16), 掌隷院判決事(17), 工曹參議(17), 右(17)·都承旨(18), 파직(18), 戶(18)·吏曹參議(19), 경기관찰사(19)[연산대: 경기관찰사졸(9)]
李世銓	(성종대)	廣州	父 左贊成 克敦, 祖 右議政 仁孫	?, 문(14)	五衛司猛(~14), 문과, 司憲監察(14), 刑曹佐郎(~19), 朝散大夫司憲持平(20), 守司憲掌令(23, 24) [연산이후: 弘文應敎, 通政大夫府使]
李世佐	?~1504	廣州	제 觀察使 世佑	음, 문(성종8)	僉正(~성종8), 문과, 大司諫(8), 通政大夫충청관찰사(8), 弘文副提學(10), 同副·右副·左副承旨(11), 파직(11), 左副·右·左·都承旨(12~14), 禮曹參判(14), 大司憲(16), 刑曹參判(16), 하정사(16), 同知中樞(16), 禮曹參判(17), 경상관찰사(17), 廣陽君(18), 禮曹參判(20), 大司憲(20), 戶曹參判(20), 황해관찰사(20), 광양군(21), 大司憲(23), 資憲大夫경기관찰사(24), 광양군(25) [연산이후: 漢城判尹, 戶·吏曹判書, 判中樞, 禮曹判書, 전判書피화]
李世俊	(성종대)	廣州	父 左議政 克均, 祖 右議政 仁孫	음	사재參奉(16), 경기都事(21), 刑曹正郎(23)[연산대: 남양府使(9)]
李世弼	(성종대)	廣州	제 承旨 世匡	음, 문(3)	通禮院引儀(~성종3), 문과, 영해縣令(읍지), 司憲掌令(4), 파직(4), 군기(4), 내자副正(9), 司諫院司諫(10), 同副(12)·左副承旨(12), 파직(12), 大司諫(13), 兵曹參知(14), 刑曹參議(14), 通政大夫慶州府尹(14), 漢城左尹(17), 戶曹參

					判(18), 大司憲(18), 同知中樞(18), 진하사(18), 同知中樞졸
李蓀	1439~1520	廣州	父 兵馬節度使 守哲, 祖 主簿 遇生	?, 문(성종1)	五衛護軍(~성종1), 문과, 경상우도경차관(8), 全羅察理使鄭垠從事官(9), 점마別監(9), 副正(10), 종부僉正(14), 봉상副正(15), 영안경차관(16), 김해府使(16), 折衝將軍守충청병마절도사(23)[연산이후: 議政府贊成, 靖國3등공신韓山君]
李守恭	1464~1504	廣州	父 郡守 世忠, 祖 領議政 克培	문(성종19)	司諫院正言(20~21), 형조정랑(23~24), 侍講院文學(25), 僉正(25)[연산대: 成均司成, 弘文典翰]
李粹彦	1458~1496	廣州	父 贊成 蓀, 祖 平安節度使 守哲	문(성종11)	藝文檢閱(성종11), 承政院注書(12), 刑·禮曹佐郎(15), 司憲持平, 충청都事, 戶曹正郎, 通德郎司憲掌令(21), 北征都元帥許琮從事官(22) 議政府檢詳(22), 議政府舍人(23) [연산대: 司憲執義, 弘文校理奉使중졸]
李守哲	(세조대)	廣州	父 主簿 遇生, 祖 贊成 養中		훈련관使(1), 원종3등공신(1), 함길절도副使(~13, 파직)
李守誠	(성종18)	廣州	父 領議政 克培, 祖 右議政 仁孫		충훈부有司
李守亨	(성종대)	廣州	父 判中樞 世佐, 祖 刑曹判書 克墀	문(23)	[연산대: 議政府舍人]
李維翰	(성종대)	廣州	父 耕疇	?, 문(10)	除西班遞兒職(3, 敎育有功故), 承義郎(~10), 문과, 成均博士(9), 外方敎授(16), 成均典籍兼養賢庫主簿(21)
李仁孫	1395~1463	廣州	父 刑曹參議 之直, 祖 典校判事 集	문(태종17)	藝文檢閱(태종17), 司憲監察(세종11), 천추사書狀官(11), 司憲監察(12), 刑(13)·禮曹佐郎(~18), 司憲持平(18), 議政府舍人(22), 司憲執義(26), 봉상尹(27), 義鹽色別監(27), 知兵曹事(28), 군자判事(29), 禮曹參議(30), 通政大夫경상관찰사(31), 禮(문종2)·刑曹參議(단종즉), 大司憲(즉), 한성(1), 敬昌府尹(1), 성절사(1), 刑曹參判(1), 戶曹判書(2), 世祖原從2등공신(세조1), 判中樞兼判戶曹事(1), 判中樞(2), 戶曹判書(2), 判中樞(3, 5), 知中樞(5), 戶曹判書(5), 議政府右贊成(5), 議政府右議政치사(5), 치사우의정졸
李一元	(세종대)	廣州	父 牧使 之柔, 祖 判事 集		음죽縣監(17), 봉산郡守(~24, 파직)
李滋	1466~1499	廣州	父 觀察使 世佑, 祖 刑曹判書 克墀	문(성종25)	藝文檢閱 [연산이후: 藝文正字兼經筵典經, 弘文博士]

李長孫	(태종~세종대)	廣州	제 右議政 仁孫	음, 문(태종11)	錄事(~태종11), 문과, 行臺監察(17), 司諫院左獻納(세종12), 兵曹正郞(13), 議政府舍人(방목)
李坫	1446~1523	廣州	父 寬義, 祖 明道	문(8)	命敍用(성종13), 被薦師儒(21) [연산이후:漢城判尹]
李貞元	(세종대)	廣州	父 牧使 之柔, 祖 典校判事 集	문(20)	吏曹佐郞(방목)
李中元	(세종대)	廣州	父 牧使 之柔, 祖 參議 集	문(5)	掌隷院判決事(방목)
李之剛	1363~1427	廣州	父 典校判事 集, 祖 생원 唐	음, 문(우왕8), 중(태종7)	奉先庫判官(~우왕8), 문과(8, 고려), 起居注(~태조2), 파직(2), 議政府舍人(~태종5), 司憲掌令(5), 경승 少尹(~7), 문과중시, 藝文直提學선공判事(7), 수원府使, 禮曹右參議(11), 충청전라경차관(11), 吏曹左參議(12), 藝文提學(14), 경상관찰사(15), 漢城府尹(16), 경상관찰사(17), 戶(17)·刑曹參判(17), 파직(18), 함길관찰사(18), 戶曹參判世子左世子副賓客(18), 하정副使(18), 吏(18)·戶曹參判(세종1), 戶(2)·禮(3)·戶曹判書(5), 議政府參贊兼大司憲(6), 參贊(6), 都摠制府都摠制(7), 사직(7, 질병), 전都摠制졸
李之柔	(태종~세종대)	廣州	형 參議 之直	문(창왕1)	풍해경차관(태종12), 성주牧使(세종4)
李之直	(태조~태종대)	廣州	父 典校判事 集, 祖 생원 唐	음, 문(우왕6)	전구署丞(~우왕6), 문과(6, 고려), 강원안렴사(태종1), 內書府舍人(2), 파직(3), 司憲執義(4), 성주牧使(~8), 전刑曹參議(~9), 유배(9)
李存仁	(세조1)	廣平	父 同知中樞 好誠, 祖 縣令 寧善	무(족보)	五司司直, 원종3등공신
李施愛	?~1467	吉州	父 判府使 仁和, 祖 檢校參贊 原景		五司護軍(문종1), 경흥병마절제사(세조4), 경흥府使(6), 僉知中樞(7), 判會寧府使(9), 전회령절제사(~13, 起亂), 복주
李原景	(태조대)	길주	손 施愛		함길都節制使(읍지)
李仁和	(세종~문종대)	길주	父 檢校門下府事 原景, 자 施愛		갑산郡事(~세종16), 갑산절제사(16), 영북진첨절제사(21), 종성절제사(21), 僉知中樞(24), 경원절제사(25), 嘉善大夫회령절제사(26), 同知中樞(28), 中樞副使(30), 兼都鎭撫(문종즉위), 中樞副使(즉), 同知中樞(1), 判永興府使
李仁美	(세조대)	樂安		문(6)	縣監(방목)
李衍	(태종대)	丹陽	父 左政丞 茂, 祖 判書 居敬		參知議政府事(7), 中軍摠制(8), 강원병마도절제사判강릉府使(8), 中軍摠制, 左軍都摠制
李居敬	(세종대)	단양		문(2)	成均主簿(방목), 용담縣令(23)
李公柔	(태종대)	단양	형 世子侍學 公義		司憲執義(~9), 유배, 坐 父 茂)

李公義	(정종~태종대)	단양	父 左政丞 茂, 祖 判書 居敬	문(정종1)	世子左侍學(태종2)
李公祇	(태종8)	단양	형 執義 公裕		戶曹正郎
李公孝	(태종7)	단양	형 世子侍學 公義		上護軍
李孟智	(세조~성종대)	단양	父 陽春, 祖 老	?, 문(세조11)	縣監(~세조11), 문과, 경기도水站判官(~성종12, 파직), 司憲執義(방목)
李茂	1355~1409	단양	父 判書 居敬, 祖 直提學 元幹	문(공민왕대)	同知密直(고려), 太祖原從공신(태조1), 中樞使(2), 개성尹(2), 判中樞(4), 전라도관찰사(4), 都體察使(5), 參贊門下判禮曹事義興三軍府左軍節制使(7), 定社1등공신丹山君(7), 議政府參贊(정종2), 동북도순찰사겸영흥府尹(2), 유배(2), 判三軍府事(2), 佐命1등공신(태종1), 議政府右政丞(1), 면직(身老故), 兼中軍都摠制(2), 領承樞府事(3), 丹山府院君(5), 議政府右政丞(7), 府院君(9), 피화(坐閔無咎)
李承祚	(정종~태종대)	단양	父 左政丞 茂, 祖 判書 居敬		吏曹佐郎(~정종2), 유배(2), 刑曹正郎(~태종4), 파직(4), 知梁州事(8)
李鐵柱	?~1469	단양	父 工裕, 祖 左議政 茂		內禁衛피화(坐南怡)
李卓	(세조6)	단양	父 左議政 茂, 祖 判書 居敬		判官, 원종3등공신
李興霖(林)	(태종12)	단양	父 判書 存敬, 祖 直提學 元幹		檢校漢城府尹
李堅義	(세종~세조대)	潭陽	父 德林, 祖 元哲	문(세종11)	禮曹正郎(~세종28), 파직(28), 司憲掌令(문종1), 水軍節度使(2), 대마도경차관(2), 成均直講(세조1), 世祖原從3등공신(1), 여산郡守(~세조2), 제주判官(읍지)
李伯	(태조2)	담양	자 堅義		개성尹, 원종3등공신
李貴華	(세조12)	德山	父 都事 師曾, 祖 觀察使 愉		강릉判官, 파직
李師季	(세종·성종대)	덕산	형 僉知中樞 師孟	문(세종14)	戶曹佐郎(세종24), 府使(세조1), 世祖原從3등공신(1), 전府使(성종2, 居星州)
李師孟	(태종~세조대)	덕산	父 觀察使 愉, 祖 版圖判書 英	문(태종14)	承政院注書(세종1), 司諫院右正言(3), 禮曹佐郎(9), 署令(10), 司諫院右獻納(11), 吏曹正郎(~14), 파직(14), 봉상少尹(16), 僉知中樞(28), 判事(세조1), 원종3등공신(1)
李師程	(세종18)	덕산	형 僉知中樞 師孟		영평縣監
李師曾	(세종~세조대)	덕산	형 僉知中樞 師孟	문(세종1)	道都事(세종1), 司諫院右獻納(14), 파직(14) 戶曹正郎(17), 경기경차관(19), 함길도절제사경력(20), 司僕少尹(26), 자산郡事(~문종2), 청성

					府使(2), 司僕判事(단종2), 兵曹參議(2), 通政大夫江陵府使(세조1), 世祖原從2등공신(1), 嘉善大夫僉知中樞
李純	(성종대)	덕산			通政大夫춘천府使(읍지)
李愉	?~1423	덕산	父 判書 英, 祖 大提學 思牧		大護軍(태종5), 上護軍, 부평府使, 刑曹參議, 判尙州牧使(14), 풍해병마도절제사兼判海州牧使, 同知中樞(18), 사은副使(18), 刑曹參判(18), 함길관찰사(18), 전참판졸
李益朴	(세종대)	덕산	父 參知議政 慥, 祖 判書 英		行臺監察(1), 홍주縣監(4), 兼知兵曹事(22), 刑曹參議(22), 通政大夫황해관찰사(22), 工曹參議(23), 通政大夫충청관찰사(24), 파직(25), 刑(25)·工(25)·戶(26)·工曹參議(26), 영흥府使(31)
李慥	?~1411	덕산	父 版圖判書 英, 祖 藝文大提學 思牧	문(공양왕2)	吏曹議郎(~태조7), 유배(7), 司憲執義(태종7), 左代言(8), 右軍同知摠制(9), 參知議政府事(10), 參知議政府事졸
李曾門	(세조~성종대)	덕산	父 參奉 秷, 祖 觀察使 益朴	문(세조5)	兵曹佐郎(예종1), 兼司憲執義(성종17), 봉상副正(19)
李昌門	(세종29)	덕산	형 執義 曾門		副司正, 寧海採深重靑使
李琚	?~1512	德水	父 通禮院奉禮 孝祖, 祖 領中樞 邊	문(성종11)	弘文館博士(성종14), 修撰(15), 承義郎(17), 司諫院正言, 吏曹佐郎(18), 司憲掌令(22) [연산대: 侍講院輔德, 掌樂正承文參校, 순천府使, 兵曹參議졸]
李公晉	(태조~태종대)	덕수	父 玄, 祖 都事 允蕃		사재判事
李明晨	?~1459	덕수	父 參議 揚, 祖 行副護軍 永貴		僉知敦寧(세종16), 同知敦寧(21), 경기관찰사(22), 同知敦寧(22), 정조사(22), 中樞副使(25), 仁壽府尹(28), 同知敦寧(29), 知中樞(31), 中樞副使(31), 陳慰使(31), 中樞使(31), 知敦寧(문종즉위), 判洪州牧使졸
李蕙		덕수	父 監察御使 仁範, 祖 水軍節制使 千善	문(우2)	司憲執義(방목)
李邊	1391~1473	덕수	父 司宰判事 公晉, 祖 玄	문(세종1)	승문博士(세종1), 파직(5), 승문副校理(~9), 사역(9), 전농判官(9), 부상(9), 전校理(~11), 護軍(11), 승문(14), 사역僉知(16), 모상(17), 전봉상尹(18), 大護軍(18), 사은사從事官(21), 僉知中樞(23), 工(23)·戶曹參議(23), 僉知中樞(23), 吏曹參議(24), 파직(29), 僉知中樞(29), 禮曹參議(30), 中樞副使(30), 吏曹參判(30), 성절사(30), 刑(문종즉위), 禮曹參判(즉), 中樞副使(1), 吏曹參判(1), 하정사(1), 兵曹參判(1), 경창府尹(단종1), 刑(1)·工曹判書(세조1), 中樞使(1), 世祖原從2등공신(1),

이름	생몰/시대	본관	가계	과거	관력
					知中樞(2), 藝文大提學(3), 慶昌府尹(4), 僉知中樞(4), 工曹判書(4), 中樞使(5), 僉知中樞(6), 判中樞(7), 中樞副使(11), 同知中樞(12), 승문提調(13), 輔國崇祿大夫(14), 領中樞院事(성종2), 領中樞졸
李揚(楊)	(태종~세종대)	덕수	父 政堂文學 仁範, 祖 司空 千善		知司諫(태종5), 司憲執義(6), 봉상령(6), 양주府使(8), 함주牧使(~11, 파직), 巡禁司鎭撫(세종즉), 철원府使(2), 工曹參議(4), 유배(5)
李宜茂	1449~1507	덕수	父 溫陽郡事 抽, 祖 知敦寧 明晨	문(성종8)	掌隸院司評(~성종17), 弘文副校理(17), 司憲持平(19), 弘文校理(20), 사헌持平(20), 吏曹正郎(21), 司憲掌令(23), 弘文應敎(24)[연산이후: 司諫院司諫, 司憲執義, 홍주牧使]
李好文	(세종대)	덕수	父 執義 謨, 祖 政堂文學 仁範	문(세종2)	戶曹正郎(24), 이천府使(28), 少尹(방목)
李還	(세종대)	덕수	형 領中樞 邊	기(26, 효행)	齊陵直長(26)
李孝祖	(세조1)	덕수	父 領中樞 邊, 祖 判事 公晉		直長, 원종3등공신
李荃	(성종17)	德恩			永春縣監
李仁祐(佑)	(성종대)	道安	父 勝	?, 문(3)	敎授(~3), 문과, 군자主簿(3), 僉正(방목)
李季專	1414~1484	碧珍	형 正言 孟專	문(세종29)	成均直學(세종29), 전成均博士(문종2), 成均主簿兼中部敎授(단종2), 司憲監察(2), 刑(2)·戶(2)·禮曹佐郎(세조1), 成均直講(1), 世祖原從2등공신(1), 禮曹正郎(3), 議政府檢詳(4), 議政府舍人(5), 藝文直提學(~6), 司憲執義(6), 侍講院輔德(8), 左副承旨(9), 工(10), 刑曹參判(11), 개성留守(12), 경기관찰사(13), 吏曹參判(예종즉), 五衛護軍(성종5), 大護軍졸
李孟專	1392~1480	벽진	父 審之, 祖 希慶	문(세종9)	翰林(방목), 司諫院右正言(~세종18, 파직)
李鳴(明)謙	(세종~세조대)	벽진	父 吏曹參議 愼之, 祖 都元帥 希慶	문(세종5)	승문正字(세종5), 집현副校理(15), 應敎(17), 평안經歷(20), 司憲掌令(21), 제주경차관(24), 제주牧使(31), 僉知中樞(문종1), 刑曹參議(단종즉), 通政大夫강원관찰사(1), 漢城府尹(2), 사은사(3), 世祖原從2등공신(세조1)
李承彦	(성종대)	벽진	父 郡守 好謙, 祖 參議 愼之	문(소과)	宣傳官(21), 參軍
李審之	(태종8)	벽진	父 都元帥 希慶, 祖 大提學 居常		함안郡守(읍지)
李好謙	(세종대)	벽진	형 府尹 鳴謙		흥해郡守(읍지)
李明生	(세종12)	鳳山	숙부 吏曹判書 隨		承仕郎, 超啓功郎
李筬從	(단종2)	봉산	父 吏曹判書 隨		戶曹佐郎, 유배(坐父)

조선초기 관인 이력

李隨	1374~1430	봉산		천(태종10), 문(14)	종묘主簿(태종12), 直長(~14), 문과, 전사(14), 상서主簿(15), 工·禮曹正郎, 전사少尹(17), 侍講院文學(18), 사재正(18), 同副·右副·左副·右代言(세종즉~1), 左軍同知摠制(1), 황해관찰사(4), 左軍同知摠制(4), 告訐使(4), 藝文提學(~5), 면직(5), 吏曹參判(6), 中軍都摠制(7), 議政府參贊(8), 中軍都摠制(11), 藝文大提學(11), 吏曹判書(11), 兵曹判書졸
李郁	(세조7)	봉산	父 兵馬節度使 彭丘, 祖 參奉 吉從	무(7)	
李楫	(세종17)	봉산	父 佐郎 笠從, 祖 吏曹判書 隨		전장연縣監
李珝	(태종~세종대)	富平		문(태종11)	翰林(방목), 司諫院獻納, 藝文直提學(방목), 通政大夫(방목)
李克孝	(세종대)	부평	父 司直 枚	문(17), 중(29)	통진縣監(~29), 문과중시, 司憲持平(방목)
李宗顯	(예종~성종대)	부평	父 成均司藝 克孝, 祖 司直 枚	문(예종1)	成均司藝(성종19), 평안경차관(19), 司憲執義(19), 同副·右副·左副承旨(20~21), 僉知中樞(21), 大司諫(21), 嘉善大夫전라관찰사(25)[연산10 漢城左尹]
李益之	(성종대)	泗川	父 種	?, 문(3)	訓導(~3), 문과, 僉知中樞(방목)
李敏道	1336~1395	尙山	父 元 路摠管 工埜	원귀화인	元 同知涿州事, 서운副正, 전의正, 자혜府尹兼判典醫監事(고려), 工曹典書(태조1), 開國2등공신(1), 禮(2)·戶曹典書(3), 商議中樞院事(3), 商山君졸
李蓁	?~1448	상산	父 君 敏道		예빈尹(태종18), 大護軍(세종9), 上護軍(12), 전판청주牧使(15), 同知中樞(18), 하정사(18), 성절사(20), 工曹參判(21), 경주府尹(22), 同知中樞(23), 中樞副使(29), 中樞副使졸
李燕	(세종3)	瑞山	父 萬春, 祖 府使 景胤		內瞻少尹
李敏材	(세조6)	星山	父 惟亨, 祖 郡守 汝信		五衛護軍, 원종3등공신
李孟保	(세조3)	성산	父 惟利, 祖 郡守 汝信		거제縣令
李士澄	(태조~태종대)	성산	父 知奏事 汝忠, 祖 少尹 文度		錄事(~태조5, 유배), 司諫院右正言(~태종7), 司諫院獻納(~!2, 유배)
李士淸	(태종~세종대)	성산	형 士澄		서북면行臺監察(태종8), 흥해郡事(~16, 收職牒), 영덕縣監(세종17)
李瑀	(국초)	성산	父 司諫院正言 汝良, 祖 少尹 文廣		회양府使(읍지)

李居仁	(세조~성종대)	星州	父 同知中樞 好誠, 祖 縣令 寧善		五衛司直, 이시애토벌군壯勇隊將(세조13), 折衝將軍五衛司直(성종3), 경상우도수군절도사(3), 평안조전장(6), 안주牧使(6), 경상좌도수군절도사(13), 제주牧使(14), 都元帥許琮部將(22), 전라좌도수군절도사(24), 순천府使(25)
李堅基 (堅起)	1384~1455	성주	父 摠制 穗, 祖 僉議評理 仁敏	음, 문(세종1)	刑曹都官佐郎(~세종1), 문과, 司諫院右正言(1), 司憲持平(6), 禮曹正郎(8), 司憲掌令(10), 司憲執義(12, 14), 군기判事(15), 同副·右副·左副·右·左承旨(15~19), 파직(19), 漢城府尹(20), 戶曹參判(20), 충청관찰사(23), 工曹參判(26), 藝文提學(27), 判開城府事(28), 성절사(28), 知中樞(29), 戶(29)·吏曹判書(31), 議政府左參贊(문종즉위), 사은사(즉), 戶曹判書(단종즉), 中樞使(1), 中樞使졸
李敬賢	(세종대)	성주	父 中樞副使 師元, 祖 領議政 稷	문(17)	少尹(방목)
李敬和	(세종대)	성주	형 敬賢	?, 문(17)	司直(~17), 문과, 司諫院獻納(방목)
李季恭	(세조대)	성주	父 從實, 祖 文漸	?, 문(11)	敎導(~11), 문과, 成均學諭(방목)
李繼寧	(세조대)	성주	父 府尹 師厚, 祖 領議政 稷		五司護軍(~1), 원종3등공신(1), 해주牧使(13), 僉知中樞(韓確 비명)
李繼昌	(단종~세조대)	성주	형 繼賢	문(단종2)	判官(~세조1), 원종2등공신(1), 승문副知事(6), 知敦寧(방목)
李繼賢	(세종25)	성주	父 同知中樞 師元, 祖 領議政 稷	음?	兵曹正郎
李繼和	(세종대)	성주	형 繼賢		司諫院右正言(22), 司直(24), 司諫院左獻納(26)
李文植	(성종24)	성주	父 大司憲 誼, 祖 星原尉 正寧		司憲監察
李文興	1424~?	성주	父 菊, 祖 獜鳳	?, 문(예종1)	敎授(~예종1), 문과, 사옹僉正(성종13), 成均司成(18), 大司成(방목)
李珉	(태종3)	성주	父 侍中 仁任, 祖 門下評理 褒		吏曹考功司佐郎
李潑	1372~1426	성주	父 進賢館大學士 仁立, 祖 都僉議評理 褒	음	別將, 상주(정종1), 원주牧使(태종6), 兵曹參議(7), 파직(8), 판안변府使(8), 同副承旨(10), 中軍同知摠制(11), 漢城府尹(11), 충청관찰사(11), 大司憲(15), 공안府尹(16), 노비쇄권색提調(16), 工曹參判(17), 大司憲(17), 파직(17), 戶曹參判(18), 함길(18)·경상관찰사(세종1), 大司憲(2), 刑(2)·戶曹參判(2), 파직(2), 刑曹判書(3), 告訃請諡使(4), 左軍都摠制(6), 사은사(7), 兵曹判書(8), 전兵曹判書졸

조선초기 관인 이력

李棐	(세종~단종대)	성주	父 判官 得芳, 祖 君 台寶		通政大夫行直藝文館(단종2)
李思(都)芬	1354~1441	성주	증 萬年		歷5郡守令·3鎭守, 左軍都摠制, 전開城留候 졸(졸기)
李師純	?~1455	성주	父 領議政 稷, 祖 僉議評理 仁敏	문(세종10)	司憲持平(세종10), 전正郎(14), 廣州牧使(26), 右副(29)·左副承旨(29~31), 右承旨(31), 工曹參判(문종즉위), 사은사(즉), 戶(1)·工(단종즉)·禮曹參判(즉), 僉知中樞졸
李師元	?~1455	성주	형 師厚		司憲監察(세종6), 司憲持平(10), 正郎(10), 司憲掌令(20), 刑(28)·吏曹參議(29), 通政大夫황해관찰사(29), 僉知中樞(31), 강원관찰사(31), 中樞副使(단종2), 中樞副使졸
李師厚	?~1435	성주	父 領議政 稷, 祖 僉議評理 仁敏		工曹正郎(태종10), 同副(세종8)·右副(9)·左副(11)·左承旨(11), 都摠制府同知摠制(12), 前府尹졸
李世仁	1452~1516	성주	父 璧, 祖 孝純	문(성종17)	[연산이후: 黃海觀察使]
李穗	(태종~세종대)	성주	父 門下評理 仁敏, 祖 贊成 襃		내자判事(태종15), 都摠制府同知摠制(세종12)
李崇文	(태종15)	성주	父 尹 元具, 祖 密直使 百年		판안동府使
李約東	1416~1493	성주	父 縣令 德孫	?, 문(문종1)	敎導(~문종1), 문과, 司瞻直長(1), 司憲監察(단종2), 황간縣監, 守司憲持平(세조4), 청도郡事(5), 五衛司直(7, 侍養故), 父喪(8), 宣傳官(10), 종부正(12), 通政大夫龜城府使(13), 사직(14, 身病故), 제주牧使(성종1), 경상좌도수군절도사(5), 大司諫(8), 嘉善大夫僉知中樞(8), 천추사(8), 경주府尹(9), 戶曹參判(13), 僉知中樞(15), 同知中樞(15), 전라관찰사(17), 漢城左尹(18), 吏曹參判(18), 개성留守(20), 資憲大夫개성留守(21), 知中樞(21), 知中樞졸
李汝良	(태조대)	성주	父 少尹 文廣, 祖 判書 培	문(우왕6)	按廉副使
李汝忠		성주	제 汝良	?, 문(우3)	別將(~우왕3), 문과
李衍生	(세종8)	성주	父 判書 台茂, 祖 郞將 萬年		흥덕縣監
李永蓁	(세조12)	성주	父 參判 師純, 祖 領議政 稷		고령縣監, 파직
李云迪	(태종7)	성주	父 漢城府尹 闇, 祖 判書 仁美		司憲監察, 파직
李潤	(세종~세조대)	성주	父 兵曹判書 發, 祖 密直 仁立		전敎授官(세종11), 主簿(세조1), 世祖原從3등공신(1)

李尹孫		성주	父 判書 紬, 祖 判書 堅基	?, 문(단종2), 중(세조14)	判官(~단종2), 문과, 兼司憲執義(세조9), 五衛護軍(~14), 문과중시, 通政大夫牧使(방목)
李詣	(성종대)	성주	형 諿		刑(성종5)·戶曹正郎(8), 儀賓經歷(14), 司憲掌令(16), 사재正(20), 同副·右副·左副·右承旨(21~22), 嘉善大夫강원관찰사(22), 漢城右尹(22), 충청관찰사(22), 同知中樞(23), 大司憲(25)
李鎰	(태종14)	성주	父 判書 仁美, 祖 侍中 褒		檢校判漢城
李自健	1455~1524	성주	형 自堅	문(성종14)	行臺監察(성종18), 司諫院正言(19), 司憲持平(22), 禮曹正郎(24) [연산이후: 司憲掌令, 司憲執義, 군기正, 同副·右副·左副·右·左·都承旨, 大司憲, 知中樞졸]
李自堅	(성종대)	성주	父 湊, 祖 洧	문(16)	司諫院正言(25) [연산이후: 司憲持平(연산1), 戶曹判書]
李長生	(세조7)	성주	父 校理 咸寧, 祖 府尹 師厚		진보縣監(읍지)
李詮	(성종대)	성주	父 星寧尉 正寧, 祖 府尹 師厚, 외조 태종		겸司憲持平(19), 刑曹正郎, 전라都事, 한성判官(19)
李正寧	?~1455	성주	父 府尹 師厚, 祖 領議政 稷, 처 태종女 淑惠翁主	기(부마)	資憲大夫星原君(세종7), 선공提調(24), 충청관찰사(29), 의금副提調(~31.4), 경기관찰사, 改星原尉, 崇德大夫성원위졸(단종3), 贈世祖原從1등공신(세조1)
李濟	?~1398	성주	父 密直 仁立, 祖 贊成事 褒	기(부마)	開國1등공신興安君(태조1), 義興親軍衛節制使(1~7), 경상도절제사(2), 三軍府우군절제사(2), 피화
李稷	1362~1431	성주	父 門下評理 仁敏, 祖 門下侍郎 平章事 褒	음, 문(우왕3)	散員(~우왕3), 문과, 경순부主簿(3), 司憲持平, 成均司藝, 전교副令, 王府知印尙書, 종부令, 右副代言(우왕12, 고려), 知申事(태조1), 遭喪(1), 開國3등공신(1), 都承旨(2), 中樞學士(2), 大司憲(3), 中樞提學(3), 大司憲(6), 知中樞(정종1), 서북도순문사兼平壤府尹(1), 知門下府事(1), 三司右使(2), 參贊門下(2), 知議政(2), 佐命4등공신星山君(태종1), 議政府參贊(1), 유배(1), 참찬(2), 藝文大提學(2), 判司平府事(3), 파직(4), 星山君(4), 吏曹判書(5), 군(6), 동북도순찰사겸병마도절제사(7), 議政府贊成事(7), 贊成兼大司憲(7), 吏曹判書兼判義勇巡禁司事(8), 파직(8), 성산군(10), 吏曹判書(11), 輔國崇祿大夫星山府院君(12), 동북都體察使(13), 判議政(14), 議政府右議政(14), 파직(15), 府院

					君(세종2), 府院君兼領藝文館事(5), 議政府領議政(6), 左議政(8), 府院君(9), 府院君졸
李湝	(성종22)	성주	父 縣監 長生		赴北京(隨使臣)
李緝	1438~1509	성주	父 星原尉 正寧, 祖 漢城府尹 師厚	음, 문(성종10)	司憲執義(성종7), 副正(~10), 문과, 通政大夫 전라(16)·황해관찰사(16), 大司諫(17), 吏曹參議(18), 파직(18), 戶曹參議(20), 弘文副提學(20), 吏曹參議(22), 嘉善大夫강원관찰사(23), 戶曹參判(24), 大司憲(25) [연산이후: 충청관찰사, 大司憲, 吏曹參判, 강원관찰사, 漢城判尹, 工·戶曹判書, 知中樞, 刑曹判書, 議政府右參贊, 吏曹判書, 左參贊, 大司憲, 左參贊, 議政府右贊成졸]
李次若	(태종~세종대)	성주	父 提學 崇仁, 祖 大護軍 元具		內瞻判官(태종5), 대구군사(세종8)
李次點	(태종대)	성주	형 次若	문(우왕9)	司諫院正言
李咸寧	?~1437	성주	父 府尹 師厚, 祖 領議政 稷	문(세종16)	집현전校理졸
李好誠	1397~1456	성주	父 縣令 寧善, 祖 郞將 晈	무(세종9)	司僕直長(세종9), 군기副正, 거제縣令(문종즉위), 僉知中樞(단종즉), 工曹參議(즉), 경상우도수군절제사(1), 同知中樞(세조1), 府尹(1), 世祖原從2등공신(1), 경상좌도병마절제사(3), 行僉知中樞경상좌도병마절제사(5), 同知中樞(6), 僉知中樞(6), 경상우도수군절제사(7), 五衛都摠管(13), 파직(13, 老), 知中樞(13), 知中樞졸
李混		성주			영해府使(읍지)
李永肩	(세종~성종대)	遂安	父 求魯, 祖 甲仁	문(세종11)	通禮門奉禮郞(세종16), 吏(27)·兵曹正郞(29), 右司諫大夫(단종2, 세조1), 世祖原從2등공신(1), 左司諫大夫(2), 僉知中樞(2), 禮(8)·吏曹參議(9), 仁壽府尹(10), 나주牧使(성종2)
李仁壽	(태조대)	水原	父 大提學 長密, 祖 侍中 子松		商議中樞院事(1), 원종공신(1)
李孝信	?~1475	수원	父 右尹 孫, 祖 判書 仁壽		황해甲士, 사신호송중溺死
李希洛	(성종대)	수원	父 養源	문(17)	藝文檢閱(20), 前成均典籍(25), 佐郞(25) [연산이후: 牧使]
李繼貞	(세조대)	淳昌	父 知中樞 士佺	문(2)	五衛部將(7), 郡守(방목)
李士侗	(태종~세종대)	순창		문(태종14)	교서校勘(세종2), 縣監(방목)
李久(龜)鐵	?~1413	順天			泥城萬戶(태조2), 商議中樞院事겸정주등처都兵馬使(3), 충청경상조전절제사(5), 충청병마도절제사(5), 充水軍(6), 의주萬戶(7), 中軍都摠制(태종2~7), 성절사(7), 知議政(7), 서

					북도순문찰리사(7), 충청병마도절제사領洪州牧使(8), 都摠制졸
李克文	(태종17)	순천	父 郡守 陽昭, 祖 知中樞 師吉		三軍鎭撫
李誠	(세조대)	순천	父 縣令 克忠, 祖 郡守 陽昭		五司副司直(1), 원종3등공신(1), 경차관(~12, 유배)
李鼎祚	(성종8)	순천	父 縣令 訥, 祖 府使 克文		使臣押物
李幹	(단종~성종대)	新平	父 順孫, 祖 之岊	문(단종1)	承文校勘(성종5), 司藥副正(6), 승문判校(방목)
李詹	(태조~태종대)	신평	父 熙祥, 祖 令同正 承榗	문(공민왕17)	전知申事(태조5), 吏曹典書(7), 知議政府事(태종2), 지의정兼大司憲(3), 藝文大提學(3)
李念義	(문종~성종대)	牙山	이모 貞熹大妃		삭령郡守(~문종즉위, 全家徙邊), 世祖原從2등공신(세조1), 司禁(6), 의금鎭撫(7), 순천府使(10), 경주府尹(13), 嘉善大夫敦寧都正(성종3), 僉知敦寧(5), 해주牧使(6), 同知敦寧(7), 資憲大夫同知敦寧(21)
李溫	(세조대)	아산	父 參判 天樞, 祖 侍中 邕		五司司勇(1), 원종2등공신(1), 간성郡事(4)
李牛(遇)平	(예종1)	아산	父 時盤, 祖 聳		장성縣監
李原恒	(태종18)	아산	父 監察 天植, 祖 侍中 邕		府尹
李永銓	(성종대)	安東	부 保權, 형 學祖	기(16, 학조故)	除顯官(16)
李大生	(태종~세종대)	安城	父 萬戶 瑋, 祖 君 富英, 장인 懷安君 芳幹		의영고直長(태종17), 副司直(세종11), 司憲監察(14), 장연縣監(16)
李遜	(세종13)	안성	父 大提學 磚, 祖 密直副使 惟仁		監正
李叔蕃	1373~1440	안성	父 坰, 祖 政堂文學 思正	문(태조2)	안성郡守(~태조7), 右副承旨(7), 定社2등공신(7), 左軍摠制(~태종1), 佐命1등공신安城君(1), 左軍摠制(2), 內侍衛左番摠制(2), 知承樞府事(2), 都鎭撫(2), 知議政(3), 議政府參贊(4), 兼中軍摠制(6), 兼中軍都摠制判義勇巡禁司事안성군(7), 兼中軍都摠制(7), 義興侍衛司上護軍(7), 中軍都摠制(8), 안성군(8), 평양도절제사(9), 遭喪(10), 안성군兼知義興府事(10), 참찬겸지의흥부사(10), 안성군겸지의흥부사(11), 崇政大夫兵曹判書(13), 참찬(13), 議政府贊成事(14), 同判議政(14), 左參贊(14), 安城府院君(15), 罷黜農庄, 졸

李叔仁	(성종대)	안성	父 典籍 良鉉, 祖 繼文	문(23)	[연산이후: 成均司藝]
李承門 (文)	(세종대)	안성	父 監正 遜, 祖 大提學 琫	문(2)	藝文檢閱(3), 兵(7)·禮曹佐郎(8), 司諫院獻納(9), 영흥·황주判官(13), 刑曹都官佐郎(18), 교서校理兼宗學博士(24)
李良鉉	(성종대)	안성	父 繼文, 祖 判官 遜	?, 문(9)	중학敎授(9), 안협縣監(17)
李楨	(세종13)	안성	父 贊成 叔蕃, 祖 珣		영변判官
李渫	(세종5)	安岳	父 贊成 興富, 祖 贊成事 義萬		경상우도水軍處置使都鎮撫檢校工曹參議, 피죄
李坪	(세조~성종대)	안악	父 九寬, 祖 監務 晨	?, 문(세조14)	宣傳官(세조10), 壯勇隊長(10), 사온主簿(11), 경상군적사從事官(12), 건주정벌有功(13), 判官(~세조14), 문과, 司憲持平(예종1), 議政府檢詳(성종8), 通訓大夫司憲掌令(12), 청주牧使(13), 通政大夫淸州牧使(13), 掌隸院判決事(16), 파직(16), 강릉府使(17), 刑曹參議(20), 大司諫(20), 僉知中樞(21), 嘉善大夫충청병마절도사(21), 通政大夫兵曹參知(22), 兵(22)·禮曹參議(23), 남원府使(24)
李希舜	(성종대)	안악	父 參判 枰, 祖 九寬	문(23)	藝文奉敎(25)[연산이후:吏曹正郎, 府使]
李全生	1353~1450	梁山	父 君 萬英		陞敍(세종19, 子澄玉故), 檢校工曹參議(~20), 僉知中樞(20), 同知中樞(20), 判中樞(98세)
李澄珪	(세종~세조대)	양산	형 澄石	기(세종20, 형 澄玉故)	6品(세종20), 司憲監察(25), 判官(세조1), 世祖原從1등공신(1), 五衛上護軍(1), 上護軍(6), 同知中樞(7), 성절사(7), 護軍(8), 嘉善大夫僉知中樞(9)
李澄石	?~1462	양산	父 知中樞 全生, 祖 君 萬英	무, 무과중시 (태종16)	上護軍(~세종3), 嘉善大夫延日鎭兵馬使(3), 경상좌도수군처치사(5), 左軍同知摠制(5), 中軍(9), 左軍摠制(9), 右軍同知摠制(12), 경상도절제사(13), 摠制(13), 파직(14), 中樞副使(14), 北征조전절제사(15), 中樞使(15), 경상도절제사(15), 경상좌도수군처치사(16), 경상우도절제사(23), 경상좌도절제사(25), 知中樞(26), 佐翼2등공신梁山君(세조1), 判中樞
李澄玉	?~1453	양산	형 澄石	기(軍士), 무 (태종16)	甲士, 副司直(~태종16), 무과, 司僕少尹(16), 경원진첨절제사(세종6), 경원절제사(7), 中軍同知摠制(9), 都摠制府同知摠制겸경원절제사(9), 경원등처병마도절제사(10), 경원兵馬使(11), 경원절제사(13, 9년근무), 兵曹左參判(14), 파직(14), 영북진병마절도사判鏡城府使(16), 判會寧府使(16), 함길도절제사(17), 회령

					절제사(18), 判慶源府使(18), 모상(20), 資憲大夫경원도절제사(21), 中樞使겸평안도절제사(22, 24), 知中樞(25), 평안도체찰사(25), 의금부제조(26), 경상우도처치사(26), 경상좌도절제사(27), 사직(29, 侍養故), 知中樞(31), 함길도절제사(문종즉위), 知中樞(1), 崇政大夫평안도절제사(2), 함길도절제사(단종1), 判中樞(미부), 起亂피살
李八同	(세조1)	양산	父 知中樞 澄石, 祖 知中樞 全生		五司司直, 원종1등공신
李謙之	(세종대)	陽城	父 中樞副使 孟常, 祖 參判 澣	문(5)	司諫院右正言(13), 左正言(14), 司諫院右獻納(18), 함길도절제사經歷(22), 司憲掌令(24)
李緊	(세종~문종대)	양성	父 判事 思恥, 祖 知中樞 沃		右軍副司正(세종11), 통례문부知事(문종즉위)
李敦仁	(세조~성종대)	양성	父 奉禮 倆, 祖 中樞 孟常	무(족보)	성천府使(~세조12, 파직), 宣傳官(13), 함길虞侯(13), 전라수군절도사(성종1), 行五衛司勇(5), 평안조전절제사(5), 강계府使(7), 講武左廂左衛將(10), 西征선봉장(10), 嘉善大夫충청수군절도사(11), 僉知中樞(13), 황주牧使(13), 전라우도수군절도사(18)
李孟常 (帛)	1376~?	양성	父 參判 澣, 祖 門下侍郎贊成事 春富		강릉判官(~태종11, 피죄), 司憲掌令(~세종6, 파직), 知司諫(19), 知刑曹事(20), 刑曹參議(21), 원주牧使(22), 工(23)·戶曹參議(23), 강원관찰사(25), 中樞副使(26), 전中樞副使(문종1)
李扶	(세조대)	양성	父 行上護軍 純之		행直長(~1), 원종3등공신(1), 선공判官(5)
李思儉	?~1446	양성	父 開城留侯 沃, 祖 門下侍郎 春富	무(태종5)	司直(태종5), 전上護軍(세종1), 황해수군첨절제사(1), 上將軍(8), 上護軍(9), 進鷹使(9), 左軍僉摠制(11), 경상좌도수군처치사(11), 判義州牧使(14), 中樞副使(16), 同知中樞(17), 賀正使(17), 경상좌도절제사(19), 성절사(21), 인수府尹(22), 同知中樞(23), 中樞副使(24), 工曹參判(26), 慶昌府尹(26), 知中樞(27), 知中樞졸
李思謹	(태조~세종대)	양성	제 思儉		左軍將軍(~태조6, 파직), 太宗原從공신, 해주牧使(세종1)
李思任	(세종대)	양성	형 思儉		안동府使(세종22), 군기判事(~24), 충청병마절제사(24), 刑曹參議(26), 전라관찰사(28), 工(29)·戶(30)·工曹參判(31)
李世英	?~1516	양성	父 玉蕃, 祖 季茂	문(성종8)	봉상僉正(성종15), 承義郎司憲持平(21), 兵曹正郎(~24), 中樞經歷(24) [연산이후:司憲執義, 弘文典翰, 副提學, 同副·左副·右·左·都承旨, 강원관찰사, 漢城右尹, 工·刑曹參判, 大司憲, 同知中樞, 개성留守졸]

조선초기 관인 이력

李純之	?~1465	양성	父 觀察使 孟常, 祖 贊成 澣	음, 문(세종9)	東宮行首(~세종9), 문과, 봉상判官(~18), 母喪(18), 護軍(19), 서운判事(25), 同副·右副·左副承旨(26~29), 奪告身(29), 僉知中樞(문종즉위), 禮(1)·戶曹參議(1), 禮(단종즉)·戶曹參判(2), 世祖原從2등공신(세조1), 嘉靖大夫知中樞(2), 漢城府尹(3), 中樞副使(3), 工曹參判(4), 사은사(4), 同知中樞(4), 仁壽府尹(5), 判漢城(5), 仁壽府尹(5), 判漢城(5), 知中樞(7), 仁順府尹(8), 判中樞(11), 五衛上護軍卒
李承呂	(성종21)	양성	형 承召		낭천縣監(읍지)
李承召	1422~1484	양성	父 蒝, 祖 牧使 思謹	문(세종29), 중(30)	集賢殿副修撰(세종29~30), 문과중시, 校理(문종즉위), 應敎(1), 侍講院左弼善(단종2), 司憲掌令(2, 3), 直集賢殿(세조1), 世祖原從2등공신(1), 成均司成(2), 집현直提學(3), 大司成(4), 禮(4)·戶(5)·刑(5)·吏曹參議(5), 사은副使(5), 藝文提學兼世子副賓客(6), 겸충청관찰사(6), 藝文提學兼成均司成(7), 藝文提學(7, 10, 11), 장생전提調(예종1), 禮曹參判兼藝文提學(1), 佐理4등공신陽城君(성종2), 禮曹判書兼同知經筵(3), 吏曹判書(11), 주문사(11), 議政府右參贊(11), 吏(12)·刑曹判書(13), 陽城君(13), 崇政大夫左參贊(13), 知中樞(14), 양성군(14), 陽城君卒
李芮	1419~1480	양성	父 知中樞 全之, 祖 觀察使 孟畠	문(세종23), 발영(세조12), 등준(12)	군기直長(세종23), 集賢殿博士(24), 副校理(27), 副修撰(28), 應敎(단종2), 直集賢殿(~3), 司憲執義(3), 世祖原從2등공신(세조1), 사재(2), 봉상判事(3), 僉知中樞(5), 工(5)·戶曹參議(6), 僉知中樞(7), 吏(7)·刑曹參議(7), 折衝將軍(~12), 拔英試, 僉知中樞(12), 登俊試, 同知中樞(12), 工曹參判(12), 同知中樞(13), 황해관찰사(성종2), 吏(3)·工曹參判(4), 嘉靖大夫知中樞(4), 大司憲(5), 개성留守(5), 資憲大夫知中樞(7), 工曹判書(7), 知中樞(8), 龍驤衛大護軍(10), 漢城判尹(11), 刑曹判書卒
李沃	?~1409	양성	父 侍中 春富, 祖 門下評理 守邦		강릉도절제사(고려), 太宗原從공신(태조1), 개성副留侯(~7, 파직), 判漢城(태종5), 檢校參贊議政府事(6), 開城留侯卒
李壅	(태종~세종대)	양성	父 裔, 祖 平章事 春富	?, 문(태종17)	司正(~태종17), 문과, 司憲監察(세종2), 司諫院右正言(~3), 파직(3), 司諫院右獻納(10), 吏曹正郎(10), 朝奉大夫奉常少尹(13), 司憲掌令(16), 司憲執義(20), 右司諫大夫(26), 僉知中樞(27)
李全之	(세종~세조대)	양성	父 參議 孟常, 祖 參判 澣	음, 문(세종14)	錄事(~세종14), 문과, 副司直(21), 경상都事(세종26, 읍지), 禮曹正郎(~문종1), 파직(1), 守判官(세조1), 世祖原從3등공신(1), 僉知中樞(10)

李持	(성종20)	양성	父 判中樞 純之, 祖 觀察使 孟畇		예안縣監(읍지), 재령郡守(~20, 파직)
李孝之	(세종대)	양성	형 全之	?, 문(11)	直長, 主簿(~5, 파직), 縣監(~11), 문과, 함길都事(16), 경기 經歷(22), 교서校理(방목)
李徽	?~1456	양성	父 知中樞 思儉, 祖 知中樞 沃	문(세종17)	司諫院正言(세종24), 吏曹佐郎(27), 同副承旨(세조1), 佐翼3등공신(1), 工曹參議(2), 파직피화
李熙	(성종11)	양성	父 判書 承召, 祖 薀		경주判官
李繼孫	1423~1484	驪州	父 廣興倉副丞 依仁, 祖 縣監 猷	문(세종29)	교서校勘(세종29), 司諫院右正言(단종1), 兵曹佐郎(세조1), 世祖原從2등공신(1), 兼司憲持平(2), 함길分臺(2), 禮曹正郎(3), 司憲掌令(5), 함길경차관(6), 成均司藝(6), 西征元帥韓明澮從事官(7), 대마도경차관(7), 훈련知事(8), 知司諫(8), 同副·左副承旨(8), 훈련관使(~10), 通政大夫강원관찰사(10), 刑曹參判(12), 평안순찰사(12), 禮曹參判(12), 兼同知義禁(13), 함길관찰사(예종1), 영안관찰사兼永興府尹(성종1), 資憲大夫평안관찰사(3), 崇政大夫兵曹判書(4), 刑曹判書(5), 知中樞(5), 주문副使(5), 知中樞겸황해관찰사(7), 大司憲(8), 경기관찰사(9), 유배(9), 五衛副司直(12), 判漢城(12), 兵曹判書(13), 知中樞(14), 정조사(14), 유배(15), 전知中樞졸
李皐	1341~1420	여주	父 正 允芳, 祖 平章事 謙	문(공민왕23)	三司左丞(~태조1), 경기우도안렴사(1), 散騎常侍(4), 檢校中樞學士(태종7), 吏曹參議(9), 공안府尹(9), 전府尹졸
李蒙哥	(단종~성종대)	여주	父 大提學 行(서자), 祖 牧使 天白		전隊副(~단종1), 靖難3등공신(1), 行右軍司直(1), 五衛護軍(세조3), 僉知中樞(6), 行上護軍(8), 中樞副使(9), 驪川君(10), 여천군奉朝賀(예종즉)
李師準	(성종대)	여주	父 郡守 曾若, 祖 知敦寧 孜		敍用(13), 翊衛司洗馬(14), 의금부將(25)
李雛良	(세종2)	여주			驪川君
李審	(태종~세조대)	여주	父 恭安府尹 皐, 祖 正 允芳	문(태종8)	藝文檢閱(태종10), 禮曹佐郎(15), 司諫院左正言(17)·右正言(세종1), 司諫院左獻納(2), 부상(2), 司憲持平(6), 파직(6), 봉상少尹(9), 議政府舍人(10), 司憲執義(12), 파직(12), 知司諫(13), 兼宗學博士成均司成(15), 執義(15, 16), 右司諫大夫(19), 한산郡事(21), 司直(23, 身病故), 僉知中樞(26), 兵曹參議(27), 嘉善大夫강원관찰사(28), 인순府尹(29), 吏曹參判(29), 府尹(세조1), 世祖原從2등공신(1), 府使(4)

조선초기 관인 이력

李猷		여주	父 判事 珍, 祖 正 允方		봉화縣監(읍지)
李孜	(세종대)	여주	父 直提學 遂, 祖 大提學 行, 장인 讓寧大君 禔		군자主簿(7), 工曹參議(22), 中樞副使(23), 同知敦寧(23)
李逖	(태종6)	여주	제 迹	문(공양왕2)	直藝文館
李迹	(태종~세종대)	여주	父 大提學 行, 祖 判忠州事 天白	문(태종1)	장흥고直長(태종1), 議政府舍人(14), 전군자判事(~14), 승문判事(14), 判通禮門事(16), 戶曹參議(17), 通政大夫풍해관찰사(17), 工曹參判(18), 謝恩副使(18), 경기관찰사(세종1), 피죄(20, 兄弟不和故)
李曾碩	(세조1)	여주	父 知敦寧 孜, 祖 參判 遂		司憲監察, 원종2등공신, 흥해郡守(읍지)
李行	1351~1432	여주	父 牧使 天白, 祖 允琛	문(공민왕20)	知申事(공양왕4, 고려), 전예문춘추관學士(태조2), 杖流(2), 趙思義亂土벌조전절제사(태종1), 전라관찰사(4), 개성留侯(4), 藝文大提學(5), 判承寧府事(5), 判漢城(5), 刑曹判書(7), 藝文大提學(12), 완산府尹(13), 개성留侯(15), 전大提學졸
李坤	1442~1503	延安	父 參議 仁文, 祖 根健	문(성종23)	[연산이후: 兵曹佐郎, 司諫院獻納, 정국4등공신延城君, 僉知中樞, 밀양·철원府使, 여주牧使]
李九齡	(성종대)	연안	父 判書 崇元, 祖 參判 補丁	음	隨才敍用(20, 功臣衆子故), 司憲監察(22)
李貴齡	1345~1439	연안	父 典工判書 元發, 祖 靖恭	음	선공判事, 靑州等地管軍萬戶(고려), 太祖原從公臣(태조1), 大將軍(3), 中軍司馬(3), 太宗原從공신(태종1), 判恭安府事(3), 명사(3), 判承寧府事(4), 左軍都摠制(5), 兵曹判書(6), 議政府參贊(7), 사은사(7), 兵曹判書(8), 判漢城(10), 判三軍府事(14), 判左軍都摠制府事(14), 檢校議政府右議政(15), 左議政(16), 좌의정사졸
李隙	(태조대)	연안	父 判書 係孫	문(우왕6)	三司左使
李萬齡 (岺)	(성종22)	연안	父 左參贊 崇元, 祖 禮曹參判 補丁		한성判官·고부郡守(읍지), 戶曹正郎, 파직
李伯謙	(태종8)	연안	父 監正 亮, 祖 典書 係孫		司憲掌令, 예천郡守·해주牧使(읍지)
李伯恭	(태종대)	연안	제 伯謙		광흥창府使(6), 戶曹佐郎(~8), 司憲持平(8), 유배(8)
李補丁	(세종~세조대)	연안	父 掌令 伯謙, 祖 判典醫監 亮	?, 문(세종2)	의영고直長(~세종2), 문과, 사은사書狀官(8), 司憲監察(9), 禮曹佐郎(13), 同副知敦寧(22),

					判金浦縣事(23), 司諫院司諫(문종즉위), 工曹參議(단종1), 禮(2)·工曹參判(3), 世祖原從2등공신(세조1), 同知中樞(2), 工曹參判졸
李石亨	1415~1477	연안	父 大護軍 懷林, 祖 工曹典書 宗茂	음, 문(세종23), 중(29)	司正(~세종23), 문과, 承義郞司諫院左正言(23), 集賢殿副校理(24), 應敎(~29), 문과중시, 守直集賢殿兼侍講院左弼善(29), 直集賢殿(30), 直提學(문종1), 僉知中樞(단종31), 전라관찰사(세조1), 世祖原從2등공신(1), 禮曹參議(2), 嘉善大夫判公州牧使(3), 僉知中樞(4), 五衛大護軍(5), 사은사(5), 漢城府尹(5), 황해관찰사(6), 刑曹參判(7), 大司憲(7), 경기관찰사(7), 戶曹參判(8), 判漢城(8, 10), 崇政大夫判漢城(12), 知中樞(14), 고부청시사(예종1), 輔國崇祿大夫判中樞(1), 佐理4등공신延城君(성종2), 延城府院君(7), 府院君졸
李世範	(성종대)	연안	父 戶曹判書 淑琦, 祖 參判 補丁	?, 문(11)	五衛司猛(~11), 문과, 修撰(20)
李續	(태종11)	연안	父 觀察使 貴山, 祖 判書 元發		知春州事, 유배
李淑珹	(단종~성종대)	연안	父 少尹 末丁, 祖 掌令 伯謙	문(단종2), 중(세조3)	敬昌府丞(세조1), 世祖原從2등공신(1), 司憲監察(~3), 문과중시, 世子司經(5), 평안함길채방別監(10), 司贍僉正(~성종1), 陞職(1), 전라경차관(6), 禮曹參議(14), 僉知中樞(19), 通政大夫전라관찰사(20), 大司成(21)
李淑琦	1429~1489	연안	제 淑珹	무(단종1), 중(세조2)	參軍(세조1), 世祖原從2등공신(1), 훈련主簿(~2), 문과중시, 사온署令(2), 평양(5)·영변判官(7), 이시애난정벌猛牌將(13), 折衝將軍五衛司直(13), 敵愾1등공신(13), 吏曹參判延安君(13), 정건주군공3등(13), 함길남도절도사(14, 예종1), 함길남도절도사兼北靑府使(성종1), 佐理4등공신(2), 同知中樞(3), 연안군(3), 西征衛將(10), 資憲大夫연안군(11), 영안관찰사(14), 경상좌도절도사(16), 知中樞(18), 刑曹判書(18), 충청관찰사(19), 知中樞(19), 戶曹判書(20), 戶曹判書졸
李淑瑞	(세조~성종대)	연안	제 淑琦	문(세조14)	在官(예종1), 成均博士(성종3), 尙瑞司直長(3), 掌隸院司評(9), 사직署令(9), 成均直講(방목)
李崇經	(성종대)	연안	제 崇元		司畜署司畜(6), 翊衛司翊衛(16)
李崇元	1428~1491	연안	父 禮曹參判 補丁, 祖 伯謙	문(단종1)	사재主簿(단종1), 司諫院左正言(2), 世祖原從3등공신(세조1), 司憲持平(5, 6), 刑曹都官正郞(6), 吏曹正郞(8), 侍講院文學, 副知通禮門事兼議政府檢詳(10), 議政府舍人(11), 司憲執義(11), 훈련僉正(13), 군자正(14), 司憲執義

					(예종1), 掌隷院判決事(1), 同副(1)·右副(1)·右承旨(성종1), 佐理3등공신(2), 左(2)·都承旨(3), 刑曹判書(5), 延原君(6), 資憲大夫大司憲(8), 군(8), 경상관찰사(9), 연원군經筵同知事(9), 漢城判尹(9), 연원군(10), 漢城判尹(12), 평안관찰사(13), 吏曹判書(15), 議政府右參贊(16), 하정사(18), 左參贊(19), 참찬兼知義禁府事(20), 刑(20)·兵曹判書(22), 연원군졸
李仁文	1425~?	연안	父 根健, 祖 府使 績	문(세조11)	承訓郎(~세조11), 문과, 司憲監察(예종1), 刑曹佐郎(성종1), 刑曹正郎(6), 군기僉正(8), 선공正(18), 양주牧使(24)[연산이후: 兵曹參議, 行五衛大護軍치사]
李仁忠	(세조~성종대)	연안	형 仁文	문(세조10)	吏曹正郎(방목), 折衝將軍五衛司直(성종11), 通政大夫兵曹參知(11), 同副承旨(12), 刑曹參議(12), 경상우도수군절도사(12), 通政大夫江陵府使(15)
李仁畦	(세조~성종대)	연안	父 根剛, 祖 府使 績		直長(세조1), 世祖原從2등공신(1), 의금經歷(예종즉위), 都摠府經歷(성종2), 司贍僉正(10)
李堣	1454~1518	연안	父 參議 仁文, 祖 根健	?, 문(성종23)	參奉(~23), 문과[연산이후: 府尹]
李宗揆	(태종~세종대)	연안			禮曹佐郎(태종14), 파직(15), 禮曹正郎(~17), 파직(17), 直藝文館(세조7), 判喬桐縣事(~11), 파직(11)
李鷺		연안	父 判書 係孫	문(우6)	
李策	(세종23)	연안	父 左議政 貴齡, 祖 判書 元發		평강縣監
李漢謙	(세종~세조대)	연안	父 希貴	문(세종20)	승문校理(세종32), 禮曹正郎(세조1), 世祖原從2등공신(1)
李渾	1445~?	연안	父 府院君 石亨, 祖 大護軍 懷林	?, 문(성종1)	司圃署司圃(~성종1), 문과, 朝散大夫正言(3), 兵曹正郎(6), 五衛副司果(10), 司憲掌令(14)
李懷林	(세종13)	연안	父 典書 宗茂, 祖 司僕正 匡	음?	五衛大護軍, 東活人院提擧
李孝忠	(세조1)	연안	父 郡守 策, 祖 左議政 貴齡		錄事, 원종3등공신
李希哲	(단종~성종대)	연안	父 德枝, 祖 宗美	문(단종1)	전縣監(~세조7), 擢用(7, 能射故), 司憲監察(성종1), 成均典籍(18)
李順蒙	?~1449	永陽	父 永陽君 膺	음, 무	上護軍(태종16), 都摠制府同知摠制(17), 義勇侍衛司절제사(18), 內禁衛2番절제사(18), 유배(18), 右軍同知摠制(세종1), 대마도정벌우군절제사(1), 左軍摠制(1), 경상좌도절제사(2), 中軍都摠制(4), 左軍摠制(7), 都摠制(7), 左軍都摠制(10), 유배(10), 충청병마도절제사

					(12), 同知中樞(14), 知中樞(14), 야인정벌中道節制使(15), 判中樞(15), 경상도절제사(16), 判中樞(16, 17), 三軍都鎭撫(18), 判中樞(18), 判中樞군기提調(20), 判中樞(26), 三軍都鎭撫判中樞(27), 判中樞(28), 領中樞(29), 領中樞졸
李鐵杖	(단종2)	永陽	父 領中樞 順蒙 (서자)		忠義衛(奉事)
李公達	(성종대)	永川			僉知中樞(金伯謙비명)
李恭全	(세종대)	영천	父 領中樞 順蒙, 祖 密直副使 希忠		知司諫(16), 大護軍(29)
李光英	(성종대)	영천	父 參奉 汝諧, 祖 世憲	?, 문(5)	전橫城訓導(~5), 문과, 司憲監察, 낭천縣監(읍지)
李甫欽	?~1456	영천	父 玄實	문(세종11)	玉堂, 대구郡事, 순흥府使피화
李徐孫	(세조~성종대)	영천	父 直長 宗謹, 祖 正郎 安柔		평강縣監(~세조12, 파직), 司饔院提檢(~성종14), 陞敍(14, 영접도감공고), 안음縣監(16)
李承孫	?~1463	영천	父 同知中樞 斗萬, 祖 知事 陽實	문(세종2)	承政院注書(세종6), 吏(12)·兵曹正郎(~15), 三軍都節制使崔潤德從事官(15), 議政府舍人(15), 司憲執義(20), 兼知刑曹事(21), 知兵曹事(22), 僉知中樞겸지병조사(22), 右副·左副·右·左·都承旨(22~27), 吏曹參判(27), 인순府尹(28), 兵曹參判(29), 刑曹判書(30), 大司憲(31), 파직(문종즉위), 禮曹判書(1), 世祖原從2등공신(세조1), 경기관찰사(2), 戶曹判書(5), 判漢城(5), 崇政大夫議政府左參贊(5), 議政府右贊成(9), 졸
李安愚 (寓)	?~1424	영천	제 安柔		知司諫(~태종4), 파직(4), 右副·左副·右·左承旨(8~11), 개천도감提調(12), 右軍同知摠制(12), 천추사(12), 충청관찰사(12), 강원관찰사(~14), 강원관찰사겸병마도절제사(14), 漢城府尹(15), 면직(15), 工曹參判(16), 전라관찰사(18), 仁寧府尹(세종1), 右軍同知摠制(1), 戶曹參判(2), 유배(2), 判晋州牧使(5), 牧使졸
李安柔	(태종대)	영천	父 寶文大提學 釋之, 祖 版圖判書 洽	음, 문(5)	敬承府丞(~5), 문과, 司諫院右正言(8), 司諫院獻納(12), 풍해經歷(14), 禮曹正郎(~15), 파직(15), 兵曹正郎(~18), 유배(18)
李安直	(정종~태종대)	영천	제 安柔	문(정종1)	司憲監察(태종2), 司諫院右獻納(~6), 吏曹正郎(6), 直提學(방목)
李陽實	(태종대)	영천	父 判書 允卿	문(우왕6)	원평郡事(~11), 제용監(11), 兵馬使(14), 知中樞
李永敷	(세조~성종대)	영천	父 右贊成 承孫, 祖 同知中樞 斗萬	문(단종1)	守司憲持平(세조7), 持平(8), 司憲掌令(12), 경상都事(세조14, 읍), 한성庶尹(성종2)

李永宣	(문종대)	영천	제 永敷		예빈直長(~즉, 파직), 사용別坐(1), 五司司正(1)
李永忠	(세종~문종대)	영천	제 永敷		풍저창丞, 예빈直長(~문종즉위, 파직)
李膺	1365~1414	영천	父 密直副使 希忠	문(우왕11)	上將軍(태종1), 佐命4등공신(1), 左副(1)·左承旨(5), 參知議政府事(6, 7), 刑(9)·戶曹判書(9), 知議政(11), 永陽君兼判義勇巡禁司事(13), 兵曹判書졸
李從俶	(세종~세조대)	영천	제 宗謙	문(세종11)	藝文檢閱(세종2), 司諫院右正言(18), 司憲持平(23), 判事(세조1), 世祖原從2등공신(1), 司諫院右司諫大夫(2), 左司諫大夫(2)
李宗謙	(세종~세조대)	영천	父 直學 安直, 祖 寶文大提學 釋之	문(세종14)	司憲持平(세종25), 正郎(세조1), 世祖原從3등공신(1), 參判(방목)
李宗謹	(세조6)	영천	父 正郎 安柔, 祖 提學 釋之		졸直長, 원종3등공신
李希忠	1344~1397	영천	父 開城尹 瑜, 자 兵曹判書 膺		密直副使(고려), 경기좌도수군절제사(태조3), 전수군절제사졸
李善茂	(태종~세종대)	寧海	父 判事 長密, 祖 政堂文學 乙年		전司直(태종17), 敍用(세종13, 孝行故)
李陽茂	(세종대)	영해	형 善茂	기(13, 효행)	五衛司正(13, 孝行故)
李仲元	(세조~성종대)	영해	父 司正 良茂, 祖 判書 長密	?, 문(세조5)	敎導(~세조5), 문과, 통진縣監(방목)
李春茂	(태종~세종대)	영해	父 判事 長密, 祖 政堂文學 乙年		五衛司正(태종17), 五衛司直(세종13, 孝行故)
李陽敷	(정종~세종대)	永興		문(정종1)	禮曹佐郎(태종12), 摠制(방목)
李蹈	(태종~세종대)	禮安	父 涑, 祖 升	문(태종1)	護軍(~태종8), 경기좌도兵船軍器點考別監(8), 군기少尹(9), 大護軍行宮察訪(14), 監正, 工曹參議(18)
李仲石	(성종6)	예안	父 副正 忠老, 祖 判中樞 藏		先農祭謁者
李蕆	1376~1451	예안	父 軍簿判書 涑, 祖 成均祭酒 昇	음(태조2), 무(태종2), 무과중시(10)	別將(태조2), 우군都摠制府僉摠制(세종1), 左軍同知摠制(1), 충청병마도절제사(1), 工曹參判(2), 파직(4), 同知摠制(6), 천추사(6), 兵曹參判(7), 中軍摠制(8), 工曹參判(9), 경원등처城基巡審使(10), 平壤城基順審使(11), 摠制(12), 右軍都摠制(13), 知中樞(14), 中樞副使(17), 평안도절제사(18), 戶曹判書겸평안도절제사(19), 파직(23이전), 中樞使(25), 知中樞(29), 母喪(31), 判中樞(문종즉위), 判中樞졸
李忠老	(세종18)	예안	父 判中樞 蕆, 祖 判書 涑		강원都事
李孝老	(세종대)	예안	父 判中樞 蕆, 祖 判書 涑		司憲監察(9), 護軍(19, 赴防)

李韞	(세종대)	醴泉	형 蕆		護軍(6), 전라鑄錢別監(6), 경기강원함길경차관(13)
李周孫	(세조~성종대)	雍津	父 澤, 祖 大從	문(세조6)	司憲監察(성종15)
李綱	(세종대)	龍仁	서 桃平君 末生		府使(선원세보기략)
李介甫	(세조~예종대)	용인	父 通政大夫府使 孝儉, 祖 主簿 守領	문(세조4)	藝文檢閱(세조5), 함경도守令
李季拱	(정종~태종대)	용인	父 密直副使 士渭, 祖 判官 中仁	?, 문(공양왕1)	司儀令(고려), 司憲雜端(정종2), 司憲掌令(태종6), 直藝文館(7), 군기監(~8), 忠淸海道察訪(8), 司憲執義(~8, 파직), 사재判事(13)
李基	(성종대)	용인	父 經歷 文儉, 祖 府使 守綱	?, 문(5)	五衛司勇(~5), 문과, 先農祭祭監(6), 辭職, 문경郡守
李吉甫	?~1483	용인	父 通政大夫府使 孝儉, 祖 主簿 守領	문(세조3), 중(12)	司諫院正言(세조7), 禮曹佐郎(10), 兵曹正郎(~12), 문과중시, 議政府舍人(12), 通訓大夫司諫院司諫(성종1), 승문判校(6), 兵曹參知(9), 參議(9), 同副·右副·左副(11~12)·左(12)·都承旨(12), 嘉善大夫경기관찰사(13), 관찰사졸
李文儉	(세조1)	용인	父 府使 守綱, 祖 觀察使 伯持		縣令, 원종2등공신
李伯持	?~1419	용인	父 開城留侯 士渭, 祖 府院君 中仁	문(우왕11)	성주牧使(~태종9), 유배(9), 同副(15)·左副(16)·右代言(16), 강원(17), 전라관찰사(~세종1), 辭職(1, 身病故), 전관찰사졸
李伯撰	(세종4)	용인	제 伯持		永川郡守(읍지)
李奉孫	(성종대)	용인	父 參議 升忠, 祖 知奏事 伯撰		충주判官(~9, 파직), 안동判官(23)
李士(思)穎	(태종대)	용인	父 判官 中仁, 祖 判書 光時		刑曹典書(~3, 파직), 유배(4), 別瓦窯提調(6)
李士渭	(태조5)	용인	형 士穎	문(공민왕6)	전密直
李士羃	(태종10)	용인	형 士穎		전知善州事
李山甫	(예종1)	용인	형 吉甫		황해評事
李成達	(성종대)	용인	父 郡守 有若, 祖 判官 守常	?, 무(10)	회령府使(25), 강무部將從事官(29)
李守剛	(세종대)	용인	父 判官 伯持, 祖 開城留守 士淸		온수縣監(~9), 杖流(9), 刑曹正郎(21)
李守領	(태종대)	용인	형 守綱	문(14)	교서正字(14), 承政院注書(17)
李叔援	(세종12)	용인	형 伯撰		졸司憲監察
李良儉	(세조1)	용인	형 行儉		겸군기主簿, 원종3등공신
李祐甫	(세조~성종대)	용인	父 孝芬, 祖 守領	문(세조10)	直提學(방목)
李有若	(세조1)	용인	형 允若		郡事, 원종2등공신
李允若	(세조~성종대)	용인	父 判官 守常, 祖 觀察使 伯持		行五司司正(세조1), 世祖原從2등공신(1), 옹진縣令(~6, 파직), 三陟府使겸병마수군첨절제

					사(세조11, 읍지), 대동도察訪(~9, 파직)
李允亨	(성종대)	용인	父 郡守 崇儉, 祖 府使 守綱	문(17)	[연산이후: 監正]
李績	(성종대)	용인	父 全羅兵使 行 儉, 祖 府使 守綱	기(특지), 문(14)	宣傳官(~14), 문과, 司諫院正言(~16), 禮曹佐郎(16), 전남원判官(21), 金溝縣令(읍지), 中訓大夫司憲持平(22), 刑(22)·工曹正郎(22), 司僕僉正(24) [연산이후: 兼司憲掌令, 寺正]
李惕若	(세조7)	용인	父 判官 守常, 祖 觀察使 伯持		順川郡事
李行儉	(세종~세조대)	용인	父 府使 守綱, 祖 觀察使 伯持		首陽大君9世祖)迎接副使(단종즉), 함길도절제사鎭撫(1), 五司大護軍(2), 三軍鎭撫(2), 僉知中樞(2), 전라처치사(세조1), 世祖原從1등공신(1), 行五衛上護軍(3)
李孝篤	1451~1500	용인	父 縣令 奉孫, 祖 參議 升忠	문(성종14)	修義副尉(~성종14), 문과, 承政院注書(16), 보성郡守(읍지), 兵曹正郎(22)[연산대: 司諫院司諫졸(6)]
李孝敦	(성종대)	용인	형 孝篤		[연산대: 司憲監察(2)]
李仁淑	(세종15)	羽溪	父 都摠制 蔓, 祖 嶷		덕천郡事
李芝芳	(성종22)	우계	父 直長 徵, 祖 護軍 景行		北征副元帥李季仝군관
李吉培	(태종~세종대)	牛峯	父 典醫監 周, 祖 典理判書 得丘	문(태종11)	司憲監察, 兵曹正郎(세종5), 선산府使(12), 인수少尹(16), 司憲執義(18), 刑曹參議(22), 通政大夫강원관찰사, 황해관찰사졸
李承健	(성종대)	우봉	父 監察 垠, 祖 觀察使 吉培	문(성종11), 진현(성종13)	承政院注書(~성종13), 進賢試, 奉直郎司諫院獻納(16), 兼司憲持平(17), 弘文館校理(18), 副應敎(~21), 모상(21) 司憲掌令(24), 議政府檢詳(24), 司憲執義 [연산이후: 成均司成, 弘文副提學, 同副·右·左承旨, 함길관찰사, 同知中樞, 戶曹參判]
李承寧	(세조~성종대)	우봉	父 觀察使 垠, 祖 觀察使 吉培	문(세조12)	大司成(방목)
李承張	?~1487	우봉	父 垠, 祖 觀察使 吉培	문(성종17)	藝文檢閱졸
李垠	(단종~세조대)	우봉	父 觀察使 吉培, 祖 典醫監 周	?, 문(단종1), 중(세조3)	敎導(~단종1), 문과, 司憲監察(세조1), 世祖原從2등공신(1), 주문사申叔舟書狀官(2), 佐郎(~3), 문과중시, 훈련副使(7), 경상경차관(7), 평안도어사(8), 司憲執義(방목)
李希信 (士文)	(세종대)	蔚山	父 漢城左尹 誼, 祖 牧使 純之		장흥直長, 은진縣監, 都染署令(16), 萬戶, 예천郡事(31)
李世曾	(세조3)	原州			경성府使(읍지)

李穩	(태조7)	원주	父 主簿 玩, 祖 縣令 邦畛		삼화縣令(읍지)
李完(莞)	(세종23)	益山	父 監察 秀英, 祖 郡守 正文		忠義衛(3), 司僕尹, 忠淸點馬別監(~23, 유배)
李正文	(태종~세종대)	익산	父 典書 暘, 祖 贊成事 繼瀚	문(태종8)	전敎授官(세종6), 禮曹正郎(방목), 전固城郡事(18, 犯贓逃避)
李繼童	(세조대)	仁川	父 判府使 孝信, 祖 參贊 文和		학생(~1), 世祖原從3등공신(1), 昭格殿直(~7), 신녕縣監(7)
李繼忠	(세조대)	인천	父 司憲掌令 守良, 祖 判書 孝仁		察訪(~1), 원종3등공신(1), 청풍郡事(8)
李灌	?~1418	인천	父 開城留侯 元紘, 祖 正言 庸	문(태조2)	종부令(~태종8), 司憲執義(8), 同副(8), 右(10), 左代言(11), 知申事(13), 파직(13), 경기관찰사(17), 參判(18), 하옥(18), 함길관찰사(18), 吏曹參判(18), 피화(坐沈沚朴習)
李文和	1358~1414	인천	父 典工判書 深, 祖 中書舍人 益成	?, 문(우왕6)	郎將(~우왕7), 문과, 司諫院右獻納(7), 藝文應敎(고려), 左諫議(태조1), 散騎常侍(~4), 유배(4), 左(6)·都承旨(7), 都承旨兼尙瑞司尹(7), 簽書三軍府事(정종2), 議政府文學(태종1), 司平府右使(1), 파직(1), 藝文大提學(1), 경상관찰사(2), 議政府參贊(2), 司平府右使(2), 藝文大提學(3), 大司憲(3), 禮(5)·刑(5)·禮曹判書(6), 전라都體察使(6), 戶曹判書(8), 藝文大提學(8), 刑曹判書(9), 大司憲(9), 면직(9), 참찬(14), 참찬졸
李培倫	(세종~성종대)	인천	父 判書 孝禮, 祖 參贊 文和		內贍直長(~27, 파직), 直長(30), 副使(~세조1), 世祖原從3등공신(1), 內贍(예종1), 군자副正(성종2)
李伯孫	(세조1)	인천	제 繼忠		承仕郎, 원종3등공신, 直長(족보)
李逢春	(세종대)	인천	父 正言 從華, 祖 寺尹 吉祥		영해府使(읍지)
李守良	(세종대)	인천	父 判書 孝仁, 祖 參贊 文和		손실경차관(8), 司憲監察(16), 원주判官(12), 경기察訪(18)
李深		인천	父 議政府舍人 益成		전工曹判書
李元紘	?~1405	인천	父 正言 庸		개성留侯(~태조7, 파직), 政堂文學, 전留侯졸
李益壽	(예종즉)	인천	父 副正 倍倫, 祖 判書 孝禮		장흥고直長
李全粹	1408~?	인천	父 吏曹參判 灌, 祖 開城留侯 元紘	문(세종21)	承政院注書(~26), 종부主簿(26), 吏曹佐郎(~29), 파직(29), 평양都鎭撫朴薑從事官(31), 兵曹正郎(단종1), 郡事(세조1), 世祖原從2등공신(1), 檢校參判(성종2), 通政大夫尙州牧使(3), 工曹參判(5), 漢城右尹(6), 충청관찰사(6), 行五衛司直(9)

李藻		인천	父 政堂文學 元紘, 祖 正言 庸	?, 문(우왕9)	郎將(~고려우왕9), 문과, 안성郡守
李活	(세종대)	인천	父 政堂文學 元紘, 祖 正言 庸	문(5)	司憲監察(10), 吏曹正郎(방목), 司諫院獻納(17), 知司諫(29), 府使(방목)
李孝禮	1384~?	인천	형 孝仁	?, 문(세종1)	縣監(~세종6), 문과, 司憲持平(7), 戶曹正郎(8), 파직(8), 外官(~문종즉위), 파직(즉), 五司大護軍(단종1, 70세), 上護軍(세조1), 世祖原從2등공신(1)
李孝常	1400~1472	인천	형 孝仁, 세조妃 족친		五司大護軍(세조1), 世祖原從3등공신(1), 僉知中樞(12), 資憲大夫五衛護軍(성종1), 知敦寧(1), 知敦寧졸
李孝信	(세종~세조대)	인천	형 孝仁	?, 문(세종20)	縣監(~세종20), 문과, 전의監正(세조1), 世祖原從3등공신(1)
李孝仁	(태종~세종대)	인천	父 參贊 文和, 祖 判書 深		司憲持平(태종4), 工曹正郎(8), 禮曹右(세종16)·禮(16)·戶曹參議(17), 通政大夫전라관찰사(17), 兵曹參議(19), 戶曹參判(19), 개성副留侯(20), 漢城府尹(23)
李孝智	?~1463	인천	父 參贊 文和, 祖 判書 深		김포縣令(세종14), 영접都監使(문종즉위), 五司上護軍(단종1), 行上護軍(세조1), 世祖原從1등공신(1), 강원관찰사(8), 行僉知中樞(8), 中樞副使졸(9)
李玄	?~1415	林川	증조 元 摠管 伯顔	원 귀화인, 역관	통사(정종1), 전중判事(태종1), 禮(1)·戶曹典書(2), 戶曹參議(4), 주문사(5), 右軍同知摠制(6), 中軍摠制(10), 주문사(10), 摠制(14), 경승府尹(15), 府尹졸
李丙奎	(문종~성종대)	長城	父 苕	문(문종1)	直長(세조1), 世祖原從3등공신(1), 승문副校理(5), 봉상判官(성종6), 禮曹正郎(8), 전吏曹正郎(20)
李塢	(성종24)	장성	父 正郎 丙奎, 祖 笤		司憲監察
李德平	(세종16)	長水	父 府院君 從茂, 祖 寺事 吉祥		임강縣令
李士(思)平	(세종~세조대)	장수	父 長川府院君 宗茂, 祖 寺尹 吉祥		廣興倉使(17), 평산府使(25), 선공正(~30, 파직), 수안조전절제사(문종1), 五司大護軍(1), 點船別監(1), 慶尙右道水軍處置使(1), 世祖原從2등공신(세조1), 行五衛大護軍(5), 上護軍(5), 中樞副使(7), 謝恩副使(7), 전라도절제사(8)
李昇平	(세종~세조대)	장수	父 長川府院君 從茂, 祖 寺尹 吉祥		司憲監察(세종1), 옥구첨절제사(9), 僉知中樞(25), 會寧節制使(27), 判會寧府使(28), 中樞副使(31), 회령절제사(31), 中樞副使(~문종즉위), 평안도절제사(즉), 평안좌도병마도절제사(즉), 평안우도병마도절제사(즉), 평안도

					절제사(단종2), 知中樞(세조1), 世祖原從2등 공신(1), 長川君(3), 中樞使(3)
李任	(세조1)	장수	父 逢春, 祖 正言 從常		五司護軍, 원종3등공신
李從茂	1360~1425	장수	父 寺尹 吉祥, 祖 都元帥 乙珍, 서 德泉君 厚生	기(우왕7)	精勇護軍(우왕7), 옹진萬戶(~태조6), 첨절제 사(6), 上將軍(태종즉), 佐命3등공신通原君(1), 의주등처병마절제사(1), 兼左軍摠制(6), 남양 수원등처조전절제사(7), 兼雄武侍衛司上護 軍(8), 兼中軍都摠制(8), 안주도都兵馬使(9), 神武侍衛司절제사(11), 內侍衛左2番절제사 (12), 長川君(12), 하정사(12), 동북병마도절제 사兼判吉州牧使(13), 영안도안무사(13), 議政 府參贊(17), 判右軍都摠府事(17), 장천군(18), 대마도정벌三軍都體察使(세종1), 議政府贊 成(1), 장천군(1), 長川府院君(3), 府院君졸
李種華	?~1424	장수	제 從茂	문(태조2)	司諫院右正言(태종5), 左正言(~8, 유배), 司諫 院獻納(~11, 면직), 전라經歷(14), 임천郡事졸
李元成	(성종대)	長興		문(17)	司諫院正言(방목)
李孟賢	(세조~성종대)	載寧	父 介智, 祖 생원 午	?, 문(세조6), 발영(12)	五衛司勇(~세조6), 문과, 成均主簿(6), 刑曹佐 郎(8), 行成均主簿(8), 吏曹正郎(~10), 司憲掌 令(성종3), 藝文應敎(5), 藝文副提學(8), 刑(8)· 禮曹參議(9), 通政大夫황해관찰사(9), 파직 (10), 宗學導善(~12), 拔英試, 弘文副提學(12), 兵曹參知(12), 兵曹參議(13), 禮曹參議(14), 나 주牧使(14)
李瑞	(성종대)	재령	父 參判 孟賢, 祖 介智	문(17)	예문奉敎(14), 司憲監察(23), 司諫院正言(23~ 24), 홍문校理(방목)
李藝	(성종대)	재령	父 文發, 祖 希	문(14)	成均典籍(방목)
李友	(세종대)	재령	父 僉正 英元, 祖 圭碩		울산郡事(9), 三陟府使겸병수군첨절제사(14, 읍지), 內贍判事(~31, 파직)
李仲賢	(성종대)	재령	형 孟賢	문(7)	中學訓導(9), 司憲持平(21), 평해郡守(21), 副 提學(방목)
李兼仁	(세조대)	全義	父 牧使 養性, 祖 先慶		修義副尉(~세조1), 世祖原從3등공신(1), 縣監 (족보)
李繼孟	1448~1503	전의	父 同正 穎, 祖 縣 監 大種	문(성종20)	侍講院說書, 승문校檢, 司諫院正言(성종22~ 23), 守令(23, 奉養老母故)[연산이후: 司憲執 義, 司憲掌令, 弘文典翰, 左副承旨, 大司憲, 同知中樞, 경기·평안관찰사, 戶·刑·禮曹判 書, 議政府左贊成, 兵曹判書兼知經筵事]
李繼福	(성종대)	전의	父 守恭, 祖 仁長	문(20)	[연산이후: 강원관찰사全平君]
李季孫	(세종~세조대)	전의	父 副正 文幹, 祖 牧使 丘直	문(세종20)	府使(방목)

李季孫	(세조1)	전의	父 兼孫	무(족보)	五司司正, 원종3등공신, 영해府使(읍지)
李顆	1476~1507	전의	父 參判 昌臣, 祖 亮	문(성종22)	弘文著作, 弘文副校理兼知製教, 校理 [연산 이후: 弘文副修撰, 修撰, 副提學, 刑·禮曹參議, 大司成, 정국공신全山君복주]
李寬	(성종대)	전의	父 仁錫, 祖 三奇	문(21)	弘文正字(24)[연산대: 弘文校理]
李寬植	(문종~세조대)	전의	父 少尹 成幹, 祖 漢城尹 龜		온양郡事(문종1), 平安東道觀察使監護官(세 조6), 용인縣監(14)
李丘直	(세종17)	전의	父 摠郎 得榮, 祖 混		졸牧使
李龜	?~1420	전의	父 開城尹 元茂, 祖 判事 光起		전강릉府使(태종15), 前府尹졸
李祿崇	(성종대)	전의	형 德崇	문(6)	司憲持平(14), 사헌掌令(20~21), 파직[연산대: 寺正(방목)]
李大成 (晟)	(세종~단종대)	전의	형 大種		知印(세종15), 別坐(~단종1), 司憲監察(1)
李大從 (種)	(태종~세조대)	전의	父 縣監 宜, 祖 判事 德根		별안색別監(~태종14, 파직), 진원縣監(세종 13), 전郡事(16)
李德良	1435~1487	전의	父 注書 智長, 祖 漢城府尹 士寬	무(세조3)	將仕郎(~세조1), 世祖原從3등공신(1), 무과, 宣傳官(3), 司僕直長, 宗親府典籤, 翊衛司左翊 贊, 司僕判官(~8), 戶曹正郎(8), 兼司僕少尹 (9), 司憲掌令(10), 훈련副使(11), 通政大夫경 원(11), 회령府使(13), 敵愾2등공신會寧府使 兼全義君(13), 평양府尹(14), 파직(성종1), 전 의군(3), 충청관찰사(4), 전의군겸강원관찰 사(6), 경기(7)·영안관찰사(8), 전의군(11), 工 (11)·兵曹參判(12), 刑曹判書(13), 大司憲(14), 知中樞(15), 戶曹判書(15), 전의군(15, 母病故), 군졸
李德崇	?~1504	전의	父 忠清觀察使 愼孝, 祖 中樞副使 宜洽	문(세조8), 중 (성종13)	戶曹佐郎(~세조13), 파직(13), 殯殿都監郎廳(성 종5), 堤堰使從事官(6), 대마도경차관(6), 사은 使書狀官(7), 通訓大夫司憲執義(10), 兼司憲執 義(12), 行五衛司直(~13), 문과중시, 同副·右副· 左副·右承旨(14~15), 通政大夫全州府尹(15), 파 직(16), 大司諫(18), 掌隸院判決事(18), 通政大夫 충청관찰사(19), 大司諫(24), 刑(24)·兵曹參議 (24), 유배(25)[연산대: 피화(10)]
李杜	1449~?	전의	父 縣監 知耻, 祖 判官 秀東	문(성종10)	承政院假注書(성종11), 戶曹佐郎(17)
李萬幹	(태종~세종대)	전의	父 漢城府尹 龜, 祖 開城尹 元茂	?, 문(태종16)	경시錄事(~태종16), 문과, 司諫院左正言(세 종5), 兵曹正郎(13), 司諫院左獻納(14)
李孟文	(성종대)	전의	父 水軍處置使 梓, 祖 判事 恭全		의금都事(20), 해주判官(21)

387

李孟思	(성종대)	전의	형 孟文	?, 문(12)	奉事(~12), 문과, 東學訓導(13), 藝文奉教(방목)
李夢石	(세조대)	전의	父 五衛司正 三楫, 祖 牧使 誠全	?, 무(14)	前五衛部將(~14), 무과
李命崇	?~1484	전의	父 判決事 元孝 (생부 觀察使 愼孝), 祖 中樞使 宜洽	?, 문(성종3), 중(7)	五衛司猛(~성종3), 문과, 弘文館修撰(5~6), 日本通信使(6), 副校理(~7), 문과중시, 司憲掌令(8), 홍문부응교(12), 通訓大夫司憲執義(12), 홍문直提學(13~14), 副提學(14), 부제학졸
李文幹	(태종~세종대)	전의	형 貞幹		戶曹佐郎(~태종10), 파직(10), 의금都事(15), 풍자倉使(16), 파직(16), 경기가平鸞所監考使(17), 의금都事(2), 파직(2), 副正
李秉正	1443~?	전의	父 府使 士敏, 祖 中樞使 貞幹	무, 무과중시(세조12), 무과등준(12)	僉知中樞(세조12), 通政大夫兵曹參知(성종6), 吏曹參判(11), 하정사(11), 전라수군절도사(12), 의주牧使(14), 僉知中樞(17), 평안절도사(18), 同知中樞(24), 정조사(24) [연산이후: 義興衛副護軍, 영안남도절도사, 知中樞, 겸훈련都正]
李思恭	(연산2)	전의	父 縣監 兼仁, 祖 牧使 養性		행藝文檢閱
李士寬	?~1440	전의	父 관찰사 貞幹, 祖 典書 丘直, 장인 領議政 韓尙敬	음?	司憲監察(~태종5), 파직(5), 司憲持平(8), 都摠制府僉摠制(세종13), 刑曹右(14)·戶曹右(15)·戶曹左參議(15), 강원도관찰사(16), 中樞副使(17), 전漢城府尹졸
李士敏	(세종~세조대)	전의	형 士寬		전농直長(세종6), 과천縣監(9), 副正(세조1), 世祖原從3등공신(1)
李士信	?~1435	전의	형 士寬		行司直(~세종9), 朝見世子시종(9), 의금鎮撫(13), 의금經歷(13), 捕鷹師(13), 折衝將軍上護軍(15), 進獻使(16), 僉知中樞(17), 僉知中樞졸
李士惠	(세종24)	전의	형 士寬	무(족보)	영암郡事
李士欽	(태종~세종대)	전의	제 士寬		養鸞採訪別監(태종15), 內贍少尹(17), 大護軍(세종2), 鸞室別坐(2), 전大護軍(6), 海靑採訪別監(8), 充水軍(9)
李恕長	1423~1484	전의	형 禮長	음(세조1), 문(3)	錄事(세조1), 世祖原從3등공신(1), 문과, 종부主簿(2), 司憲監察(4), 刑曹佐郎(4), 成均直講(6), 함길都事(7), 兵曹佐郎(7), 兵曹正郎(8), 황해경차관(8), 成均司藝, 司贍少尹, 議政府檢詳(~13), 議政府舍人(13), 都摠使龜城君李浚從事官(13), 折衝將軍五衛大護軍(13), 敵愾2등공신刑曹參判全城君(13), 함흥府尹(13), 함길북도관찰사(14), 함길관찰사(예종1), 전성군(1), 경상관찰사(성종1), 漢城左尹(2), 전성군(4), 大司憲(5), 吏曹參判(6), 사은사(6), 戶曹參判(6), 전성군(8), 전라관찰사(8), 僉知中樞(9), 전성군(10, 14), 漢城左尹(14), 同知中樞졸

李成幹	(태종17)	전의	제 萬幹		戶曹佐郎
李世武 (茂)	(성종대)	전의	형 世芳		임실縣監(8), 창평縣令(20)
李世珪	(세조~성종대)	전의	父 參議 禮長, 祖 漢城府尹 士寬		直長(세조1), 世祖原從3등공신(1), 이천府使 (~13, 파직), 通政大夫尙州牧使(성종5)
李世芬	(성종4)	전의	父 府使 季孫, 祖 副正 文幹	무(족보)	都摠府 경력
李壽男	1440~1471	전의	父 參判 誠長, 祖 漢城府尹 士寬	문(세조4), 중 (중종12)	藝文檢閱(세조4), 藝文待敎(5), 藝文奉敎(6), 承政院注書(6), 成均主簿(8), 司憲監察, 吏·禮 曹佐郎(10), 兵曹正郎(11), 成均司藝(11), 황해 경차관(11), 同副·右副·左副承旨(12), 파직 (13), 兵曹參議(성종즉), 嘉善大夫五衛上護軍 (1), 사은사(2), 佐理4등공신全山君, 황해관 찰사졸
李秀東	(세종대)	전의	父 副正 勗, 祖 君 思義		部令(9), 충주判官(15)
李壽嬰	(성종7)	전의	父 同知中樞 誠 長, 祖 漢城府尹 士寬		順陵參奉
李壽稚	(세조~성종대)	전의	제 壽男		從仕郎(세조1), 世祖原從3등공신(1), 內乘(성 종2), 내자副正(4), 경상점마別監(5), 종부(6), 사용正(9), 敎寧副正(14), 陞堂上官(14)
李壽孩	(성종12)	전의	형 壽稚		안주判官
李淑文	(세조~성종대)	전의	父 寺丞 允植, 祖 少尹 成幹	문(세조6)	成均博士(~세조10), 파직(10), 分臺監察(11), 工曹正郎(성종1), 司憲掌令(5), 司諫院司諫(10)
李淳伯	(문종~세조대)	전의	父 護軍 士欽, 祖 中樞使 貞幹		은진縣監(문종1), 의금郎廳(~단종2), 收告身), 縣監(세조1), 世祖原從2등공신(1), 여흥府使 (8)
李純全	(세종대)	전의	父 都節制使 承 幹, 祖 漢城府尹 龜		진도郡事(22), 당진縣事(26), 홍해郡守·공주 牧使(읍지)
李承幹	(태종대)	전의	제 萬幹, 장인 領 議政 河崙		承寧府少尹(태종5), 同副(7)·右副(7)·右(7)· 左承旨(8), 江原侍衛軍節制使(8), 兵書講討摠 制(9), 강릉도절제사(9), 摠制(14), 경상좌도병 마절제사(~16), 면직(장인河崙卒故)
李時珤	(세조~성종대)	전의	父 禮曹參議 禮 長, 祖 漢城府尹 士寬		음죽縣監(세조11), 陞당상관(예종1, 간경도 감공), 通政大夫양양(성종2), 강화·연안府 使(7), 行五衛司勇(12), 決訟都監당상관(12), 진주牧使(12), 僉知中樞(18), 掌隸院判決事(21)
李湜	(성종대)	전의	父 尊賢, 祖 養老	문(3)	司諫院獻納(방목)
李慎	(세종~세조대)	전의	父 判事 思敬, 祖 密直副使 光翊	문(세종20)	전전의縣監(세조3), 정(방목)

李信忠	(성종6)	전의	父 全義君 梡, 祖 判事 恭全		양근郡守
李慎孝	(세조~성종대)	전의	형 元孝		行丞(세조3), 世祖原從3등공신(3), 온양(~11)·장단郡守(~14), 通政大夫驪州牧使(성종2), 강릉府使(6), 刑曹參議(11), 通政大夫충청관찰사(12)
李養性	(세종대)	전의	父 先慶, 祖 內府令 彦材		三軍鎭撫(1), 길주牧使(16)
李永禧	(세조~성종대)	전의	父 縣監 宏植, 祖 正郎 直幹, 4촌 右議政 尹壕	무(족보)	훈련判官(세조12), 副正(~예종1, 陞職, 국상도감郎廳功故), 捕盜部將(성종3), 안성(9)·천안郡守(~11, 徒), 주문사韓明澮軍官(11), 만포첨절제사(21), 훈련副正(21), 通政大夫慶源府使(22)
李禮長	1405~1456	전의	父 漢城府尹 士寬, 祖 中樞使 貞幹	문(세종14)	藝文檢閱(세종14), 右(20)·司諫院左正言(21), 議政府舍人(~단종1), 靖難2등공신(1), 知兵曹事(1), 僉知中樞兼知兵曹事(2), 兵曹參議(세조1), 佐翼3등공신(1), 兵曹參議졸
李禮忠	(성종대)	전의	父 全義君 梡		金虎門수문장(~20, 유배)
李梡	(세종~세조대)	전의	형 樺, 처 태종女 淑信翁主	기(12, 부마)	全義君(세종12), 嘉靖大夫(17), 유배(26), 宮城四面절제사(단종즉), 全義尉(세조1), 世祖原從1등공신(1)
李元孝	(단종~성종대)	전의	父 承旨 宜洽, 祖 執義 作	?, 문(단종2)	錄事(~단종2), 문과, 司憲監察(세조1), 世祖原從2등공신(1), 명사書狀官(2), 司憲持平(4), 禮曹正郎(8), 봉상少尹(11), 僉知中樞(성종3), 진위사(3), 掌隷院判決事(6)
李允純	(성종20)	전의	父 大司憲 恕長, 祖 漢城府尹 士寬		宣傳官
李義長	(세종대)	전의	제 禮長	무(29)	
李宜洽	?~1450	전의	父 鐵原府使 作, 祖 全義府院君 思安	음, 문(세종11)	東宮行首, 관흥倉使(~세종11), 문과, 충청都事(11), 司諫院左獻納(13), 경기經歷(16), 議政府舍人(22), 司憲執義(23), 피국(24), 전농判事(~28), 영흥府使(~29), 左副·右副·右·左承旨(29~문종즉위), 中樞使졸
李仁錫	(세조~성종대)	전의	父 司直 三奇, 祖 經歷 佐	문(세조12)	承仕郎(~세조12), 藝文檢閱(~예종1), 充軍(1), 坐閔粹獄), 祔廟都監假郎廳(성종3), 五衛司勇(3), 宣敎郎司諫院正言(3), 兵曹佐郎(5), 兼司憲持平(7), 分臺(7), 刑曹正郎(8), 通德郎司憲掌令(11), 파직(12)
李仁全	(세종~세조대)	전의	父 獻納 萬幹, 祖 漢城府尹 龜	문(세종26)	藝文奉教(문종1), 司諫院右正言(2), 刑曹佐郎(단종1), 庫使(세조1), 世祖原從3등공신(1), 通政大夫奉常判事(방목)

조선초기 관인 이력

李作	(태조~태종대)	전의	父 府院君 思安, 祖 密直副使 光翊	?, 문(우왕6)	別將(~우왕6), 문과, 司憲持平(고려공양왕4), 司憲執義(태종14), 府使(방목)
李梓	(세조대)	전의	父 判事 恭全, 祖 都節制使 承幹		僉知中樞(5), 전라수군처치사(5, 6)
李貞幹	1367~1439	전의	父 牧使 丘直, 祖 摠郎 得榮	음	司憲執義, 강화府使(태종5), 공주牧使(읍지), 都摠制府僉摠制, 吏曹參議(18), 강원관찰사(18), 知中樞(세종14), 전知中樞졸
李悌忠	(성종13)	전의	父 全義君 梡, 祖 判事 恭全		졸副直長
李仲禧	(성종5)	전의	父 縣監 宏植, 祖 正郎 直幹		前사용別坐, 充軍
李智長	(세종대)	전의	형 禮長	문(16)	예빈錄事, 加資(16, 修通鑑訓義功故), 承政院注書(방목)
李知恥	(성종1)	전의	父 判官 秀東, 祖 副正 勖		화순縣監(~1), 고성縣令(1)
李直幹	(세종12)	전의	父 漢城府尹 龜, 祖 開城尹 元茂		刑曹正郎
李昌年	(성종대)	전의	父 仲禧, 祖 宏植	문(25)	[연산이후: 寺正]
李昌臣	(성종대)	전의	父 直長 亮, 祖 參議 淳白	문(5)	通仕郎(~5), 문과, 藝文奉教(5), 承政院注書(6), 吏曹佐郎(8), 弘文館修撰(9~10), 校理(10~11), 副應教(12), 通訓大夫司憲執義(12), 홍문교리(13), 응교(17~20), 파직(犯贓故), 종부正(24~25), 承文判校(25)[연산대: 吏曹參判(방목)]
李昌胤	(성종대)	전의	父 監察 梫, 祖 同知中樞 純金	문(23), 중(연산2)	[연산이후: 司憲掌令]
李誠長	?~1467	전의	父 漢城府尹 士寬, 祖 知中樞 貞幹	문(세종20)	司憲監察(세종29), 書狀官(29), 吏曹佐郎(문종2), 奉直郎成均直講(단종2), 司憲掌令(세조1), 世祖原從2등공신(1), 直藝文館(3), 通訓大夫司憲執義(3), 通政大夫吉州牧使(4), 僉知中樞(7, 8), 中樞副使(9), 사은副使(9), 경상관찰사(10), 禮曹參判(11), 예조참판兼知義禁府事(12), 同知中樞졸
李孝長	?~1463	전의	형 禮長	?, 문(세종29), 중(세조3)	司勇(~세종29), 문과, 藝文待教(31), 司瞻令(~단종1), 경상都事(1), 通訓大夫承文副校理(2), 선공副正(2), 議政府檢詳(~세조1), 議政府舍人(1), 直藝文館(2), 의정부사인(~3), 문과중시, 군기判事(3), 右司諫大夫(5), 吏(5)·戶曹參判(5), 僉知中樞(6), 工曹參議(6), 嘉善大夫僉知中樞전라관찰사(6), 大司憲(7), 中樞副使(7), 大司憲(7), 中樞副使(8), 中樞副使경상관찰사(9), 관찰사졸
李佳	(성종대)	全州	형 多仁都正 僙	종친	新溪令

李衸	?~1450	전주	父 太宗	종친	正義大夫厚寧君(세종12), 興祿大夫厚寧君(13, 依例)
李揀	(성종대)	전주	형 龍城君 援	종친	花原君
李侃	(성종대)	전주	父 驪興副正 轅, 祖 和義君 瓔	종친	載陽副正(~16, 유배, 不孝故)
李堪	?~1465이전	전주	父 熙寧君 袘, 祖 태종	종친	花城君(단종2, 세조6)
李𥙿	1416~?	전주	父 孝寧大君 補, 祖 태종	종친	寶城君(세종23), 崇德大夫寶城尹(25), 五衛都鎮撫(세조9), 해청衛將(12), 寶城君(12), 강무좌상대장(14), 收職牒유배(예종즉, 좌南怡), 방면(1), 寶城君(1), 興祿大夫寶城君(성종20, 年老故)
李玒	?~1460	전주	父 世宗	종친	義昌君(단종2), 崇祿大夫義城君(세종16), 興祿大夫의성군(세조16), 義昌君(17)
李杠	(성종대)	전주	父 梧城正 穢, 祖 敬寧君 裶	종친	豊城副正
李綱	(세종21)	전주	父 益平君 石根, 祖 鎭安大君 芳雨	종친	通政大夫正尹
李鋼	(세종대)	전주	형 元尹 禮	종친	大臨都正
李鋼	1488~?	전주	父 春城君 譿(생부 雲山君 誠), 祖 宜安大君 芳碩	종친	固城君
李諲	?~1462	전주	父 讓寧大君 禔, 祖 태종	종친	嘉靖大夫(종2)順城君(세종9), 崇祿大夫(종1, 17), 昭德大夫(종1, 26), 興祿大夫순성군(정1, 단종3)
李璖	1439~1450	전주	父 세종	종친	潭陽君(세종28), 담양군졸
李秬	(성종대)	전주	형 銀川君 襸	종친	月城守
李健	(성종대)	전주	형 摒	종친	砥平君
李捷	(성종대)	전주	형 龍城君 援	종친	靑陽君
李傑	(세종대)	전주	형 全城令 倫	종친	文山令
李儉	(세종대)	전주	父 守道君 德生, 祖 정종	종친	悟山令(26), 悟山正(26)
李垍	(세조~성종)	전주	父 熙寧君 㳫, 祖 태종	종친	曲江令(예종1), 曲江正(성종6)
李譑	(예종1)	전주	父 壽安君 讚(생부 密城君 琛), 祖 壽春君 玹	종친	行石陽都正
李堅	(성종15)	전주		종친	枉川令(收告身)
李堅生	(성종대)	전주	父 厓川副守 愉, 祖 貞石正 隆生	종친	黃溪令

조선초기 관인 이력

李堅信	(단종~세조대)	전주		종친	松峴正(단종2), 유배(세조4), 정(5)
李謙	(세종~세조대)	전주	父 讓寧大君 禔, 祖 태종	종친	正尹(세종20), 古丁正(단종2), 副正(세조6)
李慊	(세조~성종대)	전주	형 愉	종친	橫川都正
李瓊仝	?~1504	전주	父 達信, 祖 季由	문(세조8), 중(12)	兼藝文館(세조10), 藝文待敎(~12), 宣傳官(12), 禮曹正郎(성종2), 通訓大夫司憲掌令(5), 掌令(8), 司憲執義(8), 掌令(8), 執義(8), 同副·右副·左承旨(8~10), 通政大夫황해관찰사(10), 同知中樞(11), 戶曹參判(11), 同知中樞(13), 禮(14)·刑曹參判(14), 大司憲(16), 禮(17)·兵曹參判(11), 大司憲(18), 兵曹參判(19), 同知中樞(20), 母喪(22), 五衛大護軍(24)[연산대: 유배 중피화(10)]
李敬孫	(성종대)	전주	형 東城令 壽孫	종친	馬周監
李敬孫	(성종대)	전주	형 莞城正 貴丁	종친	會渾令
李誠	(예종~성종대)	전주	父 密城君 琛, 祖 세종	종친	雲山君(세조1), 陞昭德大夫(성종15), 興祿大夫(16, 侍陵功)
李誠	(세조대)	전주		종친	溪川令(~6), 監(7), 正
李繼男	(성종9)	전주	父 富原君 鎭, 祖 咸陽君 詥	종친	龜山君
李繼孫	(세종대)	전주	父 春山副正 貴孫, 祖 宣城君 茂生	종친	風茂令
李桂遂	(세종~세조대)	전주	父 參判 浩, 祖 承旨 甫	문(세종14)	吏曹正郎(문종2), 郡事(세조1), 世祖原從2등공신(1), 正(방목)
李繼仁	(세종10)	전주	父 同知中樞 興發, 祖 府院君 良祐		五衛司正
李繼重	(성종대)	전주	父 懷義都正 苳, 祖 瑞原君 㝏	종친	
李瑾	1431~1463	전주	父 세종	종친	翼峴君(세종9, 19), 佐翼1등공신(세조1), 강무대장(7)
李顆	(성종대)	전주	父 瑞山君 薫, 祖 讓寧大君 禔	종친	鷲城正(6)
李櫟	(세종대)	전주	父 完川君 淑, 祖 義安大君 和	종친	
李廣根	(성종대)	전주	父 安昌副正 譜, 祖 讓寧大君 禔	종친	金池副正
李廣石	(성종대)	전주	형 廣根	종친	突山副正
李宏	?~1417	전주	父 完山府院君 天祐, 祖 桓祖	종친	元尹(~태종12), 左軍摠制(12), 전同知敦寧(17), 收職牒(不孝故)

李佼	(성종대)	전주	父 白波都正 常, 祖 益平君 石根	종친	岑陽副守(3)
李皎	?~1446	전주	父 義安大君 和, 祖 桓祖	음	元尹(~태종12), 右軍同知摠制(12), 同知敦寧(세종즉), 左軍同知摠制(4), 하정사(4), 同知敦寧(5), 파직(5), 中軍(6), 右軍摠制(7), 同知敦寧(8), 사은사(9), 同知敦寧(11), 사은사(12), 都摠制府都摠制(13), 知中樞(14), 충청병마도절제사(16), 知中樞(17), 知敦寧(17, 19), 경상도절제사(20), 知敦寧(23), 三軍將帥(摠制, 24), 判敦寧(24), 判敦寧卒
李球	(세종~단종대)	전주		종친	副元尹, 元尹(세종24), 花園君(단종1), 崇憲大夫(3)
李璆	1418~1469	전주	父 세종	종친	臨瀛大君(세종10), 興福寺造成都監都提調(세조10)
李九貞	(성종대)	전주	父 永平正 溫, 祖 義寧君 孟宗	종친	完南副正
李窘	?~1409	전주	제 宏	종친	正尹卒
李群生	?~1456	전주	父 정종	종친	嘉靖大夫順平君(태종17), 中義大夫(세종26)
李君實	(정종~세종대)	전주	父 君朝	종친	五衛大護軍(태종13), 上護軍(세종1), 都摠制府僉摠制(7), 左軍同知摠制(9), 同知摠制(9)정조사(12), 파직(12), 中樞副使(15)
李權	(세조~성종대)	전주	父 丹山都正 穗, 祖 景寧君 裶	종친	恩山都正
李貴生	?~1451	전주	父 富原君 石根, 祖 정종	종친	正尹(세종7), 元尹(12), 從義正(25)
李貴孫	(세조~성종대)	전주	父 宣城君 義生, 祖 정종	종친	春山副令(세조11), 副守, 副正(~성종2, 파직)
李貴丁	(성종대)	전주	父 新宗君 孝伯, 祖 厚生	종친	莞城令(1), 守(6), 正(12)
李貴丁	(성종대)	전주	형 春山副正 貴孫	종친	德陽副守
李均	(성종대)	전주	父 熙寧君 袌, 祖 태종	종친	曲江令
李均	(성종대)	전주	父 金山君 衍, 祖 宣城君 茂生	종친	雙阜令(1), 守(15)
李克明	(세종대)	전주	형 小利守 克文	종친	東平守
李克文	(세종대)	전주	父 永可副正 昇, 祖 益安大君 芳毅	종친	小利守
李克濟	(세종대)	전주	父 溫	문(우2)	
李克宗	(성종대)	전주	父 永平副正 溫, 祖 義寧君 孟宗	종친	完南副正

조선초기 관인 이력

李克昌	(세종대)	전주	형 馬用副守 山同	종친	報恩守
李根	(세종~문종대)	전주	父 觀察使 遴, 祖 觀察使 隆華		守令, 제용正(~문종즉위, 파직)
李僅	(성종대)	전주	父 橫川都正 慷, 祖 貞石君 隆生	종친	多仁都正
李根	(성종8)	전주	증조 完山府院君 李天祐		전五衛副司直
李瑾	(성종15)	전주		종친	昌山守
李淰	(성종대)	전주	父 德原君 曙, 祖 세조	종친	寧川副正
李金山	(세조~성종대)	전주	父 花林君 伯規, 증조 益安大君 芳毅	종친	有服親例제수(성종5, 7, 경신)
李金山	(세조~성종대)	전주	父 福城守 穎, 祖 景寧君 裶	종친	
李金孫	(세조~예종대)	전주	父 任城君 好生 (생부 石保正 福生), 祖 정종	기(종친)	鵝城副令(세조8), 習陣銃筒將(13), 鵝城都正(14), 兵曹參議(14), 鵝城君(예종1)
李金丁	(성종대)	전주	형 春山副正 貴孫	종친	明山副守
李顏	(태종~세종대)	전주	父 奉寧君 石根, 祖 鎭安大君	종친	東鶴副正尹(태종17), 正
李驥	(성종대)	전주	父 燕山副守 勅, 祖 石保正 隆生	종친	守山令(1), 守(11)
李祺	(성종대)	전주	父 永春君 仁, 祖 세종	종친	仁寧副正
李蘭	?~1428	전주	父 君 天桂, 祖 桓祖	종친	將軍(~정종2), 유배(2, 좌懷安君李芳幹), 五衛大護軍(태종12), 左軍同知摠制(세종10), 전水軍處置使졸
李蘭孫	(성종대)	전주	형 豊安副守 玉石	종친	飛鴻令
李蒳	(예종~성종대)	전주		종친	德恩都正
李祿生	?~1450	전주	父 정종	종친	元尹(세종13), 林偃正(26), 임언정졸
李禮	?~1461	전주	父 태종	종친	謹寧君(세종6), 輔國崇祿大夫(12)
李檀	(성종대)	전주	父 淸風君 源, 祖 세종	종친	花林正
李達誠	(세조1)	전주	父 縣監 仲由, 祖 開城副留侯 蒙		縣監, 원종3등공신
李湛	?~1431	전주	父 領議政 和, 祖 桓祖	종친	中軍同知摠制(태종7), 元尹(~12), 中軍摠制(12), 三軍別侍衛중군도절제사(12), 同知敦寧(~18), 左禁衛3番절제사(18), 中軍都摠制(세종1), 하정사(1), 都摠制(~3), 하옥(3), 知敦寧府事(3), 左軍摠制(5), 절일사(5), 知敦寧(7), 졸

李瑭(璋)	1435~1477	전주	父 세종	종친	寧海君(세종24, 졸기)
李譜	1454~1485	전주	父 宜安大君(생부 密城君) 芳碩, 祖 태조	종친	承憲大夫春城君(세조14)
李讚	(성종대)	전주	父 壽春君 玹, 祖 세종	종친	遂安君(9)
李讜	(성종대)	전주		종친	遂安君
李德根	?~1412	전주	父 鎭安大君 芳雨, 祖 태조	종친	元尹(태종16), 元尹졸
李德生	?~1449	전주	父 정종	종친	元尹(태종13), 守道正(세종26), 유배중졸
李德植	(성종대)	전주	형 竺山君 孝植	종친	瑞城副正
李惇	(성종대)	전주	형 茂松副正 悛	종친	岑城正
李惇	?~1507	전주	父 성종	종친	甄城君(성종22) [연산이후: 피화(중종2, 坐李顆, 伸寃(3)]
李墩	(세조~성종대)	전주	형 白翎副守 培	종친	砥山副令
李仝	(성종11)	전주	父 永川君 定, 祖 孝寧大君 補	종친	泰江守
李瀾	(성종대)	전주	형 永川副正 淦	종친	箕城守
李瀾	(성종대)	전주		종친	方山守(11)
李徠	(세조~예종대)	전주	父 寶城君 容, 祖 孝寧大君 補	춘양군, 문(세조14)	春陽副令(세조6), 강무衛將(8, 10), 春陽正(10), 兵曹參判(13), 兼五衛副摠管(13), 春陽君(13), 吏曹參判(14), 춘양군(14), 유배(예종즉위, 좌南怡)
李勑	(세종대)	전주	父 石保正 福生, 祖 정종	종친	燕山副守, 副正
李憐	(세조대)	전주	형 愉	종친	車城副令
李綸	(세종대)	전주	父 厚寧君 衦, 祖 태종	종친	巖城守
李倫	(세종대)	전주	父 馬山副守 怡, 祖 貞石君 隆生	종친	全城令
李潾	(성종대)	전주	형 英陽副正 涵	종친	丹溪副正
李琳	1427~1445	전주	父 세종	종친	平原大君(세종13)
李末同	1449~?	전주	형 長山正 衡	종친	平山正
李末生	(세종~성종대)	전주	정종	종친	正尹(세종17), 元尹(23), 桃平正(세조6), 都正(12), 道문폐사(12), 桃平君(예종즉)
李末孫	(성종대)	전주	형 莞城君 貴丁	종친	常山都正
李末丁	(성종대)	전주	父 宣城君 茂生, 祖 定宗	종친	屛山副守
李萌	(세종30)	전주	父 原祐(적장)	종친	正義大夫君(성종7년 11월 무오)
李孟宗	(정종대)	전주	父 懷安大君 芳幹, 祖 太祖	종친	義寧侯, 輔國崇祿大夫義寧君(2, 健元陵碑文)

李孟衆	(태조~태종대)	전주	형 孟宗	종친	君(건원릉비문)
李孟漢	(성종대)	전주	父 錦城大君 瑜, 祖 世宗	종친	咸從君
李命同	(성종대)	전주	형 洞溪守 盛陰	종친	驪城守
李明孫	(성종대)	전주	형 亦城副正 銀孫	종친	南昌副正
李明仁	(세종대)	전주	父 同知敦寧 宏, 祖 府院君 天祐	종친	敦寧主簿
李霖	(성종대)	전주	父 樂安君 寧, 祖 孝寧大君 補	종친	浩原君
李茂生	(세종~세조대)	전주	父 정종	종친	正尹(세종7), 元尹(14), 正義大夫宣城君(단종2)
李茂昌	(성종대)	전주	형 文昌	종친	安南正
李汶	(성종대)	전주	父 進禮君 衡, 祖 鎭南君 終生	종친	善山令(1), 黃山守(9)
李文昌	(성종대)	전주	父 多慶正 有康, 祖 永可副正 昇	종친	長豊副正
李眉壽	(성종대)	전주	父 陶城副守 千丁, 祖 宣城君 茂生	종친	復興正
李敏	1430~1472	전주	父 誠寧君 裀, 祖 태종	종친	元尹(세종24), 坤義正(26), 正義大夫德城君(29), 崇憲大夫(정종2, 성종1, 襲父爵)
李發	(세종대)	전주	형 紵川正 濟	종친	
李芳幹	1364~1421	전주	父 태조	종친	懷安君(태조1), 삼군부都節制使(태조대), 삼군부좌군절제사(7), 定社1등공신(7), 開國1등공신(7), 領豊海道西北面軍事(정종1), 유배(2)
李芳果	1357~1419	전주	父 태조	정종	永安君義興親軍衛節制使(태조1), 三軍府중군절제사(2), 都節制使(태조대), 冊王世子(7), 즉위(7, 정종)
李芳蕃	1381~1398	전주	父 태조	종친	撫安君義興親軍衛節制使(태조1), 동북면都節制使(1~7), 三軍府좌군절제사(2), 피화
李芳碩	1382~1398	전주	父 태조	종친	宜安君(태조1), 冊王世子(1), 피화
李芳衍	(태조대)	전주	父 태조	문(우왕11), 종친	成均博士(고려), 元尹(태조1)
李芳雨	1354~1393	전주	父 태조	종친	예의判書, 密直副使(창왕즉위), 주청副使(즉위년), 鎭安君(태조1), 군졸, 贈辰韓定孝公(태종18)
李芳遠	1367~1422	전주	父 태조	태종	靖安君(태조1), 동북면都節制使(1), 전라都節制使(1~7), 定社1등공신(7), 開國1등공신(7), 三軍府우군절제사(7), 兼判尙瑞司事(7), 領江原道東北面軍事(정종1), 策王世弟(2), 勾當軍國重事都督內外諸軍事(2), 즉위(태종)

李芳毅	?~1404	전주	父 태조	종친	益安君(태조1), 중군절제사(7), 定社1등공신(7), 開國1등공신(7), 領京畿忠清軍事(정종1), 益安大君(태종즉), 대군졸
李培	?~1465	전주	父 熙寧君 祗, 祖 태종	종친	正尹(세종14), 元尹(14), 寧原正졸
李培	(성종대)	전주	父 巖城守 綸, 祖 厚寧君 衦	종친	白翎副守
李栢	(세조대)	전주	父 昌寧君 奉, 祖 懷安大君 芳幹	종친	德林正
李伯規	(단종~세조대)	전주	父 愼城君 義, 祖 益平君 石根	종친	花林君(例授, 년15세)
李伯溫	?~1419	전주	父 元桂, 祖 桓祖	종친	元尹(~태종5), 收告身(5), 元尹兼都摠制(12), 知敦寧(14), 하정사(14), 都摠制(15), 遭喪(17), 清平君(17), 右禁衛1番절제사(세종즉), 전都摠制졸
李伯由	?~1398	전주	父 副留侯 蒙, 祖 大提學 文挺	문	開國3등공신, 完山君졸
李伯平	(성종대)	전주	父 順平君 群生, 祖 정종	종친	義城君
李蕃	(문종~성종대)	전주	父 世子參軍 孝敬, 祖 知敦寧 澄, 장인 判書 金文起		世子左參軍(문종즉위), 府使(~세조4, 파직), 司禁(6), 의금鎮撫(7), 僉知中樞(8), 行五衛副護軍(14), 전주府尹(예종1), 行護軍(성종2)
李藩	(성종대)	전주	형 永川副正 淦	종친	青島守
李轓	(성종대)	전주	형 驪興君 轅	종친	驪城守
李橃	(성종대)	전주	형 銀山都正 權	종친	安城副守
李範	(성종대)	전주	父 貞海都正 緝, 祖 厚寧君 衦	종친	迷原副正
李凡讚	(성종대)	전주	형 範	종친	西江令
李抃	(성종대)	전주	형 龍城君 援	종친	金山君
李抃	(성종대)	전주	형 韓山正 挺	종친	錦城正
李忭	(성종대)	전주	父 성종	종친	全城君
李昞	?~1460	전주		종친	砥山副監졸
李摒	(성종대)	전주	父 壽城君 昌, 祖 桃平君 末生	종친	
李丙忠	(세종26)	전주	祖 功臣	종친	收告身
李補	1396~1486	전주	父 태종	종친	孝寧大君, 興福寺造成都監都提調(세조5)
李普生	(세종26)	전주	父 정종	종친	長川正
李保仁	?~1453	전주	議親	종친	司僕尹(문종즉위), 領率護軍(~단종1, 유배(坐癸酉政變), 피화

조선초기 관인 이력

李復	1434~?	전주	父 鎭南君 終生, 祖 定宗	종친	居平正(세조2), 君(8), 강무衛將(8, 10), 5衛將(9), 강무空弦衛將(10), 충청병마도절제사(12), 兵(13)·吏曹參判(13), 司僕將(예종즉), 翊戴2등공신居平君(즉), 兼司僕장(1), 거평군(성종9)
李福根	(태조~태종대)	전주	父 鎭安大君 芳雨, 祖 太祖	종친	鎭安君, 奉寧君(태조4), 奉寧侯(7), 定社2등공신(7), 봉령군(태종1), 奉寧府院君(17)
李福生	(세종대)	전주	형 群生	종친	元尹, 石保正(26)
李福重	(성종대)	전주	父 道開副正 孝長, 祖 義平君 元生	종친	永貞守(6), 副守(18)
李奉	(태종대)	전주	형 義寧君 孟衆	종친	昌寧君
李燧	(성종대)	전주	父 成宗	종친	鳳安君(25, 成宗誌文)
李溥	1444~1470	전주	父 廣平大君(생부 세종) 璵, 祖 撫安大君 芳蕃	영순군, 등준(세조12), 중(14)	嘉德大夫永順君(문종1), 昭德大夫(세조1), 興德大夫(5), 흥복사造成都監都提調(10), 敵愾2등공신(세조13), 翊戴1등공신(예종즉)
李富丁	(성종대)	전주	형 莞城君 貴丁	종친	薪谷守
李芬	(세조대)	전주	父 金山君 衍, 祖 懷安大君 芳幹	종친	定安正
李糞	(성종대)	전주	父 예종	종친	仁城大君
李裶	?~1458	전주	父 태종	종친	正尹(태종14), 元尹(14), 正憲大夫敬寧君(17), 崇祿大夫(세종7), 大匡輔國崇祿大夫(12), 敬寧君卒
李份	(성종대)	전주	父 誠寧大君(생부 原川君 宜), 祖 孝寧大君 補	종친	加恩都正(성종7), 正義大夫都正(15), 中義大夫(16), 加恩君(20)
李思訥	(성종대)	전주	형 安源副正 思文	종친	完安副正
李思(師)明	(세종~세조대)	전주	제 思哲	종친	僉知中樞(단종1), 전라水軍處置使(1), 中樞副使(1), 世祖原從2등공신(세조1), 同知中樞(4), 中樞副使(5)
李思文	(성종대)	전주	父 長山正 衡, 祖 金城君 善	종친	安源副正
李思安	1458~1504	전주	형 思文	종친	完溪副正
李嗣祖	(예종~성종대)	전주	父 順城君 諲, 祖 讓寧大君 褆	종친	獻陽君
李嗣宗	(예종~성종대)	전주	父 順城君 諲, 祖 讓寧大君 褆	종친	烏川令(예종1), 副正(성종5)
李嗣昌	(세종대)	전주	형 馬用副守 山同	종친	連山副守
李思哲	1405~1456	전주	父 君蘭, 祖 完豊大君 天桂	문(세종14)	集賢殿博士(세종14), 副修撰(16), 司憲掌令(24), 司憲執義(24), 藝文直提學詹事院同詹事

					(24), 知司諫(24), 同副·右副·左副·右·左·都承旨(25~문종즉위), 吏曹參判(문종즉위), 禮(1)·吏曹判書(1), 議政府右參贊(단종즉), 從首陽大君入明(1), 議政府左贊成甄城君(1), 議政府右議政(세조1), 佐翼2등공신(1), 左議政(2), 좌의정졸
李山同	(세종대)	전주	父 明川都正 長孫, 祖 茂林君 善生	종친	馬用副守
李常	(세종대)	전주	父 府院君 石根, 祖 益安大君 芳毅	종친	白波都正
李尙新	(세종대)	전주	父 領敦寧 枝, 종숙 태조		
李尙珍	(세종대)	전주	제 尙新		
李尙恒	1381~?	전주	제 尙新		上護軍(세종2), 大護軍(12), 同知敦寧(14), 大護軍(15), 進鷹使(15), 僉知中樞(23), 僉知敦寧(27), 行五司上護軍(문종1)
李尙興	?~1433	전주	제 尙新		판경원부사(세종4), 경성절제사(4), 上護軍(7), 判義州牧使(13), 都摠制府同知摠制(14), 中樞副使(14), 同知敦寧(14), 中樞副使(14), 천추사(14), 慶昌府尹(14), 府尹졸
李徐	(성종대)	전주	父 寶城君 㣧, 祖 孝寧大君 補	종친	東陽正(4), 收職牒(5)
李曙	(세조~성종대)	전주	父 세조	종친	德源君, 翊戴2등공신(예종즉), 문소전제조(성종25)
李碩	?~1433	전주	父 奉寧君, 祖 鎭安大君 芳雨	종친	副正尹(태종17), 副元尹(세종13), 副元尹졸
李碩	(성종대)	전주	父 長川副正 訴, 祖 讓寧大君 禔	종친	牛城令
李錫	(성종대)	전주		종친	鰲山守(23)
李石公	(세조대)	전주	父 提學 思哲, 祖 군 蘭		行五衛司勇鎭撫(~3, 充軍)
李石根	(태종~세종대)	전주	父 益安大君 芳毅, 祖 태조	종친	崇祿益平府院君(태종17), 大匡輔國崇祿大夫益平府院君(세종3)
李石童	(세종대)	전주	형 都正 炯	종친	三陽副正
李碩孫	(성종대)	전주	父 阿仁副正 孝榮, 祖 義平君 元生	종친	貞松守
李石貞	?~1453	전주		종친	除授(세종31), 僉知中樞(문종1), 충청관찰사 피화
李善	1409~1468	전주	父 懷安大君 芳幹, 祖 태조	종친	金城君

조선초기 관인 이력

李善慶	(성종6)	전주		종친	陽城副正
李善生	?~1474	전주	父 정종	종친	正尹(세종12), 元尹(23), 都正, 道問弊使(세조12), 正義大夫茂林君(예종즉), 中義大夫(성종1), 承憲大夫茂林君, 무림군졸
李暹	(성종17)	전주	형 正谷守 晟	종친	長溪守
李涉	?~1427	전주	議親	종친	
李攝	?~1425	전주		종친	護軍(태종13), 上護軍졸
李晟	(성종대)	전주	父 千山副正 孝孫, 祖 義平君 元生	종친	正谷守
李晟	1458~1484	전주	父 세조	종친	昌原君(세조13)
李盛同	(성종대)	전주	형 盛陰	종친	安賢君
李成童	(성종대)	전주	형 桃山都正 義童	종친	竹溪令
李性同	(성종대)	전주	형 咸羅守 孝元	종친	象山令
李成孫	(성종대)	전주	父 東平副令 克明	종친	蹄村副令(~13, 授職)
李盛陰	(성종대)	전주	父 松林君 孝昌, 祖 德泉君 厚生	종친	洞陰守
李盛終	(성종대)	전주	형 盛陰	종친	處仁守
李世門	(단종1)	전주	父 將軍 君實, 祖 君朝		司憲執義, 유배(坐李澄玉)
李世榮	(성종대)	전주	형 定平君 從同	종친	普山君
李訴	(성종대)	전주	父 讓寧大君 褆, 祖 태종	종친	長川副正
李粟	(세종대)	전주	父 判書 伯由, 祖 副留侯 蒙		工曹正郎(3), 임천군사(13, 읍지)
李孫若	(세조6)	전주	父 正 粟, 祖 判書 伯由		종친부副典籤, 원종3등공신
李洙	?~1455	전주	父 惠寧君 祉, 祖 세종	종친	醴泉君(세종25), 承憲大夫醴泉君
李堅	(성종17)	전주		종친	黃溪令
李壽	?~1431	전주		종친	萬戶졸
李穗	(성종대)	전주	父 敬寧君 裶, 祖 태종	종친	丹山守(3), 都正
李憁	(성종대)	전주	父 성종	종친	完原君(20)
李堅	(성종대)	전주	형 枉川令 堅	종친	黃溪令
李脩	(성종대)	전주	형 多仁都正 僅	종친	江東副令
李樹	(성종대)	전주	父 安昌正 諶, 祖 讓寧大君 褆	종친	臨淮令

아

401

李壽堅	(성종대)	전주	형 安邑副守 壽利	종친	金州君
李壽昆	(성종대)	전주	형 石陽正 霆	종친	節慎正
李壽利	(성종대)	전주	父 仁陽副正 整, 祖 石保正 隆生	종친	安邑副守
李壽孫	(성종대)	전주	父 達城副守 孝義, 祖 任偓君 祿生	종친	東城令
李守義	?~1504	전주	형 守仁, 태종유 복친		僉知中樞(세종31), 戶曹參議(단종즉), 판의주牧使(1), 世祖原從2등공신(세조1), 中樞副使(2), 유배(3), 征建州有功(13), 陞資(13), 안주牧使(예종1)[연산대: 피화(10, 坐甲子士禍)]
李守仁	(세조1)	전주	父 判書 攝, 祖 君 天桂	무(족보)	五衛副司直, 원종2등공신
李淑	1373~1406	전주	父 宜安大君 和, 祖 桓祖	종친	鷹揚衛前領將軍(태조1), 右副(7)·左副承旨(7), 完川君(정종2), 佐命3등공신(태종1), 完川君兼右軍都摠制(2), 議政府贊成事(5), 완천군(6), 완천군졸
李瀟	(성종대)	전주	父 潭陽君 璖, 祖 세종	종친	江陽君, 昭德大夫江陽君(15), 興祿大夫(16, 侍陵功故)
李淑	(성종대)	전주	형 羅城令 潰	종친	廣德監
李淑禮	(성종대)	전주	父 豊山副正 偲, 祖 守道君 德生	종친	守陵守
李淑仁	(세종28)	전주	父 同知敦寧 宏, 祖 府院君 天祐		忠義衛, 敦寧丞
李淑祚	(성종대)	전주	父 悟山正 俊, 祖 守道君 德生	종친	崑山正
李淑平	(세종26)	전주	형 伯平	종친	新義令
李俶(淑)喜	(세종~예종대)	전주	父 正 粟, 祖 判書 伯由		적성縣監(세종27, 읍지), 五司護軍(~세조1), 원종3등공신(1), 折衝將軍五衛副司直(예종1)
李詢	(성종대)	전주	父 蛇山君 灝, 祖 세종	종친	東城君
李恂	(성종대)	전주	父 성종	종친	桂城君(7)
李順	(성종대)	전주	父 長川副正 訴, 祖 讓寧大君 禔	종친	富林令
李恂(循)	(성종대)	전주	父 寶城君 㝓, 祖 孝寧大君 補	종친	新豊都正(7)
李諄	(세조대)	전주	父 讓寧大君 禔, 祖 태종	종친	逢山監(7), 行副令(8)
李洵	(성종대)	전주	형 淸風君 源	종친	濟城守
李揗	(성종대)	전주	父 玉山君 躋, 祖 세종	종친	寧仁君

조선초기 관인 이력

李淳(諄)	1446~1485	전주	父 臨瀛大君 璆, 祖 세종	종친	定陽尹(세조4), 定陽君(8), 承憲大夫(11), 嘉德大夫(13), 昭德大夫(성종15), 興祿大夫(16), 정양군졸
李楯	(세조~성종대)	전주	父 玉山君 躋, 祖 謹寧君 襠	종친	寧仁令(세조13), 副守(예종1), 경상우도問民疾苦別監(1), 寧仁君(성종9)
李順丁	(성종대)	전주	형 莞城君 貴丁	종친	石城守
李淳曾	(세조11)	전주		종친	蓬山副令
李崇	(태종~세종대)	전주		종친	副正尹(태종14)
李崇德	(세조~성종대)	전주	父 明山副守 金丁, 祖 宣城君 茂生	종친	楸川副監(~세조11, 유배), 令(성종4)
李崇禮	(세조1)	전주	父 司直 重卿, 祖 判書 攝		修義副尉, 원종3등공신
李昇	(태종~세종대)	전주	父 益安大君 芳毅, 祖 태조	종친	副正尹(태종14), 正尹
李昇可	(태종~세종대)	전주	父 益安大君 芳毅, 祖 태조	종친	永嘉副正
李升孫	(세조13)	전주	의친		甲士(居함흥)
李承孫	(성종대)	전주	父 牟陽正 稙, 祖 景寧君 裶	종친	
李升彦	(세조13)	전주	의친		함흥甲士전사
李承胤	?~1453	전주	父 贊成 穰, 祖 贊成 淑	?, 문(단종1)	司憲監察(문종1), 判官, 司諫院右獻納피화(단종1)
李承恩	(성종대)	전주	父 惠寧君 祉, 祖 태종	종친	義泉君
李承祚	(성종대)	전주	父 都鎮撫使 世門, 祖 將軍 君實	무(족보)	태천郡守, 嘉善大夫온성府使, 경상수군절도사, 정주牧使, 경원府使, 안주牧使
李湜	?~1489	전주	父 桂陽君 璔, 祖 세종	종친	富林君, 부림군졸
李植	(성종22)	전주		종친	沙川守
李軾	(성종19)	전주		종친	淮安副正
李軾	(성종대)	전주	형 驪興君 轅	종친	金蘭守
李信	(세종21)	전주	父 府院君 石根, 祖 益安大君 芳毅	종친	正尹
李晨	(세조13)	전주		종친	文城令
李宸	(성종대)	전주	父 孝寧大君 補, 祖 태종	종친	安康正, 都正
李寀	1401~1483	전주	父 孝寧大君 補, 祖 태종	종친	誼城君(세종6), 正憲大夫(13), 崇祿大夫(16), 昭德大夫(26), 興祿大夫(문종즉위), 顯祿大夫 誼城君(성종20), 의성군졸

李伸	(성종대)	전주	父 義新副正 叔平, 祖 順平君 群生	종친	宜乘令
李慎	(성종대)	전주	형 茂松副正 悗	종친	葱谷守
李神孫	(성종대)	전주	父 英陽副正 涵, 祖 세종	종친	烏城守
李諶	(세조~성종대)	전주	父 讓寧大君 禔, 祖 태종	종친	安昌副令(세조8), 副正(성종6), 花城君(9)
李潯	(성종대)	전주	형 永川副正 淦	종친	東山守
李深源	(성종대)	전주	父 枰城都正 偉, 祖 寶城君 㝉	종친	朱溪副正
李阿全	(성종대)	전주	형 亦城副正 銀孫	종친	南溪都正
李謁山	(성종대)	전주	형 副正 銀孫	종친	南岳副正
李穰	?~1453	전주	父 完川君 淑, 祖 義安大君 和	종친	護軍(~세종5), 파직(5, 棄妻故), 의주牧使(21), 僉知中樞(23), 경상좌도절제사(23), 中樞副使(25), 同知敦寧(25), 충청수군도처치사(26), 同知中樞(28), 工曹參判(28), 사은사(29), 同知中樞(29), 강계절제사(29), 世宗守陵官(문종즉위), 判中樞(1), 議政府右贊成(1), 右贊成兼判兵曹事(2), 피화
李濱	(성종대)	전주	형 永川副正 淦	종친	嵩善副正
李陽德	(세종25)	전주	父 都摠制府同知摠制 蘭, 祖 君 天桂		還告身, 청주判官(족보)
李良孫	(성종대)	전주		종친	瑞和副令(~13, 收職牒)
李良祐	?~1417	전주	父 完山君 元桂, 祖 桓祖		寧安侯(태조7), 定社2등공신(7), 左軍都摠制(태종2), 議政府贊成(2), 사은사(9), 完原府院君(12), 유배(14), 完原府院君(14), 府院君졸
李璬	?~1456	전주	父 世宗	종친	漢南君(세종24), 피화(坐端宗復位)
李璵	1425~1444	전주	父 世宗(嗣撫安大君 芳蕃)	종친	廣平大君(세종14), 대군졸
李如意	(세조대)	전주	父 進禮君 衡, 祖 鎮南君 終生	종친	
李懌	(성종25)	전주	父 성종	종친	晉城大君(중종)
李衍	(세조~성종대)	전주	父 從義君 貴生 (생부 鎮南君 終生), 祖 정종	종친	金山正(세조6), 강무衛將(8, 10), 狩獵扈駕衛將(10), 都正(12), 道問弊使(12), 5衛將(12), 百官將(12), 習陣衛將(13), 兵曹參議(13), 金山君(예종즉)
李燕同	(성종대)	전주	父 燕山副守 㭐, 祖 石保正 隆生	종친	除授(1, 年滿故), 蛇川守

조선초기 관인 이력

李連丁	(성종대)	전주	형 莞城君 貴丁	종친	鶴城君
李恬	(성종대)	전주	父 성종	종친	檜山君
李琰	1434~1467	전주	父 세종		永膺大君(세종23), 益陽대군(29), 永膺大君(29), 흥복사造成都監都提調(세조12)
李永	?~1394	전주	형 태조	종친	正尹졸
李穎	(성종대)	전주	형 鶴林君 頤	종친	鷲城君
李穎	(세종23)	전주			正尹(~23), 降副正尹
李寧(盛)	1418~1474	전주	父 孝寧大君 補, 祖 태종	종친	通政大夫副元尹, 嘉善大夫平安君(세종15), 中義大夫平安尹(26), 樂安尹(세조4), 承憲大夫(세조5), 崇憲大夫樂安君(5), 嘉德大夫樂安卿(6), 樂安君(성종3)
李穎	(세조~성종대)	전주	父 敬寧君 裶, 祖 태종	종친	福城監, 副守, 守, 福城正
李嶸	(성종대)	전주	父 永順君 溥, 祖 廣平大君 璵	종친	清安君
李瓔	1425~1456	전주	父 세종, 장인 參贊 朴仲孫	종친	副正尹, 令, 和義君(세종15), 收職牒(21), 和義君(문종1), 유배(단종3), 外方從便(성종13)
李永根	(예종1)	전주	父 大司諫 孝生, 祖 都摠制 興濟		세조실록修撰官
李永順	(성종대)	전주	父 廣平大君 璵, 祖 세종	종친	
李禮	(세종대)	전주	父 府院君 石根, 祖 益安大君 芳毅	종친	潘南正, 通政大夫元尹(7)
李濊	(성종대)	전주	父 昌原君 晟(생부 德原君 曙)	종친	德津君
李沃	(성종대)	전주	형 烏山君 澍	종친	玉泉副正
李玉昆	(성종대)	전주	형 河陽君 玉荆	종친	杜山監
李玉山	(성종대)	전주	父 福城正 穎, 祖 敬寧君 裶	종친	安陽副守
李玉石	(성종대)	전주	父 明山副守 金丁, 祖 宣城君 茂生	종친	豊安守, 副令
李玉石	(예종~성종대)	전주	父 順城君 諲, 祖 孝寧大君 補	종친	伊山副守, 伊山守
李玉荆	(성종대)	전주	父 明川副守 金丁, 祖 宣城君 茂生	종친	河陽君
李溫	(태종~세종대)	전주	父 完山君 元桂, 祖 桓祖	종친	
李溫	(세종대)	전주	父 義寧君 孟宗, 祖 懷安大君 芳幹	종친	永平副正

李蓝	(세조~성종대)	전주	父 瑞原君 棠, 祖 孝寧大君 補	종친	堤川令(세조6), 副令(7), 副監(8), 副正(8), 副尹(12), 堤川君(13)
李完	(태종~세종대)	전주	형 摠制 宏	종친	知敦寧
李偲	(세조대)	전주	父 守道君 德生, 祖 정종	종친	豊山令
李瑢	?~1453	전주	父 세종	종친	大匡輔國崇祿大夫安平大君(10, 12), 피화(坐癸酉政變)
李佑	(성종1)	전주	父 壽城君 昌, 祖 桃平君 末生	종친	令
李友諒	?~1452	전주	형 宜春君 友直	종친	德陽正졸
李友直	(세종~단종대)	전주	父 安平大君 瑢, 祖 세종	종친	宜春君(24), 中義大夫(26), 承憲大夫宜春君(단종1, 유배)
李源	(성종대)	전주	父 永膺大君 琰, 祖 세종	종친	淸風君
李源	(성종14)	전주	父 進禮君 衡, 祖 鎭南君 終生	종친	栢城守
李援	(성종대)	전주	父 牟山守 踵, 祖 溫寧君 程	종친	龍城君
李轅	(성종대)	전주	父 和義君 瓔, 祖 세종	종친	
李元桂	(태조~태종대)	전주	父 桓祖	종친	同知密直, 요동정벌조전원수(우왕14, 고려), 完山君(태조1), 開國2등공신(2)
李元生	?~1461	전주	父 정종	종친	副正尹(태종12), 嘉靖大夫義平君(17), 中義大夫義平君(단종2), 狩獵彎强隊將(세조9), 강무獅子衛將(10), 5衛將(12), 수렵百官將(12), 扈駕內禁衛將(14), 의평군졸
李越	(성종대)	전주	형 靑杞守 彪	종친	武寧守
李偉(偉)	(세조~성종대)	전주	父 寶城君 容, 祖 孝寧大君 補	종친	枰城副令, 正, 都正, 正義大夫枰城君
李慰	(세종17)	전주	父 之崇, 祖 義安大君 和		忠義衛
李偉	(성종대)	전주	형 花林君 白規	종친	靑岩副正
李愉	(성종6)	전주	父 貞石正 隆生, 祖 정종	종친	厓川副守
李踰	?~1454	전주	父 謹寧君 禯, 祖 태종	종친	達川正졸
李瑈	1417~1468	전주	父 세종	종친(세조)	大匡輔國崇祿大夫晉平大君(세종10), 晉陽大君(15), 首陽大君(27), 관습도감都提調(문종2), 靖難1등공신공신領議政府事判吏兵曹事內外兵馬都統使(단종1), 즉위

李瑜	?~1456	전주	父 세종	종친	大匡輔國崇祿大夫錦城大君(세종15), 피화(세조2)
李諭	(성종24)	전주		종친	庇安守
李有康	?~1453	전주	父 永可副正 昇, 祖 益安大君 芳毅	종친	副正尹(세종15), 多慶令(29), 다경령졸
李有英	(세조~성종대)	전주	父 新義君 仁, 祖 恒寧君 德根	종친	豊壤正
李由義	(세종~예종대)	전주		문(세종23)	成均主簿兼東部儒學教授官(단종1), 승문부교리(1), 校理(2), 都事(세조1), 世祖原從2등공신(1), 의금진무(5), 通政大夫濟州牧使(12), 제주절제사(14), 行五衛副司直(예종1)
李踚	?~1454	전주	父 謹寧君 禮, 祖 태종	종친	達川令, 達川正졸
李潤	1473~?	전주	父 居平君 復, 祖 鎭南君 終生	종친	義山令
李隆	(세조3)	전주		종친	貞石正
李瀜	(세조~성종대)	전주	父 潭陽君 渠, 祖 세종	종친	光陽君(세조13, 예종즉), 昭德大夫光陽君(성종15)
李隆生	(세종~세조대)	전주	父 정종	종친	貞石正(세종26)
李銀同	(성종대)	전주	父 三陽副正 石童, 祖 長川君 普生	종친	晉川君
李銀仝	(성종대)	전주	형 莞城君 貴丁	종친	長淵令
李銀生	(문종~성종대)	전주	父 元尹 碩, 祖 奉寧君 福根	종친	江陰令(문종즉위), 嘉陰正(성종7)
李銀孫	(성종대)	전주	父 定平君 終同, 祖 金山君 衍	종친	亦城副正
李銀丁	(성종대)	전주	父 宣城君 茂生, 祖 정종	종친	石保副守(6), 正(10)
李揖	(성종대)	전주	父 玉山君 躋, 祖 謹寧君 禮	종친	劒城副正(5), 正(12)
李宜	1433~1476	전주	父 誠寧大君 䄄 (생부 孝寧大君 補), 祖 태종	종친	原川正(세종26), 尹(29), 崇憲大夫原川卿(세조5), 嘉德大夫원천경(6), 嘉德大夫原川君(12), 원천군졸
李義	?~1435	전주	父 府院君 石根, 祖 益安大君 芳毅	종친	通政大夫元尹(세종7), 元尹졸
李義	(성종대)	전주	父 寧海君 瑭, 祖 세종	종친	吉安正
李儀	(성종대)	전주	父 栢城守 源, 祖 進禮君 衡	종친	

李義敬	(문종즉위)	전주	父 知敦寧 澄, 祖 義安大君 和	종친	同副知敦寧
李儀童	(세조대)	전주	父 東鶴正 頎, 祖 奉寧君 福根	종친	徘山正(8), 都正(8)
李義生	?~1432	전주	父 정종	종친	元尹(세종4), 元尹졸
李義孫	(성종대)	전주	형 副正 孝孫	종친	副守
李義丁	(성종6)	전주	父 新宗君 孝伯, 祖 厚生	종친	珍城守
李利	(세조14)	전주		종친	永善令, 都正
李怡	(성종6)	전주	父 貞石正 隆生, 祖 정종	종친	馬川副守
李怡	(성종대)	전주	형 茂松副正 恮	종친	永新君
李袑	?~1464	전주	父 태종	종친	崇祿大夫益寧君(세종11), 輔國崇祿大夫익령군(12), 익령군졸
李峏(恓)	(세조~성종대)	전주	父 進禮君 衡, 祖 鎭南君 終生	종친	鳳城副令, 正, 正義大夫鳳城君
李頤	(성종대)	전주	父 瑞山君 譿, 祖 讓寧大君 禔	종친	鶴林正, 明善大夫都正(19), 正義大夫鶴林君(19)
李愼	(성종대)	전주	父 月山君 婷, 祖 덕종	종친	德豊君
李仁	(태종~세종대)	전주	父 恒寧君 德根 (생부 益平君 石根), 祖 鎭安大君 芳雨	종친	正尹(태종14), 元尹(14), 嘉靖大夫愼宜君(세종3), 正憲大夫(7), 崇祿大夫愼宜君(16)
李袽	?~1467	전주	父 태종	종친	正尹(태종14), 通政大夫元尹(16), 嘉靖大夫恭寧君(17), 正憲大夫誠寧君(세종1), 崇祿大夫誠寧君(세조4), 大匡輔國崇祿大夫恭寧君(12), 공령군졸
李仁	(성종대)	전주	父 寧海君 瑠, 祖 세종	종친	永春君
李愼	(성종대)	전주	父 성종	종친	雲川君
李仁孫 (仲胤)	(성종21)	전주		종친	慶源副守
李仁祐	(세종~문종대)	전주		종친(세종단 면친)	五衛護軍(세종24), 파직(문종즉위)
李任	(성종9)	전주	父 茂松君 恮, 祖 誼城君 宋	종친	儒城君
李柔	1392~?	전주	父 判書 伯由, 祖 副留侯 蒙		경기察訪(세종17), 천안郡事(22), 檢校漢城府尹(세조6, 69세)
李子謙	(성종대)	전주	父 栗原君 悰, 祖 寶城君 㝕	종친	呂陽令, 正, 副正

　　　　　조선초기 관인 이력

李資元	(세종15)	전주		종친	信寧君
李潛	(성종대)	전주	형 永川副正 淰	종친	順政守
李暲(崇)	1438~1457	전주	父 세조, 祖 세종	종친	正義大夫桃原君(세종27), 承憲大夫(단종1), 興祿大夫桃原君(1), 冊世子(세조1), 세자졸, 德宗(추존)
李章瞳 (瞳)	(성종8)	전주	父 富潤都正 孝淑, 祖 德泉君 厚生	종친	岊漢山守
李長孫	(세조대)	전주	父 茂溎君 善生, 祖 정종	종친	明川副令, 正, 都正
李長孫	(성종대)	전주	父 德林正 栢, 祖 昌寧君 奉	종친	瑞寧副正
李長孫	(성종대)	전주	父 長澤副守 孝慈, 祖 任偓君 祿生	종친	昌化君
李梓	(성종대)	전주	父 銀川君 襸, 祖 敬寧君 裶	종친	河陰副正, 正
李崝	(성종대)	전주	父 永順君 溥, 祖 廣平大君 璵	종친	南川君, 陞崇憲大夫南川君(1, 侍陵功故), 崇憲大夫南川君(16)
李崝	(성종대)	전주	父 永順君 溥, 祖 廣平大君 璵	종친	會原君
李橢	(성종대)	전주	父 嘉林守 秋, 祖 景寧君 裶	종친	岐山副守
李潪	(성종대)	전주	父 德原君 曙, 祖 세조	종친	蓮城君, 수릉관(16)
李積	(성종대)	전주	형 銀川君 襸	종친	嘉興守
李恮	?~1463	전주	父 瑞原君 寀, 祖 孝寧大君 補	종친	茂松副正졸
李琄	1434~1456	전주	父 世宗, 장인 參判 朴彭年	종친	永豊君(세종23), 유배(단종1), 피화(세조2)
李恮	(성종대)	전주	父 성종	종친	寧山君
李銓	(성종대)	전주	父 雲山君 誠, 祖 세종	종친	匡城君
李漸	?~1433	전주	父 義安大君 和, 祖 桓祖	종친	우군첨총제(태종12), 工曹參議(세종3), 右軍同知摠制(7), 개성부류후(8), 左軍摠制(12), 同知敦寧(13), 전주부윤(14), 府尹졸
李定	(세종~연산대)	전주	父 孝寧大君 補, 祖 태종	종친	元尹(세종23), 正義大夫永川(22), 中義大夫永川尹(26), 永川卿(세조6), 永川君(13), 昭德大夫永川君(성종15), 興祿大夫永川君(20) (졸기)
李整	(세종대)	전주	형 春陽君 勑	종친	仁陽副正

李偵	(성종7)	전주	父 原川君 宜, 祖 誠寧大君 裎	종친	岐城守
李偵	(성종대)	전주	형 烈山守 偕	종친	曲城守
李淨(瀞)	(세조~성종대)	전주	父 德城君 敏, 祖 誠寧君 裎	종친	八溪君(세조13), 昭德大夫(성종15), 陞興祿大夫八溪君(16, 侍陵功故)
李挺	?~1498	전주	父(立後) 誠寧大君 裎, 祖 세종	종친	彰善大夫韓山正[연산대: 坐戊午士禍6형제 피화]
李婷	1454~1488	전주	父 桃源君(德宗), 祖 世祖	종친	月山君(세조6), 顯祿大夫月山君(예종즉), 顯祿大夫月山大君(성종2), 佐理2등공신(2), 毅墓奉祀(5, 子興祿大夫, 孫嘉德大夫, 曾孫承憲大夫, 玄孫이하正義大夫, 世世毋降奉祀, 성종 5, 4, 갑신), 월산대군졸
李裎	?~1454	전주	父 太宗	종친	溫寧君(세종7), 改興寧君(9), 興祿大夫溫寧君(12), 惠寧君(12), 溫鈴君졸
李靖	(성종대)	전주	父 古丁副正 謙, 祖 讓寧大君 禔	종친	駒城守
李損	(성종대)	전주	父 玉山君 躋, 祖 謹寧君 禮	종친	彭城副正
李槙	(세조~성종대)	전주	父 銀川君 襸, 祖 景寧君 裶	종친	娥林正, 娥林君
李槙	(성종대)	전주	형 恩山都正 權	종친	河迴正
李整	(세조13)	전주	父 玉山君 躋, 祖 謹寧君 禮	종친	寧仁副守
李珽	(성종대)	전주	형 龍城君 援	종친	
李霆	(성종대)	전주	父 輪山副正 濯, 祖 세종	종친	石陽正
李正叔	(성종대)	전주	父 吉安正 義, 祖 세종	종친	詩山副正
李貞恩	(세조~성종대)	전주	父 益寧君 袳, 祖 태종	종친	秀泉副正, 都正, 秀泉君
李禔	1394~1462	전주	父 태종	종친	讓寧大君
李濟	(세종26)	전주		종친	紵川正
李躋	1429~1490	전주	父 謹寧君 禮, 祖 태종	종친	元尹(세종24), 紵川正(26), 正義大夫玉山君(28), 承憲大夫(세조7), 원각사감역독찰관(10), 원각사造成都監提調(11), 경기도문폐사(12), 수렵雜類將(12), 嘉德大夫(예종즉), 昭德大夫(성종15), 興祿大夫玉山君(16), 옥산군졸
李梯	(성종대)	전주	형 恩山都正 權	종친	八溪君
李朝	?~1408	전주	父 君 元桂, 祖 桓祖	종친	將軍, 전少尹(~태조3), 上將軍(3), 完平君졸
李朝伯		전주	형 良祐	종친	

조선초기 관인 이력

李徖	1433~1476	전주	父 寶城君 answer 昖, 祖 孝寧大君 補	종친	栗原副令, 令(세종29), 副正(세조3), 正(9), 수렵空弦衛將(9), 方山鎭守(9), 율원都正(13), 討李施愛銃筒都將(13), 正義大夫栗原君(13), 敵愾3등공신中義大夫함길남도절도사(13), 율원군졸
李褈	1405~1418	전주	父 태종	종친	誠寧大君(태종14), 大匡輔國崇祿大夫誠寧大君(17), 대군졸
李踵	(세조~성종대)	전주	父 溫寧君 裎, 祖 태종	종친	牛山守, 君
李悰	(성종대)	전주	父 성종	종친	茂山君
李終南	(성종대)	전주	父 咸陽君 誧, 祖 讓寧大君 禔	종친	鳳縣令
李終同	(세조~성종대)	전주	형 定安正 芬	종친	定平君
李終生	1406~1470	전주	父 정종	종친	正尹(세종7), 元尹(12), 鎭南正(26), 正義大夫鎭南君(단종1), 崇憲大夫(세조13), 嘉德大夫鎭南君(14), 鎭南君졸(졸기)
李終孫	(성종대)	전주	형 長孫	종친	新平正(15), 都正
李從孫	(성종대)	전주	형 長孫	종친	茂珍守
李終巖	(성종대)	전주	형 終南	종친	波澄守
李澍	1437~1490	전주	父 臨瀛大君 璆, 祖 세종	종친	中義大夫烏山君(세종26), 正憲大夫(단종1), 崇憲大夫(2), 崇德大夫(3), 문소전, 사옹都提調(세조12), 顯祿大夫烏山君(성종7), 오산군졸(졸기)
李儔	(성종대)	전주	父 茂松君 恮, 祖 誼城君 寀	종친	長陽副正(16)
李浚	1441~1479	전주	父 臨瀛大君 璆, 祖 세종	종친	龜城令, 正(세조4), 尹(5), 正義大夫龜城君(6), 함경강원평안황해4도兵馬都摠制使(세조13), 敵愾1등공신五衛都摠管(13), 議政府領議政(14), 翊戴2등공신(예종즉), 父喪(1, 領議政사직), 유배(성종1), 유배중졸
李仲規(智)	(세종~세조대)	전주	父 愼城君 義, 祖 益平君 石根	종친	竹靑監(세종26), 收告身(세조4)
李増	(성종20)	전주	父 桂陽君 璔	종친	富安守
李璔	?~1464	전주	父 세종	종친	桂陽君(세종16), 佐翼1등공신(세조1)
李至	(태조대)	전주	종형 태조	종친	五衛上護軍(1), 吏·戶·禮曹典書(태조대)
李枝	1349~1427	전주	父 完者不花, 당숙 태조		太祖原從공신(태조1), 順寧君(6), 五衛上護軍(7), 吏·戶·禮曹典書, 順寧君左軍都摠制(태종8), 내시위절제사(9), 龍武侍衛司절제사(11), 太宗原從2등공신(11), 領恭安府事(12), 領敦寧(17), 議政府左議政치사(18), 領敦寧(세종5), 領敦寧치사(6), 졸

李墀	(성종대)	전주	父 壽城君 昌, 祖 桃平君 末生	종친	伊城正
李祉	?~1440	전주	父 태종	종친	惠寧君
李泚	(성종대)	전주	형 岑城正 惇	종친	西林都正
李智	(세종대)	전주	형 仁	종친	正尹(21), 從南正(29)
李漬	(성종대)	전주	父 車城副令 憐, 祖 貞石君 隆生	종친	羅城令
李漬	?~1467	전주	父 益峴君 瑻, 祖 세종	종친	槐山君졸
李溜	(성종대)	전주	父 德原君 曙, 祖 세조	종친	蓮城君
李枝茂	(성종대)	전주	父 定安正 芬, 祖 金山君 衍	종친	靑城副守
李之崇	?~1419	전주	父 義安大君 和, 祖 桓祖	종친	將軍(~태조3), 파직(3), 完城君(태종9), 사은사(9), 東北面遷陵使(10), 判仁寧(12), 判恭安府事(13), 知敦寧(14), 判三軍府事(14), 判敦寧(16), 判左軍(15), 判右軍都摠制府事(18), 판돈령(세종1), 성절사(1), 완성군졸
李稙	(세조~성종대)	전주	父 臨瀛大君 璆, 祖 세종	종친	牟陽監, 副守, 都正, 宣傳官(성종1)
李振	(성종대)	전주	父 玉山君 躋, 祖 謹寧君 禮	종친	薑源副正, 正
李鎭	(세조~성종대)	전주	父 咸陽君 詝, 祖 讓寧大君 禔	종친	富原副令, 正義大夫富原君
李穡	(성종대)	전주	형 銀川君 欑	종친	福城正
李珍	(성종대)	전주	父 烏山君 澍, 祖 세종	종친	德安君
李眞孫	(성종대)	전주	父 突山副正 廣石, 祖 讓寧大君 禔	종친	長林令
李秩	?~1449	전주	父 敬寧君 裶, 祖 태종	종친	嘉善大夫高陽君(세종19), 中義大夫高陽君(26), 고양군졸
李緝	(세조~성종대)	전주	父 厚寧君 衦, 祖 태종	종친	貞海都正
李輯	(성종대)	전주	父 江陽君 潚, 祖 세종	종친	喜安君
李澄	1375~1435	전주	父 義安大君 和, 祖 桓祖	음(창왕1), 종친	散員(창왕1), 郎將, 將軍(고려), 元尹(~태종2), 파직(2), 元尹(12이전), 右軍摠制(12), 別侍衛우2번절제사(12), 摠制(14), 진하부사(14), 同知敦寧(17), 左軍都摠制(18), 우금위3번절제사(18), 都摠制(세종1), 진하사(1), 都摠制(3),

					忠扈衛提調(3), 都摠制(4), 中軍都摠制겸경상병마도절제사(5), 中軍都摠制(7), 절일사(8), 都摠制(9), 中軍都摠制(11), 判左軍都摠制府事(11), 사은사(11), 유배(12), 判右軍都摠制(13), 判中樞(14), 知敦寧(16), 知敦寧졸
李瓚	(세종~세조대)	전주	父 尙恒, 祖 枝	소과(세종26)	直長, 府使
李攢	(성종대)	전주	父 玉山君 躋	종친	蓮城副正, 改鎭江副正
李穳	1420~1481	전주	父 敬寧君 裶, 祖 태종	종친, 무(세조14)	正尹(세종17), 正義大夫銀川君(31), 中義大夫(세조6), 承憲大夫(8), 상정소提調(10), 兼大司憲(10), 원각사감역독관(10), 원각사造成都監提調(11), 道文폐사(12), 경상도순찰사(13), 崇憲大夫銀川君(11), 무과, 嘉德大夫(14), 昭德大夫銀川君(예종1), 은천군졸
李昌	(세조~예종)	전주	父 桃平君 末生, 祖 정종	종친	壽城正(세조5), 明善大夫壽城都正(10), 수렵雜類將(9, 12), 강무衛將(10), 五衛將(12), 宣傳官(13), 습진衛將(13), 兵曹假參議(14), 壽城君(예종즉위)
李宋	(세종~단종대)	전주	父 孝寧大君 補, 祖 태종	종친	正憲大夫瑞原君(세종17), 誼城君(20), 昭德大夫(26), 興祿大夫誼城君(문종즉위), 의성군졸
李陟	(세종15)	전주			전五衛副司直(함길도)
李倩	?~1470	전주	父 終南正 智, 祖 益平君 石根	종친	川邑監, 正義大夫川邑君(예종즉), 천읍군졸
李蒨	(세조~성종대)	전주	父 瑞原君 寀, 祖 孝寧大君 補	종친	蒦川副守, 正
李天桂	(태조대)	전주	父 桓祖	종친	永城君
李千壽	(세종대)	전주	父 知山君 末丁, 祖 宣城君 茂生	종친	
李天祐	?~1417	전주	父 君 元桂, 祖 桓祖	기	太祖原從공신(태조2), 商議中樞院事(3), 강원조전절제사(5), 前代言(6), 同知中樞兼兵曹典書義興侍衛司上將軍知三軍府事(7), 定社2등공신完山君(7), 內甲士提調(~정종2), 判中樞(정종2), 3軍府知節制使(2), 完山侯(2), 안주도절제사(태종2), 완산군(2), 兼中軍都摠制(2), 判司平府事(4), 완산군(7), 隨行世子입명(7), 議政府贊成事(8), 兵曹判書(9), 三軍鎭撫所都摠制(9), 贊成事(9), 贊成兼判義興三軍府事(9), 贊成兼判義勇巡禁司事(10), 吏曹判書(13), 贊成事(13), 輔國崇祿大夫完山府院君(14), 府院君졸
李千丁	(성종대)	전주	父 宣城君 茂生, 祖 정종	종친	陶城副守
李千終	(성종21)	전주		종친	伽倻令

李徹	?~1467	전주	父 寶城君 㟧, 祖 孝寧大君 補	종친	銀山副令, 令, 副正, 改巨濟正, 수렵壯勇隊將(세조9), 상정소提調(10), 강무雜類將兼大將(10), 扈駕輜重將(12), 改勿巨尹졸(졸기)
李鐵	(세조13)	전주			雪性令
李轍	(성종대)	전주	父 寧原君 澧, 祖 세종	종친	道安君
李哲山	?~1433	전주	父 富潤都正 孝叔, 祖 厚生	종친	副正尹졸
李轍	(성종대)	전주	父 雲水君 孝誠, 祖 德泉君 厚生	종친	益和守
李鐵丁	(성종대)	전주	제 銀丁	종친	雪城副守, 守
李哲顯	(성종대)	전주	父 湖山正 檜, 祖 昌寧君 奉	종친	順義副正
李摠	(성종대)	전주	형 龍城君 援	종친	茂豊君
李秋	(세조~성종대)	전주	父 景寧君 裶, 祖 태종	종친	嘉林監, 令, 守
李蕆	(문종~성종대)	전주	父 誼城君 宷, 祖 孝寧大君 補	종친	懷義正, 副令, 都正
李䅩	?~1468	전주	父 景寧君 裶, 祖 태종	종친	通訓大夫梧城正(단종2), 正義大夫梧城君졸
李勑	(성종1)	전주	父 石保正 福生, 祖 정종	종친	燕山副守
李寀	1412~1475	전주	父 孝寧大君 補, 祖 태종	종친	通政大夫副元尹(세종19), 嘉靖大夫瑞原君(11), 正憲大夫(17), 崇憲大夫(26), 嘉德大夫瑞原卿(세조5), 瑞原君(13), 서원군졸(졸기)
李琛	1430~1479	전주	父 세종	종친	密城君(세종18), 五衛都摠管(세조13~14), 各司都提調, 의금부都鎭撫(세조대), 知留都大將公事(14), 翊戴2등공신(예종즉), 佐理2등공신(성종2)
李忱	(성종대)	전주	父 성종	종친	景明君
李祂	?~1465	전주	父 태종	종친	熙寧君(세종15), 희령군졸
李濯	(성종대)	전주	父 臨瀛大君 璆, 祖 세종	종친	
李擢	(세조~성종대)	전주	父 玉山君 躋, 祖 謹寧君 襛	종친	始安正, 中義大夫始安君(성종15)
李曈	(성종8)	전주		종친	졸漢山守
李彭年	(성종대)	전주	형 彭祖	종친	花山副守
李彭祖	(성종대)	전주	父 岳陽副正 焜, 祖 長川君 普生	종친	保安(寧)守
李誧	1416~1474	전주	父 讓寧大君 禔, 祖 태종	종친	通政大夫副元尹(세종13), 嘉靖大夫咸陽君(14), 崇德大夫咸陽尹(26), 嘉德大夫咸陽卿

조선초기 관인 이력

					(단종2), 咸陽君졸
李幅	(성종대)	전주	父 誼城君 宋, 祖 孝寧大君 補	종친	富林都正
李彪	(성종대)	전주	父 秀泉正 承恩, 祖 益寧君 袗	종친	青杞君
李澧	(성종대)	전주	父 桂陽君 璔, 祖 세종	종친	寧原君
李澧	(성종대)	전주	형 永川副正 淦	종친	德城守
李幅	(세조8)	전주		종친	雲林令
李夏	(성종대)	전주	父 義昌君 玒, 祖 세종	종친	
李夏遜	?~1450	전주		의친	졸, 賜賻
李賀壽	(성종대)	전주	형 守 彭祖	종친	
李瀚	(성종대)	전주	형 永川副正 淦	종친	青島守
李涵	(세조~성종대)	전주	父 臨瀛大君 璆, 祖 세종	종친	
李咸童	(성종대)	전주	父 東鶴正 頖, 祖 府院君 福根	종친	竹溪副守, 副正
李恒	(예종1)	전주	형 岑城正 惇	종친	蓬城副守, 監軍宣傳官(예종1), 正義大夫蓬城君
李忻	(성종대)	전주	父 성종	종친	安陽君
李恒寧	(태조대)	전주	父 乙義	?, 문(우왕6)	別將(고려)
李俊	(성종대)	전주	父 原川君 宜, 祖 孝寧大君 補	종친	列山守, 正
李行	(세조~성종대)	전주	父 寶城君 岙, 祖 孝寧大君 補	종친	園山令(세조13), 正(성종14)
李憲	?~1414	전주	父 長川君 昇平, 祖 完山府院君 天祐	종친	
李玹	?~1455	전주	父 세종	종친	壽春君(세종12), 수춘군피화
李鉉	(세조~성종대)	전주	父 咸陽君 詌, 祖 讓寧大君 禔	종친	湖山副正(세조12), 道文폐사(12), 宣傳官(13), 習陣衛將(13), 都正(13) 兼知兵曹事(예종1), 佐理4등공신(성종2), 湖山君(3)
李珩	1466~1525	전주	父 平原大君 琳 (생부 예종), 祖 세종	종친	齊安大君(성종1)
李玄	(성종대)	전주	형 青杞君 彪	종친	結杞守
李賢童		전주	父 白波都正 常, 祖 益平君 石根	종친	玉溪都正
李賢孫		전주	형 賢童	종친	明陽副正

李娎	1457~1494	전주	父 德宗, 祖 세조	성종	者乙山君(세조7), 乻山君(13), 顯祿大夫乻山君(예종즉), 즉위(成宗)
李炯	(세종대)	전주	父 長川君 普生, 祖 정종	종친	缶林都正
李衡	1427~1502	전주	父 金城君, 祖 懷安大君 芳幹	종친	長山正
李衡	(세조~성종대)	전주	父 鎭南君 終生, 祖 정종	종친	進禮正(세조5), 강무위將(8, 10), 5衛將(9), 상정소提調(10), 호가수렵衛將(10), 進禮副尹경상조전절제사(13), 경상병마절도사(~14), 吏曹參判(예종1), 進禮君(1)
李蕙	(성종대)	전주	父 瑞原君 案, 祖 孝寧大君 補	종친	淸渠守
李譿(譓)	?~1451	전주	父 讓寧大君 禔, 祖 태종	종친	嘉靖大夫瑞山君(세종17), 中義大夫瑞山尹(26), 降通直郎黃溪令(~29), 收職牒(유배), 유배중자살
李憓	(성종대)	전주	父 花城君 堪, 祖 熙寧君 袍	종친	昌原君
李灝	?~1492	전주	父 義昌君 玒, 祖 세종	종친	承憲大夫榮山君(13세), 改蛇山君(세조11), 崇憲大夫(13), 嘉德大夫(13), 昭德大夫(14), 興祿大夫(성종17), 사산군졸(졸기)
李好生	(세종26)	전주	父 정종	종친	明善大夫任城正
李焜	(세종대)	전주	형 缶林都正 炯	종친	岳陽副正
李混源	(성종11)	전주	父 枰城都正	종친	臨汀副正
李和	?~1408	전주	父 桓祖	종친	開國1등공신義安君(태조1), 商議門下府事(1), 義興親軍衛절제사(1), 判門下府事領義興三軍府事(7), 定社1등공신(7), 領三司事(정종1), 영삼사사判議政府事(2), 佐命1등공신(태종1), 議政府領議政(7)
李桓	(성종대)	전주	형 恩山都正 權	종친	蘇來正
李環	(세종15)	전주	태종유복친		護軍(居외방)
李晄	1450~1469	전주	父 세조	예종	海陽大君(세조1), 策世子(3), 즉위(睿宗)
李淮	?~1420	전주	父 義安大君 和, 祖 桓祖	종친	正尹(~태종12), 左軍僉摠制(12), 僉知敦寧졸
李檜	(세조대)	전주	父 昌寧君 奉, 祖 懷安大君 芳幹	종친	湖山正
李懷	(성종대)	전주	父 성종	종친	益陽君
李孝儉	(성종대)	전주	父 定陽君 淳, 祖 세종	종친	唐津守
李孝堅	(성종대)	전주	父 安康正 宷, 祖 孝寧大君 補	종친	陽良正
李孝敬	(문종즉위)	전주	형 義敬		世子右參軍

李孝根	(성종대)	전주	제 孝堅	종친		滋仁守
李孝敦	(성종4)	전주	父 大林都正 綱, 祖 益平君 石根	종친		春川副守
李孝利	(성종대)	전주	형 咸羅守 孝元	종친		
李孝明	(성종대)	전주	형 杞溪正 孝全	종친		甘川副守
李孝伯	1429~1487	전주	父 德川君 厚生, 祖 정종	종친,	무(세조14)	新宗正, 正義大夫新宗君(세조5), 尹, 강무獅子衛將(8), 습진兼司僕將(13), 이시애토벌선봉장(13), 扈駕司僕將(14), 承憲大夫新宗君(14), 崇憲大夫新宗君(예종1), 신종군졸
李孝誠	(세조~성종대)	전주	형 孝伯	종친		雲水副令(세조8), 副守(13), 加資(13, 정건주군공), 습진空弦衛將(13), 호가衛將(14), 都正(14), 五衛將(예종즉), 雲水君(1) [연산이후: 靖國1등공신]
李孝孫	?~1453	전주	父 義平君 元生, 祖 定宗	종친		于山正졸
李孝叔	(세조~성종대)	전주	형 孝伯	종친		富潤令(세조6), 副令(7), 副守(11), 습진獅子衛將(13), 호가獅子衛將(14), 副正(14, 예종1), 正(성종4)
李孝植 (楨)	(성종대)	전주	父 醴泉君 洙, 祖 惠寧君 祉	종친		石山守(6), 竺山君(6, 13)
李孝深	(성종대)	전주	父 都正 綱, 祖 益平君 石根	종친		阜城副正
李孝榮	(문종즉위)	전주	父 義平君 元生, 祖 定宗	종친		牛山令
李孝溫	(성종대)	전주	형 副正 孝孫	종친		副正
李孝元	(성종대)	전주	父 鵁城都正 金孫, 祖 任城君 好生	종친		咸羅守
李孝義	(성종6)	전주	父 林彦君 祿生, 祖 定宗	종친		達城副守
李孝義	(세종~세조대)	전주	형 長澤正 孝慈	종친		
李孝義	(성종25)	전주	父 安康正 寅, 祖 孝寧大君 補	종친		永平正
李孝慈	(세조~성종대)	전주	제 義孫	종친		長澤副令(세조7), 副守(14), 副正(성종6)
李孝長	(성종대)	전주	형 副正 孝孫	종친		副正
李孝長	?~1458	전주	형 孝榮	종친		道開副令졸
李孝全	(성종대)	전주	父 大林都正 鋼, 祖 益平君 石根	종친		杞溪守(성종6), 令, 副正(20), 正(20)
李孝楨	(세조13)	전주		종친		竺山君
李孝昌	(세조~성종대)	전주	父 德泉君 厚生, 祖 정종	종친		松林令(세조11), 副守(예종1), 副正(성종4), 正義大夫松林君(10)

李孝亨	(성종대)	전주	형 咸羅守 孝元	종친	春塘守
李孝華	(성종24)	전주		종친	習溪副正
李厚生	(세종~세조대)	전주	父 정종	종친	明善大夫德原正(세종26), 改德泉正(문종즉위), 正義大夫德泉君(세조6)
李厚恩	(세조~성종대)	전주	父 讓寧大君 禔, 祖 태종	종친	
李薰	(성종대)	전주	父 瑞原君 寀, 祖 孝寧大君 補	종친	高林正(4)
李輝	(세종대)	전주	형 缶林都正 炯	종친	眞安副正
李欣	(세종~단종대)	전주	父 讓寧大君 禔, 祖 태종	종친	副元尹(세종14), 正尹(19), 長川副正, 正(단종2)
李欽	(성종대)	전주	父 寧原正 培, 祖 熙寧君 袘	종친	仁川副守
李興	(태종~세종대)	전주	祖 태종		兵曹參議(태종9), 안변府使, 전府尹(세종12)
李興露	1395~1454	전주	父 府院君 良祐, 祖 君 元桂		正尹(~태종12), 都摠制府僉摠制(12), 전僉知敦寧(세종2), 拘禁(2)
李興發	1383~1439	전주	父 府院君 良祐, 祖 君 元桂	종친	正尹(~태종12), 左軍同知摠制(12), 三軍別侍衛1번절제사(12), 장연兵馬使(14), 인령府尹(세종1), 中軍同知摠制(1), 사은副使(1), 평양도병마도절제사(1), 左軍摠制(2), 摠制(8), 절일사(10), 知敦寧(13), 中樞副使(14), 진하사(14), 知中樞(15), 同知敦寧(15), 資憲大夫同知中樞(17), 同知中樞졸
李興濟	?~1421	전주	형 知中樞 興發	종친	正尹(~태종12), 경승府尹(12), 中軍同知摠制(세종1), 인수府尹(2), 摠制졸
李億	(세조대)	전주		종친	毛山監(~8), 正(8), 都正(12)
李憘	(성종대)	전주		종친	楊原君
李喜孫	(성종4)	전주		종친	登水副正
李基聃	(세조~성종대)	眞城	父 郡守 養儉, 祖 參議 云具		의흥(세조12), 창녕縣監(~성종25, 파직)
李塒	?~1459	진성	父 繼陽, 祖 府使 楨		行五衛司勇피살
李遇陽	(단종대)	진성	父 府使 楨, 祖 副正 云侯		인동(1), 용궁縣監(~2, 收告身)
李禎	(성종대)	진성	父 副正 云侯, 祖 寺事 子脩		선산, 승평, 순천府使(읍지)
李存信	(성종12)	淸安	父 光慶, 祖 漢藩		光州教授
李存學	(세조1)	청안	제 存信		남해縣令, 원종3등공신
李居易	1348~1412	淸州	父 刑部尙書 挺, 祖 琅城君 季瑊	문(고려)	右散騎常侍(태조2), 병마도절제사(6), 參知門下(7), 參贊門下(7), 定社1등공신(7), 중군절제사(정종2), 判門下府事兼判尙瑞司事(2), 參贊

					門下(2), 領鷄林府尹(2), 파직(2), 判門下府事(2), 左政丞(2), 西原府院君(태종1), 佐命1등공신西原府院君(1), 議政府領議政(2), 領司平府事(3), 西原府院君(4), 廢庶人(4), 졸
李居仁	?~1402	청주	제 領議政 居易		경상도순문사(우왕8), 三司左使(태조1), 太祖原從功臣(1), 判開城府事(~3, 파직), 判三司事(6), 靑城伯(~정종1, 유배), 청성백졸
李崀崙	(태종대)	청주	父 典書 居義, 祖 尙書 挺		내자主簿(~4, 유배, 坐李居易)
李伯剛	1381~1451	청주	父 領議政 居易, 祖 尙書 挺, 처 태종녀 貞順公主	기(부마)	淸平尉, 淸平府院君, 전라도절제사(태종9), 右禁衛1番절제사(18)
李伯寬	(태종~세종대)	청주	형 蔓		전上護軍(~태종4, 폐서인(坐父), 上護軍(세종8), 진응사(9), 僉知中樞(16)
李伯信	(태종~세종대)	청주	형 蔓		전大護軍(~태종4, 廢庶人, 坐父), 울산郡事(세종8)
李伯儇	(세종20)	청주	형 伯卿		僉知中樞
李恂	(단종1)	청주	父 翰林 孟專, 祖 審之		直長
李佇(藥, 伯卿)	1383~1414	청주	父 領議政 居易, 祖 刑部尙書 挺	기(부마, 처 태조녀 慶愼公主)	上黨君(태조), 定社1등공신上黨侯(7), 上黨侯(정종1), 경상전라도節制使(2), 判三軍府事좌군도절제사(2), 領完山府尹(~2, 유배, 방면, 三司左使1(2), 상당후(태종1), 佐命1등공신(1), 門下侍郎贊成事(2), 兼判承樞府事(2), 兼右軍都摠制(2), 유배(4, 坐父李居易), 歸鎭州, 上黨君(6), 상당군졸
李夏成	(세종~세조대)	청주	父 知奏事 崀崙, 祖 典書 居義	?, 문(세종17)	錄事(~세종17), 문과, 양근郡事(문종즉위), 少尹(세조1), 世祖原從3등공신(1), 直集賢殿(2), 右司諫大夫(6), 通政大夫淸州牧使(9), 工曹參議(10), 行五衛護軍
李孝良	(태종~세종대)	청주	형 孝貞		司僕直長(태종17), 上護軍(~세종9, 유배), 都摠制府僉摠制(10)
李孝溫	(세종~세조대)	청주	형 孝貞		관습도감判官(세종24), 僉知中樞(세조6), 行五衛護軍(7)
李厚	(세종10)	청주	父 君藥, 祖 領議政 居易		敦寧判官
李安貞	(세종10)	靑海	父 判府使 和英, 祖 贊成 之蘭		忠義衛
李之蘭	?~1402	청해	父 女眞千戶 雅遠, 祖 河甫	기(從太祖)	開國1등공신參贊門下府事義興親軍衛節制使靑海君(태조1), 동북면都按撫使(2), 都兵馬使(6), 門下侍郎贊成事判刑曹事掌義興親軍衛중군절제사청해군(7), 定社2등공신(7), 佐

					命3등공신靑海君(태종1), 청해군졸
李和美	?~1413	청해	제 和英		上護軍(태종10), 都摠制府僉摠制졸
李和尙	(태조7)	청해	제 和英		工曹典書
李和英	?~1424	청해	父 門下侍郎贊成事 之蘭, 祖女 眞千戶 雅遠	음?	郎將(년18세), 禮曹典書(태종1), 左軍同知摠制(2), 左軍摠制(6), 右軍都摠制(6), 知議政(9), 동북면절제사(9), 右軍都摠制(10), 우군절제사(12), 右軍都摠制(13), 議政府參贊(15), 判左軍都摠制(17), 左禁衛1번절제사(세종즉), 判右軍都摠制졸
李孝恭	(세조대)	청해	父 參判 和秀, 祖 贊成事 之蘭		五司司正(1), 원종2등공신(1), 양주府使(8)
李孝(安)貞	(세종~세조대)	청해	父 漢城判尹 和英, 祖 贊成事 之蘭		忠義衛(세종10), 中樞副使(28), 靑海君奉朝請(세조11)
李薈	(태조~태종대)	泰安	父 平章事 卿, 祖 判書 英秀	문(우왕8)	兵曹正郎(태조3), 지단州事(~7), 端州牧所提擧(7), 議政府檢詳(~태종3), 議政府舍人(3), 刑曹議郎(4), 봉상령(7), 世子朝見押物官(7), 司諫院右司諫大夫(9), 左司諫大夫(9)
李桂		平昌	父 散騎常侍 天驥	문(우왕11)	大司諫, 府尹
李季男	?~1512	평창	父 集賢殿校理 永瑞, 祖 敦寧承判 宗美	음(세조11)	司憲監察(예종1), 朝散大夫司憲持平(성종10), 通訓大夫司憲掌令(17), 司憲執義(18), 同副·右副·左副·右·左承旨(18~20), 僉知中樞(20), 吏(20)·戶曹參議(21), 通政大夫충청관찰사(22), 嘉善大夫同知中樞(22), 同知敦寧(23), 경상관찰사(25), 同知中樞(25), 僉知中樞(25), 漢城右尹(25) [연산이후: 영안관찰사, 戶曹參判, 大司憲, 刑·工曹參判, 戶曹判書, 靖國2등공신平原君, 崇祿大夫戶曹判書兼判義禁府事, 戶·吏曹判書, 이조판서졸]
李繼童	(세종대)	평창	서 任城君 好生		郡守(선원세보기략)
李季仝	1430~1506	평창	형 季男	무(성종1), 무과중시(7)	兼司僕(~성종1), 무과, 훈련判官(1), 宗親府典籤(7), 창성府使(~10), 日本通信使(10), 折衝將軍五衛副護軍(10), 同副承旨(10), 通政大夫황해관찰사(10), 北征元帥尹弼商從事官(10), 刑曹參判(11), 同知中樞(11), 주문사(11), 유배(11), 영안북도절제사(14), 僉知中樞(16), 工曹參判(16), 漢城左尹(17), 右尹(17), 兼經筵特進官(18), 刑曹參判(18), 전라병마도절제사(18), 同知中樞(20), 大司憲(21), 同知中樞(22), 吏曹參判(22), 北征副元帥(22), 刑曹判書(22), 경기관찰사(23), 判漢城(24), 知中樞(24) [연산이후: 判漢城, 知中樞, 兵曹判書, 議政府右贊成, 左贊成, 領中樞府事졸]

조선초기 관인 이력

李稑	(태종~세종대)	평창	父 散騎常侍 天驥	문(우왕11)	司諫院右司諫大夫(태종12), 左司諫大夫(12), 吏曹參議(세종4), 慶昌府尹(5)
李明哲	(세조대)	평창	父 慮, 祖 珍寶	문(8)	司憲監察(방목)
李秀茂	(성종대)	평창	父 公孫	문(13)	承義郎司憲持平(23), 司諫院獻納(23)[연산대: 교서別坐, 司諫院司諫]
李永瑞	?~1450	평창	父 敦寧承判 宗美, 祖 大司諫 稑	문(세종16)	兵(세종31), 吏曹正郎(문종즉위), 禮曹正郎졸
李韻	(세종대)	평창	父 府尹 稑, 祖 散騎常侍 天驥		직산縣監(~8, 收職牒), 삼화縣監(22)
李孟智	?~1452	河濱	父 糾, 祖 台慶	문(세종2)	무주縣監(25), 刑曹正郎(문종2), 인제縣監졸 (단종즉, 震死)
李順孫	(성종대)	하빈	父 正 好信, 祖 芮		봉화縣監(읍지)
李沈	(세종10)	하빈	父 宗簿令 震簿, 祖 牧使 瓊		졸中樞副使
李好信	(세조1)	하빈	父 芮, 祖 宗簿令 雲簿		主簿, 원종3등공신
李商老	(세조1)	河陰	父 參奉 曾, 祖 縣監 天成		제주判官(읍지)
李藝	1376~1445	鶴城		기(아전)	蔚州記官, 護軍(~태종10), 遣일본(10), 遣유구(16), 行司直(18), 대마도경차관(세종즉), 군기副正(2), 일본回禮副使(4), 大護軍(6), 대마도管押使, 일본通信副使(10), 上護軍(14), 일본회례사(14), 僉知中樞(20), 경차관(20), 對馬島體察使(25), 中樞副使(25), 僉知中樞(단종3), 同知中樞졸(졸기)
李宗(從)實	?~1458	학성	父 同知中樞 藝 (왜귀화인)		大護軍(세조4), 일본通信副使漂沒死
李塏	?~1456	韓山	父 正郎 季疇, 祖 知中樞 種善	문(세종18), 중(29)	集賢著作郎(세종23), 副修撰(26), 集賢修撰(~29), 문과중시, 世子左文學(문종즉), 집현副提學피화(死六臣)
李坰	(세조~성종대)	한산	형 塾		五衛司勇(李伯剛묘표)
李季疄	1401~1455	한산	형 季疇, 장모 태종녀 貞順公主	음(태종16)	敦寧府丞(태종16), 同副知敦寧(세종2), 선공判事(~18), 同副承旨(18), 刑曹參判(23), 경기관찰사(24), 同知敦寧(25), 戶曹參判(26), 同知敦寧(26), 戶曹參判(26), 同知敦寧(26), 경상관찰사(27), 大司憲(28), 황해관찰사(29), 파직(29), 別侍衛절제사(31), 개성留守(31), 知中樞(문종1), 刑曹判書(단종즉), 議政府左參贊(1), 左參贊兼判戶曹事(2), 議政府右贊成(세조1), 佐翼2등공신韓山君(1), 左贊成(1), 左贊成졸
李季畹	(세종대)	한산	형 季甸	?, 문(16)	문소殿直(~16), 문과, 世子右正字(16), 左正字(17), 司諫院正言(방목)

李季甸	1404~1459	한산	형 季疇	음, 문(세종9)	종묘副丞(~세종9), 문과, 集賢修撰(16), 副校理(17), 直集賢殿(24), 直提學(27), 同副·右副·左副·右承旨(29~문종즉위), 都承旨(즉), 吏(즉)·兵曹參判(단종1), 靖難1등공신韓山君(1), 兵曹判書(1), 佐翼2등공신(1), 兵曹判書兼世子貳師(1), 兵曹判書韓城君(1), 判中樞兼判兵曹事(2), 判中樞(2, 3, 4), 領中樞(4), 領中樞졸
李季町	(세조대)	한산	형 季甸		守五司司直(~1), 원종2등공신(1), 宗親府典籤(8), 兼司憲執義(12)
李季疇	(세종12)	한산	父 知中樞 種善, 祖 侍中 穡		正郎
李公淳	(세조1)	한산	父 縣令 思, 祖 僉知中樞 當		五司司勇, 원종3등공신
李圭	(세조6)	한산	父 領中樞 季疇, 祖 知中樞 種善		部將
李均	1452~?	한산	父 執義 季町, 祖 知中樞 種善	문(성종8)	從仕郞(~성종8), 문과, 弘文副修撰(14), 兼司憲持平(17), 持平(18), 弘文校理겸시독관(21), 議政府檢詳(22), 朝散大夫司憲執義(14), 奉列大夫執義(24) [연산이후: 종부正, 大司諫]
李德洪	(성종24)	한산	父 觀察使 封, 祖 領中樞 季甸		親祀執尊, 加資
李孟畇	1371~1440	한산	父 密直 種德, 祖 侍中 穡	문(우왕11)	成均直學(우왕11), 內書舍人(~태종2), 사재少監(2), 단양郡事(3), 藝文直提學(6), 司憲執義(6), 파직(6), 永川郡事(6), 승문知事(~11), 判(11), 執義(12), 유배(12), 成均司成(13), 左(13)·右司諫大夫(15), 禮曹參議(15), 世子副賓客(17), 敬承府尹(18), 충청관찰사(18), 漢城府尹(세종1), 謝恩副使(3) 禮曹參判(4), 경기관찰사(4), 都摠制府同知摠制(5), 工(6)·禮曹判書(7), 면직(8), 吏(8)·兵曹判書(8), 議政府參贊(9), 參贊兼大司憲(9), 吏曹判書(10, 11), 藝文大提學(11), 사은副使(11), 藝文大提學(12), 참찬(12), 참찬兼大司成(14), 判漢城(16), 吏曹判書(17), 集賢大提學(17), 藝文大提學(18), 大提學兼判吏曹事(19), 議政府右贊成兼判吏曹事(19), 判義州牧使(20), 集賢大提學(21), 左贊成(21), 左贊成졸
李孟畎	(태종대)	한산	제 孟畇	음(족보)	司禁, 전仁寧府司尹(17)
李保基	(세조~성종대)	한산	父 贊成 孟畇(생부), 祖 密直 種德		奉訓郎(~세조1), 世祖原從3등공신(1), 전利川府使(성종14)
李封	1441~1493	한산	형 坡	음, 문(세조11), 중(12)	保義將軍, 五衛司直(~세조11), 문과, 藝文直提學(11), 同副(13), 右(13)·左承旨(13), 工(13), 吏曹參判(13), 僉知中樞(13), 參判(예종1), 五衛

조선초기 관인 이력

					護軍(1), 강원관찰사(성종6), 同知中樞(7), 성절사(7), 파직(8), 同知成均(9), 황해관찰사(9), 파직(9), 大司憲(12), 吏曹參判(12), 전주府尹(15), 同知中樞(15), 漢城右尹(15), 영안진휼사(16), 경상관찰사(16), 五衛上護軍(17), 嘉靖大夫知中樞(18), 戶曹判書(18), 진위진향사(18), 資憲大夫영안관찰사(19), 知中樞(20), 파직(20), 判漢城(20), 刑曹判書(23), 경상관찰사(24), 知中樞졸
李湑	(세조1)	한산	父 通政大夫判事 衍基, 祖 判中樞 孟畛		五衛副司正, 원종3등공신
李塾	(세조~성종대)	한산	父 贊成 季疄, 祖 知中樞 種善		主簿(세조1), 世祖原從3등공신(1), 내자尹(6), 通禮院相禮(예종1), 五衛副司猛(1), 예빈郎廳(~1, 陞職)
李叔當	(세종대)	한산	父 密直 種學, 祖 侍中 穡		예빈(6), 봉상判事(8), 進馬使(8), 兼司憲執義(~9, 파직)
李叔畝	?~1439	한산	父 簽書密直 種學, 祖 韓山伯 穡	음	宿衛司大護軍(태종12), 上護軍(~14), 母喪(14), 左軍同知摠制(세종즉), 사은副使(1), 공안府尹(1), 황해관찰사(1), 중군절제사(1), 都摠制府同知摠制(2), 함길관찰사(4), 中軍同知摠制(5), 中軍同知摠制겸경상관찰사(5), 刑曹參判(6), 평안관찰사(~9), 유배(9), 中軍摠制(11), 사은副使(11), 전라처치사(~12), 廣州牧使(12), 刑曹右參判(16), 左參判(16), 同知中樞(16), 진헌사(16), 刑曹判書(17), 知中樞(17), 慶昌府尹(17), 漢城判尹(18), 知敦寧(19), 知敦寧졸
李叔福	(태종~세종대)	한산	형 叔畝	문(태종8)	承政院注書(태종13), 내자主簿(~세종즉), 兵曹佐郎(~즉), 유배(즉), 成均直講(방목)
李叔野	(태종대)	한산	父 密直 種學, 祖 侍中 穡		司憲執義(9), 봉상令(9)
李叔時	1390~1446	한산	형 叔當	음(태조4)	봉상錄事(태조4), 경기經歷(세종2), 한성少尹(4), 전라경차관(4), 司憲掌令(4), 전농尹(6), 경창少尹~8), 파직(8), 종부判事兼知刑曹事(11), 刑(12)·工(13)·工曹左(14)·兵曹左(14)·刑曹右參議(14), 충청관찰사(14), 평안관찰사兼平壤府尹(15), 工曹參判겸평안관찰사(15), 刑曹參判(16), 大司憲(16), 함길관찰사(19), 知中樞(21), 工曹判書(22), 議政府右參贊(23), 節日使(24), 左參贊(27), 左參贊兼判戶曹事(27), 좌참찬졸
李衍基	(세종~단종대)	한산	父 判中樞 孟畛, 祖 侍中 穡		守門鎭撫(세종20), 司憲持平(25), 제용判事(단종2)

李永垠	1434~1471	한산	父 牧使 元增, 祖 知敦寧 叔畝	문(세조2), 증(3), 발영(12)	權知承文院副正字(세조2), 正字(2), 侍講院弼善(2~3), 문과중시, 司諫院左獻納(3), 行司憲持平(4), 成均直講(5), 司憲掌令(7), 直藝文館(8), 司憲執義(10, 11), 同副(11)·左副(11)·右承旨(~12), 拔英試, 吏曹參議(14), 歸厚署提調(예종1), 刑(1)·兵曹參判(1), 佐理4등공신韓山君(성종2), 同知中樞(2), 한산군졸
李禮堅	1436~1513	한산	父 僉知中樞 亨增, 祖 漢城判尹 叔畝	문(성종2)	藝文待敎, 司諫院獻納, 昭格署令, 司憲持平, 풍기군守(성종16, 읍지), 司憲掌令, 司憲執義, 삼척府使(성종23, 읍지)[연산대: 行大司諫]
李塏	(문종~세조대)	한산	형 坡	문(단종1), 증(세조3)	主簿(세조1), 世祖原從2등공신(1), 成均司藝(~3), 문과중시, 내자(5), 종부判事(8), 兼司憲執義(8), 司諫大夫(9), 大司成(10), 사은사(11), 僉知中樞(11)
李元增	(세종24)	한산	父 知敦寧 叔畝, 祖 密直 種學		청주牧使
李惟淸	1459~1531	한산	父 參贊 塤, 祖 觀察使 畜	?, 문(성종17)	五衛司果(~성종17), 문과, 通善郎司憲持平(22), 議政府舍人(~24), 司憲掌令(24) [연산이후: 司憲執義, 迎曙道察訪, 議政府右議政, 領中樞府事졸]
李允蕃	(성종대)	한산	父 副司正 湑, 祖 判事 衍基	문(23)	[연산이후: 종2大司諫]
李允迪	(성종대)	한산	父 參奉 畏, 祖 僉摠制 叔當	문(8)	縣監(방목)
李苂		한산	형 塾		副正(李伯剛묘표)
李仁堅	(단종~성종대)	한산	제 禮堅	음, 문(단종1)	五司司正(~단종1), 문과, 군기直長(~2), 유배(2), 直長(~세조1), 世祖原從3등공신(1), 吏(5)·禮曹佐郎(7), 吏曹正郎(8), 弘文典翰(방목)
李種善	?~1438	한산	父 侍中 穡, 祖 贊成事 穀	음, 문(우왕8)	郎將(~우왕3), 문과(고려), 杖流(태조1), 兵曹議郎(5), 左司諫大夫(9), 戶曹參議(~11), 유배(11), 풍해도관찰사(~17), 摠制(17), 한성(세조1), 인수府尹(1), 左軍同知摠制(3), 府尹(5), 진하사(5), 유배(6), 전함길관찰사(8), 判漢城(10), 진하사(10), 개성留侯(11), 中樞使(20), 中樞졸
李種學	?~1392	한산	父 侍中 穡, 祖 贊成事 穀	문(우2)	전同知密直(태조1), 유배중졸
李止剛	(성종대)	한산	父 相禮 塾, 祖 贊成 季疄		춘천府使(읍지)
李蓄	(태종~단종대)	한산	父 光州牧使 叔野, 祖 進賢館提學 種學	음(태종13)	의금鎭撫, 전농少尹(세종16), 강원경력, 司憲掌令(26), 詹事院詹事, 봉상判事, 僉知中樞(문종1), 吏曹參議(2), 주문사(2), 通政大夫황해관찰사(2)

조선초기 관인 이력

李坡	1434~1486	한산	父 領中樞 季甸, 祖 知中樞 種善	문(문종1), 발영(세조12)	교서著作郎(문종1), 집현博士(2), 修撰(단종1), 校理(세조1), 世祖原從2등공신(1), 應敎, 승문知事, 司憲執義(4), 侍講院輔德, 내자判事(8), 藝文直提學(8), 僉知中樞(9), 五衛上護軍(9), 右·左·都承旨(9~11), 僉知中樞(11), 工曹參議(11), 漢城府右尹(11~12), 拔英試, 戶曹參判(13), 大司成(14), 漢城左尹(14), 告訃使(예종즉), 行五衛護軍(즉), 嘉靖大夫上護軍(1), 大護軍(성종1), 五衛副摠管(5), 吏曹參判(6), 資憲大夫평안관찰사(8), 知中樞(9), 하정사(9), 禮(12)·戶曹判書(13), 崇政大夫議政府左參贊兼判禮曹事(16), 議政府左贊成(16), 좌찬성졸
李垍	(세조~성종대)	한산	父 正言 季畹, 祖 知中樞 種善	음, 문(세조14)	縣監(~세조14), 문과, 戶曹正郎(성종1)
李垓	(세조~예종대)	한산	父 左贊成 季疄, 祖 知中樞 種善		判官(세조1), 世祖原從3등공신(1), 司贍正(성종21)
李亨增	(세종~세조대)	한산	父 知敦寧 叔畝, 祖 密直 種學		의금知事(세종25), 司憲掌令(28), 공주牧使(문종즉위), 僉知中樞(세조1), 世祖原從2등공신(1)
李孝文	(성종25)	한산	父 韓山君 永垠, 祖 牧使 元增		弘文副校理(연산2)
李塤	1429~1481	한산	父 觀察使 蓄, 祖 光州牧使 叔野, 장인 孝寧大君 補	음(세종21, 장인故)	副司直(세종21), 翊衛司右衛率(29), 護軍兼宗親府典籤(30), 同副知敦寧(단종1), 예빈少尹(2), 同僉知敦寧(2), 世祖原從2등공신(세조1), 大護軍掌內直司樽院事, 제용, 군자, 전농判事(세조6), 僉知中樞(6), 工曹參議(7), 인순(8)·인수(8)·漢城府尹(9), 刑曹參判(10), 同知中樞(11), 漢城左尹(11), 資憲大夫漢城左尹(13), 兼五衛將(13), 경기관찰사(14), 知中樞(예종1), 漢城判尹(성종1), 佐理3등공신漢城君(2), 崇政大夫議政府右參贊(11), 左參贊(11), 좌참찬졸
李季通	(성종대)	咸安	父 興孫, 祖 積	문(3)	司諫院正言(3~6), 익산郡守(~16), 파직, 副正(22), 파직(22)
李大亨	(성종대)	함안	父 大司成 美, 祖 明道	문(11), 중(17)	司憲監察(~17), 문과중시, 禮曹佐郎(24), 承文校檢(방목)
李美	(단종~세조대)	함안	父 參議 元老, 祖 縣監 驚	문(단종1)	成均典籍(방목)
李義亨	(세조~성종대)	함안	父 縣監 義, 祖 參議 允老	?, 문(8)	겸宣傳官(세조12~14), 郡守(~성종8), 문과, 通訓大夫司憲掌令(13), 通禮院贊儀(14), 司憲執義(방목)
李仁亨	(세조~성종대)	함안	父 大司成 美, 祖 參議 元老	문(세조14)	영안評事(~성종4), 파직(4), 兵曹正郎(5), 金山郡守(읍지), 弘文應敎(~16), 守令(16), 中直大夫司諫院司諫(19) [연산이후: 종부正, 大司諫, 同副承旨, 전라관찰사, 同知成均, 大司憲, 漢

					城左尹, 右尹, 左尹, 전大司憲졸]
李智亨	(성종대)	함안	형 仁亨	문(8)	通禮院引儀(방목)
李兢	?~1433	咸平	父 水軍節制使 春秀, 祖 三吉	문(태종5), 중(세종9)	승문校理(~태종17), 하옥(17), 知承文院事(~세종9), 문과중시, 사재判事(9), 禮曹參議(12), 同副(13)·右副承旨(13), 都摠制府僉摠制兼承文提調(13), 吏曹右參議(14), 左參議(14), 工曹右參判(14), 사은사(15), 使行中졸
李良	(성종대)	함평	父 漢城左尹 從生, 祖 判書 克明	무(족보)	평안虞侯(12), 삭주府使(~20, 모상), 折衝將軍永安兵馬水軍虞侯(23), 通政大夫會寧府使(24), 함길절도사도사(읍지)
李末生	(세종19)	함평	父 久安, 祖 都萬戶 春秀		副司正, 受賞職(代父)敍用
李養根	(세종대)	함평	父 如珪, 祖 自寶	문(20)	司憲監察(26), 通禮院通禮(방목)
李雲露	(세조~성종대)	함평		무(세조4, 족보)	경성甲士(세조13), 敵愾2등공신(13), 嘉善大夫知中樞鍾城君(13), 行僉知中樞(14), 종성군(성종3)
李從生	1423~1495	함평	父 護軍 克明	무(세조6)	彰信校尉, 北征都元帥申叔舟군관, 宣略將軍, 義興衛大護軍, 折衝將軍, 衛將, 敵愾2등공신咸城君, 영변府使, 漢城府尹, 평안동서중3도절도사, 兼五衛都摠管, 內禁衛將, 충청병마절도사, 征建州虎賁衛將, 영안남도병마절도사兼北靑府使, 경상우도兵馬節度使
李宗仁	(세조1)	함평	父 護軍 從遂, 祖 判書 克明	무(족보)	五司護軍, 원종3등공신
李春秀 (壽)	?~1396	함평	父 三吉, 祖 蕃		경상우도都萬戶전사
李敢	(태종대)	陜川		문(우왕1)	진보縣監·옥천郡事(읍지), 司憲掌令(10), 開城留守府낭관(11), 司憲執義(17)
李權	(세종7)	합천			경상우도처치사鎭撫
李搖	(태조2)	합천			청주府使(읍지)
李舒	1332~1410	洪州	父 延慶宮提學 起宗, 祖 典客寺事 永芬	문(공민왕6)	禮曹典書(고려), 兵(태조1), 刑曹典書(1), 開國3등공신(1), 하옥(2), 大司憲(3), 安平君(5), 顯妃수릉관(5), 參贊門下(7), 商議門下府事(정종1), 判承寧府事(2), 門下侍郎贊成事(태종1), 右政丞(1), 議政府領議政(1), 安平府院君(2), 府院君졸
李承祖	(세조3)	홍주	父 翰林 慎猷, 祖 領議政 舒		五衛司勇, 원종3등공신
李慎猷	(세종13)	홍주	父 領議政 舒, 提學 起宗		藝文館官, 파직
李澤	(태종~세종대)	花山	父 縣監 大從, 祖 府尹 孟藝		여연鎭撫(태종17), 문경縣監(세종16)

李繼參	(세종10)	興陽	父 少尹 均, 祖 贊成 舒原		풍기縣監(읍지)
李均	(태조대)	흥양	父 密直副使 舒原, 祖 密直副使 吉	문(우왕2)	直提學
李孟暄	(성종7)	흥양	父 判事 繼參, 祖 少尹 均		會寧浦萬戶, 파직
李壽朋	(세조대)	흥양	형 壽生		훈련錄事(1), 원종2등공신(1), 평양判官(~12, 파직), 都摠制使龜城君李浚군관(13)
李壽生	(세조~성종대)	흥양	父 府尹 堰, 祖 大司憲 垠		縣監(세조1), 世祖原從2등공신(1), 창원府使(~12, 收告身), 兼司憲執義(13), 국장도감郎廳(예종즉), 선공正(1), 通政大夫晉州牧使(성종8), 대구府使(11), 제주牧使(17)
李壽川	(성종1)	흥양	형 壽生		分臺(監察)
李升	(세종6)	흥양	父 司憲掌令 仲成, 祖 尙書 僙		倭使監護官, 영해府使(읍지)
李堰	(문종~세조대)	흥양	父 大司憲 垠, 祖 密直副使 舒原	천(유일)	兼司憲掌令(문종즉위), 평양少尹(즉), 개성經歷(즉), 掌令(단종1), 司憲執義(2), 남원府使(세조1), 世祖原從2등공신(1), 嘉善大夫南原府使(6), 中樞副使(6), 賀正副使(6), 전주府尹(7)
李藝奉	(단종~세조대)	흥양	父 郡事 希若, 副使 持	문(단종1)	禮曹佐郎(방목)
李云俊	(세종대)	흥양	父 希若, 祖 持	문(11)	議政府舍人(방목)
李垠	(정종~세종대)	흥양	父 密直副使 舒原, 祖 密直副使 吉		右諫議(정종2), 충청안렴사(태종1), 右司諫大夫(3), 同副~左副承旨(5~7), 兵曹參議(7), 풍해관찰사(13), 大司憲(14), 藝文提學(14), 大司憲(14), 유배(15)
李稔	(태종대)	흥양	父 興陽府院君 茂芳		司憲掌令(9), 안성郡事
李致	(태조~태종대)	흥양	父 舒原	문(우왕12)	司憲雜端(~태조2, 유배), 잡단(5), 司憲掌令(~태종4, 유배), 大司憲
李加孫	(성종10)				侍衛
李加乙愁	(세조대)			여진귀화인	五衛副司正(~6), 司正(6)
李可珍	(성종11)				거창縣令(읍지)
李家紅	(세조~성종대)			여진귀화인	入朝(세조6), 僉知中樞(6), 본처都萬戶(11), 中樞(11, 성종4)
李家化	(세조9)			여진귀화인	알타리僉知(居高嶺城)
李恪	1374~1436				전지영광郡事(~태종7), 유배(7), 行司直(9), 陳圖訓導(9), 上護軍(~세종1), 상호군겸경기수군첨절제사(1), 함길병마도절제사(2), 中軍同

					知摠制(4), 경상우도병마도절제사(5), 兼右軍同知摠制(5), 하등극副使(6), 兵曹參判(7), 右軍摠制(7, 9), 첨절제사(10), 左軍摠制(10), 천추사(10), 전라도절제사(12), 파직(12), 강계절제사(14), 강계도절제사(15), 中樞使(15), 평안도절제사(16), 파직(18), 경상좌도수군도안무처치사(20), 中樞副使(23), 전라수군처치사(25), 同知中樞(25), 同知中樞졸
李殼	(태조~세종대)				巡軍提控(태조4), 경승부少尹(태종5), 護軍(6), 大護軍(7), 전농判事(11), 兵曹參議(~세종즉), 유배(즉)
李暕	(태종~세종대)				종부判事(태종12), 밀양府使(~15, 파직), 제주도안무사(17), 상주牧使, 刑曹參議(세종1), 漢城府尹(~5, 유배)
李竿	(세조~성종대)			?, 무(성종12)	남포첨절제사(세조14), 영일縣監(성종2)
李澗	(단종대)			환관	內官(~3, 유배)
李諫	(성종대)				麟山僉節制使(18), 삭주府使(22)
李簡	(태종~세종대)			문(공양왕2)	知龍州事, 교서校理(태종7), 평양敎授官(세종7)
李侃					金溝縣令(읍지)
李甲耕	(세종대)			기(10, 효행)	命敍用(10, 서흥幼學, 孝行故)
李甲中	(세조8)				僉知中樞, 進馬使
李甲忠	(세조대)				行五司護軍(1), 원종2등공신(1), 僉知中樞(6), 行五衛護軍(10)
李崗	(단종3)			환관	內官, 유배
李鋼	(세조1)				部令, 원종3등공신
李剛達	(정종1)			환관	內官
李康正	(성종15)				의주牧使(읍지)
李剛之	(단종1)				삼척府使(읍지)
李開祐	(세조대)			기(세조10, 효행)	隨才敍用(세조10, 居예산, 孝行故)
李巨	(세조6)				前典律, 원종3등공신
李秬	(세종15)				만경縣令
李巨夫介	(성종24)			여진귀화인	올량합中樞
李巨時介	(세조대)			여진귀화인	五衛司正(~6), 副司直(6)
李巨兒帖哈	(세조대)			여진귀화인	在官(7), 行五衛上護軍(~7), 衛將(7)
李巨彦	(예종1)				甲士, 파직
李巨右	(성종대)			여진귀화인	入朝(14), 五衛護軍(24)
李巨源	(세종15)				甲士전사(경원)

李巨乙加介	(세종~세조대)		父 알타리萬戶 貴也	여진귀화인	五衛司正(세종26), 五司護軍(단종3, 在京侍衛), 五司大護軍(~세조1), 世祖原從2등공신(1), 五衛上護軍(3), 僉知中樞(5), 同知中樞(~6, 사직귀향, 居高嶺城下), 복주(성종즉, 謀殺함길북도절도사金嶠故)
李居拙	(세종8)				용진縣令
李巨賢	(정종~세종대)				將軍(~태종2, 유배, 坐朴苞), 장연縣令(세종7)
李健	(세조6)				五衛護軍, 원종3등공신
李巾之	(세종25)		父 甲士 巨源	음	命錄用(父戰死功)
李杰	?~1448		자 萬戶 宗元		月令向上졸
李格	(태조2)			?, 문(우왕3)	散員(~우왕3), 문과(3, 고려), 東部儒學敎授官, 郎將(방목)
李堅期	(세종29)				隨使臣入明(세조5, 4, 정묘)
李堅秀	(세종8)				行首
李結			父 斗岾	문(우왕2)	
李兼善	(세종대)		처숙 判中樞 李明德		副司正(~8), 副司直(8), 司直(8), 司憲持平(15)
李輕	(태조대)			문(공양왕2)	監務(방목)
李庚	(성종대)				상의僉正(7), 평양庶尹(12), 司贍僉正(19), 평산府使(19)
李競	(세종대)				계품사押物官(1), 吏曹右參議(14)
李經	?~1473				權知參軍(세조1), 世祖原從3등공신(1), 兼司僕尹(7), 함길經歷(7), 의금鎭撫(11), 함길절도사虞侯(12), 西征大將康純裨將(13), 陞資(13, 건주군공4등故), 內乘(성종2), 영안남도절도사(3), 任所졸
李景命	(성종21)				典涓司別提
李景文	(단종대)			기(3, 효행)	隨才敍用(3, 옥구학생)
李敬生	(태조~태종대)			문(태조5)	史官(정종1), 成均司藝(방목)
李經世	(세조3)				광흥창副使, 파직
李敬孫	(세조11)				內禁衛
李景崇	(성종8)				평안절도사朴星孫군관
李敬安	?~1466				단천郡守전사
李耕畂	?~1453				안산郡事(세종30), 경성府使(문종1), 피화(단종1, 좌金宗瑞)
李耕時	?~1442				함길都事(23), 고성郡事졸
李繼幹	(세조대)				知印(~1), 世祖原從3등공신(1), 縣監(성종8, 12, 을사)
李季卿	(태종~세종대)				知白州事(태종11), 진주牧使(세종14)

李啓基	(단종~성종대)				교하縣監(초3등加資, 단종2), 檢校工曹參議 (성종14)
李繼德	(문종1)				전千戶(居강진)
李繼童	(세조대)				대진萬戶(~2, 收告身)
李桂林	(세조13)				都摠使龜城君李浚군관
李繼命	(세조~성종대)				宣傳官, 전옥主簿, 通禮院引儀, 진주判官, 工曹正郎, 內乘
李桂攀	(단종대)			기(2, 효행)	隨才敍用(2)
李季山	(세조~성종대)			의원	학생(~세조1), 世祖原從3등공신(1), 전의判官 (13), 의원(성종9)
李季山	(세조6)				五衛司勇, 원종3등공신
李繼善	(세조1)				승문副知事, 원종2등공신
李稽孫	(세종23)				議政府舍人
李季恂	(세종32)				左副承旨
李繼信	(성종대)				通禮院贊儀(2), 通禮院相禮(9)
李繼原	(세조1)				行五司司正, 원종3등공신
李繼長	(태종~세종대)				司憲監察(~태종17, 파직), 의영庫使(18), 경기經歷(세종11)
李繼全	(조선초)				郡事(黃守身비명)
李繼禎	(성종4)				懿廟造成都監郎廳
李繼宗	(세조~성종대)			?, 문(세조12)	학생(~세조1), 원종3등공신, 成均學諭(~12), 문과, 강원도양전순찰사兼田制詳定所提調 (성종6)
李係重	(세조1)				縣監, 원종2등공신
李繼中	(단종2)				주자소別坐
李繼重	(세조1)				知縣事, 원종2등공신
李季夏	(세조1)				進勇校尉, 원종3등공신
李繼亨	(문종1)				경성府使(읍지)
李季衡	(성종20)				內禁衛
李季興	(세조1)				五司護軍, 원종2등공신
李繼興	(성종대)	장인 知中樞 金允壽			僉通政(김윤수묘표)
李季禧	(세조~성종대)				해미縣監(세조12), 오위部將(성종20)
李考	(성종대)				徵召(6, 전甲士), 試射(6), 還職牒(21)
李股	(세종2)				포천縣監, 의성縣令(읍지)
李杲	(세조11)				行五衛副司正
李斛	(세종대)		자 右(雨)	여진귀화인	受科田
李坤	(세종13)				內禁衛
李坤亨	(성종6)				司憲執義

조선초기 관인 이력

李拱	(성종대)					知兵曹事(8), 순천府使(~11), 同副(11)·右副承旨(12), 파직(12), 충청(15)·영안관찰사(18)
李寬	(성종대)					무신(5, 能射), 入侍(23)
李觀	(태조6)					領淸州牧使, 하정副使
李官林	(성종24)					親祭謁者, 加資
李官明	(성종대)			기(3, 효행)		隨才敍用(3, 청도學生, 孝行故)
李灌相	(태종17)					경기관찰사
李寬植	(세종26)					청풍府使(읍지)
李寬儀	(성종14)					전察訪(21, 이천)
李匡	(태조~태종대)				환관	同判內侍府事(~태조2), 太祖原從공신(2), 判內侍府事(태종6), 경기우도揀選處女副使(8)
李廣	(세종8)					진법訓導
李廣	(성종12)		제 입명화자 珍			陞銀帶(제珍故)
李光敬	(세종대)					전護軍(~8), 전라수군처치사鎭撫(8)
李光得	(정종2)					捕芳幹有功
李光緒	(세조5)					용강縣令(읍지)
李光植	(세조10)					경성府使(읍지)
李光應時大	(세조~성종대)				여진귀화인	알타리萬戶(세조7), 五衛護軍(성종19)
李光綰	(성종7)					청풍府使(읍지)
李魁	(세종~세조대)					守광흥창丞(세종26), 五司司直(~세조1), 世祖原從2등공신(1)
李紘	(성종대)					通政大夫충청관찰사(6), 정주牧使(6), 경상좌도수군절도사(14), 高嶺鎭첨절제사(17), 北征中援將(22), 折衝將軍충병마절도사(25)
李宏植						구례縣監(李原비명)
李龜	?~1420					전강릉府使(태종15), 전府尹졸
李九寬	(세조1)					判官, 원종3등공신
李求今						봉화縣監(읍지)
李仇音波	(세조2)				여진귀화인	司直
李求仁						울진郡守(읍지)
李久炯	(세조8)					左承旨
李君擧	(세종8)					전敎導
李羣拔	(세조1)					司憲監察, 원종2등공신
李君實	(세조11)					五衛司直
李君遇	(세종대)					연천縣監(16)
李唭	(태종3)					少尹
李蕃	(성종대)					內禁衛(~21), 邊將(21)
李睠	(태종8)					한성少尹, 서북경차관

李芿生	(성종22)			忠義衛
李權志	(세종13)			副錄事(齋生)
李貴根	(세조1)			主簿, 원종3등공신
李貴男	(세조~성종대)			錄事(~세조6), 世祖原從3등공신(6), 縣監(12), 평산府使(성종7)
李貴達				함길절도사(읍지)
李貴敦	(세조7)			壯勇隊, 告盜佛像者, 受賞職
李貴同	(문종1)	장인 宜山尉 南暉(얼서)	음	授職(宜山尉南暉孼壻故)
李貴同	(단종2)		환관	判內侍府事
李貴林	(성종3)			춘추관書吏, 取才敍用
李貴美	(세조~성종대)			縣監(~세조1), 世祖原從3등공신(1), 고성縣令(성종2)
李貴美	(성종9)			가산將校
李貴寶	(세조5)			결성縣監
李貴寶	(세조6)		환관	掖庭署司鑰, 원종3등공신
李貴山	?~1424			漢城府尹(태종10), 천추사(10), 전라관찰사(11), 경성수보도감提調(13), 경상관찰사(~14, 파직), 개성副留侯(15), 강원관찰사(15), 前관찰사졸
李貴生	(세종대)			전萬戶(~5), 전라처치사(5), 萬戶(6), 도절제사鎭撫(12)
李貴也	(세종~세조대)		여진귀화인	授職侍衛(세종23), 알타리萬戶(단종2), 都萬戶(세조1)
李貴然	(세조1)			五司副司直, 원종3등공신
李貴存	(단종~세조대)		환관	內官(~3, 유배)
李貴存	(세조~예종대)			都摠制使龜城君李浚군관(세조13), 豆毛浦萬戶(~예종1, 파직)
李貴春	(성종3)		역관	왜통사
李貴和	(성종대)			전설사別提(~6), 고원郡守(6)
李達	(태종대)		문(14)	
李珪	(세조1)			우군司勇, 원종2등공신
李揆	(세조대)			五司司勇(~1), 원종2등공신(1), 인산郡守(13)
李畇(均)	(단종~성종대)			인순부判官(단종3), 世祖原從3등공신(세조3), 加資(성종6, 先農祭祝史功)
李鈞	(성종대)			司僕判官(崔恒비명)
李均實	1359~1458			同知中樞치사(세종23), 中樞副使(~25, 유배), 知中樞(31), 전知中樞졸
李克剛	(세종7~13)			兵曹知印

조선초기 관인 이력

李克儉	(성종25)			永登浦萬戶
李克達	(성종대)			군기直長(~24, 파직), 權知訓練參軍(25)
李克潭	(세종23)			덕원郡事
李克連	(성종9)			경상都事
李克復	(세종대)		?, 문(2)	도염署丞(~2), 문과, 承政院注書(5)
李克壽	?~1413			戶曹議郎卒
李克漸	(세종1)			刑曹正郎
李覲	?~1460	父 賴	문(문종1)	正字(~세조1), 世祖原從2등공신(1), 成均主簿(4), 司憲監察(5), 종부主簿(5), 일본통신사書狀官漂沒
李根剛	(세조1)			行五司司勇, 원종3등공신
李根繼	(단종~세조대)	처형 贊成 李承孫		보성郡守(단종1), 五司護軍(세조1), 世祖原從3등공신(1), 五衛鎭撫(6)
李根固	(세종9)			의주통사
李斤生	(세조7)			守五衛護軍
李根生	(성종19)			加資(선농제典樂令故)
李根孫	?~1475			위원甲士전사
李根完	(세종10)			임진縣監
李近愚	(세조대)			五司護軍(~1), 원종3등공신(1), 東平館監護官(6)
李根全	(세종대)	처제 贊成 李承孫		點船別監(~25), 순천府使(25)
李近孝	(세조~성종대)			五司司直(~세조1), 世祖原從2등공신(1), 성절사護送將(10), 衛將(14), 助羅浦첨절제사(성종17)
李根孝	(세조~성종대)			벽단萬戶(세조대), 동래縣令(~성종7, 파직), 通政大夫江界府使(10)
李金粹	(세조1)			知郡事, 원종2등공신
李及	(태종14)			書筵官
李奇	(세종대)		기(14, 효행)	敍用(14, 居군위, 孝行故)
李奇	(세조1)			五司司正, 원종3등공신
李基	(세조~성종대)			權知參軍(~1), 원종3등공신(1), 加資(성종6, 先農祭監故)
李琦	(세조6)			錄事, 원종3등공신
李璣	(세종26)			別侍衛
李夔				해주牧使(읍지)
李耆耕	(태조1)			永川郡守(읍지)
李奇童	(세조1)			五司副司正, 원종2등공신
李淇行	(세조1)			行五司司直, 원종3등공신

李耆賢	(세조7)				현풍縣監(읍지)
李吉芬	(세조13)				곡성縣監
李吉善	(세조12)			무(장원)	
李吉安	(태종대)				都摠制府同知摠制
李羅吾化	(단종대)			여진귀화인	五司副司正(~2), 司正(2)
李那下	(세조5)			여진귀화인	副司直
李蘭敎	?~1428			기(기태조)	太祖原從공신(태조1), 총제졸
李內	(태조대)				右諫議(고려공양왕4)
李寧	(태종17)				안악郡事
李路	(태종11)				회양敎授官
李魯生	(세조3)				전五衛司勇, 원종3등공신
李訥	(세종~세조대)			무(세종26)	縣監(金璿비명), 中樞副使(~세조1), 世祖原從2등공신(1)
李訥仇於	(세조11)			여진귀화인	골간萬戶
李訥仇於件	(세조대)			여진귀화인	時知末等地副萬戶(3), 본처副萬戶(~6), 萬戶(6)
李陵	(성종8)				通政大夫충청관찰사
李多乃	(세조6)			여진귀화인	올량합司直
李多老	(세종~세조대)			여진귀화인	副司正(세종25), 五司司正(~세조1), 世祖原從3등공신(1)
李多弄可	(단종3)	父 千戶 者邑同介		여진귀화인	골간上護軍
李多弄介	(세조대)				僉知中樞(6), 上護軍(12, 居大蒙古)
李多弄介	(성종대)			여진귀화인	골간올적합上護軍(1), 知中樞(6)
李多弄哈	(단종~성종대)			여진귀화인	경흥부上將(단종1), 僉知中樞(세조2), 知中樞(6)
李多林	(문종~세조대)				부령府使(문종1), 전농判事, 光州牧使(세조1), 僉知中樞(2)
李多陽可	(단종3)			여진귀화인	司正
李多陽介	(세조대)			여진귀화인	五司司正(세조2), 五衛副司直(5), 護軍(6), 僉知中樞(13)
李多陽哈	(성종2)			여진귀화인	僉知中樞
李多吾也	(세조9)			여진귀화인	본처(居訓春)都萬戶
李多好兒多	(세조9)			여진귀화인	본처(居訓春)都萬戶
李達	(세종대)			기(10, 형 明使 祥故)	副司正(10), 副司直(15)
李達	(세종대)	父 亭			司憲監察, 황해진휼사경차관
李達生	(성종대)			여진귀화인	경성甲士(13), 富寧流民刷還有功(14)

李達孫	(성종9)			전회덕縣監, 收告身
李澹	(정종2)		환관	內官
李祇	(성종6)			입시
李堂	(태종~세종대)			종부副令(태종7), 司憲掌令(8), 司憲執義(14), 내자判事(세종4)
李岱	(태종~세종대)			司憲監察(~태종14, 파직), 고원郡事(~세종12, 充官奴)
李大中	(태조1)		기타(軍士)	태조잠저휘하(태조총서)
李德明	(세종2)			甲士, 몰이꾼總牌
李德山	(예종1)			內禁衛
李德業	(성종10)			司憲掌令
李德興	(세종30)			典廐牧羊有功
李德元	(성종6, 13)			徵召, 命敍用
李德裕	(세조1)			五司司正, 원종2등공신
李稱	(성종대)			군적郎廳(~8, 敍用), 의학訓導(~9), 內醫主簿(9), 양덕縣監(9)
李道	(태종10)			의정부知印
李韜	(태종대)			護軍(8), 京畿左道兵船軍器點考別監(8), 군기少監(9), 大護軍(14), 正, 工曹參議(18)
李都景	(태조1)		기(軍士)	잠저태조휘하(태조총서)
李圖南				보성郡守(읍지)
李都弄介	(단종3)	父 毛陽介	여진귀화인	司正
李都弄吾	(세조~성종대)		여진귀화인	골간올적합都萬戶(~세조13), 中樞(13, 성종21)
李都弄音	(세조6)		여진귀화인	司直
李都芬 (思芬)	(태종대)			길주도안무사(5), 충청병마도절제사(7), 경상병마도절제사(13), 都摠制府都摠制(~17), 파직(17), 개성留守(18)
李都乙赤	(태종~세종대)		여진귀화인	侍從(태종13), 알타리千戶(세종5), 侍衛(6), 官至4품(24)
李都乙之	(문종1)		여진귀화인	골간副萬戶
李都乙之 麻	(단종3)		여진귀화인	大護軍
李都之麼	(세종대)		여진귀화인	골간올적합司直(~29), 副萬戶(29)
李都致	(단종3)		여진귀화인	五衛司直
李都致	(세종~단종대)	父 巨源	여진귀화인 (음, 세종10)	錄用(세종10, 父전공), 五司司直(단종3)
李教禮	(성종14)			제주判官(읍지)
李教義	(세종26)			司直

李晥	(태종~세종대)				거창縣令, 제주도안무사(태종17), 刑曹參議(세종1), 左軍同知摠制(1), 漢城府尹(~5), 유배(5)
伊童時可	(세종23)	父 亡乃		여진귀화인	副司直
李銅柱	(세조9)				五衛部將
李豆里	(단종~세조대)	父 建州衛都督 滿住		여진귀화인	入朝(단종3), 都萬戶(세조3), 中樞(4), 복주(13)
李豆赤	(세종26)			여진귀화인	司直
李豆稱介	(세조1)			여진귀화인	五司副司直, 원종3등공신
李得良	(세조6)				五衛司勇, 원종3등공신
李得霖	(세조1)				五司司直, 원종2등공신
李得茂	(단종3)			환관	內官, 충청관찰사노
李得防	(태종대)				內乘(3), 五衛上護軍(11)
李得夫	(세조1)				五司司勇, 원종2등공신
李得富	(단종~세조대)				行內侍府左承直(단종1), 行同僉內侍府事(~세조1), 世祖原從2등공신(1)
李得芬	(태조대)			환관	判內侍府事(~7, 유배)
李得守	(세종대)			기(6, 효행)	復戶敍用(6, 갑산)
李得守	(세조~성종대)			환관	내시부承傳(承傳色), 內侍(세조9), 尙傳(11, 13, 성종7)
李得殊	(세종2)			환관	承傳內侍
李得春	(세종12)				在官, 牧使(족보)
李得恒	(태조대)			기(軍士)	태조잠저휘하(태조총서), 경흥少尹(~7, 유배)
李得海	(세조4)				行五衛上護軍
李得行	(세조1)				五司副司正, 원종2등공신
李樑					縣監(金大有묘갈명)
李齡	?~1460				첨절제사(세종23), 갑산郡事(24), 궁성수위절제사(문종2), 行五司上護軍(~세조1), 世祖原從2등공신(1), 同知中樞졸
李壚	(성종19)				加資(친경典樂令故)
李賴	(태종~세종대)			문(태종5)	司諫院右獻納(세종8)
李賴	(세조1)				兼博士, 원종2등공신
李輪	(성종4)				청풍府使(읍지)
李綸	(성종대)				춘천府使(읍지)
李倫	(성종22)				영유縣令(읍지)
李搿	?~1479				안악郡守(세조8), 의금鎭撫(11), 의금經歷(예종즉), 五衛鎭撫(즉), 상서判官(성종2), 파주牧使(17)

李麻具	(세조~성종대)			여진귀화인	본처(올량합)都萬戶(세조5), 僉知中樞(성종17), 都萬戶(23)
李萬	?~1393			환관	內官복주
李萬年	(태종5)			환관	內官
李蔓孫	(성종대)				갑산府使(5), 通政大夫朔州府使(6)
李萬榮					金溝縣令(읍지)
李萬中	(태조1)			기(軍士)	잠저태조휘하(태조총서)
李末奉	(세조1)				進勇校尉(甲士), 원종2등공신
李末丁	(성종대)				延城府院君
李末中	(예종1)				甲士
李末沖	(태종13)				완산將校, 充衛士(有武才故)
李枚	(성종1)				충청우도수군都萬戶
李梅	(태종9)			환관	환관
李孟堅	(성종3)				司憲掌令
李孟根	(세조1)				五司司勇, 원종2등공신
李孟蕃(藩)	(태조대)			?, 문(우왕9)	司憲糾正(~고려우왕9), 문과
李孟相	(성종3)			화원	御眞화원, 加資
李孟祥	(세종23)				戶曹參議
李孟石	(세조4)				한성判官
李孟晳	(세종대)			기(22, 효행)	中樞錄事(22, 居庸인)
李孟孫	(세조대)				行五司司正(~1), 世祖原從3등공신(1), 僉知中樞(6), 衛將(7), 行五衛上護軍(7), 破敵衛將(8), 僉知中樞(11)
李孟孫	(세조~성종대)				修義副尉(~세조1), 원종3등공신(1), 行五衛司直(성종3)
李孟孫	(성종대)			의원	성절사수행의원(20), 전의正(22)
李孟英	(문종~세조대)			?, 문(문종1)	忠順衛(~문종1), 문과, 司憲持平(1), 五司護軍(~세조1), 世祖原從3등공신(1)
李孟賁	(성종13)				入侍
李孟甸	(세종4)				사은副使回
李孟畛	1382~?				刑曹正郎(~태종10), 파직(10), 司憲持平(14), 同副(세종9)·右副(11)·右承旨(11), 戶曹參判(12), 경창(13)·漢城府尹(14), 中樞副使(15), 진헌사(15), 刑曹左參判(16), 파직(17), 同知中樞(21), 戶曹參判(21), 경창府尹(24), 진위사(24), 전라관찰사(25), 知中樞(26), 判漢城(26), 함길관찰사(27), 判漢城(30), 知中樞(~문종1), 치사(1), 知中樞(단종즉), 判中樞(세조2)
李孟贊	(세조대)			?, 문(6)	五衛司直(~세조6), 문과

아

437

李勉	(세종4)				졸典書
李銘	(성종18)			환관	內官
李明禮	(세조1)				令史, 원종3등공신
李明義	(세종5)				임강縣監
李明義	~1467				함길甲士(세조3), 坐李施愛복주
李明仁	(세종10)				副司正, 유배
李明湖	(세조13)				護軍(居홍원, 李施愛黨)
李明浩	(성종14)				길주縣監(읍지)
李明孝	?~1467	父 從今			副司直복주(坐李施愛)
李慕					전주府尹(읍지)
李牟					은율縣監(읍지)
李毛陽介	(단종3)			여진귀화인	司直
李毛只乃	(세조5)	父 建州衛都督 滿住		여진귀화인	본처都萬戶(居건주)
李霖	(태종7)				知泰州事
李穆	(세종대)			환관	內官
李蒙	(세조3)				경시署令
李夢亮	(성종5)				경성府使(읍지)
李昻	(태종대)				上洛君
李武作	(세조14)				別監
李茂貞					함길절도사(읍지)
李茂昌	?~1421	父 明 光祿寺少 卿 文命			明鴻臚寺少卿, 少卿졸
李聞	?~1455				사재直長(~문종즉위, 파직), 관노복주(세조1)
李文疆	(세조1)				丞, 원종3등공신
李文烱	(단종2)				司諫院左正言
李文貫	(태종17)				전判事
李文禮	(세조1)				五司副司直, 원종2등공신
李文命	?~1411			기 (入 明 女 故)	예안縣監·永川郡守(읍지), 공안부判官(태 종8), 明光祿寺少卿(9), 少卿졸
李文炳	(성종대)				고양郡守(13), 사용僉正(~14, 피죄, 陵直)
李文垍	(세조1)				直長, 원종3등공신
李文純	(세종15)				碧潼郡事
李文亨	?~1488				명사행중졸
李敉	(태종~세종대)			문(태종8)	司諫院獻納(태종18), 전농少尹(세종4), 전라 경차관(4), 議政府舍人(5), 成均司成(7)
李美	세조1)				五司司直, 원종3등공신
李美成	(세조1)				五司司正, 원종3등공신

李美忠	(태조대)			환관	內官
李密	(태종6)				右軍摠制
李沜	(세조1)				監正, 원종3등공신
李胖	(태종대)				刑曹佐郎(15), 德恩縣監(16, 읍지)
李盤根	?~1467				甲士전사
李倣	(태종대)				司憲持平(~9, 파직), 司憲掌令(11), 유배(12), 경상우도군기점고경차관(16)
李培	(태종대)				摠制(~18), 判廣州牧使(18)
李伯慶	(세종~문종대)				司僕判官(~세종16), 경원判官(16), 護軍(18), 遠地守令7년재임(세종19, 8, 20), 종성府使(문종즉위)
李伯男	(성종대)				通政大夫벽동郡守(11), 경흥府使(19)
李伯棠	(세조1)				錄事, 원종3등공신
李伯道	?~1448				사온主簿被鞫中졸
李伯良	(세종~세조대)				부안縣事(세종22), 흥해郡守(읍지), 성주牧使(문종1), 내자尹(~세조1), 世祖原從3등공신(1)
李伯黎 (連)	(성종3)			화원	加資陞敍(製御眞故)
李伯倫	(세종~세조대)			무(세종18)	萬戶(~세조1), 世祖原從3등공신(1)
李伯常	(세종~성종대)				김제郡守(~세종16), 강화(16), 양주府使(19), 선공判事(단종즉), 世祖原從3등공신(세조1), 전永興府使(~10), 行五衛護軍(10), 전牧使(14)
李伯善	(세종~문종대)				강동縣令(세종13), 황해7站察訪(~문종1, 파직)
李伯順	(태조~태종대)			문(우왕3)	參判(방목)
李伯衍	(세종8)				전라都事
李伯源	(세조1)				五司副司直, 원종3등공신
李伯仁	(세종4)				三軍鎭撫
李伯孜	(세종대)			기(16, 효행)	命敍用(16, 居한성부, 孝行故)
李伯全	(태조~태종대)			문(우왕8)	大司成(방목)
李百全	(태종9)				봉상副令, 파직
李伯忠	(태종~세종대)				양구縣監(태종17), 司憲監察, 충주判官(세종9), 안성郡事(15)
李伯舍	(태종9)				知永州府使(~9, 유배) 永川郡守(읍지)
李藩	(조선초)				장기監務(읍지)
李甫家	(세종10)			기	전司直(居북청), 敍用(孝行故)
李寶劍	(태조7)				司僕卿(~7, 充水軍, 坐鄭道傳)
李甫郎哈	(세조7)			여진귀화인	兼司僕(건주야인)

李保良	(세조1)				錄事, 원종3등공신
李普老	(세종27)				禮曹佐郎
李甫兒赤	(단종3)			여진귀화인	올량합萬戶
李寶陽	(태종9)				전中郎將
李甫陽介	(세조대)			여진귀화인	五衛司正(~6), 五衛副司直(6)
李甫乙赤	(세종~세조대)			여진귀화인	司直(세종24), 世祖原從3등공신(세조1)
李甫赤	(세종~문종대)			여진귀화인	동량북알타리護軍(세종25), 大護軍(문종1)
李寶之	(세종대)			문(2)	삼가縣監(16)
李馥	(세종~성종대)			의원	醫官(세종23, 성종3)
李福謙	(세조1)				五司護軍, 원종3등공신
李復禮	(태조~태종대)				司憲監察(태조3), 前經歷(~태종7), 문민질고사(7), 知蔚州事(~11, 유배)
李福山	(세조1)				五司司勇, 원종3등공신
李福崇	(성종14)				사포서別提
李復始	(태종1)				左散騎常侍, 상주牧使(읍지)
李鳳孫	(성종11)				南部錄事
李逢順	(문종즉위)				전上護軍(居북청)
李富	(세종4)			환관	內官
李敷	(태종2)				摠制
李阜					校理(李敷묘지명)
李傅孫	(세조8)				울진縣令(읍지)
李富壽	(태조3)				千戶
李芬	(정종2)			환관	內官
李芬	(태종대)				수문甲士(6), 구례縣監(18)
李不敏	(단종1)				의금知事
李佛壽	(태조3)				千戶
李鵬	(세종대)				경기좌도첨절제사(8), 제주안무사(16)
李丕	(태조6)				司僕判事
李埤源	(성종14)			역관	영접도감通事
李舍	(세종대)			역관	사역主簿(5), 진마사(5), 判官(10)
李斯剛	(태종9)				전정주牧使
李斯岡	(세종21)				졸判事
李思南	(세조1)				五司護軍, 원종3등공신
李思訥	(세종2)				知申事
李師旦				문(우왕14)	
李思達	(세조1)				五衛護軍, 원종3등공신
李思達	(세조2)				전옥丞, 杖徒
李思明	(세조3)				通仕郎, 원종3등공신

李思文	(태종대)			기(18, 明使尹鳳故)	장흥고直長(18)
李嗣文	(세종21)			기(臨瀛大君璆 伴倘)	전司正, 充軍
李師伯	(태종11)				司憲監察, 진보縣監(읍지)
李思榮	(세종21)				上護軍
李沙吾里	(세조1)			여진귀화인	올량합司直
李師溫	?~1449				평해郡事졸(읍지)
李思柔	(세조5)				三陟府使겸병마수군절제사(읍지)
離思義					동복縣監(읍지)
李思仁	(세종30)				工曹參判, 사은사
李思悌	(세조4)				단천郡守(읍지)
李嗣宗	(단종2)				경성府使(읍지)
李師中	(성종24)				外官
李思曾	(세종대)				司憲監察(8), 함길行臺監察(8), 司僕少尹(26)
李士積	(세조1)				五司護軍, 원종3등공신
李師昌	(세종17)				경상우도병마도절제사河敬復軍官
李舍土	(세종~세조대)			여진귀화인	오랑합萬戶(문종즉위), 上護軍(단종3), 훈융등지都萬戶(세조12)
李山	(세종10)				左軍司正
李山斗	(세종대)				울산郡事(13), 司僕少尹(~19), 양산郡事(19)
李山澤	(세조1)				進義副尉, 世祖原從2등공신
李森	(세종대)			문(20)	成均直講(방목)
李三老	(세조3)				三軍鎭撫, 充軍
李三老	(성종10)			종친	敦寧副正
李三産(山)	(단종~예종대)			문(단종2)	權知成均學諭(~세조1), 世祖原從2등공신(1), 宗學司誨(예종1), 成均典籍兼宗學司誨(1), 昭格署令(성종3), 은율縣監(8, 읍지), 成均司藝(7), 直提學(방목)
李三哲	(세종대)			역관	여진통사
李三哲	(세종8)				전千戶(거경원)
李相	(세조1)				兼校理, 원종2등공신
李湘	(태종~세종대)				전농判事(태종7), 경기관찰사(11), 前判原州牧使(15), 황주牧使(세종1)
李相國	(성종7)				成均館官
李尙道	(세조6)				壯勇隊, 世祖原從3등공신
李尙老	(세조1)				知印, 世祖原從3등공신
李尙亨	(성종7)				발포萬戶
李筮	(단종2)				戶曹佐郞

李敍	(성종14)				은율縣監(읍지)
李瑞					함길절도사(읍지)
李栖崗	(성종20)				소강첨절제사, 파직
李瑞南	(세조1)				五司司直, 원종2등공신
李瑞山	(세조1)				掾吏, 世祖原從3등공신
李石堅	(세조14)				종묘署令
李石山	(세조~성종대)				行五司司勇(세조1), 世祖原從3등공신(1), 行五衛護軍(~9, 파직), 전觀象正(예종1), 護軍(성종6)
李石山	(세조1)				五司司正, 원종3등공신
李石孫	(성종22)				만포甲士
李錫哲	(세종18)				別侍衛
李仙根	(세조6)				郡事, 원종3등공신
李善南	(성종대)				金溝縣監(3), 괴산郡守(13), 敦寧判官(14)
李善同	(성종대)				坐罪유배, 방면(5), 徵召(6), 寺事(6)
李善門	(단종~세조대)				종성教導(단종1), 종성教授(세조13)
李先枝	(성종대)				書吏(~3), 取才後優先敍用(3, 睿宗實錄粧冊功故)
李暹	(성종대)				정의縣監(14), 만포절제사(15), 훈련僉正(~18), 副正(18)
李晟	(태종5)				嘉善大夫三陟府使(읍지)
李誠	(태종대)			문(7)	縣監(방목)
李成	(세종10)				졸司直
李成	(세조5)				운봉縣監
李篟	(세조~성종대)				五司副司直(세조1), 世祖原從3등공신(1), 수령, 전教授(~3, 敍用), 함안郡守(성종12, 읍지)
李篟	(성종3)	父 保民			사온直長
李城	(성종7)				영암郡守(읍지)
李晟	(성종대)	父 保民		문(3)	僉知中樞(방목)
李成吉					영해府使(읍지)
李盛東	(세조6)				縣監, 원종3등공신
李成龍	(세조6)			환관	內侍, 원종3등공신
李成茂	(태종17)	父 判事 長密			전中郎將, 敍用(효행)
李成(誠)生	(성종9)				회덕縣監, 파직
李成孫	(성종대)				隊正(9), 해미縣監(14)
李成閨	?~1491				甲士졸
李成春	(단종2)				회령甲士
李成蹊	(세종대)			기(12, 효행)	敍用(12, 居한성부, 孝行故)

조선초기 관인 이력

李誠孝	(세종8)				철산郡守, 파직
李世	(세종대)			환관	東宮司鑰(~7, 유배), 內豎(16)
李世傑	(성종대)			?, 문(성종17)	訓導(~17), 문과[연산이후: 府尹]
李世樑	(세조대)				行五司司勇(1), 원종2등공신(1), 五衛鎭撫(3)
李世隆	(성종16)				평산포萬戶, 파직
李世琳					울산郡守(읍지)
李世貞	(성종대)			음(20)	隨才敍用(20, 功臣嫡長故)[연산이후: 해주牧使(읍지)]
李世禎	(세조10)				忠贊衛
李世興	(세조13)				경성府使(읍지)
李昭	(세조~성종대)				衛將(세조14), 함길북도절도사金嶠揮下(예종즉) 조전장(1), 함길북도虞侯(성종3), 行五衛副司直(6), 行司猛(~6), 方山조전장(6), 通政大夫驪州牧使(10), 회양府使(13), 회령府使(16), 北征將帥(22), 조전장(23)
李紹生	(세조대)				郡事(1), 원종3등공신(1), 경기察訪(9), 전五衛副司正(11), 兼司憲執義(13)
李所時右	(세조3)			여진귀화인	副司正
李所乙進	(태종대)				隊正, 兵曹令史去官, 五衛副司正(8, 甲士)
李所澄可	(단종3)	父 大護軍 都乙之麻		여진귀화인	司正
李小畜	(태종대)				司憲持平(8), 유배(9)
李小通阿	(성종3)			여진귀화인	골간올적합都萬戶
李小通哈	(세조~성종대)				草串등처萬戶(세조2), 골간올적합中樞(성종7)
李孫景	(세조1)				五司司直, 원종2등공신
李修	(태종17)				工曹佐郎
李秀	(성종13)				司畜署司畜
李搜	(문종즉위)				홍주敎授
李壽	(태종10)			환관	환관
李端	(태종18)				나주牧使(읍지)
李綏	(태종12)				은율縣監(읍지)
李守	(태종14)				通政大夫三登縣令(읍지)
李端	(태조3)				司憲中丞, 유배
李邃良	(세조1)				判官, 원종3등공신
李守寧	(성종대)				參判
李守禮	(세조6)				五衛鎭撫
李壽明					흥해郡守(읍지)
李壽山	?~1423				법성포萬戶, 왜구추격중溺死

李壽山	(세종~세조대)			문(17)		翰林(방목), 訓練注簿兼春秋(22), 보은縣監(~단종2), 파직(2), 世祖原從3등功臣(세조1), 別坐(6)
李壽孫	(성종10)					精通譯學
李守元	(성종24)					典祀受俎官
李守柔	(세조대)					行五司副司正(1), 원종3등공신(1), 行五衛護軍(7), 衛將(7), 무장縣監(14)
李秀才	(세종25)			역관		왜통사
李壽枝	(세조대)			무(6)		승정원掾吏(~6), 무과, 울진縣令(9)
李壽千	(성종대)					縣監, 兼司憲掌令(1), 兼司憲執義(2)
李守義	(단종즉)					僉知中樞
李叔耕	?~1453					온성府使졸
李叔卿	(태종11)					知通州事
李叔珪	(성종10)					진위縣令, 파직
李淑珪	(성종5)					전라行臺監察
李叔達	(성종9)					入侍
李淑當	(태종17)					通政大夫三和縣令(읍지)
李叔禮	(세조~성종대)					都摠使龜城君李浚군관(세조13), 行첨절제사(성종6)
李蕭林	(세종19)					五衛鎮撫
李叔明	(태종대)					刑曹佐郎(2), 刑曹都官正郎(~9), 유배(9)
李叔捧	(태종대)					司憲掌令(9), 평산郡事(~14, 파직)
李叔生	(예종~성종대)					判官(예종즉위), 陞당상관(즉, 寫佛經功故), 通政大夫春川府使(성종4), 공주牧使(12), 折衝將軍五衛大護軍(19)
李叔貞	(예종~성종대)					閑散武士(예종1, 보성), 전라좌도수군첨절제사(성종1), 行五衛司直(6)
李叔禎	(성종12)					通政大夫甲山府使
李叔悌	(세조11)					別侍衛
李叔疇	(세종16)					평안도관찰사
李叔咸	(성종23)					京官
李叔箎	(세종26)					在職
李恂	(세조~성종대)					副直長(세조1), 원종3등공신(1), 內禁衛(성종25)
李珣	(세종12)			환관		內侍, 피죄
李順	(세종대)			기(11, 명사청)		평양典客署錄事(11)
李順慶	?~1467					五司副司直(세조1), 원종2등공신(1), 少尹졸
李順良	(성종3)					염포萬戶

李純良	(성종대)			문(5)	縣監(방목)
李順老	(세종24)				전副正, 收告身
李順茂	(태조대)				護軍(문종 즉위년 9월 경신)
李順茂	(세조1)				行五司副司正, 원종3등공신
李淳白	(단종1)				의금鎭撫
李順白	(세조13)				벽동甲士, 受賞職(刷還流民功)
李順伯	(태조6)				親軍衛甲士
李淳甫	(세조12)				刑曹錄事, 陞啓功郎
李淳山	(세조1)				五司副司正, 원종3등공신
李順孫	(성종9)				突山浦군관, 充軍
李淳淑 (叔)	(세조~성종대)				郡事(세조1), 世祖原從3등공신(1), 구성郡事(7), 行五衛司果(예종1), 평안경차관(1), 通政大夫江陵府使(성종9)
李順義	(세종대)		서 大司成 申自繩		領中樞府事(申槩비명)
李淳中	(세조1)				進勇校尉(甲士), 원종3등공신
李順之	(세종대)				同副承旨, 유배(단종1, 좌癸酉政變)
李順亨	(성종2)				別侍衛(居개령)
李崇敬	(세조5)				부령甲士, 徒
李崇根	(성종25)				사포서別提, 파직
李崇寧	(성종20)				通訓大夫司憲持平
李崇德	(태종7)				金嶺道驛丞
李崇道	(세종대)			기(7, 尹鳳청)	副司正(7), 司正(10)
李崇祿	(성종19)				司憲持平
李崇茂	(세조1)				五司副司正, 원종2등공신
李崇安	(세종21)			기(臨瀛大君 璆 伴倘)	전五衛副司直, 充軍
李崇禹					參奉(金升卿묘지명)
李崇允	(예종~성종대)				同副承旨(예종1), 同知經筵(성종10)
李崇義	(세종대)		父 學林	?, 문(5)	敎導(~5), 문과, 署令(방목)
李崇祚	(성종21)				경원府使
李崇之	?~1462		父 禮賓尹 賀		司憲掌令(세종26), 同副·右副·左副·右·左承旨(문종즉위~2), 경상관찰사(2), 戶曹參判(단종2), 中樞副使(세조1), 同知敦寧(1), 世祖原從1등공신(1), 同知中樞(2), 戶曹參判(2), 知敦寧(2), 전주府尹(2), 유배(2), 中樞副使(6), 파직(7), 전知中樞졸
李承慶	(세종17)				詹事
李承德	(단종대)				五司司直(거함길도~단종1), 除土官(1, 효행)

李承崙	(세조13)				都摠使龜城君李浚군관
李承命	(세조대)				萬戶(1), 원종2등공신(1), 五衛鎮撫(~3, 유배)
李承明	(세조8)				兼成均司成
李承茂	(태종14)				전司直
李承碩	(세조1)				判官, 원종3등공신
李承順	(세조13)				무산萬戶, 파직
李承實	(세조1)		일관		書雲觀司辰, 원종3등공신
李承實	(성종24)				경원진甲士
李承衍	(세조7)				용인縣令
李承祐	(세종9)				別監, 世子朝見駄軍
李承旭	(세조3)				五衛副司正, 원종3등공신
李承旭	(세조13)		풍수학		관상감官
李承源	(태조대)				안주牧使(고려), 太祖原從공신(1), 교동절제사(2), 中樞副使(3), 사은副使(3), 양광도절제사(3), 戶曹典書(~6), 면직(6)
李承宗	(세조~성종대)				甲士(세조4), 안악郡守(~성종13), 敦寧僉正(13), 예천, 함양郡守
李承昌	(성종25)				五衛司直(거단성)
李升忠	(세종~세조대)				예빈錄事(세종10), 三軍鎮撫(~16, 피죄), 五司大護軍(문종1), 兼司僕(~2, 파직), 護軍(세조1), 世祖原從3등공신(1)
李承平	(세조1)				평안도절제사
李柿	(세종7)				五衛上護軍
李蒔	(세조1)				五司司正, 원종2등공신
李始孫	(세조13)				都摠使龜城君李浚군관
李軾(植)	?~1419				안변府使(태종18), 都摠制府同知摠制(세종즉), 左禁衛2번절제사(즉), 左軍摠制(즉), 총제졸
李申	(태조7)				司憲持平(공양왕4), 전持平
李伸	(태종대)				태인(3), 대정縣監(8)
李伸	(세종24)				전司正(居천안), 피죄(全家徙邊)
李信	(세종18)		환관		檢校同僉內侍府事司饔副司直
李晨	(세종23)				청송府使(읍지), 정조사回
李晨(信)	(세조대)				進義副尉(1), 원종3등공신(1), 五衛鎮撫(6)
李愼	(세조7)		환관		환관
李新生	(성종24)				졸上將軍(居진주)
李愼全	(세종12)	외조 領議政 河崙	천		在官, 護軍(申檠비명)
李愼之	(세종~성종대)				홍산縣監(세종19), 연안제언別監(성종6)

李實	(태종10)				內侍衛行司直
李實列密	(세조2)			여진귀화인	五衛護軍, 寺事
李諶	(태종대)				參判, 都摠制府都摠制
李諶	(세조3)				直長, 원종3등공신
李阿可	(단종3)			여진귀화인	五司司直(居下東良)
李阿具	(세조대)		父 建州衛都督 滿住	여진귀화인	포주등처副萬戶(2), 都萬戶(4), 同知中樞(4, 依例受祿)
李阿多介	(성종대)			여진귀화인	알타리中樞(15, 19)
李阿豆	(세종~단종대)			여진귀화인	都萬戶浪卜兒罕管下 千戶(~세종25), 司直(25), 大護軍(단종3)
李阿豆	?~1460			여진귀화인	五司副司直(侍衛, 세조1), 원종3등공신(1), 피살(任所)
李阿時兒	(성종4)			여진귀화인	골간올적합上護軍
李阿時阿	(세조대)			여진귀화인	何多山等處萬戶(2), 골간올적합上護軍(11)
李阿時應可	(단종3)			여진귀화인	골간올적합副萬戶
李阿尹多可	(성종1)			여진귀화인	알타리都萬戶
李阿乙知時	(세조6)			여진귀화인	副司正
李阿伊多可	(성종대)			여진귀화인	알타리中樞(20, 23)
李阿伊多介	(세조대)		형 上護軍 巨乙加介	여진귀화인	副司直(3, 15)
李阿澄可	(단종3)		父 副萬戶 阿時應可	여진귀화인	副正(居草串)
李安	(세종21)				副司直, 연일縣監(읍지)
李岸	(세조1)				進義副尉, 원종2등공신
李安敬	(태종~세종대)				司憲持平(~세종1), 파직(1), 戶曹正郎(~4), 파직(4), 司憲掌令(8), 내자(~11), 봉상尹(11), 춘천府使(12)
李安恭	(태종8)				司憲持平
李安吉	(세종대)				여연郡事(4), 左軍同知摠制(12), 同知中樞(17)
李安道					司憲掌令(金統묘표)
李安商(尙)	(세종대)				司憲監察(11), 파직(12)
李安石	(성종22)				고산리甲士
李安純	(세종8)				司憲掌令
李安仲	(세종12)				황주判官
李幹	(성종9)				제용正

李巖	(성종대)			강계判官(3), 折衝將軍창주절제사(11), 通政大夫昌州府使(13)
李也吾時哈	(세조5)		여진귀화인	五衛司正
李也叱大	(세종~세조대)		여진귀화인	副司正(세종25), 五司司正(세조1), 世祖原從3등공신(1)
李若老	(세조1)			進義副尉, 원종2등공신
李壤	(조선초)			평해郡事(읍지)
李良	(태종12)			刑曹都官行首掌務
李陽	(세종25)			영유縣令(읍지)
李陽(王巨乙吾味)	(세종8)			陞職(尹得洪故), 充水軍
李陽	(성종24)			內官
李揚	(태종~세종대)			선산府使(읍지), 工曹參議(세종4), 파직(5)
李良幹	(태조~세종대)			知高州事(태조2), 자산, 백천郡事, 斷事官, 內贍少尹(세종7, 1, 경진)
李養儉	(세종8)	父 參議 云具, 祖 寺事 子脩		基川縣監
李陽固	(성종대)			경상우도수군첨절제사(~3, 파직), 평안조전장(~10), 通政大夫昌城府使(10), 嘉善大夫价川郡守(11), 行僉知中樞(24)
李養根	(성종24)			경원진甲士
李陽達	(태조~세종대)		知事	서운判官(태조2), 전서운正(태종8), 兼司宰正(세종1), 行司直(2)
李陽東	(세종29)			전直長
李陽東	(성종5)			경상좌도수군절도사
李陽明	(태종~세종대)			議政府檢詳(태종8), 成均司藝(13), 경차관(13), 司諫院獻納(~세종1, 廢庶人)
李養蒙	(태종~세종대)			판순안縣事(태종10), 나주牧使(읍지), 禮(16)·戶曹參議(세종1)
李陽密	(태종17)			졸判事
李陽補	?~1469			甲士복주
李陽山	(세조3)			宣務郎
李良錫	(세조대)	父 之儉	문(11)	
李養修	(태조~세종대)			主簿(태조7), 전고성郡事(~태종11, 파직), 풍저倉使, 선천郡守(세종1), 회양府使(~2, 파직), 山城浦萬戶(4)
李陽裕	(세조13)			參軍(居고원, 救守令功故)
李良一(日)	(태종18)		일관	서운관視日

李良材	(세조6)				閑散武官(居초계), 徵召
李樑材	(세종~세조)			무(세종29)	훈련관종6품관(세종29, 徒), 行五衛司正(~세조3, 充軍)
李陽祚	(세조13)				斜麼洞萬戶
李養中	(태종8)				奉使일본
李良直	(세종~세조대)				군자判事(세종22), 世祖原從3등공신(세조1)
李於乙於取	(세종7)			여진귀화인	授官職
李檍	(태조7)				삼등縣令(읍지)
李億根	(세종28)				경성府使(읍지)
李彥	(태조1)				鎭撫(우왕14)
李彥生	(세조1)				五司護軍, 원종3등공신
李堰守	(단종2)				司憲執義
李彥陽	(단종2)			여진귀화인	保和萬戶
李奮	(성종16)				강원都事
李輿	(성종14)			역관	전通事
李餘慶	(문종1)				함종縣監
李汝於	(세종대)			여진귀화인	(골간)司直(~29), 萬戶(29)
李汝汝於	(문종즉위)				골간副萬戶
李汝乙於	(세조5)				草串等處萬戶
李堧	(세종25)				中樞副使
李堧	(세조6)				北部錄事
李演	(세조~성종대)				의영고直長(~세조13, 收告身), 연풍縣監(성종4), 안주判官(~15, 파직), 別坐(23), 수운判官(23)
李譩	(세종~문종대)			역관	進賀使權希達從事官(세종6), 사역僉知(9), 전判事(문종1)
李衍基	(세조1)				五司副司正, 원종3등공신
李延年	(세조13)				함길군관(세조13), 徵召(隨闕敍用, 6)
李延守	(세종7)			환관	前내시
李延守	(세종9)				전의縣監
李延源					縣監(金璔비명)
李衍義	(세조14)				別侍衛, 유배
李淵澄	(세조8)				합천敎導, 收告身
李延學	(세조8)				工曹參判
李烈	(세종대)				司僕判事(~7, 파직), 僉知中樞(14), 中樞副使(17), 판강계절제사(17)
李烈	(성종25)				경상우도수군절도사

李恬	(태조대)				門下評理(공양왕4, 고려), 三司右僕射(1), 政堂文學(1), 太祖原從공신(1), 新都造成都監判事(1), 예문춘추大學士(~4, 파직), 우복야(~6, 파직)
李念智	(세종25)				陵直
李聆	(세조~성종대)				한성少尹(세조11), 司農正(~예종1, 陞당상관, 국장도감郎廳功), 行五衛司果(성종6), 僉知中樞(8), 通政大夫海州牧使(14)
李寧	(태종~세종대)				내자少尹(태종18), 鎭撫(~세종3), 파직(3)
李榮	(성종대)				五衛部將(~8), 宣傳官(8), 司僕主簿(~11), 工曹正郎(11), 삭령郡守(12), 久任官(~22), 副正(22)
李齡	?~1460				僉知中樞(문종2), 宮城北面節制使(2), 첨지중추(단종2), 世祖原從1등功臣(세조1), 同知中樞졸(6)
李英幹	(세종7)				司憲監察
李英耉	(세종~성종대)			문(세종14)	校理(세종25), 廣州判官(문종즉위), 司憲持平(즉), 평안都事(~1, 파직), 남원府使(2), 校理(세조1), 世祖原從3등공신(1), 청주牧使(3), 通政大夫公州(8)·光州牧使(성종3)
李令瑾	(세조9)				거창縣令(읍지)
李永基	(성종4)				司憲監察
李英奇	(태조4)				전散員(금화), 효행
李英達	(단종~세조대)				五司副司直(단종1), 世祖原從3등공신(세조1)
李英達	(세조4)			역관	여진통사
李英德	(세종14)				전司正, 피죄
李詠道	(세종2)				현풍縣監(읍지)
李英林	(세종21)				別侍衛, 피죄
李永茂	(세종3)				예안縣監(읍지)
李永文	(세종24)				함길都事
李英美	(세조1)				五司護軍, 원종3등공신
李英方	(태종3)				낭천縣監(읍지)
李永貴	(세조~성종대)				북청判官(세조13), 함길도守令(예종1), 宣傳官(성종8), 行五衛副護軍(~10, 유배), 折衝將軍제포첨절제사(25)
李永(英)山	(성종22)				창성府使, 通政大夫鍾城府使
李永祥	(문종1)				선공, 사온主簿
李永生	(성종6)				奏聞使군관, 隨闕敍用
李英孫	(성종대)				왜통사(7), 行五衛司果(19)
李永順					의성縣令(읍지)

조선초기 관인 이력

李榮遇	(태종12)				전典書
李永禆	(단종~세조대)				선공(~단종1), 內贍主簿(1), 世祖原從3등공신(세조1), 翊衛司右衛率(14)
李永殷	(세조1)				五司護軍, 원종3등공신
李英益	(세종19)				제주牧使(읍지)
李永禎	(세종~세조대)			문(세종18)	藝文檢閱(방목), 전刑曹佐郎(세종31), 刑曹佐郎(세조1)
李永堤	(세조10)				『兵將說』修撰官
李英柱	(태종12)				전甫州縣令
李藝	1373~1445			역관	蔚山群吏, 전護軍(~태종10), 對馬島通信使(10), 琉球통신관(16), 行司直(~18), 대마도致祭使(18), 대마도敬差官(세종즉), 군기副正(2), 龍陽侍衛司護軍(~4), 일본回禮副使(4), 大護軍(~6), 일본회례부사, 石見州對馬島賜物管押使(8), 일본회례부사(10), 上護軍(~14), 일본回聘使(14), 첨지중추(20), 대마도통신사(20, 22), 대마도體察使(25), 同知中樞졸
李禮敬	(예종1)				別侍衛(居성주), 후일敍用
李禮恭	(세종30)				의정부書吏
李禮順	(성종대)				영덕縣令, 사천縣監, 흥해郡守(~12), 광흥倉守(12)
李禮全	(성종대)				상원郡守(3), 사용判官(6)
李吾道	(성종16)			여진귀화인	알타리副司果
李吾行	(세조1)				서운관司曆, 원종3등공신
李玉	(세조~성종대)			여진귀화인	五衛副司正(세조6), 兼司僕(성종1)
李玉林	(세조1)				宣務郎, 원종2등공신
李玉山	(세조6)			여진귀화인	五衛司直(北征공)
李溫赤	(단종3)			여진귀화인	司直(居吾弄草)
李溫土	(세조2)			여진귀화인	無乙界等處副萬戶
李邕	(태종대)			기(잠저시종)	司僕正(8), 戶曹參議(14)
李雍	(세조1)				行五司司勇, 원종2등공신
李完	(성종13)				禦侮將軍(전甲土, 江界體探人)
李龍	(태종7)			환관	靜妃殿入番內官
李龍	(태종10)			역관	의주통사
李用剛	(성종6)				울진縣令(읍지)
李龍年	(세종~세조대)			환관	5品內侍(~세종4, 充軍役), 내시(세조2)
李龍壽	(세조8)				敦勇校尉(甲土), 원종3등공신
李雨	(태종16)				世子殿환관, 出宮
李亏	(태종16)				진보縣監(읍지)

李瑀	?~1412					전工曹典書졸
李遇良	(세조1)					行五司副司直, 원종3등공신
李遇良	(예종1)					閑散武士(居초계), 徵發
李遇霖	(세종대)					인수少尹(~4, 收告身), 삼척府使(23)
李禹興	(태종13)			환관		行首
李郁	(성종19)			역관		倭통사, 성절사통사
李勗	(세종대)					전의判事(~세종즉), 의금鎭撫(즉), 兼知兵曹事(즉), 工(1)·吏曹參議(5), 慶昌府尹, 判羅州牧使(~12), 유배(12)
李勗南						보성郡守(읍지)
李芸	(태종17)					전護軍(成均祭酒)
李芸	(세종27)					철산郡事, 파직
李芸	(세종~세조대)			환관		내시, 世祖原從3등공신(세조1)
李云江	(세조1)					五司副司正, 원종2등공신
李云秬	(성종19)					先農獻官盥洗位, 加資
李云卿	(문종즉위)					전縣監
李云界	?~1406					전護軍복주
李雲達	(성종10)					五衛部將, 피죄
李云蒙	(세종~세조대)					연풍縣監(세종24), 司諫院右正言(세조5), 司憲持平縣監(8)
李云秭	(성종대)					啓功郎(~24), 訓導(24)
李芸生	(세조1)					直長, 원종3등공신
李薑生	(세종9)					司正, 세자조현牽馬陪
李云碩	(세조대)					副直長(3), 원종3등공신(3), 은진縣監(10)
李云實	?~1410					함주牧使졸
李云猗	(문종~세조대)					行司勇(~문종즉위, 유배), 行五司司正(세조1), 世祖原從3등공신(1)
李元	(세종10)					전司正
李元坤	(성종7)					禦侮將軍(금산), 除관직(효행)
李元奇	(세조1)					僉知中樞, 원종1등공신
李原奇	(세종7)					上護軍, 파직
李元吉	(성종대)					臺諫
李原吉	(세종대)					在官(1), 都摠制府僉摠制(3), 同知摠制(12)
李元良	(세조대)					벽동郡事, 창성절제사(10)
李元禮	(예종~성종대)			환관		환관(예종1, 성종14), 加資(19)
李元禮	(성종13)					호조假郎廳
李元老	(예종즉)					진도郡事, 파직
李元林	(성종8)					재령郡守

조선초기 관인 이력

李元萬	(성종21)					녹도수군部將
李原密	(태종11)					삼척府使, 收職牒
李原發	(세조1)					錄事, 원종3등공신
李元奉	(태종대)			환관		檢校判內侍府事(~17, 杖流)
李元鳳	(태종8)			환관		內官, 揀處女敬差宦官
李原備	(세종12)					회양府使
李元商	(세종12)					司憲監察, 유배
李元祥						흥덕縣監(읍지)
李元孫	(세종대)				무(20)	副司直(20), 벽동郡守(21), 고성縣事(22), 경성府使(성종9, 읍지)
李原實	(태종18)					전典書
李元幹	(세조8)					內禁衛
李原壤	(세조1)					五司司勇, 원종2등공신
李原英	(성종10)					武官
李元祐	(세종16)					경원築城總牌
李原適	(세종대)				?, 문(2)	敎導(~2), 문과, 명사書狀官
李元貞	(성종7)					上土萬戶
李元靖	(성종19)					선농제贊者, 加資
李元濬	(세종7)					僉知中樞
李原弼	(세조6)			명귀화인		漢語교육유공
李原恒	(세조10)					제주牧使(읍지)
李原海	(태종17)			화원		화원
李元孝	(세조1)					行副管事, 원종3등공신
李越	(세조~성종대)					主簿(세조1), 世祖原從3등공신(1), 내자判官(7), 通政大夫平山(성종7)·南原府使(11)
李月虛	(세종7)			여진귀화인		올량합千戶
李蒝	(세종1)					곡산신천등처채은사
李衛	(태종~세종대)					內贍少尹(태종14), 영흥府使(~세종12, 유배)
李魏	?~1424					북청府使졸
李威	(성종15)					울진縣令(읍지)
李緯						해주牧使(읍지)
李柔	(태조1)			기(軍士)		태조잠저휘하기병(태조총서)
李裕基	?~1456					義禁府鎭撫피화(좌端宗復位)
李有德	(문종2)			역관		여진통사
李裕德	(세종~문종대)			역관		절일사통사(세종22), 사역判官(문종1)
李由禮	(세조1)					五司副司正, 원종2등공신
李有禮	(성종11)			역관		세조代陞2품(성종11, 5, 임오)
李有貴	(세조~성종대)					內醫(세조3), 行五衛司正(3), 世祖原從3등공신(3), 전의正(성종6)

李宥山	(세조1)				학생, 원종3등공신
李有常	(태종대)				行臺監察(9), 刑曹佐郎(10)
李有生	(세조대)			?, 문(12)	訓導(~12), 문과
李由性	(성종2)			의원	醫官
李惟信	(성종대)			기(別侍衛)	別侍衛(~13), 태천縣監(13)
李惟慎	(성종대)				벽단첨절제사(21~22)
李劉於應巨	(단종대)			여진귀화인	行五司副司正(1, 시위), 司正(3)
李宥智	(태종14)				전司正
李愈昌	(문종~세조대)				경원判官(문종즉위), 萬戶(세조1), 世祖原從3 등공신(1), 토산縣監(8)
李有蹊	(태종대)			문(11)	吏曹佐郎, 전농少尹(방목)
李有喜	(태종대)				司憲監察(~6), 파직(6), 行臺監察(7), 司憲持平(~8), 유배(8), 戶曹正郎(11), 司憲執義(~15), 유배(15)
李允儉	(성종대)				宣傳官(4), 南桃浦萬戶(~25, 充軍)
李閏慶	(세조2)			환관	환관, 피죄
李允恭	(세종16)				임실縣監
李潤根	(예종~성종대)				징발(居대구, 閑散武士, 예종1), 折衝將軍선사포첨절제사(성종11)
李胤文	(예종1)				삼가縣監, 파직
李允成	(태종13)				太宗原從공신, 檢校宰相
李允孫	?~1467			무(졸기)	사은사押物(세종26), 知兵曹事(단종1), 경상수군처치사(1), 경상우도병마도절제사(1), 僉知中樞(2), 戶曹參議(2), 中樞使(2), 평안도절제사(세조1), 世祖原從1등공신(1), 同知中樞(4), 진하사(4), 中樞副使(4), 漢城府尹(4), 경창府尹겸강원관찰사(4), 戶(5)·工(5)·刑曹參判(5), 漢城府尹(5), 同知中樞(6), 五衛上護軍(6), 평안관찰사(7), 충청도절제사(7), 知中樞(13), 知中樞졸
李允從	(성종24)				제주牧使
李胤宗				무	장흥府使(읍지)
李允中	(세종30)				知刑曹事
李允中	(태종대)			환관	환관(~14), 내자別監(14)
李允之	(세종대)				조지소別坐, 縣監(23)
李允昌	(성종2)				충훈都事
李慄	(문종대)				嘉善大夫內官(1), 英陵시릉환관(2)
李殷	(태조~태종대)				知蔚州事(태조5), 전鷄林府尹(태종8), 경기관찰사(13, 14), 인령府尹(14), 전라경상도안무

					사(14), 判尙州牧使(15), 경상관찰사(16)
李恩	(세조1)				萬戶, 원종3등공신
李慗	(태종대)				掌川防堤堰事(세종31, 7, 29)
李乙非	(세조14)			여진귀화인	올량합上護軍
李乙孫	(세종29)				무창千戶
李乙修	(태조대)				사재判事(1~5), 管押使(5)
李乙赤	(세종25)			여진귀화인	오도리五衛護軍
李乙枝	(세종8)				定山장교
李乙支	?~1444			여진귀화인	大護軍(누년숙위)졸
李乙和	(세종8)				은율縣監(태조7, 읍지), 大護軍
李蔭	(태종~세종대)				別監(태종18), 包衣浦萬戶(세종2)
李浥	(세종30)				色掌
李應孝	(예종1)				甲士
李疑	(태조대)				中樞副使(1), 원종공신(1), 전라軍士點檢使(2)
李嶷	(예종즉)				군자正
李懿	(태종8)				大護軍
李義堅	(세조대)			무(4)	五司護軍(1), 원종3등공신(1), 가산郡守(7), 五衛部將(~10), 衛將(10), 行五衛護軍(10), 인순府尹(10), 정조사(10), 유배(11), 行龜城府使(14)
李義敬	(태조5)				石浦千戶
李義管	(성종9)			역관	통사
李義根	(성종13)				예안縣監(읍지)
李義達	(세종25)		공신자손(가계 불명)		의정부錄事
李義敦	(세조대)				行五司司正(1), 원종3등공신(1), 장기縣監(2)
李義倫	(태종16)				判江陵府使
李宜門	(문종즉위)				司憲持平
李宜蕃	(성종11)				命敍用(이조)
李義山	(단종대)				朝官(~즉, 유배, 피화)
李義生	(세조9)				司憲監察
李宜碩	(성종7)				홍주判官, 收告身
李義順	(세조1)				五司護軍, 원종3등공신
李義崇	(세조1)				錄事, 원종3등공신
李宜泳	(세종22)				흠곡縣令
李義英	?~1456		장인 同知中樞 兪應孚		別侍衛피화
李依仁	(세종30)				광흥창丞
李義忠	(성종7)				전五衛司直, 杖流

李宜豪					장기縣監(읍지)
李伊				문(공양왕1)	
李羇	(세종6)				풍기縣監(읍지)
李苷	(세종18)				司正, 회령절제사李澄玉군관
李眙	(태종17)				정의縣監
李伊里可	(세조~성종대)			여진귀화인	올량합上護軍(세조6), 僉知中樞(성종21)
李益畇	(세종3)				府尹, 사은副使
李益達	(성종대)				전라좌도수군虞侯(~14, 充軍), 授準職(18)
李益文	(성종대)				유배(~4, 赴防), 무산萬戶(18), 鎭將(22)
李益址	(세조12)				五衛部將
李益昌	(성종20)				巡官
李茵	(세조대)				행의주牧使(2), 僉知中樞(4), 衛將(4), 判公州牧使(4), 中樞副使(5), 僉知中樞겸경상우도수군처치사(5), 경상우도수군처치사(6)
李裀	(세종10)				五衛司正
李仁敬	(세종27)				內贍直長, 파직
李仁禮	(성종대)			역관	통사(24), 사은사통사(25)
李仁邦	(세종26)				椒水里(溫井)監考
李麟祥	(세종대)				고창(11), 만경縣監(24)
李引錫	(세조~성종대)		父 牧使 伯常(서자)	문(세조12)	경상점마別監(성종17), 王子師傅(20), 司直(23), 內侍교관(24)
李仁順	(세조12)				金城縣監, 收告身
李仁佑	(세조대)				전五衛大護軍(~12), 승折衝將軍(耆老故)
李仁祐					상주敎授(읍지)
李仁種	(태종17)			기(朴誾가신)	司憲監察, 전농主簿
李仁忠	(세조~성종대)				五衛副司直(세조1), 世祖原從3등공신(1), 宣傳官(11), 濟州判官(13), 慶尙右道水軍節度使(성종12)
李仁賢	(성종5)				경성府使(읍지)
李仁化	(세조12)				五衛護軍, 함길도포응사
李仁和	(세조1)				五司副司正, 원종3등공신
李軼	(성종2)				울진縣令(읍지)
李一同	(세조1)				시직, 원종3등공신
李一同	(성종24)				宣務郎(~24), 量田敬差官
李日新	(세조1)				五司司正, 원종3등공신
李任	(세조6)				五衛上護軍, 원종3등공신
李林	(태조~세종대)				門下侍中(공양왕1, 고려), 議政府領議政치사(세종3, 給從2품祿科)
李稔	(태종4)				司憲持平

李霖	(세조1)				五司護軍, 원종3등공신
李臨	(세종23)				칠원縣監
李林美	(세조1)				五司司直, 원종2등공신
李仍邑代	(세조6)			여진귀화인	指揮(~6), 副萬戶
李仔	?~1427				久侍태종, 都摠制府僉摠制(세종7), 同知摠制 졸
李自乾	(세종대)				錄事(~14), 신녕縣監(15)
李者多	(세조5)			여진귀화인	올량합副司直
李子芬	(태조4)				將軍
李自誠	(세종20)				이산郡事
李自淵	(성종24)				장연縣監
李子英	(태조5)				일본회례사回
李自瑛	?~1412			역관	사역副使(태종4), 知事(9), 사역判事(12), 사행 중졸
李自濡	(세종12)				진성縣監
李者邑可	(세조1)			여진귀화인	五司司正, 원종3등공신
李自知	(태종4)				判事
李自直	(태종~세종대)				司直(태종14), 강원경차관(14), 제용正(세종 1), 司憲執義(~6, 파직), 경차관(7)
李子澄				문(공양왕2)	
伊者下古	(세종5)			여진귀화인	올량합千戶
李自和	(태종12)				備講武
李岑	(태종17)				제천縣監, 파직
李章				문(우왕14)	
李長坤	(성종23)				薦宣傳官(能强弓)
李長得	(세종4)			환관	行首
李長密	(세종13)				졸判事(강릉)
李長守	(세조1)				전典律, 원종3등공신
李長壽	(세조1)				五司護軍, 원종3등공신
李長潤	(성종대)		공신적장(부 성 명불명)		隨才敍用(20), 尼山縣監(23), 봉화縣監(읍지)
李長孝	(세종6)				장흥고副直長
李材	(세종1)			환관	內官
李梓辭	(단종2)				함길都鎭撫
李沮里	(세종~단종대)			여진귀화인	알타리護軍(~27), 올량합萬戶(27, 단종3)
李迪	(태조7)				삼화縣令(3, 읍지), 전縣令
李展				?, 문(공민왕 17)	別將(고려), 거창縣令(태조7, 읍지)

李甸	(태종6)				三軍行首錄事
李專	?~1396	父 達衷			안동府使(태조1, 읍지), 前安東府使복역중졸
李詮	(성종대)				司憲監察(3), 삼화縣令(12)
李專恭	(세조1)				知印, 원종3등공신
李全奇	(태종18)		환관		內官
李專己	(단종3)		환관		同判內侍府事
李專寄	(단종1)		환관		內侍府事, 行同知內侍府事
李專智	(예종1)				保功將軍(전甲士)
李節之	(성종13)				命敍用
李點	(세조7)				졸敎導
李汀	(세종대)	처족 明使 尹鳳	기(14, 명태감 尹鳳故)		의영고副直長(14)
李亭	(세종대)	자 明 太監 祥	기(13, 子故)		사재副正行右軍司直(13)
李楨	(세종13, 18)				영변判官, 현풍縣監(읍지)
李証	(성종16)				은율縣監(읍지)
李正己	(세조1)				行五司副司正, 원종3등공신
李禎祥	?~1456				別侍衛피화
李廷生	(세종9)				五司副司正, 世子朝見廚子
李挺臣					해남縣監(읍지)
李廷實	(세종12)				副司正
李貞陽	(성종9)				通政大夫金海府使
李精元	(세조13)				현풍縣監(읍지)
李貞之	(세종대)				전輿海郡事(~27), 곤양郡事(27)
李庭豪	(세조1)				경성府使(읍지)
李提	(태조1)				三陟萬戶兼知郡事(읍지)
李悌	(태조5, 정종2)				경상都事, 成均祭酒判官(읍지)
李梯	(성종대)				장수縣監(읍지)
李弟男	(성종7)				경성府使(읍지)
李悌林	(문종~세조대)	父 守中	문(문종1)		藝文奉敎, 待敎(단종2), 通禮院奉禮(세조1), 世祖原從2등공신(1), 창녕縣監(6)
李齊茂	(태종대)				서운判事(9)
李朝陽	(성종대)				훈련都正(~15), 同副(15)·右副(16)·右(16)·左承旨(17), 嘉善大夫충청수군절도사(17), 僉知中樞(19), 同知中樞(20), 평안병마절도사(20), 평안조전장(22), 파직(22), 훈련都正(23), 同知中樞(23)[연산대: 평안절도사]
李存	(태종~세종대)		문(태종14)		縣監(방목)
李存	(세조~성종대)		환관		내시부右承直(세조1), 世祖原從2등공신(1), 同知內侍府事(3), 薛里(御膳관장내시, 3), 承

					傳色(4), 翊戴3등공신星川君(예종즉), 星川君奉朝賀(1), 파직(성종1)
李尊林	(세종8)				진해縣監
李存命	?~1494			환관	내시(세조10), 翊戴3등공신陝川君(예종즉), 承傳色(1), 陝川君奉朝賀(1), 加資(성종7, 順陵侍陵內侍공), 유배(25)
李存約	(세조1)				錄事, 원종3등공신
李存忠	(세종10)				임실縣監
李宗儉	(세조6)				郡事, 원종3등공신
李宗敬	(세종~세조대)				忠順衛(세종31), 은율縣監(세조11, 읍지)
李宗慶	(세조~성종대)				五司副司直(세조1), 世祖原從3등공신(1), 都摠使龜城君李浚군관(13), 태안郡守(성종16)
李宗德	(세조1)				萬戶, 원종2등공신
李宗落	(세종13)				刑曹佐郎
李宗明	(세조대)				錄事(1), 원종3등공신(1), 창주萬戶(7), 充軍(9)
李宗睦	(세종~세조대)	형 宗孝			기장縣監(세종20), 벽동郡事(21), 단천府使(24), 上護軍(28), 僉知中樞(30), 전라수군처치사(30), 工(문종1)·兵曹參議(단종1), 同知中樞(2), 충청도관찰사(3), 世祖原從2등공신(세조1)
李種文	(세종13)	父 月令向上			강음縣監
李宗敏	(세조~성종대)				啓功郎(세조1), 世祖原從3등공신(1), 관상僉正, 관상正(성종7)
李宗潘	(세종23)				大護軍, 薦將材
李宗發	(세조1)				宣務郎, 원종3등공신
李宗蕃	(세종대)			무(세종8), 무과중시(18)	司僕直長(세종8), 兵曹佐郎(13), 司僕判官(~18), 무과중시, 군기副正(18), 護軍(20), 大護軍(20)
李宗山	(성종8)				전감포萬戶, 收告身
李種山	(단종~성종대)			문(단종1)	成均學諭(단종2), 主簿(세조6), 겸司憲持平(9), 校訂詩經口訣, 의금鎭撫(14), 양지縣監(~성종12), 장원서掌苑(12), 司憲掌令(방목)
李從實	(태종14)				전주判官, 함안郡守(읍지)
李種實	(세조1)				修義副尉, 원종2등공신
李宗讓	(세조대)				五衛鎭撫(3), 內禁衛(10)
李從衍	(세종~세조대)			역관	통사(세종31), 行錄事(세조1), 世祖原從2등공신(1), 사역正(14)
李宗衍	(세조11)	장인 同知敦寧 盧勿載			청풍府使(盧閈비명)
李從衍	(세조~성종대)				奉直郎(세조3), 원종3등공신(3), 의금鎭撫(예종1), 사도僉正(성종6), 도총經歷(9), 의금經歷(16)

李種藝	(문종즉위)				강음縣監, 파직
李宗元	(세종대)				別侍衛, 三軍鎮撫, 서생포萬戶(~30, 유배)
李從胤	(세조8)				行五衛司直
李從義	(세종대)			?, 문(5)	울산敎導(~5), 문과, 교서관校書郞(14)
李宗仁	(세종27)				내시別監
李鐘仁	(세종6)				司憲監察
李終者阿	(세조6)			여진귀화인	副司正
李宗濬	(세조대)			문(8)	
李宗孝	(세종~세조대)	제 宗睦			여연郡事(세종18), 여연등처동첨절제사兼閭延判官(18), 여연절제사(20), 평안都鎮撫(문종즉위), 僉知中樞兼安州牧使(단종1), 공주牧使(3), 충청절제사(세조1), 世祖原從2등공신(1), 충청도절제사(6), 水軍處置使(7), 行五衛上護軍(10)
李舟	(태종대)			의관	전의判事(6)
李注	(세종4)			환관	전판내시府使
李珠	(태종14)				전縣監
李珠	(세종~성종대)				삼가縣監(세종6), 行五衛大護軍(세조14), 同知中樞(성종18)
李紬	(문종~세조대)				영산縣監(문종1), 府使
李霍	(세조1)				行五司副司直, 원종3등공신
李注音比	(단종3)			여진귀화인	司直
李周庭	(성종대)				개천(22), 이산郡守(24)
李周漢	(태종3)				정선郡事(읍지)
李俊龍	(예종1)				빙고別提
李俊生	(세종~세조대)				경기황해점마別監(세종29), 行五司司直(단종1), 僉知中樞(세조1), 世祖原從1등공신(1), 行五衛上護軍(4), 壯勇隊將(7), 行五衛護軍(7), 衛將(8)
李茁	(성종대)				도총都事(21), 工曹正郎(22)
李重	(세종~세조대)				司憲持平(세종10), 종부判官(12), 충청經歷(15), 양주府使(22), 봉상判事(문종즉위), 성주牧使(1), 봉상尹(세조1), 世祖原從3등공신(1), 충청관찰사(2), 行五衛上護軍(3), 안동府使(4)
李仲潔	(세조~성종대)				行五司司正(세조1), 世祖原從3등공신(1), 함길도절제사군관(6), 所江첨절제사(~성종2, 파직)
李仲卿	(세종대)				전농判事(5), 평산(5), 안동府使(7, 읍지)
李中斤	(세조3)			환관	薛里

조선초기 관인 이력

李重斤	(단종~세조대)			환관	行內侍府右承直(단종1), 行內侍府事(세조1), 世祖原從2등공신(1), 承傳色(2)
李重根	(단종3)			환관	同僉內侍府事
李仲斤	(세조10)			환관	內侍府事
李仲良	(예종1)				道檢律
李重(仲)連	(세조~성종대)				別坐(세조3), 世祖原從3등공신(3), 사옹別坐(~11, 파직), 金城縣令(성종5), 신녕縣監(~7, 파직)
李仲禮	(성종대)			의원	春宮都監의원
李仲林	(세종11)				內禁衛副司直, 充軍
李仲蔓	(태종대)				工曹佐郎(5), 刑(11)·戶曹正郎(13)
李仲末	(세조1)				五司司直, 원종2등공신
李仲茂	(태종15)			환관	行首內官
李仲美	(세조대)				承義校尉(1), 원종3등공신(1), 衛將(14)
李仲民	(세종대)			문(14)	司憲監察(방목)
李中發	(세종4)			의원	醫官
李中培	(태종~세종대)				전충주牧使(~태종10, 유배), 전刑曹參議(18), 남양府使(세종1), 判水原府使(1)
李仲孚	(세종14)				길주判官
李仲賓	(세종10)				졸監務(홍주)
李重山	(세조1)				郡事, 원종3등공신
李重生	(세조1)				五衛司直, 원종3등공신
李重生	(세조1)				承義校尉(甲士), 원종3등공신
李仲石	(세조1)				縣監, 원종3등공신
李仲善	(예종~성종대)				迎秋門수문장(예종1), 양지縣監(성종16)
李仲善	(성종10)				부령甲士
李仲孫	(세조~예종대)				進勇校尉(세조1), 世祖原從3등공신(1), 외잠실別坐(11), 함길조전절제사(예종즉위), 의주단련사(1), 평안수군절도사(~1, 파직)
李仲淑	(세조12)				兼司僕
李仲順					영해府使(읍지)
李仲信	(세종17)				대흥縣監
李重陽	(성종4)				산학別提
李仲彦	(세조1)				五司副司正, 원종3등공신
李仲英	(세조~예종대)				通政大夫會寧府使(세조8), 부령절제사(10), 行五衛護軍(10), 衛將(10), 工曹參判(11), 경상좌도절제사(11), 충청병마절도사(예종1)
李仲溫	(단종2)				令史, 仕滿去官
李重元	(세조~성종대)				전농主簿(세조6), 縣監(~성종2, 充軍)

李中位	(태종~세종대)				副司直(태종12), 전司直(세종6)
李仲允	(세종~세조대)				禮曹佐郎(세종11), 司諫院右獻納(16), 司憲執義(25), 知刑曹事(~30), 파직(30), 五司上護軍(세조1), 世祖原從2등공신(1), 兼判通禮門事(4), 僉知中樞(5)
李仲專	(세종25)				초계敎導
李中正	(세종21)				전監牧官
李仲瞻	(세종대)		기(16, 효행)		敍用(16, 흥덕생원, 孝行故)
李仲夏	(성종6)				강계甲士
李仲赫	(성종18)				임진渡丞, 파직
李仲浩	(세조1)				五司副司正, 원종3등공신
李仲和	(세조13)				五衛司直(함흥토관, 피죄, 坐李施愛)
李曾文					장흥府使(읍지)
李至	?~1414			문(공민왕18)	한양尹(고려), 開國2등공신(태조1), 商議中樞院事(5), 충청전라경상도찰리사(5), 경상관찰사(6), 知中樞(7), 中樞使(7), 藝文大學士(정종2), 성절사(2), 政堂文學(태종1), 議政府文學兼大司憲(1), 藝文大提學(2), 大司憲(2), 면직(2), 조전절제사(2), 서북도순문사(3), 知議政(4), 명사(4), 判恭安府事(4), 戶(5)·刑(6)·禮曹判書(7), 判漢城졸
李地	(세조1)				五司副司直, 원종3등공신
李址	?~1459				行五衛司勇복주(謀殺兄故)
李知	(세종7)				평양判官
李枳	(성종5)				경성判官, 收職牒
李輊	(성종대)				堂上武官(~8), 희천郡守(8)
李漬	(태종~세종대)				양주府使(태종14), 선공(14), 종부判事(~세종1, 파직), 해주牧使
李墀	(태종14)				司諫院獻納
李芷					해남縣監(읍지)
李支乾	(성종22)				別侍衛(居자산)
李之謙	(세종24)				司憲掌令
李之帶	(태조3)				경상수군萬戶
李智老	(태종15)				달량萬戶
李知命	(단종2)				안동判官·예천郡守(읍지), 안변府使(단종2)
李枝茂	(세조1)				務功郎, 원종3등공신
李之番	(세종16)				졸司正
李之番	(성종6)				徵召武官
李之富	(세종23)				제주牧使(읍지)

李之善	(세조~예종대)				분예빈시別提
李之誠	?~1416				護軍, 유배후복주(坐李茂)
李志遜	(성종20)			曆官	관상감副奉事
李智孫	(성종대)				아산縣監(~10, 파직), 五衛部將(14), 수운判官(15)
李之實	(정종~세종대)				司農卿(~태종1), 남포첨절제사(1), 경기좌우도수군도절제사(6), 中軍同知摠制(7), 파직(7), 안주등처병마절제사判安州牧使(8), 강계都兵馬使(9), 강계절제사(10), 義興侍衛司절제사(11), 摠制(12), 內禁衛右1番절제사(12), 총제(17), 함길병마도절제사(17), 工曹判書(세종1), 右軍都摠制(1), 충청조전절제사(1), 경주府尹(5), 유배(6)
李枝榮	(성종21)			曆官	관상僉正
李之源 (原)	(태종9)				안동府使(1, 읍지), 前동북도순문사
李之禎	(세조1)				五司司正, 원종2등공신
李之楨	?~1469				五司司正(세조1), 世祖原從2등공신(1), 전判官(~11, 充軍), 복주(坐南怡)
李之夏	(예종1)			의원	전의감權知
李墀行	(세조1)				主簿, 원종2등공신
李之衡 (亨)	(세조11)				함길도軍官
李之華	(세조1)				五司副司正, 원종2등공신
李直卿	(세조3)				五衛護軍, 원종3등공신
李直番 (蕃)	(세조대)			曆官	書雲禁漏(4), 掌漏(6), 원종3등공신(6)
李積	(태조7)				풍기監務(읍지)
李震	(태조~태종대)				刑曹正郎(태조5), 司憲掌令(태종4), 前司宰監(~8), 유배(8), 선천郡事(~세종4), 유배(4), 僉知中樞(17), 강계절제사(~19), 判江界府使(19), 同知中樞(30)
李積	(세조1)				府使, 원종3등공신
李振文	(세종15)	장인 摠制 李春生			別侍衛
李進山	?~1470				창평甲士피살
李眞粹	(세조1)				主簿, 원종3등공신
李珍祐	(태종5)				中郎將
李旺	(태종~세종대)				제용監(~태종10, 파직), 성천府使(세종3)
李質	(세조12)				진보縣監, 收告身

李徵	(성종13)				忠贊衛
李澄全	(성종6)				徵召무관, 命敍用(11, 이)
李贊元	(세조1)				五司司直, 원종2등공신
李昌	(단종~세조대)				五衛司正(단종1), 行司正(세조1), 원종3등공신(1)
李昌	(세조1)				五司副司正, 원종2등공신
李昌					예천郡守(읍지)
李昶	(세종8)				보성郡事, 해주牧使(읍지)
李廠	(태종11)			환관	啓聖殿向上
李昌武					의성縣令(읍지)
李昌阿	(세조~성종대)			여진귀화인	동량북등처副萬戶(세조2), 萬戶(5), 알타리上護軍(성종16)
李昌榮	(성종대)				[연산대: 울진縣令(1, 읍지)]
李彩	(문종1)			역관	사역主簿
李處林	(세종11)			기(尹鳳고)	甲士
李處溫	(태조대)				흥해郡事(공양왕2) (읍지)
李處溫	(문종1)				울산郡事
李處義	(세종~세조대)	장인 懷安君 芳幹			司憲監察(세종27), 萬戶(세조1), 世祖原從3등공신(1), 三軍鎭撫(3)
李處中	(성종8)				上土萬戶
李處秦(泰)	(문종2)				덕천郡守(읍지)
李處虛乃	(세조9)			여진귀화인	알타리副司正
李陟	(태종대)				太祖原從공신, 刑曹都官正郎(태종5), 풍해경차관(12), 의금鎭撫(17)
李天卿	(세종3)	장인 順德侯 陳理			정읍縣監, 移京職(丈母故)
李天奇	(태조1)			기(軍士)	잠저태조휘하(태조총서)
李天龍	(태종9)				檢校典書, 피죄
李天瑞	(세종대)			기(10, 효행)	下吏曹(10, 무산학생, 孝行故)
李天彦	(태종10)				萬戶
李哲命	(세조1)				五司司正, 원종2등공신
李鐵山	(성종대)				工曹參議(20), 廣州牧使(22)
李鐵元	(성종대)	장인 知中樞 金允壽			五衛司正(김윤수묘표)
李鐵丁	(세조10)				兼司僕
李蒾	(세조1)				承訓郎, 원종3등공신
李添老	(세조8)				전判事, 원종3등공신
李貼	(세종3)				정의縣監

李淸	(세조~예종대)			환관	內官
李淸決	(세조10)			환관	환관, 充軍
李淸臣 (新)	(세조1)				五司司直, 원종2등공신
李椒	(태조~태종대)			문(태조2)	刑曹正郎(태종14), 成均司成(방목)
李軺	(세종12)				사신從事官
李肖陽介	(성종대)			여진귀화인	알타리中樞(11, 20, 24)
李村	?~1430				萬戶졸
李村	(태종~세종대)			환관	대전內官(세종2), 承傳色(4)
李聰	(성종13)				회양府使(읍지)
李漼	(태종~세종대)			문(태종8)	通善郎成均司藝, 成均直講(세종25, 9, 11)
李抽	(세종23)		祖 揚, 외조 都節 制使 沈悰		司憲監察
李推	(태종~세종대)				上護軍(태종7), 함주청주등처兵馬使兼靑州 府使(8), 창원府使(12), 漢城府尹(17), 황해관 찰사(18), 判晋州牧使(세종2), 전牧使졸
李楸	(세종1)				충청수군도절제사
李畜	(세종23)				五衛鎭撫
李春	(태종18)				안변將校
李春	(단종~세조대)			환관	行內侍府右承直(단종1), 充官奴(3), 中宮殿환 관(세조8)
李春京	(성종대)			역관	역관(7~12)
李春景	(성종대)			?, 문(11)	五衛司正(~11), 문과, 正郎(방목)
李春卿	(세조1)				令史, 원종3등공신
李春吉	(세조5)			환관	廚房환관
李春發	?~1429			역관	倭통사피살
李春生	?~1430				五衛上護軍(태종15), 兵曹參判(16), 都鎭撫 (18), 中軍同知摠制(세종1), 함길병마도절제 사(4), 中軍摠制(8), 훈련원提調(11), 中軍摠制 제(11), 총제졸
李春雨	(성종3)			화원	御眞화가
李春暉	(성종대)				진도郡守(17), 강무衛將(20), 도총都事(20)
李忠傑	(성종대)				[연산대: 함안郡守(5, 읍지)]
李忠孫	(성종24)				이산甲士(別軍官)
李萃	(세종대)				副司正(~10), 陞進勇校尉), 경원判官(21)
李翠	(세조~성종대)			환관	환관(세조12), 世祖侍陵내관(성종1)
李就			父 英琦	문(우왕2)	厚德府丞(방목)
李稚	(세종1)				진보縣監(읍지)
李治	(세종11)				전라경차관

아   465

李致	(세조6)				전典律, 원종3등공신
李䆖	(세종대)				황해經歷(7), 司憲掌令(12), 원평府使(14)
李致禮					교동縣監兼水軍萬戶(읍지)
李沉	(세조13)	?	父 宗簿令 雲簿, 祖 牧使 瓊		제주牧使(읍지)
李偁	(세조6)				錄事, 원종3등공신
李打兒非	(성종대)			여진귀화인	올량합都萬戶(4), 中樞(16)
李擢	(세조대)				權知訓練錄事(1), 원종3등공신(1), 加資(13, 征建州留防功)
李台慶	(세종10)				졸郡事
李台貴	(태종7)				예빈判事, 대마通信使
李擇	(세조13)				이산郡守, 收告身(濫刑故)
李澤	(성종9)				낭천縣監(읍지)
李攄	(세조1)				萬戶, 원종3등공신
李通	(세종4)				供正庫副使
李把速剌	(세조2)			여진귀화인	초곳등처副萬戶
李把剌	(성종16)			여진귀화인	골간中樞
李把剌速	(세조~성종대)			여진귀화인	초곳등처萬戶(세조15), 골간中樞(성종24)
李波乙時	(세조대)			여진귀화인	司正(3), 올량합護軍(5), 大護軍(~5), 都萬戶(5)
李淇				문(공민왕23)	풍해안렴사(방목)
李評	(세조~성종대)				選將材(세조13), 刑曹參議(성종8)
李蕆	(태종16)				선공副正, 파직
李苞	(단종대)				副司正(1, 居안악), 加資敍用(2)
李苞生	(세종8)				軍官
李玭	(성종대)			음	無祿官(~20), 평강(20), 적성縣監(25)
李弼	(성종20)			화원	화원
李必成	(세종32)				현풍縣監(읍지)
李夏	(태종12)				司憲持平
李夏	(세종24)			환관	掖庭署司謁
李賀	(태종~세종대)		자 崇之		縣令(태종10), 司憲持平(12), 경기經歷(~14, 파직), 인령부少尹(17), 司憲掌令(17), 한성少尹(17), 예빈尹(~세종5, 유배), 昭格殿提擧(22)
李穦	(세종5)			무(5)	副司直
李夏	(세조1)				進勇校尉(甲士), 원종3등공신
李悍	(성종대)				正郎(金國光비명)
李漢基	(세종20)				漢城府尹
李漢生	(성종대)			기(가계미천)	삼척포萬戶(~8), 용천郡守(8)

李含	(세종~세조대)			역관	사역僉知事(세종14), 사역判事(문종즉위), 진응사(세조2)
李誠	(세조9)				五衛部將
李咸臨	(단종2)				성천府使
李哈兒帖哈	(세조5)			여진귀화인	入侍
李恒茂	(세조대)				都事(1), 원종3등공신(1), 함안郡事(5)
李恒信	(태종대)		처 정종녀 咸安郡主		副知敦寧(선원세보기략)
李恒全	(국초)				郡事(韓確비명)
李恒全	(단종~세조대)				주자소別坐(단종2), 五司司直(세조1), 世祖原從3등공신(1)
李該	(태종10)				禮曹佐郎
李海	(세종22)			의원	의관(加職, 錦城大君治病故)
李垓	(세조3)				兼直長, 원종3등공신
李該	(성종10)				은율縣監(읍지)
李邂	(성종22)				돌산포萬戶
李行言	(태종대)			문(17)	
李向(有玉)	(성종6)				永川郡守(읍지)
李軒	(태종대)			의원	전의감副司直(12), 主簿(13), 判官(16), 전의副正(18)
李賢	(태조7)			역관	통사
李賢	(세조14)				上護軍(居북청부)
李償	(태종4)				전장흥고副使, 폐서인
李玄景	(태조1)			기(軍士)	태조잠저휘하(태조총서)
李賢老	?~1453				守兵曹正郎(세종29), 유배(30) 除서반직(32), 兼承文校理(32), 五司司直(문종2), 피화
李賢輔	(성종6)				상서원直長
李賢皐	(태종6)				경상수군千戶
李賢孫	(성종20)				內禁衛
李賢植	(태종17)				平浦道驛丞
李泂	(태종~세조대)				司僕直長(태종8), 司憲掌令(세종13), 判事(세조1), 世祖原從3등공신(1)
李亨	(세조10)				삼척府使(읍지)
李馨期	(세종대)		父 定山將校 乙枝	문(2)	權知成均學諭(2), 訓導(8), 學正(25), 主簿(방목)
李亨門	(성종7)				忠順衛
李亨孫	(성종대)				무장縣監(19), 석성縣監(21)

李亨全	(세조11)				主簿, 경주도號牌敬差官(~11, 유배)
李亨之	(세종대)			기(3, 효행)	敍用(3, 居은진, 孝行故)
李亨春	(세조11)				甲士(~11, 능사), 兼司僕(11)
李譓	(성종대)				남부參奉(~9), 상서副直長(9)
李惠					예천郡守(읍지)
李浩	(세종대)		자 明 太監 忠	기(17, 子忠故)	司正(~17, 居직산), 副司直(17)
李昊	(세종1)				승정원錄事
李浩	(세종5)				五衛大護軍
李浩	(성종대)				命敍用(13, 功臣嫡長故), 隨才敍用(20)
李晧	(세종대)				授職(9, 학생)
李瑚	(세종17)				보성郡事
李護	(태종~세종대)				인령부行首(~태종10, 逐出), 함흥少尹(세종8), 와서別坐(15), 안산郡事(16)
李湖					의성縣令(읍지)
李好林	(성종5)				司僕諸員
李好聞	(세종대)				史官(단종2, 즉, 7, 을미)
李好文	(세조1)				判官, 원종3등공신
李好山	(세조3)				五衛副司直, 원종3등공신
李浩山	(단종대)				경복궁書題, 修義校尉(~3), 承義校尉(3)
李好信	(세종대)				병조知印(1), 개성都事, 전주判官(22)
李好心波	(세조1)			여진귀화인	알타리司正
李好伊應可	(단종3)			여진귀화인	副司正
李洪	(성종2)				唐陽君
李樺	(세종~세조대)				大護軍(세종15), 上護軍(~19), 평안도절제사都鎮撫(19), 僉知中樞(19), 충청수군처치사(20), 僉知中樞(22), 경상좌도처치사(25), 中樞副使(25), 경상좌도절제사(25), 同知中樞, 都鎮撫, 경상좌도절제사, 中樞副使(30), 資憲大夫中樞副使(문종1), 정조사(1), 中樞副使(단종즉), 同知中樞(2), 인순府尹(3), 도절제사(세조1), 世祖原從2등공신(1)
李譁	(세종대)				전라좌도처치사(28), 同知中樞(30)
李譁	(성종19)				內禁衛, 피죄
李和尙	(세종~세조대)			역관	강계女眞語通事(세종16, 세조10)
李擴	?~1392			?, 문(우왕3)	閤門祗候(~우왕2), 문과, 右散騎常侍(공양왕4, 고려), 收職牒유배(태조1), 배소졸
李淮	(태종대)			문(8)	成均直講(방목)

468　　　　조선초기 관인 이력

李渙	(세조~성종대)				함평縣監(세조5), 해주判官(~11, 파직), 경기察訪(성종13)
李煥文	(세조1)				判官, 원종3등공신
李桓生	(성종2)				顯信校尉, 陞資제수
李滉	?~1401			?, 문(우왕2)	左諫議(태조2), 京山府使(3), 散騎常侍(5), 刑曹典書(태종1), 파직(1), 戶曹典書졸
李黃振	(세조1)			무	權知訓練, 원종2등공신
李薈	(성종대)				昭格전參奉(~7, 加資陞職), 紫門監直長(7), 司憲監察(9), 충익부도사(9)
李廻孫	(세조8)				工曹參判
李懷精	(세종~세조대)			?, 문(세종29)	온양教導(~세종29), 문과, 縣監(세조1), 원종3등공신(1)
李穫	(세종27)				현풍縣監(읍지)
李孝	(세조1)				前守令
李孝幹	(세조13)				加資(建州征伐調兵功故)
李孝恭	(세조6)				錄事, 원종3등공신
李孝恭	(성종대)				徵召, 隨闕敍用(6), 전高山道察訪(~20), 輸城道察訪(20)
李孝根	(세조1)				行五司司正, 원종3등공신
李孝同	(세조9)				은산縣監
李孝明	(세조1)				五司司勇, 원종2등공신
李孝山	(세조1)				行五司司勇, 원종3등공신
李孝山	(세조6)				五衛司正, 원종3등공신
李孝常	(세조3)				錄事, 원종3등공신
李孝生	(문종대)			?, 문(1)	五司司直(~문종1), 문과, 教授(방목)
李孝生	(단종대)			기(3, 효행)	命敍用(3, 居죽산, 효행고)
李孝碩	?~1467	공신자손(가계불명)			전判官(~세종21, 收告身), 鎭撫(단종1), 定平府使전사(세조13)
李孝碩	(세조3)				錄事, 원종3등공신
李孝碩	(세조6)				전檢律, 원종3등공신
李孝石	(성종8)			역관	여진통사
李效碩	(성종대)			역관	통사(7, 13)
李孝誠	(세종~세조대)				고원郡事(세종21), 工曹參議(단종1), 평안都體察使李穰從事官(1), 僉知中樞(세조3), 충청수군처치사(5), 中樞副使경상우도수군처치사(7)
李孝順	(세종5)				태안養馬監考(~5), 태인驛丞(5)
李孝崇	(세조6)			환관	내직別監, 원종3등공신
李孝雍					해주牧使(읍지)

李孝哉	(성종14)				世子右侍直
李效精	(세종19)				창주副萬戶
李孝中	(세조1)				五司副司正, 원종3등공신
李孝知	(세종~성종대)			환관	承傳宦官(세종11), 行內侍府宮闈丞(단종1), 承傳色(세조10), 內侍府尙膳(성종2), 內侍府 尙傳(7), 判內侍府事(22)
李逅	(세조1)				五司護軍, 원종2등공신
李逅	(성종5)				內禁衛
李薰	(태종~세종대)			?, 문(태종12)	전연사提控(~태종12), 문과, 金城縣令(세종5)
李勳	(성종1)				수안郡守(읍지)
李暉	(세조6)				典律, 원종3등공신
李携	(세종1, 3)				삼등, 삼화縣令(읍지)
李昕	(성종21)				대정縣監(읍지)
李欽	(성종15)				진보縣監(읍지)
李欽石	(성종대)				捕盜將(3), 行五衛司直(~5, 파직), 벽단조전장 (7), 嘉善大夫北靑府使(9), 영안남도절도사 (10), 嘉善大夫知中樞(18), 同知中樞(18), 경상 우도병마절도사(19)
李洽	(태종~세종대)				司憲監察(태종5), 사헌持平(5), 掌務持平(세 종1), 都摠制府同知摠制(7), 성주牧使(13)
李興德	(세종~성종대)			역과	사역主簿(세종18), 광흥倉使(22), 行五司護軍 (세조1), 世祖原從1등공신(1), 僉知中樞(2), 嘉 善大夫五衛護軍(6), 中樞副使(14)
李興武	(태종9)				전라수군都萬戶
李興武	(세조1)				都萬戶(1), 원종3등공신(1), 단천郡守(13, 읍 지)
李興門	(세조1)			일관	書雲觀司辰, 원종3등공신
李興敏	(세종7)				甲士(함흥, 下番)
李興富	(단종1)				除咸興土官職
李興孫	(세종21)				제천縣監
李興孫	(세조1)				司憲監察, 원종3등공신
李興雨	(세조1)				進勇校尉(甲士), 원종3등공신
李興枝	(세조7)				광암량萬戶, 파직
李喜	(세종26)				僉知中樞
李喜	(세조6)			환관	내시부官, 원종3등공신
李熙	(세종~성종대)				사역主簿(세종26), 僉知中樞(성종10)
李暿	(세종대)				사재, 예빈判事(22), 工曹, 刑曹參議(25), 경상 관찰사(25)
李希适	(세종대)				別侍衛(~21), 司憲監察(21)

조선초기 관인 이력

李熙貴	(세종대)				용천郡事(5), 都摠制府同知摠制(12)
李希老	(태종15)				議政府舍人
李希牧	(세종1)				兼司僕官, 하옥
李希茂	(세조13)				內禁衛
李希文	(세종9)				곡산郡事, 선산府使(18, 읍지)
李希伯					울진郡守(읍지)
李希蕃	(성종5)				內禁衛
李喜山	(세조8)				전五衛司正, 원종3등공신
李希信 (士文)	(세종16)				도염署令
李希顆			문(우왕11)		
李希顔					고령縣監(읍지)
李希若	(태종~세종대)				司憲監察(태종10), 안동判官(11, 읍지), 함길 經歷(~17, 파직), 錦山郡事(세종7)
李希仁					의성縣令(읍지)
李希長	(문종즉위)				창원府使
李希宗	(세종대)	처 정종녀 安城 郡主			行司直(13, 선원세보기략)
里介乃伊	(세종11)			여진귀화인	여진千戶
里仇	(세조5)			여진귀화인	본처都萬戶
而乃酒文	(성종)			왜귀화인	왜僉知
而羅加茂	(세종14)			왜귀화인	올량합千戶
伊巨乃	(세종17)			여진귀화인	올량합千戶
伊羅介	(세종대)			여진귀화인	副司正(6), 올량합千戶(11)
伊良哈	(세종5, 17)			여진귀화인	여진千戶
伊里可	(성종5)			여진귀화인	副萬戶
伊里哥	(단종2)			여진귀화인	올량합萬戶
伊里哈	(성종13)			여진귀화인	올량합僉知
伊麼乃	(세종13)			여진귀화인	알타리千戶
伊升巨	(세종~단종대)	父 都萬戶 浪卜 兒罕		여진귀화인	護軍(세종27), 侍衛軍大護軍(단종3)
伊時可	(단종~성종대)	父 童三波老		여진귀화인	護軍(단종3)
伊時可	(성종대)	父 都萬戶 童七乃		여진귀화인	(올적합)上護軍(22), 僉知中樞(25)
伊時介	(성종대)			여진귀화인	(올량합)中樞(15, 19)
伊時乃	(성종대)	父 也音夫		여진귀화인	(올량합)中樞(9, 25)
伊時哈	(단종2)			여진귀화인	除官職(올량합知中樞柳尙同哈 부하)
伊叱介	(단종3)			여진귀화인	여진千戶
伊叱豆麻 里				여진귀화인	司正(居강외하훈춘)

伊澄介	(성종4)			여진귀화인	올량합護軍
伊充應巨	(성종24)			여진귀화인	올량합上護軍
伊下所	(세종대)			여진귀화인	올량합司直(~29), 副萬戶(29)
伊項介	(세종13)			여진귀화인	올적합千戶
離時所古	(세종9)			여진귀화인	알타리千戶
印瑾	(세조6)	喬桐	父 府使 仁敬, 祖 密直使 元寶		巡幸侍衛(전甲士, 居덕산)
印時敬	(태종초)	교동	父 密直 元寶, 祖 寺事 成伯		將軍(세종1년 11, 9)
印原誓	(세종16)	교동	형 時敬		아산縣監
印卿	(세조1)				五司司勇, 원종2등공신
印貴	(세조6)				五衛司直, 원종3등공신
印壽	(세종12)			환관	환관
印仁敬	(태종17)				삼군鎭撫
印珍行	(세조1)				五衛司正, 원종2등공신
印平	?~1455			환관	환관(세종17), 行僉內侍府事(단종1), 收告身 本鄕安置, 處絞(3)
因多只	(단종~세조대)			여진귀화인	올량합副萬戶(단종3), 萬戶(세조1)
仁多好	(세종7)			여진귀화인	올량합百戶
因豆	(단종3)			여진귀화인	졸올적합都萬戶
引速哈	(성종대)			여진귀화인	올량합上護軍(19), 알타리僉知中樞(23)
任得昌	?~1486	長興	父 副護軍 錫命, 祖 僉節制使 約	무(성종3)	武臣(6), 堂下官(~8), 평안도순찰사許琮軍官(8), 삭주府使(10), 通政大夫穩城府使(16), 僉知中樞졸
任宗(從)善	(세종대)	장흥	父 大司憲 獻, 祖 判書 瑞康	?, 문(1)	전副使(~세종1), 문과, 禮曹佐郎(2), 兵曹正郎(4), 右司諫大夫(19), 禮曹參議(22), 僉知中樞(23), 禮曹參議(23), 僉知中樞(24), 전라관찰사(방목)
任仲卿	(단종대)	장흥	父 司直 具, 祖 判書 瑞原		別侍衛(단종1), 임실縣監(~3, 파직)
任擇	(단종~세조대)	장흥	父 承旨 孟卿, 祖 司直 具	?, 문(단종1)	敎導(~단종1), 문과, 工(세조13)·禮曹佐郎(13)
任光載	?~1495	豊川	父 判書 士洪, 祖 贊成 元濬, 처 예종녀 顯淑公主	기(부마6)	崇德大夫豊川尉, 五衛都摠管(성종21~25)
任湛	(세조~성종대)	풍천	父 僉知中樞 孝明		전都事(예종1, 錄用, 효행), 직산縣監(~성종14, 陞職, 山陵功)
任士洪	?~1506	풍천	父 左贊成 元濬, 祖 肩	음, 문(세조12)	五衛司正(~세조12), 문과, 사재正(성종1), 通訓大夫藝文典籍(2), 사헌執義(3), 藝文副提學(5), 同副·右副·左副·右·左承旨(6~8), 大司諫

조선초기 관인 이력

					(8), 禮(8)·吏曹參議(9), 都承旨(9), 유배(9), 折衝將軍五衛副護軍(19), 承文院官(20) [연산이후: 嘉善大夫五衛上護軍, 資憲大夫豊城君, 兵·吏曹判書, 議政府右參贊, 左參贊피살]
任淑	(문종~성종대)	풍천	父 孝仁, 祖 判縣事 中善	문(문종1)	秘書監校書郎(단종1), 주자소別坐(2), 縣監(세조1), 世祖原從2등공신(1), 司憲持平(6), 兼司憲掌令(9), 훈련正(예종즉), 通政大夫定州(성종5), 안주(6), 황주牧使(6), 파직(7), 僉知中樞(방목), 行五衛副護軍(13)
任崇載	?~1505	풍천	형 光載, 처 성종녀 徽淑翁主	기(21, 부마)	順義大夫豊川尉(성종21)
任元滉	(성종대)	풍천	형 元濬		의성縣令(읍지)
任元濬	1423~1500	풍천	父 肩, 祖 兵馬節度使 巨卿	?, 문(세조2), 중(3)	五司司正, 司直(~세조1), 世祖原從1등공신(1), 문과, 집현副校理(2), 佐郎(~3), 문과중시, 司憲掌令(3), 侍講院弼善(3), 直藝文館(4), 侍講院輔德(4), 成均司藝(5), 주문사韓明澮從事官(5) 內贍(6), 봉상判事(7), 僉知中樞(7), 吏曹參議(7), 僉知中樞(8), 戶曹參判(8), 五衛上護軍(10), 刑(10)·禮曹參議(10), 兵曹參判(11), 同知中樞(12), 工曹判書(12), 崇政大夫禮曹判書(14), 禮曹判書兼判義禁府事(14), 議政府右參贊兼知經筵事(예종1), 左參贊(성종1), 佐理3등공신西河君(2), 左贊成
任由謙	1456~1527	풍천	父 郡守 漢祖, 祖 縣監 孝敦	문(성종20)	[연산이후: 司諫院正言(연산1), 弘文副校理(2), 副應敎(3), 工曹判書]
任中善	(태종8)	풍천	父 庶尹 山寶, 祖 左司尹 瑤		前議郎, 유배
任漢	(세조12)	풍천	父 縣監 孝敦, 祖 判縣事 中善		守令
任孝敦	(세종~세조대)	풍천	父 判縣事 中善, 祖 庶尹 山寶		선공直長(~세종24, 收職牒), 參軍(세조1), 世祖原從3등공신(1)
任孝明	(세종~세조대)	풍천			刑曹佐郎(~세종12), 파직(12), 司憲掌令(27), 군기判事(단종1), 世祖原從3등공신(세조1), 장연縣監(5), 전僉知中樞(예종1)
任孝信(仁)	(세종~세조대)	풍천	父 判縣事 仲善, 祖 庶尹 山寶	음, 문(세조9)	殿直(~세종9), 문과, 吏曹正郎, 司憲掌令, 사역判事(~14), 上護軍(14), 승문判事, 右司諫大夫, 判通禮, 僉知中樞兵曹參議(29), 工曹參議(29), 僉知中樞(29), 戶曹參議(29), 中樞副使겸강원관찰사, 경기관찰사, 인순府尹, 同知中樞
任孝仁	(세종~세조대)	풍천	제 孝信	?, 문(세종9)	殿直(~세종9), 문과, 吏曹正郎(21), 司憲掌令(26), 승문判事(32), 右司諫大夫(문종1), 判通禮(단종2), 僉知中樞(2), 少尹(세조1), 원종3등공신(1), 吏曹參議(4), 中樞副使겸강원관찰사

				(5), 中樞副使(6), 충청관찰사(7), 인순府尹(8), 同知中樞(8)
任幹	(세조1)			行五司司正, 원종3등공신
任葛	(태조3)			金城判官
任敬	(세종대)		환관	內官(~7, 杖流)
任敬	(태종~세종대)		?, 문(태종14)	司正(~태종14), 문과, 홍천縣監(19)
任繼全	(성종19)		환관	內官, 轎子侍衛
任寬	(세조대)			태천郡守(3), 원종3등공신(3), 전泰川郡守(5)
任光義	(태종대)			檢校漢城府尹
任君禮	?~1421	父 判事 彦忠	역관	사재少監(태종4), 大護軍(17), 상의원別監(~세종즉, 파직), 行大護軍복주
任權	(단종2)			무산萬戶
任龜年	(태종18)			판의주牧使(~세종즉, 파직, 좌沈溫)
任均禮	(태종대)		역관	護軍(9, 10)
任得邦	(태조대)			將軍(~7, 充水軍)
任得方	(태종10)			전옹진兵馬使
任孟枝	(세조13)			別侍衛(13, 探함길북도성식回故)
任孟知(智)	(세조~성종대)	父 賢	문(세조6)	평안都事(성종24), 庶尹(방목)
任寶重	(세종30)		의원	醫官
任甫衡	(예종~성종대)	모(성종왕대비 외조모)		충청問民疾苦使(예종1), 司僕久任官(성종8), 司畜署司畜(14)
任卜童			문(공양왕1)	
任聘	?~1406		문(공양왕2)	봉상主簿, 坐文可學복주
任士綱	(예종1)	자 玉山		졸敎導
任山海	(세종~세조대)			의정부知印(세종28), 縣令(세조1), 世祖原從3등공신(1)
任緒	(성종대)			성환도察訪(~14), 陞職(14, 山陵功故)
任壽	(태조3)			前工曹典書, 사행押馬使
任守山	(세종18)			졸縣監
任倣	(성종대)			行五衛司勇(~12), 결송당상(12), 通政大夫靑松府使(15)
任純禮	(단종즉)			崇義殿使
任軾	?~1396			경상수군萬戶전사
任彦忠	(태조대)	자 行大護軍 君禮	명귀화인, 역관	선공判事(1), 開國3등공신(1)
任友	(세종대)			侍衛軍(~12, 居양주), 授官職(12)
任元	(태종대)			의성縣令(읍지), 前軍器監(12, 거 理州, 收告身)

任元山	(세조12)			환관	弓房환관
任元善	(성종대)				서빙고別提(~24, 파직)
任元繕	(성종25)				隨闕敍用(이조)
任元濟	(세조10)				강무侍從
任猷				?, 문(우왕2)	正郞(~고려우왕2), 문과
任柔	(세종14)			효행	敍用, 司憲監察(韓伯倫비명)
任乙生	(태종대)				강진監務(~11, 파직)
林乙孫	(성종대)			문(8)	縣令(방목)
林乙材	(태종10)			曆官	서운副正
林乙軒	(세종24)			여진귀화인	오랑합副萬戶
任義同 (童)	(예종~성종대)			환관	內官(~예종1, 收告身), 경안전內官(성종3)
任義山	(성종대)				通政大夫장흥府使(14), 折衝將軍선사포첨절제사(16)
任從(種) 義	(태종~세종대)			역관	사역舍人(태종8), 判官(9), 사역知事(세종3), 경주府尹(읍지)
任重	(세종~성종대)			문(세종8)	종부判官(세종12), 대흥縣監(16), 선공主簿(세조10), 行都事(예종1), 선공僉正(성종8), 충청경차관(8), 通訓大夫僉正(~14, 敍準職), 장악正(14, 15, 파직), 전掌樂正(~21), 전연사別坐(21), 종묘署令(21)
任之白	(태조7)				전郞將
任償(續)	(성종대)				안동判官(~24), 五衛司果(24), 경주判官(20, 읍), 흥해郡守(읍지)
任採	(성종대)				돌산萬戶(~20, 收職牒)
任天年	(정종2)				전典書, 유배(坐懷安君李芳幹)
任添年	(태종~세종대)	여	明皇후궁	기(태종8, 여故)	인령부左司尹(태종8), 明鴻臚寺卿(9), 祿종2품과
任彭孫	(세조대)				옥과縣監(~12, 파직)
任衡	(태종대)			문(공양왕1)	禮曹正郞(~9), 파직(9)
任浩然	(세조대)				郡事(6), 원종3등공신(6), 司禁(6), 익산郡守(~13, 파직)
任孝連	(문종~세조대)			역관	사역直長
任效善	(세종~세조대)			역관	통사(세종31), 사역判官(세조1), 世祖原從2등공신(1)
任孝進	(세조1)				五司司正, 원종3등공신
任孝進	(세조6)				五衛司直, 원종3등공신
任孝忠	(문종~세조대)				충주牧使(문종즉위), 五司上護軍(세조1), 世祖原從3등공신(1)
林乾	(세조~성종대)	開寧	父 達	?, 문(세조14)	道檢律(~세조14), 문과, 成均司藝(방목)

林有巢	(세종12)	羅州	父 少尹 鳳, 祖 監務 卓		前副司直(居전라도)
林億齡		善山	父 遇亨, 祖 縣監 秀		동복縣監(읍지)
林守謙	(세종~성종대)	安陰	父 允生, 祖 茂	?, 문(세종29)	敎導(~세종29), 문과, 司諫院右正言(단종3), 世祖原從3등공신(세조1), 成均司藝(12), 成均司成(13), 檢校參議(성종2), 通政大夫兼同知成均(2), 折衝將軍五衛司直(6), 兼成均司成(8), 겸동지성균(13)
林繼中	(문종~세조대)	醴泉	자 靖難3등공신 襄陽君 自蕃		충주判官(문종즉위), 行咸安郡守(세조3), 世祖原從3등공신(3)
林自蕃	(단종~성종대)	예천	父 郡守 繼中		五司副司直(단종1), 靖難3등공신(1), 五衛護軍(3), 大護軍(세조2), 上護軍(3), 司僕判事(8), 折衝將軍上護軍(8), 襄陽君(12), 兼五衛副摠管(13), 內禁衛將(13), 평안동도절도사도사(예종1), 경상좌도절도사도사(1), 전라병마절도사(성종6)
林秀卿	(단종~성종대)	鎭川	父 得齋, 祖 球	문(단종2)	사헌執義(방목)
林吉陽	(세종대)	平澤	父 判密直 成美, 祖 府院君 彦脩		기장縣事(8), 수천郡事(16)
林得禎	(단종~예종대)	평택	父 參判 仁山, 祖 判書 整		자성郡守(단종즉), 兼知兵曹事(세조5), 兵(5)·工曹參議(6), 判會寧府使(6), 의주牧使(12), 西征大將康純비장(13), 軍功3등(13), 折衝將軍龍驤衛大護軍(예종1)
林命山	(태종17)	평택	형 仁山		예빈卿
林尙陽	(태종~세종대)	평택	父 三司右使 成美, 祖 府院君 彦脩		풍주진兵馬使, 大護軍(~태종12, 파직), 上護軍(18, 세종7, 充水軍)
林壽昌	(성종대)	평택	父 判書 命山, 祖 判書整		밀양府使(4), 선공正(9), 해주牧使(10), 通政大夫大丘府使(13), 工(15)·兵(15)·戶曹參議(15), 通政大夫황해관찰사(17), 兵曹參知(18), 同知中樞(20), 經筵特進官(20)
林芸	(세조~성종대)	평택	父 自英, 祖 柜	무(족보)	五司副司直(세조2), 行五衛司猛(성종9)
林仁山	(태종~세종대)	평택	父 兵曹判書 整, 祖 司僕尹 台順		풍저倉使(~태종8, 停職), 司憲持平(9), 司憲掌令(세종7), 通禮僉知事(~8, 收職牒), 안동(19)·김해府使(19), 진주牧使(21), 사헌執義(25), 知刑曹事(~26, 파직)
林整	1356~1413	평택	父 司僕尹 台順, 祖 提學 梓	기(刀筆吏)	도평의사사錄事(고려), 경상관찰사(정종1), 左軍摠制(태종1), 경상전라충청도체찰사겸수군도절제사조운감철사(1), 參知承樞府事충청경상전라체찰사(2), 동북도순문사겸병마도절제사(3), 右軍都摠制(5), 刑曹判書(7),

					동북도순문사兼永興府尹(8), 刑曹判書(10), 하정사(10), 서북도순문사(11), 도순문사졸
林稼	(세종8)		父 承旨 樸		行五衛司直
林加乙獻	(세조3)			여진귀화인	올량합萬戶
林巨處	(세조6)				五衛司正
林敬	(태조대)				中樞兼西北面地守令(5), 경상관찰사(7)
林季孫	(세종대)				온수縣監(~15, 피죄)
林繼孫	(세종10)				형조錄事
林繼純	(세종19)				온수縣監
林繼昌	(성종22)				사신수행입명
林啓夏 (賀)	(세조대)				知印(1), 원종3등공신(1), 영유縣令(3, 읍지)
林高古	(단종3)			여진귀화인	萬戶
林球	(태조대)				三司左丞(~2), 경기우도안렴사(2)
林貴達	(성종대)			기(9, 효행)	隨才敍用(9, 居거제, 孝行故)
林貴枝	(세조13)				의주軍官
林貴之	(성종대)				장수縣監(읍지)
林隙					庫令縣監(읍지)
林謹	(성종대)				토산縣監(金伯謙비명)
林多	(세조6)			여진귀화인	올적합司直, 軍功
林多乃	(세조9)			여진귀화인	斜地등처副萬戶
林多陽可	(세종31)			여진귀화인	올량합副萬戶
林多陽介	(세조대)			여진귀화인	副萬戶(~6), 萬戶(6)
林德成	(문종1)				司正(居문화)
林道	(세종대)				前教導(~10, 居공주), 命敍用(10, 明經卓異故)
林童	(단종~세조대)			환관	同僉内侍府事(단종3), 世祖原從2등공신(세조1), 내시부承傳(8), 내시부尙醞(~12, 파직)
林得貴	(세종대)				선공判官(3), 삭령郡事(16), 중화縣事(23)
林得義					의성縣令(읍지)
林柳童					진보縣監(연산1) (읍지)
林命山	(세종14)				용진縣監
林暮(謨)	(태종~세종대)				영유縣令(태종1, 읍), 前判무산縣事(~세종2, 敍用, 효행)
林穆	(태종~세종대)				비인縣監(태종6), 순승부判官(18), 음죽縣監(세종9), 홍주判官(13), 양양府使(15)
林敉	(세조6)				錄事, 원종3등공신
林百根	(성종24)				打量敬差官
林髦	(문종~세조대)				평해郡事(~단종즉, 파직), 五司護軍(세조1), 世祖原從3등공신(1)

林夫介	(세종11)			사옥署丞
林士德	(세종~세조대)			황간縣監(세종18), 평양判官(문종즉위), 司憲監察(세조1), 世祖原從3등공신(1)
林沙也文	(성종16)		왜귀화인	왜司正
林山	(성종22)			南城甲士
林尙露	(세조1)			主簿, 원종3등공신
林西(棲)筍	(세종17)		문(공양왕2)	卒敎授官
林世長	(태종9)			前副司正, 피죄
林秀	(세종5)		환관	內官
林隨生	(세조1)			錄事, 원종3등공신
林叔枝	(세조1)			五司司勇, 원종3등공신
林勝幹	(성종5)			甲士
林升甫	(세종대)		환관	內官(~7, 貶黜)
林昇富	(세종대)		환관	速古赤(侍從內官~5, 充官奴)
林時乙豆	(세조~성종대)		여진귀화인	올량합上護軍(~세조9), 본처都萬戶(9), 同知中樞(성종즉위)
林臣禮				함길절도사(읍지)
林阿具	(세조1)		여진귀화인	五司護軍, 원종3등공신
林於乙云伊	(세조1)		여진귀화인	五司司直, 원종1등공신
林永年	(성종대)			수안郡守(연산3) (읍지)
林永茂	(세종27)			제주牧使(읍지)
林永茂	(성종24)			打量敬差官
林玉山	(예종~성종대)	父 敎導 綱	무(예종1)	진사(~예종1), 무과, 군기直長(세조5), 능성縣令(성종8)
林溫(羅可溫)	(태조~태종대)		왜귀화인	왜萬戶(태조5), 宣略將軍行中郎將(7), 전護軍(~태종11), 대마도守護萬戶(11)
林綏	(성종대)			목천縣監(~24, 파직)
林用	(세조7)		환관	환관
林雨	(세종대)			前別將(~1, 敍用, 효행)
林原	(태조5)		여진귀화인	여진千戶
林有琮	(성종21)	父 都監郎廳 重		忠順衛
林有琛	(성종대)			군자副奉事(12), 加資(19, 親祀贊引故)
林垠	(성종11)			前흥덕縣監, 錄臟案
林義	(태종~세종대)		역관	사역舍人(태종13), 判官(세종6), 司譯知事(17)
林義民	(세조1)			行五司司勇, 원종2등공신
林自正	(세조8)			檢校主簿(居漢城中部)

林自直	(세조13)				都摠使龜城君李浚軍官
林子賢	(태종대)				삼등縣事(~15, 파직)
林長守	(세종대)			환관	수강궁환관(~8, 피죄)
林載					의령縣監(읍지)
林載丞	(성종3)				監務, 효행
林井	(예종1)				把門甲士
林弟石	(성종5)				五衛司直
林稠	(세조1)				五司副司直, 원종3등공신
林重行	(성종대)				군자斂正(~14, 陞職, 산릉공)
林仲亨	(세조1)				知印, 원종3등공신
林之義	(세조1)				五司上護軍, 원종1등공신
林徵	(세종대)			문(2)	
林徵	(세조11)				別侍衛
林天儉	(세종11)				장선署令
林崎山	(성종11)				前南部主簿, 유배
林弼	(성종10)				영안남도절도사軍官, 被薦첨절제사
林海山	(세조1)				五司司勇, 원종2등공신
林瑩	?~1408				前解典庫主簿복주
林黃巨	(단종3)			여진귀화인	올량합萬戶
林薔	(태종대)			문(11)	教授(방목)
林薔	(성종12)				宗學典訓
林孝儉	(세조대)				겸博士(1), 원종2등공신(1), 강원都事(3)
林效儉	(세조6)				兵曹正郎
林孝坤	(세조~성종대)				別侍衛(~세조13, 能射), 兼司僕(13), 宣傳官(성종2), 길성縣監(6), 都摠府都事(9), 折衝將軍五衛司果(11), 通政大夫慶興府使(16), 西征都元帥許琮副將(22), 折衝將軍五衛司正(23), 벽동첨절제사(24)
林效濟	(세종대)			기(16, 효행)	敍用(16, 청양학생, 孝行故)
林孝止	(세조1)				郡事, 원종3등공신
林興	(성종대)				전함길도관찰사(6)
林興	(성종6)				兼掌樂主簿
林希茂	(세조1)				五司司正, 원종2등공신

자

성명	생애(仕官시기)	본관	가계	출신	관력
者羅大	(세조대)			여진귀화인	本鄕(올량합)副萬戶(6), 萬戶(8)
者羅老	(단종3)			여진귀화인	司正
剌力答	(성종21)			여진귀화인	司猛
者里	(예종~성종대)			여진귀화인	올적합中樞(~예종1), 護軍(~성종3), 중추(3)
者里介	(단종3)			여진귀화인	올량합副萬戶
者安帖木兒	(세종1)			여진귀화인	올량합千戶
者乙道	(성종4)			여진귀화인	올량합司正
者音赤	(세종5)			여진귀화인	올량합千戶
者邑同哈	(세종7)			여진귀화인	올적합千戶
者吐	(단종3)		父 副萬戶 童三波老	여진귀화인	司正
資和	(단종3)		父 上護軍 李舍土	여진귀화인	올량합司正
張夏	(세종2)	結城			전경상관찰사(1389)
張德良	(태조~태종대)	丹陽		문(공민왕18)	成均大司成(태조2), 兼成均司成(태종7)
張友良	?~1441	단양			전예빈少尹(세종1), 경차관(1), 司僕判事(12), 진헌사(12), 제주牧使(읍지), 右軍都摠制府僉摠制(13), 僉知中樞(14), 工曹左參議(14), 경상수군절제사(14), 工曹參議(16), 判吉州牧使, 中樞副使, 경상우도도절제사졸
張子忠	(태조~태종대)	단양			工曹典書(태조1), 경기우도안렴사(2), 太祖原從3등공신(2), 戶曹典書(~4), 면직(4), 中樞副使(4), 천추사(4), 전라(7)·풍해도관찰사(태종2), 右軍摠制겸풍해도관찰사(2), 안동府使(태종6, 읍지),
張湛	(태조대)	德水			군자判事(1), 開國2등공신(1), 中樞副使(~5), 서북면지守令(5), 同知中樞(7), 定社2등공신(7)

張孟昌	?~1462	덕수	父 牧使 成之, 祖 都摠管 羽		護軍(세종27), 五司大護軍(세조1), 世祖原從3등공신(1), 태안군守, 의주절제사(~6, 피수피화, 坐李塏)
張安之	(태종대)	덕수	父 都摠管 羽, 祖 典書 祐斌		戶曹佐郞(~8), 파직(8), 전라都事(9), 충주判官(18)
張羽	(태조2)	덕수	父 典書 祐斌		刑曹都官議郞
張自紀	(세조6)	덕수	제 自綸		五衛副司正, 원종3등공신
張自綸	(세조3)	덕수	父 上護軍 貞弼, 祖 郡事 斗生		行五司司勇, 원종3등공신
張珽	(성종대)	덕수	父 友奎, 祖 牧使 孟昌		宣傳官(21), 의주判官(23)
張貞弼	(세조1)	덕수	父 郡事 斗生, 祖 議郞 淵本		行五司司直, 원종3등공신
張忠輔	(성종대)	덕수	父 孟禧, 祖 均	문(17)	[연산이후: 훈련正]
張孝禮	(태종12)	木川	父 中郞將 承老, 祖 參議 池		전언양監務
張友仁	(태종대)	扶安	父 春秋館事 承鮒, 祖 同正 浠信		前少尹(~18), 덕수郡事(18)
張矩		星州	父 晋孫	문(우왕8)	
張希傑	(태종11)	壽城	장인 領議政 河崙(비첩서)		五衛司直
張日新	(성종대)	順天	父 允儀, 祖 牧使 憲	무(2)	동래縣令(17), 의주判官(20)
張思吉	?~1418	安東	父 義州萬戶 烈		密直副使(공양왕2, 고려), 知中樞義興親軍衛 동지절제사(태조1), 開國1등공신和寧君(1), 參贊門下府事判工曹事三軍府右軍節制使永嘉君(7), 定社2등공신(7), 議政府參贊(정종2), 花山君(2), 右軍都摠制(태종4), 화산군(6), 參贊(9), 花山府院君졸
張思信	(태종7)	안동	형 思吉		都摠制府僉摠制
張思靖	(태조~세종대)	안동	父 義州萬戶 烈		大將軍(태조1), 開國2등공신(1), 商議中樞副使(5), 中樞副使(6), 풍해서북연해조전절제사(6), 商議中樞院事(7), 定社2등공신(7), 右軍摠制(태종6), 都摠制(11), 花城君(12), 花山府院君(세종즉), 유배(2)
張瑞	(세조대)	안동	父 參贊 思吉, 祖 萬戶 烈		五司護軍(1), 원종2등공신(1), 희천(7), 위원郡事(10)
張元卿	(태조2)	안동	형 致卿		西北面地體覆使
張住	(태종14)	안동	父 花山府院君 思吉(官妓子)		釋告身限品(14), 大將軍(족보)
張進忠	(세조~예종대)	안동	父 府使 致卿, 祖 密直副使 哲		副正(세조1), 世祖原從3등공신(1), 僉知中樞(5), 경원府使, 안주牧使(7), 折衝將軍五衛護

					軍(13), 行大護軍(예종즉위), 정조사(족보)
張哲	(태조~태종대)	안동	형 瑞		첨절제사(태조6), 中樞副使(7), 定社2등공신(7)
張致敬 (卿)	(세종대)	안동	父 中樞副使 哲, 祖 參贊 思吉		護軍(~15), 강령전監役(15)
張敬之	(세조대)	禮山	父 水軍按察使 龍劍, 祖 世子師 傅 元祿		修義副尉(1), 원종3등공신(1), 郡守(족보)
張龍劍	(태조3)	예산	父 世子師傅 元 祿, 祖 大提學 臣 哲		충청수군萬戶
張大有	(태종대)	沃溝	父 判書 華, 祖 侍 郎 思儉		上護軍(7), 大護軍(10), 上護軍(~11), 神武侍衛 司첨절제사(11)
張末孫	1431~1486	仁同	父 郡守 重智, 祖 敬源	문(세조5)	승문博士(세조9), 한성參軍(10), 司憲監察(10), 함길評事(12), 敵愾2등공신(13), 禮曹佐郎(13), 朝奉大夫內贍僉正(13), 장악副正(예종1), 장악正(성종2), 折衝將軍五衛副司直(3), 僉知中樞(4), 嘉善大夫司直(7), 해주牧使(10), 延福君(13), 연복군졸
張脩	(세종대)	인동	父 府使 仲陽, 祖 府尹 安世		戶曹正郎(8), 司憲持平(9), 司憲掌令(11), 파직(12), 선공判事
張順孫	?~1534	인동	형 末孫	문(성종16)	宣務郎司諫院正言(성종21), 회령判官(22), [연산이후: 吏曹正郎, 弘文副應敎, 應敎, 議政 府舍人(淸選考 議政府舍人조), 司諫院司諫, 弘文直提學, 副提學, 同副·右副·左副·右·都 承旨, 전라관찰사, 議政府領議政졸]
張安良	(태종~세종대)	인동	父 給事 天敍, 祖 都事 戩	기(태종7, 자 末孫故)	陞通德郎제수(태종7), 陞奉列大夫(예종1, 윤 2, 무오), 홍산縣監(세종24)
張烈	(세종즉)	인동	父 判書 壽命, 祖 左政丞 良佑		졸의주萬戶
張志道	(태조~세종대)	知禮		문(공민왕 20)	교서少監(태조4), 學官(세종14)
張仲友	(세조13)	鎭川	형 仲孝		선략將軍(居영흥)
張重智	(성종대)	진천	父 縣令 廉, 祖 節 度使 思俊		훈련參軍(3), 안음縣監(21)
張季曾	(세종~세조대)	昌寧	父 郡守 羙	문(세종24)	겸兵曹正郎(문종2), 奉正大夫宗簿少尹(세조 1), 世祖原從2등공신(1)
張繼池	(단종~세조대)	창녕	父 羙	문(단종1)	司諫(방목)
張羙	(세종대)	창녕		문(8)	藝文待敎(세종13), 司諫院獻納, 司憲持平 (25)[연산대: 吏曹正郎, 郡守]
張均	(태종대)	海豊	서 從義君 貴生		主簿(선원세보기략)

조선초기 관인 이력

張敬止	(세종대)	興城(興德)	父 觀察使 允和		전사錄事(2), 前直長(8)
張季淑	(세종대)	흥성	장인 領議政 皇甫仁	?, 문(21)	五衛司勇(~21), 문과, 승문博士(24), 司憲監察(28)
張謹止	(세종대)	흥성	父 觀察使 允和	?, 문(11)	사재(4), 전농直長(~11), 문과, 通禮院奉禮(17)
張允和	?~1422	흥성		?, 문(우왕14)	別將(~우왕14), 문과(14, 고려), 교서丞(~태조7), 유배(7), 서천郡事, 순천府使, 전남원府使(~태종13), 경차관(13), 예빈判事(세종즉), 知事(즉), 사헌執義(즉), 파직(즉), 兵曹參議(즉), 유배(1), 兵(1)·吏曹參議(1), 通政大夫전라관찰사(2), 파직(3), 유배중졸
張隣臣	(세조~성종대)	흥성	父 季淵	문(세조14)	成均典籍(방목)
張合	(태종~세종대)	흥성	父 郡守 軒, 祖 閣門祗侯 得寶		제주判官, 司僕少尹(~세종1, 收職牒), 大護軍(4), 평안연해경지심찰사(4)
張綱	(예종~성종대)			문(예종1)	成均判官, 成均典籍(방목)
張敬甫	(성종대)				이산체탐甲士(~6, 充軍)
張敬原	(성종대)				於蘭浦萬戶(~16, 錄贓案)
張敬持	(태조4)				옥천郡事(읍지)
張戒孫	(성종18)				春宮都監官, 2등공신
張繼孫	(세조~성종대)			무(세조6)	別侍衛(세조6), 萬戶, 수군첨절제사, 철산郡守(성종12)
張權子	(태종대)			여진귀화인	司直(4), 오도리千戶(10)
張貴生	(세조10)			환관	내시飯監
張貴孫	(성종18)				춘궁도감3등공신
張紀	(성종8)				撫夷萬戶
張祿	(세조2)			환관	내시飯監
張達	(세종대)		父 副司直 元富, 형 明 太監 奉	기(15, 형고)	副司直(15, 兄故)
張德生	(태종4)				함안郡守(李浤비명)
張得南	(세조대)			환관	
張得富	(세조1)				進義副尉, 원종2등공신
張得壽	(태종대)			曆官	서운副正(11), 서운正(12)
張得昌	(세조13)				의영고書吏, 加資敍用
張末同	(세조대)			환관	掖庭署謁者(1), 원종2등공신(1), 典修(14)
張望(望時羅)	(태조1)			일귀	散員
張邁全	(세조1)			무과	權知參軍, 원종3등공신
張孟道	(세조1)				行五司副司直, 원종2등공신
張明道					광흥倉守(李浤비명)

張畝	(세종7)				전萬戶
張文孝	(세조대)				前廣巖萬戶(~2, 追奪告身), 子子永不敍用(3)
張伯	?~1395			역관	사역判事(태조4), 使行中졸
張伯孫	(성종20)				守門將
張甫	(세종10)				侍衛(居충청도)
張備	(세조6)				副錄事, 원종3등공신
張寶(三寶羅平)	(태조7)				散員
張寶仁	(세조1)				五司司勇, 원종3등공신
張福昌	(세조12)				別侍衛
張富	(세조대)			환관	환관
張贇	(태조~태종대)			문(창왕1)	禮曹正郎(태종8)
張思道	(세종2)				駕前引道
張思美	(태종대)				上護軍(~12), 龍武侍衛司첨절제사
張思發	(세조~성종대)			역관	사역僉正(세조14), 사역正(성종13)
張思祐	(세종17)				평안鎭撫
張思義	(성종20)			환관	內官
張思儀	(태종12)				通禮院奉禮郎
張思忠	?~1421				五衛上護軍(~태종7), 파직(7), 성절사(11), 都摠制府同知摠制졸
張參	(세종15)				五衛副司正
張石山	(성종5)				穆淸殿參奉(~9, 加資)
張石崇	(세조1)				五衛司正, 원종3등공신
張誠之	(세종23)				인천郡事
張紹玉	?~1469				甲士복주
張所乙吾	(세종6)			여진귀화인	알타리千戶
張守文	(성종25)			환관	內門把守중관
張脩行	(세종5)				풍저倉使
張順	(세조~성종대)				학생(~세조1), 世祖原從2등공신(1), 還職牒(성종11, 이조)
張崇禮	(성종7)				上將軍
張崇理	(세조1)				行五司司正, 원종3등공신
張承良	(성종1)				內禁衛
張恃	(세종10)				前散員(居대구), 명敍用(이, 孝行故)
張信中	(세조11)				別侍衛
張安起					영해府使(읍지)
張安老	(세조1)				進勇校尉, 원종3등공신
張安奉	(세종6)				檢校漢城府尹(居함흥)

조선초기 관인 이력

張若壽	(태종~세종대)		역관	사역判官(태종6), 僉知事(17), 知事(세종9)
張演	(태조2)			知刑曹事
張永	(단종대)			守萬戶(~2), 超3資(2, 捕李澄玉功故)
張穎	(성종5)			前五衛司直, 授職
張玉相	(세종18)	父 觀察使 至和, 장인 贊成 金漢老		行副司直
張蘊	(태종~세종대)			前通禮副使(~10), 일본보빙사(10), 평안敎授官, 갑산郡事(~17, 파직), 갑산萬戶(18)
張竽	(세종23)			운봉縣監
張于見帖木兒	(태종4)			副司直
張友奇	(성종대)		역관	통사
張友善	(문종즉위)			안협縣監
張友人	(세종7)			창원府使
張元富	(세종15)			副司直
張月下	(세종1)			副司直
張裕	(세조1)			判事, 원종3등공신
張有誠	(세조~성종대)		역관	務功郎(세조1), 世祖原從3등공신(1), 行五衛副司直(8), 陞堂上官(성종1), 折衝將軍司直(3), 관압사(5), 御前通事(7), 嘉善大夫五衛司果(11), 行五衛護軍(12)
張有信	(태종대)		역관	사역副使(6), 전의少監(10), 知司譯(13), 풍해採訪使(13)
張有義	(세조1)			五司司正, 원종2등공신
張有華	(세조~성종대)		역관	통사(세조10), 사역判官(예종1), 사역正(성종4), 陞堂上官(14), 折衝將軍五衛護軍(17)
張允倫	(세조1)			進勇校尉(甲士), 원종3등공신
張允文	(세조1)		무과	權知參軍, 원종3등공신
張允愼	(세조대)			五司護軍(1), 원종3등공신(1), 大小山兼監牧(12)
張乙卿	(세종28)			무창百戶
張乙守	(세조1)			五司司勇, 원종3등공신
張乙齊				봉화縣監(읍지)
張儀	(세종대)			용인縣令(17), 吏曹正郎(~25), 고원郡事(25)
張儀	(세조2)		역관	통사
張誼	(태종11)			군기權知直長
張毅	(문종대)			高嶺萬戶(~문종즉, 파직)
張弛	(태종대)		문(공양왕2)	진보縣監(읍지)
張理	(성종1)	祖 內需司書題 程弼		司憲監察

張二生	(세조1)				五司護軍, 원종2등공신
張翼	(태조6)			의원	醫官
張益善	(세조1)				行五司司勇, 원종3등공신
張益昌	(세조2)				제주牧使(읍지)
張仁己	(단종~세조대)			역관	首陽大君(세조)입조수행통사(단종1), 五司司正(세조1), 원종2등공신(1)
張仁奇	(세종대)			역관	女眞語통사
張仁義	(세종~세조대)		父 副司直 元富, 형 明 太監 奉	기(세종15, 형故)	左軍副司正(세종15), 五司護軍(세조1), 世祖原從3등공신(1)
張一弛	(세조6)				五衛護軍, 원종3등공신
張自剛	(세종대)			?, 문(11)	教導(~11), 문과
張自都	(세조10)			역관	통사
張子秀	(태종9)			문(우왕9)	개성教授官
張子崇				문(우왕8)	
張自義	(성종20)			환관	內官
張自益	(세조13)				전千戶(居영흥), 加資
張自學	(문종~세조대)			역관	통사(문종즉위), 通善郎(세조1), 원종3등공신(1)
張自孝	(성종대)			역관	청승습사通事(1), 사역正(1, 明使故), 사역僉正(6)
張子厚	(세종11)				副司正
張淨	(세조3)				함흥부旅帥
張貞弼	(태종대)				사재主簿(~18, 파직)
張尊	(세종6)		친족 明 太監 鳳	기(명사故)	전객서主簿
張終孫	(세조14)			환관	書房色
張佐元	(세조1)				五司司勇, 원종2등공신
張俊	(세종~세조대)			역관	漢語통사(세종11), 사역主簿(16), 直長(단종즉), 世祖原從3등공신(세조6)
張仲奇	(태종4)				수군첨절제사
張仲老	(태종2)				兵曹知印
張仲誠	(세조대)			문(8), 발영(12)	縣監(방목), 成均直講(~12), 拔英試
張仲淳	(세조대)				五司副司直(1), 원종3등공신(1), 五衛部將(9), 都摠使龜城君李浚軍官(13)
張祉	(태종8)			의원	醫官
張至和	?~1398			문(우왕6)	교서監(태조1), 開國3등공신(1), 諫官(3), 都承旨(4), 충청도관찰사출척사(7), 興城君피화(좌 鄭道傳)
張至孝	(단종1)				울진縣令(읍지)

張晉	(태종대)			문(1)	吏曹佐郎(11), 司諫院獻納(방목)
張戩(緝)	(세종~문종대)				훈련訓導官(세종8), 정의縣監(10), 威勇將軍(15), 평안도절제사軍官(문종즉위), 위원郡事(2)
張次綿	(예종1)				兵曹正郎
張處勇	(성종대)				강무衛將(~20, 敍用)
張處勇	(성종25)				안동判官(읍지)
張處仁	(성종16)				길주縣監(읍지)
張處智	(성종대)				삼화縣令(22), 평안도都元帥火砲監役官(23)
張天祐	(태종8)			역관	경성통사
張忠孝	(세종21)				司勇(居의주)
張致孫	(세조1)			환관	行副管事, 원종2등공신
張致溫	(세종대)				護軍(12), 僉知中樞(14)
張致和	(문종대)	처 고모부 明太監 鄭善		기(즉위, 정선故)	司勇(즉위)
張澤	(세종26)				전京市署令
張平	(세조1)				行五司司直, 원종2등공신
張漢明	(성종대)			무(7)	北征龍驤隊將(22)
張漢輔	(성종9)				울진縣令(읍지)
張漢弼	(예종~성종대)			문(예종1)	縣令
張玄	(세종대)				명사從事官(~12, 收職牒)
張弘道	(세종대)				水山浦萬戶(~11, 陞職)
張洪壽(守)	(세종즉)		父 司譯判事 伯	역관	사역知事(태종4), 사역判事(세즉), 전농判事(3)
張和	(세조3)				前五司司正, 充軍
張孝良	(세조~성종대)				五衛司正(세조1), 원종3등공신(1), 鎭撫(9), 평안虞侯(성종1)
張孝範				무	울진郡守(읍지)
張孝復	(예종대)				문경縣監(~1, 파직)
張孝生	(세종대)				兵曹知印(6), 前縣監(27)
張孝生	(세조1)				五司司勇, 원종2등공신
張孝孫	(세조대)			무(5)	장기縣監(읍지), 의주判官(~7, 파직)
張孝之	(세조14)			환관	장원서別監
張厚	(세종12)			문(1)	明使검찰관(~12, 유배), 成均司藝(방목)
蔣成美		牙山	父 卿 自芳, 祖判書 均		영해府使(읍지)
蔣敦義	(세종대)	靑松	父 天瑞	문(2)	校書著作郎(~10, 파직), 基川縣監(21)
蔣英桂	(세종대)				驛丞, 의성잠실監考(~7, 敍用)

蔣英實	(세종대)				司直(7), 行司直(15), 護軍(16), 大護軍(2), 경상 채방別監(20), 大護軍(24)
蔣義生	(세종8)				제용權知直長
將家奴 (老)	(세조대)		父 兀婁哈	여진귀화인	兼司僕(시위, 6), 僉知中樞(6), 兼司僕(11)
將其大	(성종4)			여진귀화인	올적합僉知
章者土	(세조대)			여진귀화인	오음회副萬戶(~11), 본처萬戶(11)
莊鈘	(세종대)			문(5)	衿川吏(~5), 문과, 縣監(방목)
裝惠	(세종대)				영안북도진동첨절제사(~22, 充軍)
著兒速	(세조대)			여진귀화인	본처萬戶(5), 副萬戶(8)
赤古乃	(세종13)			여진귀화인	야인千戶
赤下里	(세종18)			여진귀화인	야인千戶
田稼生	(세종~세조대)	南陽	父 判中樞 興, 祖 府尹 得雨	문(세종16), 중(18)	경복궁提控(~18), 문과중시, 兼司宰主簿(세 종27), 전라도鹽政審察使(27), 司憲掌令(단종 2), 郡事(세조1), 世祖原從2등공신(1)
田霖	(성종대)	남양	父 慶州府尹 稱 生, 祖 判中樞 興	무(족보)	內禁衛, 전주判官(14), 훈련判官(16), 通政大 夫慶源府使(17), 전라우도수군절도사(21), 僉 知中樞(22), 北征右牙將(22), 嘉善大夫穩城 (23), 회령府使(23) [연산이후: 海浪島초무사, 강무左廂大將, 漢城判尹, 判中樞]
田興	1376~1457	남양	父 刑曹參議 得 雨, 祖 寶文直提 學 柱	기(태종잠저 시종)	太宗原從공신(태종1), 中軍護軍(10), 大護軍 (11), 巡禁司大護軍(13), 都摠制府同知摠制 (세종즉), 內禁衛2번절제사(즉), 의금提調(3), 摠制(4), 경시提調(4), 摠制(8), 判原州牧使 (12), 刑曹左參判(16), 인순府尹(16), 判漢城府 事(17), 파직(17), 中樞使(21), 致仕귀향(문종 즉위), 전중추사졸
田可植	(정종~태종대)	潭陽	父 畝, 祖 漢	문(정종1)	諫官(방목), 知郡事(방목)
田實	(세조1)	담양	父 直長 允穂, 祖 縣監 濚		五司司直, 원종2등공신, 은율縣監(읍지)
田藝	(정종~세종대)	담양	父 恒, 祖 祿生	문(정종1)	節日使檢察官, 前判官(세종5), 前敎授官(19), 量田경차관
田稠(稠) 生	(세종~세조대)	담양	父 刑曹參議 興, 祖 刑曹參議 得 雨	문(세종16)	兵(문종1)·戶曹正郎(단종1), 파직(2), 兼校理 (세조1), 世祖原從2등공신(1), 兼司憲掌令(2), 僉知中樞(8), 인수府尹(8), 사은副使(8), 折衝 將軍五衛上護軍(~10), 승문提調(13), 通政大 夫慶州府尹(예종1), 파직(1)
田養(良) 民	(성종대)	延安	父 判書 可植	역관	倭통사, 사역僉正(1), 對馬州宣慰官(1), 倭통 사(8)
田九卜	(성종대)	河陰	父 河陰君 昀(養 父)	무(5)	堂上官(~5, 성종9, 9, 정축), 무과

田畇	1409~1470	하음	시조	환관	掌文房내시(세종대, 문종2, 3, 계사), 承傳內侍(문종즉위), 靖難2등공신(단종1), 嘉善大夫同僉內侍府事(1), 資憲大夫僉內侍府事(1), 江川君(1), 判內侍府事(1), 崇政大夫判內侍府事河陰君(세조1), 佐翼2등공신(성종2), 하음군졸
田吉洪(弘)	(세종대)			환관	同判內侍府事(~6), 同判內侍府事兼尙衣別坐(6), 同判內侍府事(9), 世子朝見수종내관(9)
田得敬	(태조7)				은계驛丞
田得富	(세종22)				趙明干守護牌頭
田盧					장기監務(읍지)
田眉壽	(예종즉)				승정원書吏, 去官超資授準職
田闢	(세종12)				殿直(함흥)
田甫	(태조~태종)				진법훈련司馬(태조4), 胡賁侍衛司大護軍(태종9)
田寶	(세조13)				정건주奉使, 加資
田奉先	(세조1)				五司司勇, 원종3등공신
田思理	(태종~세종대)				사재監, 전연안府使(~태종14), 평안경차관(14), 연안府使(~15, 파직), 김해府使(~세종1, 充官奴, 坐沈溫)
田尙美	(세조1)				進義副尉, 원종2등공신
田碩	(세조1)				서운監候, 원종3등공신
田善生	(태종17)			무(17)	
田成	(세조대)			역관	통사, 行錄事(1), 원종3등공신(1)
田壽	(세조1)			악공	장악원典樂, 원종3등공신
田壽山	(세조1)			曆官	서운司曆, 원종3등공신
田穗生	(세종10)				前軍資主簿, 유배
田濕	(세조1)				五司副司正, 원종2등공신
田實	(성종6)				이산甲士
田養知	(세조1)				錄事, 원종3등공신
田榮	(성종3)				前渡丞(봉산)
田永生	(예종1)				태인甲士
田裕	(성종16)				상서副直長
田允升	(세종대)			?, 문(8)	敎導(~8), 문과
田易	(태조대)				예빈卿(1), 곡산府使(3)
田理	(태조2)				知春州事
田益修	(세종대)			기(2, 효행)	授職(2, 선산학생, 孝行故)
田仁富	(성종3)				行五衛司勇
田正理	(세종~세조대)				護軍(세종24), 전護軍(~세조1), 世祖原從3등공신(1)

田佐命	?~1472			기(세종14, 효행)	敍用(세종14, 居선산, 孝行故), 監務졸(성종3)
田重孫	(성종8)				율봉도察訪
田哲石	(성종22)				평안甲士
田孝明	(성종8)				창주甲士
田畦	(세조6)				五衛司勇, 원종3등공신
全伯英	?~1412	慶山 (京山)	父 密直使 義龍, 祖 典客令 文柱	문(공민왕20)	경상軍官·예천郡守·경상안렴사(읍지, 고려), 諫議大夫(태조2), 散騎常侍(5), 兵曹典書(6), 서북면직선위사(6), 풍해도관찰사(7), 遭喪, 大司憲(정종1), 경상관찰사(태종1), 승령府尹(4), 簽書承樞(4), 하정사(4), 知議政府事(5), 禮曹判書(5), 前도관찰사(7), 졸
全由性	(세종대)	경산	父 判書 伯英, 祖 密直使 義龍		護軍(9), 평해郡事(17)
全有孫	(세조1)	경산	父 郡守 由性, 祖 判書 伯英	曆官	行서운掌漏, 원종3등공신
全世	(태조1)	慶州	父 典客令 碩, 祖 中郞將 茂昌	기(軍士)	태조잠저휘하(태조총서), 工曹典書(족보)
全穆	(태종대)	潭陽	外叔 領議政 河崙		知沃州事(읍지), 군자監(~9, 유배)
全賓	(태조대)	連山		문(공민왕20)	諫議大夫
全之慶	(세종29)	完山	父 中郞將 溓, 祖 矗		守司諫院右正言
全永齡	(세조~성종대)	龍宮	父 郡守 仲權, 祖 直	문(세조8)	兵曹正郞(방목), 왕비봉숭都監郞廳(성종11), 通訓大夫司憲掌令(16)
全仲權	(세종대)	용궁	父 郡守 謹, 祖 翰林 侃	문(14)	前啣6品(~24), 判官(24), 흥해郡守(읍지)
全直	(태종~세종대)	용궁	父 翰林 侃, 祖 大學士 元發		司憲掌令(태종16), 양주府使(~세종1), 母喪(1), 知兵曹事(2)
全順道	(성종4)	天安	父 護軍 孝信, 祖 郡事 皎		창평縣監
全謙	(성종대)				장수縣監(읍지)
全卿	(태종대)				경시署令(~5, 파직)
全慶	(세종31)				경성府土官(掌6房行首)
全慶生	(태종13)				전別將(문의, 효행)
全敬守	(성종12)				忠贊衛, 還職牒
全啓					담양府使(읍지)
全季謙	(세종11)				졸司正
全繼孫	(세조3)				行五衛司直, 원종3등공신
全繼元	(세조1)				行五司司勇, 원종2등공신
全繼宗	(성종15)				通政大夫鍾城府使

全季欽	(문종1)				공주判官
全過	(세종13)				察訪
全光義	(세종~세조대)				大護軍(세종9), 僉知中樞(15), 中樞副使(22), 嘉善大夫五司上護軍(세조1), 世祖原從2등공신(1)
全南寶	(세조1)				宣務郎, 원종3등공신
全淡	(세종25)				主簿
全同良	(태종10)			환관	경복궁別監
全理	(정종1)				경상도都事(읍지)
全孟謙	(태종대)				大護軍(~12, 파직)
全明春	(성종25)			의원	醫官
全寶倫	(세종11)				장연縣監
全思禮	1389~?				前선공錄事(세조14, 목천)
全思立	(단종~세조대)				주문사통사(단종즉위), 行五司司直(세조1), 世祖原從3등공신(1)
全石童	(세조~성종대)				南部令(~세조11, 收告身), 연풍縣監(성종9), 신계縣令(16)
全性	(세조2)			일관	서운權知司辰
全守溫	(세종30)			음양학	음양학訓導
全淳	(세종16)				집현博士
全順達	(성종대)				평안虞侯, 通政大夫龍川郡守, 종성, 부령府使(21)
全循義	(세종~세조대)			의원	內醫(3품, 문종2), 피죄(단종즉), 軍職(2), 五司上護軍(세조1), 世祖原從1등공신(1), 僉知中樞(2), 折衝將軍五衛大護軍(3), 嘉善大夫僉知中樞(7), 同知中樞(8), 資憲大夫同知中樞(10), 內醫(12)
全順之	(세조대)				承仕郎(1), 원종3등공신(1), 司憲掌令(족보)
全崇悌	(세조1)				五衛司直, 원종2등공신
全承桂	(태조7)				수군萬戶
全時	(태조대)				刑曹正郎(3), 司憲雜端(~7), 유배(7)
全時貴	(태종~세종대)			기(한미)	巡衛府知事(태종2), 大護軍(14), 경원절제사(세종5), 피죄(5), 都摠制府僉摠制(9), 世子朝見시종(9), 左軍同知摠制(13), 前判江界府使(13), 中樞副使(14), 判鏡城郡事(14), 判義州牧使(16), 전라水軍處置使(19, 20)
全信	(세종14)				단천郡事
全信	(세조대)			환관	내시부宮闈丞(6), 원종3등공신(6), 薛里(10)
全若衷	(세종16)				문경縣監
全英富	(태조6)				첨절제사

全永壽	(세조13)				북청萬戶
全寧壽	(세조1)				五司司直, 원종2등공신
全吾	(태조대)				將軍(~2, 充水軍)
全五倫	(성종25)				被薦회령절제사
全五常	(세조3)				宣務郎, 원종3등공신
全五常	(성종24)				朝散大夫萬戶
全龍	(세조6)			환관	내시, 원종3등공신
全龍萬	(성종24)				의주甲士
全有謙	(태종17)				통진縣監
全有禮	(세조대)				五衛司正(1), 원종3등공신(1), 당진포萬戶(~2, 收告身)
全有先	(세조1)				五司司勇, 원종2등공신
全由義	(세종대)			기(15, 효행)	敍用(15, 居藍浦, 孝行故)
全有之	(단종대)				三麾鎭撫(~2), 超1資(2, 捕李澄玉功故)
全胤	(성종대)				忠順衛(15), 還職牒(21)
全崙	(성종1)				구례縣監
全義	(태종~세종대)			역관	통사(태종9), 僉知사역(세종3), 前判官(5), 前主簿(9), 朝見世子통사(9), 주문사통사(15), 절일사통사(17)
全義先	(세종7)			역관	통사
全仁貴	(세종~세조대)			의원	內醫(세종8), 大護軍(24), 內醫(~단종즉, 파직) 卒護軍(세조8, 追贈世祖原從3등공신)
수仁老	(세종12)				가각고錄事
全自完	(세조~성종대)				行五司司正(세조1), 世祖原從2등공신(1), 길주判官(~7, 收告身), 영안북도虞侯(성종5), 평안절도사(6), 영해府使(~16, 파직)
全自宗	(성종6)				行五衛護軍
全子忠	(태조6)				전密直(居외방), 收職牒
全種生	(세조대)				경기水站判官(~12, 파직)
全仲舒	(세종대)				남포진兵馬使(~23, 改授, 年老故)
全仲孫	(성종대)				평해郡守(연산대, 읍지)
全仲海	(문종대)				훈련知事(~1), 평산府使(1)
全地老	(세종16)				안음縣監
全進穆	(세조1)				五司司勇(1), 원종3등공신(1), 손실경차관(7)
全處良	(세종대)				침장고別坐(~27, 杖流)
全衷	(세종7)				司憲監察
全忠禮	(세종10)				前錄事, 敍用(孝行故)
全致敬	(세조12)				卒別侍衛(파직주)
全泰山	(세조3)				五衛副司直, 원종3등공신

조선초기 관인 이력

全鑞	(세종32)				온성判官
全玄老	(문종대)				증산縣令(~1, 파직)
全浩	(세종9)				문의縣監
全湖	(세종대)				在官(~25, 考未滿宣授, 세종25, 1, 15)
全好信	(단종1)				종성城門把折鎭撫
全孝常	(성종대)				朝散大夫萬戶(~22, 充官奴)
全孝崇	(성종20)			환관	承傳宦官
全孝宇	(문종~세조대)				藝文奉敎(문종즉위), 司憲監察(세조1), 世祖原從2등공신(1)
全興敏	(세조13)				西征大將康純軍官
全希吉	(태조7)				단주영흥채금사
錢世楨 (楨)	(성종대)	聞慶	父 文獻, 祖 盈		仇寧萬戶(12), 內禁衛겸습독관(~15), 충청虞侯(15), 이산郡守(19), 강무衛將(20)
錢繼禎	(성종대)				전內禁衛습독관(~15), 主簿(15)
錢世積	(세조대)				錄事(1), 원종2등공신(1), 아산縣監(10)
錢丁(定) 理	(세종대)				전라水軍都按撫處置使營錄事(6), 受賞(6, 捕倭功)
丁壽岡	(성종대)	羅州 (押海)	형 壽崑	문(8)	正朝使書狀官(13)[연산대 : 兵曹參判(방목)]
丁壽崑	(성종대)	나주	父 署令 子伋, 祖 珩	문(3)	司憲監察(12), 工曹佐郎, 成均典籍(14), 校理(방목)
丁子伋	1423~1487	나주	父 衍, 祖 安景	문(세조6)	署令(방목)
丁禮孫	(단종대)	扶寧	父 艮	문(1)	
丁艮	(세종대)	靈光	형 寅		司直(~1), 삼군도절제사崔潤德鎭撫(1), 제주도안무사(21), 僉知中樞(23), 경상좌도(24)·경상(25)·전라좌도水軍處置使(26)
丁克仁	(문종~성종대)	영광	父 郡守 寅, 祖 判事 光起	천거(문종2), 문(단종1)	廣興倉副丞(문종2), 仁壽府丞(~단종1), 문과, 世祖原從2등功臣(세조1), 行司諫院正言(예종1~성종1)
丁寅	(세종9)	영광	父 判事 光起, 祖 巡問使 贊		태천郡事
丁令孫	(태조6)	義城	父 巡問使 贊, 祖 千幹		전안동절제사
丁子偉 (偉)	(태조1)	의성	父 節制使 令孫, 祖 巡問使 贊		예빈判事
丁可智	(세조1)				五衛副司直, 원종2등공신
丁克勤	(세종8)				간성兵馬使, 驅軍差使員
丁克明	(세종21)				別侍衛
丁克河	(세종14)				錄事

丁孟明	(태종8)				전驛丞, 유배
丁孟缶	(세종23)				옥과縣監
丁明應	(세종~세조대)			문(세종29)	청양縣監(문종1), 世祖原從2등공신(세조1), 황간縣監(14)
丁嗣宗	(성종11)				前忠淸道守令
丁尙文	(세종19)				전道檢律
丁善奇 (琦)	(세조6)				五衛司正, 원종3등공신
丁守仁	(성종대)				곡성縣監(~24, 改, 酷政故)
丁淑	(세조대)				청산縣監(~11, 充軍)
丁時應	(문종1)				전扶餘縣監, 逐遠方
丁宥	?~1433				함길千戶복주
丁乙孫	(세종6)				전別將
丁仁富	(태종대)				강원도수군절제사千戶(~7, 파직)
丁子義	(세조1)				副正, 원종3등공신
鄭恕	(세조~성종대)	慶州	父 洗馬 之信, 祖 吉祥	문(8)	司諫院獻納(성종10~11)
鄭崇德	(성종23)	경주	父 漢城判尹 之禮, 祖 吉祥		의영고主簿
鄭承祖	(성종대)	경주	父 文德, 祖 之禮	문(25)	藝文檢閱(방목)[연산대: 司憲監察피화]
鄭由義	(세종~세조대)	경주	父 判書 弘德, 祖 正言 仁良		진잠縣監
鄭知年	(세종~세조대)	경주	父 敎導 廉, 祖 司諫 仁儉	?, 문(세종20)	敎導(~세종20), 문과, 양현庫丞(25), 主簿(세조1), 世祖原從3등공신(1), 成均司藝(방목)
鄭之禮	(세종~세조대)	경주	父 吉祥, 祖 參贊 熙啓	음?	通禮院奉禮(~세종13, 파직), 檢校漢城府尹(세조11)
鄭次溫	(세종~세조대)	경주	父 正郎 基, 祖 典客令 璉		知印(세종21), 縣監(세조1), 世祖原從3등공신(1)
鄭孝復	(태종대)	경주	형 孝恒	문(공양왕2)	禮(9)·工曹正郎(10), 파직(10)
鄭孝本	(세조대)	경주	형 孝恒	?, 문(6)	敎導(~6), 문과, 예안縣監(~13, 파직)
鄭孝常	1432~1481	경주	父 司藝 知年, 祖 敎導 濂	문(단종2), 중(세조12)	집현副修撰(단종2), 世祖原從2등공신(세조1), 世子司經(2), 승문副校理(~5), 司憲監察, 전吏曹佐郎(8), 피죄(8), 侍講院文學, 司憲掌令(11), 侍講院弼善(11~12), 문과중시, 同副承旨(예종즉), 翊戴3등공신(즉), 嘉善大夫同副承旨鷄林君(즉), 右副(1)·左副(1)·都承旨(1), 佐理3등공신(성종2), 正憲大夫계림군겸경상관찰사(3), 工(5)·吏曹判書(5), 계림군(6), 진하사(7), 계림군(8), 계림군졸
鄭孝終	(세조~성종대)	경주	형 孝恒	문(세조5)	東部主簿(세조12), 황해都事(예종1), 영안북

조선초기 관인 이력

					도순찰사魚有沼從事官(성종2), 봉상僉正(4), 사재副正(4), 내자正(~12, 파직), 兼惠民署敎授(14), 行五衛護軍(16), 禮曹參議(방목)
鄭孝恒	(세조~성종대)	경주	父 司藝 知年, 祖 敎導 濂	문(세조1)	집현副校理(세조1), 世祖原從2등공신(1), 司憲持平(12), 承文判校(성종5), 折衝將軍五衛護軍(6), 승문副提調(8), 大司成(12), 僉知中樞(12)
鄭熙啓	?~1396	경주	父 門下評理 暉, 祖 子楚	음	開國1등공신參贊門下府事八衛上將軍 鷄林君(태조1), 判八衛事(1), 參贊門下府事(2), 判漢城府事계림군졸
鄭龜晉	(태조~세종대)	光州	父 府尹 允孚, 祖 寺正 臣扈	문(우왕8)	門下起居注(태조3), 司憲掌令(태종2), 사헌執義(9), 파직(9), 左司諫大夫(세종5), 刑曹參議(5), 通政大夫강원관찰사(7), 吏曹參議(8)
鄭晳	(세조~성종대)	光州	父 縣監 以忠, 祖 縣監 存	?, 문(세조14)	통례원通贊(~세조14), 문과, 司憲監察(성종1), 郡守(방목)
鄭安道	(태조~세종대)	光州	父 義	문(우왕9)	知沃州事(태조7, 읍), 판이천縣事(세종1), 진주牧使(8)
鄭安止	(태조~태종대)	光州	형 安道	?, 문(정종1)	태묘署丞(~정종1), 문과, 侍講院文學(방목), 한성少尹(~태종9, 囚禁, 좌尹穆, 방면)
鄭沃	(성종15)	光州	父 郡守 崇禹, 祖 掌令 之夏, 장인 領議政 尹子雲		예빈副正
鄭允功	(세조대)	光州	父 繼禹, 祖 司憲 掌令 之夏		종묘副丞(~11, 收告身)
鄭麟仁	(성종23)	光州	父 郡守 纘禹, 祖 掌令 之夏	?, 문(연산4)	전內贍寺官[연산이후: 副提學]
鄭奬	(세종대)	光州		문(1)	司憲監察(방목)
鄭之唐	(태종대)	光州	父 判書 龜晉, 祖 府尹 允孚	문(5)	군자直長(5), 司諫院獻納(11), 司憲掌令(14)
鄭之夏	(세종~세조대)	光州	형 之唐		司憲持平(세종19), 戶曹正郎(27), 황해察訪(30), 司憲掌令(31), 監正(세조1), 世祖原從3등공신(1)
鄭纘禹	(성종8)	光州	父 掌令 之夏, 祖 判書 龜晉		김제郡守
鄭耕	1369~1420	羅州	父 判開城 地, 祖 僉議 履		大護軍(태종4), 안주도병마도절제사(6), 戶曹參議(8), 都摠制府同知摠制(11), 시위절제사(11), 전라병마도절제사(14), 전라병마도절제사겸수군도절제사(16), 전라도관찰사(17), 摠制(세종즉), 內侍衛2번절제사(즉), 전라절제사(1), 전라수군도절제사(1), 길주府尹(2), 전주府尹졸
鄭履	(태조대)	나주		문(공민왕11)	군기判事

鄭承賢	(성종10)	나주	父 知中樞 軾, 祖 自新		司憲監察
鄭軾	1407~1467	나주	父 自新, 祖 郡守 有	문(세종14)	禮曹佐郎(세종25), 경차관(25), 吏曹正郎(26), 의염別監(27), 광흥倉使(~28), 議政府檢詳(28), 議政府舍人(31), 都體察使皇甫仁從事官(28), 五司護軍(단종1), 知司諫(1), 郡事(1), 世祖原從3등공신(세조1), 同副(3)·右副(4)·右承旨(5), 刑曹參判(5), 함길관찰사(5), 함길관찰사兼咸興府尹(6), 資憲大夫中樞副使(7), 大司憲(7), 判漢城府事(7), 知中樞겸경상좌도절제사(8), 파직, 知中樞(10), 同知中樞(11), 知中樞(11), 知中樞졸
鄭地	?~1394	나주	자 耕		門下評理(태조2), 開國2등공신(2), 判開城府事졸
鄭可宗	(태종대)	東萊	父 錄事 昇, 祖 判書 絪	문(공민왕11)	禮曹判書
鄭甲孫	?~1451	동래	父 刑曹判書 欽之, 祖 漢城府尹 符, 여 동궁(문종)承徽	문(태종17)	승문正字(태종17), 司諫院右獻納(세종7), 禮曹正郎(~8), 司憲持平(8), 司憲掌令(12), 同副(女 冊世子承徽고)·右副·左副·右·左承旨(14~19), 藝文提學(19), 禮曹參判(20), 大司憲(23), 경기(24)·함길관찰사(24), 知中樞겸함길관찰사(26), 判漢城府事(27), 議政府右參贊(28), 左參贊(문종즉위), 좌참찬兼判吏曹事(즉), 졸
鄭介悌	(태종대)	동래	父 允老, 祖 林生	문(8)	刑曹都官佐郎(방목)
鄭傑	(세조1)	동래	父 參判 守弘, 祖 判書 可宗	음?	錄事, 원종3등공신
鄭潔	(세종~세조대)	동래	父 縣監 子順, 祖 參議 節		司憲監察(세종26), 단양郡事(단종1), 世祖原從2등공신(세조1), 청주牧使(12)
鄭坤	(태종~세종대)	동래	父 禮曹判書 興嗣, 祖 暹	문(우왕12)	전주敎授官(태종14), 前司諫院獻納(~17, 收告身), 成均司成(세종10)
鄭佸	1435~1495	동래	父 領議政 昌孫, 祖 刑曹判書 欽之	음, 문(세조1)	佐郎(세조8), 正郎(~11), 문과, 成均司藝(11), 司憲掌令(11), 大司諫(성종4), 兼知兵曹事(7), 兵曹參議(8), 嘉善大夫황해관찰사(8), 漢城右尹(10), 大司憲(11), 파직(12), 吏曹參判(13), 吏曹判書(13), 知中樞(15), 漢城判尹(15), 兵曹判書(16), 崇政大夫議政府右贊成兼世子貳師(16), 兼五衛都摠管(20), 知中樞(20), 刑曹判書(20), 경상관찰사(20), 知中樞겸경상관찰사(21), 전라순찰사(22), 兵曹判書(24), 평안관찰사(25) [연산1: 議政府右議政兼院相, 左議政졸]
鄭光國	(성종대)	동래	父 參贊 蘭宗, 祖 賜	문(20)	翰林(방목)[연산이후: 吏曹參議, 禮曹參判]

조선초기 관인 이력

鄭光世	?~1514	동래	父 通政大夫牧使 蘭孫, 祖 藝文直提學 賜	문(성종10)	承仕郎(~성종10), 弘文副修撰(10), 奉直郎司諫院獻納(15), 禮曹正郎(16), 奉列大夫司憲掌令(21), 奉正大夫司諫(23), 군자正(24), 파직(24), 中直大夫司憲執義(25) [연산이후: 同副·右副承旨, 開城留守, 刑曹參判, 강원관찰사, 工曹參判, 刑·工曹判書, 평안관찰사, 知中樞, 경기관찰사, 工曹判書졸]
鄭光弼	1462~1538	동래	형 光國	문(성종23)	成均學諭, 議政府司祿, 봉상直長 [연산이후: 成均學正, 弘文直提學, 吏曹參議, 弘文副提學, 吏曹參判, 禮曹判書, 大提學, 議政府右參贊, 전라도순찰사, 兵曹判書, 함길관찰사, 議政府右議政, 左·領議政]
鄭矩	1350~1418	동래	父 監察大夫 良生, 祖 大司憲 瑚	?, 문(우왕3)	흥복도감判官(~고려우왕3), 문과, 전교判事兼尙瑞司少尹(정종1), 左承旨兼尙瑞司尹(2), 都承旨(2), 大司憲(2), 파직(2), 藝文學士(태종1), 中軍摠制(6), 參知議政(7), 工(7)·戶曹判書(7), 判漢城府事(8), 계림府尹(12), 開城留侯(14), 工曹判書(16), 議政府參贊(16), 議政府贊成事(17), 五衛司直(17, 身病故), 전贊成事졸
鄭吉興	(세종대)	동래	父 典書 規, 祖 大司憲 良生		司憲持平(10), 刑曹正郎(12)
鄭蘭孫	(성종대)	동래	제 蘭宗		양산郡守(3), 내자僉正(~9) 陞司贍副正(9, 仕滿故), 司贍正(12), 右通禮(24), 司贍正(~24, 파직), 隨闕敍用(25)
鄭蘭秀	(성종22)	동래	제 蘭宗	학행(족)	전옥主簿
鄭蘭元	(성종11)	동래	형 蘭宗		충익부都事
鄭蘭宗	1433~1489	동래	父 晉州牧使 賜, 祖 縣監 龜岑	문(세조2), 중(12), 등준(12), 발영(12)	승문副正字(세조2), 藝文檢閱, 待敎(5), 奉敎(6), 奉禮郎(7), 司憲監察(7), 吏曹佐郎(8), 世子文學(9), 吏曹正郎(~10), 종부少尹(11), 僉正(~12), 문과중시, 同副·右副·左副承旨(12), 拔英·登俊試, 禮(12)·刑曹參判兼五衛將(12), 副체찰사(13), 五部將(13), 황해관찰사(13), 戶曹參判(예종즉), 兼五衛將(즉), 虎賁衛大護軍(1), 吏曹參判(1), 사은副使(성종1), 同知中樞(1), 佐理4등공신東萊君(2), 영안관찰사(2), 동래군(5), 戶曹參判(6), 資憲大夫동래군(7), 영안북도절도사(8), 군(10), 영안북도절도사(10), 동래군(10), 漢城判尹(11), 전라관찰사(12), 동래군(13), 知中樞(14), 주청副使(14), 평안절도사(14), 議政府右參贊(16), 吏曹判書(17), 知中樞(17), 工(18)·戶曹判書(18), 右參贊(19), 右參贊졸

鄭綸	(성종대)	동래	父 敎導 之周, 祖 修撰 雍	문(8)	司諫院正言(세종16), 전永安都事(~20), 兵曹佐郎(20), 충청都事(24), 司憲掌令(방목)
鄭符	?~1412	동래	父 監察大夫 良生		通政大夫경상관찰사(태종2), 刑曹典書(4), 파직(4), 공안府尹(8), 告訐使(8), 전漢城府尹졸
鄭賜	1400~1453	동래	父 縣監 龜齡, 祖 司僕判事 諧	문(세종2)	藝文檢閱(세종2), 司憲監察, 司諫院右正言(7), 의금都事(11), 경상都事(14), 議政府檢詳, 강원도軍官(24), 議政府舍人(27), 守司憲執義(28), 守藝文直提學(30), 진주牧使(읍지)
鄭士傑	(성종대)	동래	父 摯, 祖 而漢	문(23)	[연산대: 司諫院獻納]
鄭善卿	(세종대)	동래	父 贊成 矩, 祖 監察大夫 良生		司憲監察(7), 道都事(13)
鄭需	(태조대)	동래	父 禮曹判書 興嗣	?, 문(우왕14)	군기直長(고려), 通禮院奉禮郎
鄭守弘	(태조~세종대)	동래	父 大司憲 可宗, 祖 錄事 昇	문(공양왕2)	司諫院正言(~태조4), 파직(4), 청풍府使(태종6, 읍), 사헌執義(8), 유배(8), 右司諫大夫(세종즉), 禮曹參議(1), 판나주牧使(1)
鄭俶	(세조~성종대)	동래	父 參贊 甲孫, 祖 判書 欽之	음?	副錄事(세조1), 世祖原從3등공신(1), 內乘(성종2), 司僕副正(2), 안변府使(~5), 司僕正(5), 홍주牧使(8), 經筵特進官(20)
鄭雍	(태종~세종대)	동래	제 賜	문(태종17)	지례縣監(세종12), 應敎(방목), 사헌執義
鄭俁	(세조7)	동래	父 贊成 甲孫, 祖 判書 欽之		내자主簿
鄭允老	(태종대)	동래	父 林生, 祖 廉	문(1)	博士(방목)
鄭允厚	?~1419	동래	父 判官 天保, 祖 主簿 安生, 여 명 후궁		前知善州事(9, 여 입명), 明 光祿寺少卿, 光祿少卿졸
鄭而虞	(단종~세조대)	동래	형 而漢	?, 문(단종3)	判官(~단종3), 문과, 副令(세조1), 원종3등공신(1), 사헌執義(방목)
鄭而漢	?~1453	동래	父 賙, 祖 門下評理 鼇	문(세종14)	兵曹佐郎(태종15), 司僕少尹(세종23), 都體察使皇甫仁從事官(23), 司憲掌令(24), 한성少尹(25), 藝文直提學(26), 兼知兵曹事(29), 파직(31), 同副(31)·右(문종즉위)·左承旨(1), 평안관찰사(1), 관찰사졸
鄭仁耘	(세조~성종대)	동래	父 君種, 祖 判官 善卿	무(족보)	경상徵兵使(세조8), 습진장(12), 右廂後衛將(성종10), 通政大夫慶興府使(11), 영안도절제사虞侯(~20, 파직), 折衝將軍경상좌도수군절도사(22)
鄭仁厚	(성종대)	동래	父 穗, 祖 縣令 孝卿		군자奉事(~24, 파직), 隨闕敍用(25)
鄭子堂	(성종대)	동래	父 敬差官 期, 祖 正郎 吉興	문(20)	[연산대: 승문校理]
鄭節	(태조~태종대)	동래	형 矩		司憲侍御使(태조5), 봉상判事(태종6), 전예빈判事(8, 유배)

조선초기 관인 이력

鄭慥	(태조~태종대)	동래	父 尙書 廉, 祖 諫議大夫 准伯	문(태조5)	禮曹佐郎(~태종14), 파직(14), 監正(방목)
鄭種	(세종~성종대)	동래	父 判官 善卿, 祖 贊成 矩	무(족보)	풍저창副使(세종11), 司憲監察(23), 行五司司正(문종1), 종성절제사(단종1), 捕李澄玉功1등(1), 通政大夫鍾城府使(2), 충청절제사(세조3), 折衝將軍五衛上護軍(4), 경상좌도절제사(10), 李施愛討伐총통장(13), 敵愾3등공신漆山君(13), 嘉靖大夫忠武衛上護軍兼五衛將漆山君(13), 改東平君(13), 上護軍(13), 경주府尹(성종2), 파직(3)
鄭宗周	(세종~세조대)	동래	父 修撰 雍, 祖 縣監 龜岑	문(세종32)	佐郎(세조1), 世祖原從2등공신(1), 司憲持平(4), 예천郡守(~13), 파직(13)
鄭賙	(태종대)	동래	父 釐, 祖 仁保	문(1)	藝文奉敎(5), 司諫院右獻納(8), 공주判官(10)
鄭摯	(성종대)	동래	父 判書 而漢, 祖 獻納 賙	문(1)	司憲持平(10~11), 司憲掌令(18)
鄭昌孫	1402~1487	동래	형 參贊 甲孫	문(세종8), 중(29)	權知承文副正字(세종8), 집현著作郎(9), 博士, 修撰, 校理, 부상(21), 司瞻署令(24), 집현應敎(24), 전應敎(26), 守司憲執義(27, 28), 군기副正(28), 直藝文館(~29), 문과중시, 直集賢殿(29), 副提學(30), 左副(32)·右承旨(문종1), 大司憲(1), 藝文提學(2), 吏曹判書(단종1), 議政府右贊成(세조1), 佐翼3등공신蓬原君(1), 右贊成兼判吏曹事(2), 議政府右議政(2), 左(3)·領議政(4), 蓬原府院君(6), 領議政(7), 파직(府院君, 8), 翊戴3등공신(예종즉), 佐理2등공신(성종2), 蓬原府院君졸
鄭侸	(세조~성종대)	동래	제 左議政 佸		主簿(세조8), 司憲掌令(13), 通訓大夫司憲執義(성종7), 陞堂上官(14)
鄭顯祖	(단종~세조대)	河東	父 領議政 麟趾, 祖 縣監 興仁, 처 세조녀 懿淑公主	부마, 문(세조14)	敦寧主簿(단종3), 河城尉(세조1), 儀賓(12), 河城君(13), 문과, 翊戴2등공신綏祿大夫河城君(예종즉위), 사옹도제조(성종1), 佐理1등공신河城府院君(2), 府院君졸
鄭渙	(성종대)	동래	父 司直 復周, 祖 修撰 雍	문(20)	[연산이후: 應敎(방목)]
鄭徽	(세조~성종대)	동래	父 而宗, 祖 獻納 賙	문(세조11)	司諫院獻納(예종1, 파직), 權知承文校理(1), 兼藝文館(성종1)
鄭欽之	1378~1439	동래	父 漢城府尹 符, 祖 監察大夫 良生	음, 문(태종11)	司憲持平(~태종11), 문과, 兵(12)·吏曹正郎(12), 파직(12), 司諫院左獻納, 司憲掌令(~17), 파직(17), 봉상少尹, 사헌執義, 知刑曹事(~세종4), 直提學(4), 同副·右副·左副承旨(5~8), 都承旨(8), 吏曹參判(11), 大司憲(12), 刑曹判書(13), 함길관찰사(17), 同知中樞(19), 中樞使(19), 모상(20), 전中樞使졸

鄭興孫	(세종~세조대)	동래	父 中樞使 欽之, 祖 漢城府尹 符		군기判官(세종15), 忠扈衛鎭撫(~문종2, 피죄), 상의提擧(단종2), 判事(세조1), 世祖原從3등공신(1)
鄭來	(태종16)	奉化	父 刑曹判書 津, 祖 贊成事 道傳		還職牒, 縣監(족보)
鄭湛	?~1398	봉화	父 奉化伯 道傳, 祖 尙書 云敬		추대태조, 자진
鄭澹	(태조대)	봉화	父 參判 道存, 祖 尙書 云敬		都承旨(5), 中樞副使(7)
鄭道復	(태종대)	봉화	형 奉化伯 道傳	문(우왕1)	성주儒學敎授官(2~9, 태종9, 8, 무오), 인령府司尹(9), 檢校漢城府尹(~13, 피핵, 居外方故, 命居京)
鄭道傳	1342~1398	봉화	父 尙書 云敬, 祖 上護軍 均	문(공민왕11)	충주司祿(공민왕11), 政堂文學(고려, 공양4), 開國1등공신參議都評議使司判尙瑞司事奉化君(태조1), 門下侍郎贊成掌隷院司義興親軍衛節制使奉化君(1), 判三司事(2), 判義興三軍府事(3), 判三司事慶尙全羅楊廣3道都節制使(3), 世子貳師(4), 奉化伯(5), 判義興三軍府府事(6), 有備庫提調(6), 成均祭酒(7), 奉化伯 피화
鄭文炯	1427~1501	봉화	父 縣監 束, 祖 刑曹判書 津	문(세종29)	승문正字(세종29), 司憲監察, 禮曹佐郎(단종2), 집현校理(세조1), 世祖原從2등공신(1), 승문校理(4), 議政府檢詳(5), 議政府舍人(6), 侍講院輔德(8), 左司諫大夫(10), 工曹參議(10), 通政大夫경상관찰사(10), 함길절도사(12), 掌隷院判決事(12), 同知中樞(13), 都體察使韓明澮從事官(예종1), 同知中樞(성종즉), 兵曹參判(3), 평안관찰사(4), 刑曹判書(6), 知中樞(10), 황해관찰사(11), 영안관찰사(12), 知中樞(14), 강원관찰사(18), 知中樞(18), 刑曹判書(19), 議政府右參贊(20), 吏(21)·戶曹判書(21), 右參贊(22), 右贊成(23)[연산대: 判中樞, 右議政, 領中樞졸]
鄭束(悚)	(세종13)	봉화	父 刑曹判書 津, 祖 奉化伯 道傳		진위縣監
鄭叔墩	(성종15)	봉화	父 右議政 文炯, 祖 縣監 來		修理都監監造工曹郎廳
鄭叔墀	(성종대)	봉화	형 叔墩		사옹直長(2), 刑曹正郎(~6, 파직), 수원判官(14), 전설사守(16), 사재副正(~19), 사재正(19), 사도正(23), 左通禮(24)
鄭仁炯	(세조~성종대)	봉화	형 右議政 文炯	?, 문(세조11)	錄事(~세조11), 문과, 司憲監察(14), 奉正大夫禮曹正郎(예종1), 郡守, 군기正(방목)

鄭津	1361~1427	봉화	父 奉化伯 道傳, 祖 尙書 云敬	문(우왕8)	연안府使(태조7), 사재判事(2), 工(3)·刑曹典書(3), 경흥府尹(4), 領原州牧使(5), 中樞副使(7), 유배(7), 判羅州牧使(태종7), 인령府尹(16), 안동府使(태종17, 읍지), 충청관찰사(세종1), 判漢城府事(2), 성절사(2), 평안관찰사(3), 判漢城府事(4), 工曹判書(5), 開城留侯(5), 刑曹判書(7), 刑曹判書졸
鄭恂	(태조대)	西京	父 政堂文學 樞	?, 문(우왕6)	郎將(고려), 直提學(방목)
鄭繼韶	(성종대)	瑞山	父 判書 珣, 祖 郎將 達漢		水軍節度使(金禮蒙묘표)
鄭斯仁	(세종9)	서산	父 副正 允弘, 祖 判書 璹		예안縣監
鄭成良	(문종~세조대)	서산	父 縣監 斯仁, 祖 副正 允弘	문(문종 즉위)	산음縣監(~세조12, 파직), 成均直講(방목)
鄭自英	?~1474	盈德	父 奉禮 道	문(세종16)	成均學諭(세종16), 博士, 成均直講, 成均司藝(~세조10), 通訓大夫司憲掌令(10), 成均司成(11), 侍講院輔德(11), 僉知中樞(11), 嘉善大夫同知中樞(12), 工曹參判(13), 兼同知經筵(14), 兼同知成均(예종1), 資憲大夫知中樞(1), 虎賁衛司直(성종1), 司直졸
鄭忕	(성종8)	迎日(延日)			경성府使(세조8, 읍지), 명쵀用(이조)
鄭保	(문종~세조대)	영일	父 參議 宗誠, 祖 守侍中 夢周		司憲監察(문종즉위), 예안縣監(1), 充官奴(세조2)
鄭溥	(세조~성종대)	영일	父 參議 自洋, 祖 判書 淵		장원서官(세조13), 翊衛司衛率(성종16), 署令(盧閈비명), 上將軍(申叔舟비명)
鄭生	(단종3)	영일	父 上護軍 孝完(서자)	기(명사족친)	五司攝司勇
鄭錫禮	(성종대)	영일	父 監察 孝順, 祖 判書 鎭		折衝將軍五衛司果(11), 通政大夫龜城府使(13), 五衛將(20)
鄭錫祉	(세조~성종대)	영일	형 錫禧	무(14)	유배(단종1)
鄭錫禧	(성종대)	영일	父 監察 孝順, 祖 判書 鎭		유배(단종1), 안변府使(성종3), 折衝將軍五衛上護軍(11), 갑산(13)·온성府使(19)
鄭洙	(성종대)	영일	父 府使 自濟, 祖 兵曹判書 淵	?, 문(21)	別提(~성종21), 문과, 양현主簿(22), 司憲監察(22), 兵曹佐郎(23) [연산이후: 司諫院獻納, 郡守, 봉상僉正]
鄭臣碩	(세종~성종대)	영일	父 通政大夫江華府使 孝孫, 祖 工曹判書 鎭	문(세종26)	禮曹佐郎(~문종1), 파직(1), 司諫院獻納(2), 司憲持平(단종1), 兵曹正郎(1), 유배(2), 戶曹正郎(성종6), 전제상정도감別監(6)
鄭臣義	(태조대)	영일			中樞副使(2), 漢城府尹(4), 正朝副使입명구류(4), 烏川君(5), 回(5), 知中樞(6), 원종공신(7)

鄭淵	1390~1445	영일	형 判書 鎭	음	司憲持平(태종14), 파직(15), 刑曹都官正郞, 종부少尹, 司憲掌令(세종1), 유배(2), 한성少尹(4), 掌令(6), 선공正(6), 사헌執義(8), 同副·右副·左副·右承旨(8~11), 刑曹參判(11), 천추사(12), 파직(12), 司僕提調(13), 吏曹參判(13), 吏曹右(14)·兵曹左參判(14), 同知中樞(16), 인순府尹(17), 刑曹判書(18), 中樞使(21), 兵曹判書(22), 사은겸주문사(24), 知中樞(26), 知中樞졸
鄭允貞	(문종~성종대)	영일	父 監察 保, 祖 參議 宗誠	기 (문종 즉위, 夢周故)	授職(문종즉위, 鄭夢周嫡曾孫故), 通禮門引儀(성종7), 장흥고主簿(10)
鄭允和	?~1453	영일	형 主簿 允貞	문(단종1)	승문正字졸
鄭以(而)恭	(세조~성종대)	영일	형 以僑	?, 문(세조12), 중(성종10)	署令(~세조12), 문과, 司憲持平(방목), 別提(~성종10), 문과중시, 정선郡守(성종19, 읍지)
鄭以僑	(성종대)	영일	父 司成 從韶, 祖 敎導 文裔	문(1), 중(17)	從仕郞(~1), 문과, 承仕郞藝文檢閱兼弘文正字(2), 吏曹佐郞(13), 承義郞司憲持平(15), 吏曹正郞(~17), 문과중시, 侍講院假弼善(18), 청도郡守(24)
鄭以得	(성종대)	영일	형 以僑	?, 문(17)	五衛司直(~17), 문과, 司憲持平(방목)
鄭以揮	(성종19)	영일	제 以僑		修改경차관
鄭仁忠	(단종~성종대)	영일	父 直長 恂, 祖 司藝 宗本		鎭撫(단종2), 縣監(세조1), 世祖原從3등공신(1), 장흥庫令(성종11)
鄭自明	(단종~세조대)	영일	父 判書 淵, 祖 大提學 洪	문(단종1)	縣監(방목)
鄭自淑	(성종대)	영일	父 知中樞 淵, 祖 大提學 洪		別坐(9, 箇滿)
鄭自洋	(문종~예종대)	영일	제 自淑		군자僉正(문종1), 충청도軍官(단종1), 전농少尹(1), 郡事(세조1), 世祖原從3등공신(1), 종부判事(10), 左通禮(11), 강릉府使(12), 僉知中樞(예종즉위)
鄭自源	(세조~성종대)	영일	제 自淑		원각사조성도감郞廳(세조11), 戶曹參判(12, 假銜), 사은사(12), 掌隷院判決事(성종3), 折衝將軍五衛副護軍(6)
鄭自濟	(세종~성종대)	영일	제 自淑, 서 壽春君 玹	음(족보)	경상都事(세종25, 읍), 守司憲持平(26), 內贍少尹(문종2), 世祖原從3등공신(세조1), 戶曹參判(8, 가함), 진위사(8), 行五衛護軍(~성종6, 파직)
鄭井		영일	父 判書 興嗣	문(우왕1)	
鄭宗本	(태종~세종대)	영일	父 守侍中 夢周, 祖 云瓘	문(태종1)	禮曹佐郞(태종7), 司諫院左獻納(~세즉), 파직(즉), 정선·珍山郡守(세종1, 읍지), 成均司藝(~8), 피죄(8), 中部敎授(12)

조선초기 관인 이력

鄭宗誠	(태종~세종대)	영일	父 守侍中 夢周, 제 宗本, 서 宣城君 茂生		刑曹正郎(~태종4), 유배(4), 내자少尹(13), 의금知事(17), 파직(17), 司憲掌令(세종1), 안악郡事(~5), 杖流(5), 知兵曹事(20), 吏曹參議(24), 僉知中樞
鄭從韶	(세종~세조대)	영일	父 敎導 文裔, 祖 司正 瑋	문(세종29), 중(29)	成均學諭(~세종29), 문과중시, 成均學錄(29), 司諫院左獻納(세조5), 경상軍官·咸安郡守(세조6, 읍지), 成均司成(방목)
鄭至韶	(단종~세조대)	영일	형 從韶	문(단종2)	訓導(세조1), 원종2등공신(1), 成均學諭(방목)
鄭溱	(성종21)	영일	제 淮		전五衛司勇
鄭鎭	1378~1418	영일	父 大提學 洪, 祖 政堂文學 思道, 장인 領議政 趙浚	음(?)	代言(태조4), 中樞副使(6), 전中樞副使(태종2), 안동府使(8, 읍), 경기우도도절제사(9), 刑曹判書(10), 中軍都摠制(12), 判敬承府事(12), 右軍都摠制(17), 工曹判書(18), 右軍都摠制(18), 전都摠制졸
鄭致韶	(세조~성종대)	영일	형 從韶	문(세조8)	工曹佐郎(성종1)
鄭涵	(세조~성종대)	영일	父 判決事 自源, 祖 兵曹判書 淵		工曹正郎(세조11), 장악僉正(성종2)
鄭洪	?~1420	영일	父 政堂文學 思道, 祖 署令 侑	?, 문(우왕3)	陵署令(~고려우왕3), 문과, 경주府尹(읍지), 大提學(세종즉), 知議政府事졸
鄭淮	1450~?	영일	父 府使 自濟, 祖 兵曹判書 淵	문(성종5), 중(7)	藝文檢閱(~성종6), 파직(6), 문과중시, 經筵檢討官(7), 吏曹正郎(12), 파직(12), 兵曹正郎(14), 朝奉大夫司憲持平(15), 奉列大夫司諫(19), 弘文直提學(21), 副提學(방목)
鄭孝康	(세종~단종대)	영일	형 監察 孝順		司憲持平(~세종20), 파직(20), 刑曹正郎(23), 司僕少尹(28), 知司諫(문종즉위), 五司大護軍(1), 知兵曹事(2), 刑曹參議(단종1), 充官奴(2)
鄭孝順	(세종대)	영일	父 判書 鎭, 祖 大提學 洪		司憲監察(~25, 파직)
鄭孝完	?~1456	영일	형 監察 孝順		겸主簿(~세종8, 파직), 훈련判官(9), 世子入朝시종관(9), 上護軍(22), 피화(단종2)
鄭孝全	?~1453	영일	父 判書 鎭, 祖 大提學 洪, 처 세종녀 淑貞翁主	기(세종4, 부마)	嘉善大夫日城君(세종4), 사은사(15), 삼군摠制(24), 三軍都鎭撫(31~단종1), 진하사(문종즉위), 行兵曹判書(2?, 선원세보기략), 파직, 졸(단종1)
鄭次恭	(세종~세조대)	永川		문(세종14)	司諫院正言(세종21), 吏曹佐郎(~24), 경상都事(24), 守司憲持平(27), 戶曹正郎(29), 司憲掌令(31), 成均直講(세조1), 世祖原從3등공신(1), 直藝文館, 평산府使(4)
鄭得良	(태종17)	溫陽	父 淳祐, 祖 年		평안도別牌
鄭㫝	(세종~세조대)	온양	父 中郞將 得良, 祖 淳祐		광흥창副丞(세종1), 용인縣監(15), 司憲監察(17), 황해行臺監察(17), 전少尹(~세조5, 敍用, 孝行故)

鄭忠基	(문종~성종대)	온양	父 縣監 袍, 祖 中郎將 得良	문(문종1)	校書著作(세조1), 世祖原從2등공신(1), 경상도軍官(11), 通訓大夫兼司憲持平(성종3)
鄭忠源	(세조~성종대)	온양	父 少尹 晃, 祖 中郎將 得良	?, 문(세조11)	五司副司直(세조1), 世祖原從2등공신(1), 의금知事(10), 知郡事(~11), 문과, 평산府使(~성종7, 收職牒), 承文判校(방목)
鄭鐸	1452~1496	온양	父 持平 忠基, 祖 郡事 袍	문(성종14)	奉訓大夫司諫院獻納(세종22), 戶曹正郎(24), 僉正(25), 成均司藝(방목)
鄭夏	(세종6)	온양	父 判事 得珍, 祖 少尹 淳祐		刑曹佐郎(6), 副正
鄭致亨	(성종대)	定山	父 僉節制使 從雅	문(7)	賀上奠諡使書狀官(19), 경성判官(21), 司諫院獻納(21), 郡守(방목)
鄭廣元	(태종~세종대)	晉陽 (晉州)		문(태종14), 중(16)	成均學諭(~태종16), 중시, 敬承府丞(16), 典祀主簿(세종18), 成均直講, 사재副正(세종25), 제주宣慰別監(25), 禮曹正郎(25), 守成均司藝(세조1), 世祖原從3등공신(1)
鄭得芝	(세종24)	진양	父 作, 祖 吉輔		充軍(10), 연일진동첨절제사(24)
鄭苯	?~1453	진양	父 判都摠制 以吾, 祖 贊成事 臣重	음, 문(태종16)	敬承府丞(~태종16), 문과, 吏曹佐郎(~세종2), 승문校理(2), 司諫院右獻納(4), 左獻納(5), 兵曹正郎(7), 議政府舍人(10), 함길경차관(10), 예빈少尹(10), 사헌執義(11), 右副·左副·右·左承旨(14~16), 부상(16), 通政大夫충청관찰사(18), 평안관찰사(24), 工曹參判(25), 주문사(25), 禮曹參判(26), 戶曹判書(26), 議政府左參贊(28), 좌참찬兼判戶曹事(29), 좌참찬兼判吏曹事(31), 議政府右贊成(문종즉위), 우찬성겸판호조사(즉), 우찬성겸판이조사(1), 左贊成(1), 議政府右議政(단종즉), 右議政피화
鄭山老	(성종대)	진양	父 侍衛 根碩, 祖 勳		함길도軍官(즉), 充軍(1, 擅殺野人故), 慶山縣令(25)
鄭山彙 (彙, 亨)	(세조~성종대)	진양	형 山老		五司司勇(세조1), 世祖原從2등공신(1), 五衛部將(4), 훈련判官(5), 함길도體察使軍官(6), 만포첨절제사, 경흥절제사(10), 衛將(10), 의금부鎭撫(11), 만포절제사(11~12, 收告身) 웅천縣監(성종15)
鄭誠謹	?~1504	진양	父 知中樞 陟, 祖 州吏 舌	문(성종5)	成均典籍(성종9), 弘文修撰(10), 副校理(12), 경차관(12), 副應敎(13), 전라경차관(13), 弘文應敎(14), 典翰(15), 直提學(17), 대마도경차관(18), 해주牧使(18), 파직(21), 內贍副正(23), 봉상正(23), 同副·右副·左副承旨(23~24)
鄭惟産	(세조대)	진양	父 孝安	문(5)	承文校勘(~7, 充校書書員)
鄭垠	(단종~성종대)	진양		문(단종1)	경상都事(세조5, 읍), 겸司憲掌令(9), 行五衛司直(13), 풍저倉守(성종1), 通訓大夫司憲執義(2), 成均司藝(3), 通禮院相禮(3), 내자正(3),

조선초기 관인 이력

이름	생몰	본관	부·조	과거	관력
					戶曹參議(4), 通政大夫황해관찰사(9), 大司諫(10), 刑曹參議(10), 파직(10)
鄭以吾	1349~1434	진양	父 贊成 臣重, 父 府使 天德	문(공민왕23)	藝文檢閱(우왕2), 삼사都事, 工·禮曹正郎(고려), 전교副令(~태조3), 知善州事(3), 봉상少卿(7), 成均樂正(정종2), 兵曹議郎, 교서校檢, 成均司成, 藝文直提學(태종2), 大司成(3), 工曹右(5)·禮曹右參議(6), 공안府尹(7), 漢城府尹(9), 겸동지춘추(9), 檢校判漢城府事(11), 藝文大提學(13), 議政府贊成致仕(18), 判右軍都摠制事致仕(세종1), 졸
鄭周生	(태종~세종대)	진양		문(태종14)	吏曹佐郎(세종13), 刑曹都官佐郎, 兵曹正郎(18)
鄭陟	1390~1475	진양	父 州吏 舌, 祖 州吏 子淳	문(태종14)	교서正字(태종14), 사온主簿(세종7), 禮曹佐郎(12), 봉상主簿(13), 少尹(14), 禮曹正郎(14), 兼議政府檢詳(17), 議政府舍人(17), 승문知事(18), 判事(21), 僉知中樞(26), 兼司譯提調(16), 僉知中樞國喪賓廳提調(28), 戶(29)·禮曹參議(29), 경창府尹(30), 절일사(31), 인순府尹(문종즉위), 禮曹參判(즉, 단종1), 資憲大夫判漢城府事(2), 충청관찰사(세조1), 世祖原從2등공신(1), 知中樞(2), 知中樞奉朝請(3), 行五衛副司直(성종2), 司直졸
鄭忠佐	(태종~세종대)	진양	父 懰, 祖 判書 任德		行廊造成監役官(~태종15, 피죄), 졸知縣事(세종16)
鄭孝成	(성종21)	진양			은율縣監(읍지)
鄭孝翁	(태종~세종대)	진양	父 府使 義生, 祖 監察御使 澤		侍衛(8), 영유縣令(세종2, 읍지)
鄭枇	(세종대)	淸州	제 修撰 揖	?, 문(16)	경창副丞(~16), 문과, 司諫院獻納(방목), 경상都事(읍지)
鄭永通	(세조~성종대)	청주	父 浩然, 祖 拯	?, 문(세조5)	縣監(세조1), 世祖原從1등공신(1), 縣令(~5), 문과, 戶曹正郎, 司憲掌令(8), 훈련副使(8), 파직(8), 通訓大夫奉常僉正(성종1), 散官(5), 결송도감郎廳(12), 承文判校(14), 군자(15), 예빈正(16)
鄭沃卿	(단종~세조대)	청주	父 上護軍 忠孝, 祖 政堂文學 摠	?, 문(단종1)	의금都事(문종2), 파직(2), 五司直(~단종1), 문과, 郡事(세조3), 世祖原從3등공신(3), 刑曹正郎(~10), 파직(10), 의금鎭撫(11), 사헌執義(방목)
鄭楫	(세종대)	청주	父 拯, 祖 政堂文學 摠	문(5)	사재主簿(5), 修撰(방목)
鄭摠	?~1397	청주	父 政堂文學 樞(公權), 祖 司議大夫 誧	문(우왕2)	開國1등공신簽書中樞西原君(태조1), 藝文學士(1), 簽書中樞(1), 政堂文學(3), 藝文春秋館大學士(4), 啓稟使입명구류(5), 명구류중피화

鄭擢	1363~1423	청주	父 政堂文學 樞, 祖 大提學 誧	음, 문(우왕8)	知郡事(~우왕8), 문과, 춘추修撰(8), 司憲糾正, 司諫院左正言(공양왕2), 戶曹佐郞(3), 大將軍(4), 광흥倉使(4, 고려), 司憲持平(태조1), 開國1등공신(1), 大司成(1), 直門下府事, 교주강릉도안렴사(2), 直門下府事(2), 大司成(4), 右(5)·左承旨(5), 中樞副使(7), 중추學士(7), 淸城君(7), 定社3등공신(7), 풍해도관찰사(정종1), 藝文春秋館大學士(1), 政堂文學(2), 청성군(~태종3), 囚禁, 放免(3), 청성군겸判漢城府事(3), 청성군(~5), 유배(5), 三司右使(7), 判漢城府事(7), 開城留侯(7), 청성군(8), 告訃使(8), 知經筵兼世子左賓客(9), 군(11), 議政府參贊(11), 知議政(12), 하정사(12), 淸城府院君(15), 진하사(세조3), 議政府右議政(3), 右議政卒
鄭孝文	(태종~세종대)	청주	父 大提學 摠, 祖 政堂文學 樞		禮曹右參議(태종16), 判廣州牧使(세종1), 右軍(5)·中軍摠制(5), 進表使(5), 유배(6), 경창府尹(8), 左軍摠制(9), 전摠制(11), 유배(11), 判州牧使(15), 中樞副使(18)
鄭孝忠	(태종~세종대)	청주	父 政堂文學 摠, 祖 政堂文學 樞		司贍直長(태종16), 司憲監察(세종6), 判官(9), 護軍(9, 女 入明故)
鄭國鉉	(태조대)	草溪	父 裕	?, 문(공민왕17)	요물고主簿(~고려공민17), 문과, 三司右僕射
鄭來彦	(성종16)	초계	형 來弼		하동縣監
鄭來弼	(성종대)	초계	父 縣監 玉潤, 祖 師仲, 장인 左議政 李克均(얼서)		參奉(~22), 宣傳官(22), 五衛部將(24)
鄭發	(세종~세조대)	초계	父 賡, 祖 判事 曜		上護軍(세종15), 진헌사(15), 僉知中樞(19), 折衝將軍上護軍(20), 경주府尹(27), 同知中樞(문종즉위), 성절사(즉), 파직(즉), 行五司上護軍(단종즉), 漢城府尹(2), 僉知中樞(2), 中樞副使(2), 僉知中樞(2), 正憲大夫同知中樞(세조14)
鄭承緒	(태종~세종대)	초계	父 判書 昭, 祖 中郞將 和	?, 문(태종8)	主簿(~태종8), 문과, 藝文檢閱(11), 刑曹佐郞(세종1), 파직(1), 임강縣監(~12 파직
鄭玉閏	(세조2)	초계	父 師仲, 祖 大提學 興		산음縣監
鄭曜	1331~1414	초계	父 郞將 和, 祖 主簿 守之		商議門下府事(태조1), 太祖原從공신(1), 知中樞(2), 崇政大夫判漢城府事(태종7), 致仕卒
鄭允愼	(세종~세조대)	초계	父 知中樞 發, 祖 賡		인제縣監(세종23), 前縣監(~문종즉위, 피죄), 수안진첨절제사(세조6)
鄭以雅	(단종~세조대)	초계	父 齊安, 祖 俊	문(단종1)	승문校理(방목)
鄭以溫	(세조13)	초계	父 直提學 珇		淸安甲士, 判官(족보)

鄭箴	(세종대)	초계	父 典書 巘, 祖 中郎將 和		刑曹佐郎(13), 司憲持平(14, 15), 府使
鄭悛	(태조~태종대)	초계	父 散騎常侍 習仁	?, 문(우왕8)	別將(~고려우왕8), 문과, 左司諫大夫(~태종11, 면직)
鄭從雅	(세조~성종대)	초계	父 齊安, 祖 提學 悛		五衛司正(세조1), 世祖原從2등공신(1), 右廂前衛從事官(8), 還告身(성종6), 부산포僉節制使(10)
鄭俊	?~1467	초계	父 參議 承積, 祖 典書 恂		僉知中樞(세조6), 온성절제사(7), 영흥府使(12), 都摠使龜城君李浚副將(13), 敵愾3등공신豊城君(13), 嘉善大夫虎賁衛大護軍풍성군(13), 草溪君졸
鄭昌	(세종대)	초계	父 孝恂, 祖 澮	문(20)	錄事, 校理(방목)
鄭包奉 (包乘)	(태조대)	초계		문(우왕14)	봉상少尹(방목)
鄭懷雅	(세조~성종대)	초계	형 僉使 從雅		知印(세조1), 원종3등공신(1), 의금都事(8), 知事(13), 五衛部將(성종10)
鄭孝洄	(세종6)	초계	父 監務 澮, 祖 判事 修道		은율縣監(읍지)
鄭恬	(성종대)	豊基	父 聖進, 祖 尙書 靖		광릉參奉(1), 북부主簿(2)
鄭敬祖	(성종대)	河東	父 領議政 麟趾, 祖 縣監 興仁	음, 문(16)	전禮曹佐郎(~6), 正郎(6), 五衛護軍(~16), 문과, 弘文校理(20), 同副(21)·右副(21)·右·左·都承旨(21~23), 吏(23)·禮曹參判(24), 同知中樞(25), 大司憲(25)[연산1: 漢城右尹]
鄭嗣宗	(성종대)	하동			[연산대: 제주判官(2, 읍지)]
鄭稅	(성종대)	하동	父 河原君 守忠, 祖 君 提	음(20)	隨才敍用(20, 功臣嫡長故)
鄭守忠	1401~1469	하동	父 君 提 祖 直提學 熙	문(세종32)	慶昌丞(세종31), 五司司勇(단종1), 6품(~2, 超4품), 佐翼2등공신(세조1), 成均司藝(1), 行司勇, 僉知中樞, 提學(3), 懿敬世子守墓官(3), 河原君(3), 兼成均司成(9), 守相(10), 하원군(11), 崇政大夫하원군(12), 判中樞河原君奉朝賀(예종1), 奉朝賀졸
鄭崇祖	(세조~성종대)	하동	형 顯祖		工曹正郎(세조9), 僉知中樞兼宣傳官(예종즉), 工(1)·吏曹參判(성종1), 佐理4등공신河南君(2), 刑曹參判(6), 資憲大夫奉朝賀(7, 부병故), 河南君(12), 漢城判尹(13), 하남군(16), 의금知事(17), 兼五衛都摠管(20), 漢城判尹(21), 경상관찰사(21), 戶曹判書(23), 하남군(24), 유배(24)[연산대: 兼都摠管(2)]
鄭深	(세조1)	하동	父 判書 招, 祖 執義 熙		承義郎, 원종2등공신

자

507

鄭汝昌	(성종대)	하동	父 虞侯 六乙, 祖 判事 復周	기(21, 효행), 문(21)	昭格署參奉(~21), 문과, 侍講院說書(24), 縣監 (방목), 司諫院獻納
鄭雍(熙)	(태조1)	하동	父 全羅經歷 泰輔	문(우왕2)	사헌執義(공양왕4), 졸執義(태조1, 태종8, 8, 경인)
鄭耘	(성종20)	하동	父 參上官 深, 祖 判書 招		朝官, 縣令(족보)
鄭六乙	?~1467	하동	父 判事 德周, 祖 정 之義	무(족보)	首陽大君(세조)사행시종(단종즉), 五司司直 (세조1), 원종3등공신(1), 내자尹(10), 行五衛 護軍(10), 함길虞侯피화
鄭麟趾	1396~1478	하동	父 縣監 興仁, 祖 宗簿令 乙貴	문(태종14), 중(세종9)	兵曹佐郎(세종즉), 正郎(3), 直集賢殿(7~9), 문 과중시, 直提學(9), 집현副提學(10), 右軍同知 摠制(12), 藝文提學(14), 인수府尹(15), 藝文提 學(15), 吏曹左參判(16), 충청관찰사(17), 부상 (18), 예문제학(19), 집현提學(21), 刑曹判書 (22), 사은사(22), 知中樞(22), 藝文大提學(24), 경상전라충청도순찰사(25), 藝文大提學(26), 議政府右參贊(27), 禮(28)·吏(29)·工曹判書 (31), 左參贊(문종즉위), 工曹判書(즉), 工曹判 書兼大司成(1), 判中樞(단종즉), 靖難1등공신 河東君(1), 議政府左議政(1), 領議政(세조1), 佐翼2등공신(1), 河東府院君(4), 翊戴2등공신 (예종즉), 河東府院君(성종1), 佐理2등공신 (2), 府院君졸
鄭積	(성종대)	하동	父 判中樞 守忠, 祖 君提	?, 문(7)	五衛司勇(~7), 문과, 僉正(방목)
鄭提	(태종8)	하동	형 判書 招		전司憲監察, 피죄
鄭稷	(성종20)	하동	父 河原君 守忠, 祖 君提	음(20, 공신 적장)	隨才敍用
鄭招	?~1434	하동	父 執義 熙, 祖 台輔	문(태종5), 중 (7)	내자直長(태종5), 藝文檢閱(~7), 문과중시, 司 諫院左正言(7), 充水軍(14), 사재正(15), 사헌 執義(18), 軍資判事經筵侍講官(18), 右司諫大 夫(세종1), 工(1)·禮曹參議(1), 右(1)·左承旨 (2), 禮(4)·工曹參判(5), 工曹參判겸함길관찰 사(5), 工(6)·刑曹參判(7), 左軍摠制(9), 吏曹參 判(10), 同知摠制(11), 吏曹參判(12), 工曹判書 (13), 藝文大提學(13), 大提學졸
鄭抱	(세종대)	하동	제 判書 招		內贍直長(7), 천령縣令(8), 전라都事(18), 상원 郡事(24)
鄭和	(성종3)	하동	父 河原君 守忠, 祖 君堤		보성郡守
鄭希周	(성종22)	하동	父 之仁, 祖 賢		위원郡守
鄭伉	(성종대)	海州	父 澄, 祖 旗	문(23)	翰林(방목)

鄭眉壽	?~1512	해주	父 寧陽尉 悰, 祖 參判 忠敬, 외조 文宗		中樞參奉(성종7), 宣傳官(8), 刑曹正郎(19), 朝散大夫司憲掌令(20), 풍저창守(~21) 司僕副正(21), 인천府使(24) [연산이후: 掌隷院判決事, 通政大夫충청관찰사, 同副·右·左·都承旨, 漢城判尹, 議政府右參贊, 海平府院君졸]
鄭汾	(세종대)	해주	父 通禮 旗, 祖 漢城判尹 崗	문(5)	전別將(~세종5), 문과, 禮曹正郎(방목)
鄭鵬	1467~1512	해주	父 成均知事 錫堅(생부 鐵堅), 祖 訓導 由恭	문(성종23)	문신 [연산이후: 議政府舍人, 청송府使]
鄭錫堅	?~1500	해주	父 訓導 有恭, 祖 令 希參	문(성종5)	전예안縣監(성종13), 承義郎사간원正言(14), 吏曹佐郎(14), 奉直郎司憲持平(17), 通善郎司憲持平(18), 刑曹佐郎(18), 吏曹正郎(19), 朝奉大夫司憲掌令(20), 守成均司藝(20), 議政府舍人(21), 영안都體察使盧思愼從事官(22), 朝散大夫사헌執義(23), 사간원司諫(24), 김해府使(24), 同副承旨(24), 파직(25)[연산1: 兼成均知事]
鄭餘	(태조~태종대)	해주	형 參議 沈	문(태조2)	은율縣監(태조6), 承文校勘(방목)
鄭旅	(태종~세종대)	해주	父 典書 崗, 祖 掌令 乙卿	문(태종8)	承政院注書, 司憲監察(~태종17), 파직(17), 兵曹佐郎(세종1), 議政府舍人(4), 봉상尹(5)
鄭易	?~1425	해주	父 判事 允珪, 祖 少尹 琯	문(우왕9)	知刑曹事(~태종4), 유배(4), 右司諫大夫(6), 中軍同知摠制(10), 하정사(10), 漢城府尹(11), 參知議政(11), 太宗原從3등공신(11), 공안府尹(12), 大司憲(12), 의금提調(17), 戶曹判書(18), 議政府贊成(세종1), 전判中樞졸
鄭延慶	(성종대)	해주	父 戶曹參議 忱, 祖 同知中樞 忠碩		해주牧使, 철원府使(읍지)
鄭悰	?~1461	해주	父 判書 忠敬, 祖 贊成 易, 처 문종 녀 敬安公主	기 (문 종 즉 위, 부마)	崇德大夫寧陽尉(문종즉위)
鄭澄	(세종6)	해주	父 副正 豎, 祖 典書 崗		풍기縣監(읍지)
鄭鐵堅	(성종대)	해주	제 知成均 錫堅	기(25, 절행)	敍用(25, 이조, 선산생원)
鄭忠敬	?~1443	해주	父 贊成 易, 祖 精勇郎將 允珪, 서 永膺大君 琰		同副(세종20), 右副承旨(22), 刑曹參判(23), 강원관찰사(23), 漢城府尹(24), 성절사(24), 同知中樞(24), 전라관찰사(25), 中樞副使졸
鄭忠碩	(세종~세조대)	해주	형 漢城府尹 忠敬		守의영庫使(세종26), 천령縣監(31, 질녀 永膺大君婦人 故), 인순府尹(세조10), 성절사(10)
鄭忱(沈)	1424~1485	해주	父 同知中樞 忠碩, 祖 贊成 易	문(단종1)	承義郎(~단종1), 문과, 司憲監察(세조1), 世祖原從1등공신(1), 경상都事(4, 읍지), 禮曹正郎(6), 戶曹參議(예종1), 行五衛司直(6), 戶曹參議(방목)

鄭忻	(세조~성종대)	해주	형	戸曹參議 忻	음, 문(세조2)	錄事(세조1), 世祖原從2등공신(1), 直長(~2), 문과, 刑曹佐郎(4), 司憲持平(6), 戸曹正郎(8), 파직(9), 兵曹正郎(11), 行署令(예종1), 體察使 具致寬從事官(1), 通訓大夫司憲執義(성종13)
鄭幹	?~1424					전라좌도수군도萬戸(태종8), 제주牧使(태종 10, 읍지), 전라(14)·경상좌도수군도절제사 (16), 右軍摠制(세종4), 摠制졸
鄭江	(세종대)				기(10, 효행)	명놦用(10, 이조, 순천)
鄭剛	(문종즉위)				기(명태감鄭 善故)	司勇
鄭愷	(태조대)					司憲監察(~7), 풍해行臺監察(7)
鄭价保	(태종16, 세종)					예안縣監, 예천郡守(읍지)
鄭介石	(태종대)					도염署令(~13, 파직)
鄭學	(세종9)				문(공민왕23)	檢校漢城府尹
鄭學	(예종~성종대)		제	明 太監 鄭同		折衝將軍五衛副司直(예종1), 嘉善大夫(8), 資 憲大夫(8)
鄭居道						동복縣監(읍지)
鄭居孝	(문종1)					五司大護軍
鄭健	(성종대)					거창縣監(13), 戸籍修改경차관(19), 사포서司 圃(~20), 문의縣令(20), 충훈都事(20)
鄭鍵	(성종22)					北征龍驤隊將
鄭謙	(세조~성종대)					풍저창奉事(세조12), 修理都監郎廳(성종15), 掌隷院司議(16)
鄭瓊	(태조2)					永川郡守(읍지)
鄭係	(문종1)					예안縣監(읍지)
鄭季(繼)同	(성종대)				환관	內官(~14, 파직)
鄭繼先	(성종대)					五衛司果, 內禁衛習讀官(~15), 主簿(15)
鄭啓咸	(성종대)				기(吏科取 才)	翊衛司洗馬(~14), 被劾(14, 從品陞敍正品故)
鄭谷	(태종17)					司憲監察
鄭公愼	(세종23)					서산郡事
鄭過	(태종13)					전泥城兵馬使
鄭貫	(세종1)					전牧使
鄭貫	(성종대)				무(20)	부여縣監(~25, 被劾改, 不學無知故)
鄭佸	(성종3)					낭천縣監(읍지)
鄭喬	(태종~세종대)				역관	통사(~태종8, 收職牒), 사역知事(16), 사역判 事(18), 押馬使(세조3)
鄭九塘	(태종8)					경산縣令

鄭郡	(단종~성종대)		숙부 明 太監 同	기(단종3, 鄭 同故)	五司攝司勇(단종3), 超授5품(성종15)
鄭郡生	(성종대)		족친 明 太監 同	기 (10이전, 鄭同故)	五衛司勇(10이전), 禦侮將軍司勇(11), 超13資(行司猛, 11)
鄭君實	(태종대)				예빈權知直長(~11, 파직)
鄭龜	(태조5)				大將軍
鄭貴	(태종6)				영유縣令(읍지)
鄭龜年	(성종7)				隨闕敍用(이조), 能堪師表
鄭貴中	(세종13)		환관		내시飯監
鄭貴咸	(성종8)		무		무과출신
鄭均	(세종2)		曆官		卒書雲正
鄭郤	(단종즉)				奉訓郎, 出使요동
鄭克從	(태종~세종대)				通禮院奉禮郎(태종13), 진원(세종8), 화순縣監(13)
鄭根	(세종6)		환관		내시부右副承直
鄭根	(세조13)				조운사咸禹治從事官
鄭其	(태종~세종대)				司憲監察(~태종13, 파직), 司憲持平(세즉)
鄭沂	(세조8)				正郎
鄭奇	(문종대)			기(즉위, 明 太監 鄭善故)	司勇(즉위, 明使故)
鄭旗	(세종16)			기(和敬宅主 故)	전通禮院奉禮
鄭吉生	(세조1)		父 熙啓		行五司司正, 원종3등공신
鄭蘭	(태조6)				선공監
鄭蘭茂	(성종대)				掌隷院司議(~11, 파직)
鄭南晉	?~1410				中樞副使(태조3), 천추사(3), 判恭安府事(태종1), 判原州牧使(1, 8), 전知義興三軍府사졸
鄭老	(세조1)				五衛副司直, 원종2등공신
鄭譚	(성종21)				廣州判官
鄭堂	(태조1)				司農卿
鄭大禧	(세조대)				別侍衛(~12, 充軍役)
鄭德瓊	(태종대)		환관		世子殿환관(~6, 유배)
鄭德成	(세종대)				검모포萬戶(~4, 充水軍), 大護軍(~19), 征野人右軍都兵馬使(19)
鄭得信	(성종대)			기(3, 효행)	除官職(3, 정평정병, 효행)
鄭得溫	(세조1)				行五司副司正, 원종3등공신
鄭得賢	(세조대)				五司司正(1), 원종2등공신(1), 유배(2)
鄭得蕙	(세조대)				行縣監(1), 원종3등공신(1), 충청수군처치都鎭撫(11)

鄭得萱	(세종~단종대)				司直(~세종10, 充軍), 복직(15, 북정전공故), 감련관(~문종즉위), 평안都體察使金宗瑞軍官(즉), 行長淵縣事(단종1)
鄭萊	(세종3)				선공主簿
鄭綸					평해郡守(연산1) (읍지)
鄭倫	(세종대)				양양府使(~8, 파직)
鄭倫	(성종11)				회인縣監
鄭鄰					봉화縣監(읍지)
鄭末孫					장수縣監(읍지)
鄭綿	(태종대)				횡천監務(~14, 파직)
鄭免					영유縣令(읍지)
鄭明	(예종대)		환관		환관(~1, 收告身)
鄭睦	(태종4)				전典書
鄭懋	(성종14)				兼通禮門引儀, 加資(山陵功故)
鄭文炯	(단종즉)				承政院注書
鄭文彦	?~1477		기(성종잠저 사부)		성종잠저사부, 學官(17), 아산縣監졸
鄭文昌	(성종대)				通政大夫영원郡守(11), 여주(12)·파주牧使(19)
鄭文興	(성종21)				정포萬戶
鄭眉年	(성종24)				楸坡口子權管
鄭旻	(성종대)				通禮院引儀(~14, 加資, 山陵功故), 상의僉正(24), 通禮院相禮(25)
鄭邦弼					영해府使(읍지)
鄭伯宗	(성종2)				정포萬戶
鄭復	(세종~세조대)		역관		통사(세종28), 通德郎(세조1), 世祖原從3등공신(1), 行副知事譯(5)
鄭福	(단종대)		환관		行司礐局副使(1), 유배(3)
鄭卜禮	(세조1)				五司副司正, 원종2등공신
鄭復周	(태종~세종대)				前첨절제사(~태종6, 폐서인), 연안府使(세종2)
鄭忴(材)	(태조~태종대)		문(공양왕2)		司憲掌令, 藝文提學
鄭富	(태종15)				戶曹令史
鄭鄙	(세종24)		역관		통사
鄭𧷠	(태조5)				명사영접관
鄭憑	(태조2)				경주判官(읍지)
鄭斯文	(세조5)				前豊儲倉丞(포천)
鄭士寶	(세종1)				영유縣令(읍지)
鄭思賓	(태종대)				경상수군萬戶(~11, 파직)
鄭嗣瑞	(성종대)				전의縣監(10, 성종25, 1, 병진)

鄭思祐	(세종8)				前少尹
鄭士偶	(태조2)				관습도감副判事
鄭思忠	(세조1)				五司副司直, 원종3등공신
鄭思賢	(태종15)				前少監(연안)
鄭尙	(태조~세종대)			?, 문(우왕8)	제위보副使(~우왕8), 문과(8, 고려), 내시別監(태조2), 정선郡事·예빈判事(태종11, 읍지), 左司諫大夫(18), 禮曹參議(18), 判定州(세종즉)·忠州牧使(즉)
鄭常	(태종대)			문(14, 은사)	
鄭尙周	(태조7)				광흥창主簿
鄭序	(성종대)				楸坡萬戶(~22, 改差, 庸劣故)
鄭錫	(세종14)				경상都事(읍지)
鄭錫年	(세조~성종대)				양성縣監(세조11), 都摠制都事(~성종9), 정평府使(9)
鄭錫祚	(단종대)		장인 領議政 皇甫仁		司憲監察(~1, 유배, 坐皇甫仁)
鄭侁	(태종11)				都摠制府錄事
鄭宣	(태종4)				전司僕少卿
鄭詵	(세종10)				삼화縣令
鄭瞻	(세조4)				울산郡事
鄭枻	(세종대)				경상都事(21), 司諫院左獻納(23)
鄭世臣					김제郡守(읍지)
鄭韶	(세종대)			기	茶房別監(16, 명敍用, 효행, 영동)
鄭韶	(세종대)				縣監(14), 司憲監察(16)
鄭召文	(세종7)				영유縣令(읍지)
鄭穗	(세조~성종대)				황해도察訪(세조13), 의금郎廳(~예종1, 파직), 通訓大夫五衛司勇(~성종14, 授準職, 산릉공), 고양郡守(23)
鄭守敬	(태종~세종대)		형 守誠		前司憲監察(~태종14, 還告身), 우군都事(세종4)
鄭守同	?~1494				수안甲士복주
鄭秀性	(태종17)				풍기縣監(읍지)
鄭淑	(세조~성종대)				제용主簿(세조7), 興陽串兼監牧(12), 司僕副正(~성종5), 司僕正(5)
鄭淑恭	(세조1)				五司司勇, 원종3등공신
鄭淑老	(성종24)				打量敬差官
鄭叔善	(성종대)				선공直長(~14), 陞資(14, 山陵功故), 청양縣監(~24, 파직)
鄭崇魯	(세조~예종대)				五司副司直(세조1), 世祖原從3등공신(1), 都摠使龜城君李浚軍官(13), 左射隊將(13), 敵愾

					2등공신(13), 行忠武衛上護軍(13), 護軍(14), 僉知中樞(~예종즉위, 充官奴, 坐南怡)
鄭崇立	(세종대)				前同正(~4), 陞司直(4, 捕倭故), 전라수군도안무처치사軍官(6)
鄭崇義	(세조12)				전수안郡守
鄭習	(성종대)	父 진주아전(성명불명)	잡과 (母 열녀)		전書雲監候(~16), 敍用(16, 孝行故)
鄭承韶	(태조5)				옥천郡事(읍지)
鄭承韶	(단종~세조대)				전主簿(~단종1), 司僕寺官(1), 正郎(세조1), 世祖原從2등공신(1)
鄭承殷	(성종대)				창주첨절제사(~22, 파직)
鄭承重	(세조대)				權知訓練錄事(1), 원종2등공신(1), 行五衛司正(~10), 衛將(10), 折衝將軍五衛護軍(10)
鄭湜	(세종15)				정산縣監
鄭信	(태종대)		율과(8)		
鄭臣貴	(세종13)				前창성郡事
鄭伸道	(태종대)				司憲掌令(14), 의금知事(17)
鄭愼之	(세조대)				포이포萬戶(~12, 파직)
鄭顔	(세종6)				도염署令
鄭安敬	(세조1)				五司司直, 원종3등공신
鄭安國	(태종11)				전司正
鄭安信	(세조11)				구령萬戶
鄭安義	(세종2)		기(2, 효행)		敍用(해미儒學)
鄭安祚	(세조1)				判官, 원종3등공신
鄭安宗	(문종1)				전副司正
鄭安中	(세종14)		역관		통사
鄭安止	(태조7)		역관		사역判官
鄭安直	(세조4)		역관		부산倭通事
鄭秧	(세종대)		음양학		司正(~25), 음양訓導(25)
鄭藹然	(태종10)				禮曹佐郎
鄭穰	(세종~단종대)		문(세종5)		主簿(~세종11, 파직), 別坐(12), 通禮院奉禮(12), 경시主簿(13), 군기(13), 봉상判官(14), 악학別坐(17), 합천(17), 함양郡事(23), 左司諫大夫(단종1)
鄭穰	(세조1)				判官, 원종3등공신
鄭讓	(성종대)		무(6)		보령縣監(23)
鄭良卿	(태종2)				삼화縣令(읍지)
鄭良孝	(성종14)		의원		전의正
鄭如守	(세종22)				무산보百戶

鄭汝貞	(세조10)				제주判官(읍지)
鄭連	(태조7)				前전객判事, 압송사
鄭延壽					영해府使(읍지)
鄭榮	(태조5)				知沃州事(읍지)
鄭英輔	(예종~성종대)			?, 문(예종1)	訓導(~예종1), 문과, 成均典籍(방목)
鄭芮	(세조1)				奉訓郎, 원종3등공신
鄭禮	(세조~예종대)				五司副司直(세조1), 世祖原從3등공신(1), 別監(~예종즉위, 敍京職, 捕南怡공)
鄭禮孫	(세조12)				종성진判官節制都尉
鄭玉衡	(성종21)				司憲監察
鄭擁	(세종7)				지례縣監
鄭容	(태종대)				刑曹佐郎(~14), 파직(14), 함길察訪(~18), 파직(18)
鄭龍壽	?~1412			기(사잠저태조)	司僕判事(태조1), 開國2등공신(1), 判承寧府事, 長城君졸
鄭瑀	(세종27)				前縣監
鄭寓	(태조대)				判書(~1, 收職牒, 유배), 前判書(6)
鄭雲	(성종8)				대정縣監(읍지)
鄭云潔	(세조3)				춘천訓導
鄭元龍	(세종3)			환관	上王殿내시
鄭原緒	(태종~세종대)				희천郡守(태종8), 연안府使(세종9)
鄭原厚					영해府使(읍지)
鄭有	(태종1)				진보縣監(읍지)
鄭愉	(세종대)			?, 문(9)	敎導(~9), 문과, 判官(방목)
鄭瑜	(세종대)				풍저창副使(~11, 파직)
鄭維	(문종즉위)				영월敎導
鄭有臨	(세종~세조대)			무(세종8)	司正(세조8), 제주判官(12, 읍지), 함길評事, 함평縣監(15), 흥덕縣監(21), 五司護軍(세조1)
鄭有序	(예종~성종대)				兼司僕(예즉~성종8)
鄭有容	(문종~세조대)				정의縣監(세종, 읍지), 영암郡事(문종2), 순천府使(세조1), 원종3등공신(1), 收告身(3)
鄭有義	(세조8)				行直長
鄭有智	(예종~성종대)				조전절제사(예종즉), 右衛將(성종10), 工曹參判(11), 同知中樞(11), 判會寧(14)·穩城府使(14), 捕盜將(20, 25)
鄭六孫	(세조~성종대)				行令(세조1), 世祖原從3등공신(1), 兼司憲執義(13), 行五衛司猛(예종즉), 이천府使(1), 僉知中樞(성종4), 通政大夫驪州牧使(5)
鄭允	(~1425)		여 선입공녀		명 少卿졸

鄭允恪	(문종~세조대)	父 發		錄事(문종즉위), 五司副司直(세조1), 世祖原從2등공신(1)
鄭允德	(세종7)			위원郡事
鄭允悳	(세조1)			縣監, 원종3등공신
鄭允禮	(성종대)	종조부 明 太監 鄭同	기(정동故)	宣略將軍五衛副司勇(11), 兼司僕(11), 副司正(11)
鄭閏文	(성종1)			內禁衛, 講병서
鄭允輔	(태조대)			禮曹典書(~6), 성절사(6)
鄭允福	(세조대)			五司司正(1), 원종3등공신(1), 守門鎭撫(8)
鄭允信	(단종2)	공신후손(가계 불명)		주자別坐
鄭胤曾	(성종대)	공신적장(가계 불명)	음	忠義衛, 守令(8), 敍用(15, 修理都監郎廳功故), 사온署令(15), 사재正(15)
鄭允智	(성종대)	친족 明 太監 鄭同	기(11, 정동故)	超13資(정동故)
鄭允愊	(단종~세조대)			首陽大君(세조)입조시시종(단종즉위), 전五衛護軍(12)
鄭隱	(성종9)			永川郡守(읍지)
鄭銀同(仝)	(성종23)			전司憲監察
鄭殷富	(성종대)	무(20)		영안도軍官(20), 兼司僕(21)
鄭銀孫	(성종22)			兼司僕
鄭乙富	(단종대)			司䂍局丞(~1, 充軍)
鄭乙生	(단종대)	친족 明 太監 鄭同	기(3, 정동故)	五司副司正(3, 정동故)
鄭乙賢	(세조대)			제주도안무사(~1), 陞嘉靖大夫(1, 捕倭功)
鄭依	(성종16)			翊衛司衛率
鄭義	(태조7)			궁중공역감독관, 유배
鄭宜民	(태종~세종대)	문(태종14)		校書著作, 學士(방목)
鄭義山	(세조1)	曆學		서운司曆, 원종3등공신
鄭義孫	(세조1)			五司副司正, 원종3등공신
鄭義孫	(세조3)			五衛副司直, 원종3등공신
鄭義耘	(성종14)			해남縣監
鄭義宗	(세조1)			五司司直, 원종2등공신
鄭以禮	(예종~성종대)			徵發(예1, 진주), 위원郡守(~성종6, 充軍), 通政大夫蔚山郡守(9), 제포첨절제사(14)
鄭而元	(문종~세조대)	자 靖		英陵直(~문종2, 加資), 錄事(세조1), 世祖原從3등공신(1), 군기判官(1)
鄭以義	(성종대)			적량權管(~14, 充軍)

　　　　　　　　조선초기 관인 이력

鄭隣	(태종~세종대)			문(태종11)	울진郡守(세종21), 成均司藝(방목)
鄭麟角	(성종25)				영등포萬戶
鄭仁奇	(태종6)				千戶
鄭引孫	(세종20)				함길軍官
鄭仁孫	(성종12)	장인 中樞副使 李師元			강서縣令
鄭仁彦	(태종5)	자 明 太監 昇	기		사재監致仕
鄭仁源					예천郡守(읍지)
鄭麟踵	(세조3)				判官, 원종3등공신
鄭一寶	(성종11)				회덕縣監
鄭磁					의성縣令(읍지)
鄭子珪	(태조1)				密直副使(고려), 원종공신
鄭自沜	(문종1)				평안경차관
鄭子壽	1371~?				知雲州事(~세종12, 收告身), 守令(22, 改授, 70세故)
鄭自順	(세종대)			역관	통사(~11, 피죄)
鄭自新	(세종대)				평안軍官(9), 춘천府使(13)
鄭自周	(세조14)			의원	醫官, 加職
鄭自周	(성종2)	동서 李重元			성주判官
鄭子芝					해주牧使(읍지)
鄭自淸	(성종6)				成均博士
鄭自賢					영해府使(읍지)
鄭筬	(세종13)				刑曹佐郎
鄭載	(태조~세종대)			문(태조5)	司憲監察(~태종14), 파직(14), 司諫院正言(18), 兵曹佐郎(18), 禮曹正郎(~세종6), 피죄(6), 함안郡守(12, 읍지), 서운副正, 전濟用判事(25)
鄭載大	(성종대)				[연산대: 현풍縣監(1, 읍지)]
鄭績崇	(세종26)				예안縣監(읍지)
鄭詮	(성종16, 21)				제주判官, 평창郡守(읍지)
鄭漸	(태조~태종대)				전判事(태조6), 전兵馬使(태종8), 別司禁牌頭(11)
鄭霌	(세종대)				선공主簿(7), 무안縣監(15)
鄭靖	(예종1)	父 判官 而元			判官
鄭除	(세종31)				경창府尹, 성절사
鄭惝	(성종20, 24)				함안, 永川郡守(읍지)
鄭存	(단종~성종대)				行內侍右承直(단종1), 充官奴(3), 內侍府事(세조10), 陞堂上官(성종13)
鄭存誠	(세종즉)				司憲掌令

鄭存義	(태종8)			훈련司直
鄭綜	(세조1)			五司副司直, 원종3등공신
鄭從魯	(세조1)			行五司副司正, 원종3등공신
鄭從理	(국초)			장기縣事(읍지)
鄭宗輔				상주牧使(읍지)
鄭宗實	(세종5)			副司正
鄭從夏	?~1456		의원	의원(태종18), 전의監正복주
鄭疇	(태종~세종대)		문(태종1)	開城留侯(방목)
鄭周南	(성종24)			秉節校尉, 양전경차관
鄭奏威	(성종20)	공신적장(가계 불명)		隨才敍用
鄭俊	(세조6)			訓導, 원종3등공신
鄭浚	(태종11)			경상軍官(4, 읍지), 左司諫大夫
鄭准	(성종15)			在官
鄭茁	(세종2)			檢校判官
鄭仲虔	(세종23)			전縣監
鄭中守	(태종~세종대)			護軍(태종18), 옥구첨절제사(세종9), 僉知中樞(16), 성주牧使(18)
鄭仲亨	(성종10)			광양縣監
鄭埋	(태조~태종대)		문(태조3)	司諫院獻納
鄭知	(문종즉위)	제 明 太監 善	기(弟故)	五衛副司正
鄭持	(태조~태종대)			刑曹主事(~태조4, 파직), 司憲持平(태종4)
鄭智	(단종~성종대)	숙부 明 太監 同	기(단종3, 징 동故)	五司攝司勇(단종3, 정동故), 禦侮將軍五衛司勇(성종11)
鄭埋	(태조~태종대)		문(태종5)	司諫院獻納(방목)
鄭漬	?~1397			순천府使복주
鄭之澹	(태종~세종대)		문(태종16), 중(세종18)	正郎(태종16), 경상都事(세종4, 읍지), 正郎(~18), 문과중시, 안동府使(방목)
鄭之蕃				무장縣監(연산3, 읍지)
鄭之祥	?~1476			宣略將軍(前甲士)복주
鄭之誠	(세종즉)			인수副丞
鄭之實	(세조1)			行五司司勇, 원종3등공신
鄭之雅	(태종11)		문(공양왕1)	司諫院獻納(방목)
鄭至周	(세조1)			五司司勇, 원종2등공신
鄭智行	(성종대)	족친 明 太監 鄭 同	기(11, 정동故)	五衛副司正(11, 정동故)
鄭輯	(세조12)		환관	환관
鄭次虔	(세조1)			五司護軍, 원종3등공신

조선초기 관인 이력

鄭次良	(단종~세조대)			의원	內醫院官(단종즉위), 五衛護軍(세조1), 世祖原從1등공신(1), 內醫(4~6)
鄭瓚	(성종대)				司憲監察(6), 戶曹正郎(10)
鄭彩	(문종즉위)				直長同正
鄭處儉	(세조12)				別侍衛(신천)
鄭天麟					영해府使(읍지)
鄭草	(태조2, 4, 태종5)				예안, 진보縣監, 거창縣令(읍지)
鄭初	(태종대)				전라도절제사제도鎭撫(8), 제주牧使(10, 읍지)
鄭沼	(태종12)				전戶曹典書
鄭村	(태조~태종대)			문(공양왕2)	司諫院正言(태종5), 司憲持平(7), 유배(8), 司憲掌令(15), 군기副正(15), 議政府舍人(16), 提學(방목)
鄭樞					청풍府使(읍지)
鄭春義	(세종13)				武官
鄭致	(태종4)				은율縣監(읍지)
鄭致	(성종대)				宣務郎正兵(~24), 개량경차관(24)
鄭蓄	(세종17)				前보령縣監(고성)
鄭稺(稚)	(태종~세종대)				계품사書狀官(태종7), 刑曹都官佐郎(~15, 파직), 司諫院左獻納(세종즉)
鄭包	(태종17)				경상軍官(읍지)
鄭抱	(세조1)				行五司副司正, 원종3등공신
鄭圃	(단종~세조대)				종성判官(~단종1, 超3資, 捕李澄玉功故) 行五司副司正(세조1), 世祖原從3등공신(1)
鄭夏生	(세종~세조대)				제주判官(세종27, 읍), 원종3등공신(세조1), 경성判官(11), 경흥진절제사(12)
鄭誠	(태종11)				예빈錄事
鄭恒	(문종~세조대)	형 明 太監 善	기(문종즉위, 형善故)		副司直(문종즉위, 兄善故), 行五衛司勇(세조6)
鄭賢	(태종10)				경원鎭撫
鄭亨 (山彙)	(성종대)				웅천縣監(5), 절제사, 通政大夫濟州牧使(7), 嘉善大夫黃州牧使(13)
鄭衡	(세조6)				副錄事, 원종3등공신
鄭護	?~1450				別侍衛자살
鄭湖然	(세종20)				金城縣監
鄭浩然	(세조1)				判官, 원종3등공신
鄭渾	(태조~태종대)				교서少監(~태조4), 禮曹議郎(4), 밀양郡事(태종7), 左司諫大夫(7)
鄭渾	(성종대)				司憲監察(2), 연천縣監(3)

자

鄭洪孫	(성종대)	장인 判中樞 李世佐	무(14)	還職牒(21), 宣傳官(21), 광양縣監(23, 不赴), 兼宣傳官(23), 都摠制軍官(23), 五衛護軍
鄭還	(태종~세종대)		문(태종2)	兵曹正郎(태종17), 사재判事(방목), 안동府使(세종12, 읍지)
鄭活	(세조10)			경상도경차관
鄭繪	(태종~세종대)		문(태종5)	前散員(태종17), 監務, 少尹(세종6)
鄭懷那	(세조9)			안동判官(읍지)
鄭懷山	(세조1)			進勇校尉(甲士), 원종3등공신
鄭孝恭	(세조10)			예안縣監(읍지)
鄭孝恭	(성종대)	친족 明 太監 鄭同	기(11, 정동故)	超9資禦侮將軍五衛司猛(11, 鄭同故), 嘉善大夫同知中樞(14)
鄭孝善	(세종대)			개령縣監(~3, 파직)
鄭孝誠	(세조11)			司憲掌令
鄭孝孫	(성종대)	친족 明 太監 鄭同	기(11, 정동故)	五衛司猛(11, 정동故)
鄭孝信	(세조1)			五司副司正, 원종2등공신
鄭孝溫	(세종4)	장인 典書 李勉(양녀)		삭령敎導
鄭孝元	(세종대)		무(8)	副司直(8)
鄭孝弟	(단종2)			道檢律
鄭孝智	(성종대)	父 陽皐		加資(세조13, 정건주散料功), 授京職(성종즉위, 鄭同故), 超10資, 禦侮將軍五衛司猛(성종11), 副司正(11), 給5품록(14)
鄭孝昌	(예종대)		환관	환관(~1, 收告身)
鄭孝昌	(성종대)		기(內禁衛, 성종23, 11, 신사)	內禁衛, 당진萬戶(23)
鄭厚	(태종5)			군기主簿
鄭訓	(세조12)			宣傳官
鄭揮			?, 문(우왕3)	散員(~고려우왕3), 문과
鄭暉	(성종6)	자 熙啓		전생主簿
鄭休明	?~1467			종성軍官, 兼司僕전사, 直子超2資錄用
鄭洽	(세종20)			청도郡守(읍지)
鄭興德	(세조13)			康純軍官
鄭興智	(세조~성종대)		의원	內醫(세조12), 내의원正(성종2), 陞堂上官(20)
鄭希	(예종~성종대)	숙부 明 太監 善		折衝將軍五衛副司果(예종1, 정선故)
鄭稀	(세종23)			전護軍
鄭希俶	(세조6)			判官, 원종3등공신
鄭希乾	(성종5)			馬島萬戶

조선초기 관인 이력

鄭希良	(성종25)				[연산대: 藝文奉教(2)]
鄭希明	(세조13)				都摠使龜城君李浚軍官
鄭希文	?~1462				갑산절제사(~세조7, 囚禁中도망, 8, 복주)
鄭希書	(성종1)				行五衛副司直, 사은사押馬
正欣				대마귀화인	대마도都萬戶
井可文愁界	(세조대)		父 護軍 井太郎	왜귀화인	五司司正(2), 五衛護軍(9)
井彦八	(성종대)			왜귀화인	五衛司正(8), 五衛護軍(19, 23)
井太郎	(세종~세조대)			왜귀화인	護軍(세종28), 대마도護軍(문종1), 大護軍(세조4)
齊伊介	(단종3)			여진귀화인	야인千戶(居訓戎江外)
諸里仇音波	(세종7)			여진귀화인	알타리千戶
諸之應哈	(세종5)			여진귀화인	올량합千戶
曹幹	(세조~성종대)	南平	父 粂, 祖府使 由仁	?, 문(세조10)	宣傳官(~세조10), 문과, 훈련主簿(10), 兵曹佐郎(10), 司諫院獻納(12, 13), 體察使具致寬從事官(예종1), 司諫(1), 파직, 折衝將軍全羅水軍節度使(성종6), 虞侯(10), 西征大將魚有沼從事官(10), 嘉善大夫漢城府尹(11), 大司憲(12), 開城留守(13), 파직, 僉知中樞(16), 강원관찰사(18), 五衛大護軍(21), 경상우도수군절도사(22), 同知中樞(25)
曹有仁	(태조~태종대)	남평	父 都事 孚, 祖 殿直 時遇	문(태조5)	장기監務(읍지), 刑曹正郎(태종9), 진보縣監(태종18, 읍지), 通政大夫水原府使(방목)
曹彙	(세종대)	남평	父 府使 由仁, 祖 都事 孚	문(9)	正字(세종10), 兵曹佐郎(~24), 杖徒(24) 전兵曹佐郎(29), 대마도경차관(29), 成均主簿兼宗學博士(29), 군자判官(31), 승문校理(방목)
曹克治	(단종~성종대)	壽城	父 允誠	문(단종2)	副尉(~단종2), 문과, 權知成均學諭(2), 世祖原從2등공신(세조1), 함길都事(13), 온성判官(성종3), 비인縣監(7), 主簿(13), 折衝將軍전라좌도수군절도사(15), 兵曹參知(19), 右(20)·左承旨(20), 嘉善大夫경상좌도병마절도사(21), 평안절도사(23), 파직(24)[연산대: 전라병마절도사(6)]
曹允誠	(세종대)	수성		문(1)	승문博士(방목)
曹庶	(태조~태종대)	仁山		문(공민왕20)	봉상卿(3), 右散騎常侍(6), 左散騎常侍(6), 禮曹典書(6), 입명구류(6), 방환(태종4)
曹繼門	(세조~성종대)	昌寧	父 散員 深, 祖 副使 敬修		삼군鎭撫(세조3), 縣令(성종10)
曹兗河	(세조~성종대)	창녕	父 得賢, 祖 元福	문(세조5)	의금낭관(세조13), 함길북도評事(~14, 收職牒, 杖徒), 경성判官(성종3), 縣令(방목)

曺登(璒)	(성종대)	창녕	父 命壽, 祖 兵馬 節度使 上林	무(족보)	通政大夫鍾城府使(21), 종성첨절제사(22), 장성府使(24)
曺末孫	(성종대)	창녕	父 參軍 敬武, 祖 府使 尙明	문(3)	전禮曹佐郎(9), 정희왕후부묘도감假郎廳(16), 郡守(방목)
曺變隆	(세종~세조대)	창녕	父 集賢副提學 尙治, 祖 종2兵馬 使 信忠	문(세종26), 중(29)	승문正字(~세종29), 문과중시, 工曹正郎, 승문副知事, 경상都事(단종2, 읍지), 함안郡守(5, 읍지), 世祖原從3등공신(6)
曺變安	(세종~세조대)	창녕	제 變隆	문(세종17)	司憲監察(세종26), 승문校理(세종29), 司憲持平(단종1, 2), 兼校理(세조1), 世祖原從2등공신(1), 僉知中樞(7), 折衝將軍五衛護軍(8), 禮曹參議(9), 僉知中樞(9)
曺變興	(세종~세조대)	창녕	제 變隆	문(세종17)	慶山縣監(세종23), 主簿(세조1), 世祖原從3등공신(1)
曺備衡	1376~1440	창녕	父 益修, 祖 寺事 遇禧	무(태종2)	護軍(태종4), 大護軍(6), 上護軍(9), 都摠制府同知摠制(11), 神武侍衛司절제사(11), 함길병마도절제사(18), 右軍摠制(세종1), 右軍(2)·中軍都摠制(2), 하정사(2), 戶(2)·禮曹判書(3), 判漢城府事(3), 右軍都摠制(3), 경상우도수군도안무처치사(4), 戶曹判書(4), 中軍都摠制(5), 工曹判書(7), 議政府參贊(9), 파직(9), 都摠制 겸평안도절제사(9), 中軍都摠制(11), 평안도절제사(13), 사직(13, 身病故), 中樞使(14), 사직(14), 中樞使(18), 中樞使졸
曺尙	(태종~세종대)	창녕	父 挺儒, 祖 令同正 天瑞	문(태종2)	세자書筵官(태종12), 禮曹佐郎(~15), 파직(15), 司諫院右獻納(세종3), 청도郡事(8), 전副正(~16), 收職牒(16)
曺尙謙	(세조대)	창녕	父 孝信, 祖 漢卿	문(6)	영춘縣監(~12, 파직), 府使(방목)
曺尙明	(세종~세조대)	창녕	형 尙貞		진보縣監(세종7, 읍지), 덕원府使(~문종즉위, 파직), 전府使(세조3, 居永川)
曺尙正 (貞)	(세종대)	창녕	父 郡事 信忠, 祖 政丞 益淸		아산(7), 용궁(11), 장성縣監(29)
曺尙治	(세종~단종대)	창녕	父 郡事 信忠, 祖 政丞 益淸	문(1)	사재注簿(1), 司諫院左正言(6), 합천·함양郡守(읍지), 집현副提學(단종3)
曺錫文	1413~1477	창녕	父 全羅觀察使 沆, 祖 副使 敬修	음, 문(세종16)	문소殿直(~세종16), 문과, 世子左正字(16), 집현修撰(17), 司諫院正言, 吏(24)·刑(25)·禮曹正郎(27), 안산郡事, 홍주牧使(단종3), 兼知刑曹事上護軍(3), 同副承旨(세조1), 佐翼2등공신(1), 右副·左副·右·左·都承旨(1~5), 吏曹參判(5), 주문사(5), 戶曹參判(5), 戶曹判書(5), 戶曹判書兼總治中外度支事(7), 母喪(10), 昌寧君兼漢城判尹(12), 議政府右贊成(12), 左贊成(13), 李施愛討伐軍副摠使(13), 敵愾1등공신

조선초기 관인 이력

					(13), 議政府左議政(13), 領議政(13), 翊戴3등 공신(예종즉), 領議政兼判戶曹事(1), 佐理1등 공신(성종2), 左議政(7), 昌寧府院君(7), 領中 樞府事(8), 영중추졸
曺碩輔	(예종~성종대)	창녕	父 禮曹參議 變 安, 祖 集賢副提 學 尙治	문(예종1)	宣敎郞(~예종1), 문과, 正郞(성종11), 西征大 將魚有沼從事官(10), 中直大夫司憲掌令(12), 議政府舍人(13), 사재부정(15)
曺世唐	(성종대)	창녕	父 尙謙, 祖 孝信	문(23), 중(연 산3)	[연산이후: 主簿]
曺淑沂	(성종대)	창녕	父 千戶 顔仲, 祖 宰臣 勣	문(5)	吏曹佐郞(성종9), 서정대장魚有沼從事官(10), 순천郡守(14), 예빈副正(15), 朝散大夫司憲執 義(15), 강릉府使(17), 通政大夫義州牧使(17), 강무衛將(20), 충청兵馬節度使(22), 刑曹參議 (24), 折衝將軍慶尙左道兵馬節度使(24)[연산 대: 大司諫, 영안북도兵馬節度使, 大司憲, 평 안관찰사]
曺信忠	(태조7)	창녕	父 政丞 益淸, 祖 政丞 隨		嘉善大夫삼척府使(읍지)
曺偉	1454~1503	창녕	父 縣監 繼門, 祖 散員 深	문(성종5)	藝文檢閱(성종6), 유배(6), 경연司經(10), 영안 경차관(10), 弘文修撰經筵檢討官(11), 副校理 經筵試讀官(13), 承義郞司憲持平(13), 侍講院 文學(14), 弘文副應敎(15), 함양郡守(15, 侍養 고), 父喪(20), 議政府檢詳(22), 中訓大夫司憲 掌令(22), 同副承旨經筵參贊官(22), 左副·右· 左·都承旨(23~24), 戶曹參判(24), 충청관찰사 (24)[연산대: 大司成]
曺益修	(태조~태종대)	창녕	父 寺事 遇喜, 祖 大柱		漢城府尹(태조5), 前都節制使(태종12)
曺仲林	(태조~세종대)	창녕	父 興祖, 祖 旱雨	문(태조5)	內贍少尹(세종4), 고부郡事(16), 府尹(방목)
曺晉卿	(세조14)	창녕	父 參判 孝門, 祖 軍官 渾		자산郡事
曺致虞	(성종대)	창녕	父 翰林 末孫, 祖 參軍 敬武	문(25)	成均典籍 [연산이후: 사용正, 대구府使, 예천 郡守]
曺沆	(세종대)	창녕	형 渾		경기都事(10), 司憲持平(12), 掌令(14), 전농尹 (16), 사헌執義(23), 僉知中樞兼知兵曹事(25), 通政大夫전라관찰사(25)
曺浩	(성종대)	창녕	父 秀文	문(20)	成均學正[연산이후: 牧使]
曺渾	(태종대)	창녕	父 副使 敬修, 祖 寺事 遇喜		大護軍(7), 前나주判官(7, 유배) 풍해軍官(~ 12, 면직)
曺繪	(정종~태종대)	창녕	父 尙書 夏, 祖 尙 書 틀	문(정종1)	吏曹正郞(태종8), 전농副正(~9), 파직(9)

曹孝門	?~1462	창녕	父 軍官 渾, 祖 副使 敬修, 처남 領議政 申叔舟	문(세종26)	藝文檢閱(세종26), 吏曹佐郎(문종2), 司諫院右獻納(단종2), 議政府舍人(3), 佐翼3등공신(세조1), 사재正(~2), 경상관찰사(2), 禮曹參議(3), 禮曹參判(4), 하정사(4), 大司憲(5), 평안관찰사(5), 禮曹參判(7), 禮曹參判졸
曹舒	(태종대)	咸平		문(공양왕1)	檢校參議(방목)
曹敬誠	(예종즉)				五衛部將
曹敬智	(세종~성종대)			의원	전의判官(세종23), 護軍(26), 收告身仍仕內醫院(단종즉), 還告身(즉), 仕司僕寺(1), 五司護軍(세조1), 世祖原從2등공신(1), 內醫(5), 嘉善大夫(6), 通政大夫(降資)五衛上護軍(6), 正憲大夫五衛副司果(성종21)
曹敬智	(세조1)				五司護軍, 원종3등공신
曹敬治	(?~1468)				權知訓練錄事(세조1), 世祖原從2등공신(1), 鎭撫(6), 좌南怡피화
曹繼唐	(성종대)				녹도萬戶(~7, 파직)
曹繼宗	(세조대)				署令(1), 원종3등공신(1), 함길都鎭撫(4), 僉知中樞(6), 강계절제사(7)
曹郊彬	(세조9)				낭천縣監(읍지)
曹九敍	(성종대)				제용主簿(~6, 유배)
曹櫂知	(성종6)				주문사軍官, 隨闕敍用
曹紃	?~1467				李施愛亂中전사, 증堂上官, 直子超2資敍用
曹克諴	(세조8)				악학別坐
曹得安	(세조대)				內禁衛(~11), 兼司僕(11, 善射고), 평안절도사 韓繼美시종관(13)
曹登成	(성종대)				[연산대: 단천郡守(5, 읍지)]
曹孟孫	(세조1)				행縣監, 원종2등공신
曹孟春	(세조~예종대)				삼가縣監(세조4), 의금鎭撫(9), 충청우도萬戶(~11, 파직), 宣傳官(12), 巡將(예종1)
曹明達	(세조11)			역관	여진통사
曹武	(세종6)				副司正
曹茂	(세종15)				평안도안무사軍官
曹文漢	(성종3)			화원	御眞화원
曹敏	(세종대)				前副司直(~20), 副司直(20), 茂陵島巡審敬差官(20)
曹敏卿	(세종9)				졸少卿
曹敏老	(태종대)				前함안郡事(~11), 개운포萬戶(11, 收職牒)
曹炳文	(세종15)				대흥縣監
曹尙周				문(공양왕1)	
曹隨	(태종11)				司憲監察

曺肅	(세조4)				能算學, 隨闕敍用
曺淑潭	(세조11)				別侍衛, 超5資제수
曺叔淵	(성종16)				다대포萬戶
曺叔瑾	(세조대)				別侍衛(~5, 全家徙邊)
曺恂	?~1398			환관	中官(태조4), 承傳色(4), 判內侍府事(~6, 유배), 복주
曺崇德	?~1425	父 証		문(태종5, 명귀화)	승문校理(태종16), 주문사書狀官(세종즉), 승문判事(3), 주문사(3), 工曺參議졸
曺崇禮	(성종대)			기(3, 효행)	隨才擢用(3, 태안학생, 孝行故)
曺伸	(성종대)	父 季文		의원	醫官, 王子師傅(20)
曺信	(태종대)				甲士(~11, 피죄)
曺顔仲	(세종대)				내이포萬戶(~11, 파직)
曺彦	(태조대)				前密直副使(2), 商議中樞兼泥城等處都兵馬使(3)
曺彦	(세조대)			환관	承傳宦官(~10, 收告身)
曺彦	(성종7)				順陵參奉, 加資
曺克	(성종7)				해남縣監
曺緩	(태종대)				전계림안동도절제사(9), 경주府尹(읍지)
曺用遠	(성종8)				闕門把直甲士
曺沅	(세종대)				司憲掌令(16), 兼知兵曺事(25), 通政大夫전라관찰사(25)
曺瑗	?~1424	장인 右政丞 趙英茂			강릉府使, 都摠制府僉摠制, 右副(태종7), 左副代言(7), 계림안동병마도절제사兼鷄林府尹(8), 계림안동도절제사겸경상우도수군도절제사(9), 전摠制졸
曺潤	(단종1)				前五司司勇(1), 靖難3등공신(1, 超3資)
曺允夏	(세조1)				進義副尉, 원종2등공신
曺乙祥	(태조2)				강음監務
曺應					영해府使(읍지)
曺益文	(성종대)				전라우도수군절도사虞侯(20), 전虞侯(21, 充軍)
曺楨	(성종14)				선공別坐, 敍用(이조)
曺紂	?~1467				兼司僕전사(부령), 直子超2資錄用
曺柱	(세조대)				五司副司直(1), 원종2등공신(1), 充邊郡軍(2)
曺仲敦	(세조1)				五司護軍, 원종3등공신
曺仲生	(태종2)				前典書
曺重希	(예종1)				다경포萬戶
曺智敬	(성종대)			의원	의원(7), 同知中樞(12), 陞資憲大夫(17)
曺軫	(정종2)				회양府使(읍지)

曺疹	(세조~성종대)			환관	환관(세조12), 承傳色(성종3), 내시부尙藥(11), 承傳內官(15)
曺偁	(성종대)				通仕郎(~24), 五衛司猛(24), 함창縣監(읍지)
曺鐵柱	(성종19)			기(4촌매 尙宮故)	兼司僕(從妹故)
曺聰	(태종~세종대)			의원	內醫(태종8), 전의判事(~12, 파직), 전의判事(14), 充令史(18), 內醫(세종7), 檢校參議(10)
曺致命	(태조3)				司憲雜端
曺致報	(세종1)				경기관찰사
曺致中	(세종12)				中軍摠制
曺沈	(세종14)				司憲掌令
曺漢孫	(성종22)				命敍用(15), 侍射(17), 西征都元帥許琮副將望(22)
曺漢臣	(세종~성종대)				승정원掾吏(세종7), 內禁衛(세조7), 兼司僕(예종즉), 衛將(성종2), 捕盜將(2), 折衝將軍五衛司猛(3)
曺獻	(성종대)		공신적장(가계 불명)	음	隨才錄用(20, 공신적장故), 제용僉正(25)
曺顯	(태종~세종대)				하정사통사(태종6), 사재判事(세종3)
曺好智	(단종~성종대)			문(단종2)	權知成均學諭(세조1), 世祖原從2등공신(1), 成均典籍(성종9), 교하縣監(10), 牧使(방목)
曺好直	(문종즉위)		父 尙		하양縣監
曺效彬	(세조~예종대)				鎭撫(세조8), 낭천縣監, 都摠府都事(예종즉위)
曺彙	(세조1)				判官, 원종3등공신
曺恰	?~1429				太宗原從공신(태종1), 上護軍(5), 右軍僉摠制(6), 전라시위군절都事(8), 左軍摠制(~9), 전라도절제사(9), 胡賁侍衛司절제사(11), 풍해도순문사(13), 영길도순문사(15), 摠制(~17), 右軍都摠制(17), 평안병마도절제사(~18), 파직(18), 右軍都摠制(세종즉), 左軍都摠制(1), 사은사(1), 경상우도병마도절제사(2), 摠制(5), 中軍都摠制(6), 진하사(6), 都摠制(7), 전都摠制卒
曺熙	?~1455			환관	行내시謁者(단종1), 行司礎局副使(1), 피화
曺熙胤	(성종15)			曆官	서운관官
趙安貞	(세종~성종대)	廣州(*)	父 繼文	문(세종32)	집현副校理(세조1), 世祖原從2등공신(1), 승문校理(5), 司憲持平(6), 禮曹正郎(8), 파직(10), 知司諫(11), 承文判校(14), 刑曹參議(성종2) (* 족보 驪興)
趙崇智	(세조대)	金堤	父 節制使 義, 祖 希輔		삼군鎭撫(10), 여산郡守(~12, 收告身)

趙義	(세종19)	김제	父 希輔, 祖 通元		僉知中樞
趙玄璲	(정종~세종대)	南海		문(정종1)	前主簿(~세종6), 진하사書狀官(6)
趙琦	?~1395	白川	父 君 成柱, 祖 門下侍中 瑄	기(軍士)	版圖判書(고려), 開國2등공신同知中樞義興親軍衛節制使銀川君(태조1), 同知中樞(1), 義興親軍衛上鎭撫(1), 知中樞銀川君졸
趙萬安	(세종7)	배천	父 瑄, 祖 君 成柱		전교하縣監
趙末通	(태종9)	배천	父 門下府事 琳, 祖 君 成柱	무(족보)	전上護軍, 유배
趙勉	(태종8)	배천	형 休		강원관찰사
趙胖	(태조대)	배천	父 參贊 世卿, 祖 尙書 何		동知密直(고려), 知密直(태조1), 開國2등공신(1), 商議門下府事(4), 參贊門下府事(5), 성절사(5), 復興君졸
趙鑌	(성종대)	배천	父 揚善, 祖 瑠	문(2)	成均司藝(방목)
趙瑞康	?~1444	배천	父 知門下 胖, 祖 參贊 世卿	문(태종14)	司憲監察(~태종17), 파직(17), 司諫院獻納(세종5), 兵曹正郎(9), 司憲掌令(~10), 유배(10), 議政府舍人(세종13), 사헌執義(13), 의금鎭撫(15), 右(15)·左司諫大夫(18), 僉知中樞(19), 通政大夫경상관찰사(19), 刑(20)·工曹參議(21), 右·左·都承旨(21~25), 吏曹參判(25), 參判졸
趙瑞老	1382~1445	배천	제 瑞康	음, 문(태종5)	司憲監察(~태종5), 문과, 司憲持平(~9), 유배(9), 吏曹正郎(12), 전사副令(13), 議政府舍人(15), 사재正(16), 侍講院右輔德(17), 파직(18, 폐세자故), 右司諫大夫(세종1), 右副·左副·右承旨(1~4), 知申事(4), 廢庶人(5), 폐서인졸
趙瑞安	?~1457	배천	형 瑞康	문(세종1)	司諫院右獻納(세종8), 左獻納(9), 파직(9), 兵曹正郎(12), 議政府舍人(14), 파직(14), 議政府舍人(21), 사헌執義(22), 영흥府使(22), 同副(29)·右(29)·左承旨(29), 兵曹參判(31), 사은사(문종즉위), 평안관찰사(즉), 파직(1), 경창府尹(1), 開城留守(2), 中樞副使(세조1), 관찰사(1), 世祖原從2등공신(1), 中樞使(2), 知中樞졸
趙淑	?~1468	배천	父 知中樞 瑞安, 祖 參贊 胖	?, 문(세조12)	五衛司直(~세조12), 兼藝文館軍資主簿(12), 李施愛討伐將軍南怡從事官(13), 坐南怡피화
趙元立	(세조1)	배천	父 都承旨 瑞老, 祖 參贊 胖		五司司直, 원종3등공신
趙元祉	(단종~성종대)	배천	형 元立	?, 문(단종1)	五司司直(~단종1), 佐郎(세조1), 世祖原從2등공신(1), 경상軍官(3, 읍), 온양郡事(6), 兼司憲執義(9), 종부僉正(성종1)
趙元禧	(세종~세조대)	배천	父 承旨 瑞老, 祖 參贊 胖	문(세종23)	司諫院右獻納(문종1), 戶曹正郎(단종1), 郡事(세조1), 世祖原從2등공신(1)
趙祉	(단종~성종대)	배천	父 承旨 瑞老	음, 문(단종1)	正字(세조1), 世祖原從2등공신(1), 강릉都事(8), 兼藝文館(10), 僉正(예종즉), 折衝將軍五

					衛護軍(1), 司正(~성종1, 收職牒), 僉知中樞(3), 副護軍(3), 護軍(3), 副護軍(6), 여주牧使(8), 五衛司猛(12), 大司成(12), 副護軍(16), 진주牧使(17)
趙添壽	(세조~예종대)	배천	父 府使 末通, 祖 門下府事 琳		삼군鎭撫(세조6), 充官奴(예종즉위)
趙致(治)	(태조~세종대)	배천	父 參議 瑞康, 祖 參贊 胖		司憲監察(태조2), 사헌雜端(4), 정선郡事(정종2, 읍지), 사헌執義(태종11), 전농正(11), 풍해서북경차관(11), 三陟府使겸첨절제사(태종12, 읍지), 전淮陽府使(13), 경차관(13), 刑(18)·戶曹參議(18), 경기관찰사(1), 右軍同知摠制(2), 하정사(2), 刑曹參判(3), 中軍摠制(10), 漢城府尹(10), 大司憲(10, 11), 강원관찰사(12), 中軍摠制(12), 경상관찰사(~14), 유배(14), 中樞副使(21)
趙枰	(세조~성종대)	배천	父 郡守 元禧, 祖 都承旨 瑞老	문(세조11)	朝散大夫工曹佐郎(성종2), 유배(4), 상서사判官(방목)
趙環	(태종~세종대)	배천	父 知奏事 于吉, 祖 領三司 珙		刑曹都官正郎(태종4), 나주牧使(세종12)
趙休	?~1411	배천	父 同知密直 得殊, 祖 密直副使 雙重	문(우왕11)	左司諫大夫(~태종1, 유배), 左軍摠制(7), 判江陵府使卒
趙洽	?~1429	배천	父 參議 瑞康, 祖 參贊 胖		나주牧使(태종9, 읍지), 上護軍, 左軍僉摠制, 전라시위군절, 전라도절제사, 胡賁侍衛司절제사, 풍해병마도절제사, 영길도도순문사, 평안도절제사, 右軍·左軍都摠制, 경상우도도절제사, 中軍都摠制, 전都摠制졸
趙達生	(세조~성종대)	水原	父 瑜	문(세조14)	成均典籍, 삼척府使(성종20, 읍지)
趙敬(璥)		淳昌	父 君 縫, 祖 密直副使 廉	문(우왕8)	牧使, 工曹判書
趙頊	(세종~세조대)	순창	父 判書 敬, 祖 君 縫		司憲持平(세종28), 온양郡事(문종즉위), 의금都事(~단종2, 收告身), 行五衛司直(세조1), 世祖原從2등공신(1), 해주牧使(~11, 파직)
趙瑜	(태종대)	순창	父 門下侍中 元吉, 祖 府院君 佺		봉화縣監(읍지), 영광郡事(8), 檢校漢城府尹(~16, 收職牒)
趙怡	(세조대)	순창	父 牧使 頊, 祖 判書 敬		副丞(1), 원종3등공신(1), 악학도감判官(8), 은율縣監(9, 읍지)
趙悰	(예종~성종대)	순창	父 司正 旅, 祖 玫		영안북도節度使軍官(예종즉위), 강화府使(성종2), 전府使(21, 收告身)
趙琛	(태종~세종대)	순창	父 縣監 智崗, 祖 參議 斯文		鎭撫(태종10), 전라우도都萬戶(~세종4, 充水軍)

趙英珪	?~1395	新昌			衛尉判事(고려), 開國2등공신(태조1), 禮曹典書(1), 典書졸
趙珠	(태종대)	신창	父 禮曹典書 英珪		五衛大護軍(~12, 파직)
趙啓生	?~1438	楊州	父 書雲正 誼, 祖 保勝郞將 仁弼	문(창왕즉)	藝文檢閱, 修撰, 삼사도사, 이천현감, 司憲監察, 평택군수, 계림판관, 司諫院右正言(태종4), 司憲持平(6), 掌令(7), 議政府舍人(10), 藝文直提學(11), 군자판사(12), 수원부사(~15), 右司諫大夫(15), 侍講院右輔德(16), 봉상판사(16), 參議(16), 判原州牧使, 인수부尹(세종1), 황해관찰사(2), 都摠制府同知摠制(3), 천추사(3), 전라관찰사겸인순부尹(5), 開城留侯(6), 右軍同知摠制(8), 大司憲(9), 유배(9), 禮曹參判(10), 兵(12)·吏(13)·工曹判書(14), 議政府參贊(17), 左參贊(19), 左參贊졸
趙克寬	?~1453	양주	父 參贊 啓生, 祖 書雲正 誼	문(태종14)	藝文待敎(태종14), 司諫院右正言(세종2), 司憲持平(3), 吏曹正郞(4), 파직(7), 진하사書狀官(10) 司憲掌令(10), 전농소尹(~12), 掌令(12), 兼知刑曹事(19), 工曹參議(23), 右承旨(23), 工曹參判(25), 평안관찰사(25), 兵(28)·吏(29)·刑曹參判(31), 刑曹判書(31), 함길관찰사(31), 同知中樞(문종1), 刑曹判書(1), 大司憲(단종즉), 兵曹判書(즉), 兵曹判書피화
趙瑾	1417~1475	양주	父 領中樞 末生, 祖 書雲正 誼	?, 문(세종23)	司勇(~세종23), 문과, 校書著作郞(26), 집현博士, 司諫院正言, 兼承文副校理(문종즉위), 吏曹正郞(단종1), 朝散大夫集賢應敎兼副知承文院事(3), 파직(3), 世祖原從2등공신(세조1), 司憲掌令(3), 僉知中樞(10), 禮曹參議(11), 하정사(12), 禮曹參判(13, 假衛), 사은사(13), 通政大夫강원관찰사(14), 嘉善大夫全州府尹(성종2), 行五衛司果졸
趙籬	(성종대)	양주	형 蕃		行五衛司勇(~3), 임실縣監(3)
趙末生	1370~1447	양주	父 書雲正 誼, 祖 郞將 仁弼	문(태종1), 중(7)	요물고副使(태종1), 禮曹正郞兼尙瑞司主簿(3), 元子侍學(4), 刑曹正郞(4), 유배(4), 世子司經(6), 吏曹正郞(~7), 문과중시, 直藝文館춘추기주관(9), 선공판사(11), 同副·右副·左副·右·左代言, 知申事(11~17), 吏曹參判(18), 刑(18)·兵曹判書(18), 유배(세종8), 同知中樞(14), 함길관찰사兼咸興府尹(15), 中樞使(16), 崇政大夫知中樞(17), 藝文大提學(19), 判中樞(20), 경상충청전라도순찰사(20), 藝文大提學(20), 判中樞(22), 藝文大提學(22), 輔國崇祿大夫判中樞겸成均知事(26), 領中樞府事(28), 영중추졸

趙藩	?~1453	양주	父 全州府尹 從生, 祖 書雲正誼		군기錄事(단종1, 피화, 坐安平大君)
趙遂良	?~1451	양주	형 克寬	음, 문(세종2)	副使(~세종2), 문과, 司諫院正言(7), 禮曹佐郎(11), 경차관(11), 司憲掌令(14), 執義(16), 右司諫大夫(23), 僉知中樞(23), 강원관찰사(24), 刑(25)·禮曹參議(25), 황해관찰사(28), 刑曹參判(29), 大司憲(31), 中樞副使(31), 하등극副使(31), 兵曹參判(문종즉위), 경창府尹(단종1), 평안관찰사(1), 피화
趙永琿	(세종23)	양주	형 仲輝		工曹正郎
趙惟中	?~1423	양주	제 末生		여흥府使(태종17), 사재正(17), 전江華府使졸
趙誼	(세종29)	양주	父 郎將 仁弼, 祖 戶長 岑		졸書雲正
趙廷瑞	(단종대)	양주	父 觀察使 遂良, 祖 參贊 啓生	문(단종1)	行臺監察(단종1), 司諫院右正言(1)
趙從生	1375~1436	양주	父 書雲正 誼, 祖 判事 仁弼	문(태종1)	兵曹正郎(~태조7), 파직(7), 경승少尹(~태종15), 파직(15), 右副·左副·右·左代言, 知申事(세종4~8), 파직(8), 강원관찰사(9), 禮曹參判(10), 左軍同知摠制(10), 兵曹參判(11), 평안관찰사(~13), 파직(13), 충청관찰사(15), 戶曹參判(15), 한성(16), 전주府尹(16), 府尹졸
趙仲輝	(성종대)	양주	父 瑾, 祖 領中樞 末生	?, 문(5)	영릉參奉(~4, 유배), 司諫院正言(11), 南部教授(~12, 파직), 화순縣監(12), 掌隸院司議(22)
趙瓚	(세종20)	양주	父 領中樞 末生, 祖 書雲正 誼		司憲監察
趙元卿	(세조~성종대)	林川	父 通禮 瑤, 祖 崇珍	?, 문(세조12)	五衛司勇(세조4, 通易學啓蒙故), 문과, 學官(성종13), 司憲監察(15), 成均司成(방목)
趙之瑞	1454~1504	임천	父 監察 瓚, 祖 直長 敏原	문(성종5), 중(10)	승문副正字(성종8), 校書著作(~10), 문과중시, 吏曹佐郎(10), 西征大將魚有沼從事官(10), 散官(12), 弘文校理(17), 경주判官(~19), 刑曹正郎(19), 兼司憲持平(20), 弘文校理(20), 應敎(20), 창원府使(연산갑자피화)
趙瓚	(단종~세조대)	임천	父 直長 敏原, 祖 侍御使 益	문(단종1)	司憲監察(~세조4, 파직)
趙好門	(성종대)	酒泉(평산)	父 榮産, 祖 發	문(11)	司憲監察(~12), 성주教授(12), 강원都事(15), 成均直講(방목)
趙聃	(세종대)	珍寶	父 檢校贊成 庸, 祖 平章事 雲柱	음(3)	의영庫使(3, 父故), 홍산縣監(11)
趙庸 (仲傑)	?~1424	진보	父 平章事 雲柱, 祖 平章事 秀	문(공민왕23)	전교主簿(공민왕23), 成均司藝(공양왕4), 摠郎(4, 고려), 諫議大夫(태조1), 左諫議大夫(7), 大司成(~태종2), 左司諫大夫(2), 刑曹典書(2),

					檢校漢城府尹兼大司成(4), 世子賓客(~6), 右副賓客(6), 右賓客(9), 檢校判漢城府事兼大司成(10), 世子賓客(13), 藝文大提學(14), 성절사(15), 禮曹判書(15), 藝文大提學(17), 右軍都摠制(18), 藝文大提學兼大司成(18), 檢校議政府贊成(세조3), 判右軍都摠制府事致仕卒
趙瓊英	(세조12)	平壤	父 平壤府院君 大臨(서자), 祖 領議政 浚	음?	前五衛司勇, 收告身
趙大臨	1387~1430	평양	父 領議政 浚, 祖 判書 德裕, 처 太宗녀 慶貞公主	?, 부마(5)	덕수궁提控(태종2), 護軍(5), 平寧君(5), 平壤君(6), 兼左軍都摠制(8), 병서강서都摠制(9), 진하사(10), 御眞봉안사(11), 崇祿大夫(16), 左軍摠制(세종즉), 사은사(1), 輔國崇祿大夫平壤府院君(4), 大匡輔國崇祿大夫(8), 府院君卒
趙得仁	?~1462	평양	父 正郎 乘, 祖 判事 瑠	?, 문(세종6)	司勇(~세종6), 문과, 成均學諭(6), 副正(세조1), 世祖原從3등공신(1), 知刑曹事(6), 僉知中樞(7), 주문사행중졸
趙武英	(단종~세조대)	평양	父 府院君 大臨, 祖 領議政 浚	음	同僉知敦寧(단종즉위), 副知敦寧(즉), 同知敦寧(세조1), 世祖原從2등공신(1), 內贍判事(4), 僉知中樞(6), 卒僉知中樞(예종즉)
趙璞	1356~1408	평양	父 典儀令 思謙, 祖 三司左尹 忠臣	음, 문(우왕8)	別將(~우왕8), 문과, 三司左尹(공양왕4), 청주牧使(4), 양광안렴사(4), 禮曹典書(태조1), 開國1등공신平原君(1), 전라관찰사(2), 원주牧使(4), 定社1등공신(7), 參贊門下兼大司憲(7), 경상관찰사(정종1), 參贊門下府事兼大司憲(2), 三司左使(2), 佐命4등공신(태종1), 判漢城府事(1), 司平左使(3), 參贊議政(3), 藝文大提學(4), 開城留侯(4), 平原君(5), 서북도순문사(6) 議政府參贊(7), 파직(7), 평원군(7), 戶曹判書(8), 동북都體察使(8), 戶曹判書平原君卒
趙璠(祉)	(단종~성종대)	평양	父 秀宗, 祖 琿	문(단종1)	大司成
趙石山	(세종대)	평양	형 壽山		인순부副丞(~4, 파직, 削忠義衛籍)
趙成己	?~1505	평양	서 鳳安君 慅		判官(선원세보기략)
趙須	(태종대)	평양	父 判書 瑚, 祖 開城尹 允瑄	문(1)	兵曹正郎(6), 內贍少尹(~9), 파직(9)
趙壽山	(태종~단종대)	평양	父 府院君 狷, 祖 判書 德裕		工曹正郎(~태종17), 파직(17), 駕前察訪(세종13), 홍주牧使(28), 파직(28), 中樞副使(단종2)
趙秀宗	(성종대)	평양	父 混, 祖 提學 思謙		五衛護軍(金禮蒙묘표)
趙叔宗	(문종~세조대)	평양	父 雅, 祖 判書 瑚	문(문종1)	司勇(~문종1), 문과, 直長(세조1), 世祖原從3등공신(1), 刑曹佐郎(8)

趙楊門	(성종대)	평양	父 知刑曹事 得仁, 祖 正郎 乘	?, 문(19)	五衛副司正(~19), 문과, 成均典籍(방목)
趙由禮	?~1455	평양	父 知郡事 明初, 祖 學士 禾		直長(세종6), 副司直(6), 判官(18), 함길점마別監(21), 大護軍(25), 兼判通禮(29), 僉知中樞(31), 中樞副使(문종1), 都鎭撫(단종3), 同知中樞(~세조1, 유배중피화)
趙由信	(세종~세조대)	평양	형 由禮	문(세종11), 중(17)	司正(~세종17), 문과중시, 승문부교리(18), 校理(23), 예빈判事(문종1), 世祖原從2등공신(세조1), 승문判事, 通政大夫(방목)
趙由智	(세종대)	평양	형 由禮	무	別侍衛(~14), 무과, 護軍(~26, 파직)
趙倫	(태종대)	평양	父 瓊英, 祖 府院君 大臨		通禮院奉禮郎(9), 前護軍(~14, 피죄)
趙浚	1340~1405	평양	父 版圖判書 德裕, 祖 僉議贊成 璉	음(공민왕20), 문(23)	보마배行首(공민왕20), 大殿指諭(~23), 문과, 左右衛護軍兼通禮副使(우왕2), 강릉도안렴사, 典法判書, 경상도監軍事(8), 密直提學(9), 知密直兼大司憲(창왕1), 知門下(1), 門下評理朝鮮郡忠義君(공양왕1), 門下贊成事(2), 성절사(3), 유배(4), 贊成事(4, 고려), 開國1등공신 門下右侍中平壤伯(태조1), 左侍中(1), 5道都統使(3), 左侍中兼判三軍府事(6), 定社1등공신등(7), 門下左政丞(7), 判門下府事(정종1, 태종즉), 議政府領議政府使(3), 左政丞(4), 領議政府事(5), 領議政府事졸
趙瑉	(태종~세종대)	평양	父 判書 文信, 祖 府使 千禧		부평府使(~태종10, 유배), 선공監(~12, 유배), 회양(~16, 파직), 선산府使, 선공判事(~세종5, 파직)
趙鐵山	(문종~세조대)	평양	형 壽山, 서 翼峴君 璭		戶曹正郎(문종즉위), 少尹(세조1), 世祖原從2등공신(1), 유배(2)
趙淸老	?~1456	평양	父 君 石山, 祖 府院君 狷		內贍直長(세종28), 한성參軍(30), 경기우도점마別監(세조2), 坐死六臣피화
趙忠老	(문종~성종대)	평양	형 淸老		翊衛司官(문종즉위), 主簿(세조1), 世祖原從3등공신(1), 진보(성종1)·직산縣監(~9, 파직), 世子翊衛(14)
趙亨門	(성종대)	평양	형 揚門	문(성종1)	奮順副尉(~성종1), 문과, 兵曹正郎(19), 奉正大夫司憲掌令(21), 府使(방목)
趙禾(和)	(태조대)	평양	父 尙書 煦, 祖 判書 德裕	문(우왕2)	중추學士(방목)
趙謙之	(세종~세조대)	豊壤	父 佐郎 安平, 祖 護軍 思忠		刑曹佐郎(~세종12), 파직(12), 충청강원채금別監(23), 判官(세조1), 世祖原從3등공신(1)
趙季砰	1393~?	풍양	父 軍器副正 玗, 祖 少尹 天玉	문(세종17)	司憲持平(세종30), 경상都事(세종31, 읍지), 刑曹正郎(문종2), 司憲掌令(단종1), 수원府使(세조1), 世祖原從2등공신(1)

조선초기 관인 이력

趙球	(성종대)	풍양	父 孝生, 祖 旅	문(13)	承訓郎司諫院正言(19), 나주敎授·禮曹佐郎(25이전)
趙瑞廷	(단종~성종대)	풍양	父 佐郎 夏, 祖 商議中樞 崇	?, 문(단종1)	五司司勇(~단종1), 문과, 訓導(세조1), 世祖原從2등공신(1), 교서正字(6), 佐郎(8), 봉상判官(6), 議政府檢詳, 안동判官(12, 읍지)
趙世輔	(성종대)	풍양	父 之孚, 祖 府使季砰	문(23)	[연산이후: 司憲持平]
趙崇	(태조5)	풍양	父 護軍 思忠, 祖 代言 炎暉		中樞兼서북면守令
趙云仡 (石磵)	1332~1404	풍양		문(고려)	刑部員外郎, 典法摠郎, 左司諫大夫, 전교判事, 서해도관찰출척사, 簽書密直(고려), 강릉府使(태조1), 檢校政堂文學(~2), 司直(2, 身病故), 檢校政堂文學졸(졸기)
趙瑜	(세조1)	풍양	父 直長 汝平, 祖 袙		縣令, 원종2등공신
趙益貞	1436~1498	풍양	父 縣令 溫之, 祖 工曹佐郎 安平	문(세조11)	藝文檢閱(세조13), 承政院注書(14), 翊戴3등공신(예종즉), 奉列大夫司憲持平(1), 侍講院文學(1), 刑曹參議(성종1), 行五衛護軍(1), 嘉善大夫漢城左尹(12), 吏曹參判(13), 漢平君(20), 戶曹參判(13), 성절사(20), 大司憲(20), 강원관찰사(20), 大司憲(22), 禮曹參判(22), 경상우도병마절도사(23), 사은사(25)[연산대: 한성좌윤, 工曹參判兼五衛副摠管漢平君, 工曹參判졸]
趙秋	(세종~세조대)	풍양	父 崇, 祖 思忠	문(세종23), 중(세조3)	문경縣監(문종즉위), 直長(세조1), 世祖原從2등공신(1), 兼司憲掌令(2), 成均司藝(~3), 문과중시, 兼執義(9), 경기좌도察訪(11), 成均司藝, 直提學(방목), 회양府使(읍지)
趙夏	(세종12)	풍양	父 中樞 崇, 祖 護軍 思忠		봉화, 예안縣監(읍지)
趙廣	(세종대)	漢陽	父 漢山君 仁沃, 祖 版圖判書 暾		함길都事(12), 예원郡事(15)
趙狷	?~1425	한양	형 浚		上將軍(공양왕4, 고려), 開國2등공신平壤君, 경상도절제사(3), 知中樞(6), 三司右僕射(정종2), 都摠制(~태종2), 유배(2), 左軍都摠制平城君(3), 진하사(3), 開城留侯, 충청병마도절제사겸수군도절제사(7), 平城君(10), 工曹判書(15), 判右軍都摠府事(세종1), 平城府院君(3), 府院君졸
趙繼宗	(문종~세조대)	한양	父 兵馬節度使 秀文, 祖 正郎 光	무(족보)	회령判官(문종1), 만포절제사(세조8), 行五衛護軍(~9), 都體察使韓明澮從事官(9), 전라절제사(10)

趙貫	(세종~단종대)	한양	父 漢山君 仁沃, 祖 判書 暾		명사영접都監使(세종11), 함길도성지간심사(12), 종마관압사(13), 內贍判事(~13, 收職牒), 청주牧使(15), 전주府尹(27), 中樞副使(30), 사은사(문종즉위), 漢城府尹(1), 유배(단종2, 坐姪順生)
趙廣臨	1463~1494	한양	父 敎授 勛, 祖 僉知中樞 宗孝	문(23)	[연산대: 承政院注書]
趙嶔	(세조~성종대)	한양	형 岷		別坐(~세조3), 世祖原從3등공신(3), 파직(11), 命敍用(11), 사옹別坐(15), 청도郡守(성종3), 청송府使(읍지), 선공副正(~14), 陞禮賓正(14, 山陵功故)
趙德生	(세종대)	한양	父 知敦寧 賚, 祖 判書 仁沃		五衛副司正(~12, 파직)
趙賚	1374~1449	한양	父 吏曹判書 仁沃, 祖 龍城君 暾	무	전라수원府使(~태종18), 순성진첨절제사(18), 上護軍(18), 右軍同知摠制(세종4), 충청도절제사(5), 충도절제사兼同知敦寧(5), 同知敦寧(7), 사은사(7), 左軍同知摠制(7), 工曹參判(8), 경기관찰사(8), 都摠制府同知摠制(9), 左軍摠制(9), 戶曹參判(9), 진하府使(10), 左軍摠制(10), 兵曹參判(12), 평안관찰사(12), 파직(13), 僉知中樞(14), 中樞副使(14), 同知敦寧(14), 工曹左參判(14), 知敦寧(15), 강원관찰사(15), 判漢城府事(16), 知敦寧(16), 퇴거양주(17), 전知敦寧졸
趙理	(세종4)	한양	父 右議政 英茂, 祖 判書 世珍		護軍(~4, 收職牒)
趙慕	(태종~세종대)	한양	父 右議政 涓, 祖 府院君 仁璧	음?	宿衛司掌務護軍通禮知事(태종18), 五衛上護軍(세종3), 嘉善大夫海州牧使(3), 都摠制府同知摠制(7), 左軍摠制(9), 左軍同知摠制(10), 右軍同知摠制(11), 同知敦寧(11), 천추사(11), 유배(13)
趙文叔 (琡)	(성종대)	한양	父 府使 嶔, 祖 縣監 仲發	문(3)	藝文奉敎(6), 弘文副修撰(8), 吏曹正郎, 사헌執義(방목)
趙岷	(세조~예종대)	한양	父 縣監 仲發, 祖 僉知中樞 師曾	?, 문(세조3)	五衛副司果(~세조3), 行司諫院獻納(10), 禮曹正郎(14), 사헌執義(예종1)
趙範	(성종6)	한양	父 右議政 英茂, 祖 判書 世珍	음?	忠義衛, 奉祀趙英茂
趙師	?~1432	한양	父 漢城府尹 仁珪, 祖 判書 暾		司憲掌令(태종6), 僉知中樞졸(세종14)
趙敍	?~1429	한양	父 右政丞 英茂, 祖 判書 世珍	문(정종1)	봉상博士(정종1), 門下舍人(태종1), 世子左諭善(2), 吏曹·兵曹議郎, 右(4)·左司諫大夫(5), 禮曹右(5)·吏曹參議(6), 同副代言(6), 藝文提學(8), 中軍都摠制(14), 中軍同知摠制(11), 都摠制졸

조선초기 관인 이력

趙璿	1420~1437	한양	父 領中樞 末生, 祖 書雲正 誼, 처 太宗녀 貞顯翁主	기(세종3, 부마)	嘉善大夫漢原君(세종3), 사은사(10)
趙銛	(단종대)	한양	父 通禮院奉禮 觀生, 祖 漢城判 尹 賚		충훈도사(~2, 유배)
趙秀文	(문종~세조대)	한양	父 正郞 興, 祖 贊 成 溫	무(족보)	온성절제사(문종즉위), 僉知中樞(단종2), 折 衝將軍五司大護軍(세조1), 원종3등공신(1), 僉知中樞(3), 상주牧使(4), 회령府使(4), 嘉善 大夫尙州牧使(4), 中樞副使(5), 경상우도병마 도절제사(5~7, 유배)
趙肅生	(단종~세조대)	한양	형 旭生		의금知事(~단종2, 收告身, 유배), 還告身(3), 行五司副司直(세조1), 世祖原從2등공신(1), 영접도감사(3)
趙順生	?~1454	한양	父 知敦寧 賚, 祖 吏曹判書 仁沃	음	평안경차관(세종21), 通訓大夫司僕副正(27), 兵曹參議(29), 파직(30), 充官奴(단종1), 피화
趙信孫	(세조대)	한양	형 衷孫		主簿(1), 원종3등공신(1), 한성判官(12), 西征 都元帥尹弼商從事官(13), 折衝將軍五衛護軍 (14), 副護軍(14)
趙哀孫	(세종대)	한양	父 育, 祖 溫	?, 문(24)	五衛司正(~24), 문과, 翰林(방목) 司諫院正言 (방목)
趙涓(卿)	1374~1429	한양	父 府院君 仁璧, 祖 龍城君 暾	문(우왕12)	工曹摠郞(태조1), 千牛衛大將軍(1), 太祖原從 공신(1), 折衝將軍上將軍(정종1), 右承旨(1), 三軍府同知摠制(2), 佐命4등공신漢平君(태 종1), 右軍摠制(2), 右軍都摠制(4), 兼左軍摠制 (7), 부평안산등처조전절제사(8), 兼左軍都摠 制(8), 동북도절제사兼吉州牧使(9), 한평군(1), 忠佐侍衛司절제사(11), 한평군(11), 中軍都摠 制(12), 工曹判書(13), 知議政府事(13), 한평군 兼司僕判事(13), 한평군(14), 崇政大夫判左軍 都摠制府事(16), 漢平府院君(17), 左禁衛절제 사(세종즉), 議政府贊成事兼知戶曹事(2), 漢 平府院君(3), 議政府右議政(8), 한평府院君 (8), 부원군졸
趙憐	(세종~세조대)	한양	父 右議政 涓, 祖 府院君 仁璧		인수判官(세종10), 兵曹參議(31), 僉知敦寧(31), 同知敦寧(단종1), 천추사(1), 中樞副使(2), 嘉善 大夫五司上護軍(세조1), 世祖原從2등공신(1)
趙英武	?~1414	한양	父 禮儀判書 世 珍, 祖 門下參贊 珣厚	기(태조잠저 휘하)	전중判事(태조1), 開國3등공신(1), 商議中樞 院事兼江界等處都馬使(3), 충청도절제사 (6), 判中樞義興三軍府동지절제사(7), 參知門 下(7), 定社1등공신(7), 參贊門下府事(정종1), 都督中外諸軍事都鎭撫(2), 우군절제사(2), 參 判三軍府事(2), 서북도순문사겸평양윤(2), 유

					배(2), 門下侍郎贊成事(2), 佐命1등공신(태종1), 議政府贊成事(1), 判承樞府事(1), 兼贊成事(1), 兼中軍都摠制(2), 判承樞府事兼兵曹典書(3), 議政府右政丞(5), 右政丞兼判兵曹事(6), 파직(7), 漢山府院君(8), 領三軍事(8), 우정승 겸영삼군사(9), 장모상(11), 漢山府院君(13), 府院君졸
趙永錫	(성종대)	한양	父 兵馬節度使 繼宗, 祖 兵馬節度使 秀文		五衛部將(~14, 陞職, 山陵功故)
趙永孫	(성종25)	한양	父 珣, 祖 郡守 商		除授(李克墩종매부)
趙溫	1347~1417	한양	제 涓	기(태조잠저휘하)	開國2등공신(태조1), 서북도순문사(2), 定社2등공신(7), 中樞使兼義興三軍府左軍동지절제사(7), 知門下(정종1), 參贊門下府事(2), 파직, 유배(2), 三司左使(2), 佐命4등공신(태종1), 參贊議政(1), 성절사(1), 동북찰리사(2), 兵曹判書(6), 議政府贊成事(6), 漢川君(8), 齋監判事(8), 功臣都鑑掌務(9), 侍衛軍좌2번절제사(12), 漢川府院君졸
趙琓(琬)	?~1441	한양	父 府院君 溫, 祖 府院君 仁璧		판홍주牧使(세종2), 右軍摠制(4), 경주府尹(12), 摠制(13), 同知中樞졸
趙旭生	(세종대)	한양	父 漢城判尹 賚, 祖 判書 仁沃		通禮院奉禮(13), 水站判官(20), 司直(26)
趙云明	(세조~성종대)	한양	父 憐, 祖 右議政 涓		忠扈衛別坐(세조9), 빙고別坐(~성종4), 수원判官(4)
趙云從	(세조3)	한양	형 云明		別坐, 원종3등공신
趙元常	(세조~성종대)	한양	父 司藝 夷孫, 祖 庫使 育	문(세조11)	承政院注書(방목)
趙育	(태종7)	한양	父 府院君 溫, 祖 府院君 仁璧		사온丞
趙允瑄	(성종대)	한양	父 僉正 增, 祖 知中樞 琓		工曹正郎(성종6), 옥천(8, 읍지), 면천郡事(18), 府使
趙仁瓊	?~1422	한양	형 仁璧		檢校贊成졸
趙仁璧	(태조2)	한양	父 判書 暾, 祖 元摠管 良琪		三司左使, 開國3등공신
趙仁沃	?~1396	한양	제 仁璧		上護軍. 典法判書, 右副代言(고려), 開國1등공신中樞副使龍城君(태조1), 정조副使(1), 漢山君졸
趙琮	(세조~성종대)	한양	父 縣監 云從, 祖 憐		都摠使龜城君李浚軍官(세조13), 신창縣監(성종3), 온성府使(3, 充軍, 방목)
趙之商	(세조대)	한양	父 左軍摠制 慈, 祖 右議政 涓		郡事(1), 원종3등공신(1), 용천郡守(~8, 유배)

조선초기 관인 이력

趙之周	1428~1492	한양	父 判中樞 惠, 祖 府院君 涓	음(문종1)	인수副丞(문종1), 直長(세조1), 世祖原從2등공신(1), 司憲監察(2), 연안府使(12), 通政大夫豊川府使(성종2), 僉知中樞兼五衛將, 양주牧使(6), 刑曹參議(9), 여주牧使(~12), 파직(12), 강화(17), 안동府使(22), 府使졸
趙秩	(태종~세종대)	한양	父 右議政 英茂, 祖 判書 世珍		右軍摠制(태종8), 경기좌도도절제사(9), 동북도순문사(10), 左軍摠制(11), 龍武侍衛司절제사(11), 中軍同知摠制(12), 別侍衛左1번절제사(12), 右軍摠制(13), 천추사(13), 左軍都摠制(16, 18), 義勇衛절제사(18), 三軍都鎭撫(18), 都摠制(세종9), 유배(10)
趙衷孫	(세종~성종대)	한양	父 庫使 育, 祖 府院君 溫	?, 문(세종24)	전司正(~세종24), 문과, 평안都事(~단종10), 兵曹正郎(1), 充官奴(1) 보성郡守(성종8), 成均司藝(방목)
趙惠	?~1464	한양	형 慕		僉知中樞(세종17), 전라병마도절제사(21), 戶曹參判(23), 하정사(24), 漢城府尹(27), 황해관찰사(27), 中樞副使(28), 경기관찰사(30), 刑曹判書(31), 中樞使(문종1), 判漢城府事(~단종1), 戶曹判書(1), 判中樞(2), 世祖原從2등공신(세조1), 知中樞(~4), 判中樞奉朝請(4), 僉知中樞(5), 判中樞졸
趙侯	1377~1444	한양	父 府院君 仁璧, 祖 判書 暾, 외조 桓祖	음	賑興宮錄事, 左軍同知摠制(세종4), 同知敦寧(11), 行僉知中樞(20), 知敦寧(24), 知敦寧졸
趙興	(태종~세종대)	한양	형 琓		世子左侍直(태종4), 少尹(9), 僉知通禮(14), 부평府使(세종8)
趙講	(태종~세종대)	咸安	父 弇, 祖 貴壽	문(태종11)	내자主簿(세종4), 司憲監察(7), 司諫院左正言(12), 한성判官(16), 吏曹佐郎(17), 경상軍官(세종19, 읍지), 예빈(19), 전농少尹, 관찰사(방목)
趙寧	(태종~세종대)	함안	父 判書 悅, 祖 判書 天啓	문(태종14)	司憲監察, 通禮院奉禮(~세종8, 파직)
趙銅虎	(성종대)	함안	父 旅, 祖 正安		의성縣令(읍지)
趙寶仁	(세종~문종대)	함안	父 少尹 忠, 祖 判書 天啓	문(세종11)	영산縣監(~문종1, 파직)
趙舜	1467~1529	함안	父 銅虎, 祖 旅	문(성종23)	[연산이후: 吏曹參判]
趙舜		함안			開城留守(읍지)
趙承肅		함안	父 璥	문(우왕3)	
趙安	(세조대)	함안	형 寧		兼군기正(1), 원종3등공신(1), 내자尹(~3, 收告身)
趙昱	(단종~성종대)	함안	父 縣監 寧, 祖 典書 悅	문(단종1)	교서正字(단종3), 안동敎授, 兵曹參判(방목)

趙從禮	(태종~세종대)	함안	父 牧使 承肅, 祖 璲	문(태종5)	直提學(방목)
趙玒	(성종대)	함안	父 得璧, 祖 瑜	문(16)	[연산이후: 副正]
趙孝仝	(세종~성종대)	함안	父 署丞 瑾, 祖 縣監 從藏	문(세종29)	司諫院正言, 成均司藝, 司諫(성종21), 司贍正(21)
趙玉崑	(성종대)	咸悅 (*)	父 智	문(25)	[연산이후: 戶曹參判](* 족보 扶安)
趙峿	(세종~세조대)	橫城	父 郡事 溫寶, 祖 陵直 貞壽	문(세종5)	禮曹正郞(세종27), 합천郡守(읍지), 사헌執義(단종1), 집현副提學(2), 中樞副使(세조1), 修文殿提學
趙溫寶	(태종4)	횡성	父 判書 貞壽, 祖 尹 瑄		정선郡事(읍지)
趙章(璋)	(세조~성종대)	횡성	형 珸	문(세조8)	郡守(방목)
趙孝禮	(세조~성종대)	횡성	父 司直 荊, 祖 漢城左尹 弘道	무(족보)	縣令(세조1), 世祖原從3등공신(1), 行五衛司勇(~3, 收告身), 還告身(6), 유배(8, 방), 삼척포절제사, 웅천縣監, 만포절제사(성종5), 태안郡守(9)
趙玕	(세종2)				여산縣監
趙珹	(단종~세조대)				兵曹書員, 前五司司正(단종1), 副司直(세조1), 세조원(1)
趙蓋地	(성종22)				은율縣監(읍지)
趙潔	(성종대)			무(11)	강무部將從事官(~20, 敍用)
趙結	(성종23)				길주縣監(읍지)
趙謙	(태조~세종대)			문(5)	刑曹都官正郞(태조2), 예빈尹(~태종11, 파직), 金化縣監(세종23)
趙慶圭	(세조1)				五司護軍, 원종3등공신
趙慶珪	(세조3)				삼군鎭撫
趙敬禮	(단종~세조대)				內禁衛(단종3), 日本通信使수종관(3), 五司護軍(세조1), 世祖原從3등공신(1), 갑산절제사(7)
趙敬夫	(정종~태종대)				안동判官(정종2, 읍), 간성郡事(~11, 피죄)
趙敬義	?~1472				甲士복주
趙季發	(성종대)		장인 領中樞 朴安性		五衛司勇(朴元亨행장)
趙繼孫	(세조~성종대)				行五司司正(세조1), 원종2등공신(1), 점마別監(성종6)
趙繼孫	(세조대)				원종3등공신(1), 북청甲士(5)
趙繼孫	(성종16)				金溝縣令
趙昆	(태종~세종대)				副司直(태종6), 개천郡事(세종8), 護軍(13), 평안황해경차관(13)

조선초기 관인 이력

趙公恭	(세종32)				낭천縣監, 의영고主簿(읍지)
趙公永	(세종8)				검모포千戶
趙珀	(태종6)				삼군錄事
趙光彦					경성府使(연산2) (읍지)
趙光遠					開城留守(읍지)
趙貴孫	(성종대)				군적郞廳(~8), 命敍用(8, 군적낭청공故)
趙珪	(태조1)			기(軍士)	태조잠저휘하(태조총서)
趙珪	(세종14)				甲士
趙珪	(세조1)				府使, 원종2등공신
趙珪生	(단종즉)				사은사書狀官
趙欽	(세조~성종대)				別坐(세조3), 世祖原從3등공신(1), 사용別坐 (~11, 파직), 청도郡守(성종3), 선공副正(~14, 陞職, 산릉공), 예빈正(14),
趙金虎	(성종5)				산릉도감領役部將
趙綺	(세종4)				焚공신녹권
趙企	(성종2)				거창縣令(읍지)
趙杞生	(태종12)				전戶曹正郞
趙吉通	(세종대)		형 汝平		護軍(~14, 收職牒)
趙瑭	(세조12)				전생서主簿(影職)
趙大德	(세조1)				五司副司正, 원종2등공신
趙德生	(세조3)				五衛司勇, 원종3등공신
趙暾					해주牧使(읍지)
趙得霖	(세조~예종대)		父 萬	기(세조잠저 시종, 노비출 신)	佐翼3등공신(세조1), 五司上護軍(2), 大護軍(2), 五衛上護軍(3), 司僕內乘(6), 僉知中樞(6), 折衝將軍上護軍(7), 宣傳官(9), 巴山君(10), 嘉善大夫上護軍(11), 大護軍(12), 司僕內乘(12), 군(12), 翊戴3등공신巴山君(예종즉)
趙憐	(세종~단종대)				옥천郡事(세종17, 읍지), 中樞副使(단종2), 同知敦寧(2)
趙璉	(세종6)				戶曹佐郞
趙禮	(세종18)				정선郡事(읍지)
趙弄介	(세조대)			기(6, 군공, 여진귀화인)	五衛副司正(6, 從北征功)
趙瑠	(문종~세조대)				음죽縣監(문종즉위), 五司護軍(세조1), 世祖原從3등공신(1)
趙瑠	(세조1)				行五司副司正, 원종3등공신
趙崙	(성종5)				용강縣令(읍지)
趙崙	?~1485			기(王子師 傅)	成宗잠저사부(졸기), 한성判官졸

趙僆	(세종~세조대)				인수判官(세종10), 兵曹參議(31), 同知敦寧(단종1), 천추사(1), 同知敦寧(2), 行五司上護軍(세조1), 世祖原從2등공신(1)
趙琳	?~1408				密直使(고려), 太祖原從공신(태조1), 계품사(1), 知門下(3), 성절사(3), 參贊門下府事(~4, 파직), 전知門下졸
趙磨	(세종8)				군산副萬戶
趙萬	(세조대)	자 巴山君 得霖	기(子 故 免賤除授)		行五衛司直(6), 원종3등공신(6)
趙萬田	(태종18, 세종29)				은율縣監, 영유縣令(읍지)
趙枚	(단종~세조대)				침장고別坐(단종2), 直長(세조1), 世祖原從3등공신(1), 온양郡事(4)
趙勉	(성종15)				都監郎廳, 陞職
趙明	(세조14)				新城浦千戶
趙務	(세종대)				前散員(~8), 陞宣略將軍(8), 收職牒(8)
趙文璉					의성縣令(읍지)
趙未致	(성종즉)		역관		함길북도鄕通事
趙泯	(성종15)		악학		장악正
趙邦霖	(세조~성종대)	제 傅霖			行五司司直(세조1), 世祖原從3등공신(1), 內禁衛(2), 五衛部將(3), 行五衛大護軍(3), 종성절제사(6), 북청府使(6), 中樞使(10), 사은사(10), 行護軍(10), 충청수군처치사(11), 參判졸
趙邦信	(세종22)				장흥府使
趙方玄	(태조4)				遣경상도賜宮醞使
趙白珪	(태종~세종대)		문(태종17)		司諫院左獻納(세종29), 大司諫(방목)
趙蕃	?~1456				昭陵直(문종2), 피화(세조2, 좌死六臣)
趙範	(세종1)				예안縣監(읍지)
趙忭	(태종~세조대)		문(태종17)		司憲監察(~세종16, 파직), 成均直講(세조6), 世祖原從3등공신(6), 縣令
趙變興	(세조2)				예안縣監(읍지)
趙保	(태종12)				署令
趙普	(세조대)	父 疑	?, 문(8)		訓導(~8), 문과, 敎授(방목)
趙復明	(세종15)				자산郡事
趙復命	(성종대)				교동(13), 사천(24), 부여縣監(25)
趙復初	(태종12)	형 明初			副司直
趙逢辰	(세종대)		문(14)		敎導(방목)
趙傅(溥)	(세종대)				삭령郡事(16), 工曹參議(29), 同知敦寧(30)
趙敷	(세종~세조대)		문(세종17)		正郎(세조1), 世祖原從3등공신(1), 예천郡事(~5), 파직(5)

趙敷正	(세조1)				正郎, 원종3등공신
趙佛丁	(태종~세종대)			환관	내시飯監(태종14), 收職牒(세종4)
趙(曺?)士德	태종대		처남 李子瑛(明使行中졸)	역관	계품사통사(5), 前軍資監(~6, 유배), 軍資監(8), 압송漫散軍官(8), 사역判事(9), 押馬使(9), 전判事(12)
趙祀生	(태종12)				前戶曹正郎
趙士秀	(태조~태종대)				禮曹佐郎(~태조5), 파직(5), 司諫院右獻納(태종4)
趙士元	(성종5)				진보縣監(읍지)
趙思義	?~1404				刑曹參議(~태조2, 유배), 前회령첨절제사(7), 起亂복주(태종4)
趙思準	(세종12)				副司正
趙士淸	?~1409				右軍甲士入直中졸
趙山	(세종22)				이산甲士
趙三八	(세조2)			여진귀화인	포주등처副萬戶
趙敍敎	?~1430				左軍摠制졸
趙瑞鍾	(성종대)				內贍副正(~24, 파직), 隨闕敍用(25)
趙石岡	?~1454			무(세종14)	大護軍(세종15), 折衝將軍上護軍(15), 함길都鎭撫(18), 僉知中樞(23, 26), 兵曹參議(26), 中樞副使(27), 경원절제사(27), 정조사(문종즉위), 경상좌도병마도절제사(1), 中樞副使(단종1), 파직후充官奴(2), 피화
趙旋	(세종대)				別侍衛(~14), 敍用(14, 居양천, 孝行故)
趙選	(세조~예종대)				中直大夫戶曹正郎(예종1)
趙成	(성종2)		父 得林		宣傳官
趙成吉	(세종25)				司直, 加3資(野人追殺故)
趙成萬	(세조1)				五司司勇, 원종3등공신
趙成璧	(성종대)				歸厚署別提(~5, 收告身), 別坐(16)
趙成福	(세조2)		형 成俊		前副司直(함양)
趙成山	(세조1)				行五司大護軍, 원종3등공신
趙誠山	(세종~성종대)				副司直(~세종21), 피죄(21), 行司僕判事(세조8), 전라수군처치사(12), 함흥府尹(14), 行五衛護軍(성종5), 전부윤(9)
趙成俊	(세종2)				전副司直
趙世安	(세종28)				진주牧使(읍지), 右司諫大夫
趙世勛	(성종21)				울진縣令(읍지)
趙秀康	(세조13)				都摠使龜城君李浚軍官
趙秀茂	(단종~예종대)		형 璜, 공신후손(가계불명)		의금鎭撫(단종2), 대흥縣監(세조1), 世祖原從3등공신(1), 함길북도評事(예종즉위), 춘천府使(즉)

趙秀武	(성종16)			고성郡守(읍지)
趙壽山	(성종9)			通政大夫五衛副司猛
趙純	(국초)			장기監務(읍지)
趙珣	(세종대)	제 英, 珩		전직산縣事(~9, 피죄)
趙淳	?~1478			신계甲士복주
趙順敬	(세조1)			錄事, 원종2등공신
趙順道	(성종대)			서산(~20, 파직), 진도郡守(~25, 파직)
趙崇孫	(성종대)		역관	천추사통사(~8, 充官奴), 통사(19)
趙崇憲	(세조1)			五司司直, 원종2등공신
趙崇憲	(세조1)			五司司直, 원종3등공신
趙昇	(세종6)	父 瑨		전佐郞
趙承本	(문종~세조대)	父 宜瑾	문(문종즉)	縣監(방목)
趙承廷	(성종대)	장인 領議政 朴元亨		장흥고奉事(박원형행장)
趙慎				회양府使(읍지)
趙臣祐	(국초)			少監(金遡묘표)
趙深	(세종대)			知茂山縣事(8), 군기副正(12), 五衛護軍(13)
趙審	(세종3)			병조錄事
趙安平	(태종대)			刑曹佐郞(~4, 유배)
趙安孝	(세종15)		환관	환관
趙安孝	(세종~세조대)			김포縣令(세종21), 전라都事(31), 司憲持平(문종즉위), 縣令(세조1), 世祖原從3등공신(1), 사헌執義(3), 안동府使(~4, 收告身), 兼執義(9), 執義(13)
趙愛	(태종9)			副令
趙襄	(태종~세종대)		문(태종14)	縣監(방목)
趙良	(세종대)			철원府使(15), 장기縣監(16), 영광郡事(21)
趙彦	(태조1)			鎭撫(고려 공양왕2)
趙餘慶	(세종8)			전라水軍處置使鎭撫
趙汝鳩	(단종대)		기(2, 효행)	수재敍用(2, 부여)
趙如圭	?~1467			함흥別侍衛전사, 直子超資錄用
趙如晦	(세조5)			울진縣令(읍지)
趙衍宗	(세조1)			五司副司正, 원종3등공신
趙英	(태종12)			卒別將
趙穎	(성종24)			親祀奉俎官, 加資
趙嶸	(성종13)			敍用
趙永達	(세조대)		무(8)	行五衛護軍(9)
趙穎達	?~1468			內禁衛(세조3), 坐南怡피죄

趙永貞	(성종6, 10)			제주判官, 옥천郡守(읍지)
趙穎哲	(성종대)		무	전훈련主簿(21), 경상우도수군虞侯(23)
趙永暉	(성종23)			工曹正郎
趙永輝	(성종대)			主簿(1), 장원서掌苑(~14, 陞職, 산릉공), 判官(~18, 陞職)
趙禮	(세조1)			修義副尉, 원종3등공신
趙禮山	(세조1)			行五衛司勇, 원종2등공신
趙禮從	(세조13)			都摠使龜城君李浚軍官
趙沃	(예종대)			영건萬戶(~1, 피죄)
趙完璧	(세종~세조대)			副司直(세종11), 경상채방別監(21), 大護軍(27), 僉知中樞(31), 길주牧使(문종즉위), 中樞副使(세조1), 嘉善大夫義州牧使(2), 僉知中樞(2), 中樞副使(2)
趙玗	(세종3)			여산縣監
趙旭生	(세조1)			五司副司正, 원종3등공신
趙頊守	(세종28)			司憲持平
趙云恭	(세조3)			判官, 원종3등공신
趙云哲	(세조12)			군기直長
趙源	(정종~태종대)			제주안무사(정종2, 읍지), 의주萬戶(3), 제주도안무사, 戶曹參議(9), 제주경차관(9), 吏曹參議(10), 전라도관찰사(13), 파직(14), 전라수군절제사(15), 杖流(16), 졸도안무사(세종9)
趙元立	(태조7)			풍기郡事(읍지)
趙元璧	(예종1)		환관	司罇別監
趙元壽	(세조6)			五衛護軍, 원종3등공신
趙元祐	(세조1)			直長, 원종3등공신, 평해郡事(7, 읍지)
趙元璋	(성종대)			동관僉節制使(21), 北征龍驤大將(22)
趙元禧	(세종~세조대)			한성參軍(세종19), 司憲持平(27), 司直(~문종1), 평안都事(1), 署令(세조1), 世祖原從3등공신(1)
趙裕	(태조1)			선공判官(공양왕2)
趙由元	(세조1)			五司司勇, 원종3등공신
趙由亨	(세조~성종대)			五司司勇(세조1), 世祖原從3등공신(1), 通政大夫昌城府使(성종2, 3, 파직), 경흥府使(14)
趙陸安	(성종대)	장인 判書 金禮蒙		五衛司直(김예몽묘표)
趙倫	(세종즉)			前庫使, 피죄
趙倫	(태종12)			檢校漢城府尹
趙允明	(세종10)			判事

趙允文	(세조13)			都摠使龜城君李浚軍官
趙允璧	(예종1)			掌隷院司評
趙潤屋	(성종24)			打量敬差官
趙乙生	(세종대)		기(10, 尹鳳請)	副司正(10, 明 太監 尹鳳故)
趙義	(세종15)			전司直
趙義昫(昫)	(태종~세종대)			前서운副正(태종17), 3道都統使柳廷顯從事官(세종1), 서운副正(3)
趙宜璞			문(우왕11)	
趙義方	(태종~세종대)			泗川兵馬使判泗川縣事(태종15), 나주牧使(세종17), 원평府使(19)
趙義質	(세조대)	父 元龜	문(5)	의영고直長(방목)
趙履康	(세종10)			여흥敎導
趙以道	(태조대)			염장관(~7, 杖流)
趙異生	(세조대)		환관	내시부司謁(1), 원종2등공신(1), 내수別坐(~10, 收告身)
趙二存	(성종19)		환관	內官, 轎子侍衛
趙益精	(세종2)			近侍
趙益禧	(성종16)	父 將仕郎 原之, 祖 開平		守令
趙仁	(세종대)		환관	내시飯監(~5, 피죄)
趙寅	(세종~문종대)			경성判官(세종26), 남포縣監겸첨절제사(문종즉위)
趙寅	(세조1)			五司司直, 원종3등공신
趙璘	(세종23)			강진縣事
趙繭	(세종대)			외관(~4, 收職牒, 充水軍)
趙日新	(세종대)			명사從事官(~12, 收職牒)
趙孜	(세종대)		문(2)	司諫院獻納(~20), 파직(20), 장령(25)
趙崝	(세조~예종대)			문의縣令(~세조12, 收告身), 의금都事(예종1)
趙玕	(세조1)			縣監, 원종3등공신
趙傅	(세종28)			僉知中樞
趙篆	(세종대)		문(8)	사재直長(8), 맹산縣監(9)
趙戩	(세종16)	장인 參贊 卜季良		前선산府使, 피죄
趙正	(태종5)			文書應奉司郎廳
趙定	?~1426		여진귀화인	大護軍(~태종8, 파직), 上護軍(18), 僉摠制(세종1), 右軍同知摠制(3), 충청병마절도사(6), 左軍摠制졸
趙廷老	(세조1)			縣監, 원종3등공신

趙庭老	(성종1)				능성縣監
趙定石	?~1426			여진귀화인	大護軍(~태종8), 파직(8), 大護軍(10), 右軍同知摠制(세종3), 左軍摠制줄
趙從韶	(세종21)				예천郡守(읍지)
趙宗智	(세조~성종대)				武臣(세조3), 벽동郡守(~8, 파직), 평안都體察使韓明澮軍官(8), 僉知中樞(10), 전라수군절도사(~성종1, 收職牒), 성천府使(3), 衛將(9), 嘉善大夫五衛護軍(11)
趙注	(세종대)			문(11)	의영고副使(11), 開城斷事官(15), 司諫院右獻納(16), 左獻納(16), 司憲持平(17), 3軍都鎭撫河敬復從事官(18)
趙珠	(세종대)			환관	中宮殿환관(17)
趙峻	(세종대)				郡守(陞 司諫, 治郡有功, 성종20, 8월 武臣)
趙嶙	(세조대)				원각사조성도감낭관(10), 군기僉正(14)
趙仲發	(세조1)				宣務郎, 원종3등공신
趙璔	(세종31)				예안縣監(읍지)
趙智					장기縣監(읍지)
趙智崑	(성종9)				五衛司直
趙之唐	(세조~성종대)				五司上護軍(세조1), 世祖原從2등공신(1), 僉知中樞(5), 나주(7), 通政大夫忠州牧使(12)
趙之密	(성종13)				五衛司勇
趙智山	(예종~성종대)		서 同知中樞 韓懽		折衝將軍五衛副司直(예종1), 行司直(성종21)
趙智孫	(세조1)				五司司正, 원종3등공신
趙智威	(세조3)				前副司正, 收告身
趙之殷	(세조대)			기(12, 특지)	제수(12)
趙之夏	(세조대)				연안府使(1), 원종3등공신(1), 전농尹(7), 廣州牧使(9)
趙晉	(세종13)				선산府使
趙進修	(세종5)				창성郡事
趙徵	(세조1)				權知參軍, 원종3등공신
趙巑	(성종20)		父 得林		金虎門守門將
趙昌勳					양구縣監(읍지)
趙千	(태종12)				前判事(강릉), 收告身
趙摠	(세종1)				강원도守令
趙漼	(태종14)				종부直長
趙冲	(태조5)				안동判官(읍지)
趙忠佐	(세종대)			역관	사역僉知(즉), 判事(14)
趙治	(세조대)				한성判官, 知司諫(5)

趙峙	(성종대)				翊衛司右衛率(14), 察訪, 보은縣監, 군자主簿(성종19, 7월 을류)
趙薔	(태종~세종대)				大護軍(태종13), 上護軍(18), 僉摠制(세종3), 嘉善大夫전라수군도안무처치사(3), 左軍(4), 右軍同知摠制(10)
趙琛	(성종대)			화원	도화서別提(~1), 司憲監察(1)
趙㑒	(세조13)				선천郡守
趙擢	(세조1)				知印, 원종3등공신
趙泰	(성종5)				경흥敎授
趙澤	(성종25)				전라좌도수군虞侯
趙漢生	?~1406				전副正복주
趙珩	(세종~세조대)				풍기縣監(세종24, 읍), 世祖原從3등공신(세조1)
趙亨孫	(세조~성종대)				都摠使李龜城君浚軍官(세조13), 삭령判官(~성종9, 收告身)
趙惠慶	(단종1)				判漢城府事
趙瑚	?~1410				전密直(태조6), 檢校議政府參贊(~태종5, 유배), 유배후복주(坐閔無咎)
趙好璇	(태종13)			曆官	서운관官
趙洪	(태조대)				將軍(~7, 유배)
趙洪	(세종18)				別侍衛
趙璜	(세종32)				忠義衛
趙滉	(세종24)	제 秀武			僉知中樞
趙孝山	(단종~세조대)	처 정종녀 祥原郡主			五司司止(단종3), 行司直(선원세보기략)
趙孝生	(세조1)				署令, 원종3등공신
趙孝生	(세조3)				主簿, 원종3등공신
趙孝安	(성종14)			환관	內官
趙孝全	(성종6)				함안郡守(읍지)
趙後生	(단종1)			역관	司譯院7품관(여진통사)
趙候行	(세종20)				僉知中樞
趙勛	(성종대)	자 廣臨			나주判官(2), 金山郡守, 都摠府經歷(~8), 평양判官(8), 길주縣監(10, 읍지)
趙翕	(세종1)				사역主簿
趙興周	(세종~세조대)			의원	醫官(세종22), 內醫(문종1), 五司護軍(세조1), 世祖原從3등공신(1)
趙希古	(태조~태종대)				廣州道兵馬使(태조4), 前宰相(태종9, 풍해), 參贊門下(11)
趙希琳	(태종4)				監碑亭役

조선초기 관인 이력

趙希閔	?~1410					佐命1등공신平川君(태종1), 左軍摠制(4), 하례副使(4), 平川君兼漢城府尹(5), 平康君(~ 10, 유배중복주)
趙希先	(문종즉위)					덕원府使
趙希鼎	?~1427					제주牧使(~8, 被鞫, 濫刑殺私奴고), 장류중복주(9)
照隣可	(세조~성종대)			여진귀화인		火刺溫上護軍(7), 都萬戶(13), 올적합中樞(성종4, 25)
照乙怪	(태조4)			여진귀화인		오랑합千戶
照乙道	(단종3)			여진귀화인		司正(거훈융강외)
照音將介	(세종13)			여진귀화인		올적합千戶
照照哈	(세종6)			여진귀화인		올적합千戶
鳥伊	(태종17)			환관		世子殿別監
早田	(태종~세종대)			대마귀화인		대마도豆地浦萬戶(태종15, 세종20)
早田藤九郎	(세종26)			왜귀화인(본국출신)		授職(祖上故)
宗家吉	(성종대)			왜귀화인		왜司猛
宗盛吉	(세조9)		숙부 대마태수 宗貞國	왜귀화인		왜上護軍
佐衛門大郎	(세종1)			왜귀화인		대마도중도萬戶
朱尙禮	(단종~세조대)	新安				行五司副司正(~단종1), 仕司僕寺(1) 군기副正(세조1, 世祖原從2등공신, 2, 收告身), 제주判官(6, 읍)
朱邵	(태종~세조대)	熊川		문(태종17)		거창縣監(세종13), 청도郡守(13, 봉양노모故), 應敎(세조1), 世祖原從1등공신(1)
朱繼康	(세조6)					在官, 전사
朱繼程	(성종3, 7)			천거		隨才敍用東班(경주생원, 경상관찰사천거故)
朱古	(단종3)		父 李阿時應可	여진귀화인		졸萬戶
朱郎介	(단종3)			여진귀화인		졸萬戶
朱孟嘗						봉화縣監(읍지)
朱伯孫	(세종~세조대)			문(세종26)		司諫院右正言(문종1), 경상都事(~세조3), 軍官(3), 世祖原從3등공신(3), 前成均司成(12), 前敎授(성종7, 隨闕敍用)
朱踊失馬	(태종4)			여진귀화인		哈蘭千戶
朱尙之	(세종대)		父 공신(성명불명)			利城縣監(~20, 充軍)
朱尙質	(세조1)					五司副司正, 원종3등공신
朱揚善	(세종5)			역관		평양통사
朱英孫	(세조11)			역관		여진통사

朱元愚	(단종대)			여진귀화인	五司護軍(~1), 加資敍用(1, 수축함흥관아공故), 고령萬戶(2)
朱有斐	(세종~세조대)				司直(함길도, 세종22), 경원判官(31), 行五司護軍(~단종1), 仕司僕寺(1) 世祖原從3등공신(세조1)
朱允端	(태종6)			환관	檢校判內侍府事
朱允文	(성종24)				守門將
朱義生	(세조1)				五司副司正, 원종3등공신
朱仁	?~1431			여진귀화인	檢校漢城府尹(태종13), 都摠制府同知摠制졸(함흥부)
朱因	(태종9)			여진귀화인	검漢城府尹
朱仁軌	(세종11)				맹산縣監
朱仁忽	(태종4)			여진귀화인	阿沙(여진지)千戶(세종20, 1, 15)
朱章哈	(성종1)			여진귀화인	中樞(종성)
朱槙	(세조1)				主簿, 원종3등공신
朱嗔紫	(세종~세조대)			여진귀화인	大護軍(세종9), 五司護軍(세조1), 世祖原從3등공신(1)
朱詞	(성종19)				錄事
朱好	(예종1)				甲士
朱湖	(세조6)				五衛司直, 원종3등공신
朱瑚	(세조1)				判官, 원종2등공신
朱胡貴洞	(태조1)			여진귀화인	(海通猛安地)千戶, 萬戶(태조4, 12, 계묘)
朱胡完者	(태조1)			여진귀화인	(闊失猛安)千戶, 萬戶(태조4, 12, 계묘)
朱胡引答忽	(태조1)			여진귀회인	(阿沙猛安)千戶, 萬戶(태조4, 12, 계묘)
朱希山	(단종~세조대)			환관	行내시부右承直(단종1), 내시(세조2)
周允昌	(성종대)	尙州	父 正 尙彬, 祖 瑜	문(11)	郡守(방목)
周仲文	(세조~성종대)	상주	父 夏	문(세조6)	成均學正(방목), 兵曹正郎
周元(原)義	(태조1)	草溪	父 將軍 稚, 祖 少尹 濡	기(軍士)	태조잠저휘하(태조총서)
周叔孫	(세종~문종대)	豊基		?, 문(세종26)	敎導(~세종26), 문과, 김포縣令(문종즉위)
周恭	(세종대)				刑曹佐郎(~3, 파직)
周孟仁	(태종~세종대)			무(태종대), 중(16)	副司直(~16), 중시, 護軍(16), 단천郡事(세종5)
周晃	(태종대)				成均博士(9), 禮曹佐郎(~15, 파직)
周命寧	?~1459				진주別侍衛, 絞(亂言故)
周命新	(태종대)			문(5)	
周鳳鳴	(세조3)				縣監, 원종3등공신
周備	(세조대)				五司副司直(1), 원종2등공신(1), 내수소別坐(~10, 收告身)

周尙文	(세조4)				전縣監
周尙忠	(세종12)				고원郡事
周召	(세종13)				삼화縣令
周邃	(태종~세종대)			문(14)	兵曹佐郎(방목)
周恂(詢)	(세종대)				副錄事(10, 13)
周新命	(세조3)				의영고副使, 원종3등공신
周彦	(태종대)				前奉御(~10), 蒙古語訓導官(10)
周郁	(세조대)				五司司直(1), 원종3등공신(1), 徵召(6, 將巡幸侍衛故, 고령)
周乙序	(태종대)			문(1)	
周義	?~1424				은율縣監졸
周進忠	(세조6)				五衛副司正, 원종3등공신
周迢(迫)	(세종대)			문(우왕11)	都事(방목), 삼화縣令
周致敬	(세조1)				五司司正, 원종3등공신
周致唐	(문종대)			기(書吏)	내수소書吏(세종대), 내수소別提(~즉), 은율縣監(즉), 사선署令(즉)
周致善	(단종1)				別監
周漢	(세종1)				삼등縣令(태종11, 읍), 강원도守令
周憲	(태종15)				禮曹佐郎
周晃	(태종대)			문(2)	
周興道	(세조1)				行五司司勇, 원종2등공신
主思義	(세종대)				전라수군鎭撫(~25, 杖流)
重斤	(세종5)			환관	火者
重多	(세종13)			여진귀화인	알타리千戶
重寶	(태종17)			환관	태자전환관
池繼江	?~1472	忠州	父 直長 開, 祖 牧使 有容		內禁衛(단종2), 五司副司直(세조1), 世祖原從3등공신, 모린위정벌중전사, 子孫中1인除授東班(성종3, 7, 기미)
池繼漢	(성종3)	충주	형 繼江		司憲監察
池達河	(세조~성종대)	충주	父 得禮, 祖 繼潤	문(세조11)	吏曹正郎(성종12), 承文參校(18), 承文判校(방목)
池勇奇	(태조대)	충주	父 贊成事 福龍		贊成事(공양왕1, 고려), 졸贊成事(2), 녹원종2등공신(2)
池有容	?~1437	충주	父 贊成事 勇奇, 祖 贊成事 福龍		사재監(태종7), 朝見世子시종(7), 康翎縣事兼첨절제사(8), 杖流(9), 上護軍(11), 右軍僉摠制(12), 경상처치사(14), 判鏡城郡事겸절제사(14), 江界府使겸절제사(16), 判義州牧使졸
池允溫	(성종대)	충주	父 副司直 繼江	음(3)	敍用(3, 父戰死故, 성종3, 7, 기미)
池允源	(성종대)	충주	父 執義 繼海, 祖 直長 開		內禁衛(6), 前雲山郡守(~21, 永不敍用)

池淨	?~1453	충주	외숙 右議政 鄭芬		함길軍官(세종20), 회령첨절제사(22), 회령判官(22), 삼군鎭撫(26), 司僕判事(문종즉위), 僉知中樞(1), 정평府使(1), 군기判事(1), 兵曹參議(단종즉), 충청병마도절제사(~1), 피화(좌 癸酉政變)
池浚	(성종21)	충주	父 縣監 繼漢, 祖 通禮 浩		덕산縣監
池浩	(세종~세조대)	충주	父 牧使 有容, 祖 贊成事 勇奇		정령縣令(세종8), 평안도體察使河敬復從事官(16), 평양判官(17), 副知통례문사(29), 少尹(세조1), 世祖原從3등공신(1)
池達漢	(세조대)				都摠使龜城君李浚軍官(13), 온성判官(14)
池大中	(세조1)				五司護軍, 원종3등공신
池德壽	(단종~세조대)			환관	行內侍府左丞直(단종1), 同判內侍府事(세조1), 世祖原從1등공신(1), 承傳宦官(2)
池得連	(세조13)				함길절도사許琮軍官
池得深	(세종26)				前甲山郡事(濫殺파직)
池文(望沙門)	(태조~세종대)			항왜	宣略將軍別將(태조7), 副司直(세종8)
池文	(세종8)			왜귀화인	副司直(귀화8년)
池白顔	?~1426				司僕副正(태종11), 大護軍(11), 掌內鷹坊(세종2), 左軍同知摠制(3), 左軍摠制졸
池伯淵	(세종1)				都摠制府僉摠制
池舍	(세종대)				大護軍(6), 함길경차관(6), 上護軍(15)
池生	(세조1)				五司司勇, 원종3등공신
池英雨	(세종대)				甲士(~6, 杖徒)
池有源	(세조1)				五司護軍, 원종2등공신
池乙成	(태종14)				前郡事
池自佃	(세조1)				행主簿, 원종3등공신
池自油	(세조1)				행主簿, 원종3등공신
池自澄	(성종24)			역관	정조사통사
池重根	(예종1)			환관	환관
池仲孫	(예종대)				閑散軍人(~1, 전甲士, 居연풍), 徵發(1)
池閑	(단종대)				영변도첨절제사(~즉, 파직)
池漢生	(세조9)				경성府使(읍지)
池含	(태종~세종대)				護軍(태종14), 大護軍(17), 上護軍(세종13)
池亨孫	(예종대)				閑散軍人(~1, 전甲士, 居연풍), 徵發(1)
池渾	(단종~세조대)				주자소別坐(단종2), 行五司副司正(세조1), 世祖原從3등공신(1)
之弄可	(세조3)			여진귀화인	仍邑포등지副萬戶

之阿大右	(성종15)			여진귀화인	알타리護軍
之下里	(단종3)			여진귀화인	司正(居江內件加退)
知伊多	(세조2)			여진귀화인	포주등처副萬戶
智孟孫	(세조2)				典獄丞
智仁根	(세종26)			역관	사은사통사
智仁勇	(세종16)			역관	사역主簿
陳忠貴	?~1412	三陟	父 密直 重裕		첨절제사(태조2), 商議中樞院事겸의주등처都兵馬使(3), 전知中樞(5), 전中樞使졸
陳巖壽	(성종대)	驪陽	父 副司正 暉, 祖 郡守 明智	무(13)	[연산대: 郡守]
陳允蕃	(성종대)	여양	父 知事 的, 祖 門下侍中 光進		부평教授(20), 王子師傅(22)
陳允平	(성종대)	여양	父 淑良, 祖 盛德	문(6)	간성郡守(23), 강원都事(방목)
陳遵	(태종~세종대)	여양	父 典農判事 龍甫	문(태종2)	世子侍學(태종4), 나주教授(세종1), 회양府使(~6), 파직(6), 司諫院右司諫大夫(16), 左司諫大夫(17), 僉知中樞(17), 工曹參議(18)
陳仲誠	(태종~세조대)	여양	父 開城尹 斯彦, 祖 判書 崧		司憲持平(태종16), 의금都事(세종즉), 司憲掌令(10), 監正(10), 양주府使(12), 判事(세조1), 世祖原從3등공신(1)
陳謙	(세종21)		父 副司直 自完	효행	授職(居곤양)
陳瓊	(태조대)				司憲雜端(~2, 유배)
陳繼孫	(성종대)		장인 參贊 金謙光		五衛司直(김겸광비명)
陳九經	(성종3)			曆官	관상正
陳九成	(세조~성종대)				李施愛토벌유공(세조13), 徵召(성종6), 侍射(6)
陳克忠	(성종1)				풍기郡守
陳紀	(태종대)				사선서權知直長(~17, 杖流)
陳德中	(세종대)				고부甲士(~4, 장류)
陳明禮	(태종6)		공신자(부 성명 불명)		行司直(閔無疾휘하)
陳普祥	(세종대)			기(15, 효행)	復戶敍用(15, 居경주, 孝行故)
陳思格	(태종~세종대)			문(태종17)	승문正字, 正, 禮曹參議(방목)
陳詳	(세조대)				진도郡事(~10, 收告身)
陳石崇	(성종6)				해운포萬戶, 被劾改(不學無智故)
陳成幹	(세종12)				護軍
陳守(壽)	(세조1)			환관	액정서司鑰, 원종2등공신
陳承恪	(성종7)				전縣監
陳若	(성종20)			의원	의원

陳良	(세조1)				令史, 원종3등공신
陳彦祥	(태조3)			쟈바사신	朝奉大夫書雲副正
陳汝達	(세조대)			문(11)	縣監(방목)
陳汝宜	(태조2)				청주牧使
陳延平	(세조14)				문경縣監
陳永惲					영해府使(읍지)
陳右信	(세조1)				主簿, 원종3등공신
陳原貴	(태종~세종대)				前護軍(태종18), 판정주牧使(세종3), 유배(5)
陳維	(성종7)				청도郡守(읍지)
陳有蕃	?~1456				태안郡事(~문종2, 파직), 유배, 收告身充軍후 피화(좌錦城大君瑜)
陳乙瑞	?~1412				前전주절제사(태조1), 太祖原從공신(1), 전라절제사(2), 서북도절제사평양윤(4), 商議中樞院事(6), 海道조전절제사(6), 檢校議政府贊成事졸
陳義貴	?~1424			문(공민왕23)	左司諫大夫(태종1), 유배(2), 刑曹典書(2), 吏曹參議(9), 공안府尹(9), 전府尹졸
陳理	?~1408	父 陳王 友諒		명귀화인	順德侯졸
陳李終	(세조13)			환관	書房色
陳子貴				문(우왕14)	
陳子蕃	(세종대)	父 迪		?, 문(9)	五衛副司正(~9), 문과, 옥과縣監(12)
陳自誠	(태종5)			문(창왕1)	刑曹正郎
陳白完	(세종21)				五衛副司直(진주)
陳自平	(세종23)				제주判官(읍지)
陳中奇	(태조1)			기(軍士)	태조잠저휘하(태조총서)
陳祉	(세조~성종대)			?, 문(세조12)	訓導(~세조12), 문과, 行司諫院正言(성종3)
陳趾	(문종~성종대)				敎導(문종1), 司憲監察(세조14), 成均典籍(성종2)
陳錘	(태종17)				大串副萬戶
陳治	(세조1)				別監, 원종3등공신
陳治	(성종대)				忠贊衛(~20, 收職牒), 還職牒(21)
陳致中	(세종~세조대)				知印(세종25), 世祖原從3등공신(세조1)
陳致和	(세조7)				이성縣監
陳鋪	(태종대)			환관	東宮書房色(13), 동궁근시(17)
陳苞山	(문종즉위)				청산縣監
陳華	(세종23)				개령縣監
陳誨	(세종대)			문(8)	縣監(방목)
陳孝友	(세조12)				都革島兼監牧

秦崇祖	(세조1)	豊基	父 副丞 有緯, 祖 掌令 浩		五司護軍, 원종3등공신
秦有慶 (經)	(세종~세조대)	풍기	父 掌令 浩, 祖 副令 少儒	문(세종26)	秘書監校書郞(문종즉위), 行參軍(즉), 제천縣 監(1), 司諫院左獻納(세조4), 인순부少尹(6), 禮曹參議(방목)
秦孟卿	(태종6)				三軍錄事
秦云壽	(태종~세종대)				사선主簿(태종15), 진천縣監(18), 공안부判官 (~세종1, 파직, 守令30년政績最下故)
秦元達	(세종대)				麒麟道驛丞(13~16, 命敍用, 孝行故)
秦浩全	(태종16)				司憲掌令
晉自恭	(세조1)				從仕郞, 원종3등공신
鎭老古	(태종5)				올량합千戶
鎭承憲	(성종7)				富原君
叱氏阿郞	(세종9)			여진귀화인	알타리千戶
澄乃	(세조대)			여진귀화인	올적합上護軍(~9), 본처都萬戶(9)
澄羅亐	(세종~단종대)			여진귀화인	올량합司直(세종24, 단종3)

차

성명	생애(仕官시기)	본관	가계	출신	관력
車云革	?~1467	延安	父 贊成 堅質, 祖 防禦使 崇老		兼司僕, 都摠使龜城君李浚軍官전사, 추증敵愾3등공신兵曹參判延川君
車有	(태종~세종대)	연안		문(태종5)	司諫院右獻納(세종9), 兵曹正郎(7), 開城留侯(방목)
車京	(성종대)				五衛司正(~21, 加資, 年老故)
車卯同	(성종23)				太平簫甲士
車南達	(세조1)				五司護軍, 원종3등공신
車得祥	(세종대)			환관	액정서司鑰(7), 액정서司謁(~12, 充官役)
車得驂	(세조~성종대)			의원	內醫(세조13), 3品堂上官(~성종9), 혜민副提調(9), 嘉善大夫五衛副護軍(19)
車馬硫	(세조1)				五司司正, 원종3등공신
車莫三	(세종15)				전中郎將
車孟康	(세조~성종대)			의원	醫官(세조8), 전의副正(성종2), 전의正(10), 陞堂上官(20)
車山瑚	(세조대)			환관	내시飯監(~10, 充官役)
車石堅	(세조1)				五司司直, 원종2등공신
車松	(세종대)			기(臨瓔大君 반당)	前副司正(~21, 充軍)
車承鶴	(태조6)				장연萬戶
車用利	?~1425				檢校副正(~세종7, 成均祭酒), 押進上馬中익사
車宥(裕)	(태종~세종대)			문(태종5)	首領官(세종12), 留侯(방목)
車宥	(성종대)				만포甲士(~22, 유배)
車允富	(태종18)			환관	액정서司謁
車胤生	(성종6)				徵召, 隨闕敍用, 還職牒(13)
車自貞	(세조1)				令史, 원종3등공신
車載道	(세조1)				五司司直, 원종3등공신
車俊	(태조대)				경상수군萬戶(3), 견내량萬戶(4)

車中男	(태종5)				영유縣令(읍지)
車中(仲)義	(세조대)				五司副司直(1), 원종3등공신(1), 別侍衛(6, 居전주)
車指南	(태종~세종대)			기 (순군令史)	太宗原從공신(1), 上護軍(6), 경차관(6), 別司禁上護軍(8), 義興府鎭撫(10), 三軍鎭撫(10), 僉摠制(11), 禮曹參議(15), 判原州牧使(~세종4), 파직(4), 右軍同知摠制(9)
車軫	(세종17)				신창縣監
車孝生	(세종대)	매 貢女		기(19, 매고)	中軍司正(19)
車孝輔(輔)	(단종~세조대)	貢女친족		기	忠順衛(단종즉위), 五衛司直(세조14)
箚里	(세조~성종대)			여진귀화인	올적합千戶(세조6), 上護軍(~9), 본처都萬戶(9), 同知中樞(11), 中樞副使(14, 성종10)
箚刺答	(세조1)			여진귀화인	朴加別羅等處副萬戶
昌同介	(단종3)			여진귀화인	千戶
昌兒	(세종27)			여진귀화인	알타리副司直
蔡倫	(세종대)	仁川	父 泳, 祖 典書貴河	?, 문(2)	풍저倉丞(~문종2), 문과, 현풍縣監(세조9), 東部敎授官(12), 司諫院左正言(13), 侍講院文學(방목)
蔡壽	1449~1515	인천	父 南陽府使 申保, 祖 弼善 倫	문(예종1), 중(성종7)	兼藝文館官(성종1), 奉正大夫藝文副修撰春秋館記事官(2), 司憲持平(5), 吏曹正郎(6~7), 일본통신사書狀官(6), 문과중시, 弘文應敎(~9), 同副·右副·左副·右·左·都承旨(9~12), 파직(12), 掌隸院判決事(13), 大司憲(13), 파직(13), 同知中樞(16), 충청관찰사(17), 파직(18), 漢城左尹(19), 성절사(19), 大司成(19), 經筵特進官(20), 同知中樞(22), 戶曹參判(25) [연산이후: 漢城左尹, 禮曹參判, 평안관찰사, 靖國3등공신仁川君, 인천군졸]
蔡申保	(세조~성종대)	인천	父 弼善 倫, 祖 泳		判官(세조1), 원종3등공신(1), 함창縣監(2, 읍지), 兼司憲監察(3), 경산縣令(11, 읍지), 평해郡守(성종2, 읍지), 남양府使(13)
蔡任紹	(세종대)	인천	父 弼善 倫, 祖 泳	?, 문(23)	陵直(~23), 문과, 봉상錄事(방목)
蔡載	(성종대)	인천	父 府使 申保, 祖 倫	?, 문(23)	參奉(~23), 문과, 成均學正(방목)
蔡澄	(성종1)	인천	父 水軍節度使 明陽, 祖 典書貴河		태천郡守
蔡克新	(태조대)	平康	父 寺事 淵, 祖 中郎將 承禧	문 (공민왕17)	典書(방목)
蔡潭	?~1467	평강	父 郡守 孝順, 祖 護軍 王承		제용副錄事(세조2), 해운判官, 봉명사행중졸

蔡碩卿	(성종대)	평강	父 治義, 祖 訓導 疇	문(1)	刑曹正郎(14), 고부郡守(21), 府使(방목)
蔡知止	(태종~세조대)	평강		문(태종5)	司憲監察(~태종13), 파직(13), 兵曹佐郎(~세종즉), 유배(즉), 司諫院右獻納(21), 守少尹(세조1), 世祖原從3등공신(1)
蔡孝順	(세조1)	평강	父 護軍 王承, 祖 少監 陽生		承訓郎, 원종3등공신
蔡貴	(태종7)			환관	종8, 世子入朝奚官令
蔡年	(성종17)				恭陵參奉
蔡石堅					현풍縣監(읍지)
蔡申命	(세조대)				고창縣監(~세조12, 收告身)
蔡汝中	(세조1)				承訓郎, 원종3등공신
蔡原吉					영해府使(읍지)
蔡允文	(성종대)				內禁衛(20), 揀選將材(21)
蔡允敏	(성종대)				內禁衛(~5), 兼司僕(5), 법성포萬戶(9)
蔡允信	(성종대)		父 縣監 致仁		掌隷院司評(8), 前軍官(~12), 斷訟都監郎廳(~14), 敍동반(14, 郎廳功故)
蔡允惠	(성종25)				면천郡守
蔡仲命	(세조1)				五司護軍, 원종3등공신
蔡智民	(성종16)				낭천縣監(읍지)
蔡秦浩	(태종8)				경상軍官(읍지)
蔡致仁	(세조1)		父 允信		송화縣監
蔡海				?, 문(우왕8)	別將(~고려우왕8), 문과
蔡賢仲	(성종3)			화원	別監(製御眞功)
蔡湖	(세종24)				전監正(안협)
蔡顥	(세종27)				예안縣監(읍지)
處里	(단종3)			여진귀화인	司直(居無乙界)
千象	(단종1)			환관	別監
撤連	(성종23)			여진귀화인	올량합上護軍
詹波豆	(태종6)				전라수군萬戶
帖苦	(세조5)			여진귀화인	본처副萬戶(居南羅貴)
肖多甫	(세종10)			여진귀화인	알타리百戶
肖波好	(세종10)			여진귀화인	알타리百戶
抄山胡	(세조3)			환관	別監, 원종3등공신
抄陽可	(세조6)			여진귀화인	副司正
崔景(敬)禮	(세종~성종대)	江陵	父 判府事 迤, 祖 有璡		武臣(세종7), 영암郡事, 僉知中樞(12), 折衝將軍五司猛(세조1), 장흥府使(5), 제주牧使(7, 읍), 삼척府使(9), 嘉善大夫僉知中樞(18)
崔敬義	(세조1)	강릉	제 敬禮		五司副司正, 원종2등공신

崔景仁	(세조1)	강릉	제 敬禮		五司司正, 원종3등공신
崔命孫	(세조~예종대)	강릉	父 疕, 祖 漢城判尹 天儒	?, 문(세조8)	直長(~세조8), 문과, 吏曹正郎(14), 파직(坐閔粹史獄), 봉상僉正(방목)
崔世忠	(세종28)	강릉	父 進賢, 祖 參判 致雲		울진縣令(읍지)
崔洙	(세조~성종대)	강릉	父 恒	문(세조14)	嘉善大夫(방목)
崔庵	(세종대)	강릉	父 天濡	문(5)	司諫院右正言(16), 工曹佐郎(19), 禮曹正郎(28)
崔有璉	(태조1)	강릉	父 安沼, 祖 門下評理 立之		경상병마도절제사
崔應賢	1424~1507	강릉	父 吏曹參判 致雲, 祖 생원 安獜	문(단종2)	權知承文正字(단종2), 世祖原從2등공신(세조1), 고성·영월郡守, 강원都事(8), 富城郡守(성종2), 모상(11), 成均司成(14), 通訓大夫司憲執義(14), 예빈(16), 봉상正(17), 吏(18)·戶曹參議(19), 同副承旨(19), 戶曹參議(19), 通政大夫충청관찰사(19), 經筵特進官(20), 同知中樞(22), 경주府尹(22), 同知中樞(25) [연산이후: 大司憲, 同知成均, 漢城左尹, 工·兵曹參判, 刑曹判書兼同知成均五衛都摠管, 강원관찰사]
崔迤(遠惟明)	1356~1426	강릉	父 江陵君 有璉, 祖 安沼	음	도평의사사知印, 郎將兼司憲糾正(우왕8), 정선郡事, 교주안렴사, 版圖, 典法摠郎, 監門, 備巡衛大護軍, 三司右尹, 兼司憲執義, 判通禮(공양왕4, 고려), 중추부右副承旨(태조1), 左副承旨, 中樞副使(3), 경기좌도관찰사찰겸병마도절제사(4), 완산府尹(6), 兼大司憲(정종2), 中軍摠制(태종즉), 左軍摠制, 兼大司憲, 전라도절제사(2), 參贊議政(4), 工曹判書(5), 中軍都摠制(5), 모상(5), 충청병수군도절제사(6), 길주도안무사(8), 領晋州牧使(9), 判敬承府尹(12), 刑曹判書(12), 절일사(13), 서북도순문사겸평양윤(13), 議政府參贊(~15), 判左軍都摠府事(15), 開城留侯(18), 議政府贊成(18), 戶曹判書(18), 경상관찰사(~세종2, 파직), 判右軍都摠府事(6), 진향사(6), 전判都摠府事졸(졸기)
崔自霑	(성종대)	강릉	父 允行	문(3)	奉列大夫行司諫院正言(23)
崔岾	(세종대)	강릉	父 天濡	문(5)	承政院注書(방목), 司憲監察(방목)
崔潰	(태조~태종대)	강릉	父 判都摠制 迤, 祖 君 有璉	문(우왕12)	府使(방목)
崔璡	(성종대)	강릉	父 奉常僉正 命孫, 祖 監察 岾	문(7)	翰林, 經筵典經(8), 禮曹佐郎(14), 禮曹正郎(16), 嘉禮都監郎廳(19), 奉列大夫司諫(21) [연산이후: 大司諫, 掌隷院判決事, 弘文副提學, 禮曹參議, 同副·左副承旨, 禮曹參判, 전참판졸]

崔忠義	(세종20)	강릉	父 三司左尹 元亮		안변教授
崔致雲	1390~1440	강릉	父 생원 安潾, 祖 三司左尹 元亮	문(태종17)	평안軍官(세종15), 通訓大夫承文知事(15), 평안체찰사崔潤德從事官(16), 승문判事(17), 工(17)·吏曹參議(17), 右承旨(20), 工曹參判(21), 계품사(21), 藝文提學(21), 吏曹參判(21), 주문사(22)
崔必崇	(성종대)	강릉	父 玉淵	문(17)	主簿(방목)
崔溥	1454~1504	康津	父 澤	문(성종13), 중(17)	弘文修撰(~17), 문과중시, 司憲持平(17~18), 濟州敬差官(18), 전司直(19), 지평(22~23), 弘文校理(23~25)[연산대: 지평(1), 홍문응교(2)]
崔福海	(세종~세조대)	江華	父 府使 世昌, 祖 漢城判尹 龍蘇		錄事(~세종11), 군자監江原道監役(13), 主簿(세조1), 世祖原從3등공신(1)
崔世昌	(태종11)	강화	父 判漢城 龍蘇, 祖 判事 泓		司憲監察
崔安雨	(세종13)	강화	父 僕射 龜蘇, 祖 判事 泓	무(족보)	前守令, 역경차관(세종13, 1, 26)
崔龍蘇	?~1422	강화	父 判事 泓, 祖 尙書 伯全		工曹典書(공민왕19, 고려), 전工曹典書(~태조3), 일본회례사(3), 商議中樞院事(6), 강원관찰사(7), 都鎭撫(정종2), 檢參贊門下府事(2), 승령府尹(태종3), 左軍摠制(3), 안동府使(11), 刑(13)·工曹判書(13), 左軍都摠制(13), 判漢城府事(14), 전判漢城府事卒
崔洧	(세조대)	강화	형 渚		宣敎郎(1), 원종3등공신(1), 석성縣監(5)
崔渚	(문종~세조대)	강화	父 兵馬節度使 安雨, 祖 僕射 龜蘇		삼화縣監(문종1), 世祖原從3등공신(세조1)
崔涵雨	(세종~세조대)	강화	형 安雨		전의縣監(세종21), 장흥庫使(26), 대구郡事, 點船別監(문종2), 직산縣監(단종즉), 署令(세조1), 世祖原從3등공신(1)
崔敬止	?~1479	慶州	父 弼善 悰, 祖 參議 灝	문(세조6), 중(성종8)	進講문신(세조8), 兵曹佐郎(~9), 파직(9), 司憲持平(12), 파직(14), 藝文典翰(예종1), 봉상判正(~성종8), 문과중시, 弘文直提學(8), 副提學卒
崔灌	(성종대)	경주	父 三陟府使 潤玉, 祖 判事 有溫	문(5)	效力副尉(~5), 문과, 承義郎司諫院正言(6), 禮曹佐郎(9), 한성參軍, 直長, 禮(~14)·吏曹佐郎(14), 朝奉大夫司憲持平(17), 사헌執義(22), 예빈(22), 사도副正(23), 상주牧使(23) [연산이후: 大司諫, 工·兵曹參議, 전라관찰사]
崔文孫	(태종~세종대)	경주	父 平章事 添老, 祖 令 繼雲	문(태종14)	行臺監察(세종1), 司諫院正言(5), 吏曹佐郎(~7), 司憲持平(7), 司憲掌令(11), 파직(12)
崔淑生	1457~1520	경주	父 僉正 鐵重, 祖 參知政事 渚	문(성종23), 문신정시(중종3)	[연산이후: 弘文修撰, 司憲持平, 司諫院獻納, 弘文應敎, 大司諫, 大司憲, 議政府右贊成, 判中樞]

崔湜(寔)	(태조~태종대)	경주	父 尙謙	문(우왕11)	廣州牧使(~태조4, 파직), 함주牧使(태종12), 양주府使(15)
崔浅	(세조대)	경주		문(7)	成均典籍(방목)
崔汭	(태조~태종대)	경주	父 參判 弘載, 祖 判書 咸一	문(태조2)	兵曹佐郎(태종12), 成均司成, 선공正(방목)
崔有憬	(태종~세종대)	경주	父 參議 灝, 祖 參判 弘載	문(태종14)	主簿, 司諫院左正言(세즉), 侍講院弼善(방목)
崔潤玉	(세종26)	경주	父 判事 有溫	무(족보)	三陟府使겸병마수군절제사(읍지)
崔瀜	(성종대)	경주	형 灌, 외조 領議政 鄭昌孫	문(6)	평안都事(11), 縣令(방목)
崔釘	(세종대)	경주	형 鎭	문(29)	正字(방목)
崔鎭	(세조~성종대)	경주	제 釘	문(세조2)	전의縣監(~세조12, 파직), 司憲監察(성종14)
崔漢卿	(세종~세조대)	경주	父 吏曹正郎 文孫, 祖 平章事 添老	문(세종26)	刑曹都官正郎(~문종2), 成均直講(2), 戶曹正郎(단종3), 世祖原從2등공신(세조1), 司諫院右司諫大夫(5), 左司諫大夫(6), 僉知中樞(7, 8, 9), 通政大夫同知中樞(10), 진향사(10), 吏曹參議(10), 中樞副使(11), 경기관찰사(방목)
崔漢洪	(성종20)	경주	父 府使 亨孫, 祖 司直 有恭		內禁衛
崔亨孫	(세조~성종대)	경주	父 司直 有恭, 祖 邇	무(족보)	宣傳官(세조13), 황해경차관(성종1), 장흥府使(~15, 收告身)
崔孝男	(세종~단종대)	경주	父 永淳	?, 문(세종29)	선공錄事(~세종24, 收職牒), 司正(~29), 문과, 황해都事(문종즉위), 司諫院左獻納(단종1)
崔孝孫	(태종~세종대)	경주	형 文孫	문(태종14)	경기우도行臺監察(세종3), 경기都事(9), 司諫院左獻納(9), 평안軍官(~15, 피죄), 司諫院司諫(방목)
崔德江	(세종25)	廣州	父 訓導 得寶		의정부典吏
崔雲	(태조~세종대)	郞州	父 宰臣 安雨, 祖 邦彦	역관	사역府舍人(태조5), 府使(태종6), 上護軍(세종1), 左軍同知摠制(2), 흠문기거사(4), 사역判事(5), 주문사(5)
崔漲	(세조1)	낭주	父 縣監 雲, 祖 宰臣 安雨		知印, 원종3등공신
崔道源	(태종~세종대)	朔寧	父 司諫 卜麟, 祖 署令 守明		청도郡事(태종12), 개성軍官(~16, 파직), 知郡事(~세종2, 유배)
崔卜麟	(태종대)	삭령	父 署令 守明, 祖 司憲糾正 時玉	?, 문(공민왕23)	直長同正(~고려공민23), 문과, 知沃州事(태종10, 읍지), 左司諫大夫(~13), 檢校工曹參議(13)
崔士柔	(태종~세종대)	삭령	父 典書 潤文, 祖 署丞 忠	문(태종2)	藝文檢閱, 待教, 奉教(태종12~14), 장흥庫使, 의성縣令, 司諫院右獻納(세종14), 通政大夫(방목)
崔崇	(단종~세조대)	삭령	제 領議政 恒		군기副正(단종2), 世祖原從3등공신(세조1)

崔永潾	(세조~성종대)	삭령	父 領議政 恒, 祖 獻納 士柔	?, 문(세조12)	進義副尉(세조1), 원종2등공신(1), 司憲掌令(10), 行掌令(10), 通政大夫宗簿少尹(10), 經歷(~12), 문과, 司贍正(예종1), 兼藝文館(성종1), 掌隷院判決事(1), 刑曹參議(3), 僉知中樞(13)
崔永灝	(성종대)	삭령	형 刑曹參議 永潾	?, 문(8)	五衛副司正(~8), 문과, 사재正(8)
崔鐵寬	(세조~성종대)	삭령	父 景溥, 祖 道源	문(세조11)	翰林(방목), 司憲持平(방목)
崔哲錫	(예종대)	삭령	父 敎導 景溥, 祖 持平 道源		강음縣監(~1, 파직)
崔恒	1409~1474	삭령	父 司藝 士柔, 祖 典書 潤文	문(세종16), 중(29)	宣敎郎집현副修撰(세종16), 校理(26), 應敎(28~29), 문과중시, 藝文直提學(29), 집현直提學(31), 司諫院右司諫大夫(문종즉위), 左司諫大夫(1), 집현副提學(1), 同副(단종즉)·右副(1)·左副(1)·都承旨(1), 靖難1등공신(1), 吏曹參判(2), 大司憲(3), 모상(3), 佐翼2등공신(세조1), 吏曹參判(3), 인수府尹(4), 刑(4)·工曹判書(4), 知中樞(5), 崇政大夫吏曹判書(7), 中樞使(8), 藝文大提學(8), 議政府右參贊(9), 左參贊(10), 崇祿大夫左參贊寧城君(10), 輔國崇祿大夫議政府左贊成(12), 議政府右議政(13), 左(13)·領議政(13), 寧城府院君(13), 佐理1등공신(성종2), 左議政(2), 左議政졸
崔巘	(세조대)	삭령	父 郡守 士溫, 祖 典書 潤文		청하縣監(~11, 파직)
崔居涇	(태종대)	隋城(水原)		일관	서운관丞(~13, 파직)
崔世溫	?~1424	수성	父 少尹 善, 祖 秘書監 質		前知德川郡事복주(盜官物고)
崔有臨	?~1471	수성	父 司正 溼, 祖 元凱	무(세종32)	五司司直(세조1), 世祖原從3등공신(1), 고성縣令, 의금知事(10), 中樞副使(10), 전라 水軍處置使(11), 行五衛上護軍(12), 都摠使龜城君李浚비장(13), 敵愾3등공신(13), 嘉善大夫隋城君(13), 경상우도절도사(예종1), 수성군졸
崔有容	(세조대)	수성	형 有臨		태천郡守(~13, 收告身)
崔有恒	(세조11)	수성	형 有臨		前判官(함흥)
崔潤身	(성종대)	수성	父 參判 有臨, 祖 司正 溼		의금軍官(8), 충훈都事(11), 五衛護軍, 判官, 충훈軍官(18), 永川郡守(18, 읍지), 평안진휼경차관(24)
崔井安	(세종~세조대)	楊州		?, 문(9)	錄事(~세종9), 문과, 전농主簿(9), 司諫院右正言(15), 평안도절제사李蕆軍官(18), 前副司直(세조4)

崔淑卿	(성종대)	陽川	父 司正 仲生, 祖 縣監 承洽	문(1)	弘文修撰(17), 兵曹佐郎(17), 府使(방목)
崔淑精	?~1470	양천	제 淑卿	문(세조8), 중(12)	兼藝文館官(세조10), 參奉(~12), 문과중시, 刑曹佐郎(예종1), 中訓大夫藝文副校理(성종2), 通訓大夫司憲持平(3), 弘文應敎, 典翰, 여주牧使(~10), 파직(10), 弘文副提學(22), 副提學졸
崔自淵	(세종대)	양천	父 承潤, 祖 雨甫	문(8)	藝文奉敎(11), 判官(방목)
崔亨漢	(성종대	靈 巖(*)	父 永源, 祖 仲齊	문(14)	전교서正字(15, *족보 尙州)
崔茂宣	?~1398	永川	父 倉使 東洵, 祖 判事 克平		火筒都監使, 知門下(고려), 檢校參贊門下府事졸
崔湜	(성종18)	영천	증조 知門下 茂宣		禦侮將軍(甲士)
崔龍和	?~1422	영천	父 按廉使 安仁, 祖 倫		경기조전절제사(태종8), 左軍同知摠制겸경기좌우도수군도절제사(8), 別司禁우1번절제사(12), 公洪州道수군도절제사(~15, 유배), 전라도절제사졸
崔海山	(태조~세종대)	영천	父 知門下 茂宣, 祖 倉使 東洵	음	군기少監(~태조4), 부상(4), 군기主簿(태종1), 丞(9), 少監(13), 大護軍(세종2), 군기判事(7), 右軍同知摠制(13), 工曹右參判(14), 中樞副使(14), 判鏡城郡事(14), 북정좌군절제사(15), 파직(15), 제주안무사(16), 中樞副使(18)
崔興孝	(태종~세종대)	영천	父 典書 壹, 祖 左尹 洽	?, 문(태종11)	司饔院提學(태종11), 문과, 승문副校理(14), 인령부判官(~세종2, 파직), 兵曹正郞(5), 提學(방목)
崔寶(甫)仁	(세종16)	原州	父 迪, 祖 大護軍 寶隱		大護軍
崔蓋地	(성종대)	全州	父 全興	문(1)	승문博士(방목)
崔敬明	(세종대)	전주	父 工曹判書 府		司憲監察(9), 持平(16), 충청軍官(20)
崔敬身	(세종대)	전주	형 敬明	?, 문(21)	主簿(~21), 문과, 司諫院右獻納(21), 兵曹正郞(~24), 전라軍官(24)
崔匡之	(태조~태종대)	전주	父 提學 霳, 祖 直長 乙仁	문(공양왕1)	直提學(방목)
崔宏	(태조~태종대)	전주	父 密直使 乙義	문(우왕14)	前司諫院正言(태조6), 三司長史(태종12)
崔克孝	(태조대)	전주		?, 문(공양왕1)	內侍散員(고려), 郡守(방목)
崔寧	(태조~태종대)	전주	父 密直使 乙義	?, 문(우왕6)	別將(~고려우왕6), 문과, 判敦寧(방목)
崔泥老	(세종대)	전주	父 瑞南, 祖 有源	문(23)	司諫院獻納(방목)
崔霳	(태조~태종대)	전주	父 直長 乙仁, 祖 中郎將 龍昌	?, 문(우왕3)	郎將(고려), 工曹參議
崔德之	(태종~세종대)	전주	父 直提學 匡之, 祖 提學 霳	문(태종5)	藝文直提學(방목)

崔道一	?~1461	전주	父 奉禮 承寧, 祖 贊成 士康, 서 永順君 李溥, 여 세자 昭訓		군기少監졸
崔得之	(세종대)	전주	제 德之		장수(7), 고산縣監(21)
崔得平	(정종~태종대)	전주		문(정종1)	監務(방목)
崔孟良	(태종~세종대)	전주	父 盤, 祖 邑	?, 문(태종12)	署丞(~태종12), 문과, 司諫院右正言(13), 監務, 군자副正(세종2)
崔孟河	(세종대)	전주	父 希東, 祖 成	문(1)	前主簿(13), 縣監(방목)
崔府	1370~1452	전주		문(공양왕2)	成均學諭(공양왕2), 예문춘추관修撰官(태조1), 議政府舍人(태종5), 사헌執義(6), 光州牧使(16), 同副代言(17), 경기관찰사(세종3), 인수府尹(4), 禮曹參判(7), 左軍摠制(9), 大司憲(10), 右軍摠制(10), 경창府尹(10), 강원관찰사(11), 경창(12), 漢城府尹(12), 禮曹參判(12), 황해관찰사(12), 開城留侯(14), 사직(15, 身病故), 判廣州牧使(16), 工(21)·吏(22)·工曹判書(25), 工曹判書졸
崔士康	1385~1443	전주	父 參贊議政 有慶, 祖 典理判書 宰	음	知司諫(~태종18), 同副(18)·右副代言(18), 禮曹參議(세종1), 경기관찰사(2, 3), 中軍同知摠制(4), 兵曹參判(5, 6), 左軍同知摠制(6), 戶曹參判(7), 大司憲(8), 兵(9)·吏(9)·戶(10)·吏(11)·戶(11)·兵曹參判(13), 兵曹判書(13), 議政府參贊(18), 右參贊(19), 議政府右贊成(23), 右贊成兼判吏曹事(24), 사은사(24), 右贊成졸
崔士規	(태종5)	전주	제 士康		司憲監察
崔士庸	(세종~문종대)	전주	형 士康		司憲監察(세종5), 工曹佐郎(7), 判事(24), 僉知中樞(문종1)
崔士威	(태조~태종대)	전주	제 士康	음(고려)	刑曹都官佐郎(창왕1, 고려), 吏曹議郎(~태종4), 파직(4), 右軍同知摠制(태종6), 천추사(6), 漢城判尹
崔士儀	1376~1452	전주	제 士康	음	工(세종8)·吏曹參議(9), 右軍同知摠制(9), 戶曹參判(10), 경기관찰사(11), 都摠制府同知摠制(12), 정조사(12), 파직(13), 中軍摠制(13), 開城副留侯(14), 禮曹左參判(14), 인수府尹(14), 同知敦寧(15), 사은副使(15), 刑曹左參判(15, 16), 漢城府尹(16), 同知敦寧(16), 한성(17)·인수府尹(19, 21), 진하사(21), 中樞副使(23), 判漢城府事(23), 인수부윤(26, 27), 知敦寧(27), 同知中樞(27), 判敦寧(문종즉위), 판돈령졸
崔宣	(태조~태종대)	전주	父 乙義	문(우왕11)	前少監(~태조6, 피죄), 의금부副鎭撫(~태종17, 파직)

崔世賢	(예종~성종대)	전주	父 判官 道一, 祖 奉禮 承寧		刑曹佐郎(예종1), 의금軍官(성종12), 通訓大夫司憲持平(15), 전江西縣令(19)
崔洙	(세종대)	전주	서 桃平君 末生		司直(선원세보기략)
崔修	(세종대)	전주	형 吏曹判書 府		고산縣監(~7, 파직), 成均司藝(23)
崔脩	(세종대)	전주	父 溶	?, 문(9)	縣監(~9), 문과, 도관主簿(~12), 司諫院右正言(12), 司諫院右獻納(20), 成均司成(방목)
崔水智	(단종~성종대)	전주	父 縣監 自涇, 祖 司僕正 斯泌	문(단종1)	敎授官(세조1), 世祖原從2등공신(1), 司憲監察(4), 장흥主簿(~성종4), 현풍縣監(4), 通禮院引儀(방목)
崔珣	(성종대)	전주	父 潘, 祖 汝達	문(23)	[연산이후: 僉知中樞]
崔承寧	(세종대)	전주	父 贊成 士康, 祖 參贊 有慶, 서 臨瀛大君 璆		졸通禮院奉禮(~15), 贈正憲大夫議政府參贊(15, 女嫁臨瀛大君璆故)
崔承靖	(세조3)	전주	형 承寧		別坐, 원종3등공신
崔承宗	(세조~예종대)	전주	형 承寧		直長(세조3), 世祖原從3등공신(3), 行五衛司正(예종1)
崔信漢	(세조~성종대)	전주	父 自進, 祖 季魯	문(세조14)	司諫院正言(방목)
崔瀁	(태조~태종대)	전주	父 兵馬使 贄, 祖 大提學 迆	문(우왕2)	大提學(방목)
崔億齡	(세조1)	전주	父 中樞副使 七夕, 祖 善龍		五司司正, 원종3등공신
崔汝激	(세조1)	전주	父 進誠, 祖 沚		錄事, 원종3등공신
崔汝寬	(세조1)	전주	형 汝寧		知印, 원종3등공신
崔汝寧	(세조1)	전주	父 進明, 祖 大提學 瀁	무	權知訓練參軍, 원종3등공신
崔汝貞	(세조~성종대)	전주	형 汝寧		의금判官(~세조12, 유배), 무안縣監(성종7)
崔連孫	(성종대)	전주	父 岱, 祖 凋	문(20)	翰林 [연산이후: 僉知中樞]
崔洧	(세종대)	전주	父 宣, 祖 乙義	?, 문(23)	厚陵直(~23), 문과, 통례원通贊(~23, 永不敍用)
崔濡	(세종~성종대)	전주	父 別提 汝達, 祖 知製敎 進明	문(세조11)	副司直(세종3), 전농少尹(문종1), 佐翼3등공신僉知中樞(세조1), 開城君(8)
崔有慶	1343~1413	전주	父 監察大夫 宰, 祖 選部典書 得枰		密直副使(공양왕1, 고려), 경상관찰사(~태조4), 知中樞中軍同知節制事兼尙觀察使(4), 知中樞(6), 경기충청都體察使(6), 中樞副使(7), 서북면선위사(7), 경기우도관찰출척사(7), 三司右使(정종2), 判漢城府事(2), 議政府參贊(태종1), 하정사(1), 判漢城府事(3), 大司憲(3), 參判司平府事兼大司憲(4), 파직(4), 判漢城府事(4), 전判漢城府事(~6), 參贊(6), 사직(7), 전參贊졸
崔乙斗	(성종대)	전주	父 信漢, 祖 自進	문(6)	경연司經(8), 藝文奉敎(9), 司憲監察(22), 司諫院正言(방목)

崔自丑	(성종대)	전주	자 時邁	문(1)	연산縣監(9), 掌隷院司議(16)
崔宰	(세종22)	전주	자 參贊 有慶		전監察大夫
崔悌男	(세종~문종대)	전주	父 知臨	?, 문(세종23)	錄事(~세종23), 문과, 吏曹佐郎(23), 守司諫院獻納(~문종즉위), 파직(즉), 수원府使, 司憲掌令(방목)
崔宗復	(세종~세조대)	전주	父 斯江, 祖 澤	문(세종29)	司諫院右正言(단종2), 장수縣監(~세조1, 파직), 正言(3), 世祖原從3등공신(3)
崔宗海	(태종대)	전주	父 從謙, 祖 泰	문(5)	
崔池	(세조~성종대)	전주	父 汝碩	문(세조2)	용안縣監(~세조2, 파직), 宗學博士(2), 成均主簿(7), 典籍(12), 司成(성종1), 前五衛司直(3)
崔直之	?~1423	전주	제 德之	문(공양왕1)	나주判官(~태종10, 파직), 순창郡守졸
崔進誠	(정종~세종대)	전주	父 濊, 祖 贊	문(정종1)	兵曹佐郎(태종8), 禮曹正郎(~10), 수직첩유배(10), 전라都事(~17), 파직, 成均司藝(세종7), 議政府舍人(방목)
崔七石	?~1395	전주	父 善龍, 祖 文肅 公 琜		前密直(태조2), 경기우도수군첨절제사졸
崔八俊	(세조~성종대)	전주	父 汝寬, 祖 進明	문(세조6)	藝文檢閱, 行漢城參軍(세조10), 兵曹佐郎(~14), 파직(14), 충청都事, 成均直講(성종10)
崔瀘	(성종대)	전주	父 孝基, 祖 旼	?, 문(25)	習讀(~25), 문과[연산이후: 吏曹參議, 同知中樞]
崔孝源	(성종대)	전주	父 縣監 宗復, 祖 府使 悌男		衛將(3), 영해府使(~5, 파직), 通政大夫春川府使(7)
崔厚生	(세종~세조대)	전주	父 判敦寧 士儀, 祖 參贊 有慶, 장인 右議政 盧閈		인수부丞(세종대, 閔霽묘지명), 行五司司勇(세조1), 원종3등공신(1)
崔昕	(단종~세조대)	전주			戶曹佐郎(단종2), 府使
崔湜	(성종대)	鐵原	父 虎山, 祖 敦	문(성종11)	翰林[연산이후: 同知中樞]
崔致崇	(세종2)	철원	父 知中樞 適, 서 義平君 元生	여진귀화인	금천監務
崔洵	?~1428	忠州	父 直提學 原儒, 祖 侍郎 伯淸	문(태종5)	진보縣監(태종8, 읍), 司憲掌令(10), 제용正(13), 경차관(13), 右司諫大夫(17), 파직(17), 中軍同知摠制(세종8), 절일사(8), 충청관찰사同知摠制졸
崔涇	(세조~성종대)	耽津		화원	五司副司直(1), 원종3등공신(1), 도화서提擧(~9, 파직), 別坐, 別提, 行五衛護軍(성종2), 別提(~3, 陞通政大夫, 御眞제작故), 궁궐修理都監監畫別提(6, 陞職敍用), 도화別提(~15, 陞敍祿職), 修理都監監役(15), 禦侮將軍(~21, 陞堂上官, 年老故)
崔泓	(세조6)	탐진	父 訓導 塡, 祖 閏亨		五衛司直, 원종3등공신

崔廣孫	(문종~세조대)	通州	父 左議政 閏德, 祖 參判承樞 雲海		용천군사(문종즉위), 世祖原從3등공신(세조1)
崔祿	(태종4)	통주	子 雲海		護軍
崔淑孫	(세종~세조대)	통주	父 左議政 閏德, 祖 參判承樞 雲海		예빈直長(~세종4, 파직), 司直(9), 世子入朝時從官(9), 折衝將軍上護軍(15), 崔潤德從事官(17), 僉知中樞(17), 嘉善大夫閤延府使(19), 中樞副使(24), 전라수군도안무처치사(25), 同知中樞(26), 경상우도도절제사(26), 경상도절제사(31), 判昌城府使(31), 宮門4面절제사(문종2), 同知中樞(단종즉), 동북절제사(1), 전라병마도절제사(1), 中樞副使(세조1), 知中樞(~2, 收告身유배, 좌死六臣)
崔雲海	(태조~태종대)	통주	父 五衛護軍 祿, 祖 挽		前광주등처병마절제사(태조1), 太祖原從功臣(1), 門下評理(1), 양광도절제사(2), 경상도절제사(5), 充水軍(6), 전라조전절제사(정종1), 參判三軍府事(~2), 유배(2), 니성도도절제사(태종2), 參判承樞(4), 전參判承樞졸
崔潤德	1376~1445	통주	父 參判承樞 雲海, 祖 護軍 祿	음(태조5), 무(태종2), 무과중시(10)	副司直(태조5), 郎將(~태종2), 무과, 護軍(2), 大護軍(3), 태안군사(6), 大護軍(7), 上護軍(~10), 무과중시, 동북면조전兵馬使(10), 경성兵馬使(10), 胡賁侍衛司절제사(11), 右軍同知摠制(11), 중군절제사(12), 右軍(15)·左軍摠制(18), 中軍都摠制(18), 삼군도절제사(세종1), 議政府參贊(1), 工曹判書(3), 정조사(3), 평안병마도절제사(5), 右軍都摠制(5), 參贊(7), 判左軍府事(9), 兵曹判書(10), 判中軍府事(12), 兼司僕提調(13), 判中樞(14), 議政府右議政(15), 左議政兼判吏曹事(17), 左議政(18), 領中樞(18), 영중추졸
崔潤福	(태종~세종대)	통주	형 潤德		풍저창副使(~태종11, 파직), 司憲監察(16), 의주判官(~세종5, 파직)
崔潤玉	(성종대)	통주	형 潤德		정조사押物官(~24, 充軍)
崔關	?~1424	海州	父 副護軍 鄖, 祖 摠郎 得全	?, 문(우왕8)	錄事(~우왕8), 문과(8, 고려), 경상軍官(태조6), 밀양敎授官(7), 知刑曹事(~태종4), 유배(4), 巡禁司大護軍(~6), 유배(6), 巡禁司大護軍(13), 左司諫大夫(세종즉), 禮曹參議(즉), 判安東府使(1), 吏曹參議(3), 漢城府尹(4), 전漢城府尹졸
崔璘	(세조~성종대)	해주	父 尙河, 祖 滈	?, 문(세조6)	문소殿直(~세조6), 문과, 하양縣監(~예종1, 파직), 문화縣令(~성종7, 파직), 校理(방목)
崔萬理	?~1445	해주	父 少尹 荷, 祖 漢城府尹 安海	문(세종1), 중(11)	집현博士(2), 校理(~11), 문과중시, 集賢殿應敎(11), 直提學(19), 副提學(20), 通政大夫강원관찰사(21), 집현副提學(22), 副提學졸

崔世傑	(성종대)	해주	父 典籍 壔, 祖 副 提學 萬里	문(17)	翰林(방목), 承政院注書(20), 司諫院正言(23) [연산대: 兵曹佐郎(1), 司諫院獻納(1)]
崔壔	(세조~성종대)	해주	형 崝	문(세조5)	史官(예종1), 전成川府使(~성종13, 收職牒), 영접도감관(~14), 敍用(14), 承文參校(방목)
崔永沚	(태조대)	해주			參贊門下府事(1), 太祖原從공신(1), 門下贊成事(1), 사은사(1), 商議門下府事(3), 안주의주니성강계등처병마도절제사兼安州牧使(3), 門下贊成事(3), 分都評議使司(3, 개성), 서북도안무찰리사겸평양윤(6), 判三司事(7)
崔崝	(단종~성종대)	해주	父 副提學 萬里, 祖 少尹 荷	문(단종2)	權知成均學諭(세조1), 원종2등공신(1), 관찰사(방목)
崔沮	?~1405	해주	父 大護軍 琮		上護軍졸
崔潽	(세종~세조대)	해주	父 府院君 淑, 祖 厚元	문(세종26)	刑曹都官正郎(세조3), 司憲持平(4), 副正, 府使(방목)
崔淸江	(세종~성종대)	해주	父 義禁都事 薀, 祖 御使 仲濕	문(세종20)	보은縣監(세종25), 司憲掌令(단종3), 世祖原從3등공신(세조3), 前寶城郡事(5), 함길조전원수從事官(6), 都摠使龜城君李浚軍官(13), 司禁(성종6), 천안郡事(8), 사헌執義(방목)
崔灝	(세조~성종대)	해주	父 得河	?, 문(세조2)	五司司勇(세조1~2), 世祖原從3등공신(1), 문과, 兵曹佐郎(8), 司憲持平(9), 兵曹佐郎(10), 永川郡守(12), 刊經都監使(14), 황해경차관(예종1), 通政大夫洪州牧使(6), 파직(7), 僉知中樞(방목)
崔弘載	(성종21)	해주			청도郡守(읍지)
崔士(元)老	(단종~성종대)	和順	父 생원 安善, 祖 濟用副正 自河	문(단종2), 발영(세조12)	화순縣監(세종말), 司諫院右獻納(단종즉), 吏曹正郎(2), 世祖原從2등공신(세조1), 兼知刑曹事(8), 인수府尹(9), 하정副使(9), 行五衛護軍(~12), 拔英試, 大司成(예종즉)
崔善門	(세종~세조대)	화순	父 宗簿令 自江, 祖 參議 元之		司憲持平·옥천郡事(세종31, 읍지), 내자判事, 世祖原從3등공신(세조1)
崔善復	(세종~세조대)	화순	父 府使 自海, 祖 參議 元之	문(세종29)	司諫院左正言(단종2), 집현修撰(2), 世祖原從1등공신(세조1), 侍講院右輔德(4), 右副承旨(9), 僉知中樞(10), 원각사조성도감副提調(10), 工(10)·戶曹參議(11), 전주府尹(읍지)
崔元老	(세종~세조대)	화순	父 安善, 祖 自河	?, 문(세종16), 발영(세조12)	錄事(~세종16), 문과, 折衝將軍(~세조13), 拔英試, 大司成(13)
崔自濱	?~1478	화순	父 潽, 祖 淑	?, 문(세조6)	五衛司勇(세조4), 司正(~6), 문과, 兼藝文館(11), 醫學敎授(12), 成均典籍(성종2), 선공副正(6), 선공正(7), 남원府使(8), 경연侍講官졸
崔自河	(태종13)	화순	형 自海		刑曹都官佐郎

조선초기 관인 이력

崔自海	(태종대)	화순	父 參判 元之, 祖 牧使 永濡, 서 長川都正 善生		刑曹正郎(7), 司憲持平(8), 제용少監(~10), 파직(10), 府使
崔漢恭 (公)	(세조~예종대)	화순	父 司憲持平 善門, 祖 自江	문(세조5)	의금都事(세조13), 司諫院正言(13), 승문校理 (예종1), 典翰(방목)
崔漢良 (良)	(세조대)	화순	형 漢禎	문(2)	翰林, 司諫院正言(8), 종부僉正(黃守身비명), 成均司藝(방목)
崔漢伯	(세조~성종대)	화순	형 漢公		都摠使龜城君李浚軍官(13), 예안縣監, 울산郡守(~성종9, 피죄), 경상우도병마虞侯(19)
崔漢輔	(단종~세조대)	화순	父 大司成 士老, 祖 생원 安善	문(단종1)	從仕郎藝文檢閱(~단종2), 待敎(2), 宣務郎藝文奉敎(3), 司憲監察(세조1), 世祖原從2등공신(1), 吏曹佐郎(5), 侍講院文學(방목)
崔漢源 (源)	(성종대)	화순	父 府尹 善復, 祖 府使 自海	문(11)	고부郡守(읍지) [연산이후: 관찰사]
崔漢禎	1427~1486	화순	형 漢輔	?, 문(세조5)	陵直(~세조5), 문과, 司憲監察, 兵曹佐郎(~ 10), 파직(10), 봉상判官(~예종1), 禮曹正郎(1), 司諫院獻納(성종2), 中訓大夫司憲執義(2), 藝文校理(5), 大司諫(7), 吏曹參議(8), 遭喪(9), 掌隷院判決事(~11), 파직(11) 刑曹參議(16), 禮曹參議(16), 參議졸
崔漢候	(예종~성종대)	화순	형 漢恭	?, 문(예종1)	縣監(~예종1), 문과, 청송府使(성종24, 읍지), 大司諫(방목)
崔繼潼 (童)	(문종~세조대)	興海		문(문종1)	충청都事, 成均直講(방목)
崔淵	(세종~세조대)	흥해		문(세종20)	郡事(세조1), 世祖原從3등공신(1), 成均直講(방목)
崔澄	(성종대)	흥해		문(1)	司憲監察(방목)
崔敬濡	(세조7)				평안절도사鎭撫
崔潤	(성종5)				內禁衛, 善射
崔岡	(세조14)				兼司僕(能射故)
崔崗	(성종11)				武臣, 善射
崔開	(세종즉)				경상都事(태조6, 읍지), 左司諫大夫
崔坑				문(공양왕2)	
崔巨	(문종즉위)				전上護軍(居정평)
崔巨善	(예종1)				길주관리
崔儉	?~1495				강무衛將(~성종22), 무장縣監(22~연산1, 임소졸, 읍지)
崔蠲	?~1437			문(우왕11)	봉상博士(~태조5), 유배(5), 사헌執義(태종9), 刑曹正郎(14), 右司諫大夫(세조2), 漢城府尹(9), 함길관찰사(9), 開城留侯(12), 中軍摠制(14), 判黃州(~16), 公州牧使(16), 전判牧使졸

崔景	(태조1)			기(軍士)	태조잠저휘하(태조총서)
崔敬本	(세조1)				知印, 원종3등공신
崔繼江	(성종9)				前訓導(진잠)
崔繼根	(세조대)				五司副司正(1), 원종2등공신(1), 行司直(11)
崔季男	(세조대)				과천(8), 금천縣監(9)
崔繼仝					榮川郡守(읍지)
崔繼宗 (莫山)	(성종3)		父(양부, 明 太監 安 8촌제)		加4品階
崔繼忠	(태종15)				단천郡守(읍지)
崔季漢	(세조대)				權知訓鍊錄事(1), 원종2등공신(1), 유배(2, 坐 錦城大君)
崔繼勳					울진郡守(읍지)
崔塙	(세조대)		제 堧		보령縣監(~14, 파직)
崔古音	(세종대)			역관	倭통사(6), 일본회례사從事官(6)
崔古音龍	(태종14)			역관	통사
崔功(恭) 孫	(문종대)				司憲監察, 工曹佐郎(문종2), 工曹正郎(~단종 즉, 피죄)
崔功孫	(세조~성종대)				副錄事(세조6), 世祖原從3등공신(6), 五衛副 司勇(성종8)
崔公哲	(태조~세종대)		자 安國		太祖潛邸裨將(공민왕19, 고려), 충주절제사 (태조1), 開國2등공신(1), 嘉善大夫江界萬戶 (세종20)
崔洸	(태종9)				정선郡事(읍지)
崔廣大	(태조7)			기(軍士)	靖安君(太宗)휘하군사
崔廣明	(세종대)				知印(~세종30), 심찰전라조운선표몰(30)
崔郊	(세종14)				적성縣監
崔皎	(세조9)				청풍府使(읍지)
崔咬納	(태종대)			여진귀화인	阿都歌千戶(4), 萬戶(8)
崔仇帖木 兒	(태종6)				오도리前護軍
崔九河	(세종20)				전錄事(남양)
崔群子	(세조1)				五司司正, 원종3등공신
崔權	(성종21)				入侍
崔龜山	(세조1)				錄事, 원종3등공신
崔龜壽	(성종14)				사옹奉事(~14, 加資, 산릉공)
崔揆	(태종~세종대)				巡禁司副司直(태종8), 직산縣監(17), 의금都 事(세종7), 경상우도체복사(7), 開城斷事官 (12)
崔均	(태종대)				前別將(10), 別鞍色錄事(~15, 피죄)

崔均	(세조12)				漢城庶尹
崔謹公	(세조대)				朝官(~12), 道問弊使(12)
崔金剛	(태종9)				五衛副司直
崔伋	(성종대)				과천(~15), 통진縣監(21)
崔汲	(세조1)				承義校尉(甲士), 원종2등공신
崔兢	(태조~태종대)			문(우왕3)	知刑曹事(태조3), 東北面都宣撫察理使鄭道傳從事官(7), 左司諫大夫(태종4), 吏曹參議, 左軍同知摠制(9), 하례副使(9), 靑平君
崔岐	(세종대)				훈련判官(1), 영덕縣監(5)
崔淇	(성종대)				의금都事(13), 지평縣監(~14), 陞職(14, 山陵功故)
崔南京	(세종4)				鎭撫(居여연)
崔老好	(세종15)		여진귀화인		歷시위
崔老好赤	(세종13)		여진귀화인		授職(경성)
崔訥	(세종28)				강계甲士(司正)
崔淡	(성종13)				회양敎授(尙傳金子猿同鄕故)
崔澹	(세종9)				前司正, 피죄
崔淡之	(세종6)				入直侍衛
崔湛之	(세종~세조대)				덕원郡事(~세종25), 行五衛司直(~세조4, 유배)
崔德龍	(세종~세조대)			환관	대전內官(세종2), 시릉관(28), 判內侍府事(세조1), 世祖原從1등공신(1)
崔德紹	(단종~세조대)				의금鎭撫(단종1), 行縣監(세조1), 원종3등공신(1)
崔德紹	(세조3)				行五衛司正, 원종3등공신
崔德義	(태종~세종대)				겸서운正(태종10), 檢校參議(11), 서운判事(12), 전工曹參議(13), 서운判事(17), 檢校漢城府尹(18), 昭格전提調(~세종1, 파직)
崔敦	(세종~단종대)				司憲監察(~세종27, 파직), 제천縣監(단종1)
崔得江	(성종3)				殿直(문화, 노인)
崔得岡	(태조5)				공역署丞, 경상軍官(태종1, 읍지)
崔得達	(태종대)				授職(河崙천거故, 세종12, 4, 27)
崔得霏	(태종~세종대)		여 진헌녀	기(태종8, 女故)	중군副司正(태종8), 明鴻臚寺少卿(9), 진향사(세종6), 鴻臚少卿졸
崔得生	(문종1)			환관	別監
崔得潤	(세조1)				承義校尉(甲士), 원종3등공신
崔得渚	(단종1)				회령甲士
崔得河	(세종9)				장단縣令, 낭천縣監(20, 읍지)
崔得海	(세종~세조대)				鷹師(세종7), 五衛司勇(세조6), 원종3등공신(6)

崔濂	?~1415				前門下府事(~태조6, 피죄), 檢校議政府右議政(태종15, 昭惠宮主盧氏外祖故), 檢校議政졸
崔倫(崙)	(세종~세조대)			역관	副直長(세종12), 五司護軍(문종1), 行五司司勇(1), 檢校中樞(세조6), 世祖原從3등공신(6)
崔倫	(세조대)				內禁衛(7), 홍산縣監(~14, 充官奴)
崔潾					別將(~고려우왕6), 문과
崔潾	(성종대)				奉訓大夫行司諫院獻納(18, 21)
崔霖	(태종대)				제용少監(12), 상의司饔(~13, 피죄)
崔霖	?~1458				敦勇校尉(세조1), 世祖原從2등공신(1), 前玄風縣監피살(居함안)
崔孟基	(세종24)				낭천縣監
崔孟孫	(세조13)				前淑陵直, 加資(守陵功)
崔孟溫	(태종~세종대)				開城留守郎吏(태종11), 嘉禮色副使(세종1), 안악郡守
崔孟溫	(성종대)				녹도萬戶(20~21, 充軍), 還職牒(21)
崔孟夏	(세종11)				成均博士
崔孟浩	(성종3)				대정縣監(읍지)
崔沔	(태종9)				前典書
崔命剛	(단종~세조대)	공신자손(가계불명)			內禁衛(~단종2, 파직), 五司副司正(세조1), 世祖原從3등공신(1)
崔明達	(태종15)				被薦可用人
崔命全	(세조1)				權知訓練錄事, 원종2등공신
崔毛多好	(세종15)			여진귀화인	함길도안무찰리사軍官
崔文利			문(우왕3)		
崔彌	(세조대)	여 진헌녀		기(8, 女故)	中軍副司正(8, 女故)
崔彌之	(세종대)	여 진헌녀		기(9, 女故)	署丞同正(9, 女故)
崔珉(岷)	(세종~문종대)			문(태종5)	의금都事(~세종3, 유배), 의금知事(5), 刑曹都官正郎(문종1), 郡守(방목)
崔潘	(성종대)				司諫院獻納(7), 吏曹正郎(~12), 파직(12), 김제郡守(16), 通訓大夫司憲執義(24), 파직(24)
崔發	(성종대)			역관	朝散大夫통사(8), 사역副正(13)
崔汜	(성종21)				무이萬戶
崔寶男	(세조11)				명鈌用
崔甫老	(태종~세조대)	父 檢校漢城府尹 也吾乃		여진귀화인	護軍(~태종12, 파직), 左軍同知摠制(세종10), 中樞副使(19), 行上護軍(19), 中樞副使(세조1)
崔寶文	(성종14)			환관	內官
崔保民	(세종대)			기(2, 교육유공)	授職(2, 생원, 居建光州, 書院子弟敎育有功故)

崔甫也	(세종17)			여진귀화인	올량합副司正
崔卜河	(태종10)				檢校漢城府尹
崔鳳	(세종8)				전千戶(居제주)
崔富	(세조8)				檢校護軍(김포,~8, 收告身全家徙邊)
崔汾	(단종1)				회령甲士
崔沘	(성종21)				무이萬戶
崔士剛	(태조3)				司憲左拾遺, 영유縣令(태종17, 읍지)
崔士康	(세조1)				佐郎, 원종2등공신
崔賜起	(단종~세조대)				삼군鎭撫, 웅천縣監
崔士柔	(세조1)				승문知事, 원종2등공신
崔士義	(세종1)				옥천郡事(읍지)
崔士儀	(세조1)				萬戶, 원종3등공신
崔山海	(세조대)				掌火砲(성종13, 2, 임자)
崔尙柔	(세조대)				청송府使(~12, 파직)
崔尙河	(세종대)			기(16, 효행)	命敍用(16, 居은진, 孝行故)
崔湑	(세종~세조대)				守通禮院奉禮郎(세종26), 內贍主簿(~27, 파직), 의금都事(세조6)
崔湑	(성종대)			문(11)	成均典籍(11), 평안評事(22)
崔碩江	(단종~성종대)			환관	內官
崔石堅	(문종즉위)				졸용궁縣監
崔善敏	(문종대)	父 肇, 장인 右議政 成奉祖		음(즉)	刑曹都官佐郎(즉, 장인故)
崔涉	(세종대)			기(20)	陞資敍用(20, 自願강계방수, 期滿故)
崔涉之	(세종대)	父 禮賓主簿 頤		기(31, 효행)	命敍用(31)
崔成	(세종13)				護軍
崔性老	(단종~세조대)				비인縣令(단종2), 世祖原從3등공신(세조1)
崔世蕃	(성종대)				장연縣監(~23, 제경직)
崔世珍	(성종23)				講肄官
崔世豪	(성종1)				前直長, 杖流
崔召	(태종18)				馬山驛丞
崔召南	(예종1)				前尙瑞司主簿(강릉)
崔小河	(성종대)			기(6, 효행)	전옥參奉(6, 孝行故)
崔洙	(성종대)			무	진잠縣監(3), 서천郡守(22)
崔壽聃	(성종대)			문(1)	司憲監察(방목), 司諫院獻納(21)
崔壽老	(세종대)	父 希慶		?, 문(9)	驛丞(~9), 문과, 藝文檢閱(12), 이천縣監(17), 나주判官(23), 成均直講(방목)
崔秀民	(세종대)				한성參軍(14), 삼가縣監(21)
崔水山	(세조~예종대)				權知訓練錄事(세조1), 世祖原從3등공신(1), 前乃伊浦萬戶(~성종4, 파직)

崔壽山	(성종대)			제포萬戶(~13, 錄贓案)
崔水淵	(성종대)		환관	內官(~20, 充官奴)
崔壽丁	(세종~세조대)		환관	英陵飯監(~세종30, 充役), 內侍飯監(세조1), 世祖原從3등공신(1)
崔守平	(문종~세조대)			이산郡事(문종즉위), 제주안무사(단종2), 五司護軍(세조1), 世祖原從3등공신(1), 僉知中樞(2)
崔守平	(세조6)			五衛護軍, 원종3등공신
崔淑	(세조4)			前五衛護軍, 收告身
崔淑謙	(세종26)			경성府使(읍지)
崔叔同	(세조대)			西班職除授(10, 의금부令史仕滿去官故)
崔淑濂	(세조1)			縣監, 원종3등공신
崔叔倫	(세조1)			五司護軍, 원종3등공신
崔淑文	(성종대)			親軍衛(~성종1, 超1資, 捕李施愛공), 徵召(6), 侍射(6)
崔叔(淑)井	(세종~세조대)			五司大護軍(세종11), 上護軍(세조1), 世祖原從1등공신(1)
崔淑中	(세조13)			都摠使龜城君李浚軍官
崔叔昌	(성종18)		화원	화원
崔淑鄕	(성종대)			교정도감郎廳(~23), 순안縣令(23)
崔淳	(세종대)	제 환관 洰		甲士(~31, 杖徒)
崔詢	(세종4)			判春川府使
崔順經	(단종2)			삼수千戶
崔舜民	(세종14)			예산縣監
崔崇佛	(세조~성종대)			兼司僕(세조13), 주문사軍官(성종6), 兼司僕(8, 10)
崔崇石	(예종대)			閑散武士(1, 居평양), 徵發(1)
崔崇之	(성종대)	족친 明 太監 鄭同	기(11, 鄭同故)	禦侮將軍五衛司猛(11, 鄭同故)
崔習(濕)	(세종~성종대)	제 闥	환관	承傳色(세종9), 判內侍府事(31이전), 行同判內侍府事(단종1), 陞資憲大夫(성종13)
崔湜	(태조대)			廣州牧使(~4), 파직
崔湜	?~1467			부령軍官전사
崔信仁	(세조1)			五司司正, 원종3등공신
崔信之	(세조1)			敦勇校尉(甲士), 원종2등공신
崔藩	(세종대)			순안縣事(~13, 杖流)
崔潯	(태종~세종대)			刑曹都官正郎(태종17), 察訪(세종9)
崔審				司諫院正言(安瑗묘지)
崔安國	(태종4)	父 嘉善大夫萬戶 工哲		前護軍, 유배

崔安善	(세종8)				강릉判官
崔安閏	(성종1)				시위甲士(성주)
崔安渚	(세종9)				전副司直
崔安宗	?~1395				散員피살
崔安潽	(태종4)				前壽寧府司尹, 유배(坐李居易)
崔安沚	(세종14)				용천郡事
崔安之	(문종~세조대)				司僕判事(黃喜묘지명)
崔安智	(세조~성종대)				칠원縣監(~세조12, 파직), 용강縣令(예종1, 읍), 동복縣監(~성종7), 예빈少尹(7)
崔安海	(태종대)		서 中樞副使 李秦		阿郎浦萬戶(~9, 피죄)
崔也吾乃	(태종~세종대)			여진귀화인	大護軍(태종4), 오도리萬戶(5), 檢校漢城府尹(세종6)
崔瀹之	(태종~세종대)			?, 문(태종11)	別將(~태종11), 문과, 광흥倉使(세종6), 군자判官(~11, 杖流), 監役官, 서흥府使(30)
崔洋	(세종21)				운봉縣監
崔揚善	(세종~세조대)			일관	前書雲掌漏(세종12), 副正(세조6), 世祖原從3등공신(6)
崔梁海	(세조3)				종친부書題
崔於夫介	(태종11)			여진귀화인	오도리千戶
崔於夫哈	(세종대)			여진귀화인	알타리千戶, 시위, 賜紗帽品帶
崔彦	(세종~단종대)			환관	환관(세종15), 行內侍左丞直(단종1), 行同僉內侍府事(2)
崔彦珍	(성종대)				錄事(~5, 杖徒)
崔汝達	(세조3)			환관	內直司罇別監
崔汝揖	(세종대)				창평縣監, 司憲監察(6)
崔汝楫	(문종~세조대)				戶曹正郎(세종21), 郡事(세조1), 世祖原從3등공신(1)
崔演	(성종6)		제 閏		司憲監察
崔延年	(세조3)				錄事, 원종3등공신, 아산縣監(족보)
崔延命	(세조~성종대)			기(세조13, 특지)	宣傳官(~세조13), 경상우도徵兵節制使(13), 니산縣監(~성종9, 파직)
崔演元	(세조~예종대)			풍수	풍수학訓導(세조10), 充軍(예종즉위, 坐南怡)
崔沿汀	(세조1)				行五司司正, 원종3등공신
崔泳	(세조14)				五衛部將, 장기縣監(읍지)
崔詠	(성종7)				장기縣監
崔榮	(성종대)				안의縣監(읍지), 진주判官(3)
崔濚	(성종15)				겸司憲持平
崔嶸	(성종19)				영유縣令(읍지)
崔永達	(태종17)				전司正(大護軍任君禮跟隨)

崔永孫	?~1455				行五司護軍(~단종1), 仕司僕寺(1), 피화(세조1)
崔永淳	(태종~세조대)				司憲監察(~태종16, 杖徒), 知祥原郡事(세종16), 과천縣監(24), 判官(세조1), 世祖原從3등공신(1)
崔永雨	(태조3)				함안郡守(읍지)
崔永濡					해주牧使(읍지)
崔永貞	(성종14)			환관	內官
崔永泚	(세종대)				전朔州萬戶(2품관, 세종20, 1, 24)
崔永河	(세조1)				五司司勇, 원종3등공신
崔汭從	(예종1)				閑散武人(전甲士), 徵發
崔玉	(세조8)			환관	內官
崔玉良	(세종2)				군자副正
崔玉明	(성종대)				양계判官, 이산郡守(~24), 내자判官(24, 파직)
崔玉生	(세종16)				만경縣令
崔玉筍	(세조대)				학생(1), 世祖原從3등공신(1), 충청都事(성종4), 경기都事(~5), 振威將軍(5), 斷訟都監郎廳(12), 司僕判官(~14), 陞職(14, 山陵功故), 예빈僉正(14), 안성郡守(15), 전상주牧使(25)
崔玉潤	(세조대)		장인 領議政 朴元亨		別坐(3), 원종3등공신(3), 內贍主簿(박원형행장)
崔玉潤	(성종대)				통사(~24, 杖徒)
崔玉皓	(세조1)				나주牧使(읍지)
崔玉皓	(성종7)				昭敬殿參奉
崔溫之	(세종대)				司直(~25), 加資(25, 보청포전유공고)
崔完	(세종대)				고성郡事(성종5, 9, 계해)
崔浣	(세종대)				呂島千戶(~25, 피죄)
崔完者	(태종4)				阿都歌千戶
崔勇	(세조1)				五司護軍, 원종3등공신
崔龍	(태종~세종대)			환관	대전內官(태종18~세종11)
崔龍(八俊)	(세조~성종대)			문(세조2)	한성參軍(세조10), 兵曹佐郞(14), 강원都事(성종2), 成均直講(10)
崔鄘	(세종23)		외손 顯德嬪		서운副正
崔龍守	(태종10)			역관	통사
崔用濡	(?~1393)				高灣梁萬戶전사
崔宇	(태종대)				大護軍(柳亮묘지명)
崔澐(云)	?~1431				左軍摠制(~태종18), 경상우도병마도절제사(18), 평안병마도절제사(세종2), 中軍摠制(4), 사은副使(5), 천추사(6), 유배(6), 左軍摠制졸

崔云寶	(태종10)				전判事(강릉)
崔云嗣	?~1428			?, 문(우왕6)	郎將(~우왕6), 문과(6, 고려), 경상안렴사(태조1, 읍), 戶曹典書(정종1), 日本通信使使行中익사
崔雲渚	(세종27)				강원甲士
崔雲宗	(성종대)				上土萬戶(~8), 加資(8, 箇滿故)
崔雄	(세종대)			역관	倭통사, 卒통사(성종2)
崔洹	(성종21)				녹도右部將
崔源	(태종12)				前郎將, 收告身
崔元亮	(태조4)				영유縣令(읍지)
崔源(原)濬	(태종대)				영해府使(읍지), 前上護軍(~4, 유배, 좌李居易), 제용判事(~10, 파직)
崔原忠	(태조대)				전라수군萬戶(~6, 피죄)
崔源海	(성종3)				장연縣監
崔渭	(태종대)			문(공양왕1)	우군都事(~7, 파직)
崔渭	(단종대)			기(2, 효행)	수재敍用(2, 居산음, 孝行故)
崔游	(세종즉)			환관	內臣
崔儒	(세종26)				선공副正
崔宥	(단종1)				단천郡守(읍지)
崔濡	(세조~성종대)				吏曹正郎, 司諫, 郡守
崔有江	(단종~성종대)	父 益生, 형 입조 화자 眞立		역관	五司副司直(단종1), 行五衛司直(세조3), 世祖原從3등공신(3), 사역判事(7), 사역正(14), 漢學敎授(성종3), 정조사통사(12)
崔攸久	(태종13)				司憲監察
崔有潭	(성종대)				南桃浦萬戶(~21, 피죄)
崔由義	(세조대)				阿貴甲士(~9, 偵探中피로)
崔洧從	(예종1)				홍주閑散武人(전甲士), 徵發
崔有悰	(성종대)				용안縣監(읍지)
崔有池	(세조대)			환관	액정서司謁(1), 원종2등공신(1), 刊經都監副使(8), 내수사別坐(13), 行五衛司直(14)
崔有眞	(세조1)				錄事, 원종3등공신
崔有恒	(태종대)				水站別監(14), 被薦可用人(15)
崔昀	(성종대)				內瞻正(4, 5)
崔潤				문(공양왕2)	
崔潤	(세조1)				五司司勇, 원종3등공신
崔潤	(단종~세조대)				靖難3등공신(단종1), 五司副司直(~1), 仕司僕寺(1), 군기兼主簿(2), 左軍副司直겸군기主簿(3), 五衛護軍(3), 경기점마別監(6), 結城君(10)
崔閏江	(세조6)				書吏, 원종3등공신

崔允吉	(성종7)			환관	昭敬殿內官
崔允文	(예종대)			환관	內官(~예종1, 充軍), 방면(성종13)
崔允成	(성종22)				벽동甲士
崔允壽	(태조대)				義興親軍衛첨절제사(1), 원종공신(2)
崔允深	?~1418				황주牧使졸
崔潤溫	(세종6)				刑曹佐郎
崔允庸	(세종~세조대)				前副司直(~세종28), 郡事(세조1), 世祖原從3등공신(1)
崔潤宗	(예종대)				閑散武人(1, 전甲士, 居홍주), 徵發(1)
崔允宗	(세종~단종대)				藝文待敎(~세종11), 檢閱(11), 奉敎(12), 주자소別坐(단종2)
崔允中	(세종대)			?, 문(9)	錄事(~9), 문과, 翰林, 司憲監察(방목)
崔允祉	(태조대)				서북도순무사(4), 戶曹給田司判事(4)
崔潤河	(세조1)				錄事, 원종3등공신
崔允亨	(세조3)				尹, 원종3등공신
崔允亨	(성종대)				창성牌頭(22), 五衛護軍(23)
崔允和	(단종~세조대)				前驛丞(~단종즉위), 除授(즉, 孝行故), 司正(즉), 世祖原從3등공신(세조1)
崔戎	(세조13)				都摠使龜城君李浚軍官
崔融	(태조대)				兼書雲判事(3), 檢校中樞副使(4), 檢校參贊門下府事(6)
崔融	(성종8)				主簿
崔隱	(태종대)				靑丹驛丞(~7, 유배)
崔淫山	(세종18)				제주안무사
崔湜	(세종대)		형 淳	환관	內官(30~32)
崔湜	(단종대)			의원	內醫(~즉, 充典醫監令史)
崔凝	(태조대)				太祖原從공신(세종6, 3, 21)
崔應貴	(성종3)				영월郡守(읍지)
崔應顯	(성종대)				고성郡守(~2, 仕滿우대체직)
崔蟻	(태종1)				전典書(완산)
崔義	(세종~세조대)				前司正(세종13, 수원), 副正(27), 檢校參議(세조6), 世祖原從3등공신(6)
崔義城	(성종11)				명사호송군甲士
崔伊	(태조대)			문(공양왕2)	司憲監察(~6, 收職牒)
崔頤	(세종31)				예빈主簿
崔李男	(세조13)				교하縣監
崔以和	(태종17)				장기縣監
崔益齡	(예종1)				守門將

조선초기 관인 이력

崔仁己	(단종대)			기(1, 효행, 여진귀화인)	전알타리副司正(~1), 除土官(1, 孝行故)
崔仁福	(성종대)				隨闕敍用(23), 齊陵參奉(23)
崔麟壽	(세조~성종대)		문(세조10)		이산郡守(21), 교서校理(방목)
崔仁浩	(태종4)				北部令
崔一	(세종대)				영덕縣事(~30), 陞軍器判事(30, 收養權聰故)
崔逸	(태조2)				左副承旨
崔資	(세조2)				예안縣監(읍지)
崔子涇	(세종대)				문경縣監(~6, 피죄)
崔自恭	(세조1)				權知參軍, 원종3등공신
崔自達	(세종11)	父 得罪			副司正
崔自睦	(문종즉위)				동복縣監
崔自汝	(세종20)				함길土官
崔自汾	(성종1)				通善郎, 敍用
崔自祥	?~1467				上護軍(~세조13, 居단천, 복주, 좌李施愛)
崔自洋	(세조1)				進勇校尉(甲士), 원종2등공신
崔子雲	(태조1)				나주牧使(읍지)
崔自原	(태종3)				안동府使(읍지)
崔自潤	(세조1)				五司副司直, 원종2등공신
崔自汀	(성종7)				甲士
崔自忠	(세조1)				五衛護軍, 원종3등공신
崔自沱	?~1441			의원	사선서食醫震死
崔自漢	(성종8)				경연侍講官
崔自漢	(성종9)			역관	통사
崔澪	(단종~성종대)			환관	內官(~단종1, 유배), 昭敬殿內官(성종16)
崔渚	(예종대)				別監(~즉, 免賤加職, 捕南怡공)
崔渚淵	(성종8)				忠贊衛
崔適	?~1487	父 中樞副使 甫老(여진귀화인)	등준무과(세조12)		甲士(단종1), 五司司直(세조1), 원종1등공신(1), 護軍(5), 兼司僕(6), 衛將(9), 무과, 折衝將軍護軍(12), 평안도체찰사裨將(13), 길주牧使(13), 僉知中樞兼五衛將(예종1), 行臺(1), 上護軍(1), 衛將(~성종5, 파직), 敍用(12), 知中樞(17), 졸
崔詮	(세종2)				主簿(풍양)
崔澗	(예종~성종대)	제 潘			徵召(예종1, 전주무인), 고령진첨절제사(성종4), 行五衛副司猛(4), 通政大夫郭山郡守(8), 衛將(10), 제주牧使(12), 종성府使(18), 경상수군절도사(18), 영암郡守(21)
崔傳善	(세조대)				行五司副司直(1), 원종3등공신(1), 평양진도鎭撫(7), 희천郡守(~13, 收告身)

차

崔漸	(태종대)				임실監務(~11, 파직)
崔霑	(태종대)				司僕寺官(16), 前大護軍(~18, 피죄)
崔汀	(단종대)			환관	行掖庭署謁者(~1), 내시부右副承直(1)
崔廷	(단종3)				사재直長
崔__	(세조~성종대)				司憲監察(세조1), 世祖原從3등공신(1), 前豊儲倉副使(~8), 司憲監察(8), 풍자倉守(~예종1, 收告身), 敦寧僉正(성종2), 敦寧都正(10), 嘉善大夫敦寧都正(13), 僉知中樞(21), 同知中樞(韓確비명)
崔禎	(성종3)				司諫院獻納
崔正南	(세조13)				都摠使龜城君李浚軍官
崔井列	(단종즉)				졸司正(경주)
崔濟	(세조14)			환관	別監
崔悌男	(세조1)				主簿, 원종3등공신
崔悌明	(세종대)		父 監察 演	기(세종23, 의친)	敦寧7품관(23)
崔宗理	(태종~세종대)				은율縣監(태종5, 읍), 司憲持平(18), 인순부少尹(세종12), 예빈尹(~14, 파직), 무진郡事(15)
崔宗漢	(성종5)				충청行臺監察
崔宙	(태종15)		장인 領議政 李和		上護軍
崔宙	(세종9)				司憲監察
崔澍	(세종7)				전군기尹
崔俊	(세종22)				趙明干萬戶
崔俊	(세조1)				判官, 원종3등공신
崔浚	(세조~성종대)				修義副尉(세조1), 世祖原從2등공신(1), 방산조전절제사(성종7), 折衝將軍五衛護軍(14), 通政大夫金海府使(15)
崔准	(세조6)				縣監, 원종3등공신
崔中	(세종대)			문(2)	신천縣監(방목)
崔仲謙	(세종~세조대)				司憲監察(세종12), 司憲持平(23), 의금都事(25), 수안郡守(문종즉위, 읍지), 선공正(단종1), 知刑曹事(세조1), 世祖原從2등공신(1)
崔仲奇	(세종1)				甲士
崔中基	(세종대)				평강縣監(8~12)
崔仲廉	(세조1)				五衛護軍, 원종3등공신
崔重富	(세종대)			기(29, 효행)	除경성토관직(29, 居종성, 孝行故)
崔仲水	(세조1)				五司副司正, 원종2등공신
崔仲濟	(세종22)				옥과縣監
崔仲海	(세조6)				錄事, 원종3등공신

崔湄	(세종대)				맹산(8), 은율縣監(9)
崔智	(세조8)			역관	의주통사
崔潰	(성종대)				한산(9), 천안郡事(~14, 陞職, 산릉공)
崔至剛	(세조~성종대)			무(세조6)	衛將(~성종10), 陞敍(10, 西征功故), 嘉善大夫五衛副護軍(11), 강계(11), 온성府使(14)
崔智成	(성종19)		장인 參贊 金謙光		司憲監察(김겸광비명), 구례縣監
崔晉	(세조13)				黔同島赴防甲士피로(성종5, 2, 무인)
崔津	(세조3)				別侍衛, 원종3등공신
崔溱	(성종대)				前五衛副司果(~25), 察訪(25)
崔進江	(세조~성종대)				五司司正(세조1), 世祖原從3등공신(1), 이산郡守(성종3), 充軍(6), 通政大夫安州牧使(18), 순천府使(22)
崔進岡	(예종1)				한산무인, 徵發
崔眞說	(세종대)			기(12, 명사故)	제수(12, 명사故)
崔進河	(성종대)				折衝將軍벽단첨절제사(11), 평안兵馬節度使虞侯(~18, 파직, 充軍), 영안兵馬節度使虞侯(21)
崔緝	(세종6)				평강縣監
崔執成	(성종24)				折衝將軍만포첨절제사
崔澄	(세종대)				左軍都事(6), 行護軍(11), 中衛中所訓導官(8), 左軍司直(9), 上護軍(10), 이산郡守(13), 僉知中樞(17), 울산郡事(~21, 피죄)
崔粲	(단종대)			환관	환관(~3, 파직)
崔璨	?~1456			환관	行司礿局使(단종1), 피화(좌端宗復位)
崔陟	(세종대)			기(成衆愛馬)	중추錄事(~16), 副司直(16)
崔天奇	(세종27)				太宗原從공신, 授軍職
崔千齡	(세조대)				行五衛司勇(~3, 充軍)
崔天老	(태종16)				정선郡事(읍지)
崔天老	(태종~세종대)			역관	前司譯判官(태종18), 통사(세종1)
崔天命	(태종대)				甲士(12), 前護軍(~18, 피죄)
崔鐵山	(성종7)				안음縣監
崔沾	(세조1)				五司副司正, 원종3등공신
崔湫	(세종대)				장성(16), 고창縣監(21), 능성縣令(~31, 杖流)
崔忠孫					장기縣監(읍지)
崔値	(세종대)				고성郡事(9), 前郡事(~14, 피죄)
崔致瑭	(세조1)				錄事, 원종2등공신
崔致敦	(문종~성종대)			환관	6品官이상(문종2), 유배(단종3), 中官(성종7, 19)

崔致濂	(태종~세종대)				前평강縣監(태종16), 前濟州判官(~세종17, 피죄)
崔致明	(태종~세종대)			문(태종17)	承政院注書(방목), 禮曹佐郎(방목)
崔致善	(세조3)				通仕郎, 원종3등공신
崔致安	(단종대)			기(3, 효행)	隨才敍用(3, 居거창, 孝行故)
崔致雨	(세종~세조대)				副丞(주문사통사종자, 세종22), 別坐(세조3), 世祖原從3등공신(3)
崔致河	(세조1)				五司護軍, 원종3등공신
崔致河	(성종6)				內需司書題
崔倂	(성종대)				목청전參奉(~성종5, 加資), 內瞻直長(~24, 파직)
崔通	(태종대)			문(17)	
崔泌之	(세조1)				主簿, 원종3등공신
崔河	(세종17)	제 澤			別侍衛(진주)
崔閑	(태종~세종대)			환관	承傳色(태종13, 15, 17, 18, 세종1), 陞2품(세종4)
崔漢	(세조~성종대)	형 沔			行主簿(세조3), 世祖原從3등공신(3), 예빈, 내자直長(11), 부안縣監(예종1), 한성判官, 內瞻主簿(~1, 파직), 관상副正(성종3)
崔漢望	(세조~성종대)				內禁衛(세조13), 兼司僕(성종5), 만포진첨절제사(14)
崔漢臣	(세조대)				안협縣監(~11, 收告身)
崔漢之	(세조1)				敦勇校尉(甲士), 원종2등공신
崔咸	(태조~태종대)			문(우왕2)	左司諫大夫(태종7), 大司成(9), 檢校漢城府尹(13)
崔涵	(세조~성종대)				五司司正(세조1), 世祖原從2등공신(1), 都摠使龜城君李浚軍官(13), 개천郡事(성종7)
崔咸	(세조3)				삼화縣令(읍지)
崔沆	?~1410				정선郡事졸
崔海	(세조1)				行五司司正, 원종3등공신
崔海	(예종~성종대)			환관	환관
崔海	(세조13)			역관	사역主簿
崔浩	?~1423			역관	전의判事(태조6), 使臣押物官졸(세종5, 전護軍, 在북경)
崔澔	(세조1)				五司司正, 원종3등공신
崔浩	(성종대)				通訓大夫司憲持平(20), 삭령郡守(21)
崔湖	?~1465			환관	복주
崔滈	(태조6)				司憲監察, 경상경차관
崔虎生	(세종대)				刑曹正郎(7), 司憲持平(8), 파직(9), 종부判官(10), 戶曹正郎(12), 司憲掌令(18)

崔灝元	(단종~성종대)		父 安止	?, 문(단종1), 중(세조14)	判官(~단종1), 문과, 兵曹佐郎(~10), 工曹正郎(10), 파직(10), 군자僉正(13), 풍수학教授(성종7), 장악원掌樂(10), 判官(~14), 문과중시, 봉상正(14), 僉知中樞(15), 五衛護軍(15), 兵曹參知(15), 파직(16), 衛將(20)[연산대: 사직(6, 年滿70故)]
崔混	(세종대)			기(20, 효행)	厚陵直(20, 孝行故, 청주)
崔洪	(성종8)				군적郎廳, 敍用
崔弘度	(성종22)				경성府使(읍지)
崔弘禮	(세조대)				別侍衛(~13, 피죄)
崔回因加茂	(세조1)			여진귀화인	五司司直, 원종3등공신
崔孝生	(세종~세조대)				평강縣監(세종15), 司憲監察(18), 副正(세조1), 世祖原從2등공신(1)
崔孝孫	(성종20)				五衛司直(양주, 孝行故)
崔孝深	(성종6)				行五衛副司直
崔孝岸	(세조10)			의원	전의助教
崔興	(성종9)				護軍(居경성)
崔興孫	(성종대)				마전郡守(~19), 通政大夫穩城府使(20), 行五衛護軍(24)
崔興雨	(세종4)				전副正(居정의)
崔興宇	(세종8)				공주判官
崔興孝	(세조7)				전僉知中樞
崔熙	(성종20)			환관	內官
崔曦	(세조1)		질서 府院君 朴楗		五司司勇, 원종3등공신
秋陽介	(세조대)			여진귀화인	斜地萬戶(~8), 본처萬戶(8)
春萬	(성종대)			환관	飯工(~19), 액정서司鑰(19)
黜良哈	(세종7)			여진귀화인	闊兒看兀狄哈千戶
出良哈	(세조5)			여진귀화인	본처(東良北)副萬戶
充尙	(세조7)			여진귀화인	大護軍(거河州)
充商	(단종3)			여진귀화인	大護軍(거伐引)
沈於許老	(세종7)			여진귀화인	올량합千戶
稱豆	(세조대)			여진귀화인	올량합上護軍(9), 下多家金都萬戶(10)

타

성명	생애(仕官시기)	본관	가계	출신	관력
他吾阿老	(세조대)			여진귀화인	학생(~5), 五衛司正(5)
他伊叱仇	(세종23)			여진귀화인	오도리千戶
朶塔	(세조2)			여진귀화인	포주등처副萬戶
卓思俊	(태조~태종대)	光州	父 府使 福海, 祖 尙書 廷位		太祖原從공신(세종32, 5, 기축), 判江西縣事 (태종14)
卓愼	1367~1426	光州	父 左諫議大夫 光茂, 祖 提學 文位	문(창왕1)	門下右拾遺(정종즉), 모상(2), 용담縣令(태종 2), 司諫院左正言(4), 유배(4), 司憲掌令(7), 봉 상副令(7), 사헌執義(8), 유배(9), 전농正, 成均 司成(~11), 同副(11)·右副(13)·左副(14)·左承 旨(15), 파직(16), 知申事(16), 면직(16), 경승府 尹(16), 吏曹參判(16), 禮曹參判同知經筵(세 종즉), 공안府尹(즉), 藝文提學(1), 議政府參 贊(4), 參贊졸
卓中	(세조~성종대)	光州 (*)	父 縣監 希立, 祖 贊成 愼	문(6)	전주敎授(~성종3, 재임7년교육유공, 陞資敍 用), 成均典籍(방목)(* 방목 居昌)
卓敬志	(성종대)				五衛部將(~14), 加資(14, 山陵功故), 양덕縣監 (16)
卓季貞	(세조1)				五司司正, 원종3등공신
濯琵	(세종32)				전架閣庫副錄事
卓世瓊	(성종25)				성절사押馬官
卓時	(성종대)			여진귀화인	올량합大護軍(4), 中樞(24)
卓愼志	(성종대)				교동縣監(~1, 파직)
卓祉	(세조대)				청산縣監(~4, 피죄)
卓誠	(태조대)		父 允順	문(2)	
卓賢孫	(성종대)			역관	하책봉사통사(19)
卓希生	(세조6)				典律, 원종3등공신
卓熙正	(세조대)				前司正(~16), 敍用(16, 우애극진故)
卓希進	(세조8)				임실縣監
探塔哈	(성종22)			여진귀화인	溫下衛護軍

조선초기 관인 이력

塔魯哈	(세조6)			여진귀화인	副萬戶
塔塔木	(세조1)			여진귀화인	벌인등처副萬戶
湯宋可	(세조2)			여진귀화인	포주등처副萬戶
太石鈞	(세종12)	陝溪	장인 領議政 黃喜	음?	전判官
太錫					장수縣監(읍지)
太好時乃	(세조~성종대)			여진귀화인	兼司僕(~세조12), 衛將(12), 侍衛(성종9)
土豆亏豆	(세종23)			여진귀화인	護軍
土麟哈	(세조7)			여진귀화인	본처副萬戶(거具州)
土時	(세조3)			여진귀화인	올량합副萬戶
土時阿	(세조3)			여진귀화인	推羅谷等地副萬戶
土伊吐	(성종24)			여진귀화인	올량합司猛
堆帖木兒	(세종4)			여진귀화인	올량합千戶
退土	(세종6)			여진귀화인	올량합百戶

파

성명	생애(仕官시기)	본관	가계	출신	관력
波可大	(세종대)			여진귀화인	올적합百戶(5), 千戶(7)
波加所	(세종5)			여진귀화인	올적합千戶
波加者	(태종8)			여진귀화인	야인千戶
波古仇羅	(성종15)			왜귀화인	왜護軍
波古時羅	(세조12)			왜귀화인	대마주향화護軍
把公	(세종15)			여진귀화인	上將軍
波難	(세종~단종대)			여진귀화인	올량합千戶(~세종24), 司直(24), 司正(단종3)
波難	(단종3)			여진귀화인	司正(居上訓春)
波多茂	(세조대)			여진귀화인	五衛司直(6, 정토야인軍功3등故)
波所	(태조4)			여진귀화인	오랑합萬戶
把兒遜	(태종대)			여진귀화인	올랑합萬戶(4, 5, 내조20년, 태종5, 4, 을류)
波乙時	(단종3)		父 護軍 戶也老	여진귀화인	副司正(居江外甫靑浦)
波只	(단종3)			여진귀화인	司直(居下東良)
波脫木	(세조6)			여진귀화인	萬戶(居강계외)
波泰	(세종23)			여진귀화인	副司直(골간우지합)
八里	(세조대)			여진귀화인	尼麻車上護軍(7), 본처都萬戶(7~14)
八塔沙	(세조4)			여진귀화인	파저강등처副萬戶
平原海	?~1417	東萊		왜귀화인	전의博士(태조6), 전의監(태종6), 전의判事(~9, 居대마도)졸
平順	(세종~세조대)	昌原	父 中樞副使 元海	왜귀화인, 의원	醫官(세종17, 세조3), 行大護軍(~세조8, 귀향)
平元海	?~1396	창원		왜귀화인	侍衛(태조시위), 中樞副使졸(세조8, 4, 기축)
平家久	(세조5)			왜귀화인	대마주護軍
平國忠(皮古汝文)	(성종대)			왜귀화인	대마주上護軍(7), 僉知中樞(7), 중추(15, 23)
平道全	(태종~세종대)			왜귀화인	사재少監(태종4), 護軍(9), 대마보빙사(9), 경상전라강원방왜사(10), 大護軍(12), 대마도說諭使(14), 上護軍(15), 정대마도偏將(세종1),

조선초기 관인 이력

					유배(3)
平得邦	(세종1)				전知平州事
平茂家	(단종2)			왜귀화인	대마도護軍
平茂續	(단종~성종대)			왜귀화인	대마도護軍(단종1), 兼司僕(세조7), 僉知中樞(7), 中樞(성종즉위, 18)
平茂永	(세종~문종대)			왜귀화인	대마도護軍
平茂持	(단종즉)			왜귀화인	대마도護軍
平茂特	(세조7)			왜귀화인	대마도護軍
平盛秀	(세조대)			왜귀화인	대마도護軍(2, 4)
平順	(성종8)				五衛司直
平順生	(성종11)				달량萬戶
平孝忠	(세조6)				五衛司勇, 원종3등공신
浦兒哈	(세조대)			여진귀화인	五衛司正(~8), 五衛副司直(8)
表繼	(세종대)	新昌	父 乙春	문(11)	司憲監察(방목)
表沿末	?~1498	신창	父 縣監 繼祖 軍器少尹 乙忠	문(성종3), 중(17)	藝文檢閱春秋館記事官(5), 파직, 藝文奉敎(9), 파직(9, 坐任士洪), 工曹佐郎(15), 掌隸院司議(16), 朝奉大夫司憲掌令(20, 22), 奉列大夫司諫院司諫(24) [연산이후: 弘文直提學, 大司諫, 同知中樞兼同知成均, 유배중피화]
表沿漢	?~1484	신창	제 同知中樞 沿末		영덕縣監졸
表永中	(세조~예종대)	신창	父 明秀	문(2)	경상都事(예종1, 읍지)
表崇道	(세종6)				前司直, 充水軍
表時(阿時)羅	(태조~태종대)			왜귀화인	散員(태조7), 甲士(태종대)
表阿時	(세종1)			왜귀화인	대마주都萬戶
表良性	(세조14)				진휼관유공(獎權, 居昌원)
皮尙宜	(세종~성종대)	東萊	父 皮沙古	왜귀화인, 역관	左軍副司直(세종15), 사역判官(30), 五衛護軍(문종즉위), 行五司司正(단종즉), 行司勇(세조1), 世祖原從3등공신(1), 五衛上護軍(3), 禦侮將軍副司猛(성종1), 檢校參議(1, 年老故)
皮古仇羅	(예종~성종대)			왜귀화인	대마주護軍(예종즉위, 성종14)
皮古羅	(성종20)			왜귀화인	대마주護軍
皮古時羅	(세조~성종대)			왜귀화인	대마주司直(7), 護軍(10)
皮古破知	(성종대)			왜귀화인	대마주司直, 護軍
皮力	(태조3)				龍義令
皮子休				?, 문(공양왕2)	종부主簿

하

성명	생애(仕官시기)	본관	가계	출신	관력
河緯地	?~1456	丹溪	父 縣監 澹, 祖 之伯	문(세종20)	集賢副修撰(세종20), 副校理(26), 校理(28), 議政府舍人(淸選考), 司憲掌令(문종즉위), 直集賢殿(2), 사헌執義(단종1), 집현直提學(1), 上護軍(1), 집현副提學(2), 禮曹參議(3), 禮曹參判(세조1), 피화(死六臣)
河綱地	?~1456	단계	제 緯地	문(세종11)	동복縣令(세종23), 피화(坐死六臣)
河紀地	?~1456	단계	형 緯地	문(세종20)	봉상直長, 成均學諭(방목), 피화(坐死六臣)
河潔	(태종~세종대)	晋陽 (晋州)	형 演	?, 문(태종11)	直長(~태종11), 문과, 司諫院右正言(세종즉), 左正言(1), 戶曹佐郎(2), 여흥府使(26), 右司諫大夫(30), 僉知中樞(31), 判事(세조1), 世祖原從3등공신(1)
河經履	(세종대)	진양	형 敬復		곤양郡事(6), 김해府使(14), 사천縣事(20)
河敬復	1377~1438	진양	父 副正 承海, 祖 軍器判事 乙桴	무(태조1), 무과중시(태종10)	副正(태종7), 朝見世子司僕官(7), 上護軍(~10), 무과중시, 길주도조전兵馬使(10), 경원兵馬使(10), 都摠制府僉摠制(10), 虎勇侍衛司절제사(11), 同知摠制(12), 경성등처병마절제사(12), 左軍同知摠制(17), 左軍同知摠制義勇侍衛司掌軍節制使(18), 三軍都鎭撫(18), 右軍摠制(18), 함길병마도절제사(~세종5), 兼右軍都摠制(5), 議政府參贊(9), 歸진주(10, 覲母), 함길도절제사(10), 判左軍都摠制府事(12), 判中樞(14), 평안都體察使(16), 議政府贊成事(17), 경상우도병마도절제사(17), 도절제사졸
河廣	?~1425	진양	父 判牧使 自宗, 祖 大司憲 允源		봉산郡事졸
河久	1385~1417	진양	父 領議政 崙, 祖 府使 允潾	음	左軍摠制(태종8), 中軍都摠制(11), 左軍摠制(11), 別司禁左邊提調(12), 左軍都摠制(13), 파직(14), 전都摠制졸
河襗	(단종~세조대)	진양	父 直長 潔, 祖 判書 自宗		임진(~단종2), 태인縣監(2), 世祖原從3등공신(세조1)

河吉之	(세종~세조대)	진양		문(세종16)	行臺監察(문종즉위), 한산郡事(세조3), 成均直講, 兼司憲執義(9)
河澹	(태종~세종대)	진양	父 之伯, 祖 胤	문(태종1)	司憲監察(태종5), 영산縣監(~7, 피죄), 제주判官(세종1), 경상주전別監(6), 청송郡事(9), 少尹(방목)
河崙	1347~1416	진양	父 順興府使 允麟, 祖 錄事 恃源	문(공민왕14)	知州事(공민왕20), 吏曹考功司佐郎, 簽書密直(우왕14), 경기관찰사(태종1), 簽書中樞(3), 명사(3), 충청관찰사(7), 定社1등공신政堂文學晉山君(7), 門下贊成事(정종1), 判義興三軍府事(2), 門下右政丞(2), 佐命1등공신(태종1), 사직(1), 議政府左議政(2), 領議政(4), 議政府左政丞(5), 사직(7), 좌정승(12), 領議政(14), 領議政致仕(16), 졸
河孟潤	(성종대)	진양	父 參判 孝明, 祖 領議政 演		내자僉正(21), 강계府使(24), 折衝將軍충청수군절도사(25)
河孟旺	(세조1)	진양	父 縣監 潃, 祖 郡事 繼宗		郡事, 원종3등공신
河邈之	(세종대)	진양		문(17)	경시主簿(방목)
河福山	(세조12)	진양	제 孟潤		宣傳官
河復生	(태종~세종대)	진양	父 都摠制 久, 祖 領議政 崙		여산郡事, 선공副正(세종24), 군자判事(~30, 유배)
河叔溥	(성종대)	진양	父 知中樞 漢, 祖 贊成事 敬復	음?	평안절도사(6), 刑曹參判(9), 충청절도사(10), 漢城左尹(15), 충청관찰사(15), 전주府尹(16), 嘉靖大夫知中樞(18), 僉知中樞(18), 영안북도절도사(19), 僉知中樞(25), 경상우도수군절도사(25)[연산대: 同知中樞兼五衛副摠管, 경상우도병마절도사]
河淑山	(세조~성종대)	진양	父 副將 自昆, 祖 同正 萬權	문(세조7)	刑曹佐郎(~세조12), 宣傳官(12), 奉訓郎司諫院正言(성종2), 成均典籍(8), 歸鄕(8)
河淳敬	(세종~세조대)	진양	父 濂, 祖 乙淑	문(세종26)	成均博士(세종30), 司憲監察(31), 縣監(세조1), 世祖原從3등공신(1)
河承海	(태조7)	진양	父 判事 乙桴, 祖 判書 巨源		前將軍, 充水軍
河礦	(세조대)	진양	父 參議 襟, 祖 直長 潔		行五司司正(1), 원종3등공신(1), 삼군鎭撫(8), 前嘉山郡守(13)
河演	1376~1453	진양	父 府尹 自宗, 祖 大司憲 允源	문(태조5)	봉상錄事(태조5), 藝文館修撰官, 봉상主簿(태종3), 吏曹正郎(~5), 파직(5), 예빈少尹(~11), 파직(11), 전사副令(14), 司憲掌令(14), 사헌執義(17), 同副(17), 右(17)·左代言(세종즉), 知申事(즉), 파직(즉), 강원관찰사(1), 右軍同知摠制(1), 禮曹參判(2), 명사(2), 兵曹參判(4), 大司憲(5), 刑曹參判(6), 中軍同知摠制겸경상관찰사(6), 吏(7)·禮曹參判(8), 파직(8),

					평안관찰사(9), 유배(9), 兵曹參判(11), 右軍摠制(11), 刑曹判書(12), 藝文大提學(13), 大司憲(15), 刑曹判書(18), 議政府參贊(18), 禮(18)·吏曹判書(19), 左參贊兼判吏曹事(21), 議政府左贊成(23), 좌찬성兼判戶曹事(26), 議政府右議政(27), 左議政(29), 領議政(31), 領議政致仕(문종1), 졸
河永	(태종~세종대)	진양	형 都摠制 久		赦宥, 隨駕(태종13), 탈상후敍用(세종즉), 五衛上護軍(12)
河潁之	(세종대)	진양		문(20)	縣監(방목)
河沃	(성종대)	진양	父 司諫 荊山, 祖 郡事 程拔		[연산대: 함흥判官(4, 읍지)]
河友明	(세종~성종대)	진양	형 孝明		別侍衛(세종26), 司憲監察(26), 철원府使(30), 僉知中樞(단종즉), 世祖原從1등공신(세조1), 行五衛上護軍(3), 都鎭撫(4), 司僕將(13), 前同知中樞(14)
河潤	(성종대)	진양	父 繼文	문(14)	修義副尉(~14), 藝文檢閱(14), 藝文奉教, 禮曹佐郎(20), 戶(25)·刑曹佐郎(25)[연산대: 司憲持平, 순천郡守]
河允麟	(태종16)	진양	자 領議政 崙		졸순흥府使
河自宗	?~1423	진양	父 大司憲 允源, 祖 贊成事 楫		前典書(~태종4), 유배(4) 工曹參議(7), 押馬使(7), 홍주牧使(12), 공안府尹(세종즉), 判淸州牧使(4), 전牧使졸
河悌明	(세종대)	진양	제 孝明	음(23, 의친)	敦寧府參奉(23), 至7품
河澍	(예종~성종대)	진양	父 郡守 孟晊, 祖 縣監 滌		제주判官(예종1, 읍지), 五衛部將(성종9)
河仲浩	(세조14)	진양	父 佐郎 悌明, 祖 領議政 演		分禮賓寺別提
河之屯	(세종4)	진양	형 之混		전연안府使, 유배
河之溟	(태종15)	진양	형 之混		戶曹佐郎
河之純	(태종3)	진양	父 漢城判尹 游, 祖 府使 允丘		옥천郡守(읍지)
河之混	(태종대)	진양	父 游, 祖 府使 允丘		거창縣令(2, 읍지), 佐郎, 司憲掌令(14)
河滌	(태종17)	진양	父 郡事 繼宗, 祖 大司憲 允源		司憲監察(~17), 파직(17)
河淙	(문종~세조대)	진양	父 敬履, 祖 承海	문(문종즉)	司憲持平(방목), 前比安縣監(세조4)
河漢	?~1460	진양	父 贊成 敬復, 祖 副正 承海		同知中樞졸
河漢近(根)	(단종~성종대)	진양		문(단종1)	訓導(세조1), 世祖原從3등공신(1), 承政院注書(3), 注書兼春秋館記事官(3), 司諫院正言,

					兵曹佐郎(7), 군기僉正(14), 숙천府使(성종1), 僉知中樞
河荊山	(성종대)	진양	父 郡事 程拔, 祖 郡事 濵	문(3)	司憲監察(~8, 파직), 南學敎授, 경상都事(11, 읍), 成均直講(~13, 파직), 경주敎授(16), 고성郡守(17), 영덕縣令(21), 牧使(방목)
河孝明	(세종대)	진양	父 領議政 演, 祖 兵曹判書 自宗		佐郎(15), 별요別坐(15), 司憲持平(19)
河孝文	(세종~세조대)	진양	父 自淸	문(세종29)	司憲監察(방목), 경산縣令(세조11)
河景	(태종대)			기(즉, 參贊門下南誾伴人, 노비)	擢用(즉, 事主人忠故)
河繼曾	(성종25)				藝文檢閱
河繼之	(세조대)			무	權知訓練參軍(1), 前거제縣令兼監牧(12)
河龜壽					연일縣監(읍지)
河軍復	(세종3)				都鎭撫
河起麟	(세조1)				行五司副司正, 원종2등공신
河圖	(세종대)			역관	사은사沈溫從事官(~세종1, 하옥), 사역判官(6), 상의원官(12), 사역判官(18)
河得孚	(태종대)			문(우왕3)	成均博士, 司諫院獻納(7)
河孟山	(세조1)				錄事, 원종2등공신
河孟洵	(세조8)				포천縣監
河孟詢	(성종대)				교하縣監(~4, 체직시우대)
河沔	(태종대)				변정도감判官(~14, 파직)
河泯	(성종대)				울진포萬戶(~6, 피죄)
河福生	(세조1)				五衛護軍, 원종3등공신
河石柱	(태조1)			기(軍士)	태조잠저휘하(태조총서)
河疏	(태종대)				법성포萬戶(~8, 充軍)
河紹美	(문종2)				加資(捕强盜故)
河紹義	(세조대)				경성절제사鎭撫(~3, 充水軍)
河水永	(성종22)				分土煙臺甲士
河水長	(세조13)				전라수군鎭撫)
河叔傳	(세조1)				五司司正, 원종2등공신
河順	(성종6)			曆官	관상감主簿
河習	(성종대)				전라조선千戶(~14, 피죄)
河如德	(세조대)				임진縣監(1), 원종3등공신(1), 前縣監(4, 錄用)
河淵明	(세조3)				錄事, 원종3등공신
河榮	(세종28)				司憲監察
河雲敬	(세종~세조대)			환관	액정서司鑰(세종30), 世祖原從3등공신(세조6)

河雲壽	(세종23)			환관	掖庭署謁者
河崘					경주府尹(읍지)
河閏生	(세조대)				廣州甲士(~5, 黜鄕)
河潤孫	(성종대)		서 大司憲 金之慶		藝文檢閱(김지경묘표)
河允源					상주牧使(읍지)
河乙金	(단종3)			여진귀화인	吾弄草司正
河乙所伊	(세조6)			여진귀화인	副司正
河乙伊	(세조6)			여진귀화인	副司正
河潾	(성종6)				주문사軍官, 隨闕敍用
河楨	(성종대)				左軍攝司正(曺錫文비명)
河艇					연일縣監(읍지)
河程秀	(세조1)				縣監, 원종3등공신
河宗海	(세종2)				현풍縣監(읍지)
河浚(峻)	(세종대)			기(1, 효행)	전구副丞(1, 진사, 孝行故)
河濬	(성종12)				제주判官
河沚	(태종14)				서평관錄事
河彭老					김제郡守(읍지)
河漢文	(성종대)				判官(密城君 李琛비명)
河逈	(태종~세종대)				戶曹佐郎(~태종8), 파직(8), 상서사判官(9), 刑曹都官正郎(17), 황해軍官(~세종즉), 파직(즉)
河浩	(세조1)				五司司直, 원종1등공신
河混	(세조~성종대)				兼司僕(세조13), 영접도감造成別坐(~성종14, 敍用), 문화縣監(~21, 收告身)
河翕	(세종21)				錄事
河瀉	(세조1)				主簿, 원종3등공신
河興	(세종대)				돌산千戶(~9, 피죄)
何多麻	(단종1)			여진귀화인	都萬戶
韓劒	?~1421	谷山	제 神懿王后	기(잠저태조 휘하)	太祖原從공신(태조1), 安川君(~태종9), 內侍衛절제사(9), 崇政大夫안천군(12), 判仁寧府事(12), 判敦寧(14), 檢校議政府右議政(16), 領敦寧致仕졸
韓卷(捲)	(태종대)	곡산	父 開城留侯 雍, 祖 觀察使 邦佐	문(11)	무장監務(9, 읍지), 司諫院右正言(~14, 유배), 함안郡守(18, 읍지), 증世祖原從3(세조8, 졸郡事)
韓貴生	(세조대)	곡산	神懿王后친족		敦寧主簿(10)
韓金剛	?~1433	곡산	형 檢校議政 劒		檢校漢城졸
韓奉	(세종15)	곡산	父 領敦寧 劒, 祖 密直副使 卿		전副司正, 除土官

韓雍	1352~1425	곡산	父 觀察使 邦佑, 祖 政堂文學 瑠		사천監務, 司憲監察, 刑曹都官佐郎, 적성監考 (졸기), 司憲持平(태종4), 종부判官, 司憲掌令 (6), 군기監(7), 知司諫(7), 순금사大護軍(8), 내자判事(9), 兵曹左(9)·刑曹右參議(9), 충청관찰사(10), 漢城府尹(11), 경상관찰사(12), 풍해 평안도안무사, 開城副留侯(15), 判忠州牧使 (15), 인수府尹(세종즉), 開城留侯(1), 파직(1), 전留侯졸
韓隆田	1369~1442	곡산	父 密直副使 卿, 祖 珪仁, 매 神懿 王后	기(세종 대, 특지)	白身, 添設司宰副正(세종대, 세종24, 6, 18), 退居함흥(15), 知敦寧졸
韓長(昌)壽	1365~1440	곡산	父 密直使 卿, 祖 珪仁, 매 神懿王后	음	左軍摠制(태종2), 分領外甲士(2), 安原君(5), 內禁衛절제사(8), 경기좌도도절제사(9), 中軍摠制(12), 안원군(세종즉), 知敦寧(즉), 判中樞都摠制(3), 欽問起居使(4), 정조사(7), 判敦寧(10, 14), 판돈령졸
韓宗德	(문종1)	곡산	祖 領敦寧 劒		收職牒
韓港	(태종~세종대)	곡산	父 雍, 祖 邦佐	문(태종11)	開城留侯(방목)
韓可堅	(세조6)	淸州	父 獻納 彙, 祖 判書 哲冲		萬戶, 원종3등공신
韓健	?~1493	청주	형 澗	음	奉正大夫司憲持平(성종15), 正郎(17), 僉正 (18), 同副·右副·左副承旨(19~20), 左(20)·都承旨(20), 吏(21)·刑曹參判(21), 工曹參判(24), 參判졸
韓堅	(세조1)	청주	父 正郎 詒永, 祖 知中樞 天童		主簿, 원종3등공신
韓謙(兼)	(태조~태종)	청주	父 典法判書 哲仲, 祖 禮儀判書 希迪	문(태조2)	禮曹正郎(~태종10, 파직), 司諫院獻納(방목)
韓景琦	1472~1529	청주	父 監察 起, 祖 領議政 明澮	음(성종말)	敦寧奉事[연산이후: 敦寧副正]
韓敬守	(태종14)	청주			工曹正郎, 파직
韓景琛	(성종25)	청주	처 성종녀 恭慎 翁主	기(부마)	淸寧尉
韓繼美	1420~1471	청주	父 觀察使 惠, 祖 領議政 尙敬	음(세종20)	五衛司勇(세종20), 나주判官, 副司直兼司憲監察(~문종1), 刑曹都官佐郎(1), 經筵檢討官(단종즉), 奉直郎軍資判官(1), 朝奉大夫司僕少尹(2), 佐翼3등공신(세조1), 折衝將軍虎賁衛大護軍(2), 知司諫(2), 同副·右副·左副·右承旨(2~4) 父喪(4), 평안황해강원사민안집도순찰사(7), 刑曹參判(7), 西原君(7), 평안황해강원도순문사(8), 吏曹判書(10), 崇政大夫西原君(12), 평안절도사(13), 敵愾3등공신(13),

					議政府右贊成(13), 우찬성兼五衛都摠管(13), 정건주군공4등(13), 우찬성兼判吏曹事(예종1), 左贊成(1), 좌찬성兼五衛都摠管(1), 좌찬성兼判吏曹事(1), 輔國崇祿大夫左贊成(성종1), 判敦寧(1), 佐理2등공신(2), 領中樞(2), 영중추졸
韓季復	(태종대)	청주	父 護軍 休, 祖 政堂文學 方信		임피縣令(~17, 퇴임)
韓繼孫	(성종6)	청주	父 密直使 卿, 祖 珪仁		隨品除實職
韓繼純	1431~1486	청주	형 領中樞 繼美	음	世子右洗馬, 통례원奉禮郎, 司憲監察, 工曹正郎(세조10), 사재僉正(11), 同副·右副承旨(13~예종즉), 翊戴1등공신(예종즉), 左副·右·左承旨(예종즉위~성종2), 工曹判書(2), 佐理3등공신靑陽君(2), 淸陽君겸충청관찰사(3), 吏曹判書(4), 淸平君(5), 守陵官(5), 正憲大夫청평군(7), 知中樞(10), 청평군(10), 崇政大夫淸平君(15), 청평군졸
韓繼胤	1415~1475	청주	제 繼美		主簿, 원종3등공신
韓繼禧	1423~1482	청주	형 繼美	문(세종29)	집현正字(세종29), 修撰(단종1), 집현校理兼侍講院文學(세조1), 世祖原從1등공신(1), 中訓大夫侍講院左弼善(2), 사헌執義(2), 집현直提學(3), 通訓大夫侍講院右輔德(3), 通政大夫左輔德(4), 知兵曹事(4), 兵曹參議(4), 父喪(4), 右(6)·左承旨(7), 工曹參判(7), 中樞副使(7), 吏曹參判兼世了右副賓客(8), 인순府尹(9), 吏曹判書(11), 崇政大夫吏曹判書(12), 中樞副使(13), 翊戴3등공신西平君(예종즉), 昭格署提調(성종1), 佐理2등공신議政府左贊成(2), 藥房提調(7), 서평군졸
韓皐	?~1407	청주		문(태조5)	親祭大祝(태조5), 司諫院獻納(~태종5, 파직), 봉상시協律郎, 동복·인동縣監, 강원軍官졸
韓昫	(성종대)	청주	父 正 長孫, 祖 中樞副使 瑞龍	문(14)	翰林(17), 司憲持平(22), 北征從事官(22)
韓珪	?~1416	청주	父 判書 永守, 祖 尙書 九柱		大將軍(~태조7), 充水軍(7, 左鄭道傳), 巡軍千戶(정종2), 都摠制府同知摠制(태종1), 佐命4등공신(1), 中軍摠制(2), 조전절제사(2), 左軍摠制(3), 兼右軍摠制(6), 沔城君(~8), 개성등처조전절제사(8), 虎翼侍衛司上護軍(8), 兼右軍都摠制(8), 三軍都鎭撫(9), 別侍衛중군절제사(12), 判三軍府事(14), 沔城府院君(16), 府院君졸
韓瑾	(성종18)	청주	형 士介		忠義衛, 춘공도감丹靑監役

조선초기 관인 이력

韓嶔	(성종6)	청주	장인 桂陽君 增		加資
韓伋	(성종12)	청주	父 副正 忠禮, 祖 參議 磧		예안縣監(읍지)
韓起	(태종대)	청주	父 政堂文學 尙質, 祖 密直提學 脩, 손녀 成宗妃 恭惠王后	음	司憲監察
韓曒	(세조12)	청주	父 兵馬節度使 萬孫, 祖 中樞副使 瑞龍		울진縣令(읍지)
韓理	?~1417	청주	父 密直副使 公義, 祖 僉議右政丞 渥	?, 문(공민왕11)	감문위錄事(~고려공민11), 문과, 前禮儀判書(태조3), 예문춘추관學士(3), 前鷄林府尹(~5, 유배), 전府尹졸
韓萬齡	(성종대)	청주	父 獻納 虎生, 祖 獻納 皐	문(11)	성절사書狀官(8), 신천郡守(~21, 收告身)
韓萬孫	(성종대)	청주	형 僉正 長孫	무(족보)	捕盜部將(3), 從事官(6), 충청경차관(22)
韓明溍	?~1454	청주	형 領議政 明澮		靖難3등공신, 전구署丞졸
韓明澮	1415~1487	청주	父 監察 起, 祖 政堂文學 尙質	음(문종2)	경덕宮直(문종2), 군기錄事(단종1), 靖難1등공신(1), 司僕少尹(1), 同副·右副·左副承旨(2~세조1), 佐翼1등공신(1), 右副(1)·右(1)·都承旨(1), 吏曹判書上黨君(3), 兵曹判書(4), 황해평안함길강원4도都體察使(5), 上黨府院君(7), 議政府右議政(8), 左(9)·領議政(12), 院相(예종즉), 翊戴1등공신上黨府院君(예종즉), 領議政(1), 領議政兼判兵曹事(성종즉), 佐理1등공신(2), 領春秋館事(2), 上黨府院君(5), 府院君졸
韓伯倫	1427~1474	청주	父 觀察使 昌, 祖 郡守 季復, 여 예종비	음	사온直長同正, 儀賓都事(세조12), 正郎(14), 輔國崇祿大夫淸川君(예종즉), 翊戴3등공신(즉), 청천군(1), 청천군兼五衛都摠管(1), 議政府右議政(성종1), 佐理3등공신(2), 淸川府院君(2), 府院君졸
韓秉	(태조~태종대)	청주	父 哲冲, 祖 希迪	문(태조2)	司諫院獻納(방목)
韓堡	1446~1522	청주	父 領議政 明澮, 祖 監察 起	음(세조4), 무(12)	龍驤衛司正(세조4), 折衝將軍義興衛攝護軍兼判通禮(11), 僉知中樞(12), 嘉善大夫琅城君(예종1), 佐理4등공신(성종2), 漢城右尹(3), 工曹參判(6), 資憲大夫낭성군(7), 낭성군兼五衛副摠管(9), 파직(11, 불순양모故), 行五衛副司直(12), 낭성군(21) [연산이후: 經筵特進官, 낭성군, 崇政大夫琅城君奉朝賀, 낭성군졸]
韓士介	(성종대)	청주	父 參判 繼善, 觀察使 惠		의금軍官(20) [연산이후: 영흥府使·진주牧使(읍지)]

韓士武	(성종10)	청주	형 斯文		개성부都事
韓斯文	1446~1507	청주	父 右贊成 繼禧, 祖 平安觀察使 惠	음(세조8)	문소전直長(세조8), 군기判官(~예종즉), 파직(즉), 戶曹正郎(성종3), 군기僉正(9), 副正(9), 부평府使(10), 通訓大夫司憲執義(18), 右副·左副·右承旨(23~25) [연산이후: 西川君, 開城留守, 漢城左尹, 同知中樞, 大司憲, 兵·工曹參判, 工曹判書兼五衛都摠管, 함경관찰사兼咸興府尹, 靖國4등공신, 함경관찰사]
韓山老	(세종~세조대)	청주	父 緝	문(세종29)	縣監(방목)
韓尙敬	1360~1423	청주	父 密直提學 脩, 祖 密直副使 公義	음(우왕3), 문(8)	사선署令(~고려우왕3), 문과, 禮曹佐郎(8), 司諫院右正言, 典理正郎, 藝文應敎, 工曹摠郎, 종부令(고려), 右承旨(태조1), 開國3등공신(1), 都承旨(2), 世子左副賓客(4), 簽書中樞(4), 충청관찰사西原君(5), 경기좌도관찰사(정종1), 參知議政(태종1), 서원군(1), 中軍摠制(2), 풍해·강원관찰사(~5), 工曹判書(5), 知議政府事兼大司憲(6), 判承寧府事(6), 西川君兼世子世子左賓客(8), 서천군兼承文提調(9), 戶曹判書兼좌빈객(12), 議政府參贊겸좌빈객(13), 吏曹判書(13), 西原府院君(15), 議政府右議政(16), 領議政(18), 西原府院君(18), 府院君卒
韓尙德	?~1434	청주	형 領議政 尙敬	문(우왕11)	知司諫(태종9), 사헌執義(9), 면직(9), 전사判事(11), 右副·右·左承旨(11~16), 파직(16), 인수府尹(18), 강원관찰사(세종1), 사직(1, 모병), 左軍摠制(7), 정조사(8), 戶曹參判(9), 전參判卒
韓尙完	(세조1)	청주	父 參判 濬, 祖 崇德		五衛護軍, 원종2등공신
韓尙質	(태조대)	청주	제 領議政 尙敬	?, 문(우왕6)	佐郎(~고려우왕6), 문과, 藝文學士(태조1), 國號주청사(1), 簽書中樞(2), 양광관찰출척사(2), 政堂文學(5), 경상관찰사(5), 예문춘추관大學士(6)
韓尙桓	?~1433	청주	제 領議政 尙敬		前漢城府尹(6, 廢庶人), 전漢城府尹卒
韓瑞龜	(단종~예종대)	청주	父 中樞副使 承舜, 祖 鷄林府尹 理		靖難3등공신(단종1), 通禮院奉禮郎(3), 署令(세조1), 司僕少尹(2), 宣傳官(3), 僉知中樞(7), 淸原君(10), 同知中樞淸原君奉朝賀(예종1)
韓瑞龍	(세종~세조대)	청주	父 中樞副使 承舜, 祖 鷄林府尹 理	음	전佐郎(세종3), 中樞使, 都節制使(세조1), 世祖原從2등공신(1)
韓瑞鳳	1412~1456	청주	형 中樞使 瑞龍	?, 문(세종29)	陵直(~세종29), 문과, 宣務郎藝文奉敎(단종2), 吏曹正郎(세조1), 世祖原從2등공신(1), 正郎卒
韓叔倫	(성종대)	청주	형 右議政 伯倫		武臣(1), 황해경차관(1), 김포縣監(4)

조선초기 관인 이력

韓承舞	?~1448	청주	형 摠制 承顔		배천郡事(~태종16, 파직), 上護軍(세종9), 제주안무사(19), 僉知中樞(21), 경상우도수군절제사(21), 전주府尹(22), 中樞副使(29), 中樞副使졸
韓承顔	?~1421	청주	父 僉議評理 理, 祖 密直副使 公義	문(태조5)	司諫院右獻納(태종1), 司憲掌令(4), 尙瑞司少尹(~10), 파직(10), 사헌執義(12), 右副承旨(16), 파직(17), 左軍摠制졸
韓嚴	(성종대)	청주	父 世復, 祖 洪甫		상주判官(읍지)
韓堰	1448~1492	청주	父 署丞 明澮, 祖 監察 起	음, 문(성종5)	五衛司果(~성종5), 문과, 大司成(성종5), 五衛護軍(10), 吏(11)·工曹參議(11), 掌隸院判決事(13), 장흥府使(14), 大司諫(16), 通政大夫황해관찰사(17), 同副·右副·左副·右·左·都承旨(18~20), 파직(20), 僉知中樞(20), 禮曹參議(20), 刑(20)·吏曹參判(21), 大司憲(22), 사행중졸
韓彦倫	(성종20)	청주	父 吏曹正郎 瑞鳳, 祖 中樞副使 承舞		충청行臺監察
韓黎	(문종~세조대)	청주	형 觀察使 昌		司憲持平縣監(문종즉위), 世祖原從3등공신(세조1)
韓永矴	(세종9)	청주	父 錄事 寧, 祖 政堂文學 方信		졸郡事
韓有紋	?~1436	청주			사재少監(태종7), 內贍少尹(8), 밀양郡事(12), 의금鎭撫, 내자判事, 강원관찰사兼戶曹參議(세종6), 강원관찰사(~7), 파직(7), 吏(8)·戶曹參議(8), 전주府尹(9), 中樞副使(14), 전中樞副使졸
韓允雍	(세종대)	청주	父 縣監 皐	기(10, 효행)	下이조(10, 東部儒學, 孝行故)
韓巇	1443~1485	청주	父 領中樞 繼美, 祖 領議政 尙敬	음(세조5)	전구錄事(세조5), 健元陵直, 문소殿直, 司僕直長(10), 判官, 僉正(12), 兵曹參知(예종즉), 兵(1)·刑(1)·工曹參判(성종1), 佐理4등공신西陽君(2), 서양군(5), 同知中樞(10), 서양군(10), 行僉知中樞(12), 漢城右尹(13)·左尹(13), 西陽君貞熹王后守陵官(14), 資憲大夫서양군졸
韓彛	(태조~태종대)	청주	父 郎將 文裕, 祖 尙書 仁輔	문(태조5)	제주判官(태종2, 읍지), 承寧府判官(5)
韓任	(태종5)	청주	父 政堂文學 方信, 祖 僉議右政丞 渥		前鐵原府使, 유배
韓長孫	1422~1497	청주	父 中樞副使 瑞龍, 祖 中樞副使 承舞	무(세조7,족보)	都摠府都事(세조13), 선공僉正(~성종14, 陞職, 山陵功故)
韓磧	?~1447	청주	형 左議政 確	음	의영庫丞(세종1), 護軍(14), 工(22)·刑曹參議

성명	생몰	본관	가계	출신	이력
					(22), 通政大夫황해관찰사(24), 刑(26)·戶(27)·工曹參議(29), 參議졸, 贈世祖原從2등공신(세조1)
韓岊	(성종13)	청주	형 巘		命敍用
韓珽	(성종9)	청주	형 士介		전차備忠義衛(~9), 少卿(9), 加資
韓倧	(성종대)	청주	형 開		경기검찰관(22, 箇滿)
韓終孫	?~1467	청주	父 中樞副使 瑞龍, 祖 中樞副使 承舜	음, 무	훈련知事(단종1), 知兵曹事(세조1), 佐翼3등공신(1), 僉知中樞兼知兵曹事(2), 兵曹參議(2), 僉知中樞(5), 嘉善大夫僉知中樞(5), 경상좌도처치사, 僉知中樞, 行五衛上護軍, 衛將(10), 淸城君졸
韓埈	(세조~성종대)	청주	父 縣監 繼胤, 祖 平安觀察使 惠		한성參軍(세조12), 내자主簿(예종1), 刑曹正郞(성종6), 파직(6), 한성參軍(8)
韓曾	1441~1504	청주	父 正 長孫, 祖 中樞副使 瑞龍	음(성종대)	五衛司果(성종14), 通禮院引儀(21)
韓砅	(세조1)	청주	형 左議政 確		戶曹佐郞(세종23), 工曹正郞(세조1), 원종3등공신(1)
韓緝	(정종~태종대)	청주		문(정종1)	副正(방목)
韓儹	(성종대)	청주	父 判敦寧 致仁, 祖 左議政 確		工曹正郞(4), 通政大夫同知中樞(14), 성절사(14), 同副·右副·左副·右承旨(15~16), 嘉善大夫同知中樞(16), 성절사(16), 行僉知中樞(17), 同知中樞(18), 성절사(18)
韓儹禹	(성종대)	청주	서 昌原君 晟		判官
韓昌	(세종~세조대)	청주	父 縣令 季復, 祖 護軍 休		삼등縣監, 평양少尹, 司憲掌令(세종26), 선공(29), 봉상判事(단종2), 世祖原從3등공신(세조1), 僉知中樞(2), 僉知中樞충청관찰사(3)
韓昌	(세조6)	청주	제 黎		副使, 원종3등공신
韓陟	(세조~성종대)	청주	父 府使 慶, 祖 藝文學士 公瑞		의금知事(세조9), 鎭撫(예종1), 고원郡守(성종11), 군자判官(18), 군자僉正(22)
韓蕆	(태조2)	청주	父 知都僉議 大淳, 祖 右政丞 渥		前判漢城府事, 원종2
韓天童	(태조대)	청주	父 季祥, 祖 政丞 宗愈, 장인 李崇仁	문(우왕11)	前간성진동첨절제사(~7, 유배, 坐南闇)
韓千孫	(세조~성종대)	청주	형 僉正 長孫	음	五司司勇(세조1), 世祖原從3등공신(1), 평안절도사從事官(13), 通政大夫朔州府使(성종2), 의주牧使(6), 兵曹參知(10), 工曹參議(10), 兵曹參知(11), 양주牧使(13), 嘉善大夫楊州牧使(13)
韓忠禮	(성종대)	청주	형 節度使 忠仁		內禁衛(~5, 파직), 상의(11), 敦寧(11), 장악(11), 敦寧正(11), 通禮院相禮(20)

조선초기 관인 이력

韓忠順	(성종대)	청주	형 忠仁		성절사軍官(10), 옥천郡守, 강화府使(23), 옥천郡守(25), 군자僉正(25), 通禮院相禮(25)
韓忠義	(성종대)	청주	형 忠仁		五衛上護軍(金國光비명)
韓忠仁	(세조~성종대)	청주	父 參議 碩, 祖 知郡事 永矴, 백부 左議政 確		都摠使龜城君李浚慰諭使(세조13), 충청·전라수군절도사(성종3), 行五衛護軍(4), 通政大夫江陵府使(6), 僉知中樞(10), 창원府使(11), 僉知中樞(11), 정조副使(12), 五衛大護軍(12), 경상좌도수군절도사(18), 원주牧使(20), 西征後援將(22), 정주牧使(25)
韓致良	(성종대)	청주	형 領議政 致亨		副正(3), 황해都事(5), 김제郡守(9), 司贍副正(12), 서흥府使(21), 判官(~23), 副正(23)
韓致禮	1441~1499	청주	형 知敦寧 致仁	음(특지)	훈련都正(세조12), 兵曹參知(12), 通訓大夫兵曹參知(14), 僉知中樞(14), 嘉善大夫同知中樞(성종즉), 佐理4등공신(2), 兵曹參判(4), 資憲大夫兵曹參判(6), 西陵君(7), 사은副使(7), 성절사(8), 戶曹判書(10), 성절사(10), 崇政大夫吏曹判書(11), 서릉군(12), 正憲大夫議政府左參贊(12), 崇政大夫서릉군(13), 左參贊(14), 判中樞(16), 戶(19)·兵(20)·工曹判書(22), 判敦寧(23)[연산대: 서릉군, 判敦寧, 西陵府院君, 府院君졸]
韓致義	1440~1473	청주	형 知敦寧 致仁	음(단종3)	五司司正兼尙瑞司錄事(단종3), 通禮院奉禮郎(세조5), 군기副正(~10), 안동府使(10), 通政大夫安東府使(12), 僉知中樞(13), 五衛上護軍兼宣傳官(13), 훈련都正(13), 경상좌도절도사(예종1), 中樞副使(1), 漢城左尹(성종1), 성절사(1), 漢城左尹(2), 戶曹參判(2), 佐理4등공신靑陽君(2), 資憲大夫知敦寧(3), 兵曹判書(3), 청양군(3, 身病故), 청양군졸
韓致仁	1421~1477	청주	父 左議政 確, 祖 淳昌郡事 永矴	음(세종26)	世子右洗馬(세종26), 承義郎工曹正郎(단종1), 예빈少尹(세조1), 世祖原從2등공신(1), 사재正(4), 工曹參議(8), 西川君(13), 改西城君(13), 전주府尹(14), 戶曹參判(예종1), 資憲大夫서성군(성종1), 佐理4등공신(2), 知敦寧(3), 성절사(5), 判敦寧졸
韓致亨	1434~1502	청주	父 正郎 砎, 祖 淳昌郡事 永矴	음(세조1)	副丞(세조1), 世祖原從3등공신(1), 司憲監察, 司憲掌令(9), 司僕少尹, 掌隷院判決事(13), 左副·右·左承旨(13), 吏(13)·戶曹參判(13), 함길남도관찰사(예종즉), 同知中樞(성종즉), 大司憲(1), 佐理3등공신淸城君(2), 嘉靖大夫刑曹判書(2), 資憲大夫開城留守(4), 淸城君겸경기관찰사(6), 司僕提調(8), 청성군(9), 知中樞(9), 성절사(9), 漢城判尹(10), 知中樞(11), 사은사

					(11), 戶曹判書(12), 성절사(12), 議政府左參贊(12), 청성군(15), 성절사(15), 경상진흌사(16), 崇政大夫判漢城府事(17), 刑曹判書(17), 청성군(18), 경상관찰사(18), 청성군(19), 兵曹判書(22), 左贊成(24)[연산대: 兼大司憲, 議政府右議政, 左議政, 領議政졸]
韓倬	(성종대)	청주			敦寧參奉(16), 奉事(21)
韓㑖	(예종~성종대)	청주	父 領敦寧 致仁, 祖 左議政 確	음	사재僉正(예종1), 通政大夫敦寧都正(성종2), 同副·右副·左副·右承旨(6~8), 兵(8)·吏曹參議(10), 掌隷院判決事(11), 刑曹參判(13), 경상관찰사(14), 西原君(17), 서원군졸
韓顯	(성종대)	청주	父 府使 可久, 祖 縣監 兼		前五衛司果(~14, 敍用, 迎接都監郎廳功故), 의금郎廳(25)
韓亨允	1470~1532	청주	父 副正 昢, 祖 領中樞 繼美	문(성종23), 중(연산3)	승문副正字, 兼宣傳官, 藝文檢閱, 承政院注書 [연산이후: 成均典籍, 禮曹佐郎, 刑曹正郎, 弘文應敎, 典翰, 副校理, 경연侍講官, 함경·경기·경상도어사, 吏曹參議, 參判, 僉知中樞, 漢城府尹, 경상·경기관찰사, 刑曹判書]
韓惠	1391~1431	청주	父 領議政 尙敬, 祖 密直提學 修	음, 문(태종17)	종묘署令(~태종13), 문과, 전사少尹(13), 兼知司諫(세종1), 同副(2)·右副(3)·右(4)·左承旨(5), 부상(5), 兵曹參議(8), 禮曹參判(10), 左軍同知摠制(10), 전라관찰사(11), 함흥府尹(12), 함길관찰사졸
韓虎生	(세종대)	청주	父 獻納 皐	?, 문(26)	陵直(~26), 司諫院獻納(방목)
韓確	1400~1456	청주	父 淳昌郡事 永矴, 祖 錄事 寧, 매 明 太宗麗妃, 여 仁粹大妃	기(태종17)	明 光祿寺少卿(태종17, 妹故), 세종책봉正使回(세종1), 侍衛軍節制使(7), 진헌사(9), 資憲大夫中樞副使(17), 知中樞(17), 中樞使(20), 判漢城府事(21), 경기관찰사(21), 知中樞(22), 兵曹判書(22), 함길관찰사(22), 同知中樞(25), 判漢城府事(25), 兵曹判書(26), 知中樞兼判兵曹事(27), 吏曹判書(27), 判中樞(28), 평안관찰사(29), 평안관찰사겸병마도절제사(30), 判中樞(32), 사은사(문종1), 議政府左贊成(2), 靖難1등공신西城君(단종1), 議政府右議政兼西城府院君(1), 佐翼1등공신(세조1), 左議政(1), 사은사(2), 귀국중졸
韓懽	(예종~성종대)	청주	父 右議政 伯倫, 祖 江原觀察使 昌, 매 睿宗妃	음	司僕判官(예종즉), 工曹參議(성종2), 敦寧都正(2), 파직(8), 司僕提調(16), 충청병마절도사(18), 漢城右尹(18), 工曹參判(18), 淸川君(20), 유배(21)[연산대: 淸川君]
韓訓	(성종대)	청주	父 節度使 忠仁, 祖 觀察使 磧	문(25)	[연산대: 弘文館修撰피화]
韓曦	(성종대)	청주	父 參判 從孫, 祖		충훈부都事(李崇元비명)

		中樞副使 瑞龍			
韓幹	(태조7)				上林園使
韓堅	(태종16)				司憲監察
韓瓊	(세종9)				西部錄事
韓慶生	(세종21)				현풍縣監(읍지)
韓敬信	(세종10)				전驛丞
韓景和	(세종7)				졸평강縣監
韓季輔	(태조2)			환관	內侍別監
韓繼思	(세조1)				五司司正, 원종2등공신
韓繼安	(세종1)				은율縣監(읍지)
韓繼周	(세종6)				禮曹知印
韓繼忠	(단종대)			기타(3, 효행)	隨才敍用(3, 김제학생, 孝行故)
韓繼興	(태종18)				부안兵馬使
韓毅	(세종15)	父 祐			司直
韓公行	(세조1)			환관	액정서司鑰, 원종3등공신
韓述	(세종대)				前敎導(~5), 命敍用, 5, 孝行故), 敎導(5)
韓卷	(세조8)				졸郡事, 원종3등공신
韓貴達	(세조6)				五衛司勇, 원종3등공신
韓謹	(성종24)				加資(親祭祭監故)
韓箕斗	(세종대)			기(10, 효행)	下吏曹(10, 居배천, 孝行故)
韓吉文	(세종대)			환관	상왕전(2), 중궁전內官(8)
韓那海	(태조1)			기(軍士)	태조잠저휘하(태조총서)
韓答	(태종대)				戶曹參議(5), 前완산府尹(10)
韓大重	(세종20)				단천郡守(읍지)
韓德生	(세종16)			역관	여진통사
韓揀	(세종14)				전參議
韓得敬	(세종~세조대)			환관	액정서司鑰(~세종4, 파직), 司鑰(세조1), 원종3등공신(1)
韓得仁	(세조3)				別監, 원종3등공신
韓㻯	(태조대)	父 庶		문(2)	
韓孟孫	(세조12)			환관	환관
韓明祖	(성종18)			의원	醫官
韓牧	(태종대)			문(1)	主簿(방목)
韓茂	(세조1)				五司司正, 원종3등공신
韓文直	(태종~세종대)			환관	환관(태종9), 中官(12), 掌酒房(~세종5, 유배)
韓方至	(태종~세조대)				司直(태종16), 大護軍(세종3), 護軍(15), 上護軍(15), 僉知中樞(24), 世祖原從3등공신(세조1), 檢校中樞(10)

韓保	(세조10)			환관	薛里
韓補之	(태종16)				함길敎諭
韓奉	(태종11)			환관	內官
韓奉(卜)連	(세조~성종대)				兼司僕(세조7년 이전, 예종1, 6, 갑자 善捕虎故), 陞職(성종1)
韓士良	(태종대)				龍武侍衛司副司直(~11, 充軍)
韓思敏	(세조1)				五司司正, 원종2등공신
韓思友	(태조1)			기(軍士)	태조잠저휘하(태조총서)
韓尙直	(세조13)				加1資(征建州散料功故)
韓瑞龜	?~1448				中樞副使졸
韓敍倫	(성종대)				전都事(~14), 훈련僉正(14)
韓瑞呈	(세조9)				三軍部將
韓瑞貞	(예종대)				충청虞侯(~1, 收告身)
韓碩	(세종22)				僉知中樞
韓成己	(문종1)	신의왕후외가			嘉善大夫安山君
韓世龍	(세조대)				경상우도절제사(1), 中樞副使奉朝賀(5)
韓世甫	(세종대)			환관	환관
韓世桓	(성종25)				藝文奉敎
韓邃	(세종11)				在官
韓守經	(성종25)			역관	성절사통사
韓叔厚	(세조~성종대)				都摠使龜城君李浚軍官(세조13), 通政大夫穩城(성종6), 경흥府使(7), 회령府使(11), 嘉善大夫五衛副護軍(12), 구성府使(16), 경상우도수군절도사(22)
韓崧	?~1453			환관	都薛里(단종즉), 被囚, 피화
韓崇祖	(성종16)				단천甲士
韓承敬	(세조1)				슈史, 원종3등공신
韓承慶	(세조13)				화순縣監
韓承錫	(세종~세조대)				의정부知印(세종30), 世祖原從3등공신(세조1)
韓承祖	(세종~성종대)				忠義衛(세종24), 修義副尉(세조1), 世祖原從2등공신(1), 還職牒(성종7)
韓承弼	(세조~성종대)				知印(세조1), 世祖原從3등공신(1), 金城縣令(성종13)
韓安遇	(문종즉위)				전上護軍(居길주), 入京侍衛
韓汝升	(세조~성종대)			?, 문(세조12)	府使(~세조12), 문과, 承文判校(방목)
韓汝弼					김제郡守(읍지)
韓璉	(태조대)		父 庶	문(2)	
韓禮金	(세종대)			환관	內官(~4, 收職牒)

韓玉山	(세조14)				前結城縣監, 杖徒
韓玉石	(세조7)				의주甲士
韓穩	(태종~세종대)				前教授官(~태종8, 유배), 군기判事(세종11)
韓龍鳳	(태종~세종대)			환관	內侍府事(태종13), 內侍(세종11)
韓用珍	(태종18)			의원	醫官
韓迂	(세종9)				진잠縣監
韓祐	(세종대)	자 穀			前구량량萬戶(6), 萬戶(~7, 유배)
韓禹昌	(성종25)				장원서別提, 흥해郡守(읍지)
韓位	(단종2)				회령牌頭甲士
韓偉	(성종대)				五衛司果(~16), 동부主簿(16), 강원都事(20), 判官(~24), 僉正(24), 경기구황감독관(25)
韓宥	(세종1)				侍衛甲士
韓有隣	(세종15)				詳定色錄事(~15, 超3資陞參上職)
韓有信	(세조~성종대)			환관	內官(~세조11, 파직, 充軍), 영창전內官(성종1)
韓閏	(세종대)			?, 문(18)	敎導(~세종18), 문과
韓殷	(태종8)			문(우왕14)	前教授官, 유배
韓乙奇	(세종7)				재관
韓乙氣	(태조6)				순군千戶
韓乙生	(태종~세종대)				前將軍(~태종6, 유배), 上護軍(세종9), 진응사(9)
韓益	(태종10)				五司副司直
韓粒	(세조~성종대)				郡事(세조1), 世祖原從3등공신(1), 行五衛司勇(성종4)
韓自廉	(세조1)				行五司司勇, 원종2등공신
韓自宥	(세조1)				五司司正, 원종3등공신
韓自邇	(세종~세조대)				결성(세종18), 송화縣監(23), 行主簿(세조1), 世祖原從3등공신(1)
韓自直	(단종대)				부여縣監(~즉, 파직)
韓自琛	(세조1)				萬戶, 원종2등공신
韓長祐	?~1412				상의원別坐卒
韓定敬	(세종2)				전사재監
韓宗佑	(세종1)				안동判官(읍지)
韓宗會	(태종10)				의정부知印
韓俊	(성종8)				參軍
韓仲謙	(태종대)				甲士(~11, 充軍)
韓仲恭	(세조1)				五司副司直, 원종3등공신
韓仲德	(태종대)				甲士牌頭(~10, 파직)
韓仲老	(단종대)			기(2, 효행)	隨才敍用(2, 居合천, 孝行故)

韓仲山	(단종대)				五司司勇(~즉, 유배)
韓智剛	(세조대)				萬戶(~12, 收告身)
韓策	(세종대)			기(臨瀛大君 瓛 伴倘, 노비)	司正(~21, 收告身, 充軍)
韓處寧(命)	?~1428			문(태종11), 중(세종9)	집현전校理(~세종9), 문과중시, 直集賢殿卒
韓哲(鐵)同	(세조~성종대)			무(10)	한산(~성종20, 收告身), 고양郡守, 창성府使(25)
韓樞	(세조14)			환관	환관
韓忠	(태조대)		자 乙生		大將軍(1), 開國2등공신(1)
韓忠常	(세조대)				五衛部將(~14, 파직)
韓致元	(세조~성종대)				前의영고官(세조13), 사직署令(성종6)
韓通達	(예종~성종대)			역관	前사재直長(예종1), 唐人압해관(성종22)
韓突	(세종대)			문(23)	집현전博士(28)
韓瑚璉	(세종대)			환관	中宮殿환관(즉), 內官(1)
韓弘	(세종~문종대)			환관	內侍(세종6), 함길도절제사慰諭使(6), 內侍府事(문종즉위)
韓洪	(세종~문종대)			환관	世子宮환관(세종10), 行內侍府右承直(문종1)
韓孝存	(성종12)				忠贊衛, 還職牒(병조)
韓興貴	(태종10)				有무재, 可用무직
韓興寶(富)	?~1410				경원등처兵馬使兼慶源府使(태종8), 慶源府使전사
韓熙	?~1467				부령軍官전사
韓希敬	(세조1)				五司司正, 원종3등공신
韓希愈	(세조1)				正郎, 원종3등공신
早田	(세종26)			왜귀화인	倭萬戶
咸傳霖	1360~1410	江陵	父 中樞學士 承慶, 祖 判密直 石挺	문(우왕11)	藝文檢閱(우왕11), 司諫院左正言(창왕1), 司諫院右獻納(공양왕1, 고려), 知春州事, 刑曹正郎, 兵曹正郎兼都評議使司軍官(태조4), 禮曹議郎開國3등공신(태조1), 개성少尹(1), 刑曹議郎(3), 大司成(5), 左散騎常侍兼尙瑞司少尹(6), 父喪(6), 溟城君(정종2), 충청관찰사(태종2), 藝文提學(3), 參知議政(3), 동북도순문사(3), 동북도순찰사겸병마도절제사永興府尹(4), 參知議政兼大司憲(4), 파직(4), 경기관찰사(5), 계림府尹(6), 경상관찰사(6), 參知議政(7), 진하사(7), 參知議政(8), 풍해관찰사兼黃州牧使(8), 刑曹判書(9), 파직(10), 東原君졸
咸承慶	(태종10)	강릉	자 判書 傳霖		檢校中樞學士

咸禹治	1408~1479	강릉	父 刑曹判書 傅霖, 祖 中樞學士 承慶	음	司僕判事(~단종1), 僉知中樞(1), 同副承旨(1), 파직(1), 공주牧使(세조1), 世祖原從3등공신(1), 함길관찰사(3), 大司憲(5), 中樞副使(5), 하정사(5), 中樞副使(6, 7), 大司憲(8), 刑曹參判(11), 경상관찰사(12), 資憲大夫東原君(12), 의금知事(13), 조운사(13), 함흥府尹(13), 동원군(13), 刑曹判書(성종1), 佐理4등공신(2), 議政府右參贊(2), 左參贊(4), 崇政大夫東原君(6), 동원군奉朝賀卒
咸漢	(세종~세조대)	강릉	父 縣令 華, 祖 學士 承祐		司諫院左正言(세종24), 司諫院左獻納(문종즉위), 府使(세조1), 世祖原從3등공신(1)
咸繼童	(성종5)				祈雨祭行香別監
咸貴	(단종~세조대)				行五司司勇(단종1), 世祖原從2등공신(세조1)
咸克明	(세종대)				內禁衛1番甲士副司正(~30), 2番甲士司正(30)
咸今生	(세조~성종대)				別監(세조1), 세조원종3등공신(1), 五衛副司果(성종11)
咸尙正	(세조~성종대)			역관	宣敎郎(세조1), 世祖原從3등공신(1), 진하사통사(~11, 유배), 통사(성종7)
咸世英	(성종대)				[연산대: 청도郡守(5, 읍지)]
咸松	(태종9)				前郎將, 피죄
咸守良	(세조6)				五衛司正, 원종3등공신
咸守山	?~1460				司僕諸員복주
咸龍奇	(태종4)				甲士
咸元根	(성종19)			환관	轎子侍衛
咸仁德	(세종6)				제주鎭撫
咸悌童	(세조1)				五司副司直, 원종3등공신
咸仲良	(세종~성종대)			역관	사역知事(세종7), 사역副正(14), 사은사통사(30), 사역正(성종1)
咸就正	(세종21)			기(臨瀛大君璆 伴倘, 노비)	前副司正, 充軍
咸憲					양구縣監(읍지)
哈兒速	(세조6)				본처(吾弄草)副萬戶
項時加	(세조5)			여진귀화인	올적합五衛司直
海桑哈	(세조7)			여진귀화인	올적합副萬戶
奚灘訶 (郞哈)	(태조대)			여진귀화인	千戶, 萬戶(태조4, 12, 계묘)
奚灘䶂列	(태조대)			여진귀화인	千戶, 萬戶(〃)
奚灘塔斯	(태조대)			여진귀화인	千戶, 萬戶(〃)
奚灘孛牙	(태조대)			여진귀화인	千戶, 萬戶(〃)

許譔	(세조~성종대)	金海	父 大司成 錘, 祖 侍郎 衡	문(세조2)	교서校勘(~세조6, 파직), 藝文檢閱(8), 待敎(8), 兼藝文館(11), 掌隷院司評(12), 황해문폐사(12), 兵(14)·吏曹正郞(~예종1, 파직), 刑曹正郞兼承文校理(성종2), 개성敎授(8)
許禎	(성종대)	김해	父 譔, 祖 錘	문(25)	[연산이후: 寺正]
許錘	(세종~세조대)	김해	父 侍郞 衡, 祖 君 龜年	?, 문(세종20)	副直長(~세종20), 문과, 守司諫院右正言(26), 田制詳定所別監(단종1), 司諫院左獻納(1), 右獻納(1), 司諫院正言(세조1), 世祖原從3등공신(1)
許珹	(성종대)	陽川	父 典籍 薊, 祖 直提學 信	무(족보)	宣傳官(20), 대마도경차관軍官(25)
許椆	(세조1)	양천	父 衛, 祖 直提學 信		行五司護軍, 원종2등공신
許喬	(태종11)	양천	父 佐郞 冠, 祖 僉議中贊 珙		卒開城尹
許愭	(태종4)	양천	父 判書 錦, 祖 密直 綱	의원	전典醫少監
許晚石	(세종대)	양천	父 開城留侯 應, 祖 開城尹 僑		副司直(2), 司憲監察(7), 군기主簿(7), 연기縣監(9)
許靡	(세종대)	양천	父 判書 愭, 祖 判書 錦		刑曹佐郞(~12, 파직)
許珉	(성종22)	양천	父 郡守 薰, 祖 府使 扉		용궁縣監(읍지)
許扉	(태종~세조대)	양천	제 佐郞 靡		내자直長(~태종18, 파직), 司憲監察(~세종6, 파직), 한성參軍(10), 通禮判官(22), 少尹(세조1), 世祖原從3등공신(1)
許磩	(성종대)	양천	父 右議政 琮, 祖 郡守 蓀		兼司僕(허종묘지명)
許崇道	(세조7)	양천	자 吉城君 惟禮		前萬戶, 充軍
許時	(태조대)	양천	父 僑	?, 문(공민왕11)	별장(~고려공민왕11), 문과, 門下參贊, 陽川君
許柴	(세조1)	양천	父 護軍 柜, 祖 贊成事 璉		五司護軍, 원종3등공신
許惟禮	(세조13, 성종2)	양천			敵愾2등공신, 吉城君
許應	?~1411	양천	父 開城尹 僑, 祖 佐郞 冠	문(공민왕20)	散騎常侍(공양왕1), 門下府郞舍(3, 고려), 경기좌우도관찰사(태종4), 공안府尹(5), 사은겸진하사(5), 參知議政(5), 大司憲(5), 中軍同知摠制(6), 유배(6), 開城留侯(8), 파직(坐閔無咎), 전留侯卒
許璋	(세종대)	양천	父 猷, 祖 富	문(26)	主簿(방목)
許迪	(문종~성종대)	양천	父 副正 綿, 祖 府尹 晗	?, 문(문종1)	司果(~문종1), 문과, 승문博士(세조1), 世祖原從2등공신(1), 전라行臺監察(3), 경상都事

					(11, 읍지), 議政府檢詳(성종2), 兼司憲掌令(3), 成均司藝(3), 通訓大夫掌令(3), 사직(5, 病故), 典設司守(5), 경기강원재상심찰경차관(5)
許操	(태조대)	양천	父 起居郎 滉	?, 문(우왕3)	개성判官(~고려우왕3), 문과, 전라按廉使
許琮	1433~1494	양천	父 通訓大夫郡守 蓀, 祖 襄陽府使 扉	문(세조4)	의영고直長(세조4), 世子右正字(5), 通禮院奉禮郎(5), 함길都事(8), 司諫院正言(9), 守司憲持平(9), 成均直講兼藝文館應敎(9), 成均司藝(10), 평안순찰사韓明澮從事官(10), 同副承旨(10), 함길병마도절제사(11), 遭喪(12), 敵愾1등공신崇政大夫함길복도절도사陽川君(13), 양천군(14), 兼司僕將(14), 五衛都摠管(14), 평안관찰사(예종1), 군(1), 전라병마절도사(1), 崇政大夫兵曹判書(성종1), 佐理4등공신(2), 양천군(3), 判中樞(4), 禮曹判書(8), 평안순찰사(8), 議政府右參贊(8), 左參贊(9), 조모상(11), 평안순찰사(11), 戶曹判書(12), 議政府右贊成(13), 양천군(13), 우찬성兼世子貳師(14), 양천군(18), 吏曹判書(18), 崇祿大夫兵曹判書(19), 영안관찰사(20), 陽川府院君겸영안관찰사(21), 北征都元帥(22), 議政府右議政(23), 右議政졸
許芝	(성종9)	양천	형 蓀		경시署令, 영월郡守(18, 읍지)
許輯	(성종대)	양천	父 典籍 簀, 祖 慈山郡事 樞	?, 문(14)	參奉(~성종14), 문과, 弘文正字(18), 校書著作(19), 修撰(21), 副校理(22), 奉訓大夫司憲持平(23), 司諫院獻納(24), 禮曹正郎(24), 司憲掌令(25), 吏曹正郎(25) [연산이후: 掌令, 承文校勘, 弘文直提學, 副提學, 右副, 左承旨, 戶曹參判, 兵曹參判兼同知經筵, 知中樞]
許菖	(세조~성종대)	양천	父 樞, 祖 愭	?, 문(예종1)	영유현령(세조13, 읍지, ~예종1), 문과, 成均典籍(방목), 신계縣令(성종16)
許樞	(세조1)	양천	형 少尹 扉		主簿, 원종3등공신
許琛	1444~1505	양천	형 右議政 琮	음, 문(성종6), 진현시(13)	參奉(~성종6), 문과, 司憲監察(7), 여주判官(7), 弘文修撰(9), 承義郎司憲持平(9), 工曹正郎(9), 僉正(~13), 修撰(13), 侍講院輔德(20), 弘文直提學(21), 同副(21)·左副(21)·右(21)·左承旨(22), 嘉善大夫전라관찰사(23), 同知中樞(24), 大司憲(24), 禮曹參判(25)[연산대: 兵曹參判, 議政府左議政]
許宕	(성종대)	양천	父 監察 晩石, 祖 大司憲 應		敦寧僉正(12), 풍기郡守(13, 읍지)
許恒	(태종대)	양천	父 贊成 瑎, 祖 贊成 僖		司憲持平(~태종6), 파직(6), 司憲掌令(~12), 유배(12), 刑曹正郎(14), 郡守

許晊	(태조~세종대)	양천	父 政堂文學 完, 祖 典書 富	음, 문(우왕8)	전直長(~고려우왕8), 문과, 봉상少卿(~태조1), 파직(1), 刑曹參議(~태종4), 유배(4), 홍주牧使(~8), 停職(8), 禮(세종3)·戶曹參議(3), 진마사(4), 파직(4), 인수府尹(14), 中樞副使(20), 同知中樞
許亨孫	1427~1477	양천	父 節度使 稛, 祖 衜	?, 무(세조1), 중(3)	內禁衛(~단종1), 무과, 訓練副使(1), 行五司司正(세조1), 世祖原從2등공신(1), 훈련副使, 三軍部將, 僉知中樞(5), 訓鍊知事兼宣傳官(5), 知兵曹事(5), 北征衛將, 中樞副使(6), 의주牧使(~9), 充軍(9), 五衛上護軍, 僉知中樞, 獅子衛將(13), 전라병마절도사(13), 파직(예종1), 資憲大夫僉知中樞(성종3), 兼五衛都摠管(4), 知中樞(6), 知中樞졸
許混	?~1491	양천	父 郡守 芝, 祖 府使 扉		宣傳官, 五衛司直, 金山(성종2), 양산郡守, 加資(11, 西征군공故), 刑曹參議(11), 僉知中樞(11), 창원府使(11), 밀양府使(20), 만포첨절제사(21), 嘉善大夫行五衛大護軍 겸만포절제사(21), 복주(22, 濫殺野人故)
許碻	(성종대)	양천	제 兼司僕 磩		의금軍官(許琮묘지명)
許簧	(세조~성종대)	양천	父 慈山郡事 樞, 祖 判書 愭	문(세조14)	副尉(~세조14), 무과, 司憲監察(성종1), 兵曹正郎(4), 경상都事(9, 읍지), 吏曹正郎(10), 奉列大夫司憲掌令(13), 司諫院司諫(14), 파직(18), 中直大夫司諫(21), 司僕正(22), 양전從事官(23), 성주牧使(23)
許孝舜	(성종대)	양천	父 兵曹判書 亨孫, 祖 兵曹判書 稛		親祭捧俎官(19), 刑曹佐郎(23), 郡守
許薰	(성종대)	양천	형 蔥		掌隷院司議(5), 합천郡守(16)
許斯文	(세종대)	泰仁	父 平章事 慶, 祖 平章事 倫	문(11)	평안都事(16), 司憲持平(24)
許斯孝	(세조14)	태인	형 斯文		예안縣監(읍지)
許誠	?~1498	河陽	父 黃海觀察使 倜, 祖 開城尹 貴龍	문(세조5)	僉正(성종6), 올량합경차관(6), 通訓大夫司憲掌令(6), 兼掌令(7), 사직署令(8), 사헌執義(14), 右通禮(19), 通政大夫右通禮(19), 弘文副提學(20), 右副承旨(20), 戶曹參議(20), 밀양府使(21), 刑曹參議(24), 大司諫(24), 兵曹參議(25), 通政大夫慶州府尹(25)
許訥	(세종~문종대)	하양	父 左議政 稠		교하縣監(세종13), 司憲監察(~21, 收告身), 한성少尹(31), 司憲掌令(문종즉위), 인순少尹(즉)
許誠	1382~1442	하양	父 判漢城 周, 祖 上護軍 貴龍	문(태종2)	藝文檢閱(태종2), 司諫院右正言, 刑·禮·兵曹佐郎(~7), 파직(7), 都事(9), 司憲持平(~11), 파직(11), 工曹正郎(11), 경차관(성종1), 司憲掌令(2), 知司諫(5), 左司諫大夫(7), 同副(8)·右副

					(8)·右(9)·左承旨(11), 知申事(11), 모상(12), 大司憲(12), 刑(15)·刑曹左(15)·禮曹右參判(15), 경기관찰사(16), 刑曹右(16)·禮曹參判(16), 禮曹判書(17), 사직(18, 身病故), 同知中樞(18), 中樞使(20), 吏曹判書(20), 藝文大提學(22), 知中樞(22), 父喪(23), 전大提學졸
許叔精	(세종대)	하양			西部錄事(許稠묘지명)
許稠	1369~1439	하양	父 開城府尹 貴龍, 祖 刑曹都官 正郎 允昌	?, 문(공양왕2)	中郎將(~공양왕2) 문과, 봉상시승(고려), 門下左補闕(태조1), 成均典籍(6), 左補闕(~정종1), 파직(1), 司憲雜端(2), 완산判官(태종1), 吏曹正郎(2), 영월郡事(4), 忠順扈衛司護軍(5), 사헌執義(7), 內贍判事兼侍講院右輔德(8), 유배(9), 禮曹左(11)·吏曹左參議(14), 漢城府尹(15), 禮曹參判(16), 공안府尹(세종즉), 禮曹判書(즉), 參贊議政(3), 吏曹判書(4), 議政府參贊(8), 吏曹判書(8), 崇政大夫吏曹判書(9), 判中軍府事(10), 議政府贊成(12), 吏曹判書(14), 判中樞(15), 議政府右議政(20), 左議政(21), 좌의정致仕졸
許慥	?~1466	하양	父 掌令 訥, 祖 左議政 稠	문(세종29)	집현副修撰(문종즉위), 修撰(1), 校理자진(좌端宗復位)
許周	?~1440	하양	제 左議政 稠	음(졸기)	典法正郎, 지양州事, 안성郡事, 개성少尹, 司憲掌令, 工部摠郎(고려), 내부卿(태조1), 경기計程使(1), 司憲中丞(6), 戶曹參議(태조5), 전라관찰사(10), 參知議政(12), 漢城府尹(12), 경기관찰사(12), 開城留侯, 判漢城府事(15), 전判漢城府事졸(졸기)
許之惠	(세종대)	하양	父 開城留侯 天桂, 祖 密直副使 允忠, 서 謹寧君 禮		軍官(5), 上護軍(15), 진헌사(15), 工曹右(16)·刑曹左(16)·刑曹參議(16), 通政大夫황해관찰사(16), 유배(17)
許偶	(태종~세종대)	하양	형 判漢城 周		서북行臺監察(~태종5), 充水軍(5), 司憲持平(세종2), 正, 사재判事, 刑曹右(16)·刑曹左(16)·工曹左(16)·工曹(16)·戶曹參議(17)
許誠	(성종23)	하양	父 參議 偶, 祖 上護軍 貴龍		벽단방어사
許詡	?~1453	하양	제 掌令 訥	?, 문(세종8), 중(20)	部令(~세종8), 문과, 兵曹佐郎(10), 司憲持平(13), 議政府舍人(17), 直提學(~20), 同副·右副·左副承旨(20~22), 부상(22), 漢城府尹(24), 禮曹參判(24), 경기관찰사(26), 大司憲(27), 刑(27)·禮曹參判(28), 禮(29)·刑曹判書(문종1), 議政府右參贊(1), 우참찬兼判吏曹事(2), 左參贊(2), 좌참겸판이조사(단종1), 피화

許從恒	(세종~세조대)	咸昌	父 安止	문(세종20)	刑曹正郎(단종1), 成均直講(세조1), 世祖原從3등공신(1), 개성斷事官(2), 海州牧使겸첨절제사(6)
許幹	(세조1)				五衛司勇, 원종3등공신
許崗	(세조13)				都摠使龜城君李浚軍官
許健	(예종~성종대)				영등포萬戶(~예종1, 파직), 고성縣令(성종19)
許堅	(세조2)			한관	환관
許謙	(문종~단종대)				단성縣監(문종즉위), 議政府舍人(단종즉위)
許季	(세종7)				前宜寧縣監, 피죄
許坤	(세조4)			역관	정조사통사
許匡	(태종~세종대)			문(태종11)	成均直講(방목)
許權	(태종~세종대)				전副正(~태종4), 유배(4), 上護軍兼典廏署提擧(14), 內贍判事(15), 中軍同知摠制(세종즉), 中軍摠制(6), 中軍同知摠制(6)
許揆	(태종~세종대)				議政府檢詳(태종12), 議政府舍人(15), 사헌執義(18), 和州牧使
許錦	(태종4)				卒判書
許佶	(세종12)				현풍縣監(읍지)
許衙	(태종6)				檢校漢城府尹, 濟生院使
許敦元	(문종대)				정산縣監(~1, 收告身)
許得江	(성종대)			역관	倭통사(7, 14)
許得産	(세종9)			환관	內史
許得進	(세조3)			역관	통역, 원종3등공신
許璉	(성종23)				만포武官
許廉	(세종대)				상림원別監(~5, 充官奴)
許禮	(세조1)				五司司直, 원종3등공신
許麟	(세조1)				右軍司正, 원종2등공신
許琳	(세조14)				전敎授
許萬福	?~1466			환관	中宮殿別監복주
許孟	(태종~세종대)				司憲監察(~태종17, 파직), 홍산縣監(세종9)
許綿	(세조1)				判事, 원종3등공신
許縣	(세종대)				내자直長(~4, 파직)
許謨	(태종대)				司憲持平(~4, 유배), 司憲掌令(~8, 유배), 知宜州事(13)
許盤石	(태종대)				司憲持平(태종6), 戶曹正郎(~10), 파직(10), 수원府使(~17), 파직(17)
許放(邦)	(세종1)				낭천縣監(태종17, 읍지), 守令
許扉	(세조1)				少尹, 원종3등공신
許詳	(세조6)				五衛司勇, 원종3등공신

許世獜	(세종18)				청도郡守(읍지)
許銖	(단종~세조대)				고성郡事(단종2), 파직(세조3), 僉知中樞(6)
許壽康	(태종16)			무과(16)	副司正
許守連	(태종대)				甲士(~12, 充水軍), 司直(13)
許承亮	(태종대)				光陽浦萬戶(~8, 피죄)
許嚴	(예종대)				풍저창奉事(~1, 收告身)
許吾行	(세조1)			환관	액정서司鑰, 원종3등공신
許完	(세종15)				책봉도감錄事, 超7資授參上職
許琬	(세종23)				교하縣監
許云孫	(성종8)				內禁衛
許元(原)祥	(세종대)			역관	사역判官(1), 僉知事(9), 判事(20)
許惟剛	(세종19)				벽단副萬戶
許允寬	(성종대)		世蔭 자제(가계불명)	음(22)	除昭格參奉(22, 世祿子弟故), 被劾改(年19歲故)
許恩	(세조1)				直律, 원종3등공신
許應家愁	(세조9)			여진귀화인	尼麻車兀狄哈司正
許應吉	(태종18)				현풍縣監(읍지)
許義	(세조대)				五司護軍(1), 원종3등공신(1), 司僕諸員(~2, 피죄)
許認	(문종~세조대)				司憲監察(문종1), 察訪(1), 主簿(세조1), 世祖原從3등공신(1)
許祗	(성종대)			醫官	內醫判官(20), 主簿(24)
許偵	(세조13)				寧遠郡守
許挺立	(세종1)				현풍縣監(읍지)
許調元	(단종대)			기(2, 효행)	隨才敍用(2, 居경주, 孝行故)
許從伯					문경縣監(읍지)
許奏	(태종7)				左司諫大夫
許埈	(세조~성종대)				사용別坐(세조8), 의금軍官(예종즉), 안악郡守(성종3)
許仲民	(성종대)				전主簿(~2), 隨才敍用(2, 孝行故)
許仲富	(성종25)			환관	內侍
許止(遲)	(태종대)				侍講院左弼善(8), 刑曹參議(9)
許遲	1380~1434				司諫院獻納(태종2), 司憲掌令(4), 議政府舍人(5), 侍講院左弼善(8), 刑曹參議(~9), 右副承旨(9), 충청(14)·경기관찰사(~15), 파직(15), 봉숭도감提調(세종즉), 大司憲(즉), 吏曹參判(1), 刑(2)·吏曹判書(3), 吏曹判書졸
許之信	(태조7)				權知承文校勘

許澄	(문종대)				連山把截鎮撫(1), 郡事(1)
許參時	(세조7)			무(7)	
許楚	(세종대)			역관	통사(즉), 전繕工提調(세종12, 9, 8)
許礎	(태종13)			환관	내시別監
許就	(태종8)				前縣令, 유배
許倬	(세조~성종대)				宣傳官(세조4), 五衛部將(6), 종성府使(성종3), 嘉善大夫熙川郡守(11), 의주牧使(14)
許倬行	(세조1)				權知參軍, 원종2등공신
許平仲	(세조1)				五司司直, 원종3등공신
許豊	(태종17)				의주통사
許涵					흥해郡守(읍지)
許衡	(태종대)				在官(~18), 收告身沒공신전(18, 좌申孝昌)
許熙	(세조~성종대)				都摠使龜城君李浚軍官(세조13), 경상우도수군첨절제사(성종3), 通政大夫定州牧使(10), 단련사(11), 제주牧使(16), 西征都元帥許琮部將(22)
許熙	(예종1)				閑散武官(居곤양), 徵發
虛里應哈	(세종5)			여진귀화인	올적합百戶
玄季仁	(태종12)	星州	자 左司諫 孟仁		卒判事
玄得利	(세조대)	성주	父 珪, 祖 用武	?, 문(11)	전주判官(~11), 문과, 收告身(11), 還告身(14)
玄得亨	(세조1)	성주	父 縣監 구(생부 琛), 祖 司直 允明		行五司司正, 원종3등공신
玄孟仁	(정종~태종대)	성주	父 判事 季仁	문(우왕9)	三軍都事(정종1), 司憲掌令(~태종2), 면직(2), 司憲掌令(5), 사헌執義(9), 右(12)·左司諫大夫(13), 안동府使(세종6, 읍지)
玄碩圭	1430~1480	昌原	父 軍器少尹 孝生, 祖 元義	음(단종2), 문(세조6)	집현殿直(단종2), 承訓郎內瞻直長(~세조6), 문과, 司憲監察(6), 成均直講, 刑曹都官正郎, 禮曹正郎, 중추軍官, 通訓大夫議政府舍人(성종2), 사헌執義(3), 同副(5)·右副(6)·左副(6)·都承旨(7), 資憲大夫大司憲(8), 刑曹判書(8), 知中樞(8), 刑曹判書(9), 평안관찰사(9), 議政府右參贊卒
玄貴	?~1425				전中軍都摠制卒
玄貴命	?~1425				侍衛司大護軍(태종8), 上護軍(13), 전左軍摠制(세종1), 강원병마도절제사(1), 右軍同知摠制(3), 左軍摠制(5), 中軍同知摠制(6), 흠문기거사(6), 전中軍摠制卒
玄珪	(세종9)				태인縣監
玄祿	(세종~세조대)			환관	환자(~세종14, 充軍役), 掖庭署謁者(세조1), 世祖原從2등공신(1)

조선초기 관인 이력

玄得禮	(세조8)				五衛副司直, 원종3등공신
玄寶利	(문종대)				점선別監(~2), 5部令(2)
玄如礪	(세종대)				사재直長(~14, 피죄)
玄仁貴	?~1408				충청수군첨절제사전사
玄仁亮	(태종대)				충청수군都萬戶(~14, 收告身)
玄柱	(성종6)				사은사韓明澮迎護使
玄俊	(성종대)				世子衛率(16), 前掌隷院司評(18, 피죄)
玄仲仁	(태종~세종대)		父 判事 思義		결성監務(태종12), 巡禁司司直(13), 거창縣令 (세종1, 읍지)
賢准 (藤賢)	(태조7)		일귀화인		散員
鉉明善	(성종1)				兵曹參議
鉉正義	(성종7)				湖山君
夾溫猛哥 帖木兒	(태조1)		여진귀화인		千戶(萬戶, 태조4, 12, 계묘)
夾溫不花	(태조1)		여진귀화인		千戶(萬戶)
夾溫赤兀 里	(태조1)		여진귀화인		千戶(萬戶)
邢由仁	(세조대)	晉州	문(5)		縣監(방목)
邢卓(鐸)	(태종대)	진주			司正(~10, 유배)
好時乃	(세종~세조대)		여진귀화인		알타리千戶(세종10), 江外汝甫島萬戶(단종 3), 薰春等處都萬戶(세조1)
好時羅	(태종5)		여진귀화인		여진百戶
好時不花	(태종5)		여진귀화인		여진百戶
好時應我	(세종5)		여진귀화인		올량합千戶
好心波	(태종~세조대)		여진귀화인		百戶(태종5), 千戶(세종10), 올량합萬戶(세조 2), 護軍(5), 上護軍(7), 본처都萬戶(8)
好乙多孫	(세종21)		여진귀화인		오랑합千戶
好乙非	(세조3)		여진귀화인		阿赤郞貴等地副萬戶
好伊大	(세종10)		여진귀화인		알타리千戶
好節	(세종7)		여진귀화인		여진千戶
胡抄	(단종3)		여진귀화인		올량합司正
扈愼之	(세조1)				五司副司正, 원종3등공신
扈從實	(세조대)		환관		五司副司直(1), 원종3등공신(1), 내수소別坐 (~10, 收告身)
忽失塔	(단종~세조대)		여진귀화인		盧包副萬戶(단종2), 斜地等處副萬戶(세조5)
洪敬孫	1409~1481	南陽	父 直長 智, 祖 典 法佐郎 尚得	문(세종21)	司憲監察(~세종26), 刑曹正郎(단종1), 成均司 藝(세조1), 世祖原從2등공신(1), 行五衛司直 (성종3), 同知成均(9)

洪慶昌	(성종대)	남양	父 三軍鎮撫 係江, 祖 師佛	문(20)	[연산이후: 副正]
洪係江	(세조3)	남양	父 縣監 師佛, 祖 淏		三軍鎮撫
洪係元	(성종대)	남양	父 潤溫, 祖 同知 成均 敬孫	문(12)	翰林(방목), 司憲持平(22)
洪貴海	(세조~성종대)	남양	父 觀察使 益生, 祖 子傲	무(족보)	判官(세조1), 世祖原從2등공신(1), 前府使(7), 만포절제사(9), 折衝將軍경상좌도수군절도사(성종4)
洪貴湖	(성종대)	남양	형 貴海		강진縣監(14), 와서別坐(17), 의령縣監(19)
洪矜	(세조~성종대)	남양	父 庶尹 深, 祖 庫使 德輔		司憲監察(세조1), 世祖原從3등공신(1), 인순부判官(9), 안산郡守(~성종4, 체임시優遷)
洪吉旼	1353~1407	남양	父 普賢	문(우왕2)	강릉도안렴사, 司憲掌令, 右司議大夫(고려), 右副承旨(태조1), 開國2등공신(1), 풍해관찰사(3), 경기우도관찰사(5), 商議中樞院事, 南陽君졸
洪達孫	1415~1472	남양	父 府使 治從, 祖 府使 義老	기(內禁衛), 무(단종1)	內禁衛, 의주도수군첨절제사(단종즉), 宣沙浦수군첨절제사(1), 僉知中樞(1), 靖難1등공신(1), 兵曹參議(1), 兵曹參判(2), 佐翼2등공신 南陽君(1), 兵曹判書(2), 判中樞(4), 領中樞(5), 南陽府院君(6), 五衛都摠管(13), 議政府左議政(13), 南陽府院君(14), 府院君졸
洪伯慶	(성종대)	남양	父 儀賓 常, 祖 左議政 應	음(성종21)	刑曹正郎(성종21), 敦寧主簿(21), 예빈判官(21)
洪伯涓	(세조~성종대)	남양	父 知中樞 師錫, 祖 淏		五司司正(세조1), 世祖原從2등공신(1), 충청(성종4), 경기수군절도사(8), 通政大夫梁山郡守(13)
洪師錫	?~1448	남양	父 淏, 祖 福海	무, 무과중시(세종9)	三軍鎮撫(세종1), 護軍(8), 大護軍(~9), 무과중시, 上護軍(9), 제용判事(13), 征女眞中軍節制使李順蒙軍官(15), 中樞副使(15), 전라도절제사(16), 中樞副使(17), 평안찰리副使(18), 判閭延府使(18), 여연郡事(19), 경상좌도병마도절제사(21), 회령병마절제사(21), 同知中樞(24), 知中樞(27), 경상처치사(~30, 유배)
洪士洵 (淳)	(성종대)	남양	父 僉正 偁, 祖 庶尹 深		내자奉事(~24, 파직), 隨闕敍用(25)
洪思佛	(세종대)	남양	형 知中樞 師錫		진안縣監(~6, 杖流)
洪常	1457~1513	남양	父 領議政 應, 祖 庶尹 深, 처 德宗女 明淑宮主	기(세조12 부마)	儀賓府副賓(세조12), 承賓(14), 承憲大夫唐陽君(예종즉), 陞通憲大夫(성종1), 崇德大夫儀賓(2), 司僕提調(25~연산4)
洪尙道	(세종16)	남양	父 判密直 徵, 祖 三司左使 澍		尼山縣監

洪尙溥	(태조대)	남양	父 判密直 徵, 祖 三司左使 澍	문(우왕9)	翰林(고려), 장흥庫使, 典法佐郎
洪尙賓		남양	제 縣監 尙道	?, 문(우왕8)	散員(고려), 藝文奉敎(방목)
洪恕	?~1418	남양	父 知密直 師範		大護軍(태조1), 右軍同知摠制(정종1), 파직 (2), 佐命4등공신南城君(태종1), 전라병마도 절제사(2), 남성군(7), 사은사(7), 남성군(8), 개천도감提調(12), 南陽君(12), 남양군졸
洪碩輔	(세조~성종대)	남양	父 有矩, 祖 延安	문(세조6)	刑曹佐郎(~성종6, 파직), 正郎(10), 通訓大夫 司憲執義(14), 通政大夫密陽府使(23)[연산대: 大司諫, 兵·戶曹參議, 大司諫, 강원관찰사, 刑 曹參議, 황해관찰사]
洪涉	?~1422	남양	父 都節制使 敍, 장인 領議政 河 崙		군기判事(~태종6, 파직), 양주府使(~7), 上護 軍(7), 典祀判事(~10, 파직), 禮(14)·吏(16)·戶 曹參議, 都摠制府同知摠制(18), 內侍衛1번절 제사(18, 파직), 中軍同知摠制(세종1), 左軍摠 制(1), 中軍同知摠制(3), 경상우도수군처치사 (4), 水軍處置使졸
洪性綱 (剛)	(세조~성종대)	남양	父 江寧君 元用, 祖 判書 汝方		行五司副司直(세조1), 世祖原從3등공신(1), 前郡守(14), 창원(성종3), 청송府使(3, 읍지)
洪綏	(세종5)	남양	父 君誂, 祖 百壽		副司正
洪宿	(태종대)	남양	서 元尹 義生		司直(선원세보기략)
洪純老	1416~1474	남양	父 判中樞 約, 祖 判中樞 彦修	기(세종대, 內禁衛)	內禁衛, 五司司直(~단종1), 靖難3등공신(1), 龍驤衛護軍(3), 上護軍(세조1), 大護軍(2), 司 禁(6), 僉知中樞(9), 同知中樞唐城君(10) (졸기)
洪循性	(세조1)	남양	父 江寧君 元用, 祖 吏判 汝方		五司司正, 원종3등공신
洪順孫	(단종~세조대)	남양	형 左議政 達孫		五衛司勇(단종1), 靖難3등공신(1), 司直(1), 左 軍副司直(3), 군기副正(세조1), 僉知中樞(6), 折衝將軍五衛上護軍(7)
洪湜	1449~1504	남양	父 絶調使 貴海, 祖 觀察使 益生	?, 문(성종14)	參奉(~성종14), 문과, 戶曹佐郎(20), 奉訓大夫 司憲持平(21), 吏曹正郎(23), 僉正(25) [연산 대: 司諫院司諫, 弘文典翰, 同副·左副·右·左 承旨, 강원관찰사, 行五衛大護軍, 피화]
洪深	?~1456	남양	父 庫使 德輔, 祖 侍郎 有龍, 여 世 宗後宮		사온直長(세종13), 경기都事(15), 파직(16), 司 憲持平, 司憲掌令, 전농少尹, 掌令, 漢城少尹, 知司諫(31), 兼知兵曹事(32), 兵曹參議(32), 同 知敦寧(문종1), 경기관찰사(2), 인순(단종2), 漢城府尹(3), 世祖原從2등공신(세조1), 평양 선위사졸
洪約	(세종~단종대)	남양	父 判中樞 彦修, 祖 判三司 戎		僉摠制(태종17), 兼司僕僉摠制(9), 朝見世子 시종(9), 左軍摠制(13), 中樞副使(14, 16, 18), 中樞使(~24), 知中樞(24), 中樞副使(28), 知中

					樞(31), 判中樞(~단종2), 파직(2)
洪彦修	?~1415	남양	父 判三司 戎, 祖 府院君 奎		前密直(태종14), 檢校參贊門下府事졸
洪汝方	?~1438	남양	父 判書 吉旼, 祖 普賢	문(태종1)	藝文檢閱(태종1), 世子右同侍學(2), 司憲監察, 禮·兵·吏曹佐郎, 司憲持平(7), 吏曹正郎(~11), 議政府舍人(11), 사헌執義(14), 兼知刑曹事(14), 同副承旨(14), 면직(15), 右副(16)·右承旨(16), 파직(17), 吏曹參議(17), 강원관찰사(18), 사직(18, 모병故), 순승府尹(18), 파직(18), 인수府尹(18), 禮(18)·刑曹參判(세종1), 사은副使(1), 大司憲(2), 유배(2), 인순(8)·漢城府尹(10), 경상관찰사(10), 左軍摠制(11), 파직(12), 전주府尹(15), 면직(16, 병故), 인수府尹(19), 判漢城府事(19), 사은副使(20), 藝文大提學(20), 吏曹判書졸
洪演	(세종~세조대)	남양	父 司評 陟, 典法佐郎 尙溥	?, 문(세종26)	司勇(~세종26), 문과, 의금經歷(단종1), 吏曹正郎(2), 世祖原從3등공신(세조1), 사헌執義(~2), 유배(2), 執義(3)
洪延安	(세종대)	남양			의금鎭撫(즉), 강화(~1), 철원府使(1)
洪永通	?~1395	남양	父 門下侍中 承演	음(공민왕대, 졸기)	소부判事, 안동府使, 監察大夫, 密直副使, 門下左侍中(우왕1), 判門下府事(태조1), 南陽伯(2), 남양백졸
洪禹(若)治	(세종~세조대)	남양	父 尙儉	?, 문(세종29)	英陵直(~세종29), 문과, 校理(방목), 司諫院右正言(단종즉), 左正言(즉), 승문副校理(2), 世祖原從2등공신(세조1), 校理(방목), 工(성종4)·吏(4)·工曹參議(5), 五衛副司猛, 상주牧使, 僉知中樞(10)
洪元用	?~1464	남양	父 吏曹判書 汝方, 祖 判書 吉旼	음	전佐郎(세종16), 司憲持平(23), 知司諫(문종즉위), 戶曹參議(단종1), 황해관찰사(2), 경창府尹(세조1), 世祖原從1등공신(1), 戶曹參判(2), 漢城府尹(3, 4), 江寧君(8, 9), 崇政大夫江寧君(12), 강령군졸
洪有江	(세종~세조대)	남양	형 係江	?, 무(문종즉위)	의주判官(세종24), 용천郡守(~문종즉위), 무과, 발포萬戶(단종1), 평안도절제사都鎭撫(세조3)
洪潤德	1454~1505	남양	父 同知成均 敬孫, 祖 智	문(23)	[연산대: 司諫院獻納]
洪潤緒	(세조대)	남양	제 潤德	문(8)	正字(방목)
洪慄	(성종17)	남양	父 判書 順孫, 祖 府使 治從		別監
洪應	1428~1492	남양	父 漢城府尹 深, 祖 庫使 德輔	문(문종1)	將仕郎(~문종1), 문과, 司諫院右正言知製敎(문종1), 集賢殿修撰(1), 副校理(단종1), 應敎

조선초기 관인 이력

					(~세조2), 世子左文學(2), 成均直講(~4), 侍講院左弼善(4), 侍講院右輔德兼藝文館直提學(~6), 종부判事(6), 同副·右副·左副·右·左·都承旨(6~9), 吏曹參判兼世子副賓客(9), 刑曹判書右賓客(11), 同知中樞兼都承旨(12), 五衛都摠管(예종즉), 翊戴3등공신益城君(즉), 吏曹判書(1), 議政府右參贊(1), 모상(성종1), 佐理3등공신崇政大夫益城君(2), 崇祿大夫吏曹判書(6), 議政府右贊成(8), 左贊成(9), 輔國崇祿大夫領中樞(9), 議政府右議政(10), 左議政兼世子府(16), 좌의정졸
洪義達	(세조대)	남양	父 亨甫, 祖 大司憲 汝方	?, 문(세조12)	司憲掌令(세조6), 軍官(10), 牧使(~12), 문과, 양주府使(~13, 파직), 成均司成
洪義老	(세종8)	남양	父 觀察使 薱, 祖 知密直 師禹		在官(족보 府使, 受路)
洪利用	?~1444	남양	父 判漢城 汝方, 祖 判書 吉旼, 서平原大君		副使(세종20), 護軍졸
洪益生	(세종~세조대)	남양	父 子傲, 祖 典書 德方		함길監牧官(12), 함길도절제사軍官(24), 정주牧使(문종1), 僉知中樞(단종3), 의주牧使(세조1), 世祖原從1등공신(1), 의주牧使(4), 경상좌도도절제사(7), 行五衛大護軍(9)
洪逸童	?~1464	남양	父 節度使 尙直, 祖 判密直 徵	음, 문(세종24)	敦寧副丞(~세종24), 문과, 司諫院右正言(문종즉위), 선공判官(단종1), 개천郡事(1), 司諫院左獻納(2), 主簿(세조1), 世祖原從2등공신(1), 승문副知事(~3), 判事(3), 僉知中樞(6), 戶曹參判(7), 성절겸천추사(7), 인순府尹(8), 하정사(8), 行五衛上護軍졸
洪任	(예종~성종대)	남양	父 牧使 沇, 祖 司評 陟	무(족보)	조전절제사(예종즉위), 行五衛司猛(성종즉위), 함길북도절도사虞侯(즉), 창원府使(9), 通政大夫梁山郡守(13), 청송(17), 안동府使(23)
洪自阿	(예종~성종대)	남양	父 元淑, 祖 坽	문(예종1)	禮曹佐郎(성종4), 國喪都監郎廳(5), 戶曹佐郎(~14), 禮曹正郎(14), 通訓大夫司憲執義(14), 봉상僉正(14), 貞熹王后祔廟都監郎廳(16), 通政大夫海州牧使(21), 掌隸院判決事(24) [연산이후:大司成, 충청관찰사, 兵曹參知, 參議, 大司憲, 경상관찰사, 兵曹參判]
洪貞老	(세조~성종대)	남양	父 判中樞 約, 祖 判中樞 彦修		兼司僕(세조13), 벽동첨절제사(~성종6, 加資), 通政大夫龜城府使(10), 정주牧使(15), 北征都將(22), 경원(23), 성천府使(24)
洪濟年	?~1464	남양	자 允成		直長(세조3), 원종3등공신(3), 嘉善大夫僉知中樞(7), 同知中樞(10), 正憲大夫同知中樞

					(10), 同知中樞졸
洪仲剛	(태조~태종대)	남양	父 潛, 祖 開道	문(태조2)	翰林(방목), 寺正(방목)
洪侄	(성종대)	남양	父 直長 恒, 祖 庶尹 深, 숙부 領議政 應	문(20)	[연산이후: 承旨]
洪璨	(성종대)	남양	父 永河	?, 문(11)	成均學錄(~11), 문과, 파직(11), 司憲監察(14), 宣傳官(14), 加資(16, 貞熹王后祔廟郎廳故), 평안評事(~18, 充軍)
洪澣	(성종대)	남양	형 湜	?, 문(16)	翊衛司洗馬(~16), 문과, 藝文檢閱(방목), 司憲持平, 司諫院獻納[연산대: 弘文應敎, 典翰, 副提學(방목), 吏曹參議, 유배피화]
洪海	(태종~단종대)	남양	형 約, 처 太宗女 德淑翁主	기(부마, 처 태종녀 德淑翁主)	唐城君, 義勇侍衛司절제사(태종18), 內禁衛3번절제사(세종즉), 唐城尉(1), 唐城君(10), 충청도절제사(30~31), 唐城尉(문종1), 收告身(단종3)
洪洞	1446~1500	남양	父 貴海, 祖 益生	문(성종8)	翰林(방목), 경원判官(20), 司憲掌令(20, 21), 파직(25), 司諫院司諫(25~연산1)[연산대: 弘文副提學피화(10)]
洪亨老	(단종1)	남양	父 判中樞 約, 祖 判中樞 彦修		五司司直(~1), 仕司僕寺(1), 充軍(3, 坐錦城大君)
洪興	(태종대)	남양	서 茂林君 善生		司正(선원세보기략)
洪興	?~1501	남양	형 應	음	中直大夫司憲持平(성종10), 刑曹正郎(10), 兼司憲掌令(17), 通訓大夫掌令(18), 파직(18), 刑曹參議(20), 右副(20)·右(20)·左承旨(21), 嘉善大夫충청관찰사(21), 開城留守(25)[연산대: 강원관찰사, 戶曹參判, 大司憲, 漢城左尹, 戶曹參判, 同知中樞, 漢城右尹졸]
洪貴達	1438~1504	缶林 (缶溪)	父 孝孫, 祖 得禹	문(세조7)	校書著作(~세조10), 兼藝文館(10), 侍講院說書(12), 宣傳官(12), 通訓大夫掌令(성종2), 영안評事(3), 弘文典翰經筵侍講官(4), 弘文直提學(6), 同副承旨(7), 파직(8), 左副·右·左·都承旨(8~10), 通政大夫충청관찰사(10), 刑曹參判(11), 漢城右尹(12), 同知中樞(12), 천추사(12), 吏曹參判(15), 강원관찰사(15), 同知中樞(16), 刑曹參判(16), 경주府尹(17), 大司憲(20), 부상(20), 강원관찰사(21), 大司成(22), 知中樞兼藝文館大提學(23), 吏曹判書(23), 파직(24), 五衛上護軍(25), 知中樞(25), 戶曹判書(25), 정조사(25)[연산대: 藝文提學, 工曹判書, 同知中樞, 議政府右參贊, 左參贊, 知中樞, 경기관찰사, 유배피화]
洪魯(路)	(태종17)	부림	父 敏永, 祖 縣監 漣	문(공양왕2)	議政府舍人

洪修	(성종대)	尙州	父 注	문(25)	[연산이후: 府使]
洪桂	(세조1)	豊山	형 重孫		五司司勇, 원종3등공신
洪伊	(세종대)	풍산	父 郞將 龜, 祖 大提學 演	기(13, 효행)	命叙用(13, 고양), 守中部令(26), 內贍主簿(~27, 파직)
洪載	(세종대)	풍산	父 直提學 保, 祖 密直 浚		장흥倉丞(6), 司直(9), 익산郡守(21)
洪重孫	(세조대)	풍산	父 縣令 伊, 祖 郞將 龜		경성절제사(세조3), 三軍鎭撫(3), 副司直(6), 원종3등공신(6)
洪剛	(세조~성종대)	洪州	父 禹平, 祖 樞密使 世信		의금都事(세조10), 유배(12), 동복縣監(성종12)
洪濱	(세조~성종대)	홍주	父 紋疇, 祖 剛	?, 문(세조14)	縣監(~세조14), 문과, 司憲持平(예종1~성종1), 봉상正(방목), 평산府使(23), 양주牧使(25)
洪紋疇	(세종대)	홍주	父 觀察使 剛, 祖 禹平	?, 문(11)	인수副丞(~11), 문과, 都節制使(방목)
洪允(禹)成	1425~1475	懷仁	父 同知中樞 濟年, 祖 容	음, 문(세종32)	敎導(~세종32), 문과, 승문副正字(32), 兼司僕(문종1), 한성參軍(1), 通禮院奉禮郞(2), 司僕主簿(2), 直長(단종1), 靖難2등공신司僕判官(1), 少尹(2), 判事(2), 司憲掌令(2), 威毅將軍忠佐侍衛司大護軍(3), 禮曹參議(세조1), 佐翼3등공신(1), 禮曹參判(2), 三軍都鎭撫(2), 禮曹判書(3), 母喪(3), 知中樞경상우도절제사(3), 知中樞(3), 禮曹判書(5), 경상都體察使(5), 禮曹判書(6), 함길조전원수(6), 北征獅子衛將(6), 判中樞(8), 仁山君世子左賓客(12), 議政府右議政(13), 仁山府院君(13), 건주軍功3등(13), 사은사(예종1), 仁山府院君兼判禮曹事(1), 右議政(1), 領議政(1), 仁山府院君(성종1), 佐理1등공신(성종2), 제언체찰사(3), 領中樞(4), 院相(5), 인산부원군졸
洪簡	(단종대)				前驛丞(~3, 居만경), 隨才叙用(3, 孝行故)
洪居安	(태종~세종대)				大護軍(태종14), 司僕判事(세즉), 사옹원提調(~3, 파직), 嘉善大夫司直(16)
洪巨賢	(세종24)				前司勇
洪傑	(성종대)				親祀奉俎官(19, 加資), 司憲監察(21), 判官(金永銖묘지명)
洪甄(字)	(세종~세조대)			문(세종29)	司憲監察(단종2), 主簿(세조3), 世祖原從3등공신(3), 司憲持平(5)
洪繼生	(문종~성종대)				회덕(문종1), 함평縣監(성종4)
洪繼孫	(세조1)				五司司勇, 원종3등공신
洪繼庸	(세조~성종대)				길주軍官(세조6), 加資(13, 征建州奉使故), 都摠府都事(예종1), 창원(성종1), 삼척府使(~9, 파직)

洪桂汀	(성종7)			환관	소경전內官
洪繼禧	(세조8)				中樞副使
洪貴	(단종~세조대)			역관	사역判官
洪貴童	(단종~세조대)				侍射(단종1), 僉知中樞(세조1)
洪貴孫	(성종25)	매부 大司憲 權景禧			의금軍官
洪龜海	(태종7)	모 德淑翁主	기(母 故)		右軍副司直
洪金剛	(세조1)			환관	掖庭署謁者, 원종2등공신
洪吉昌	(성종7)				광화문守門將
洪魯	(태종17)			환관	內官
洪多伊舍	(성종19)			여진귀화인	올적합上護軍
洪多伊哈	(성종3)			여진귀화인	火刺溫萬戶
洪澹	(문종대)				丞(즉), 行臺監察(1)
洪大	(세종6)			역관	여진통사
洪度(陶)	(태종13, 16)				司憲持平
洪道常	(세종~성종대)				副司直(~세종29), 파직(29), 軍官(세조1), 世祖原從3등공신(1), 右副·左副·右承旨(12~13), 嘉善大夫慶州府尹(성종3), 刑(7)·工曹參判(8), 江寧君
洪得敬	(세종~세조대)			환관	상왕전內官, 同知內侍府事, 判內侍府事, 世祖原從2등공신
洪亮	(단종1)				영춘縣監
洪量	(문종1)				영흥判官
洪齡	(세종1)				戶曹正郎
洪老	(세종12)				사신從事官
洪理	(태종~성종대)				선공少監(태종8), 司僕正(11), 監役官(15), 정평府使, 선공判事(~세종1, 파직), 양주府使, 工曹參議(9), 左軍同知摠制(12), 선공提調(14), 中樞副使(15), 사은副使(15), 同知中樞(16), 中樞副使(16), 사은副使(17), 인수府尹(17)
洪淪	(세종대)				護軍兼司僕(~7, 피죄)
洪邐	(세조1)				行判官, 원종3등공신
洪孟孫	(성종대)				곽산郡守(5), 평안순찰사許琮軍官(9), 구성府使(22)
洪粄	(세조대)				군기감丞(~6, 파직)
洪般若	(세조14)				別監
洪方仁	(세종9)				인순府尹
洪範	(세조1)				錄事, 원종2등공신
洪保	(태조대)				右散騎常侍(~2, 유배)

洪寶	(태조~세종대)			?, 문(우왕6)	司憲糾正(고려우왕6), 문과, 左軍摠制(세종8)
洪寶	(세종~세조대)				이천縣監(세종23), 世祖原從3등공신(세조1)
洪復興	(태종18)				刑曹正郎
洪敷	?~1424				안주도시위군절제사(태종8), 경기우도첨절제사(9), 別侍衛右2番절제사(12), 左軍摠制(18), 都摠制졸
洪富仁	(세종7)				전司正
洪士源	(성종23)				宣傳官
洪沙乙麼	(세종31)			여진귀화인	司直(下番甲士)
洪尙儉	(태종~세종대)				전散員(~태종6), 유배(6), 刑曹都官正郎(세종11), 경창少尹
洪尙直	(태종~세종대)				大護軍(태종9), 行宮察訪(10), 上護軍(~16), 순제진兵馬使(16), 僉知敦寧(세종1), 경성절제사(2), 전절제사졸
洪生	(세조1)			환관	內官, 원종3등공신
洪瑞終	(세조1)				行五司司直, 원종3등공신
洪諝智	(세조4)				졸司正
洪錫	(세조~성종대)				判官(세조1), 世祖原從3등공신(1), 通政大夫楊州府使(6), 廣州牧使(14), 嘉善大夫公州牧使(성종5)
洪錫疇	(정종~태종대)			문(정종1)	直提學(방목)
洪碩弼	(성종대)				영변判官(~14), 신천郡守(14, 簡滿陞敍)
洪善	(태종12)				工曹正郎
洪渫	(세조1)				錄事, 원종3등공신
洪成富	(세종11)			역관	倭통사
洪純	(세조6)				司禁
洪淳					金溝縣令(읍지)
洪順敬	(성종14)				前觀象奉事, 加資(山陵功故)
洪順老	(세조대)				五衛上護軍(~3), 大護軍(3)
洪順祖	(성종16)				광릉參奉
洪愼	(세종대)		장인 知密直 金磑		경주府尹(김굉묘지명)
洪阿多	(세조대)				훈춘副萬戶(~11), 본처萬戶(11)
洪若沈	(성종대)				宣傳官(3), 중화郡守(12)
洪彦	(태종대)			역관	의주통사(5), 前郎將(9, 유배, 坐李茂)
洪汝簡	(태종15)				전대흥縣監, 收職牒
洪汝恭	(세종7)				문화縣令
洪汝揖	(예종~성종대)				內禁衛(예종즉위), 禦侮將軍(성종6)
洪汝舟	(성종6)				禦侮將軍內禁衛, 喬桐縣監兼水軍萬戶(읍지)

하

619

洪珆(裀, 姻)	?~1446			上護軍(세종11), 좌군절제사(12), 中軍同知摠制(12), 同知摠制(13), 左軍摠制(14), 同知中樞(14, 20), 同知中樞卒
洪永江	(세조대)			行五司司直(1), 원종3등공신(1), 宣傳官(5), 숙천府使(~13, 收告身)
洪永河	(세조~성종대)			守五司護軍(세조1), 世祖原從3등공신(1), 선천郡事(7), 山達島兼監牧(12), 通政大夫三水郡事(성종1), 영안북도虞侯(5), 五衛護軍(8), 김해(12)·종성府使(17)
洪永漢	(세조대)			벽동郡守兼절제사(11), 벽동郡守(12)
洪永浩	(세조1)			五司司直, 원종2등공신
洪宇	(세종대)		문(29)	司憲監察(방목)
洪禹明	(문종~세조대)			行護軍(~문종1), 운산郡守(1), 三軍鎭撫(세조3)
洪禹成	(문종대)		무(즉)	兼司僕(즉)
洪禹傳	(세조1)			五司司直, 원종2등공신
洪元老	(단종~세조대)	제 工曹參判 利老		五司司正(~단종1), 仕司僕寺(1), 充軍(세조1), 赴防贖功(9), 兼司僕(13)
洪元淑	(세종~단종대)	장인 領議政 皇甫仁	음?	行臺監察(세종29), 工曹佐郎(문종2), 피죄(단종2)
洪有	(태종17)			전郡守
洪有勤	(세종대)	매 文宗昭容		兼司僕(7), 司直(9), 世子入朝押馬官(9)
洪有龍	(태조~태종대)			내부判事(태조5), 경차관(5), 유배(7, 좌鄭道傳), 判義州牧使(~태종7), 파직(7), 전라병마도절제사(~11), 파직(11), 右軍同知摠制(12), 전라도안무조전절제사겸수군도절제사(12), 피죄(13), 前전라수군도절제사(16), 유배(16)
洪宥仁	(세조6)			五衛司勇, 원종3등공신
洪允沔	(세조~성종대)			都摠使龜城君李浚軍官(세조13), 行五衛司直(성종6)
洪闇	(성종17)			풍기縣監(읍지)
洪應軾				영해縣令(읍지)
洪義	(세종대)			護軍兼司僕(~7, 피죄)
洪義發	(세조1)			主簿, 원종3등공신
洪義成	(태종7)		환관	司直, 세자입조監廚
洪義忠	(태종13)			前少監, 유배
洪彛	(국초)			관찰사(南在비명)
洪利老	(예종~성종대)			조전절제사(~예종즉), 유배(즉, 좌南怡), 內禁衛將(성종1), 경기捕盜將(2), 嘉善大夫穩城府使(3), 전府使(6), 정조副使(7), 경상우도수군절도사(8), 유배(10), 西征평양유방장(10), 同

조선초기 관인 이력

					知中樞(11), 工曹參判(14), 북청府使(15), 同知中樞(17)
洪利生	(세조1)				五司副司直, 원종3등공신
洪以成	(성종대)			무(22)	司憲監察(24)
洪益誠 (成)	(세종~성종대)				온성府使(세종32), 제주牧使(단종즉), 僉知中樞(1), 折衝將軍五衛上護軍(세조5), 前鍾城府使(6), 同知中樞(6), 사은副使(6), 경상우도처치사(6), 工曹參判(7), 하정사(7), 行上護軍(8), 護軍(8), 上護軍(9), 大護軍(9), 경상좌도처치사(10), 內禁衛將(성종2), 行五衛司直(6), 同知中樞(7), 五衛副摠管(8)
洪仁健					연일縣監(읍지)
洪仁達	(예종1)		공신후손(가계불명)		빙고別提
洪仁富	?~1433				행上護軍졸
洪仁愼	(태종5)				검中樞副使
洪㟳	(태종10)		처남 左議政 許琛		前장흥庫使, 유배
洪潛	(태종대)				공안府尹(7), 檢校議政府參贊(7)
洪迪	(세종9)				司直, 世子入朝시종관
洪田	(세종15)			역관	여진통사
洪悌	(성종10)				연천縣監
洪濟	(태종4)				大護軍
洪悌孫	(성종2)				강음縣監
洪仲康	?~1416				전사재少監복주
洪仲山	(세조1)			환관	掖庭署謁者, 원종3등공신
洪重孫	(예종1)				閑散武官(居양주)
洪楫	(국초)			명귀화인	사역教官(세종23, 8, 11)
洪楫	(세조6)				閑散武官(전甲士, 居고령), 徵召
洪祉	(성종대)			음(20)	隨才敍用(20, 공신적장故), 宣傳官(21)
洪潰	(세조1)				五司司直, 원종2등공신
洪珍	(세조6)				졸大卿, 원종3등공신
洪天	(세종7)			역관	경성女眞語통사
洪忠	(태종대)				少監, 龍媒梁萬戶(세종8, 5, 13)
洪治	(세종27)				졸護軍
洪致敬	(문종1)				철산郡守
洪俏	(세조~성종대)				兵曹正郎, 司僕僉正, 장흥府使
洪漢	(세종대)				司憲監察(~16, 파직)
洪翰	(문종대)				안변府使(~2, 파직)

洪漢忠	(성종16)			인동縣監, 영흥府使(읍지)
洪顯廷	(성종2)			내자正
洪亨孫	(세조14)			兼司僕
洪浩	(성종대)			의금都事(9), 前驪州判官(13)
洪煥	(세종21)			희천郡事
洪孝同	(예종1)			閑散武官(居양주), 徵召
洪孝孫	(세조1)	장인 領議政 李 克培		五司司直, 원종2등공신
洪孝孫	(세조4)		역관	行五衛副司正
洪孝孫	(세조13)			宣傳官
洪孝廷	(성종대)			刑曹正郎(23), 곽산郡守(~24)
洪忻	(세조~성종대)			行副丞(세조1), 世祖原從3등공신(1), 전농少尹(6), 宣傳官(12), 중추軍官(예종1), 五衛將(성종8)
洪欽				承旨
洪興祖	(성종5)			충청절도사
洪興祚	(문종~세조대)			회령判官(~문종즉위, 파직), 강계절제사(세조5), 邊將(6), 同知中樞(6), 僉知中樞(6), 전라도절제사(6), 파직(8)
化繼山	(단종3)		환관	환관
和知難酒毛	(단종1)		왜귀화인	護軍
黃璘	(성종대)	德山 (善山)	父 副尉 龜壽, 祖 正義	문(8)	충청都事(16), 단양郡守(22)[연산대: 牧使(방목)]
黃載	(세종13)	덕산			졸운산郡事
黃筆	(성종대)	덕산	父 龜壽	문(23)	權知正字(24) [연산이후: 府尹]
黃士幹	(태종대)	尙州	자 參贊 孝源	문(14)	正字(방목)
黃俊卿	(성종24)	상주	형 碩卿		전五衛司直, 打量敬差官
黃孝源	1414~1481	상주	父 正字 士幹, 祖 正 河信	문(세종26)	예빈主簿(세종26), 禮曹佐郎(~문종즉위), 司諫院左獻納(즉), 禮(1)·吏曹正郎(단종즉), 議政府檢詳(1), 議政府舍人(1), 司僕尹(세조1), 佐翼3등공신(1), 僉知中樞(1), 刑(1)·吏曹參議(2), 刑(3)·戶曹參判(3), 漢城府尹(4), 大司憲(4), 刑曹參判(4), 商山君충청관찰사(5), 禮曹參判(5), 商山君(6), 경기관찰사(6), 漢城府尹(7), 戶曹參判(8), 한성(8)·인수府尹(8), 상산군전라관찰사(9), 상산군(10), 원각사조성提調(11), 군(12), 모상(12), 강원관찰사(13), 商山君奉朝賀(예종1), 崇政大夫議政府右參贊(성종1), 상산군(1), 佐理4등공신(2), 파직(4), 상

					산군(5), 商山君奉朝賀(9), 상산군봉조하졸
黃守正	(세조대)	紆州	父 縣監 陞, 祖 判事 居中, 장인 左議政 金國光		함길都體察使申叔舟從事官(6), 청주牧使(~12, 파직), 절도사(김국광비명)
黃允誠	(세조3)	우주	父 圻, 祖 判事 居中		삼군鎭撫
黃敬敦	(태종~세종대)	長水	父 判中樞 中粹, 祖 判府使 君瑞		司憲監察(~태종13, 파직), 금산(세종5), 청풍郡事(21)
黃敬兄	(성종대)	장수	父 漢城判尹 保身, 祖 領議政 喜		司憲監察(3), 兼漢城參軍(7)
黃瓘	(성종8)	장수	父 副正 從兄, 祖 漢城判尹 保身		命敍用(이조)
黃君瑞	(태조대)	장수	父 均庇, 祖 石富		前충주절제사(태조3), 제주선위사(3), 判江陵府使
黃眷	(성종대)	장수	父 領議政 守身, 祖 領議政 喜		僉知中樞(황수신비명)
黃保身	(세종~세조대)	장수	父 領議政 喜, 祖 判江陵府使 君瑞	음?	戶曹正郎(~세종11, 파직), 전의禁知事(22), 五司護軍(세조1), 世祖原從3등공신(1)
黃事敬	(성종대)	장수	제 事恭	무(20)	
黃事恭	(성종대)	장수	父 判中樞 致身, 祖 領議政 喜	음, 무(20)	內禁衛(1), 훈련正(18), 工曹參議(18), 경원府使(19), 杖流(20)
黃事長	(단종~성종대)	장수	제 事敬	음, 무(성종20)	加資(단종2, 성절사押馬功故), 前나주判官(~세조7, 收告身), 의금鎭撫(11), 都摠使龜城君 李浚軍官(13), 안동府使(세조14, 읍지), 衛將
黃事親	(세조~성종대)	장수	父 判中樞 致身, 祖 領議政 喜		副錄事(세조6), 世祖原從3등공신(6), 行五衛司果(성종3), 行司勇(4)
黃事兄	(성종대)	장수	제 事敬	음, 무(20)	司憲監察(8), 縣監(20)
黃事孝	?~1495	장수	제 事敬	문(성종8)	彰信校尉(~성종8), 刑曹佐郎(11), 通德郎司憲持平(13), 중추軍官, 司憲掌令(19), 奉訓大夫司憲執義(21), 司諫院司諫(22), 通政大夫晋州牧使(23), 의주牧使(23), 同副(23)·右副(23)·左副承旨(24), 嘉善大夫황해관찰사(24), 同知中樞(25), 大司憲(25), 同知中樞(25)[연산1: 선위사졸]
黃誠昌	(성종대)	장수	父 春, 祖 領議政 守身	문(22)	成均學錄(23) [연산이후: 參判]
黃守身	1407~1467	장수	父 領議政 喜, 형 保身	음(세종10)	通仕郎宗廟副丞(세종10경), 司憲持平(11), 戶曹正郎(11), 司憲掌令(17), 內贍尹(18), 知司諫(22), 僉知中樞(23), 兼知兵曹事(24), 知刑曹事(24), 右副·右·左·都承旨(25~29), 파직(29), 僉知中樞(문종즉위), 三軍都鎭撫(즉), 兵曹參判(즉), 漢城府尹(단종2), 資憲大夫경상관찰사

					(2), 議政府右參贊(세조1), 佐翼3등공신右參贊南原君(1), 右參贊兼判禮曹事(3), 진하사(3), 議政府右贊成(3), 左贊成(4), 南原府院君(8), 議政府右議政(10), 하등극사(10), 左議政(12), 右議政(12), 領議政(13), 南原府院君, 남원부원군졸
黃愼	(세조9)		장수	父 領議政 守身, 祖 領議政 喜		군기判事, 궁궐조성낭관
黃友兄	(세조~성종대)		장수	父 漢城判尹 保身, 祖 領議政 喜		判官(세조1), 世祖原從3등공신(1), 선공副正(7), 前郡守(~성종3, 充官奴)
黃從兄	(세조대)		장수	형 友兄		청도(8), 함안郡事(12, 읍지), 선공副正(李原비명)
黃眞	(세조~성종대)		장수	父 領議政 守身 (첩자), 祖 領議政 喜		兼司僕(세조11, 收告身, 성종4)
黃致身	1397~1484		장수	父 領議政 喜, 제護軍 保身	음(태종15)	戶曹佐郎, 通政大夫判通禮(~세조15), 同副承旨(15), 파직(16), 僉知中樞(17), 禮(17)·戶曹參議(19), 中樞副使(19), 漢城府尹(20), 경기관찰사(20), 漢城府尹(21), 刑曹參判(22), 파직(23), 漢城府尹(23), 工(25)·刑(26)·戶曹參判(27), 戶曹判書(28), 知中樞(단종2), 성절사(2), 同知中樞(세조1), 世祖原從2등공신(1), 中樞使(3), 同知中樞(3), 인순(5), 인수府尹(5), 僉知中樞(5), 피죄(7), 전中樞(~12), 同知中樞(12), 五衛都摠管(13), 崇政大夫知中樞(13), 崇祿大夫知中樞(성종10), 判中樞(10), 판중추졸
黃瑾	(성종18)		장수	형 璀		진보縣監(읍지)
黃喜	1363~1452		장수	父 判江陵府使 君瑞, 祖 均庇	음(우왕2), 문(공양왕1)	福安宮錄事(우왕2), 문과, 成均學錄(공양왕2, 고려), 世子右正字(태조3), 直藝文館, 司憲監察, 門下右拾遺(태조6), 경원教授(7), 우습유(정종즉), 파직(1), 경기都事, 刑·禮·吏曹正郎(태종1), 承樞府軍官(태종1), 파직(4년이전), 刑曹議郎(1), 父喪(2), 大護軍兼承樞軍官(2), 右(4)·左司諫大夫(4), 左副代言(5), 知申事(5~9), 參知議政(9), 刑曹判書(9), 知議政(10), 大司憲(10), 兵曹判書(11), 禮曹判書(13), 사직(14), 禮曹判書(14), 吏曹判書(15), 파직(15), 행랑조성도감提調(15), 議政府參贊(15), 戶曹判書(15), 파직(16), 工曹判書, 평안도순문사겸평양윤, 判漢城府事(18), 유배(18), 參贊(세종4), 강원관찰사(5), 강원관찰사判右軍都摠府事(5), 議政府贊成(6), 贊成兼大司憲(7), 吏曹判書(8), 議政府右議政兼判兵曹事(8), 左議政

　　　　　　　　　　　조선초기 관인 이력

					兼判吏曹事, 母喪, 左議政, 평안都體察使, 파직(12), 領議政(13), 領議政致仕(31), 領議政致仕卒
黃居正	(태조~태종대)	昌原	父 漢城判尹 信, 祖 贊成 河應		군기判事(태조1), 開國3등공신(1), 中樞副使(5), 嘉善大夫肅川郡事(5), 開城留侯(태종1), 佐命3등공신(1), 參知議政(3), 하정사(3), 義原君(~8), 천추사(8), 參知議政(8), 刑曹判書(9), 義原君新京提調(10), 유배(11)
黃斯允	(세조~성종대)	창원	父 縣監 孝誠, 祖 判書 居正		都摠使龜城君李浚軍官(세조13), 陞堂上官(13), 함길순변사(14), 평안중도절도사(14), 평안동도절도사(14), 北征上土조전장(성종6)
黃淑	(세조~성종대)	창원	父 得粹, 祖 允奇	문(세조2)	藝文檢閱(세조5), 풍저倉守(~15, 陞敍(15, 修理都監功故), 成均司成(방목)
黃義軒	(세종~단종대)	창원	父 善卿, 祖 昌	?, 문(24)	서운視日(세종24), 문과, 敦寧錄事(세종11), 회덕縣監(~25, 파직), 종부判官(32), 안악郡事(~단종1, 파직, 坐安平大君), 充官奴(2)
黃仁軒	(단종1)	창원	父 縣監 善卿, 祖 知奏事 昌		전錄事
黃澄	(성종13)	창원	父 兵馬節度使 斯允, 祖 縣監 孝誠		命敍用(족보 郡守)
黃處中	(세조1)	창원	父 郎將 承厚, 祖 令 眞白		五司副司正, 원종3등공신
黃衡	(성종대)	창원	父 正 禮軒, 祖 縣監 善卿	무, 중과중시(17)	兼司僕(14), 무과중시, 尙瑞司判官(17), 五衛上護軍(~18, 收職牒), 折衝將軍혜산첨절제사(21), 北征都將(22), 평안조전장(24), 훈련都正(25), 경상우도수군절도사(25)[연산대: 의주牧使(3, 읍지)]
黃孝誠	(문종~성종대)	창원	父 刑曹判書 居正, 祖 漢城判尹 信		삼등縣令(문종즉위), 장악원典樂(세조8), 典樂令(성종6)
黃季夏	(문종~세조대)	平海	父 銓, 祖 有定	문(문종 즉위)	司憲監察, 진보縣監(세조4, 읍지)
黃象	(태종~세종대)	평해	父 知中樞 希碩, 祖 判書 天祿	음, 무(태종5)	少監(~태종1), 유배(1), 房主護軍(6), 大護軍(7), 파직(7), 上護軍(~11), 忠佐侍衛司첨절제사(11), 左軍同知摠制(세종즉위), 右軍同知摠制(1), 征倭中軍절제사(1), 경상좌도수군도절제사(2), 右軍摠制(4), 工曹參判(4), 左軍摠制(6), 都摠制(8), 兵曹判書(9), 파직(10)
黃雲起	(태조1)	평해	父 門下評理 瑞, 祖 門下侍中 裕中		司楯(공양왕3)

黃有定	(태조1)	평해	父 直提學 瑾, 祖 參軍 原老		知沃州事(읍지)
黃允元	(세종~성종대)	평해	父 工曹參議 坤, 祖 繕工正 吉源	문(세종32)	刑曹佐郞(세조1), 世祖原從3등공신(1), 파직(2), 司憲持平(4), 정(방목), 삼척府使(성종3, 읍지)
黃允亨	(세조~성종대)	평해	형 允元	?, 문(세조14)	敎授(~세조14), 문과, 禮曹佐郞(성종3), 온양郡守(~14, 授準職, 산릉공), 工曹參議(방목)
黃玎	(성종대)	평해		문(5)	司諫院正言(방목), 경상都事(18, 읍지)
黃震孫	(세조~성종대)	평해	父 仲夏, 祖 鉉	문(세조6)	成均典籍(세조13), 안동判官(성종13, 읍지), 영월郡守(21, 읍지), 監正(방목)
黃鉉	(태조~세종대)	평해	父 有定, 祖 瑾	문(태조2), 중(태종7)	成均直講(~태종7), 문과중시, 경승少尹(7), 直藝文館(15), 大司成(세조6, 8), 인수府尹(10), 嘉善大夫大司成(12)
黃希碩	?~1394	평해	父 典書 祐, 祖 典書 太白		上萬戶(우왕9, 고려), 商議中樞院事(태조1), 太祖原從공신(1), 開國2등공신(1), 義興親軍衛都鎭撫(1), 知中樞平海君졸
黃裕	1421~1450	懷德	父 中樞使 子厚, 祖 郡事 粹, 처 太宗女 淑安翁主	기(태종14, 부마)	嘉善大夫懷川君(세종14), 陞嘉靖大夫(17), 사은사(25), 通憲大夫(26), 奉獻大夫(28), 收告身(30), 회천군졸
黃子厚	1353~1430	회덕	父 郡事 粹, 祖 衍 記	음(족보)	전牧使(태종7), 인령府尹(~12), 禮曹佐郞(12), 戶曹參議(14), 경기관찰사(14), 開城副留侯(14), 인령府尹(15), 충청관찰사(15), 공안府尹(15), 유배(16), 左軍摠制(세종3), 정조사(3), 충청관찰사(4), 유배(5), 判羅州牧使(6), 漢城府尹(13), 資憲大夫中樞副使(14), 전의提調(16), 同知中樞(18), 中樞使(19), 전의提調(20), 전중추졸
黃家老	(세종11)			여진귀화인	올량합千戶
黃澗	(성종19)				嘉善大夫西原君
黃敬郭	(세종21)				청송府使(읍지)
黃慶男					해남縣監(읍지)
黃敬禮	(성종대)				[연산대: 낭천縣監(2, 읍지)]
黃敬仁	(성종대)				通政大夫회양府使(12), 折衝將軍훈융진첨절제사(16), 전라수군절도사(22)
黃敬之	(단종대)			환관	환관(~3, 유배)
黃季金	(성종대)				연원도察訪(7), 陞職(14, 국상도감낭청공)
黃季悅	(세조1)				五司護軍, 원종3등공신
黃啓沃	?~1494		父 震孫	문(성종8)	司諫院獻納(성종20), 吏曹正郞(21), 사직(21, 病), 司憲掌令(24), 應敎졸(永安道奉使중)
黃坤	(세종~세조대)				인제縣監(세종18), 조지소別坐(~28, 加資), 前副正(세조3)

黃槐	(세종15)				석성縣監
黃龜政	(태종14)				삼화縣令(읍지)
黃歸正	(국초)				장기監務(읍지)
黃貴存	?~1455			환관	액정서司謁(문종즉위), 充官奴福주(단종1)
黃貴忠	(세종1)				刑曹令史
黃珪	(세조1)				五司護軍, 원종3등공신
黃耆	(세조1)				通善郎, 원종3등공신
黃起崑	(세조~성종대)				五司副司直(세조1), 世祖原從3등공신(1), 五衛部將(9), 함길副節度使(13), 僉知中樞(성종7)
黃吉山	(성종12)				전주甲士
黃吉之 (至)	(태종대)				甑山縣令, 知宜州事(~2), 파직(2)
黃訥	(태종대)			문(공양왕1)	通禮門引進使(~8), 正字(8), 정선郡事(9, 읍지)
黃道	(태조1)				거창縣令(읍지)
黃稻	(태종~세종대)			환관	世子侍子內官(태종6), 察築平壤城役(10), 河崙問病(16), 察平山溫井行幸(18), 上王殿환관(세종즉), 유배(3)
黃得富	(세종대)				副司直(해풍군, 21, 充軍)
黃得粹	(태종~세종대)				工曹佐郎(~태종8, 停職), 刑曹都官佐郎(~12, 파직), 양주府使(~세종7, 파직), 海豊郡守(12), 知司諫(~18, 파직)
黃得雨	(태종~세종대)				大護軍(~태종11), 胡賁侍衛司동첨절제사(11), 경기우도수군첨절제사(~세종4, 파직)
黃綠	(태종~세종대)				別司禁(태종1), 司禁牌頭(~11), 파직(11), 개천도감提調(12), 左軍摠制(12), 국상도감提調(12), 別司禁右邊提調(12), 嘉善大夫廣州牧使(14), 同知摠制(세종2)
黃陸	(세종대)	장인 將軍 金德生	기(10, 효행)		命敍用(10, 연산생원, 孝行故), 통례원通贊(18, 장인故, 세종18, 8, 24), 연풍(18)·정읍縣監(20)
黃陸運 (六雲)	(성종대)	父 克明	?, 문(18)		敎官(~18), 문과, 영안都事(20), 禮曹正郎(25)
黃獜					상주牧使(읍지)
黃茂	(세종20)				內禁衛
黃文	(단종대)				주자소書吏(~2), 仕滿無取才東班敍用(2)
黃伯牛	(성종대)		기(24, 正兵)		正兵去官(~24), 五衛副司果(24), 量田경차관(24)
黃補敬	(세종8)	외숙 明 太監 白彦	기(8, 명사故)		제수, 在官(8, 피핵, 賤出授官職故)

黃鳳	(세종대)			역관	여진통사
黃思祐	(태종~세종대)			曆官	서운丞(태종12), 判事(세종13)
黃思義	(단종~성종대)			환관	行掖庭署謁者(단종1), 收告身(세조7), 영창전內官(성종1)
黃思忠	(성종9)				진위縣令
黃尙廉	(태종11)				巡禁司司直
黃瑞	(세종대)			문(8)	翰林(방목)
黃碩耉	(세조14)				현풍縣監(읍지)
黃石生	?~1461				行五司司直(세조1), 원종2등공신(1), 五衛護軍, 五衛部將, 兵曹參議(5), 평안도절제사(5), 中樞副使(7), 평안도절제사졸
黃石玎					영해府使(읍지)
黃碩中	(태종10)				大護軍
黃善輅	(세조12)				露島兼監牧
黃成	(태조5)		자 明 宦官 永奇		中樞副使
黃誠	(태조3)				商議中樞院事
黃淑渚	(단종2)				함길도절제사鎭撫
黃淑貞					영해府使(읍지)
黃順	(태종대)				護軍(~10, 유배), 경주府尹(읍지)
黃順常	(태조2)				前진주牧使
黃崇	(세종1)			환관	內官
黃承祖	(성종대)				禦侮將軍제물포萬戶(~15, 加資, 資窮故代加)
黃植	(세조7)			악공	장악원典樂
黃信	(성종대)				前行副司正(~9), 隨才敍用(9, 孝行故)
黃眘	(단종대)				景禧殿直(~1, 陞承仕郞), 通仕郞(1, 단종1, 8, 신묘)
黃愼之	(세조1)				五衛司勇, 원종2등공신
黃愼之	(성종대)				行五衛副司直(~3), 隨才敍用(3, 居고성, 孝行故)
黃約中	(세조4)				五衛司正
黃垟	(세종대)				황해경차관(~7, 充水軍)
黃彦	(세종1)				고만량萬戶
黃彦中	(세조3)				典吏, 원종3등공신
黃淵					영해府使(읍지)
黃檿	(세종대)			기(13, 효행)	명敍用(13, 교하)
黃永	(세종8)				함창縣監, 안동判官(13, 읍지), 金化縣監(26, 읍지)
黃英	(문종1)				開城斷事官
黃泳	(세종대)				刑曹都官佐郎(~26), 金化縣監(26)

黃雲發	(세종15)				金山郡事
黃柔	(세종대)				안동判官(읍지), 수원府使(22)
黃儒	(단종대)				함길도절제사鎭撫(~2, 收告身充軍, 坐李澄玉)
黃瑜	(문종1)				진산郡事
黃允禮	(세조대)			환관	典事(1), 원종2등공신(1), 액정서司謁(6)
黃允元	(세종8)				정선郡事(읍지)
黃允中	(세종대)				前護軍(~9), 世子入朝시종관(9)
黃允厚	(세종7)				경상우도처치사鎭撫
黃義之	(단종대)			환관	行掖庭署謁者(1), 充官奴(3)
黃怡					하동縣監(읍지)
黃以瑗	(성종대)				의성縣令, 通政大夫울진縣令(성종23, 읍지)
黃伊叱介	(세조1)			여진귀화인	五司司直, 원종3등공신
黃稔	(성종24)				別侍衛, 打量敬差官
黃自中	(세조1)				五司副司直, 원종3등공신
黃在中	(태조대)			환관	액정서司鑰(~7, 停職)
黃琠	(세종대)				司直(~7, 파직)
黃濟	(성종11)				전察訪
黃潘	(태종6)				경상병마도절제사鎭撫
黃中	(세조~성종대)			역관	宣務郎(세조1), 世祖原從3등공신(1), 사역正(12), 折衝將軍五衛副司直(예종1), 御前통사(성종7), 嘉善大夫龍驤衛司果(11), 行司直兼司譯提調(~15, 파직)
黃中	(예종1)				연천監務
黃中吉					영해府使(읍지)
黃中寺	(세조4)				女眞語통사
黃中善	(태종~세종대)				은율縣監(태종18, 읍지), 의흥縣監(세종18)
黃志	(세종6)				단천郡守(읍지)
黃溜	(세종9)				新恩縣令
黃稙	(세종8)			악학	장악원典樂
黃進德	(태조4)				경상都事(읍지)
黃振孫	(세조1)				權知訓練錄事, 원종2등공신
黃陟	(세종21)				장연縣監
黃天奉	(세종7)			역관	女眞語통사
黃哲	(세종19)				太祖原從공신
黃河湜	(태종대)				甲士副司直(~9)
黃河信	(태종17)				종부副令
黃河濬	(태종4)			曆官	서운判事

黃旱雨	(태종~세종대)				군자判事(~태종7, 파직), 別侍衛牌頭(8), 경승부司尹(11), 인령府尹(세종2)
黃赫	(세종23)				고성縣事
黃浩	(성종12)				안주判官
黃孝恭	(세조대)				삼군鎭撫(3), 方山萬戶(~11, 파직)
黃孝終	(성종대)				內禮萬戶(~9, 充水軍), 사량權管(~14, 充軍)
黃厚仁	(성종24)				加資(親祀奉俎官故)
皇甫恭	(세종~세조대)	永川	父 獻納 規	문(세종5)	승문副校理(세종15), 司諫院右獻納(20), 左獻納(21), 평안도절제사都事(21), 평안채방別監(28), 護軍(29), 승문(문종1), 종부判事, 左司諫大夫(단종즉), 승문判事(2), 通政大夫忠州牧使(세조1), 世祖原從2등공신(1), 前忠州牧使(2, 收告身)
皇甫規	(정종~세종대)	영천		문(정종1)	司諫院獻納(세종8), 成均直講(8), 右獻納(8), 左獻納(8), 군자副正(11)
皇甫琳	?~1394	영천	父 牧使 安,祖 府院君 淳		知中樞졸
皇甫錫	?~1455	영천	父 領議政 仁,祖 密直使 琳		司僕少尹피화
皇甫良	(세종대)	영천	형 通政大夫 牧使 恭	문(8)	경흥창副使, 司憲監察(9), 司諫院右獻納(18), 左獻納(18), 吏曹正郎, 府使(방목)
皇甫仁	?~1453	영천	父 知中樞 琳,祖 牧使 安	음, 문(태종14)	司憲監察(~태종14), 문과, 司諫院左獻納(세종2), 사재副正(~4), 경차관(4), 司憲掌令(4), 한성少尹(~7), 경차관(7), 掌令(7), 승문知事(~8), 파직(8), 사헌執義(10), 同副(11)·左副(11)·右代言(12), 知申事(12), 파직(13), 刑曹參議(13), 通政大夫강원관찰사(13), 刑曹左參議(14), 刑曹左·兵曹右參判(14), 진하사(14), 兵曹參判(16, 18), 兵曹判書(18), 兵曹判書평안함길都體察使(22), 議政府左參贊兼判兵曹事(22), 함길도체찰사(23), 평안도체찰사(25), 議政府左贊成兼判吏曹事(27), 議政府右議政(29), 左議政(31), 사은사(문종즉위), 領議政(1), 영의정피화
皇甫瑹	(태조대)	영천	父 知中樞 琳,祖 牧使 安		司憲監察(~7, 파직)
皇甫欽	?~1455	영천	형 少尹 錫		전농直長피화
皇甫盖	(태조1)				정주府使, 太祖原從공신
皇甫元	(세종22)				司憲監察
回伊波	(성종대)			여진귀화인	副萬戶(6), 여진지護軍(16), 大護軍(20)
回叱介	(단종3)			여진귀화인	下訓春司正

조선초기 관인 이력

懷叱大	(세종5)			여진귀화인	동량북올량합千戶
厚時茂	(세종32)			여진귀화인	올량합副萬戶
欣山	(예종대)			환관	別監(~1, 充苦役)

〈별표〉 조선초기 추정(미확인) 관인

성명	생애(仕官시기)	본관	가계	출신	관력	비고
康繼宗	(성종15)				還告身	
姜貴	(단종2)				환고신	
姜貴頓	(성종11)				還職牒	
姜貴同	(성종6)				환고신	
姜貴珍	(성종7)				환고신(命吏曹, 이하 '이'로 약기)	
姜珪	(세조6)				환고신(이)	
康謹	(성종21)				환직첩	
姜今敦	(성종21)				환직첩	
姜今頻	(성종15)				환고신(命兵曹, 이하 '병'으로 약기)	
姜起濱	(성종21)				환직첩	
姜潭	(성종21)				환직첩	
姜得富	(성종10)				환고신(병)	
姜孟仁	(성종21)				환직첩	
姜美	(성종11)				환직첩	
姜愸	(태종15)				河崙천가용인	
姜泗中	(성종21)				환직첩	
姜尙文	(단종2)				환고신(병)	
姜世生	(성종5)				환고신(병)	
姜世長	(성종24)				명서용(이조)	
姜守南	(성종2)				환고신	
姜叔孫	(성종13)				환직첩	
康叔全	(세종9)				효행서용	
姜承呂	(성종13)				환직첩	
姜彦	(성종21)				환직첩	
康餘	(태종1)				직첩몰수	
姜呂孫	(성종24)				환직첩(병)	
姜吾亡加伊	(성종6)				환고신	
康祐	(성종대)				유직함(2), 환고신(3)	
姜右弼	(성종13)				환직첩	
姜元孫	(성종21)				환직첩	
姜渭	(성종15)				환고신	
姜裕孫	(성종15)				환고신(병)	
姜有諸	(성종7)				환고신(이)	

姜允卿	(세조1)			환고신	
康允禧	(성종7)	信川	父 信川君 裒	환고신(병)	
姜乙貴	(세조10)			환고신(병)	
姜乙生	(세조1)			환고신(이)	
康義生	(성종21)			환직첩	
姜以禮	(성종대)			환고신(6, 이), 환고신(15, 병)	
姜益京	(성종17)			환직첩(이)	
姜仁發	(세종1)			전사정	
姜仁甫	(태조1)			몰수직첩	
姜自敬	(성종21)			환직첩	
姜自南	(성종15)			환고신(병)	
康子寧	(성종7)			환직첩	
姜自沿	(성종5)			환직첩(병)	
姜自淵	(성종10)			전사정	
姜從山	(단종3)			몰수고신	
姜竹山	(성종9)			환고신	
姜仲南	(단종3)			환고신(병)	
姜仲萬	(성종7)			환직첩	
姜仲賢	(단종2)			환고신(이)	
姜晉文	(성종15)			환고신(병)	
姜晉孫	(성종15)			환고신(병)	
姜處陰	(성종7)			환고신(병)	
康漢敬	(단종3)			환고신(병)	
姜鄙	(성종7, 9)			환고신(이)	
康好生	(성종6)			환고신(이)	
姜孝南	(성종21)			환직첩	
姜孝敦	(성종7)			환고신(병)	
姜孝善	(단종2, 3)			환고신(이)	
康孝舜	(성종9)			환고신	
姜效仁	(성종6)			환고신(병)	
姜熙	(성종15)			환고신	
介同	(성종7)			환고신(이)	
儉佛	(단종3)			환고신(이)	
甄碩明	(성종6)			환고신(이)	
景善	(단종3)			환고신(병)	
高堅	(성종15)			환고신(병)	
高敬知	(성종15)			환고신(병)	
高桂尚	(성종14)			환고신	

高繼尙	(성종21)				환직첩	
高繼孫	(성종13)				환직첩	
高貴之	(성종7, 21)				환직첩	
高克禮	(성종7)				환고신(병)	
高克明	(성종7)				환고신(병)	
高謹	(성종7)				환직첩	
高謹孝	(성종13)				환직첩	
高德至	(성종16)				환고신	
高萬龍	(단종2)				환고신(병)	
高末孫	(성종13)				환직첩	
高士平	(성종21)				환직첩	
高碩柱	(성종24)				명서용(이)	
高成敬	(세조6)				환고신(이)	
高成吉	(세조6)				환고신(이)	
高壽福	(성종대)				환직첩(21), 환고신(22, 이)	
高承益	(세조2)				몰수고신	
高承厚	(세조2)				몰수고신	
高是安	(성종21)				환직첩	
高愼	(성종3)				환고신	
高若河	(단종2)				환고신(병)	
高永厚	(성종21)				환직첩	
高雲秀	(성종6)				환고신(이)	
高原厚	(태종13)				환고신	
高義孫	(성종12)				환직첩(병)	
高益祥	(성종대)				환직첩(13), 환직첩(21, 병)	
高自升	(성종7)				환직첩	
高長守	(세조11)				몰수고신	
高仲陽	(문종즉위)				몰수고신, 환고신	
高處安	(성종11)				환직첩	
高鐵石	(성종21)				환고신	
孔都知	(태조4)				효행천거	
公秀命	(성종13)				환직첩(이)	
公秀孫	(성종21)				환고신(이)	
孔承候	(성종5)				환직첩	
孔義	(성종11)				환직첩(이)	
孔曾孫	(성종21)				환직첩	
孔處明	(성종6)				환고신(병)	
郭城	(성종7)				환고신(병)	

郭今山	(성종17)				환직첩	
郭成孫	(성종9)				환고신	
郭順烱	(성종6)				환고신(병)	
郭承中	(세조14)				환고신	
郭連壁	(세조~성종대)				환고신(세조6, 병), 환직첩(성종7)	
郭愚	(단종2)				환고신(이)	
郭仁敬	(단종2)				환고신(병)	
郭自同	(성종7)				환고신(병)	
郭自義	(성종21)				환직첩	
郭哲孫	(성종17)				환직첩(이)	
郭春雨	(세조14)				환고신	
郭亨同	(성종7)				환직첩	
廣根	(성종9)				환고신	
丘達文	(성종5)				환직첩(병)	
仇無同	(성종21)				환직첩	
仇碩宗	(성종21)				환직첩	
具仁忠	(세조6)				환고신	
仇仲孫	(성종21)				환직첩(병)	
具纘	(성종6)				환고신	
權沂	(단종2)				환고신(병)	
權石基	(성종17)				환직첩(이)	
權守中	(성종15)				환고신(병)	
權淳	(성종15				환고신(병)	
權永通	(성종6)				환고신	
權裕	(단종2)				환고신(병)	
權怡	(성종7)	安東	父 檢校漢城尹丞, 祖 密直提學 顯		환고신	
權自常	(단종3)				환고신(이)	
權子善	(성종10)				징소(거청주)	
權自守	(성종15)				환고신(병)	
權措	(성종대)				탈고신3등(16), 환직첩(21)	
權仲倫	(성종21)				환직첩	
權志	(성종15)				환고신	
權祉	(성종6)				징소	
權智	(성종13, 21)				환직첩	
權鎦	(태종~세종대)				몰수직첩(태종3), 환직첩(세종8)	
權致同	(성종10)				환고신	

權怕	(성종15)				환고신	
權顯	(성종16)				몰수고신	
權孝達	(성종9)				환고신	
權洽	(성종14년경)	安東	父 工曹判書 攢(생부 揭), 祖 直長 煊		繼嗣(翊戴功臣工曹判書 攢)	
金可觀	(성종13)				환직첩(이조)	
金侃孫	(세조1)				환고신	
金甲忠	(태종3)				추탈고신(坐趙思義)	
金開重	(성종14)				환고신	
金居	(단종2)				환고신(병조)	
金巨伊代	(세종8)			여진귀화인	수고신	
金巨知	(성종15)				환고신	
金儉	(단종2)				환고신(병)	
金檢同	(성종21)				환직첩	
金謙孫	(성종10)				환고신(병)	
金敬敦	(세조1)				환고신	
金敬良	(성종7)				환고신(병)	
金敬倫	(단종3)				환고신(이)	
金景茂	(성종3)				환고신	
金京山	(성종7)				환고신(병)	
金敬宗	(세조1)				환고신	
金敬祉	(성종21)				환직첩	
金敬忠	(성종3)				환고신	
金繼勤	(성종7)				환직첩	
金戒南	(성종10)				환고신	
金季伶	(성종5)				환직첩(병)	
金啓明	(단종2)				환고신(병)	
金戒山	(성종21)				환직첩	
金繼山	(성종12)				환직첩(병)	
金繼生	(성종10)				환고신(병)	
金季孫	(성종3)				환고신	
金繼守	(성종16)				환고신(이)	
金戒愼	(성종15)				환고신(병)	
金繼信	(성종9, 10)				환고신(병)	
金繼佑	(성종21)				환직첩	
金季隱	(성종16, 21)				환고신	
金繼周	(성종13)				환직첩	

조선초기 관인 이력

金繼中	(성종21)			환직첩	
金公輔	(성종21)			환직첩	
金公義	(성종21)			환직첩	
金官進	(성종21)			환직첩	
金光石	(세조10)			還降資	
金九售	(성종15)			환고신(병)	
金菊生	(성종5)			환직첩(병)	
金貴江	(성종6)			환고신(병)	
金貴京	(성종21)			환직첩(병)	
金貴南	(단종2)			환고신(병)	
金貴南	(성종13)			환직첩	
金貴同	(성종7)			환고신(병)	
金貴文	(성종21)			환직첩	
金貴山	(성종대)			환고신(16), 환직첩(21)	
金貴誠	(세종21)			수고신충군	
金龜守	(성종16)			환고신	
金貴一	(성종21)			환직첩	
金貴宗	(성종9)			환고신(병)	
金貴從	(성종9)			환고신	
金貴和	(세조1)			환고신	
金克誠	(성종21)			환직첩	
金克昌	(성종9)			환고신	
金根	(성종대)			환고신(10), 환직첩(21)	
金墇	(성종21)			환직첩(무반)	
金廛	(성종5)			환직첩(무)	
金謹從	(성종21)			환직첩	
金伋	(성종7)			환고신	
金級	(성종13)			환직첩	
金基命	(성종7)			환고신(문반)	
金起孫	(성종21)			환직첩	
金己云	(성종21)			환직첩(무)	
金吉	(태종12)			환고신	
金羅進	(세종대)			피죄(~2, 坐姜尙仁), 赦宥(2)	
金南浩	(세조1)			환고신	
金內隱	(성종16)			환고신	
金達生	(성종5)			환직첩(병)	
金達孫	(성종17, 21)			환직첩(이)	
金大今	(성종16)			환고신	

金大山	(성종21)			환직첩	
金德老	(성종21)			환직첩	
金德義	(세조6)			환고신(병)	
金德中	(세조14)			환고신	
金道成	(성종14)			환고신	
金敦皮	(성종7)			환직첩	
金同敬	(성종21)			환직첩	
金斗	(단종3)			환고신(병)	
金斗山	(성종11)			환직첩(문)	
金得富	(성종7)			환고신(무)	
金得善	(성종7)			환고신(병)	
金得連	(성종5)			환직첩(무)	
金得義	(성종12)			환고신(무)	
金得泉	(성종10)			환고신	
金得玄	(세조6)			환고신(이)	
金痲頓	(성종24)			환직첩(문)	
金萬均	(성종3)			환고신(문)	
金萬石	(성종7)			환고신(병)	
金末同	(성종7, 21)			환고신(7, 병), 환직첩(21)	
金末生	(세종10)		父 通事 乙玄	환고신(세종10)	
金末生	(성종대)			환고신(7, 이), 환고신(9)	
金末從	(성종21)			환직첩	
金孟謙	(성종2)			환직첩	
金孟權	(성종21)			환직첩	
金孟根	(성종21)			환직첩	
金孟中	(단종3)			환고신	
金明	(성종7)			환고신(병)	
金銘	(성종12)			환직첩(병)	
金明智	(성종21)			환직첩	
金木連	(성종21)			환직첩	
金茂同	(성종22)			환고신(이)	
金茂才	(성종6)			환고신(병)	
金文礪	(성종7)			환고신(병)	
金文珍	(성종17)			환직첩(이)	
金美	(성종7)			환고신(병)	
金敏	(성종24)			환직첩(병)	
金發	(성종21)			환직첩	
金伯精	(성종21)			환직첩	

金變烏	(성종15)				환고신(병)	
金寶文	(성종21)				환직첩	
金寶元	(성종21)				환직첩	
金甫仁	(단종2)				환고신(병)	
金保秋	(성종21)				환직첩	
金福	(태종3)				추탈직첩(坐趙思義)	
金復興	(성종7)				환직첩	
金卜希	(성종5)				환직첩(병)	
金坿	(세조1)				환고신	
金佛丁	(세조10)				환고신	
金比山	(성종21)				환직첩	
金非山	(성종6)				환고신	
金濱	(성종13)				환직첩	
金泗	(성종24)				환직첩(병)	
金舍介	(성종15)				환고신	
金思敬	(성종대)				환고신(15, 병), 환직첩(21)	
金士文	(세조1)				환고신	
金賜涓	(성종7)				환고신(병)	
金思中	(성종15)				환고신(병)	
金山	(단종3)				환고신(병)	
金山路	(성종16)				환고신	
金山寶	(성종21)				환직첩	
金山守	(성종7)				환고신(병)	
金山壽	(성종24)				환직첩(이)	
金山海	(성종16)				환고신(이)	
金祥	(성종21)				환직첩(병)	
金尚敬	(성종15)				환고신(병)	
金石岡	(세조1)				환고신	
金石剛	(성종17)				환직첩(이)	
金席瑾	(성종14)				환고신	
金石輪	(성종13)				환직첩	
金碩麟	(성종16)				환고신	
金碩山	(성종17)				환직첩(이)	
金石崇	(성종7)				환고신(병)	
金石乙山	(성종21)				환직첩	
金石乙丁	(성종9)				환고신	
金石從	(성종7)				환고신(병)	
金石中	(성종12)				환직첩(병0	

金錫孝	(성종11)			환고신(이)	
金碩熙	(성종9, 10)			환고신(병)	
金善同	(성종21)			환직첩	
金善山	(성종16)			환고신	
金選孫	(성종15)			환고신(병)	
金世守	(성종15)			환고신	
金世猗	(단종3)			환고신(병)	
金世鼎	(성종21)			환직첩	
金小郞	(성종15)			환고신(병)	
金小末致	(성종15, 16)			환고신(병)	
金錘	(성종12)			환직첩(병)	
金粹堅	(성종21)			환직첩	
金守敬	(세조11)			환고신, 수고신	
金守同	(성종21, 24)			환직첩(병, 이)	
金秀命	(성종10)			명서용	
金粹讓	(성종21)			환직첩	
金水精	(성종7)			환직첩	
金守丁	(성종7)			환직첩	
金粹知	(세종1)			수직첩	
金守平	(성종21)			환직첩	
金叔鈞	(성종6)			환고신	
金叔讓	(성종21)			환직첩	
金叔通	(성종21)			환직첩	
金叔亨	(성종21)	제 叔利		환직첩	
金順達	(성종12)			환직첩(병)	
金順之	(성종21)			환직첩	
金崇信	(성종13)			환직첩	
金崇孝	(세조14)			환고신	
金升老	(세조1)			환고신	
金升富	(성종7)			환고신	
金始同	(성종21)			환직첩(병)	
金信守	(단종2)			환고신(이)	
金安敬	(성종15)			환고신	
金若老	(세조~성종대)			환고신(세조1), 환직첩(성종5)	
金若準	(성종6)			환고신(병)	
金良貴	(단종2, 세조1)			환고신(병)	
金陽秀	(단종3)			환고신(이)	
金彦生	(성종7)			환고신(병)	

金汝捲	(성종11)				환직첩(이)	
金麗之	(성종21)				환직첩	
金麗昌	(성종21)				환직첩	
金鍊志	(성종21)				환직첩	
金永光	(성종21)				환직첩	
金永民	(성종7)				환고신(병)	
金永夫	(성종7)				환고신(병)	
金英富	(태종11)				환고신	
金永山	(성종12, 24)				환직첩(병)	
金永孫	(성종21)				환직첩(병)	
金永純	(성종3)				환고신	
金永連	(성종16)				환고신	
金永重	(성종21)				환직첩	
金禮文	(성종21)				환직첩	
金禮貞	(성종10)				환고신(병)	
金浯	(성종9)				환고신	
金玉岡	(성종21)				환직첩	
金玉寶	(성종15)				환고신	
金玉貞	(성종12)				환직첩(병)	
金用德	(세조1)				환고신	
金勇淳	(성종24)				환직첩(이)	
金用錘	(세조1)				환고신	
金禹	(성종7)				환고신(병)	
金愚男	(성종21)				환직첩	
金遇淵	(성종13)				환직첩	
金友曾	(성종21)				환직첩	
金元同	(성종21)				환직첩	
金元萬	(성종11)				환직첩(이)	
金柔克	(성종21)				환직첩	
金有德	(단종2)				환고신(병)	
金宥山	(성종21)				환직첩	
金有善	(세조8)				환고신(이)	
金有遜	(성종21)				환직첩	
金攸宋	(세종13)				환직첩	
金有章	(성종15)				환고신	
金有宗	(성종21)				환직첩	
金由亨	(성종21)				환직첩	
金允南	(성종7)				환고신(병)	

金允寶	(성종15)				환고신	
金潤孫	(성종21)				환직첩	
金允通	(성종21)				환직첩	
金閏和	(단종3)				환고신(병)	
金殷	(성종17)				환직첩(이)	
金恩榮	(성종7)				환직첩	
金乙奉	(성종21)				환직첩	
金音加	(성종15)				환고신(병)	
金應奎	(성종14)				환고신(병)	
金應文	(성종7)				환고신(병)	
金義見	(성종16)				환고신	
金義德	(성종7				환직첩	
金義路	(성종12)				환직첩(병)	
金義露	(성종7)				환직첩	
金義山	(성종21)				환직첩	
金義生	(성종7, 9)				환직첩	
金義信	(단종2)				환고신(병)	
金義知	(성종24)				환직첩(병)	
金以邦	(성종7)				환고신(병)	
金履祥	(성종15)				환고신	
金以義	(성종6)				환고신	
金以鼎	(성종7)				환고신(병)	
金以中	(성종7)				환고신(병)	
金以孝	(성종7)				환고신(병)	
金益達	(성종7)				환직첩	
金益希	(단종3)				환고신(병)	
金鱗	(세조6)				환고신(이)	
金仁敬	(세조1)				환고신	
金一南	(성종7)				환직첩	
金立	(태종12)				환고신	
金粒	(성종3)				환고신	
金自江	(성종24)				환직첩(병)	
金自謙	(성종21)				환직첩	
金自南	(성종7)				환고신(병)	
金自山	(단종3)				환고신(병)	
金自盛	(성종10)				환고신	
金自珍	(단종3)				환고신(병)	
金者出	(성종15)				환고신(병)	

조선초기 관인 이력

金自浩	(성종24)			환고신(이)	
金長命	(단종2)			환고신(병)	
金磾	(성종13)			환직첩	
金才	(성종16)			환고신	
金迪	(세조1)			환고신	
金迪	(성종21)			환직첩	
金籍	(성종13)			환직첩	
金點	(성종21)			환직첩	
金正路	(성종21)			환직첩	
金正夫	(성종21)			환직첩	
金丁孫	(성종24)			명서용(이)	
金濟安	(성종6)			환고신	
金存湖	(성종12)			환직첩(병)	
金從同	(성종21)			환직첩	
金種同	(성종5)			환직첩(병)	
金從麗	(성종대)			환고신(10, 병), 환직첩(21)	
金從生	(성종17)			환직첩(이)	
金從涑	(성종5)			환직첩(병)	
金終漢	(성종17)			환직첩(이)	
金從革	(단종2)			환고신(이)	
金俊同	(성종5)			환직첩(병)	
金仲	(단종2)			환고신(이)	
金仲江	(성종대)			환직첩(17, 이), 환직첩(21, 병)	
金中龜	(성종24)			환직첩(병)	
金仲根	(단종2)			환고신(병)	
金仲奇	(성종대)			환고신(16, 이), 환직첩(21)	
金仲南	(성종6)			환고신(병)	
金仲利	(성종21)			환직첩	
金仲淵	(성종16)			환고신	
金重羽	(성종21)			환직첩	
金仲雲	(성종21)			환직첩	
金仲元	(성종15)			환고신	
金仲原	(세조1)			환고신	
金仲珍	(성종13, 21)			환직첩	
金仲秋	(성종21)			환직첩	
金仲亨	(단종2)			환고신(병)	
金智老	(세조1)			환고신	
金枝演	(성종21)			환직첩	

金祉亨	(성종10)			환고신(병)		
金軫	(성종21)			환직첩		
金進山	(성종21)			환직첩		
金次山	(단종2)			환고신(병)		
金察	(성종7)			환직첩		
金處良	(세조1)			환고신		
金處有	(성종21)			환직첩		
金千	(성종5)			환직첩		
金千年	(태종11)			환고신		
金千直	(성종21)			환직첩		
金哲山	(성종7)			환고신(병)		
金鐵錫	(성종7)			환고신(병)		
金哲松	(성종15)			환고신		
金初	(세조1)			환고신		
金鄒	(성종7)			환고신(이, 병)		
金樞星	(성종21)			환직첩		
金春吉	(성종7)			환직첩		
金春夫	(성종7)			환고신(병)		
金忠順	(성종15)			환고신(병)		
金致敬	(세종26)			환고신(이)		
金致秀	(성종3)			환고신		
金致宗	(성종6)			환고신		
金兌汀	(성종21)			환식첩		
金何生	(단종3)			환고신(병)		
金鶴年	(태종12)			환고신		
金漢仁	(성종24)			환직첩(이)		
金漢鼎	(성종10)			환고신(병)		
金海孫	(성종10)			환고신		
金許孫	(성종21)			환직첩		
金鉉	(단종3)			환고신(병)		
金賢義	(세종5)			환직첩(北征有功故)		
金賢佐	(세종8)			덕천군사		
金賢貴	(성종15)			환고신		
金硼	(성종15)			환고신(병)		
金衡	(성종24)			환직첩		
金亨禮	(성종17)			환직첩(이)		
金好生	(단종3)			환고신(병)		
金好忠	(성종15)			환고신		

金還	(단종3)			환고신(병)		
金環	(성종15)			환고신(병)		
金黃	(세조1)			환고신		
金効	(성종21)			환직첩		
金孝恭	(성종17)			환직첩(이)		
金孝根	(성종21)			환직첩		
金孝敦	(성종7)			환직첩		
金孝良	(성종5)			환직첩(병)		
金孝雨	(성종10)			환고신		
金孝元	(단종2)			환고신(병)		
金孝中	(성종10)			환고신		
金孝之	(성종15)			환고신		
金後(厚)生	(성종6)			환고신(병)		
金恰	(성종13)			환직첩		
金興道	(세조1, 6)			환고신(병)		
金興烈	(단종3)			환고신(병)		
羅堅繡	(단종2)			환고신(병)		
羅得明	(단종~세조대)			환고신(단종3, 이), 환고신(세조1)		
羅有文	(성종11)			환직첩(이)		
羅有紳	(세조1)			환고신		
羅有仁	(성종24)			환직첩(이)		
羅允之	(성종15)			환고신(병)		
羅自謙	(성종21)			환직첩(병)		
羅終山	(성종7)			환직첩		
羅亨孫	(성종10)			환고신(병)		
南宮景	(성종13)			환직첩		
南宮達	(단종2)			환고신(병)		
南宮義	(성종21)			환직첩		
南童	(성종21)			환직첩		
南文節	(세조6)			환고신(병)		
南澣	(성종12)			환직첩(병)		
南暙	(성종9)			환고신(이)		
浪從生	(성종21)			환직첩		
盧敬文	(성종14)			환고신		
盧繼祖	(성종21)			환직첩		
盧繼忠	(단종2)			환고신(병)		
盧光輔	(성종21)			환직첩		
盧赳夫	(성종21)			환직첩		

盧三老	(성종12)			환직첩(병)	
魯善正	(성종12)			환직첩(병)	
盧成俊	(성종21)			환직첩	
魯時敏	(성종21)			환직첩	
盧植	(성종21)	交河	父 同知敦寧 物載(첩자), 祖 右議政 開	환직첩	
盧信弼	(성종24)			환직첩(병)	
魯彦	(태종2)			수직첩	
盧彦	(성종21)			환직첩	
盧永孫	(성종17)			환직첩(이)	
盧有亨	(성종15)			환고신(병)	
魯義生	(단종2)			환고신(병)	
魯周	(성종16)			환고신	
盧仲連	(단종3)			환고신(병)	
盧忠善	(성종대)			수고신4등(8), 환직첩(11, 이)	
盧亨孫	(세조6)			환고신(이)	
蘆弘	(세조1)			환고신	
盧孝同	(성종10)			환고신	
盧孝成	(성종21)			환직첩	
盧孝元	(성종7)			환직첩	
唐孝利	(성종5)			환직첩	
都紹宗	(성종11)			환직첩(이)	
都守經	(성종5)			환직첩(병)	
都信寧	(성종21)			환직첩	
都永康	(성종21)			환직첩	
陶以臣	(세조1)			환고신	
童深源	(성종10)			환고신(이)	
馬石同	(성종16)			환고신	
馬永孫	(성종15)			환고신(병)	
孟達	(성종12)			환직첩	
孟受恩	(성종7)			환직첩	
明實	(성종7)			환고신(병)	
牟之壽	(성종21)			환직첩	
牟閑	(성종21)			환직첩	
文貴孫	(성종13)			환고신	
文克昌	(성종17)			환직첩(이)	
文得山	(세조14)			환고신	

文末生	(성종12)			환직첩(병)	
文明善	(성종24)			환직첩(이)	
文穆	(단종2, 세조1)			환고신(이)	
文祥	(단종2)			환고신(병)	
文成質	(단종3)			환고신(이)	
文守亨	(성종21)			환직첩	
文淑孫	(성종9)			환고신	
文崇好	(성종21)			환직첩	
文有愼	(성종15)			환고신(병)	
文由質	(성종21)			환직첩	
文銀同	(성종24)			환직첩(이)	
文玆	(세종21)		공신후손(가계불명)	수직첩	
文長孫	(성종21)			환직첩	
文質魯	(성종21)			환직첩	
文緝熙	(성종16)			환고신(이)	
文致祥	(성종5)			환직첩(병)	
文致孫	(성종21)			환직첩	
文賢寶	(단종3, 세조1)			환고신(이)	
文賢孫	(성종21)			환직첩	
文孝善	(성종7)			환직첩	
文希南	(성종24)			환직첩(이)	
文熙碩	(성종21)			환직첩	
閔癸戊	(성종21)			환직첩(병)	
閔貴達	(성종21)			환직첩	
閔莫同	(성종3)			환고신	
閔邦寶	(태종11)	驪州	제 壽山	수고신	
閔瑄	(성종6)			환고신	
閔誠達	(성종대)			환고신(10), 환직첩(21)	
閔承祖	(성종17)			환직첩(이)	
閔悰	(성종6)			환고신(이)	
閔悰	(성종9)			환고신	
閔察	(성종21)			환직첩	
閔懷參	(성종11)			환직첩(이)	
閔孝達	(성종21)			환직첩	
朴磵	(성종11)			환직첩(이)	
朴潔	(세조1)			환고신(이)	
朴謙	(단종3)			환고신(병)	

<별표> 조선초기 추정(미확인) 관인

朴敬	(세조1)				환고신	
朴經雨	(단종3)				환고신(이)	
朴繼恭	(성종11)				환직첩	
朴桂同	(성종17)				환직첩(이)	
朴季山	(성종13)				환직첩	
朴界山	(성종10)				환고신	
朴繼孫	(성종7)				환고신(병)	
朴繼祖	(성종대)				환직첩(12, 병), 환고신(15)	
朴繼亨	(성종12)				환직첩(병)	
朴坤元	(성종13)				환직첩	
朴坤義	(성종21)				환직첩	
朴官	(성종12)				환직첩(병)	
朴貴	(단종3)				환고신(병)	
朴貴同	(성종12)		父 良		환직첩	
朴貴文	(성종7, 11)				환고신(병), 환직첩(이)	
朴貴生	(성종7, 13)				환고신(병), 환직첩	
朴貴興	(성종15)				환고신(병)	
朴靳	(성종17)				환직첩(이)	
朴根孫	(성종10)				환고신(병)	
朴訥金	(성종21)				환직첩	
朴德隣	(성종21)				환직첩	
朴德守	(성종7)				환고신(병)	
朴道生	(성종17)				환직첩(이)	
朴頓厚	(성종7)				환고신(병)	
朴同	(세조2)	順天	父 中樞副使 去非, 祖 參贊 錫命		수고신(좌端宗復位)	
朴得美	(단종3)				환고신(병)	
朴得富	(단종~성종대)				환고신(단종2, 병), 환직첩(성종13)	
朴樑	(성종15)				환고신(병)	
朴霖	(단종3)				환고신(병)	
朴萬同	(성종21)				환직첩	
朴末乙生	(성종21)				환직첩	
朴梅生	(성종6)				환고신	
朴孟愚	(성종15)				환고신(이)	
朴茂山	(성종21)				환직첩(병)	
朴茂生	(성종7)				환고신(병)	
朴武孫	(성종15)				환고신(병)	

朴文達	(성종7)			환고신(병)	
朴敏	(성종15)			환고신(병)	
朴密	(단종3)			환고신(병)	
朴佛大	(성종16)			환고신	
朴庇義	(성종10)			환고신	
朴山老	(성종21)			환직첩	
朴石仝	(성종21)			환직첩	
朴碩忠	(성종15)			환고신	
朴善敬	(성종7)			환직첩	
朴成達	(세조1)			환고신	
朴成童	(성종7)			환고신(병)	
朴成茂	(성종15)			환고신(병)	
朴成厚	(단종2)			환고신(병)	
朴秀良	(세조1)			환고신	
朴珣	(성종15)			환고신(병)	
朴崇年	(단종3)			환고신(병)	
朴崇桐	(성종7)			환고신(병)	
朴崇信	(성종16)			환고신	
朴崇玉	(성종7)			환고신(병)	
朴崇殷	(성종21)			환직첩	
朴勝年	(성종16)			환고신	
朴承利	(성종15)			환고신(병)	
朴承祖	(성종21)			환직첩	
朴時萌	(성종6)			환고신(이)	
朴寔同	(성종11)			환직첩(이)	
朴信亨	(성종21)			환직첩	
朴芽	(성종15)			환고신(병)	
朴安孝	(성종14)			환고신	
朴連植	(성종16)			환고신	
朴潁	(성종16)			환고신	
朴永根	(단종3)			환고신(병)	
朴永生	(단종3)			환고신(병)	
朴榮進	(세조6)			환고신(병)	
朴英春	(성종7)			환직첩	
朴禮孫	(성종5)			환직첩	
朴烏足	(성종6)			환고신(병)	
朴玉同	(성종21)			환직첩	
朴佑	(성종17)		父 上護軍 廷實	환직첩(이)	

朴元明	(성종9)			환고신	
朴月重	(성종10)			환고신(병)	
朴緯	(성종3)			환고신	
朴有	(성종6)			환고신(이)	
朴有慶	(성종대)			환고신(7, 이), 환고신(9)	
朴有仁	(성종21)			환직첩	
朴有丁	(성종7)			환직첩	
朴有精	(성종7, 21)			환직첩	
朴允生	(성종15)			환고신(병)	
朴銀同	(성종대)			환고신(15, 병), 환직첩(17, 이)	
朴銀山	(성종11)			환직첩(이)	
朴乙	(단종3)			환고신(병)	
朴乙景	(성종7)			환직첩	
朴乙孫	(성종3)			환고신	
朴義同	(성종21)			환직첩	
朴以文	(단종3)			환고신(이)	
朴益孫	(성종7)			환직첩	
朴仁	(단종2)			환고신	
朴仁富	(단종3)			환고신(병)	
朴仁貞	(성종21)			환직첩	
朴淋	(성종5)			환직첩(병)	
朴自山	(성종13)			환직첩	
朴自成	(단종2)			환고신(병)	
朴自順	(단종3)			환고신(병)	
朴自實	(세조6)			환고신(병)	
朴自英	(성종21)			환직첩	
朴自義	(성종16)			환고신	
朴自中	(세종15)			환직첩(北征有功故)	
朴自行	(성종7)			환고신(병)	
朴長	(성종7)			환고신(병)	
朴璋	(성종21)			환직첩	
朴丁同	(성종5, 7)			환직첩	
朴丁生	(성종21)			환직첩	
朴悌明	(성종21)			환직첩	
朴條	(성종7)			환고신(병)	
朴存	(성종6)			환고신	
朴從生	(성종7)			환고신(이)	
朴從善	(성종7, 21)			환직첩	

朴宗秀	(성종13)			환직첩	
朴仲幹	(성종21)			환직첩	
朴重根	(성종17)			환직첩(이)	
朴仲山	(단종~성종대)			환고신(단종3, 병), 환직첩(성종6, 21병)	
朴仲厚	(성종21)			환직첩	
朴志	(성종7)			환고신(병)	
朴枝孫	(성종21)			환직첩	
朴枝長	(성종21)			환직첩	
朴暢	(성종21)			환직첩	
朴千同	(성종16)			환고신	
朴春陽	(성종10)			환고신	
朴忠	(성종7)			환고신(병)	
朴忠武	(단종3)			환고신(병)	
朴榴	(성종13)			환직첩	
朴治	(세조2)			수고신(坐錦城大君 瑜)	
朴稚祥	(단종3)			환고신(병)	
朴致成	(성종11)			환직첩(이)	
朴彭同	(성종21)			환직첩	
朴弼	(성종21)			환직첩	
朴河信	(문종~세조대)			환고신(문종1), 환고신(세조1, 이)	
朴漢萬	(성종21)			환고신(이)	
朴漢民	(성종21)			환직첩	
朴顯中	(성종21)			환직첩	
朴絜	(세종11)			호군	
朴亨知	(예종즉)			환고신	
朴浩生	(성종21)			환직첩	
朴好善	(세조2)			수고신(坐錦城大君 瑜)	
朴華	(성종21)			환직첩	
朴懷英	(단종2)			환고신(병)	
朴孝幹	(성종15)			환고신	
朴孝根	(성종21)			환직첩	
朴孝堂	(성종21)			환직첩	
朴孝山	(성종10)			환고신	
朴孝善	(성종대)			환고신(10), 환직첩(21)	
朴孝孫	(성종11)			환직첩	
朴孝信	(단종3)			환고신(병)	
朴孝忠	(성종3)			환고신(이)	
朴欣孫	(성종21)			환직첩	

朴興命	(성종24)				환직첩(병)	
朴興佑	(세조6)				환고신(병)	
朴興調	(성종6)				환고신	
朴興昌	(성종21)				환직첩	
朴興澤	(태조1)				수직첩	
朴曦	(세조6)				환고신(이)	
朴希寶	(성종9)				환고신	
朴熙孫	(성종17)				환고신(이)	
潘起直	(성종5)				환직첩(병)	
方大孫	(성종7)				환고신(병)	
方仲善	(단종3)				환고신(병)	
方仲信	(단종3)				환고신(병)	
方春山	(단종3)				환고신(병)	
方致仁	(단종2)				환고신(이)	
裵戒同	(성종16)				환고신	
裵軍實	(성종15)				환고신(병)	
裵其豆	(성종5)			여진귀화인	환직첩(병)	
裵命長	(성종16)				환고신	
裵文	(성종21)				환직첩	
裵文正	(성종21)				환직첩	
裵佛敬	(성종21)				환직첩	
裵善	(세조1)				환고신	
裵善孫	(성종15)				환고신	
裵良	(성종7)				환직첩	
裵永康	(성종9)				환고신	
裵永山	(성종17)				환직첩(이)	
裵永守	(성종16)				환고신	
裵祐	(단종3)				환고신(병)	
裵芸	(단종3, 세조1)				환고신(이)	
裵元貞	(성종16)				환고신	
裵裕	(세조1)				환고신	
裵乙守	(성종21)				환직첩	
裵一丁	(성종24)				환직첩(병)	
裵詮	(성종17)				환직첩(이)	
裵仲達	(성종21)				환직첩	
裵仲孫	(성종21)				환직첩	
裵絺	(단종3)				환고신(이)	
裵孝津	(성종21)				환직첩	

白檢同	(성종3)			환고신	
白慶	(성종21)			환직첩	
白繼同	(성종21)			환직첩	
白孟順	(성종21)			환직첩	
白不緇	(성종5)			환고신(이)	
白石	(성종21)			환직첩	
白繡	(성종15)			환고신(병)	
白受文	(성종21)			환직첩	
白壽山	(성종7)			환직첩	
白順山	(성종21)			환직첩	
白也貞	(성종21)			환직첩	
白於里奉	(성종17)			환직첩(이)	
白玉石	(성종21)			환직첩	
白用達	(성종17)			환직첩(이)	
白雲山	(성종21)			환직첩	
白雲秀	(성종13)			환직첩	
白雄	(성종13)			환직첩(이)	
白瑠	(성종21)			환직첩	
白仁珪	(성종10)			환고신(이)	
白仁奇	(단종3)			환고신(병)	
白長守	(성종15)			환고신	
白太山	(성종7)			환고신(병)	
卞繼良	(성종24)			환직첩	
邊光厚	(성종13)			환직첩	
邊貴孫	(성종24)			환직첩(병)	
邊無其只	(성종7)			환고신(병)	
邊石山	(성종13)			환직첩	
卞順孫	(성종9)			환고신	
邊崇義	(성종15)			환고신	
邊佑文	(성종21)			환직첩	
邊自安	(성종21)			환직첩	
卞千同	(성종6)			환고신	
邊厚	(성종21)			환직첩	
奉綬	(성종14)			환고신	
奉祉	(성종21)			환직첩	
賓石	(단종3)			환고신(병)	
司空謹	(성종11)			환고신(이)	
尙孝孫	(성종대)			환고신(10), 환고신(15, 병), 환직첩(21)	

徐敬長	(성종21)				환직첩	
徐克文	(성종15)				환고신(병)	
徐克樞	(세종21)			臨瀛大君 璆 伴倘	수고신	
徐得敬	(단종2)				환고신(병)	
徐文殊	(세종8)				수관직	
徐卜中	(성종24)				환직첩(이)	
徐富崇	(성종10)				환고신(병)	
徐三山	(성종21)				환직첩	
徐世珍	(성종12)				환직첩(병)	
徐肅	(성종21)				환직첩	
徐順禮	(세조~성종대)				환고신(세조6, 이), 환직첩(성종5)	
徐迅	(성종9)				환직첩	
徐穎	(성종7)				환직첩	
徐玉成	(성종7)				환고신(병)	
徐雨	(단종2)				환고신(병)	
徐允恭	(성종15)				환고신(병)	
徐允勤	(성종21)				환직첩	
徐允德	(성종17)				환직첩(이)	
徐彛	(단종~세조대)				환고신(단종3, 병), 환고신(세조1)	
徐益明	(단종3)				환고신(병)	
徐仁美	(성종24)				환직첩(이)	
徐存	(단종2)				환고신(병)	
徐俊	(세조10)				환고신	
徐仲江	(성종15)				환고신	
徐仲良	(성종12)				환직첩(병)	
徐仲生	(성종대)				환고신(15), 환직첩(21)	
徐諿	(성종24)				환직첩	
徐致明	(성종21)				환직첩	
徐波回	(성종15)				환고신	
徐孝根	(성종9)				환고신	
徐孝南	(단종2, 3)				환고신(병)	
徐孝仁	(성종7)				환고신(병)	
徐孝諴	(성종21)				환직첩	
石秦山	(성종10)				환고신	
石春京	(성종24)				환직첩(병)	
宣信老	(성종21)				환직첩	
成敬老	(세조1)				환고신(이)	

成戒良	(성종7)				환직첩	
成繼宗	(성종11)				환직첩(이)	
成九仞	(성종14)				환고신	
成方禮	(단종3)				환고신(이)	
成邦彦	(성종10)				환고신	
成守沂	(성종20)				환고신(이)	
成順孫	(성종10)				환고신(병)	
成始生	(성종11)				환직첩(이)	
成愼仁	(성종13)				환직첩	
成然	(세조2)				수고신	
成尹根	(성종16)				환고신	
成子謙	(성종21)				환직첩	
成照	(세조2)				수고신	
成之惠	(성종11)				환직첩(이)	
成進	(성종21)				환직첩	
成瓚	(성종21)				환직첩	
成狪	(태종3)				奪職牒 (佐趙思義)	
成致堅	(성종11)				환직첩(이)	
蘇坡	(세조1)				환고신	
蘇漢生	(성종21)				환직첩	
蘇孝軾	(성종9)				환고신	
孫璟	(세조1)				환고신	
孫功	(세조1)				환고신	
孫大貴	(성종16)				환고신	
孫卜中	(성종21)				환직첩	
孫濱	(성종24)				환직첩(병)	
孫四同	(성종5)				환직첩	
孫碩孫	(성종15)				환고신	
孫右良	(성종15)				환고신(이)	
孫義	(성종3)				환고신	
孫迪	(성종24)				환직첩	
孫中	(단종3)				환고신(병)	
孫仲禮	(성종대)				환고신(9), 환고신(10, 병)	
孫知	(단종2)				환고신(병)	
孫化上	(성종7)				환고신(이)	
孫孝黨	(성종9)				환고신	
孫孝良	(성종대)				환고신(3), 환고신(6, 병)	
孫孝山	(성종16)				환고신	

孫孝生	(단종~세조대)			환고신(단종3, 이), 환고신(세조1)	
孫興	(성종24)			환직첩(이)	
孫興道	(세조1)			환고신	
宋介同桓	(성종21)			환직첩	
宋繼達	(성종대)			환고신(15), 환고신(24, 이)	
宋繼孫	(성종7)			환고신(병)	
宋貴周	(성종6)			환고신(병)	
宋內隱山	(성종21)			환직첩	
宋大平	(단종3)	礪山	父 判羅州牧使 瑛	환고신(병)	
宋明生	(세조1)			환고신	
宋邦彦	(성종21)			환직첩	
宋邦賢	(성종21)			환직첩	
宋尙同	(성종24)			환직첩(이)	
宋碩良	(성종21)			환직첩	
宋石柱	(성종24)			환직첩(병)	
宋守生	(성종22, 24)			환고신(이)	
宋首孫	(성종7)			환고신(병)	
宋勝全	(단종2)			환고신(이)	
宋時遇	(성종16)			환고신(이)	
宋臣郊	(세조1)			환고신	
宋璉	(성종12)			환직첩(병)	
宋永智	(성종21)			환직첩	
宋禮山	(성종대)			환고신(15, 병), 환직첩(24, 병)	
宋宥山	(성종7)			환직첩	
宋義山	(성종21)			환직첩	
宋益	(단종2)			환고신(병)	
宋仁童	(성종21)			환직첩	
宋逸	(단종~세조대)			환고신(단종3, 이), 환고신(세조1)	
宋自東	(성종12)			환직첩(병)	
宋長命	(성종대)			환직첩(17, 이), 환직첩(21)	
宋田守	(단종2)			환고신(이)	
宋愃	(성종5)			환고신(이)	
宋仲南	(성종15)			환고신(병)	
宋中元	(성종7)			환고신(병)	
宋徵	(성종13, 14)			환직첩	
宋致安	(성종13)			환직첩	
宋亨孫	(성종17)			환직첩(이)	

조선초기 관인 이력

宋孝殷	(성종15)				환고신(병)	
宋熙明	(성종21)				환직첩	
壽山	(성종21)				환고신(이)	
愼謙	(성종7)				환고신(병)	
申涇	(성종21)				환직첩	
申敬之	?~1455				수고신복주	
辛繼孫	(성종대)				환고신(10), 환고신(15, 병)	
申繼義	(성종7)				환고신(병)	
申繼仁	(성종16)				환고신	
愼克成	(성종21)				환직첩	
辛克溫	(태조7)				수직	
申僅(謹)	(성종6)				환고신(이)	
申謹之	?~1455	平山	父 都摠制 孝昌, 祖 將軍 璲		수고신피화	
申今山	(성종16)				환고신	
申起達	(성종21)				환직첩	
辛起山	(성종21)				환직첩(병)	
申吉同	(성종12)				환직첩(병)	
辛萬美	(성종7)				환고신	
辛孟卿	(세조6)				환고신(병)	
申孟之	?~1455				수고신복주	
辛孟和	(성종5)				환직첩(병)	
辛伯琚	(성종24)				환직첩(병)	
申覆理	(성종11)				환직첩(이)	
申山伊	(성종12)				환고신(병)	
辛尙明	(성종21)				환직첩	
辛尙殷	(성종대)				환고신(7, 병), 환직첩(13)	
辛瑞生	(성종24)				환직첩(병)	
申錫福	(성종16)				환고신	
辛秀文	(성종9)				환고신	
申叔淪	(성종11)				환직첩	
辛信	(세조1)				환고신	
辛億壽	(성종17)				환직첩(이)	
辛汝康	(성종5)				환직첩(병)	
申延壽	(세조14)				환고신	
辛永康	(성종9)				환고신	
申永連	(성종7)				환고신(병)	
辛用智	(성종21)				환직첩	

辛元吉	(태종13)				환고신
辛偉	(성종21)				환직첩
辛聞	(성종7)				환직첩
申允亮	(단종2)				환고신(병)
申自康	(단종3)				환고신(병)
辛自謙	(성종17)				환직첩(이)
申自仁	(성종6)				환고신
愼自治	(성종7)				환고신(이)
申自河	(단종3)				환고신(병)
申重圭	(성종21)				환직첩
辛仲良	(성종7)				환직첩
申仲之	(세조1)				수고신복주
辛仲希	(세조6)				환고신(병)
辛就智	(성종7)				환고신(병)
申致	(성종3)				환고신
申鎦	(성종11)				환직첩
申致山	(성종15)				환고신(이)
申賢存	(성종13)				환직첩
申亨	(성종21)				환직첩
申好生	(성종13, 21)				환직첩, 환직첩(병)
申洪	(성종13)				환직첩
申繪	(성종21)				환직첩
申孝同	(성종5)				환직첩(병)
辛孝恕	(단종2)				환고신(병)
申孝孫	(성종10)				환고신
辛孝殷	(성종13)				환직첩
辛熙	(성종16)				환고신(병)
沈肩	(성종7)				환고신(병)
沈繼孫	(성종17)	靑松	父 堂上官 末同 (서자)		환직첩(이)
沈圭	(성종24)				환직첩(병)
沈今音勿伊	(성종21)				환직첩
沈淡	(성종6)		장인 領議政 洪允成		환고신(이)
沈聃	(성종21)				환직첩
沈仁孫	(성종21)				환직첩
沈自寧	(성종24)				환직첩(이)
沈惕	(세조6)				환고신(병)

조선초기 관인 이력

沈溧	(성종9)			환고신	
沈治	(성종16)			환고신	
沈平	(성종13)			환직첩	
沈漢文	(성종17)			환직첩(이)	
沈渙	(성종5)			환직첩(병)	
安居道	(태종12)			환고신	
安巨勿	(성종9)			환고신	
安健	(성종21)			환직첩	
安謙	(성종대)			환직첩(7), 환고신(9)	
安敬守	(성종21)			환직첩	
安繼源	(성종17)			환직첩(이)	
安繼宗	(성종대)			환직첩(13), 환고신(16)	
安仇知	(성종13)			환직첩	
安貴同	(성종17)			환직첩(이)	
安貴文	(성종21)			환직첩	
安極頓	(예종1)			환고신(이)	
安克淳	(성종10)			환고신	
安得成	(단종3)			환고신(병)	
安莫山	(성종21)			환직첩	
安末孫	(성종22)			환고신(병)	
安孟武	(성종7)			환고신(병)	
安孟孫	(성종10)			환고신(병)	
安邦烈	(성종21)			환직첩	
安生	(성종15)			환고신(병)	
安石孫	(성종15)			환고신(병)	
安性興	(단종3)			환고신(이)	
安所進	(성종6)			환고신(병)	
安孫	(성종24)			환직첩(이)	
安守	(성종13)			환직첩	
安守約	(세조1)			환고신	
安汝善	(성종15)			환고신(병)	
安汝止	(성종9)			환고신	
安用仁	(세종3)		숙부 萬戶 權	수고신	
安遇	(세조6)			환고신(이)	
安有檢	(성종9)			환고신	
安扔	(성종5)			환직첩	
安祖述	(세조~성종대)			수고신(세조2), 환고신(성종2)	
安宗慶	(세종15)			환직첩	

安仲孫	(성종21)				환직첩	
安珍	(성종대)				수고신(19), 환고신(21)	
安昌直	(성종21)				환직첩	
安處禮	(성종21)				환직첩	
安春景	(성종16)				환고신(이)	
安忠根	(성종17)				환직첩(이)	
安忠善	(성종15)				환고신(병)	
安致敬	(성종11)				환직첩	
安致知	(단종2)				환고신(이)	
安香孫	(성종21)				환직첩	
安孝廉	(성종7)				환고신(병)	
安孝孫	(성종대)				환고신(3), 환직첩(21)	
安孝芸	(성종9)				환고신	
安孝悌	(성종17)				환직첩(이)	
安孝之	(성종15)				환고신	
梁瑊	(성종21)				환직첩	
梁繼孚	(성종16)				환고신	
楊季(繼)源	(성종2)	淸州	父 判中樞 汀, 祖 湛		환고신	
梁克深	(성종16)				환고신	
梁謹民	(성종7)				환고신	
梁得守	(성종3)				환고신(병)	
楊得源	(성종2)	淸州	父 判中樞 汀, 祖 湛		환고신	
楊得春	(태종3)				追奪職牒(坐趙思義)	
梁富貴	(단종3)				환고신(이)	
楊守明	(성종16)				수고신	
梁壽山	(성종21)				환직첩	
梁守仁	(성종7)				환직첩	
梁順	(성종17)				환직첩(이)	
梁順生	(성종7)				환고신(병)	
楊於宗	(성종10)				환고신	
楊遇時	(단종3)				환고신(이)	
楊有源	(성종2)	淸州	父 判中樞 汀, 祖 湛		환고신	
楊浩	(성종21)				환직첩	
梁孝根	(성종21)				환직첩	
梁孝淳	(성종21)				환직첩	

嚴敬	(성종9)			환고신	
嚴貴同	(성종6)			환고신	
嚴克柔	(성종대)			환고신(7), 환직첩(8, 이)	
嚴末之	(성종21)			환직첩(병)	
嚴水生	(성종17)			환직첩(이)	
嚴信	(단종3)			환고신(병)	
嚴仲元	(성종15)	족친 明使 崔安		환고신(병)	
嚴仲原	(성종24)			환직첩(이)	
嚴孝智	(예종1)			환고신(이)	
余萬民	(세조14)			환고신	
呂遇昌	(성종21)			환직첩	
呂仁孫	(성종17)			환직첩(이)	
余仁友	(단종2)			환고신(병)	
余仲童	(성종21)			환직첩	
呂渾	(성종5)			환직첩(병)	
廉成吉	(세조6)			환고신(병)	
廉脩	(성종15)			환고신(병)	
廉乙之	(단종3)			환고신(병)	
廉終成	(성종7)			환직첩	
廉仲碩	(성종14)			환고신	
迎繼宗	(성종11)			환직첩(이)	
芮昌	(성종20)			환고신(이)	
吳檢同	(성종24)			환직첩(이)	
吳戒孫	(성종15, 16)			환고신(병)	
吳繼貞	(성종20)			환고신(이)	
吳九賢	(성종11)			환직첩(이)	
吳貴全	(성종21)			환직첩	
吳克明	(성종10)			환고신	
吳內隱山	(성종6)			환고신	
吳達敏	(성종21)			환직첩	
吳亡知	(단종2)			환고신(이)	
吳無金	(성종15)			환고신(병)	
吳敏	(성종3)			환고신	
吳鵬	(성종21)			환직첩	
吳守山	(성종16)			환고신	
吳叔孫	(성종대)			환고신(15, 병), 환직첩(21)	
吳順生	(성종21)			환직첩	
吳舜從	(성종9)			환고신(병)	

吳承佑	(세조1)			환고신(이)	
吳信	(성종7)			환고신(병)	
吳慎禮	(성종21)			환직첩	
吳陽孫	(성종7)			환고신(병)	
吳永寧	(성종7)			환고신(이)	
吳永保	(성종7)			환직첩	
五乙亡	(성종21)			환직첩	
吳仁孫	(성종24)			환직첩	
吳仁適	(성종24)			환직첩(병)	
吳仲敬	(성종6, 9)			환고신	
吳仲山	(성종7)			환고신(병)	
吳仲熙	(성종7)			환고신(병)	
吳絹	(성종10)			환고신(병)	
吳絹熙	(성종21)			환직첩	
吳千	(세조6)			환고신(병)	
吳秋生	(성종16)			환고신	
吳春富	(단종3)			환고신(병)	
吳致强	(성종7)			환고신(병)	
吳泰	(성종5)			환직첩(병)	
吳孝安	(성종11)			환직첩(이)	
吳孝夏	(세조1)			환고신	
玉繼殷	(성종16)			환고신	
王敬粢	(성종7)			환직첩	
王順	(성종16)			환고신	
王宗仁	(세조14)			환고신	
王仲山	(성종21)			환직첩	
龍山	(성종21)			환직첩	
龍有珍	(성종16)			환고신(이)	
禹成	(성종21)			환직첩	
禹承宗	(성종21)			환직첩	
禹陽生	(성종21)			환직첩	
禹昌信	(성종6)			환고신(이)	
禹漢生	(성종16)			환고신	
禹繪孫	(성종7)			환고신(병)	
元槩	(성종대)			환직첩(5), 환고신(6)	
元繼達	(성종24)			환직첩	
元繼孫	(성종16)			환고신	
元繼中	(성종21)			환직첩	

元規	(성종3)			환고신	
袁得禮	(성종11)			환직첩(이)	
元仕義	(단종2)			환고신(병)	
元成德	(세조6)			환고신(병)	
元成鍊	(단종3)			환고신(병)	
元昇	(성종15)			환고신(병)	
元彝	(단종2)			환고신(병)	
元浩達	(성종21)			환직첩	
魏石瓊	(성종24)			환직첩(병)	
魏香	(단종3)			환고신(병)	
魏賢	(성종24)			환직첩(병)	
兪巨恭	(성종15)			환고신(병)	
劉敬孫	(성종21)			환직첩	
柳敬之	(단종2)			환고신(병)	
劉季根	(성종6)			환고신(이)	
兪繼同	(단종2)			환고신(병)	
柳季文	(세종14)	文化	父 右議政 寬, 祖 判官 安澤	환직첩(이)	
兪桂彦	(성종17)			환직첩(이)	
劉季仲	(성종21)			환직첩	
兪公老	(성종13)			환직첩(이)	
兪貴珍	(성종21)			환직첩	
劉金於	(성종15)			환고신(병)	
劉南	(성종7)			환고신(병)	
劉得京	(성종7)			환직첩	
劉得守	(성종11)			환직첩(이)	
劉思敬	(단종3)			환고신(병)	
柳山	(성종11)			환직첩(이)	
兪善諫	(성종11)			환직첩(이)	
柳淑義	(성종7)			환고신(이)	
劉順孫	(성종7)			환고신(병)	
劉順義	(단종3)			환고신(병)	
兪湜	(성종대)			환직첩(21), 환직첩(24, 이)	
柳慎譏	(성종24)			환직첩	
兪臣老	(성종3)			환고신	
兪信之	(성종15)			환고신(병)	
庾實	(단종~세조대)			환고신(단종3, 이), 환고신(세조1)	
柳衍	(단종~세조대)			환고신(단종3, 병), 환고신(세조1)	

劉延壽	(성종15)			환고신(병)	
劉泳壽	(성종21)			환직첩	
柳垠	(세조1)			환고신	
兪義孫	(성종7)			환고신(병)	
兪二童	(세조1)			환고신	
劉以良	(성종13)			환직첩	
柳仁渚	(성종13)			환직첩	
劉長卿	(성종9)			환고신	
兪正明	(성종15)			환고신	
兪稱	(성종6)			환고신	
庾從善	(성종21)			환직첩	
庾仲南	(성종10)			환고신	
兪仲良	(성종21)			환직첩	
兪進山	(성종21)			환직첩(병)	
柳哲斤	(성종21)			환직첩	
柳春孫	(성종15)			환고신	
柳春揚	(성종4)			환직첩	
劉泰孫	(성종15)			환고신	
柳漢宗	(성종13)	全州	父 府使 子文, 祖 令 悅	환고신	
兪憲	(성종10)			환고신	
柳亨	(단종1)			추탈고신	
柳護伯	(성종11)			환직첩(이)	
兪孝善	(성종21)			환직첩	
兪孝誠	(성종21)			환직첩	
柳孝孫	(성종21)		父 河(첩자)	환직첩	
柳孝忠	(성종10)			환고신	
柳喜孫	(성종9)			환강자	
尹敬德	(세조11)			수고신	
尹敬禮	(성종대)			환고신(15, 병), 환고신(16)	
尹季孫	(성종21)			환직첩	
尹繼宗	(성종21)			환직첩	
尹匡殷	(단종1)			추탈고신	
尹龜蒙	(성종15)			환고신(병)	
尹貴實	(성종7)			환고신(이)	
尹勤	(성종21)			환직첩	
尹謹德	(세조11)			수고신	
尹大德	(세조11)			수고신	

尹大中	(성종9)			환고신	
尹同之	(성종21)			환직첩	
尹得仁	(예종즉)			환고신	
尹萬山	(세조14)			환고신	
尹末同	(성종21)			환직첩	
尹孟孫	(성종12)			환직첩(병)	
尹思敬	(세조6)			환고신(이)	
尹尙	(성종6)			환고신	
尹石山	(단종2)			환고신(병)	
尹成璧	(성종21)			환직첩	
尹世昌	(성종13)			환직첩	
尹守山	(성종7)			환고신(병)	
尹純禮	(성종5)			환직첩(병)	
尹順行	(성종7)			환직첩	
尹崇智	(세조1)			환고신	
尹時茂	(성종21)			환직첩	
尹時平	(성종21)			환직첩	
尹莘富	(세조1)			환고신	
尹讓老	(성종21)			환직첩	
尹良佐	(성종10)			환고신	
尹泳	(성종3)			환고신	
尹鈴	(성종21)			환직첩	
尹惟和	(성종12)			환직첩(병)	
尹自禮	(세조1)			환고신	
尹長孫	(성종대)	坡平	祖 坡平君 坤	환고신(7, 병), 환직첩(21)	
尹專	(단종2)			환고신(병)	
尹存義	(성종16)			환고신	
尹晙	(성종21)			환직첩	
尹仲琇	(성종7)			환직첩	
尹芝	(단종~세조대)			환고신(단종3, 이), 환고신(세조1)	
尹之商	(성종대)			환고신(6), 환직첩(13)	
尹之守	(성종11, 12)			환직첩(이, 병)	
尹進達	(세조6)			환고신(병)	
尹澄	(성종9)			환고신	
尹察邑金	(단종3)			환고신	
尹處磻	(성종21)			환직첩	
尹鐵堅	(성종15)			환고신	
尹忠	(단종2)			환고신(병)	

尹漢	(성종5)				환직첩(병)	
尹亨莘	(성종21)				환직첩	
尹好善	(성종13)				환직첩	
尹興	(성종9)				환고신	
殷童玉	(성종13)				환직첩	
陰德貴	(성종12)				환직첩	
陰自精	(성종7)				환직첩	
李艮孫	(성종7)				환고신(병)	
李岡	(성종21)				환직첩	
李愷	(단종3)				환고신(이)	
李楗	(성종5)				환직첩(병)	
李堅生	(성종11)				환직첩(이)	
李敬達	(성종5)				환고신(병)	
李繼	(세조6)				환고신(병)	
李繼根	(성종15)				환고신	
李季訥	(성종21)				환직첩	
李繼敦	(성종9)				환고신	
李繼商	(성종21)				환직첩	
李繼姓	(예종1)				환고신	
李季元	(성종7)				환직첩	
李繼春	(성종21)				환직첩	
李繼禧	(성종7)				환직첩	
李恭孫	(세조1)				환고신	
李公志	(성종5)				환직첩(병)	
李冠道	(세종21)				수고신	
李光根	(성종16)				환고신	
李九經	(성종11)				환고신	
李惓	(단종2)				환고신(이)	
李權	(성종9)				환고신	
李龜龍	(세조1)				환고신	
李貴萬	(성종6)				환고신	
李貴祥	(성종21)				환직첩	
李貴壽	(성종3)				환고신	
李龜原	(태종12)				환직첩	
李貴一	(성종13)				환직첩	
李貴珍	(성종13)				환직첩	
李糾	(단종3)				환고신(이)	
李克善	(성종21)				환직첩	

李克信	(성종21)			환직첩	
李克昌	(성종24)			환직첩(이)	
李克彰	(성종5)			환직첩(병)	
李根山	(성종7)			환고신(병)	
李今同	(성종21)			환직첩	
李金叱仇智	(성종7)			환직첩	
李蘭孫	(성종15)			환고신(병)	
李德萬	(성종7)			환고신(병)	
李禿大	(성종9)			환고신(불)	
李敦	(성종7, 20)			환고신(병)	
李同	(세조~성종대)			수고신(세조11), 환고신(성종7, 병)	
李得	(세조1)			환고신	
李得老	(세조6, 성종9)			환고신(이)	
李亮	(단종2)			환고신(병)	
李莫同	(성종24)			환고신(이)	
李萬生	(성종16, 21)			환고신, 환직첩	
李萬周	(성종3)			환고신	
李萬珠	(성종21)			환직첩	
李末同	(단종~성종대)			安置(단종1, 좌 癸酉政變), 환직첩(성종21)	
李末孫	(단종~성종대)			安置(단종1, 좌 癸酉政變), 환고신(성종9, 10, 병)	
李梅貞	(성종21)			환직첩	
李孟鱗	(세조6)			환고신	
李孟明	(성종5)			환직첩(병)	
李孟山	(성종7)			환고신(병)	
李孟石	(세조10)			환고신	
李孟元	(성종9)			환고신	
李孟節	(단종3)			환고신(병)	
李明達	(성종2)			환직첩(병)	
李明老	(성종21)			환직첩	
李明山	(성종15)			환고신	
李明浩	(성종9)			환고신	
李毛知	(성종대)	父 珍彦		환고신(12, 병), 환직첩(21)	
李文	(단종3)			환고신(병)	
李文簡	(성종7)			환직첩	
李文博	(성종21)			환직첩	
李文孫	(성종9)			환고신	

李文夏	(성종7)			환고신(병)	
李閔生	(세조1)			환고신	
李磻	(단종2)			환고신(병)	
李培根	(성종15)			환고신(병)	
李培連	(성종6)			환고신(병)	
李伯道	(세조1)			환고신	
李福連	(성종21)			환고신(병)	
李福中	(세조~성종대)			수고신(세조11), 환고신(성종10, 병)	
李福進	(성종7)			환고신(병)	
李奉	(세조6)			환고신(이)	
李斯根	(성종24)			환직첩(병)	
李嗣仝	(성종21)			환직첩	
李思溫	(성종21)			환직첩	
李師子	(성종7)			환고신(병)	
李思俊	(단종3)			환고신(병)	
李山玉	(성종16)			환고신	
李三德	(단종2)			환고신(이)	
李三山	(성종7)			환고신(이)	
李尙	(단종3)			환고신(병)	
李尙恒	(단종즉)			환고신(병)	
李生	(단종3)			환고신(병)	
李生	(단종3)			환고신(이)	
李敍疇	(성종7)			환고신(이)	
李敍春	(성종14)			환고신	
李石公	(성종21)			환직첩	
李碩童	(예종~성종대)			환고신(예종즉), 환직첩(성종7)	
李石同	(성종15)			환고신(병)	
李石生	(성종7)			환직첩	
李錫孫	(성종15)			환고신	
李石獻	(성종10)			환고신(병)	
李瑄	(성종21)			환직첩	
李善根	(성종21)			환직첩	
李善童	(성종6)			환고신(병)	
李善守	(성종5)			환직첩(병)	
李成林	(성종15)			환고신(병)	
李成富	(단종대)			환고신(1, 이), 환고신(3, 병)	
李世番	(성종7)			환직첩	
李世生	(단종1)			환고신(이)	

조선초기 관인 이력

李世靖	(성종21)		형 孟靖		환고신(병)	
李紹	(성종17)				환직첩(이)	
李所羅	(성종7)				환직첩	
李紹宗	(성종9)				환고신	
李守	(성종15)				환고신(병)	
李壽聃	(성종21)				환직첩	
李秀林	(단종2)				환고신(병)	
李秀文	(성종21)				환직첩	
李秀貞	(성종24)				환직첩(이)	
李秀俊	(성종21)				환직첩	
李秀亨	(성종7)				환직첩	
李叔杠	(성종21)				환직첩	
李叔孫	(성종21)				환직첩	
李叔喜	(성종20)				환직첩	
李順敎	(성종13)				환직첩	
李順智	(성종11)				환직첩(이)	
李崇善	(단종2)				환고신(병)	
李崇直	(성종5)				환직첩(병)	
李承敬	(성종7)				환고신(병)	
李承蕃	(성종6)				환고신(이)	
李承商	(성종21)				환직첩	
李承尊	(성종3)				환고신	
李承重	(성종대)				환직첩(5, 병), 환고신(6)	
李時蕃	(성종7)				환고신(병)	
李始生	(성종16)				환고신	
李信儉	(성종6)				환고신(이)	
李慎幾	(성종5)				환직첩(병)	
李申衆	(단종2)				환고신(병)	
李室	(태조1)				수직첩	
李雙六	(성종17)				환직첩(이)	
李安植	(성종21)				환직첩	
李陽權	(세조1)				환고신	
李養培	(단종3)				환고신(병)	
李彦	(세조1)				환고신	
李俺	(단종3)				환고신(이)	
李儼	(성종3)				환고신	
李汝弼	(성종16)				환고신	
李連	(세조1)				환고신	

李連孫	(성종21)				환직첩	
李寧根	(단종2)	公州	父 判中樞 明德, 祖 典工判書 曄		환고신(병)	
李永期	(성종7)				환직첩	
李榮南	(성종21)				환직첩	
李永年	(성종대)				환고신(7, 병), 환직첩(13, 이)	
李永同	(성종21)				환직첩	
李永守	(세조14)				환고신	
李永興	(세조6)				환고신(병)	
李禮崇	(세조1)				수고신	
李梧生	(성종7)				환고신(병)	
李玉同	(성종대)				환고신(16), 환직첩(21)	
李玉丁	(성종24)				환직첩(병)	
李琓	(세종13)				환직첩	
李郁成	(성종10)				환고신(병)	
李運	(단종2)				환고신(병)	
李雲江	(성종21)				환직첩	
李雲瑞	(성종21)				환직첩	
李云秀	(세종17)				환직첩	
李云希	(단종3)				환고신(이)	
李元敬	(성종17)				환직첩(이)	
李元龜	(성종24)				환직첩(이)	
李元亮	(성종21)	鏞仁	父 觀察使 吉甫, 祖 府使 孝儉, 외조 右議政 尹士昕		환직첩	
李原富	(세조1)				환고신	
李原忠	(세종16)				환직첩	
李惟敬	(성종21)				환직첩	
李有根	(성종16)				환고신	
李惟淸	(성종9)				환고신	
李允良	(성종21)				환직첩	
李胤祖	(성종21)				환직첩	
李允亨	(성종7)				환직첩	
李慄	(성종7)				환고신(병)	
李恩根	(성종21)				환직첩	
李銀同	(성종22)				환고신	
李乙林	(단종3)				환고신(이)	

李乙萬	(성종7)				환고신(병)	
李乙夫	(성종21)				환직첩(병)	
李乙仲	(단종3, 세조1)				환고신(이)	
李乙珍	(태조1)				수직첩	
李依剛	(단종3, 세조1)				환고신(이)	
李義同	(성종15, 16)				환고신(병)	
李義林	(성종15)				환고신(병)	
李義明	(성종21)				환직첩	
李義蕃	(성종21)				환직첩	
李宜碩	(성종24)				환직첩(이)	
李宜榮	(성종5)				환직첩(병)	
李宜仁	(성종9)				환고신	
李義貞	(성종7)				환고신(병)	
李仁山	(성종10)				환고신	
李仁溫	(성종11)				환직첩(이)	
李仁長	(단종3)				환고신(이)	
李仁行	(성종14)				환고신(이)	
李仁懷	(성종13)				환직첩	
李林	(단종3, 세조1)				환고신(이)	
李子純	(성종9)				환고신	
李作	(성종21)				환직첩	
李張	(성종21)				환직첩	
李章	(성종6)				환고신(병)	
李裁	(성종21)				환직첩	
李著	(성종10)				환고신(병)	
李全孫	(성종13)				환직첩	
李專知	(성종5)				환직첩(병)	
李節	(세조1)				환고신	
李挺生	(세조1)				환고신	
李宗京	(성종17)				환직첩(이)	
李從根	(성종24)				환직첩(병)	
李終同	(성종7)				환고신(병)	
李鍾綿	(성종7)				환고신(병)	
李種敏	(세조1)				환고신	
李從山	(성종21)				환직첩	
李從石	(성종7)				환고신(병)	
李宗守	(성종6, 13, 15)				환고신	
李宗軾	(성종17)				환직첩(이)	

李宗信	(성종21)		父 明仁	환직첩	
李宗義	(성종9)			환고신	
李宗知	(단종3)			환고신(병)	
李仲敬	(예종즉)			환고신	
李中生	(성종3)			환고신	
李衆伊	(성종21)			환직첩	
李重峻	(성종대)			환고신(3), 환고신(7, 이)	
李知期	(성종15)			환고신(병)	
李祉廉	(성종11)			환직첩(이)	
李枝茂	(성종15)			환고신(병)	
李枝茂	(성종21)			환직첩	
李枝樹	(성종21)			환직첩	
李之迪	(단종2)			환고신(이)	
李之惠	(세조1)			환고신(이)	
李之欽	(성종21)			환직첩(이)	
李稷生	(성종7)			환직첩	
李珍甫	(성종21)			환직첩	
李進山	(성종15)			환고신(병)	
李差孝山	(단종1)			추탈고신	
李昌文	(세조1)			환고신(이)	
李天老	(세조1)			환고신	
李鐵童	(성종15)			환고신(병)	
李春敬	(단종3)			환고신(병)	
李春秀	(세조1)			환고신	
李春雨	(세종15)			환직첩	
李春輝	(성종21)			환직첩	
李緻	(성종5)			환직첩(병)	
李致陽	(단종~세조대)			환고신(단종3, 이), 환고신(세조1)	
李則	(단종2)			환고신(병)	
李唆	(성종21)			환직첩	
李泰孫	(성종5)			환직첩(병)	
李彭齡	(성종12, 15)			환고신(병)	
李抱	(성종5)		父 純之	환직첩	
李誠根	(성종21)			환직첩	
李含春	(성종21)			환직첩	
李赫	(성종10, 21)			환고신	
李玄京	(성종13)			환직첩	
李亨文	(성종21)			환직첩	

李好命	(성종6)				환고신	
李鞾	(세종15)				환직첩(北征有功故)	
李孝生	(성종21)				환고신	
李欣敬	(세조14)				환고신	
李欽	(단종3)				환고신(병)	
李興卿	(단종2)				환고신(병)	
李興直	(단종3)				환고신(이)	
仁海	(세조1)				환고신	
林乾	(성종21)				환직첩	
林桂中	(성종7)				환고신(병)	
林光山	(세조1)				환고신	
任起文	(성종13)				환직첩	
林得海	(세종21)			臨 瀛 大 君 瑢 伴倘	수고신	
任孟仁	(성종21)				환직첩	
林文翰	(성종21)				환직첩	
任方珪	(단종2)				환고신(병)	
任尙德	(성종14)				환고신	
林上佐	(성종7)				환고신(병)	
林善知	(세조10)				환고신	
任世奉	(예종즉)				환고신	
林秀	(세조~성종대)				환고신(세조10), 환직첩(성종5, 병)	
林守同	(성종17)				환직첩(이)	
林壽延	(성종5)				환직첩(병)	
任叔仁	(성조21)				환직첩	
林實	(세조1)				환고신(이)	
林嚴龍	(성종7)				환고신(병)	
林連(璉)	(성종5)				환직첩	
任禮孫	(성종21)				환직첩	
林遇	(성종13)				환직첩	
林雨良	(성종5)				환직첩	
任元發	(성종9)				환고신	
任元山	(예종1)				환고신	
林仁山	(성종17, 21)				환직첩(이)	
林子簡	(성종7)				환직첩	
林自順	(성종7)				환고신(병)	
林長宗	(성종15)				환고신(병)	
林宗秀	(단종2)				환고신(병)	

任從直	(성종15)			환고신(병)	
林從直	(세조6)			환고신(병)	
林俊	(성종21)			환직첩	
任中	(성종9)			환고신	
任仲	(세조1)			환고신	
林仲夫	(성종14)			환고신	
林重山	(성종15)			환고신(병)	
任智	(성종6)			환고신(이)	
林進	(성종16)			환고신	
林鐵崇	(성종7)			환고신(병)	
林淸	(성종13)			환직첩	
林春發	(단종2)			환고신(병)	
林鶴	(단종3)			환고신(병)	
林繪	(태종12)			환고신	
林孝生	(성종6)		尹弼商 伴人	환고신(이)	
任孝傛	(단종3, 세조1)			환고신(이)	
任興	(성종9)			환고신	
張檢山	(성종7)			환고신(병)	
張檢松	(성종10)	처삼촌 明使 鄭同		환고신(병)	
張今童	(성종15)			환고신(병)	
張金童	(성종24)			환직첩(병)	
張末	(성종21)			환직첩	
張孟儲	(성종13)			환직첩	
張孟賢	(성종10)			환고신	
張思禮	(세조10)			환고신	
張斯命	(단종3)			환고신(이)	
張叔友	(성종13)			환직첩	
張承老	(성종21)			환직첩	
張承祖	(성종11)			환직첩(이)	
張湜	(세조1)			환고신	
張愼庭	(성종10)			환고신(병)	
張信之	(성종9)			환고신	
張連祖	(성종10)			환고신(병)	
張永昌	(성종7)			환고신(이, 병)	
張永淸	(성종9)			환고신	
張玉堅	(성종21)			환직첩	
張玉石	(성종12)			환고신(병)	

張龍鳳	(단종3, 세조1)				환고신(이)	
張有呂	(성종21)				환직첩	
張六孫	(성종6)				환고신	
張隱	(성종6)				환고신(이)	
張乙明	(단종3)				환고신(병)	
張益孫	(성종7)				환직첩	
張益順	(성종7)				환고신(이)	
張益儲	(성종7)				환고신(이)	
張益之	(성종7)				환고신(병)	
張自溫	(성종15)				환고신(병)	
張自殷	(성종21)				환직첩	
張自仁	(성종5)				환직첩(병)	
張俊明	(성종21)				환직첩	
張仲誠	(성종5)				환직첩	
張仲孝	(세조2)				환고신	
張處仁	(성종10)				환고신(병)	
張哲石	(성종15)				환고신	
張漢臣	(단종2)				환고신(병)	
張漢止	(단종3)				환고신(이)	
張翰之	(성종21)				환직첩	
張漢弼	(성종21)				환직첩	
張浩	(성종13)				환직첩	
張孝達	(성종15, 21)				환고신	
張孝連	(단종2)				환고신(병)	
張孝治	(세조14)				환고신	
張希善	(성종10)				환고신(병)	
田可稙	(단종3)				환고신(이)	
全巨乙知	(성종21)				환직첩	
田桂	(성종21)				환직첩	
田繼達	(성종대)				환고신(7, 병), 환직첩(21)	
田戒信	(성종21)				환직첩	
田教民	(성종15)				환고신(병)	
田貴達	(단종3)				환고신(병)	
全貴和	(단종3)				환고신(이)	
錢克守	(성종7)				환고신(병)	
錢克順	(성종7)				환고신(병)	
全同	(성종13)				환직첩	
全得山	(성종5)				환직첩(병)	

田牧	(성종6)			환고신	
錢山甲	(성종21)			환직첩	
田碩德	(세조1)			환고신	
全水山	(성종15)			환고신	
田壽孫	(성종21)			환직첩	
田順	(성종6)			환고신	
全勝石	(성종10)			환고신	
田承重	(성종21)			환직첩	
田頴	(세조10)			환고신	
全有恭	(성종16)			환고신	
全有生	(성종24)			환직첩(병)	
田潤成	(성종21)			환직첩	
全殷輅	(단종2)			환고신(병)	
全義常	(성종21)			환직첩	
全以善	(성종6)			환고신	
全以和	(성종15)			환고신(병)	
全仁範	(성종21)			환고신	
全仁彦	(성종7)			환고신(병)	
全貞	(성종21)			환직첩	
全重(仲)山	(성종7)			환고신(병)	
全仲堅	(성종9)			환고신	
全桀	(성종21)			환직첩	
全蓄	(성종21)			환직첩	
全忠信	(성종6)			환고신	
全泰亨	(성종17)			환직첩(이)	
全通	(성종21)			환직첩	
全惠	(성종21)			환직첩	
全浩	(단종2)			환고신(이)	
全孝根	(성종6)			환고신(이)	
全孝同	(성종7)			환고신(병)	
全孝文	(성종10)			환고신(병)	
全孝善	(단종3)			환고신(단종3, 병)	
全孝善	(성종21)			환직첩	
全興敏	(성종13)			환고신	
鄭溪	(성종21)			환직첩	
鄭繼良	(성종5)			환직첩(병)	
鄭繼孫	(세조~성종대)			환고신(세조1), 환고신(성종7, 병)	
鄭夸	(성종16)			환고신	

鄭貴成	(성종7)				환고신(병)	
鄭貴宗	(성종21)				환직첩	
鄭克儉	(성종15)				환고신	
鄭克明	(성종3)				환고신	
丁克河	(단종2)				환고신(병)	
鄭羅斤乃	(성종24)				환직첩(병)	
鄭蹈	(태조1)				수직첩	
鄭同金	(성종24)				환직첩(병)	
鄭得良	(성종21)				환고신(병)	
鄭崙石	(성종21)				환직첩	
鄭莫同	(성종21)				환직첩	
鄭萬山	(성종21)				환직첩	
鄭末生	(성종17)				환직첩(이)	
丁末乙生	(성종21)				환직첩	
鄭孟知	(성종7)				환직첩	
鄭文明	(성종7)				환고신(병)	
鄭福綏	(성종21)				환직첩	
鄭卜中	(성종10)				환고신	
鄭佛守	(성종7)				환고신(병)	
鄭思洽	(성종5)				환직첩(병)	
鄭三畏	(성종21)				환직첩	
鄭錫寬	(성종11)				환직첩(이)	
鄭碩聃	(성종21)				환직첩	
鄭石同	(성종21)				환직첩	
鄭石生	(성종대)				환직첩(21), 환직첩(24, 병)	
鄭石守	(성종21)				환직첩	
鄭石柱	(성종24)				환직첩(병)	
鄭善止	(성종21)				환직첩	
鄭成山	(성종6)				환고신(병)	
鄭守生	(성종3)				환고신	
鄭守仁	(세조6)				환고신(병)	
鄭蕭	(세조1)				환고신	
鄭淑良	(성종21)				환직첩	
鄭順成	(성종7)				환직첩	
鄭順孫	(성종7)				환직첩	
鄭純仁	(성종14)				환고신	
鄭崇禮	(성종21)				환직첩	
鄭承同	(성종21)				환직첩	

鄭信忠	(성종16)			환고신	
鄭安仁	(성종7)			환고신(병)	
鄭良孫	(세조6)			환고신(병)	
鄭汝擧	(성종15)			환고신	
丁寧	(성종21)			환직첩	
鄭有善	(단종2)			환고신(병)	
鄭胤興	(성종21)			환직첩	
鄭宜伯	(세조1)			환고신(이)	
鄭麟孫	(성종7)	東萊	父 中樞使 欽之, 祖 漢城尹 符	환직첩	
鄭一化	(성종6)			환고신	
鄭存善	(성종5)			환직첩	
鄭從善	(성종21)			환직첩	
鄭胄	(세조1)			환고신	
鄭紬	(단종3)			환고신(이)	
鄭周孫	(성종7)			환고신(병)	
鄭衆奇	(성종7)			환직첩	
鄭智孫	(성종14)			환고신	
鄭之裔	(성종15)			환고신	
丁進方	(성종16)			환고신	
鄭察	(성종7)			환고신(병)	
鄭春民	(성종20)		父 功臣(성명 불명)	환직첩	
鄭春祐	(세조1)			환고신	
丁致雲	(성종7)			환고신(병)	
鄭致河	(성종5)			환직첩	
鄭漢同	(성종16)			환고신	
鄭瀅	(성종21)			환직첩	
丁惠通	(성종7)			환직첩	
鄭化尙	(성종24)			환직첩(이)	
鄭桓	(성종21)			환직첩	
鄭會	(세조10)			환고신	
丁孝當	(성종7, 21)			환직첩	
鄭孝禮	(성종7)			환직첩	
丁孝孫	(성종5)			환고신(병)	
鄭孝殷	(단종2)			환고신(병)	
鄭孝忠	(성종21)			환직첩	
鄭厚生	(성종24)			환직첩(이)	

鄭庥	(성종5)			환직첩(병)	
丁欣守	(성종21)			환직첩	
鄭興祖	(성종21)			환직첩	
鄭熙恭	(단종2)			환고신(병)	
丁熙同	(성종21)			환직첩	
趙堪	(성종21)			환고신(이)	
趙甲忠	(성종15)			환고신	
曺敬孫	(성종15)			환고신	
趙瓊瑛	(성종7)			환고신(병)	
趙繼男	(예종~성종대)			환고신(예종즉), 환직첩(성종13)	
曺季良	(성종9)			환직첩(병)	
趙繼林	(성종10)			환고신(병)	
趙琯	(단종3)			환고신	
趙宏等	(세조10)			환고신	
曺克仁	(성종13)			환직첩	
趙起文	(성종7)			환고신(병)	
趙得珠	(단종3)			환고신(이)	
曺孟敬	(성종21)			환직첩	
趙孟進	(성종7)			환고신(병)	
趙明成	(성종21)			환직첩	
曺文守	(세조1)			환고신	
曺反晳	(성종21)			환직첩(병)	
趙保仁	(단종3)			환고신(이)	
趙奉陳	(단종2)			환고신(병)	
趙石同	(성종15)			환고신(병)	
曺碩孫	(성종21)			환직첩	
曺善	(단종2)			환고신(이)	
趙琁	(성종15)			환고신(병)	
趙成文	(성종21)			환직첩	
曺守	(단종2, 성종7)			환고신(병)	
曺秀	(성종21)			환직첩(병)	
趙植	(성종6)			환고신	
趙軾	(성종12)			환고신(병)	
趙信	(성종3)			환고신	
趙愼山	(성종13)			환직첩	
曺申錫	(성종21)			환직첩	
趙雅	(단종3)			환고신(이)	
曺永	(성종15)			환고신(병)	

趙英	(성종5)			환직첩(병)	
趙瑛	(성종5)			환직첩(병)	
趙永達	(성종11)			환직첩(이)	
趙榮孫	(성종15)			환고신(병)	
趙禮淙	(성종3)			환고신	
趙完圭(珪)	(단종1)	漢陽	父 右議政 英武 祖 判書 世珍	追奪告身	
趙瑗	(성종15)			환고신	
趙六三	(성종9)			환고신	
趙允禧	(성종24)			환직첩(이)	
趙以敬	(성종10)			환고신	
趙自澹	(세조1)			환고신(이)	
趙自山	(성종13)			환직첩	
曺自郏	(세조1)			환고신	
趙自亨	(성종21)			환직첩	
趙貞	(성종21)			환직첩	
趙仲林	(성종15)			환고신	
曺仲末	(성종7)			환직첩	
曺仲富	(성종7)			환고신(병)	
趙仲河	(성종7)			환고신(병)	
趙智崗	(성종9)			환고신	
趙之經	(성종13)			환직첩	
趙軫	(성종15)			한고신(병)	
趙進	(성종15)			한고신(병)	
趙策	(단종3)			한고신(이)	
趙天仝	(성종21)			환직첩	
曺致和	(단종3)			환고신(병)	
曺孝元	(성종15)			환고신	
趙興守	(성종15)			환고신(병)	
趙興春	(성종7)			환고신(병)	
趙希	(성종21)			환직첩	
趙希良	(성종21)			환직첩	
鍾義生	(성종13)			환직첩	
朱係山	(성종21)			환직첩	
朱同	(성종21)			환직첩	
朱碩山	(성종21)			환직첩	
朱石柱	(성종13)			환직첩	
朱善	(성종21)			환직첩	

周成豫	(성종7)				환고신(병)	
朱世	(성종21)				환직첩	
朱水連	(성종17)				환직첩(이)	
周勝山	(성종7)				환고신(이)	
周實	(성종6)				환고신	
周陽復	(단종2)				환고신(병)	
朱益明	(성종5)				환직첩(병)	
周仲善	(성종21)				환직첩	
朱忠信	(단종2)				환고신(병)	
周好人	(성종7)				환고신(병)	
周孝适	(성종21)				환직첩	
周興商	(단종3)				환고신(이)	
朱興序	(성종6)				환고신(이)	
池克混	(성종21)				환직첩	
池得精	(성종15)				환고신(병)	
池水山	(성종11)				환직첩(이)	
池永貯	(성종15)				환고신	
池哲	(성종21)				환직첩	
池興美	(단종3)				환고신	
陳敬富	(성종6)				환고신	
陳筠	(성종21)				환직첩	
秦麻加同	(성종17)				환직첩(이)	
秦萬石	(성종대)				환직첩(21), 환고신(22, 이)	
秦孟溫	(성종21)				환직첩(병)	
秦文祖	(단종2)				환고신(이)	
秦三山	(성종9)				환고신	
秦石山	(성종21)				환직첩	
陳禮	(성종24)				환직첩(병)	
陳仲擧	(단종3)				환고신(병)	
秦仲溫	(성종14)				환고신	
秦致山	(성종24)				환직첩(병)	
秦彭年	(성종10)				환고신	
車繼宗	(성종21)				환직첩	
車輪	(성종7)				환고신(병)	
車轔	(성종13)				환직첩	
車滿庭	(성종17)				환직첩(이)	
車寶禮	(세조1)				환고신	
車順	(성종16)				환고신	

車元輅	(성종21)			환직첩	
車義孫	(성종21)			환직첩	
車任義	(세조6)			환고신(병)	
車自仁	(세조1)			환고신	
車仲文	(성종7, 15)			환고신(병)	
車仲富	(성종7)			환고신	
車進	(단종3)			환고신(병)	
車致蕃	(성종15)			환고신(병)	
蔡光宗	(성종15)			환고신(병)	
蔡年	(성종21)			환고신(이)	
蔡崇根	(성종10)			환고신	
蔡申福	(성종5, 11)			환직첩(병, 불)	
蔡宥謹	(성종13)			환직첩	
蔡銀令	(성종7)			환고신(병)	
蔡衆	(성종5)			환직첩(병)	
蔡仲斤	(성종10)			환고신	
蔡致義	(성종3)			환고신	
崔蓋地	(성종9)			환고신	
崔巨丁	(성종6)			환고신	
崔敬	(단종3)			환고신(병)	
崔敬淵	(성종9)			환고신	
崔敬治	(성종21)			환직첩	
崔戒同	(성종14)			환고신	
崔戒文	(성종14)			환고신	
崔繼生	(성종5)	江華	父 觀察使 渚, 祖 兵使 安雨	환직첩(병)	
崔繼河	(성종21)			환직첩	
崔繼亨	(성종21)			환고신(이)	
崔括	(성종24)			환직첩(병)	
崔龜從	(성종21)			환직첩	
崔貴敬	(성종21)			환직첩	
崔貴山	(성종10)			환고신	
崔貴淵	(성종24)			환직첩(병)	
崔洛	(세조6)			환고신(병)	
崔內隱今	(성종10)			환고신	
崔潯	(성종21)			환직첩	
崔達	(성종7)			환직첩	
崔德伯	(성종10)			환고신(병)	

崔德壽	(성종7)			환고신(병)	
崔敎臨	(성종7, 12)			환고신(병, 불)	
崔同	(단종~성종대)			환고신(단종2, 세조1, 8, 병), 환고신(성종7, 이)	
崔得孫	(세조14)			환고신	
崔得壽	(태종12)			환고신	
崔得洵	(성종15)			환고신	
崔得雨	(성종15)			환고신	
崔璉	(성종7, 21)			환직첩	
崔連守	(성종21)			환직첩	
崔禮	(성종7)			환고신(병)	
崔老	(성종7)			환고신(병)	
崔莫知	(성종9)			환고신	
崔末同	(성종21)			환직첩	
崔末終	(성종22)			환고신(이)	
崔亡吐	(성종5)			환직첩	
崔孟漢	(세조~성종대)			수고신(세조2, 坐死六臣), 환고신(성종2)	
崔濱	(성종16)			환고신	
崔思德	(세조14)			환고신	
崔山	(단종2)			환고신(병)	
崔山雨	(세조14)			환고신	
崔山川	(성종21)			환직첩	
崔尙明	(성종5)			환직첩(병)	
崔尙淮	(성종17)			환직첩(이)	
崔石同	(성종6, 9)			환고신	
崔石老	(성종21)			환직첩	
崔碩山	(성종11)			환직첩(이)	
崔善義	(성종9)			환고신	
崔成雨	(성종7)			환직첩	
崔世	(세조10)			환고신	
崔世省	(성종15)			환고신(병)	
崔守丁	(성종16)			환고신	
崔守貞	(성종24)			환직첩	
崔叔瓊	(성종11)			환직첩(이)	
崔淑汀	(성종21)			환직첩	
崔叔河	(성종21)			환직첩	
崔順	(성종대)			환고신(6, 11, 이), 환고신(9, 11, 병)	

崔順義	(성종24)				환직첩(이)	
崔崇卑	(성종7)				환고신(병)	
崔升末	(단종3)				환고신(병)	
崔承重	(성종7)				환고신	
崔汝宗	(성종17)				환직첩(이)	
崔永南	(세조10)				환고신	
崔永山	(성종7)				환고신(병)	
崔泳孫	(단종3)	通州	父 左議政 閏德, 祖 參判承樞 雲海		수고신(좌 錦城大君瑜)	
崔玉鏡	(성종21)				환직첩	
崔玉同	(성종21)				환직첩	
崔遇霖	(성종21)				환직첩	
崔雲卿	(세조1)				환고신	
崔雲奇	(성종1)				환고신(이)	
崔有生	(성종15)				환고신	
崔有汀	(성종3)				환고신	
崔閏	(단종2)				환고신	
崔潤山	(성종17)				환직첩(이)	
崔潤屋	(성종16)				환고신(이)	
崔潤井	(성종6)				환고신	
崔閏從	(세조2)				수고신	
崔閏之	(단종2)				환고신(병)	
崔閏海	(성종21)				환직첩	
崔閏亨	(성종21)				환직첩	
崔允湖	(성종10)				환고신(병)	
崔潤湖	(성종21)				환직첩	
崔乙守	(성종15)				환고신(병)	
崔義露	(성종7)				환직첩	
崔以霖	(성종13)				환직첩	
崔仁	(단종3)		父 無須		수고신	
崔仁京	(성종17)				환직첩(이)	
崔仁敬	(성종21)				환직첩	
崔仁露	(성종7)				환직첩	
崔仁雨	(성종21)				환직첩	
崔仁海	(성종10)				환고신	
崔自古未	(성종24)				환직첩(이)	
崔自雨	(단종2)				환고신(병)	

崔自閏	(성종15)				환고신(병)	
崔自陜	(단종3)				수고신(佐錦城大君瑜), 피화	
崔霱	(단종3, 세조1)				환고신(병)	
崔精	(단종2)				환고신(병)	
崔仲山	(성종17)				환직첩(이)	
崔仲孫	(성종15)				환고신	
崔仲源	(성종3)				환고신	
崔陳	(세조6)				환고신(병)	
崔進生	(성종5)				환직첩(병)	
崔澄	(성종21)				환직첩	
崔處汀	(성종21)				환직첩	
崔哲山	(성종3)				환고신	
崔致	(성종7)				환직첩	
崔致淵	(성종13)				환직첩	
崔致潤	(성종9)				환고신	
崔致華	(성종대)				환직첩(7), 환고신(16)	
崔漢孫	(성종13)				환직첩	
崔漢洲	(성종21)				환직첩	
崔虎生	(성종21)				환직첩(병)	
崔孝江	(세조~성종대)				환고신(세조14), 환직첩(성종21)	
崔孝南	(성종21)				환직첩	
崔孝同	(성종21)				환직첩	
崔孝良	(성종21)				환직첩	
崔孝友	(성종17)				환직첩(이)	
崔孝貞	(성종대)				환직첩(5, 병), 환고신(7, 12병)	
卓玉井	(성종7)				환고신(병)	
太克淸	(성종15)				환고신(병)	
太連智	(성종21)				환직첩	
太永珍	(성종6)				환고신(병)	
平石崇	(성종6)				환고신(이)	
表成美	(성종15)				환고신	
皮敬忠	(성종7)				환고신(병)	
皮自義	(성종5)				환직첩	
河敬忠	(성종6)				환고신	
河繼孫	(성종7)				환직첩	
河文孫	(성종7)				환고신(병)	
河紹渭	(성종3)				환고신(병)	
河允	(성종21)				환직첩	

河潤武	(성종13)			환직첩	
河應圖	(성종9)			還降資	
河自淡	(성종3)			환고신	
河自平	(성종3)			환고신	
河之純	(단종3)			환고신(이)	
河淸	(성종15)			환고신(병)	
河渾	(성종15)			환고신(병)	
河厚	(성종9)			환고신	
韓兼	(성종7)			환고신(병)	
韓敬宗	(성종21)			환직첩	
韓繼童	(성종21)			환직첩	
韓繼善	(성종21)			환직첩	
韓繼禎	(성종7)			환고신(병)	
韓貴同	(세조1)			환고신	
韓貴成	(세조1)			환고신	
韓貴珠	(성종12)			환고신(병)	
韓克孝	(성종7)			환직첩	
韓奇	(성종12)			환고신	
韓訥	(성종21)			환직첩	
韓道生	(성종10)			환고신	
韓同	(성종대)			환고신(15), 환직첩(24)	
韓末生	(세조1)			환고신	
韓普赫	(단종3)			환고신(병)	
韓思義	(세조6)			환고신(병)	
韓巳宗	(성종24)			환직첩(병)	
韓錫命	(성종21)			환직첩	
韓碩孫	(성종21)			환직첩	
韓石乙同	(성종24)			환직첩(이)	
韓善	(성종6)			환고신	
韓成孫	(성종24)			환직첩(병)	
韓守	(성종17)			환직첩(이)	
韓淑旂	(성종5)			환직첩	
韓永甫	(태종12)			환고신	
韓吳乙未	(성종9)			환고신	
韓雨	(단종3)			환고신(병)	
韓愈文	(성종15)			환고신(병)	
韓乙卿	(성종3)			환고신	
韓毅	(성종21)			환직첩	

韓義生	(단종2)				환고신(병)	
韓夯叱同	(성종대)				환고신(16), 환직첩(21)	
韓自同	(성종15)				환고신(병)	
韓祚	(성종15)				환고신(병)	
韓仲夫	(성종7)				환고신(병)	
韓仲孫	(성종7)				환고신(병)	
韓之	(단종2)				환고신(병)	
韓處良	(성종15, 21)				환고신	
韓春山	(성종21)				환직첩	
韓瑚山	(세조1)				환고신	
韓孝生	(성종6)				환고신	
韓孝順	(성종6)				환고신	
咸敬	(단종3)				환고신(이)	
咸奉山	(단종3)				환고신(병)	
咸孝林	(성종16)				환고신	
許敬敏	(성종15)				환고신(병)	
許季孫	(성종3)				환고신	
許繼漢	(성종21)				환직첩(병)	
許玟	(성종9)				환고신	
許發原	(성종21)				환직첩	
許叔淡	(성종21)				환직첩	
許順孫	(성종16)				환고신	
許升德	(성종21)				환직첩	
許安秀	(성종7)				환직첩	
許禮童	(성종21)				환직첩	
許仲好	(성종7)				환고신(병)	
許曾	(단종2)				환고신(이)	
許讚	(예종즉)				환고신	
許昌童	(성종6)				환고신(병)	
許波回	(단종3)				환고신(병)	
許孝山	(성종15)				환고신(병)	
玄錫智	(세조6)				환고신(병)	
玄永山	(성종12, 13)				환직첩(병)	
玄用智	(성종5)				환직첩(병)	
玄仲連	(성종17)				환직첩(이)	
玄赫右	(성종21)				환직첩	
邢孟碩	(성종3)				환고신	
邢孝同	(성종21)				환직첩	

洪繼南	(성종21)			환직첩	
洪繼達	(성종7)			환고신(병)	
洪九成	(단종3)			수고신(坐安平大君 瑢)	
洪貴同	(단종~세조대)	南陽	父 左議政 達孫 (첩자), 祖 府使 治從	환고신(단종2), 수고신(세조2)	
洪德才	(성종21)			환직첩	
洪德中	(성종15)			환고신	
洪末生	(성종24)			환직첩(병)	
洪富貴	(성종24)			환직첩(이)	
洪尙德	(단종3, 성종15)			환고신(병)	
洪碩文	(성종21)			환직첩	
洪石生	(성종12)			환고신(병)	
洪石崇	(성종3)			환고신	
洪璇	(성종7)			환직첩	
洪善友	(단종3)			환고신(이)	
洪誠	(단종2)			환고신(병)	
洪昇	(단종3)			수고신	
洪信生	(성종7)			환고신(병)	
洪實同	(성종10)			환고신	
洪若衷	(성종9)			환고신	
洪五峯	(단종3)			수고신(坐錦城大君 瑜)	
洪元孝	(단종3)			수고신	
洪裕勤	(단종3)			환고신(빙)	
洪允祖	(성종7)			환고신(이)	
洪應祚	(세조10)			환고신	
洪毅	(성종15)			환고신(병)	
洪仁發	(세조6)			환고신(병)	
洪寅俊	(성종21)			환직첩(병)	
洪自忠	(단종2)			환고신(병)	
洪適	(단종3)			수고신	
洪恮	(성종9)			환고신	
洪晶	(성종21)			환직첩	
洪仲德	(성종14)			환고신	
洪沚	(성종21)			환직첩	
洪哲孫	(성종15)			환고신	
洪致明	(성종14)			환고신	
洪致商	(성종15)			환고신(병)	
洪澤	(성종2)			환고신	

洪漢生	(성종10)			환고신	
黃繼仁	(성종21)			환직첩	
黃貴同	(성종21)			환직첩	
黃貴白	(성종15)			환고신(병)	
黃謹昌	(성종6)			환고신	
黃今同	(성종6)			환고신	
黃良	(단종3)			환고신(병)	
黃良繼	(문종1)			환직첩(병)	
黃禮軒	(성종3)			환고신	
黃每邑洞	(성종21)			환직첩	
黃尙智	(성종10)			환고신(병)	
黃碩卿	(성종15)	尙州	父 參贊 孝源, 祖 正字 士幹	환고신(병)	
黃善男	(성종11)			환직첩(이)	
黃壽山	(성종1)			환고신	
黃淳	(성종13)			환직첩	
黃順茂	(세조6)			환고신(병)	
黃承輿	(성종9)			환고신	
黃衍奇	(성종21)			환직첩	
黃吾乙未	(성종21)			환직첩(병)	
黃元順	(성종7)			환직첩	
黃有文	(성종21)			환직첩	
黃仍叱同	(성종21)			환직첩	
黃自昌	(성종21)			환직첩	
黃長明	(성종17)			환직첩(이)	
黃仲孫	(성종13)			환직첩	
黃仲偃	(성종24)			환직첩(이)	
黃至稱	(성종5)			환직첩	
黃智軒	(성종3)			환고신(이)	
黃湖	(세조6)			환고신(병)	
黃孝奉	(성종13)			환직첩	
黃孝信	(태종16)			환직첩	
黃孝宗	(성종21)			환직첩	
黃孝從	(성종16)			환고신	
黃孝智	(성종5)			환직첩	
皇甫臨	(단종2)			환고신(병)	
皇甫珍	(성종10)			환고신(병)	
孝生	(성종11)			환직첩(이)	

부 록

1. 『경국대전』 문산·무산·종친·의빈계(잡직·토관계제외)

직질	문산계		무산계	종친계	의빈계	비고
無品				王子(大君, 君)		
正1品	상	大匡輔國崇祿大夫	좌동	顯祿大夫	綏祿大夫	
	하	輔國崇祿大夫	좌동	興祿大夫	成祿大夫	
從1品	상	崇祿大夫	좌동	昭德大夫	光德大夫	
	하	崇政大夫	좌동	嘉德大夫	崇德大夫	
정2	상	正憲大夫	좌동	崇憲大夫	奉憲大夫	
	하	資憲大夫	좌동	承憲大夫	通憲大夫	
종2	상	嘉靖大夫	좌동	中義大夫	資義大夫	
	하	嘉善大夫	좌동	正義大夫	順義大夫	
정3 堂上	通政大夫		折衝將軍	明善大夫	奉順大夫	이상 堂上官
정3	通訓大夫		禦侮將軍	彰善大夫	正順大夫	資窮, 이하 堂下官
종3	상	中直大夫	建功將軍	保信大夫	明信大夫	
	하	中訓大夫	保功將軍	資信大夫	敦信大夫	
정4	상	奉正大夫	振威將軍	宣徽大夫		
	하	奉列大夫	昭威將軍	光徽大夫		
종4	상	朝散大夫	定略將軍	奉成大夫		
	하	朝奉大夫	宣略將軍	光成大夫		
정5	상	通德郎	果毅校尉	通直郎		이하 參上官
	하	通善郎	忠毅校尉	秉直郎		
종5	상	奉直郎	顯信校尉	謹節郎		
	하	奉訓郎	彰信校尉	慎節郎		
정6	상	承議郎	敦勇校尉	執順郎		
	하	承訓郎	進勇校尉	從順郎		
종6	상	宣敎郎	勵節校尉			
	하	宣務郎	秉節校尉			
정7	務功郎		迪順副尉			이하 參下官
종7	啓功郎		奮順副尉			
정8	通仕郎		承義副尉			
종8	承仕郎		修義副尉			
정9	從仕郎		效力副尉			
종9	將仕郎		展力副尉			

2. 직질별 동반·서반·종친직 주요 관직(겸·잡·토관직제외, *은 외관)

직질	동반직	서반직	종친직	비고 (현 대응 관직)
무품			大君, 君(왕자)	
정1품	議政府領, 左, 右議政	領中樞府事	君	총리급
종1	議政府左, 右贊成	判中樞府事	군	부총리급
정2	議政府左, 右參贊, 6曹判書, 漢城判尹	知中樞府事	군	장관·서울시장급
종2	6曹參判, 漢城尹, 開城留守, 觀察使*, 府尹*	同知中樞府事, 兵馬節度使*	군	차관·직할시장·도지사급
정3 당상	6曹參議 6承旨, 弘文館副提學, 成均館大司成, 掌隷院判決事	僉知中樞府事, 訓練院都正, 水軍節度使*	都正	차관보·청장급
정3	弘文館直提學, 6曹屬衙門 正, 判校, 通禮, 大都護府使*, 牧使*	5衛上護軍, 訓練院正	正	시장·군수급
종3	司憲府執義, 司諫院司諫, 弘文館典翰, 成均館司成, 6曹屬衙門 副正, 參校, 通禮院相禮, 侍講院輔德, 府使*	5衛大護軍, 訓練院副正, 兵馬虞候*, 水軍僉節制使*	副正	
정4	議政府舍人, 司憲府掌令, 弘文館應敎, 成均館司藝, 通禮院奉禮, 侍講院弼善, 6曹屬衙門 守	5衛護軍, 水軍虞侯*	守	국장급
종4	義禁府經歷, 弘文館副應敎, 6曹屬衙門 僉正, 校書館校勘, 郡守*	中樞府·5衛都摠府經歷, 5衛副護軍, 訓練院僉正, 水軍萬戶*	副守	
정5	議政府檢詳, 6曹正郎, 司諫院獻納, 司憲府持平, 弘文館校理, 成均館直講, 通禮院贊儀, 侍講院文學	5衛司直	令	
종5	義禁府都事, 弘文館副校理, 6曹屬衙門 判官·令, 承文院校理, 縣令*	中樞府·5衛都摠府 都事, 5衛副司直, 訓練院判官	副令	과장급
정6	6曹佐郎, 司諫院正言, 司憲府監察, 弘文館修撰, 成均館典籍, 校書館校檢, 通禮院引儀	5衛司果, 兵馬評事*	監	
종6	弘文館副修撰, 6曹屬衙門 主簿, 縣監*, 敎授*, 察訪*	5衛部將·副司果, 訓練院主簿		계장급
정7	承政院注書, 弘文館·成均館·承文院 博士, 藝文館奉敎	5衛司正		
종7	6曹屬衙門 直長	5衛副司正, 訓練院參軍		
정8	藝文館待敎, 成均館學正	5衛司猛		
종8	6曹屬衙門 奉事	5衛副司猛, 訓練院奉事		
정9	藝文館檢閱, 成均館學錄	5衛司勇		
종9	6曹屬衙門 參奉	5衛副司勇		

3. 수록관직 해제

관직명	직질(품)	소속관아	관직 수	비고 ( )의 한자는 정식관직명
가낭청(假郎廳)	4~6	6曹 등	각1~2	임시직(國葬, 명사지대 等時)
가부장(假部將)	4~6	5衛	각1~2	임시직(講武 등시)
가전훈도(駕前引導)	3~6		15~8(*)	체아직1)(세조3년 이후, * 경국대전)
가주서(假注書)	7	承政院	1~2	임시직(변란 등시)
간관(諫官)	정6~정3당상	司諫院	5	통칭(司諫院 大司諫(1, 정3당상), 司諫(1, 종3), 獻納(1, 정5), 正言(2, 정6)의 통칭)
간의(諫議, 諫議大夫)	종3	門下府	좌, 우 각1	녹직,2) 약칭(門下府左諫議大夫, 右諫議大夫, 여말선초, 司諫院司諫으로 계승)
감(監, 朝官)	종3	6監	각2	녹직, 약칭(校書·繕工·司宰·軍資·軍器·典醫監監, 선초, 寺·監 副正으로 계승)
감(監, 宗親)	종3		무정수	녹직, 약칭(모모(읍호)監, 선초)
감목(監牧)	종6	牧場	각1	겸직, 약칭(모모牧場監牧, 소재수령겸)
감무(監務)	종6	小縣	각1	녹직, 약칭(모모縣監務, 선초, 縣監으로 계승)
감역관(監役官)	3~6	각종 工役都監	무정수	임시직(공역시)
감찰(監察, 行臺監察)	정6	司憲府	24	녹직, 약칭(司憲府監察)
감찰방주(監察房主)	정6	司憲府	1	녹직(우두머리 감찰)
감호관(監護官)	3~6	東, 北平館	각3	녹직, 약칭(東, 北平館監護官, 태종~세종대)
감후(監候)	정9	書雲觀	4, 2	체아직, 약칭(書雲觀監候, 선초)
갑사(甲士)	종4~종9		1,000~3,000여	체아직(경, 외갑사, 『경국대전』에 2000명으로 고정)
강무대장(講武大將)	정3당상~정2		무정수	임시직(강무시)
강무위장(講武衛將)	정3당상~정2		무정수	임시직(강무시)
강무잡류장(講武雜類將)	3품		무정수	임시직(강무시)
강무치중장(講武輜重將)	3품		무정수	임시직(강무시)
강이관(講肄官)	3~6		무정수	임시직(진법훈현 등시)
개국공신(開國功臣)			39	태조 1년에 조선개국에 기여한 공로로 책봉된 공신으로 총 39명(1등 15, 2등 9, 3등 15)
검교직(檢校職)	1~6	議政府 등	무정수	약칭[檢校모모직, 직사가 없는 관직(정직에 비해 2~3과 낮은 녹봉이 지급, 선초)]
검률(檢律)	종9	8道	각1	녹직, 약칭(모모道檢律)
검상(檢詳)	정5	議政府	1	녹직, 약칭(議政府檢詳)

검약(檢藥)	종9	8道	각2	약칭(모도檢藥, 선초, 審藥으로 계승)
검토관(檢討官)	정6	經筵	무정수	겸직, 약칭(經筵檢討官)
견룡(牽龍)	5~9		무정수	체아직, 통칭(어전시위군)
겸사복(兼司僕)	3~6	司僕寺	무정수	임시직, 겸직, 약칭(司僕寺兼司僕)
겸예문(兼藝文)	3~6	藝文館	15	겸직, 약칭(兼藝文館, 세조대)
경(卿, 朝官)	종3	奉常寺 등 6寺	각2	녹직, 약칭(奉常·殿中·司僕·司農·內府·禮賓寺卿, 국초, 監과 함께 諸寺·監副正으로 계승됨)
경(卿, 宗親)	종1	宗親府	무정수	녹직, 약칭(모모(읍호)卿, 선초)
경력(經歷)	종4	忠勳府 등	1~4	녹직, 약칭(충훈·의빈·중추부, 8道 각1, 5衛도총부 4)
경차관(敬差官)	3~6		각1	임시직
경흥부사인(敬興府舍人)	7~8	敬興府	1~2	녹직(국초)
관사(管事)	정8	永興都護府 등	各司 각1	토관직,3) 약칭(永興府諸學署管事 등)
관찰사(觀察使)	종2	8道	각1	녹직, 약칭(某道觀察使)
관찰출척사(觀察黜陟使)	종2	8道	각1	녹직(국초, 관찰사로 계승)
고공정랑(考功正郎)	정5	吏曹	1	녹직, 약칭(考功司正郎)
고공좌랑(考功佐郎)	정6	吏曹	1	녹직, 약칭(考功司佐郎)
공(公)	정1		무정수	勳爵(1등, 모모(군호나 읍호)公, 존속종친과 원훈재상, 국초)
공봉(供奉)	7~9	掖庭署	3	잡직,4) 약칭(掖庭署供奉, 세조대)
광록시소경(光祿寺少卿)	종5			明 관직(準 조선 3품)
권지직(權知職)	8~9	三館, 訓練院	무정수	무록직,5) 임시직(成均館, 承文院, 校書館, 을과 이하 문, 무과 급제자에게 제수된 수습직)
교감(校勘)	종4	承文院	1	겸직, 약칭(承文院校勘, 敎訓직)
교검(校檢)	정6	承文院	1	겸직, 약칭(承文院校儉)
교도(敎導)	종9	郡, 縣	각1	녹직, 약칭(모모郡·縣敎導)
교서랑(校書郎)	8~9	秘書監	2	녹직, 약칭(秘書監校書郎, 고려말)
교수(敎授)	종6	觀象監 등, 都護府 이상 군현	각1~2	녹직, 약칭(典醫監, 4學, 都護府·牧·府尹府敎授)
교유(敎諭, 學諭)	종9	成均館	2	녹직, 약칭(成均館敎諭, 개국초)
군(君)	종2~종1	宗親府, 忠勳府	무정수	약칭(모모(읍호)군, 각급 공신책록자, 공신승습자손, 종친)
군관(軍官)	3~9		무정수	임시직, 통칭(군사사명을 띠고 외방에 파견되거나 주둔하는 도체찰사 이하 장수의 군무나 호위에 종사한 무관의 총칭)
군사(郡事, 知郡事)	종4	郡	각1	외관, 약칭(知某某郡事, 선초, 郡守로 계승)
군수(郡守)	종4	郡	각1	외관, 약칭(某某郡守)

관직명	품계	소속	정원	비고
군용점고사(軍容點考使)	3~6		각1	임시직
궁성4면절제사(宮城4面節制使)	종2~정1		동, 서, 남, 북면 각1	임시직(국상초, 변란 등시)
궁위승(宮闈丞)	종7품	內侍府	1	잡직, 약칭(內侍府宮闈丞, 고려말)
궁직(宮直)	권무	宮	각1	약칭(모모宮直, 선초, 이를 거쳐 品官으로 진출)
권관(權管)	종9	邊鎭	각1	임시직(군관)
규정(糾正, 司憲糾正)	종6	司憲府	10~20	녹직, 약칭(司憲府糾正, 고려말)
극성진총패(棘城鎭摠牌)	7~9	棘城鎭	1	임시직(군관)
금루(禁漏)	종7	書雲觀	4	체아직, 약칭(書雲觀禁漏, 국초)
급사(給事)	종8	永興府 典禮署 등	각1	토관, 약칭(永興府典禮署給事 등)
급사중(給事中)	종4	門下府	1	녹직, 약칭(門下府給事中, 고려말)
기거주(起居注)	정5	門下府	1	녹직, 약칭(門下府起居注, 고려말)
기사관(記事官)	정6~정9	春秋館	무정수	겸직, 약칭(春秋館記事官)
낭장(郎將)	6품	10衛, 都府外	25~30	녹직, 약칭(10衛, 都府外郎將, 10司, 국초)
낭청(郎廳)	4~6	議政府 등	수십 명	통칭(議政府 등 4~6품관의 총칭)
내관(內官, 內侍, 中官, 火者, 宦官)	종2~종9	內侍府, 掖庭署	백 수십 명	통칭(종2, 尙膳·判內侍府事 이하 內侍府관과 정6 司謁·司鑰 이하 掖庭署관의 총칭)
내금위장(內禁衛將)	종2	內禁衛	3	겸직
내문파수중관(內門把守中官)	3~6	內侍府	2~2	임시직
내사사인(內史舍人)	정4	門下府	1	녹직, 약칭(門下府內史舍人, 개국초)
내서사인(內書舍人)	종4	門下府	1	녹직, 약칭(門下府內書舍人, 고려말, 門下府內史舍人으로 계승)
내시별감(內侍別監)	7~9	內侍府	1~2	임시직
내시장무(內侍掌務)		內侍府	1	별칭(內侍府 사무총관 환관, 선초)
내승(內乘)	3상~6	兼司僕	약간명	별칭(兼司僕官)
내의(內醫)	3~6	內醫院	약간명	통칭(內醫院 정3 正~종6 主簿의 통칭)
내직별감(內直別監)	7~9	內侍府	1~2	잡직, 임시직
녹관(祿官)	정1~종9	議政府, 中樞府 등	수천명	통칭(매년 춘, 하, 추, 동의 4차에 걸쳐 녹봉이 지급되는 문, 무관 正職의 통칭)
녹도부장(鹿島部將)	7~9	鹿島萬戶	1	임시직, 약칭(鹿島萬戶府部將)
녹사(錄事)	8~9	都評議使司 등	2~6	녹직, 약칭(都評議使司, 式目都監, 中·左·右軍, 尙瑞司, 奉常·禮賓寺, 繕工·軍資·軍器監, 訓練觀(겸), 濟用·解典·養賢庫, 書籍院, 선초, 세조대 이후는 종6품 이하의 산관을 획득하였다가 취재를 거쳐 6품관 이하에 제수)
능직(陵直)	권무	諸陵	각1	이를 거쳐 대개 9품 이상에 제수(선초)

다방별감(茶房別監)	7~9	茶房	1~2	잡직, 임시직
단사관(斷事官)	5품	開城府	1	녹직, 약칭(開城府斷事官, 국초)
당후관(堂後官)	정7	中樞院	2	녹직, 약칭(中樞院堂後官, 국초)
대간(臺諫, 司憲府官)	종2~정6	司憲府	30	통칭(종2 大司憲~정6 監察의 통칭)
대경(大卿)			무정수	정3품 이상의 관직으로 추정(선초)
대교(待教)	정8	藝文館	3	녹직, 약칭(藝文館待教)
대도호부사(大都護府使)	정3	大都護府	4	외관(안동, 영흥)
대부(隊副)	9품	隊卒, 彭排	隊長과 합해 2,000여	잡직, 체아직, 약칭(선초, 5衛 司勇, 副司勇으로 계승)
대사간(大司諫)	정3상	司諫院	1	녹직(장관)
대사성(大司成)	정3상	成均館	1	녹직(장관)
대사헌(大司憲)	종2	司憲府	1	녹직(장관)
대언(代言)	정3상		5	녹직(여말선초, 承旨의 전신)
대장(隊長)	9품	隊卒, 彭排	隊副와 합해 2,000여	잡직, 약칭(선초, 5衛 司勇, 副司勇으로 계승)
대장군(大將軍)[6]	종3	10衛, 10司 등	각2	녹직, 약칭(모모衛, 司大將軍, 여말선초, 5衛大護軍으로 계승)
대제학(大提學)	정2	藝文春秋館, 弘文館 등	각1~2	겸직, 약칭(藝文春秋館·藝文館·集賢殿·弘文館大提學(여말 이후)
대학사(大學士, 太學士)	정2	藝文春秋館	2	겸직, 약칭(藝文春秋館大學士, 여말선초)
대호군(大護軍)[7]	종3	10衛, 10司, 5衛	20여	녹직(세조대 이후 체아직), 약칭(10衛, 10司, 5衛大護軍, 개국 이후)
도감낭청(都監郎廳)	3~6	國葬都監 등	무정수	임시직, 약칭(國葬都監 등 3~6품관의 총칭)
도감부사(都監副使)	3~6	國葬都監 등	1~5	임시직, 약칭(國葬都監副使 등)
도감사(都監使)	종1~정3	國葬都監 등	1~5	임시직, 약칭(國葬都監使 등)
도만호(都萬戶)	3품	邊鎭	각1	여말선초
도병마사(都兵馬使)	종2	8道	각1	여말선초, 兵馬節度使의 전신
도사(都事)	종5	忠勳府 등, 8道	각1~2	녹직, 약칭(忠勳·儀賓·開城·忠翊·中樞府, 8道都事)
도선(導善)	정4	宗學	1	겸직, 약칭(宗學導善)
도설리(都薛里)	4~9	內侍府	1	별칭(우두머리 薛里)
도순검사(都巡檢使)	2품		각1	임시직(出使職)
도순문사(都巡問使)	2품		각1	임시직(출사직)
도순문찰리사(都巡問察理使)	2품		각1	임시직(출사직)
도안무사(都按撫使)	2품		각1	임시직(출사직)
도안무찰리사(都按撫察理使)	2품		각1	임시직(출사직)

도승(渡丞)	종9	諸渡	각1	녹직, 약칭(모모渡丞, 경기도)
도승지(都承旨)	정3상	承政院	1	녹직, 약칭(承政院都承旨)
도원수(都元帥)	정1		각1	임시직(변란시)
도장(都將)	2~정3상		1~2	임시직(강무 등시)
도절제사(都節制使)	종2	8道	각1	녹직, 약칭(모도都節制使, 선초, 兵馬都節制使로 계승)
도정(都正, 朝官)	정3상	訓練院	1	녹직, 약칭(訓練院都正)
도정(都正, 宗親)	정3상	宗親府	무정수	녹직, 약칭(모모(읍호)都正)
도제조(都提調)	정1	6曹屬衙門	각1~3	겸직, 약칭(奉常寺都提調 등)
도진무(都鎭撫)	정1~종2	3軍, 巡禁司, 義禁府	2~5	겸직, 약칭(巡禁司都鎭撫 등)
도체찰사(都體察使)	정1		각1	임시직(변란시 등)
도총관(都摠管)	정2	5衛都摠府	5~10	겸직, 약칭(5衛都摠府都摠管)
도총제(都摠制)	정2	3軍都摠制府8)	중, 좌, 우 각2	겸직, 약칭(中, 左, 右軍都摠制府事, 선초, 5衛都摠府都摠管으로 계승)
돌산포병방진무(突山浦兵房鎭撫)	7~9	突山浦	1	임시직
동지돈령(同知敦寧)	종2	敦寧府	무정수	녹직, 약칭(同知敦寧府事, 외척)
동몽(童蒙, 訓導)	종9		1	체아직
동부지돈령(同副知敦寧)	종2	敦寧府	무정수	녹직, 약칭(同副知敦寧府事, 선초, 同知敦寧府事로 계승)
동지경연(同知經筵)	종2	經筵	3	겸직, 약칭(同知經筵事)
동지내시부사(同知內侍府事)	정3	內侍府	3	잡직(선초)
동지밀직(同知密直)	종2	密直司	4	녹직, 약칭(同知密直司事, 고려말)
동지성균(同知成均)	종2	成均館	2	약칭(同知成均館事, 겸직)
동지의금(同知義禁)	종2	義禁府	1~2	겸직, 약칭(同知義禁府事)
동지중추(同知中樞)	종2	中樞府	7	약칭(同知中樞府事, 무임소관)
동지총제(同知摠制)	종2	3軍都摠制府	중, 좌, 우군 각 2~3	겸직, 약칭(중, 좌, 右軍同知摠制)
동첨내시(同僉內侍)	종3	內侍府	1~2	잡직, 약칭(同僉內侍府事, 선초, 尙藥으로 계승)
동첨사(同詹事)	정4	詹事院	2	겸직(세종말, 詹事院同詹事,9) 集賢殿官兼)
동첨절제사(同僉節制使)	종4	牧, 都護府, 郡	총104	겸직(수령), 약칭(모모鎭同僉節制使)
동첨지돈령(同僉知敦寧)	정3	敦寧府	1	녹직, 약칭(同僉知敦寧府事, 선초, 敦寧副正으로 계승)
동판내시(同判內侍)	종2	內侍府	2	잡직, 약칭(同判內侍府事, 선초, 內侍府尙醞·尙茶로 분화되면서 계승)
마의(馬醫)			무정수	품관여부는 불명하나 9품관으로 추측

목감(牧監)	종6	牧場	각1	별칭(監牧)
목사(牧使)	정3	牧	각1	녹직, 약칭(모모(군호)牧使)
무신(武臣, 武官, 武班)	정1~종9		수천명	통칭(무반 정1~종9 총칭)
문신(文臣, 文官, 文班)	정1~종9		수백명	통칭(문반 정1~종9 총칭)
문하부사(門下府事)	정2	門下府	1	녹직, 약칭(知門下府事, 개국초)
문하찬성사(門下贊成事)	종1	門下府	2	녹직(개국초, 議政府贊成으로 계승)
문하참찬사(門下參贊事)	정2	門下府	4	녹직(개국초, 議政府參贊으로 계승)
문하평리(門下評理)	종2	門下府	3	녹직(고려말)
문학(文學)	정5	世子侍講院	1	녹직, 약칭(世子侍講院文學)
문형(文衡)	정1~정2		1	별칭(藝文館大提學, 文翰을 주관)
밀직(密直)	정2~종2	密直司	10여명	통칭(密直司 정2~종2품관의 총칭, 고려말)
밀직부사(密直副使)	종2	密直司	4	녹직, 약칭(고려말, 中樞副使로 계승)
밀직사(密直使)	종2	密直司	1	녹직(고려말)
밀직제학(密直提學)	종2	密直司	2	겸직(고려말)
박사(博士)	정7	3館	각2~3	녹직, 약칭(成均館, 承文院, 校書館博士)
반감(飯監)	7~9	內侍府	약간명	잡직, 약칭(內侍府飯監)
방어사(防禦使)	3~6		각1	임시직, 약칭(모모(지역)防禦使)
방주감찰(房主監察)	정6	司憲府	1	녹직(우두머리 監察, 여말선초)
방주장군(房主將軍)	정4	3軍府	1	녹직(우두머리 將軍, 여말선초)
방주호군(房主護軍)	정4	5衛	1	녹직(우두머리 護軍, 여말선초)
백(伯)	1품		무정수	훈작(3등, 모모(군호나 읍호)伯, 존속종친과 원훈재상, 개국초)
백호(百戶)	7~9		각1	임시직(국초)
변장(邊將)	종2~종4	鎭, 萬戶府	각1	통칭(節制使, 僉節制使, 萬戶의 총칭)
별감(別監)	3~6		1~2	임시직
별군장(別軍將)	3~4		1~2	임시직
별사금(別司禁)	3~9		무정수	임시직(侍衛軍, 태종대)
별사금절제사(別司禁節制使)	종2	別司禁	좌, 우 각1~2	임시직, 겸직(태종대)
별사옹(別司饔)	3~9		무정수	임시직(시위군)
별시위(別侍衛)	종4~종9		총292	체아직(시위군)
별제(別提)	6품	校書館 등	각1~6	무록직, 약칭(校書館, 尙衣院, 軍器寺, 禮賓寺, 修城禁火司, 典設司, 典艦司, 典涓司, 內需司, 昭格署, 氷庫, 司圃署, 司畜署, 造紙署, 圖畵署, 瓦署, 歸厚署別提)
별좌(別坐)	5품	校書館 등	각1~2	무록직, 약칭(校書館, 상의원, 군기시, 예빈시, 수성

				금화사, 전설사, 전함사, 전연사, 내수사, 빙고別坐)
병마사(兵馬使)	3품	鎭	각1	녹직, 약칭(모모鎭兵馬使, 선초)
병사(兵使, 兵馬節度使)	종2	8道	각2~3	녹직, 약칭(경기, 경상, 충청, 전라, 황해, 강원, 평안, 영안도兵馬節度使)
보궐(補闕)	정5	門下府	좌, 우 각1	녹직, 약칭(門下府左, 右補闕, 국초, 司諫院獻納으로 계승)
보덕(輔德)	종3	世子侍講院	1	녹직, 약칭(世子侍講院輔德)
봉교(奉敎)	정7	藝文館	2	녹직, 약칭(藝文館奉敎)
봉례(奉禮)	정7	藝文館	2	녹직, 약칭(通禮院奉禮)
봉례랑(奉禮郎)	정7	藝文館	2	녹직, 약칭(通禮門奉禮郎, 奉禮로 계승)
봉사(奉事)	종8	6曹屬衙門	각1	녹직, 약칭(6曹屬衙門奉事
봉어(奉御, 奉御大夫)	8품	掖庭署	2	잡직, 체아직, 약칭(掖庭署奉御, 태종대)
봉조하(奉朝賀, 奉朝請)	정3~종7		15	耆老명예직
부감(副監, 宗親)	종6	宗親府	무정수	녹직, 약칭(모모(읍호)副監, 선초)
부교리(副校理)	종5	弘文館 등	2	녹직, 약칭(集賢殿, 弘文館副校理)
부급사(副給事)	종9	上林園 등	16~35	잡직, 약칭(上林園副給事 등, 선초)
부녹사(副錄事)	종8	膳工監 등	각2	녹직, 약칭(膳工監副錄事 등, 副奉事로 계승)
부령(副令, 朝官)	4~6	內府寺 등	각2	녹직, 약칭(內府寺副令 등, 국초)
부령(副令, 宗親)	종5	宗親府	무정수	녹직, 약칭(모모(읍호)副令)
부만호(副萬戶)	종9	진	각1	녹직, 약칭(모모)鎭副萬戶, 개국초)
부봉사(副奉事)	정9	6曹屬衙門	각1~2	녹직, 약칭(6曹屬衙門副奉事, 선초)
부사(副使)	종6	濟用庫 등	각2	녹직, 약칭(濟用庫·豊儲倉副使 등, 국초, 主簿로 계승)
부사(府使)	종3	都護府	각1	녹직, 약칭(都護府使)
부사과(副司果)	종6	5衛	총176	체아직, 약칭(中, 前, 後, 左, 右衛副司果)
부사맹(副司猛)	종8	5衛	총483	체아직, 약칭(중, 전, 후, 좌, 우위副司猛)
부사용(副司勇)	종9	5衛	총1939	체아직, 약칭(중, 전, 후, 좌, 우위副司勇)
부사정(副司正)	종7	5衛	총309	체아직, 약칭(중, 전, 후, 좌, 우위副司正)
부사직(副司直)	종6	5衛	총123	체아직, 약칭(중, 전, 후, 좌, 우위副司直)
부솔(副率)	정7	世子翊衛司	2	녹직, 약칭(世子翊衛司副率)
부수(副守, 宗親)	종4	宗親府	무정수	녹직, 약칭(모모(읍호)副守)
부수찬(副修撰)	종6	集賢殿, 弘文館	각2	녹직, 약칭(集賢殿, 弘文館副修撰)
부승(副丞)	8품	仁壽府·豊儲倉 등	각1~2	녹직, 약칭(仁壽府副丞 등, 선초, 奉事로 계승)
부승동정(副丞同正)	종8		무정수	임시직, 허설직(개국초)
부승직(副承直)	종6	內侍府	좌, 우 각1	잡직, 약칭(內侍府左, 右副承直, 선초)
부알자(副謁者)	종6	掖庭署	1	잡직, 약칭(掖庭署副謁者)

부원군(府院君)	정1	忠勳府	무정수	통칭(모모(읍호)府院君, 공신정1품봉군자, 王妃父)
부원윤(副元尹)	정3	宗親府	무정수	녹직, 약칭(모모(읍호)副元尹, 조선초, 正으로 계승)
부유후(副留侯, 副留守)	종2	開城留守府, 開城府	각1	녹직, 약칭(開城留守府副留侯, 留守, 개국초)
부윤(府尹, 京官)	종2	漢城府 등	각1~2	녹직, 약칭(漢城·慶順·敬承·慶昌·敬興·恭安·順承·崇寧·仁寧·仁壽·仁順府府尹 한성부 외는 국초)
부윤(府尹, 外官)	종2	府尹府	각1	녹직·겸직, 약칭(慶州, 全州, 平壤, 永興府尹)
부윤(副尹, 宗親)	종2	宗親府	무정수	녹직, 약칭(모모(읍호)副尹, 선초)
부응교(副應敎)	종4	弘文館	1	녹직, 약칭(弘文館副應敎)
부장(部將)	종6	5衛	총25	녹직, 약칭(중·전·후·좌·우위部將)
부전사(副典事)	종7	永興府 등	사 각1	토관, 무, 약칭(永興府都務司副典事 등)
부전첨(副典籤)	종4	宗親府	1	녹직, 약칭(宗親府副典籤, 조관, 조선초)
부정(副正, 朝官)	종3	尙瑞院 등	각1	녹직, 약칭(봉상·사복·군기·내자·내섬·사섬·사도·예빈·사섬시부정, 군자·제용·선공·사재·관상·전의감부정, 司譯院副正)
부정(副正, 宗親)	종3	宗親府	무정수	녹직, 약칭(某某(邑號)副正)
부정윤(副正尹, 宗親)	종4	宗親府	무정수	녹직, 약칭(모모(읍호)副正尹, 선초)
부정자(副正字)	종9	承文院	2	녹직, 약칭(承文院副正字)
부제조(副提調)	정3상	仁壽府 등	20~9	겸직, 약칭(司饔院副提調 등)
부제학(副提學)	정3상	集賢殿 등	각1	녹직, 약칭(集賢殿, 弘文館副提學)
부지돈령(副知敦寧)	종2	敦寧府	1	녹직, 약칭(副知敦寧府事, 同知敦寧으로 계승)
부지사역(副知司譯)	종4	司譯院	2~1	체아직, 약칭(副知司譯院使, 선초, 僉正으로 계승)
부지승문(副知承文)	종4	承文院	2~1	녹직, 약칭(副知承文院使, 선초, 校勘으로 계승)
부지통례(副知通禮)	종4	通禮門	2~1	녹직, 약칭(副知通禮門使, 선초)
부직장(副直長)	정8	尙瑞院	각1~2	녹직, 약칭(尙瑞院副直長)
부천호(副千戶)	종6		각1	녹직, 약칭(모모(소재지)副千戶)
부총관(副摠管)	종2	5衛都摠府	4~8	겸직, 약칭(5衛都摠府副摠管)
부판사(副判事)	종1~종2	都城修築都監 등	무정수	겸직, 약칭(都城修築都監副判事 등, 국초)
부호군(副護軍)	종4	5衛	총54	체아직, 약칭(중·전·후·좌·右衛副護軍)
분대(分臺, 監察)	정6	司憲府	각1	임시직(출사직)
분예빈별좌(分禮賓別坐)	5품	禮賓寺	1~2	임시직, 무록직, 약칭(分禮賓寺別坐)
비서랑(秘書郞)	정8	秘書省	2	녹직, 약칭(秘書省秘書郞, 여말선초)
비장(裨將)	7~9	邊將	각1	임시직, 약칭(兵馬節度使裨將 등, 막료)
사(使)	종5	倉, 庫 등	각1~2	녹직, 약칭(豊儲倉使 등, 개국초)
사간(司諫)	종3	司諫院	1	녹직, 약칭(司諫院司諫)
사간대부(司諫大夫)	정3상	司諫院	2~1	녹직, 약칭(司諫院司諫大夫, 선초, 大司諫으로 계승)

사경(司經)	정6	世子官屬	좌, 우 각1	겸직, 약칭(世子官屬左, 右司經, 선초, 世子侍講院司書로 계승)
사과(司果)	정6	5衛	총15	녹직, 약칭(중, 전, 후, 좌, 우위 司果)
사관(史官)	정3~정9	春秋館	무정수	겸직, 통칭(春秋館修撰官, 編修官, 記注官, 記事官의 총칭)
사금패두(司禁 (別司禁)牌頭)			1	녹직, 약칭(우두머리 司禁)
사력(司曆)	종8	書雲觀	4	체아직, 약칭(書雲觀司曆, 선초)
사록(司祿)	정8	議政府	2	녹직, 약칭(議政府 司祿)
사맹(司猛)	정8	5衛	총16	녹직, 약칭(중·전·후·좌·우위司猛)
사복장(司僕將)	종2	兼司僕	3	겸직, 약칭(兼司僕將)
사복제원(司僕諸員)	종7~9		총62	체아직(군직)
사서(司書)	정6	世子侍講院	1	녹직, 약칭(世子侍講院司書)
사성(司成)	종3	成均館	2	녹직, 약칭(成均館司成)
사순(司楯)	7~9		수십명	체아직(방패병)
사신반송사(使臣伴送使)	2~3		각1	임시직
사신반송사인(使臣伴送舍人)	3~6		각1	임시직
사신서장관(使臣書狀官)	3~6		각1	임시직
사신타각부(使臣打角夫)	7~9		약간명	임시직
사알(司謁)	정6	掖庭署	1	잡직, 체아직, 약칭(掖庭署司謁)
사약(司鑰)	정6	掖庭署	1	잡직, 체아직, 약칭(掖庭署司鑰)
사역사인(司譯舍人)	종6	司譯院	1	체아직, 약칭(司譯院舍人, 국초, 主簿로 계승)
사옹(司饔)	5~9		무정수	체아직(시위군, 선초)
사용(司勇)	정9	5衛	총42	녹직, 약칭(중·전·후·좌·右衛司勇)
사윤(司尹)	정3	仁寧府 등	각2	녹직, 약칭(인령·경순·仁順府司尹)
사의(司議)	정5	掌隸院	3	녹직, 약칭(掌隸院司議)
사의대부(司議大夫)	정4	門下府	좌, 우 각1	녹직, 약칭(門下府左·右司議大夫, 고려말)
사인(舍人)	정4	議政府	2	녹직, 약칭(議政府舍人)
사정(司正)	정7	5衛	총5	녹직, 약칭(중·전·후·좌·右衛司正)
사종(射宗)		宗親府	무정수	별칭(侍射에 참가한 종친)
사준별감(司罇別監)	7~9		1~2	잡직, 체아직
사직(司直)	정5	5衛	총14	녹직, 약칭(중·전·후·좌·右衛司直)
사진(司辰)	종9	書雲觀	4	체아직, 약칭(書雲觀司辰, 선초, 觀象監參奉으로 계승)

사축(司畜)	종6	司畜署	1	녹직, 약칭(司畜署司畜)
사평(司評)	정6	掌隷院	4	녹직, 약칭(掌隷院司評)
사포(司圃)	정6	司圃署	1	녹직, 약칭(司圃署司圃)
사표국부사(司礮局副使)	종6		2	겸직(內侍府관, 세종27~단종3)
사회(司誨)	정6	宗學	2	겸직, 약칭(宗學司誨)
산기상시(散騎常侍, 常侍)	정3	門下府	좌, 우 각1	녹직, 약칭(門下府左·右散騎常侍, 고려말)
산랑(散郎)	정6	選部 등 6부	각3	녹직, 약칭(6部散郎, 고려 공민왕대)
산원(散員)	8품	10衛	총40~35	녹직, 약칭(모모衛모모領散員, 개국초)
삼군장무녹사(三軍掌務(行首)錄事)	정8	3軍	각1	녹직, 약칭(中·左·右軍掌務錄事, 선초)
삼사복야(三司僕射)	정2	三司	좌, 우 각1	녹직, 약칭(三司左·右僕射, 개국초)
삼사사(三司使)		三司	좌, 우 각1	녹직, 약칭(三司左·右使, 개국초)
상다(尙茶)	정3	內侍府	1	잡직, 약칭(內侍府尙茶)
상례(相禮)	종3	通禮院	1	녹직, 약칭(通禮院相禮)
상만호(上萬戶)	3품	義勇巡禁司 등	각1	임시직, 약칭(義勇巡禁司上萬戶 등, 선초)
상서(尙書)	정3	6部	각1~2	녹직, 약칭(6部尙書, 고려)
상선(尙膳)	종2	內侍府	2	잡직, 약칭(內侍府尙膳)
상시(常侍)	정3	門下府	좌, 우 각1	녹직, 약칭(門下府左散騎常侍, 右散騎常侍, 여말선초, 통합되어 司諫院大司諫으로 계승)
상약(尙藥)	종3	內侍府	2	잡직, 약칭(內侍府尙藥)
상온(尙醞)	정3	內侍府	1	잡직, 약칭(內侍府尙醞)
상원수(上元帥)	1~2품		각1	임시직, 약칭(모모(파견지)上元帥, 변란시 등, 여말선초)
상의중추(商議中樞)	종2	中樞院	3	첨설직,10) 약칭(商議中樞院事, 여말선초)
상장군(上將軍)	정3	10衛, 5衛	1	녹직, 약칭(10衛·5衛上將軍, 국초)
상전(尙傳)	정4	內侍府	2	잡직, 체아직, 약칭(內侍府尙傳)
상진무(上鎭撫)	정3상	3軍鎭撫所	1	겸직, 약칭(3軍鎭撫所上鎭撫, 태종대)
상호군(上護軍)	정3	5衛	총9	녹직, 약칭(중·전·후·좌·우衛上護軍)
색장(色掌)	3~6	6典修撰色 등	각1	겸직, 임시직, 별칭(6典修撰色色掌 등, 실무를 총관한 관원, 선초)
서리(書吏, 胥吏)	8~9	中樞院 등	각4	녹직, 약칭(中樞院書吏 등, 선초, 세종대 이후에는 散(官)階를 획득하였다가 取才를 거쳐 9품 이상에 제수)
서방색(書房色)	7~9	內侍府	1~2	서적의 관리를 맡은 환관
서승동정(署丞同正)	종8	惠民署 등	1~2	허직,11) 약칭(惠民署丞同正 등, 개국초)
서윤(庶尹)	종4	漢城府	1	녹직, 약칭(漢城府庶尹)
서장관(書狀官)	3~6		사행당 1	임시직(출사직)

선농제관세위(先農祭盥洗位)	3~6		각1	임시직(先農祭時)
선농제제감(先農祭祭監)	3~6		각1	임시직(선농제시)
선농제전악령(先農祭典樂令)	3~6		각1	임시직(선농제시)
선농제찬자(先農祭贊者)	3~6		각1	임시직(선농제시)
선농제협률랑(先農祭協律郎)	3~6		각1	임시직(선농제시)
선전관(宣傳官)	3~9		총8	임시직, 체아직
설리(薛里)	3~9	內侍府	약간명	별칭(內侍府薛里, 御廚房을 관장한 환관)
설서(說書)	정7	世子侍講院	1	녹직, 약칭(世子侍講院說書)
섭대부(攝隊副)	종9	隊卒, 彭排	대부와 합해 2,000	잡직, 약칭(모모衛攝隊副, 국초)
섭사용(攝司勇)	종9	5衛	총178	체아직, 약칭(모모衛攝司勇, 세조대, 副司勇으로 계승)
섭사정(攝司正)	종7	5衛	총97	체아직(모모衛攝司正, 세조대, 副司正으로 계승)
섭판통례(攝判通禮)	종3	通禮門	2	겸직, 약칭(攝判通禮門事, 국초)
세마(洗馬)	정9	世子翊衛司	좌, 우 각1	녹직, 약칭(世子翊衛司洗馬)
세수간별감(洗手間別監)	7~9	內侍府	1	잡직, 임시직
세자조현사의(世子朝見司衣)	3~6		1	임시직
소감(少監)	종4	校書監 등 제감	각2	녹직, 약칭(校書監少監 등, 국초)
소경(少卿)	종4	奉常寺등 제시	각2	녹직, 약칭(奉常寺少卿 등, 국초)
소윤(少尹)	종4	承寧府 등	각1·2	녹직, 약칭(承寧·仁壽府少尹 등, 선초)
수(守, 朝官)	정4	典設司 등	각1	녹직, 약칭(典設司, 豊儲·廣興倉守)
수(守, 宗親)	정4	宗親府	무정수	녹직, 약칭(모모(읍호)守)
수군도절제처치사(水軍都節制處置使)	종2~정3상	8道	각1	녹직, 약칭(모모道水軍都節制處置使, 선초, 水軍都節制使로 계승)
수군처치사(水軍處置使)	3품	8道	각1	녹직, 약칭(모모道水軍處置使, 선초)
수령(守令)	종2~종6	府尹府 이하 군현	각1	통칭(군현의 장관인 부윤, 대도호부사, 목사, 도호부사, 군수, 현령, 현감의 총칭)
수릉관(守陵官, 侍陵官)	정1~종2		각릉 1	임시직(국상초)
수문갑사(守門甲士, 把門)	7~9	3大門, 4小門	각 약간명	체아직, 약칭(모모門守門甲士)
수문별감(守門別監)	9	동상	각1	체아직

수문장(守門將)	9	동상	각1	체아직
수문진무(守門鎭撫)	7~8	동상	각1	체아직
수사(水使, 水軍節度使)	정3상	8道	각2~3	녹직, 약칭(모모道水軍節度使)
수직(守職)			무정수	職秩이 官階보다 높은 경우에 제수하는 인사제도
수찬(修撰)	정6	弘文館 등	각2	녹직, 약칭(集賢殿, 弘文館修撰)
수찬관(修撰官)	정3	春秋館	무정수	겸직, 약칭(春秋館修撰官)
순관(巡官)	3~9	巡禁司 등		통칭(巡禁司堂下官 이하의 총칭, 국초)
순군지사(巡軍知事)	정4	巡軍府	1~2	녹직, 약칭(巡軍府知事, 국초)
순문사(巡問使)	3~6		각1	임시직, 약칭(모모(파견지)巡問使)
순문찰리사(巡問察里使)	3~6		각1	임시직, 약칭(모모(파견지)巡問察里使)
순변사(巡邊使)	2품		각1	임시직, 약칭(모모(파견지)巡邊使, 변란 등)
순장(巡將)	종2~정3		1~2	임시직, 겸직, 약칭(巡軍將, 선초)
숭의전부사(崇義殿副使)	종4		1	녹직(선초, 王氏봉사자, 守로 계승)
숭의전사(崇義殿使)	종3		1	녹직高麗歷代王봉사자, 王氏후손)
습독관(習讀官)	종6~종9		5~28(*)	체아직(세조8년 이후, *경국대전)
습유(拾遺)	정6	門下府	좌, 우 각1	녹직, 약칭(門下府左·右拾遺, 국초, 正言으로 계승)
습진훈도(習陣訓導)	8~9		약간명	임시직
승전환관(承傳宦官, 承傳色)	종2~종6	內侍府	1~2	통칭(承傳을 관장한 환관의 총칭)
승(丞)	5~6	殿中寺 등	각1~2	녹직, 약칭(殿中·司農·奉常·禮賓寺丞, 軍資·校書·典醫監丞, 書雲觀丞, 司膳·司贍·京市署丞, 濟用·養賢(겸)庫丞, 선초)
승(丞)	7품	敬興府 등	각1~2	녹직, 약칭(慶興·承寧·仁壽·恭安·仁寧·敬承·慶昌·順承府丞, 豊儲·廣興·義鹽倉丞(개국초))
승지(承旨)	정3상	承政院	6	녹직, 약칭(承政院都, 左, 右, 左副, 右副, 同副承旨)
승직(承直)		內侍府	좌, 우각1	잡직, 약칭(內侍府左·右承直)
시, 감판사(寺, 監判事)	정3	寺, 監	각1~2	녹직, 약칭(모모寺, 監判事, 선초, 寺, 監正으로 계승)
시사(寺事)	종3	諸寺	각1~2	녹직, 약칭(殿中寺事 등, 선초, 副正으로 계승)
시강관(侍講官)	정4	經筵	무정수	겸직, 약칭(經筵侍講官)
시랑(侍郎)	정4	6部, 6曹	각3(1 타관 겸)	녹직, 약칭(吏, 戶, 禮, 兵, 刑, 工部(曹)侍郎, 고려말)
시릉내시(侍陵內侍)	종2~정3	內侍府	각릉 1	임시직, 별칭(국상초에 侍陵한 환관)
시어사(侍御史, 侍史)	정4	司憲府	2	녹직, 약칭(司憲府侍御史, 여말선초, 司憲府掌令으로 계승)
시위(侍衛)	3~9	內禁衛 등	100여명	체아직, 통칭(국왕의 시위에 종사하는 內禁衛 등 시위군사의 총칭)

시일(視日)	종8	觀象監	2	체아직, 약칭(觀象監視日, 세조대, 封事로 계승)
시중(侍中)	정1	門下府	좌, 우 각1	녹직, 약칭(門下府左·右侍中, 개국초, 議政府左·右議政으로 계승)
시직(侍直)	정8	世子官屬	좌, 우 각1	겸직, 약칭(世子左·右侍直, 개국초)
시학(侍學)		世子官屬	좌, 우 각1	녹직, 약칭(世子左·右侍學, 개국초)
식의(食醫)	정9	司膳署	2	녹직, 약칭(司膳署食醫, 국초)
악공(樂工)	정6~종9	掌樂院	총43	잡직, 체아직, 통칭(掌樂院典樂 이하 모든 樂官의 총칭)
악정(樂正)	정4	成均館	2	녹직, 약칭(成均館司成, 여말선초, 成均館司藝로 계승)
안무사(按撫使)	3품		가1	임시직, 약칭(모모(파견지)按撫使, 변란 등시)
안찰사(按察使)	2~3	8道	각1	녹직, 약칭(모모道按察使, 선초)
알자(謁者, 內謁者)	7~9	掖庭署	2	잡직, 약칭(掖庭署謁者)
압마(押馬)	5~9		각1	임시직(사행시)
압물(押物)	5~9		각1	임시직(사행시)
양마(養馬)	7~9	司僕寺	약간명	임시직
어의(御醫)	종2~정3상	內醫院	1	별칭(국왕의 진료를 전담한 內醫院官)
어진화가(御眞畫家)	정3상~종6	圖畫署	무정수	별칭(국왕의 초상화를 그린 圖畫署官)
언관(言官)	종2~정6	司憲府 등	총48	통칭(언론을 관장한 司憲府, 司諫院, 弘文館官(集賢殿) 종2~정6품관의 총칭)
역관(譯官, 通事)	종2~종9	司譯院 등	무정수	체아직, 통칭(司譯院, 경상·평안·영안도, 의주목·동래도호부에 소속되어 명, 야인, 왜와의 통역에 종사한 관원의 총칭)
역승(驛丞)	종9	諸驛	각1	녹직, 약칭(모모驛丞)
열악원사(悅樂院使)	7~9	悅樂院	1	잡직, 체아직(국초)
염장관(鹽場官)	7~9	鹽場(所)	각1	별정직, 약칭(모모(관할지)鹽場官)
염호적간사(鹽戶摘奸使)	3~6		각1	임시직
영(令, 朝官)	종5	昭格署 등	각1	녹직, 약칭(昭格·宗廟·社稷·平市·司醞署令, 義盈·長興庫令, 崇義殿令)
영(令, 宗親)	종5	宗親府	무정수	녹직, 약칭(모모(읍호)令)
영군사(領郡使, 郡事)	1품	郡	각1	녹직, 임시직, 약칭(領모모郡使)
영목사(領牧使, 牧事)	1품	牧	각1	녹직, 임시직, 약칭(領모모牧使)
영부사(領府使, 府事)	1품	都護府	각1	녹직, 임시직, 약칭(領모모府使)
영사(領事, 外戚)	정1	敦寧府	1	녹직, 약칭(領敦寧府事)
영사(領事, 朝官)	정1	經筵 등	각1~3	겸직, 약칭(경연, 領弘文館(集賢殿), 藝文館, 春秋館事)
영삼군부사(領三軍府事)	정1	3軍府	1	겸직(개국초)

영삼사사(領三司事)	정1	三司	1	녹직(개국초)
영중추(領中樞)	정1	中樞府	1	녹직, 약칭(領中樞府事, 무임소관)
영현사(領縣事)	2품	縣	각1	녹직, 임시직, 약칭(領모모縣事)
예의랑(禮儀郞)	정7	禮賓寺	2	녹직, 약칭(禮賓寺禮儀郞, 국초)
오위훈도관(五衛訓導官)	3~6	5衛	약간명	임시직, 겸직
옥당(玉堂, 湖堂)	정3상~정9	弘文館	총13	녹직, 별칭(弘文館官), 통칭(정3당상 弘文館副提學 이하 관인의 총칭)
왕자사부(王子師傅)	9품		1	임시직(이를 거쳐 品官으로 진출)
우상절제사(右廂節制使)	2품		1	임시직(강무시)
외잠실별좌(外蠶室別坐)	7~9		1	임시직
우후(虞侯)	3~4		각1	녹직, 약칭(모모道兵馬, 水軍虞侯)
운검(雲劒, 別雲劒)	2품		각1	임시직(각종 의례시 국왕최측근 호위무장)
원상(院相)	1품		10명 내외	임시직, 겸직(전, 현직 議政·贊成 등, 세조말~성종초)
원수(元帥)	1~2		각1	임시직, 약칭(모모(파견지)元帥, 변란 등시)
원윤(元尹, 宗親)	정3상	宗親府	무정수	녹직, 약칭(모모(읍호)元尹, 선초)
원종공신(原從功臣)			수 십 ~ 수천	親功臣에는 미치지 못하나 국왕즉위 등 때에 세운 공으로 책봉된 공신
위사(衛士)	3~9	內禁衛 등		통칭(국왕의 호위를 담당한 親軍·內禁·別侍衛, 甲士 등의 총칭)
위솔(衛率)	종6	世子翊衛司	좌, 우 각1	녹직, 약칭(世子翊衛司左·右衛率)
위장(衛將, 五衛將)	종2	5衛	총12	겸직, 약칭(中·前·後·左·右衛衛將)
유군장(遊軍將)	3~4		각 1~2	임시직(변란 등시)
유후(留侯, 留守)	정2~종2	開城留侯司, 開城府	1~2	녹직, 약칭(開城留侯司留侯, 開城留守府留守, 開城府留守)
윤(尹, 府尹, 朝官)	종2	漢城府 등	각1, 2	녹직, 약칭(漢城·仁壽·承寧府府尹 등)
윤(尹, 朝官)	3품	敬興府 등	각1~2	녹직, 약칭(慶興·承寧·恭安府尹 등)
윤(尹, 宗親)	정2		무정수	녹직, 약칭(모모(읍호)尹, 선초)
응교(應敎)	정4	弘文館(集賢殿) 등	각1	녹직, 약칭(弘文館(集賢殿)應敎, 藝文館應敎(겸)
의금진무(義禁鎭撫)	4~5	義禁府	5~10	겸직, 약칭(義禁府鎭撫, 선초, 義禁府經歷, 都事로 분화되면서 계승)
의랑(議郞)	정4	6曹	각2	녹직, 약칭(吏·戶·禮·兵·刑·工曹議郞, 개국초)
의빈(儀賓, 尉, 駙馬)	정1~종2	儀賓府	무정수	녹직, 약칭(모모(읍호)尉)
의서습독관(醫書習讀官)	3~6	典醫監	1~2	임시직
의원(醫員, 醫官)	종2~종9	內醫院 등	수십명	체아직, 통칭(內醫院, 典醫監, 惠民署, 8道 등에 소속된 모든 醫官의 총칭)

의정(議政)	정1	議政府	영, 좌, 우 각1	녹직, 약칭(議政府領議政, 左議政, 右議政)
의학교수(醫學教授)	종6	典醫監	2	체아직, 약칭(典醫監醫學教授)
익대공신(翊戴功臣)			37	예종 즉위년 南怡獄事 유공자에게 책록한 공신(총 37명, 1등 4, 2등 9, 3등 24)
익위(翊衛)	정5	世子翊衛司	좌, 우 각1	녹직, 약칭(世子翊衛司左·右翼衛)
익찬(翊贊)	정6	동상	동상	녹직, 약칭(世子翊衛司左·右翼贊)
인의(引儀)	종6	通禮院	8	녹직, 약칭(通禮院左·右引儀)
인진사(引進使)	정4	閤門	2	녹직, 약칭(閤門引進使, 국초)
자궁(資窮, 資窮階)	정3품 당하관계			별칭, 통칭(문산계 정3품通訓大夫, 무산계 정3품禦侮將軍의 총칭)
자의(咨議)	정4	三司	좌, 우 각1	녹직, 약칭(三司左·右咨議, 여말선초)
잠실감고(蠶室監考)	종9		각1	임시직
잡단(雜端)	정5	司憲府	2	녹직, 약칭(司憲府雜端, 여말선초, 司憲府持平으로 계승)
장군(將軍)	정4	3軍府, 10衛, 10司	총50명	녹직, 약칭(中軍, 左軍, 右軍將軍, 義興親軍左衛將軍 등, 義興侍衛司將軍 등, 국초, 義興侍衛司護軍 등으로 계승)
장령(掌令)	정4	司憲府	2	녹직, 약칭(司憲府掌令)
장루(掌漏)	종7	書雲觀	4	녹직, 약칭(書雲觀掌漏)
장무보궐(掌務補闕)	정5	門下府	1	선임補闕
장무습유(掌務拾遺)	정6	門下府	1	선임拾遺
장악(掌樂)	종5	掌樂署	1	체아직, 약칭(掌樂署掌樂, 세조대)
장용대장(壯勇隊將)	종2~정	壯勇隊	1	임시직, 겸직(강무 등시)
장원(掌苑)	정6	掌苑署	1	녹직, 약칭(掌苑署掌苑
재신(宰臣, 宰相)	정1~정2	議政府 등		통칭(議政府, 六曹 정2품 이상관의 총칭)
저작(著作)	정8	校書館	2	녹직, 약칭(校書館著作)
저작랑(著作郎)	정8	校書館	2	녹직, 약칭(校書館著作郎, 선초, 校書館著作으로 계승)
적개공신(敵愾功臣)			41	세조 13년 李施愛亂토벌 유공자에게 책록된 공신(총 41명, 1등 7, 2등 22, 3등 12)
전경(典經)	정7	經筵	1	겸직, 약칭(經筵典經)
전교(典教)	종5	종학	1	겸직, 약칭(宗學典教, 典訓으로 계승)
전율(典律)	종7	典樂署	4	녹직, 약칭(典樂署典律, 국초)
전율(典律)	정7	掌樂院	2	잡직, 체아직, 약칭(掌樂院典律)
전부(典簿)	종5	成均館	1	녹직, 약칭(成均館典簿, 여말선초, 成均館典籍으로 계승)
전사(典事)	정7	平壤府 등	각1~2	토관, 약칭(平壤府都務司典事 등)
전상중위통장(前廂中衛統長)	7~9		각1	임시직(강무 등시)

전악(典樂)	정6	掌樂院	1	잡직, 체아직, 약칭(掌樂院典樂)
전악령(典樂令)	종5	典樂署	1	녹직, 약칭(典樂誓令, 국초)
전의령(典醫令)	종5	典醫監	1	녹직, 약칭(典醫監令, 국초)
전적(典籍)	정6	成均館	13	녹직, 약칭(成均館典籍)
전직(殿直)	권지	諸殿	각1~2	품외(모모殿直, 이를 매개로 9품 이상에 제수, 국초)
전첨(典籤)	정4	宗親府	1	녹직, 약칭(宗親府典籤)
전한(典翰)	종3	弘文館 등	1	녹직, 약칭(集賢殿, 弘文館典翰)
전훈(典訓)	종5	宗學	1	겸직, 약칭(宗學典訓)
점병군기사(點兵軍器使)	3~6		각1	임시직
정(正, 朝官)	정3	寺, 監 등	1~2	녹직, 약칭(尙瑞院(겸), 봉상·종부·사복·군기·내자·내섬·사도·예빈·사섬시正, 군자·제용·선공·사재·관상·전의감正, 사옹·내의·상의·장악·司譯院正)
정(正, 宗親)	정3	宗親府	무정수	녹직, 약칭(모모(읍호)正)
정국공신(靖國功臣)			107	중종 1년 중종즉위에 기여한 공로로 책봉(총 107명, 1등 5, 2등 13, 3등 31, 4등 58)
정난공신(靖難功臣)			37	단종 1년 계유정변에 기여한 공로로 책봉(총 37명, 1등 12, 2등 8, 3등 17)
정당문학(政堂文學)	정2	門下府	1	녹직, 약칭(門下府政堂文學, 개국초)
정랑(正郎)	정5	6曹	각3~4	녹직, 약칭(吏·戶·禮·兵·刑·工曹正郎)
정록(正錄)	정9	正錄所	2	녹직, 약칭(政錄所正錄, 선초)
정사공신(定社功臣)			18	태조 7년, 무인정변에 기여한 공로로 책봉(총 18명, 1등 8, 2등 10)
정승(政丞)	정2	門下府	좌, 우 각1	녹직, 약칭(門下府左·右政丞, 여말선초)
정윤(正尹, 宗親)	정4	宗親府	무정수	녹직(모모(읍호)正尹, 선초)
정자(正字)	정9	弘文館 등	각2	녹직, 약칭(弘文館관, 承文院, 校書館正字)
제거(提擧)	3품	司饔院	1~4	체아직, 약칭(司饔院提擧)
제검(提檢)	4품	司饔院	1~4	체아직, 약칭(司饔院提檢)
제공(提控)	정7	壽昌宮提擧司 등	각2	잡직, 약칭(壽昌宮提擧司提供 등, 여말선초)
제릉서령(諸陵署令)	종5	陵	각1	녹직, 약칭(모모陵署令, 국초)
제사기읍령(祭祀[親祀]畿邑令)	3~6		각1	임시직(친제 등 때)
제조(提調)	종2	6曹屬衙門	각1~6, 총 154	겸직, 약칭(宗簿寺提調, 종부시 등 63관아)
제주(祭酒)	종3	成均館	1	녹직, 약칭(成均館제주, 여말선초, 成均館司成으로 계승)
제주도관도지(濟州都官都知)		濟州都官	좌, 우 각1	土官, 襲職(準3品관)

제진갑사(諸鎭甲士)	종4~종9	鎭	총400 (『경』)	체아직, 약칭(모모鎭甲士, 外甲士와 통용, 京甲士와 교체)
제진첨절제사(諸[모모]鎭僉節制使)	종3	鎭	각1	겸직(수령)
제학(提學)	종2	藝文館 등	각1~2	겸직, 약칭(藝文館, 集賢殿提學, 선초)
조관(朝官)	정1~종9			통칭(문, 무관 종1품 이하 모든 관인의 총칭)
조전장(助戰將)	종2~정3		각1~2	임시직, 약칭(모모都體察使·都元帥助戰將 등, 변란시 등)
조전절제사(助戰節制使)	종2~종3		각1~2	동상
종사관(從事官)	3~6		각1	임시직, 약칭(都體察使從事官 등 정1~종2堂上官 막료, 변란시 등)
종성성문파수진무 (鍾城城門把折鎭撫)	7~9	鍾城鎭	1	체아직(外甲士)
좌랑(佐郎)	정6	6曹	각1	녹직, 약칭(吏·戶·禮·兵·刑·工曹佐郎)
좌리공신(佐理功臣)			75	성종 2년 성종즉위에 기여한 공로로 책봉(총 75명, 1등 9, 2등 12, 3등 18, 4등 36)
좌명공신(佐命功臣)			38	태종 1년 태종즉위에 기여한 공로로 책봉(총 38명, 1등 4, 2등 3, 3등 9, 4등 22)
좌익공신(佐翼功臣)			41	세조 1년 세조즉위에 기여한 공로로 책봉(총 41명, 1등 7, 2등 12, 3등 22)
주부(主簿)	종6	6曹屬衙門	각1~2	녹직, 약칭(奉常寺主簿 등)
주사(主事)	정7	6曹	각2	녹직, 약칭(吏·戶·禮·兵·刑·工曹主事, 국초)
주서(注書)	정7	承政院	2	녹직, 약칭(承政院注書)
중랑장(中郎將)	5품	10衛, 10司 등	총25	녹직, 약칭(모모衛(司)中郎將, 국초)
중추부사(中樞副使)	종2	中樞府	6	녹직, 약칭(中樞府副使, 선초, 同知中樞府事로 계승)
중서(中書)	종4	中書門下省	1	녹직, 약칭(中書舍人, 여말)
중승(中丞, 司憲中丞)	종3	司憲府	1	녹직, 약칭(司憲府中丞, 국초, 司憲府執義로 계승)
중찬(中贊)	종1	僉議府	좌, 우 각1	녹직, 약칭(僉議府中贊, 고려말)
중추사(中樞使)	종2	中樞院	1	녹직, 약칭(中樞院使, 선초)
중호(中護)	정2	門下府	3	녹직, 약칭(門下府中護, 贊成事의 개칭, 여말)
지경연(知經筵)	정2	經筵	3	겸직, 약칭(知經筵事)
지관(地官)		觀象監	약간명	체아직, 통칭(觀象監天文地理學敎授·訓導의 총칭)
지돈령(知敦寧)	정2	敦寧府	1	녹직, 약칭(知敦寧府事, 외척)
지밀직(知密直)	종2	密直司	1	녹직, 약칭(知密直司事, 여말)
지사(知事)	종3	訓練院 등	각1~2	녹직, 약칭(訓練院知事 등, 선초, 副正으로 계승)
지사간(知司諫)	정5	司諫院	2	녹직, 약칭(知司諫院事, 태종대)
지신사(知申事)	정3상	中樞院, 承政院	1	녹직, 약칭(中樞院, 承政院知申事, 개국초, 承政院都承旨로 계승)

지의금(知義禁)	정2	義禁府	1~2	겸직, 약칭(知義禁府事)
지의정(知議政)	정2	議政府	2	녹직, 약칭(知議政府事)
지제교(知製敎)	7품		무정수	겸직, 통칭(敎書를 제찬한 관원의 총칭)
지조사(知曹事)	정3	6曹	각1	겸직, 약칭(知 吏·戶·禮·兵·刑·工曹事, 개국초)
지주사(知奏事)	정3상	中樞院, 承政院	1	녹직, 약칭(中樞院, 承政院知奏事, 여말선초, 都承旨로 계승)
지중추(知中樞)	정2	中樞府	6	녹직, 약칭(知中樞府事, 무임소관)
지통례(知通禮)	종3	通禮門	1	녹직, 약칭(知通禮門事, 국초, 通禮院通禮로 계승)
지평(持平)	정5	司憲府	2	녹직, 약칭(司憲府持平)
직강(直講)	정5	成均館	4	녹직, 약칭(成均館直講)
직률(直律)	종9	雅樂署 등	4, 6	체아직, 약칭(雅樂·典樂署直律, 선초)
직문하(直門下)	종3	門下府	1	녹직(개국초)
직예문(直藝文, 直館)	정4	藝文館	2	녹직, 약칭(直藝文館, 개국초)
직전(直殿)	정4	集賢殿	1	녹직, 약칭(直集賢殿, 선초)
직제학(直提學)	정3	弘文館 등	각1	녹직, 약칭(集賢殿, 弘文·藝文館直提學)
직학(直學)	종9	成均館	2	녹직, 약칭(成均館直學, 개국초)
직학사(直學士)	정4	寶文閣 등	2	겸직, 약칭(寶文閣直學士 등, 려말선초)
진덕박사(進德博士)	정8	成均館	2	녹직, 약칭(成均館進德博士, 국초, 學錄에 통합)
진무(鎭撫)	3~4	義禁府 등	각1~2	녹직, 약칭(義禁府, 5衛鎭撫, 개국초, 義禁府, 5衛 로 계승)
진무사(鎭撫使)	3~6		각1	임시직(모모(파견지)鎭撫使, 선초)
진법훈도관(陣法訓導官)	3~6	訓練院	무정수	임시직
진향사(進香使)	1~2		각 1	임시직
진휼사(賑恤使)	3~6		각 1	임시직(흉년, 기근 등 때)
집의(執義)	종3	司憲府	1	녹직, 약칭(司憲府集議)
징병사(徵兵使)	3~6		각1	임시직
차비환관(差備宦官)	7~9	內侍府	무정수	잡직, 임시직(예비환관)
찬독(贊讀)			좌, 우 각1	
찬성(贊成)	종1	議政府	좌, 우 각1	녹직, 약칭(議政府左·右贊成)
찬성사(贊成事)	종1	門下府	2	녹직, 약칭(門下侍郞贊成事, 門下府贊成事, 여말선초)
찬의(贊儀)	정5	通禮院	1	녹직, 약칭(通禮院贊儀)
찰리사(察理使)	3~6		각1	임시직, 약칭(모모(읍명)察理使)
참교(參校)	종3	承文院	2	녹직, 약칭(承文院參校, 敎訓)
참군(參軍)	정7	漢城府 등	각3, 2	녹직, 약칭(漢城府, 訓練院參軍)
참찬관(參贊官)	정3상	經筵	7	겸직, 약칭(經筵參贊官)
찰방(察訪)	종6	道驛	각1	녹직, 약칭(모모(소재지)道察訪)
참봉(參奉)	종9	6曹屬衙門	각1, 2	녹직, 약칭(奉常寺參奉 등)

참의(參議)	정3상	6曹	각1	녹직, 약칭(吏·戶·禮·兵·刑·工曹參議)
참지(參知)	정3상	兵曹	1	녹직, 약칭(兵曹參知)
참지의정(參知議政)	정2	議政府	2	녹직, 약칭(參知議政府事, 태종대)
참찬(參贊)	정2	議政府	좌, 우 각1	녹직, 약칭(議政府左·右參贊)
참찬문하(參贊門下)	정2	門下府	4	녹직, 약칭(參贊門下府事, 여말선초)
참찬의정(參贊議政)	정2	議政府	4	녹직, 약칭(議政府參贊事, 태종대, 議政府參贊으로 계승)
참판(參判)	종2	6曹	각1	녹직, 약칭(吏·戶·禮·兵·刑·工曹參判)
참판승추(參判承樞)	정2	承樞府	4	녹직, 약칭(參判承樞府事, 태종대)
채금사(採金使)	3~6		각1	임시직(모모(판견지)採金使)
채방사(採訪使)	3~6		각1	임시직(모모(파견지)採訪使)
채응사(採鷹使)	3~6		각1	임시직(모모(파견지)採鷹使)
처치사(處置使)	3품	8道	각1~2	녹직(모모道水軍處置使)
천호(千戶)	5~6	千戶所	각1	녹직, 약칭(모모(읍명)千戶)
첨내시(僉內侍)	정3	內侍府	4~5	잡직, 약칭(僉內侍府事, 선초)
첨사(僉使, 僉節制使)	종3	鎭	각1	겸직, 약칭(모모鎭兵馬(守領겸), 水軍(녹직)僉節制使)
첨사(詹事)	종3	詹事院	1	겸직(세종말, 集賢殿官兼)
첨정(僉正)	종4	6曹屬衙門	각1~2	녹직, 약칭(奉常寺僉正 등)
첨지(僉知)	정3상	中樞府	8	약칭(僉知中樞府事)
첨지돈령(僉知敦寧)	정3상	敦寧府	1	녹직, 약칭(僉知敦寧府事, 선초, 敦寧府都正으로 계승)
첨지사역(僉知司譯)	종4	司譯院	1	체아직, 약칭(僉知司譯院事, 司譯院僉正으로 계승)
첨총제(僉摠制)	정3상	3軍都摠制府	중, 좌, 우군 각 2~4	녹직, 약칭(中·左·右軍都摠制府僉摠制, 선초, 僉知中樞府事로 계승)
첨지중추(僉知中樞)	정3상	中樞府	8	녹직, 약칭(僉知中樞府事)
체복사(體覆使)	3~6		각1	임시직(출사직)
체아직(遞兒職)	3~9	中樞院·甲士 등	총4,638 *	녹직, 통칭(* 문반 96, 무반 4,587)
체탐갑사(體探甲士)	7~9	변방 鎭·郡	무정수	체아직
체찰사(體察使)	종1~종2		각1	임시직, 약칭(모모(파견지)體察使)
초무관(招撫官)	3~6		각1	임시직, 약칭(모모(파견지)招撫官)
초수리감고(椒水里[溫井]監考)	9품		1	임시직
총랑(摠郎)	정4	6曹 등	1~2	녹직, 약칭(典理司·6曹摠郎, 여말선초)
총제(摠制)	종2	3軍都摠制府	중, 좌, 우군 각2~3	겸직, 약칭(中·左·右軍都摠制府摠制, 선초)
축성총패(築城總牌)	7~9		2~3	임시직, 약칭(모모(축성지)築城總牌)
충순위(忠順衛)	5~9		총48	체아직(선초, 양반특수군, 原從功臣자손)

충의위(忠義衛)	4~9			총17~53	체아직(양반특수군, 功臣자손)
충찬위(忠贊衛)	종5~9			총39~20	체아직(양반특수군, 양반자손)
충훈부유사(忠勳府 有司, 有司堂上)	1~정3상	忠勳府		1	임시직(忠勳府사무총관)
취라취(吹螺赤)	종6~종9			총32	체아직
치중장(輜重將)	정3상~ 정3			각1	임시직(강무등시)
친경적전령(親耕籍 田令)	3~6			각1	임시직(親耕 시)
친경전악령(親耕典 樂令)	3~6			각1	임시직(친경시)
친군위(親軍衛)	종4~종9			총40	체아직(親衛시위군, 동북면출신)
탐라성주(耽羅城主)	토관	濟州		1	임시직(준3품, 襲職, 선초)
토관(土官)	5~9	永興府 등 변경		각 관, 각 품 1~2	통칭, 약칭(永興府都務司都務 등 이하 모든 토관직 의 총칭)
통례(通禮)	종3	通禮院		좌, 우 각1	녹직, 약칭(通禮院左·右通禮)
통신사(通信士, 回禮 使, 報聘使)	정3상~4			각1	임시직, 약칭(日本通信使)
특진관(特進官)	종1~종2	經筵		무정수	겸직, 임시직, 약칭(經筵特進官, 성종대)
파적위(破敵衛)	종6~종9			총200	체아직(세조5~성종16년 이전)
판결사(判決事)	정3상	掌隷院		1	녹직, 약칭(掌隷院判決事)
판관(判官)	종5	漢城府·6曹 屬衙門 등		각1~2	녹직, 약칭(漢城府判官 등)
판교(判校)	정3	承文院 등		1	녹직, 약칭(承文院·校書館(겸)判校)
판군사(判郡事)	2품	郡		각1	녹직, 임시직(判모모郡事)
판내시부사(判內侍 府事)	정2	內侍府		2	잡직(선초, 內侍府尙醞으로 계승)
판도총제(判都摠制)	종1	3軍都摠制府		중, 좌, 우 군 각1	겸직, 약칭(判中·左·右軍都摠制府事, 선초, 判中樞 府事로 계승)
판목사(判牧使, 牧事)	2품	牧		각1	녹직, 임시직(判모모牧事)
판문하(判門下)	정1	門下府		1	녹직, 약칭(判門下府事, 국초, 領議政으로 계승)
판부사(判府使, 府事)	2품	都護府		각1	녹직, 약칭(判모모都護府事)
판사(判事, 寺, 監)	정3	寺, 監		각32	녹직(奉常寺·軍資監判事 등, 선초, 正으로 계승)
판사평(判司平)	종1	司平府		1	녹직, 약칭(判司平府事, 국초)
판삼사(判三司)	종1	三司		1	녹직, 약칭(判三司事, 국초)
판상서(判尙瑞)	종1	尙瑞司		2	겸직, 약칭(判尙瑞司事, 국초)
판서(判書)	정2	6曹		각1	녹직, 약칭(吏·戶·禮·兵·刑·工曹判書)
판승추(判承樞)	종1	承樞府		1	겸직, 약칭(判承樞府事, 국초)
판의금(判義禁)	종1	義禁府		1~2	겸직, 약칭(判義禁府事)

판의흥(判義興)	종1	義興三軍府[12]	1	겸직, 약칭(判義興三軍府事, 국초)
판조사(判曹事)	정1~정2	6曹	각1	겸직, 임시직, 약칭(判 吏·戶·禮·兵·刑·工曹事)
판중추(判中樞)	종1	中樞府	2	녹직, 약칭(判中樞府事, 무임소관)
판통례(判通禮)	정3	通禮院	1	녹직, 약칭(判通禮門事, 여말선초, 左·右通禮로 분화되면서 계승)
판한성(判漢城)	정2	漢城府	1	녹직, 악(判漢城府事, 漢城府判尹으로 계승)
판현사(判縣事)	2품	縣	각1	녹직, 임시직, 약칭(判모모縣事)
패두갑사(牌頭甲士)			1	牌의 우두머리 甲士
편장(偏將)	3~4		각2~3	임시직(변란시 출정장수의 막료장군)
평사(評事)	정6	永安道 등	각1	녹직, 약칭(永安·平安道評事)
평양사옥서령(平壤司獄署令)	종9	平壤府	2	토관(국초, 司獄局攝事로 계승)
평양형방주사(平壤刑房主事)	9품	平壤府	2	토관(平壤府刑房主事, 선초, 平壤府司獄司攝事로 계승된 것으로 추측)
포도사(捕盜使)	3~6		각1	임시직
포도장(捕盜將)	3~4		각1	임시직
풍헌관(風憲官)	종2~정6	司憲府	30여명	별칭, 통칭(大司憲 이하 모든 司憲府관의 총칭)
필선(弼善)	정4	世子侍講院	1	녹직, 약칭(世子侍講院弼善)
하위관(下位官)	7~9		수천명	별칭, 통칭(參下官인 7~9품관의 총칭)
학록(學錄)	정9	成均館	2	녹직, 약칭(成均館學錄)
학사(學士)	종2	藝文春秋館	2	겸직, 약칭(藝文春秋館學士, 국초)
학유(學諭)	종9	成均館	2~3	녹직, 약칭(成均館學諭)
학정(學正)	정9	成均館	2	녹직, 약칭(成均館學正, 국초)
한림(翰林)		藝文館	8	별칭, 총칭(藝文館 待敎·檢閱의 총칭)
한성윤(漢城尹)	종2	漢城府	1	녹직, 약칭(漢城府尹, 여말선초 한성부의 차관, 左·右尹으로 분화되면서 계승
한성판윤(漢城判尹)	정2	漢城府	1	녹직(漢城府判尹, 한성부의 장관)
한학습독관(漢學習讀官)	3~6		약간명	임시직
한학훈도관(漢學訓導官)	3~6	司譯院	약간명	임시직
함흥부별장(咸興府別將)	7~9	咸興府	1~2	토관
합문사인(閤門舍人)	정6	閤門	2	녹직(고려말)
합문지후(閤門祗侯)	종6	閤門	14	녹직(고려말)
행수(行首, 行頭, 本品行頭)			各品 1	통칭(조회시 同品職의 선두에 선 관직의 총칭, 여말선초)
행직(行職)			무정수	官階가 職秩 보다 높은 경우에 제수되는 인사행정
향상(向上, 向上別監)	7~9	內侍府	1	잡직, 임시직

향실별감(香室別監)	7~9	內侍府	1	잡직, 임시직
헌납(獻納)	정5	司諫院	1	녹직, 약칭(司諫院獻納)
현감(縣監)	종6	小縣	각1	녹직, 약칭(모모縣監)
현령(縣令)	종5	大縣	각1	녹직, 약칭(모모縣令)
현사(縣事, 知縣事)	종6	小縣	각1	녹직, 약칭(모모縣事, 국초)
현직(顯職, 顯官)	3~9		수천명	통칭(정3~종9품 문·무관의 총칭)
협률랑(協律郎)	정7	奉常寺	2	녹직, 약칭(奉常寺協律郎, 국초)
호군(護軍)	정4	5衛	총12	녹직, 약칭(中·左·右·前·後衛護軍)
활인원녹관(活人院祿官)	종9	活人院	동, 서 각2	녹직, 통칭(東·西活人院祿官, 선초)
후(侯)	1품		무정수	훈작(2등, 모모(군호나 읍호)侯, 尊屬종친과 元勳재상, 국초)
훈도(訓導, 訓導官)	종9	4學	각2	녹직(세조대), 겸직(『경』), 약칭(中·南·東·西學訓導)
훈련사마(訓練司馬)	종4	訓練院	4	녹직, 약칭(訓練院司馬, 국초)

1) 체아직(遞兒職)은 科田이 지급되지 않고 근무 때에만 祿俸을 받는 관직이다. 그 대부분은 중앙의 기간 부대인 5위 무관의 대부분을 점하는 大護軍(종3)~副司勇(종9)에 이르는 從品職이다(上護軍(정3)이하 正品職은 녹직). 체아직은 번을 나누어 매년 2, 4, 6, 12개월을 근무하였다.

2) 녹직(祿職)은 과전과 매년 4회(春, 夏, 秋, 冬)에 녹봉을 받는 관직의 총칭이다. 관직 중에서 핵심이 되고 가장 격이 높으면서 우대되는 관직이다.

3) 토관직(土官職)은 북방의 방어를 위해 함길·평안도 등에 설치한 정5~종9품 문·무관직이다. 토관은 조선개국과 함께 설치되었고, 이후 점차로 감소되다가 『경국대전』에 영흥·평양부, 의주목, 영변대도호부, 경성·회령·경원·종성·온성·부령·경흥·강계도호부에 정5품 都務司都務(문관, 각1) 鎭北勵直(무관, 각1) 이하 종9품 司獄局攝事(문관, 각1) 鎭浦衛副勵勇(무관, 각5)로 규정되었다(설치군현변천과 관직은 졸저, 『朝鮮初期 政治制度와 政治』, 계명대학교출판부, 2006, 191~193쪽 〈표 5-3, 4〉 참조).

4) 잡직(雜職)은 문반, 무반직과 구별되면서 불린 이름이다. 세종 11년까지는 문·무반직과 큰 차이가 없었고, 세종 12년부터 문·무 朝官과 구분되면서 조관에서 제외되고 잡류로 고착되고 차별을 받게 되었다. 內侍府는 동반 종2품아문이지만 尙膳(종2) 이하는 잡직의 대우를 받았다. 그 외에 『경국대전』에 규정된 잡직에는 掖庭署司謁·司鑰(정6, 각1) 이하 彭排隊副(종9, 920명)의 17관아 1,748직이 있다(잡직 소속관아와 관직명·관품·관직수는 위 책, 164쪽 〈표 4-13〉 참조).

5) 무록직(無祿職)은 科田이 지급되지 않음은 물론 祿俸이 없는 관직이다. 녹봉을 절감하고 관료의 기강을 확립하기 위하여 운영되었는데 정직(녹직)자가 피죄되거나 근무성적이 나쁠 때 제수되었고, 1년이 경과한 후 근무성적이 우수하면 정직에 복귀되었다. 『경국대전』에 규정된 무록직에는 司饔院 등 22관아에 提擧(3품), 提檢(4품), 別坐(5품), 別提(6품), 別檢(8품)의 95직이 있다(설치관아와 관직수는 위 책, 124쪽 〈표 4-4〉 참조).

6) 대장군(大將軍)은 태조1~3년, 태조4~정종2년에 중앙 기간부대인 10衛(태조1~4)·10司(태조4~정종3)에 소속된 종3품 무관이다. 상위직에는 上將軍(정3)이 있고, 하위직에는 將軍(정4)~隊正·隊副(종9)가 있었다(소속관직과 관품은 위책, 297쪽, 〈표 7-7〉 참조).

7) 대호군(大護軍)은 중앙 기간부대인 10司(정종 2년~태종 18년, 세종 5~27년)·12司(태종 18년~세종 5년, 세종 27년~문종 1년)·5司(문종 1년~세조 3년)·5衛(세조 3년 이후)에 소속된 종3품 무관이다. 상위직에는 上護軍(정3)이 있고, 하위직에는 護軍(정4)~副司勇(종9)이 있다. 소속관아와 관직의 변천은 위 책, 295쪽 〈표 7-6〉, 297쪽 〈표 7-7〉 참조.

8) 삼군도총제부(三軍都摠制府)는 1402년(태종 2)에 태종이 軍令權의 장악을 강화하기 위하여 개국 이래로 중앙군의 중추가 되었던 義興三軍府를 계승한 承樞府를 개칭하면서 성립되어 1432년(세종 14) 中樞院으로 개편되면서

소멸되었다. 소속관직에는 判都摠制府事(종1, 中·左·右軍 각1명), 都摠制(정2, 各軍 2~3), 摠制(종2, 각군 2~5), 同知摠制(종2, 각군 2~4), 僉摠制(정3당상, 각군 2~4), 經歷(정5, 각군1), 都事(정6, 각군1)이 있었다. 판도총제부사 이하는 모두 개편된 중추원의 判事 이하로 계승되었다(각군별 관직수는 위 책, 224쪽, 〈표 6-4〉 참조).

9) 첨사원(詹事院)은 세종 27년에 세종의 건강악화로 세자인 문종이 서무를 裁決(攝政)하게 됨에 따라 설치되어 세종말까지 운영된 세자서무재결기관(섭정부)이다. 관직으로는 집현전관이 겸하는 詹事 1직과 同詹事 2직이 있었다.

10) 첨설직(添設職)은 정원 외에 추가하여 설치한 관직이고, 직사가 없이 대우만 받는 명예직이다.

11) 허직(虛職)은 影職, 同正職 등과 같이 녹봉과 職事가 없고 직함만 있는 명예직이다.

12) 의흥삼군부(義興三軍府)는 태조 2년에 고려말 이래의 三軍摠制府를 개편하면서 성립되어 정종 1년 承樞府로 개칭되면서 소멸한 조선개국초의 핵심이 되었던 군사·군령기구이다. 의흥삼군부는 三軍府, 三軍鎭撫所, 中軍·左軍·右軍으로 구성되었다. 관직에는 領事(정1, 1명)·判事(종1, 1~2)·知事(정2, 1)·參判事(종2, 1)·參知事(종2, 1)·簽書事(종2, 1, 이상 삼군부), 鎭撫(정5, 1, 진무소), 節制使(정2, 중·좌·우군 각1)·同知節制事(종2, 각1)·鎭撫(정5, 각1, 이상 중·좌·우군)이 있었다(구성과 관직은 위 책, 225쪽, 〈표 6-3〉 참조). 鄭道傳은 태조의 총애가 있기도 하였지만 義興三軍府判事를 겸대하면서 정권과 군권을 전단하였다.

金敬倫 636	金繼壽 101	金光 102	金貴南 637	金克明 105
金京利 100	金繼守 636	金光美 102	金龜年 103	金克誠 637
金景武 100	金季壽 96	金光寶 103	金貴達 103	金克孫 105
金景茂 636	金戒愼 636	金光石 637	金貴同 637	金克羞 70
金京山 636	金繼信 636	金光守 103	金貴龍 104	金克信 81
金敬善 100	金繼佑 636	金光晬(粹) 65	金貴隆 104	金克鍊 105
金敬孫 100	金季友 81	金光義 103	金貴命 104	金克柔 98, 105
金慶孫 76	金繼元 101	金光轍 103	金貴文 637	金克倫 105
金敬守 100	金季隱 636	金光弼 103	金貴寶 104	金克仁 81
金敬信 100	金啓貞 101	金塊 91	金貴山 637	金克精 105
金慶衍 100	金繼貞 101	金敫 103	金貴生 104	金克悌 105
金敬義 100	金繼祖 101	金曒 103	金貴誠 637	金克俊 105
金慶長 86, 100	金繼宗 101	金嶠 78	金貴孫 104	金克昌 637
金敬哉 100	金繼周 636	金咬哈 103	金龜守 637	金克致 105
金敬節 100	金繼中 637	金坵 103	金貴試 64	金克恥 70
金敬祖 87	金繼曾 86	金球 103	金貴識 64	金克諧 81
金慶鍾 100	金繼志 102	金矩 103	金龜玉 104	金克行 105
金敬宗 636	金繼智 102	金昫 103	金貴一 637	金克恢 70
金敬祉 636	金季昌 96	金甌 103	金貴汀 104	金克孝 105
金敬珍 100	金係行 102	金鉤 65	金貴精 104	金厪 637
金敬昌 100	金季衡 102	金龜 73, 103	金貴宗 637	金墐 637
金敬忠 101, 636	金繼厚 102	金久冏 69	金貴從 637	金根 66, 96, 637
金啓 101	金繼徵 102	金九德 81	金貴之 104	金近明 105
金季敬 101	金繼(係)熙 73	金九龍 103	金貴智 104	金謹思 87, 105
金繼恭 101	金沽 102	金九售 637	金貴枝 104	金謹從 637
金係權 81	金高 102	金久闒 103	金貴知 104	金禁 105
金繼勤 636	金觚 102	金九淵 103	金貴珍 104	金及 105
金係錦 73	金顧 81	金九英 73	金貴哲 104	金伋 637
金繼南 101	金高時加勿 102	金九쑬 103	金貴玄 104	金級 637
金戒南 636	金高時帖木兒 102	金仇音波 103	金貴賢 104	金兢 105
金桂同 101	金古乙道介 102	金九鼎 78	金貴亨 104	金棄 105
金繼童(季童) 101	金坤 102	金俱知 103	金貴和 637	金淇 105
金桂蘭 101	金鯤 102	金鞠 103	金貴興 104	金頎 105
金季伶 636	金梱 65	金國光 69	金揆 104	金琦 64
金季老 81	金翬 102	金國老 103	金珪 104	金耆 97
金啓明 636	金公望 102	金菊生 637	金鈞 76	金起南 105
金繼文 101	金公輔 637	金國珍 103	金均行 104	金基命 637
金繼朴 101	金公疎 102	金勸 103	金克江 105	金起孫 637
金季甫 86	金公義 637	金權 103	金克儉 73	金驥孫 74
金戒山 636	金科 102	金綣 103	金克敬 86	金期壽 105
金繼山 636	金寬 102	金權老 103	金克恭 105	金起野 105
金繼生 636	金琯 102	金貴 103	金克愧 69	金己云 637
金係先 101	金灌 85, 97	金龜 103	金克基 105	金器之 105
金繼善 101	金灌(瓘) 86	金貴江 637	金克己 105	金吉 637
金繼孫 101	金觀道 102	金貴冏 103	金克忸 70	金吉德 96
金季孫 636	金官進 637	金貴京 637	金克怩 69	金吉富 105

金有恭　80　　　金允德　127　　　金音　129　　　金伊郎哈　130　　　金仁民　67

金有恭(德)　126　　金允离　127　　　金愔　129　　　金以邦　642　　　金忍福　131

金柔克　641　　　金允寶　642　　　金音加　642　　　金異常　130　　　金仁奉　131

金有德　641　　　金潤(閏)福　127　　金應奎　642　　　金履祥　130, 642　　金仁鳳　131

金有敦　72　　　金允富　127　　　金應箕　79　　　金履素　130　　　金仁富　131

金有良　80　　　金潤生　127　　　金應厲　129　　　金利用　77　　　金仁祥　131

金有禮　126　　　金允碩　127　　　金應門　129　　　金爾音　98　　　金麟瑞　131

金有倫　126　　　金允善　128　　　金應文　642　　　金以義　642　　　金引成　131

金留里加　126　　金潤善　128　　　金應詳　129　　　金以仁　130　　　金仁祐　131

金由畝　72　　　金允孫　128　　　金應成　129　　　金以章　130　　　金麟雨　131

金兪甫　72, 126　　金胤孫　128　　金義　129　　　金利貞　130　　　金仁元　64

金宥山　641　　　金潤孫　642　　　金毅侃　129　　　金以鼎　642　　　金引乙介　131

金有生　126　　　金允壽　78　　　金義綱　77　　　金伊朱　130　　　金仁義　131

金有先　126　　　金閏身　128　　　金義剛　93　　　金以中　642　　　金靮之　131

金有銑　126　　　金潤身　64　　　金義見　642　　　金以忠　130　　　金仁贊　86

金有善　641　　　金允溫　74　　　金義岡　129　　　金理成　130　　　金麟厚　96

金由性　126　　　金允濟　128　　　金義達　129　　　金以孝　642　　　金軼　131

金有遜　641　　　金閏宗　128　　　金義德　129, 642　　金益謙　95　　　金一起　131

金宥孫　97　　　金潤宗　72　　　金意全　129　　　金益達　642　　　金一南　642

金攸宋　641　　　金允珍　128　　　金義童(全)　67　　金益廉　130　　　金馴孫　74

金劉時應加　126　　金允濯　128　　金義路　642　　　金益廉　83, 130　　金日容　131

金有若　126　　　金允通　642　　　金義露　642　　　金益齡　95　　　金日知　131

金有讓　126　　　金胤弼　128　　　金義蒙　72　　　金益倫　130　　　金臨　131

金有溫　80　　　金允河　128　　　金義文　129　　　金益孟　130　　　金任　67

金有完　126　　　金允亨　128　　　金義山　642　　　金益祥　130　　　金立　642

金有慄　126　　　金允和　128　　　金義尙　129　　　金益生　130　　　金粒　642

金由義　127　　　金閏和　642　　　金義生　642　　　金益誠　130　　　金立堅　76

金由長　127　　　金慄　128　　　金義孫　97　　　金益壽　94, 130　　金入成　131

金有章　641　　　金殷　642　　　金義信　642　　　金益違(達)　83　　金仍　89

金惟精　127　　　金殷輅　65　　　金義精　91　　　金益精　83　　　金滋　131

金有宗　641　　　金恩榮　642　　　金義從　129　　　金益希　642　　　金𥱀　87

金有智　127　　　金乙敬　128　　　金義重　129　　　金仁　130　　　金自江　131, 642

金有知　127　　　金乙權　128　　　金義智　129　　　金因　130　　　金自强　132

金有直　127　　　金乙貴　128　　　金義知　642　　　金禑　130　　　金子鏗　65

金由畛　72　　　金乙萬　128　　　金義之　98　　　金鱗　642　　　金子騫　87, 132

金由漢　127　　　金乙寶　128　　　金義琛　129　　　金璘　83　　　金自堅　132

金由亨　641　　　金乙奉　642　　　金義海　129　　　金仁景　131　　　金自謙　642

金陸　83　　　　金乙祥　128　　　金義亨　64　　　金仁囧　131　　　金自敬　132

金允　127　　　金乙生　128　　　金耳　129　　　金仁敬　642　　　金自龜　132

金閏　127　　　金乙成　128　　　金邇　129　　　金仁貴　131　　　金子均　132

金輪　74　　　　金乙孫　128　　　金彛　130　　　金仁奇　131　　　金自均　83

金潤　86, 127　　金乙辛　94　　　金理　98　　　金麟魯　131　　　金自南　132, 642

金允傑　127　　　金乙雨　129　　　金以坤　130　　　金仁達　131　　　金自達　132

金允翎　127　　　金乙玄　129　　　金理恭　130　　　金仁德　131　　　金子惇　132

金允南　127, 641　　金乙玄(賢)　129　　金以南　130　　金忍德　131　　金自敦　132

金閏大　127　　　金乙和　129　　　金履道　130　　金仁門　131　　　金自東　132

朴思義 199	朴星生 201	朴崇桐 649	朴實 194	朴連植 649
朴思亨 200	朴星孫 201	朴崇連 201	朴鐔 194	朴說 184
朴士華 186	朴成陽 193	朴崇文 181	朴審問 183	朴燁 191
朴山 200	朴成玉 201	朴崇信 649	朴芽 649	朴英 184
朴山老 649	朴成祐 201	朴崇燁 201	朴阿堂古 202	朴榮 203
朴山守 200	朴成(聖)章 189	朴崇玉 649	朴芽生 202	朴穎 649
朴撒塔木 200	朴成治 201	朴崇殷 649	朴阿信 202	朴永根 649
朴撒哈塔 200	朴成厚 649	朴崇仁 201	朴牙失塔 202	朴英蔓 203
朴參 200	朴世達 201	朴崇之 202	朴晏 202	朴永文 203
朴三吉 181	朴昭 190	朴崇地 202	朴安命 188, 191	朴英文 203
朴尙絅 200	朴蘇 192	朴崇質 181	朴安阜 194	朴英寶 203
朴尙文 200	朴素 201	朴習 193	朴安性 191	朴榮生 203
朴尙復 200	朴紹 201	朴昇 202	朴安臣 186	朴英生 203
朴生厚 200	朴紹榮 183	朴勝年 649	朴安遇 202	朴永生 649
朴恕 192	朴紹禎 193	朴承老 180	朴安義 187, 202	朴英(榮)孫 184
朴墅 200	朴紹祖 193, 201	朴承利 649	朴安中 202	朴永水 203
朴序 200	朴松壽 201	朴承明 202	朴安止 202	朴英祐 203
朴敍 200	朴穗 201	朴升茂 202	朴安孝 649	朴永懿 203
朴曙 200	朴壽堅 201	朴承鳳 183	朴幹 179	朴榮進 649
朴瑞男 189	朴守經 191	朴升孫 202	朴巖 202	朴英春 649
朴瑞生 186	朴秀卿 201	朴承燧 183	朴巖臣 202	朴英忠 191
朴徐昌 200	朴堅基 201	朴承燴 183	朴蕎 202	朴英弼 203
朴晢 200	朴堅起 201	朴承嘗 202	朴盎 202	朴永亨 204
朴石全 649	朴秀良 649	朴承祖 649	朴若雲 203	朴隸 204
朴錫命 188	朴壽彌 201	朴承漢 202	朴良(良生) 192	朴吾廠知 204
朴石山 200	朴壽山 180	朴承煥 183	朴陽茂 203	朴烏足 649
朴碩孫 200	朴首生 201	朴蓍 180	朴陽孫 203	朴玉同 649
朴碩忠 649	朴壽長 183	朴恃 202	朴養孫 203	朴甕(擁) 204
朴善 200	朴壽宗 183	朴時萌 649	朴良守 203	朴容 204
朴善敬 649	朴邃智 193	朴時明 202	朴良信(臣) 203	朴龍萬 204
朴善南 200	朴壽昌 201	朴始文 179	朴億年 185	朴龍壽 204
朴善孫 200	朴叔達 190	朴始生 183	朴彦 194	朴用珍 204
朴挈 200	朴叔楸 190	朴始行 179	朴彦謙 203	朴愚 189
朴贍 200	朴叔善 188	朴時亨 179	朴彦貴 203	朴佑 204, 649
朴成乾 193	朴叔陽 201	朴時衡 183	朴彦忠 203	朴彧 204
朴成達 649	朴叔義 201	朴埴 202	朴旅 192	朴頊 204
朴成德 200	朴叔蓁 190	朴式 202	朴如達 191	朴雲全 204
朴成童 649	朴叔暢 190	朴殖 202	朴如恒 185	朴雲孫 204
朴成良 200	朴淳 190	朴寔同 649	朴汝亨 203	朴云信 204
朴成林 200	朴順 201	朴信 189	朴如晃 203	朴元 204
朴成茂 649	朴坶 649	朴晨 202	朴如晼 203	朴原 204
朴成物 200	朴順達 201	朴信生 183	朴如混 203	朴垣 204
朴成栢 200	朴順孫 201	朴信誠 202	朴塽(然) 183	朴元奇 204
朴成富 200	朴順祖 201	朴臣佑 202	朴衍生 193	朴原禮 204
朴成糞 200	朴崇敬 201	朴信誠 193	朴延世 203	朴元明 650
朴成生 201	朴崇年 649	朴信亨 202, 649	朴延壽 203	朴原茂 204

朴耋 209	朴忱 210	朴弘信 192, 211	朴興美 212	方復生 213
朴纘祖 184	朴他乃 210	朴和 211	朴興福 212	房士良 213
朴昌 209	朴坦 210	朴華 211, 651	朴興生 212	方瑞同 213
朴暢 651	朴波伊大 210	朴和羅孫 211	朴興孫 212	房恂文 213
朴彰善 209	朴彭年 188	朴擴 211	朴興信 212	房順孫 213
朴處良 209	朴彭同 651	朴煥 195	朴興藝 212	方與權 213
朴處綸 179	朴坪 195	朴煌 211	朴興佑 652	方演 213
朴天奇 209	朴苞 192	朴回 211	朴興調 652	方演修 213
朴千同 651	朴弼 651	朴懷英 651	朴興昌 652	房玉精 213
朴天登 209	朴退 187	朴曉 211	朴興澤 652	方有寧 213
朴天茂 209	朴夏 210	朴孝幹 651	朴曦 652	方有信 213
朴天祥 209	朴河 210	朴孝康 211	朴喜宏 180	方仲善 652
朴哲 209	朴河信 651	朴孝恭 211	朴希茂 212	方仲信 652
朴鐵山 209	朴漢萬 651	朴孝根 651	朴希文 195	方震 213
朴哲孫 184	朴漢民 651	朴孝達 211	朴希寶 652	方春山 652
朴礎 194	朴漢生 210	朴孝堂 651	朴希成 180	方致仁 652
朴超 209	朴漢孫 210	朴孝同 211	朴喜成 212	方致和 213
朴崝 184, 205	朴漢柱 210	朴孝童 211	朴喜孫 212	方河山 213
朴樞 209	朴恒 210	朴孝璘 211	朴熙孫 652	房喜慶 213
朴崮 209	朴恒卿 210	朴孝麟 211	朴熙宗 180	裵杠 214
朴春 209	朴解 181	朴孝山 651	朴希中 212	裵敬良 215
朴春敬 209	朴晈(開) 185	朴孝善 651	朴希賢 212	裵敬之 215
朴春貴 209	朴軒 195	朴孝誠 193	潘耆 212	裵敬興 215
朴春蘭 185	朴赫孫 210	朴孝孫 211, 651	潘起直 652	裵戒同 652
朴春茂 209	朴賢生 210	朴孝順 211	潘碩澈 212	裵季厚 214
朴春美 209	朴賢祐 210	朴孝信 651	潘泳 212	裵矩 214
朴春富 210	朴顯中 651	朴孝元 186	潘佑昌 212	裵鈞 215
朴春山 210	朴絜 210, 651	朴孝義 211	潘佑亨 212	裵軍實 652
朴春陽 651	朴炯 180	朴孝悌 211	潘汀 212	裵權 214
朴忠 651	朴形 192	朴孝忠 651	潘悌老 212	裵規 214
朴冲武 210	朴亨根 211	朴孝誠(誠) 211	潘忠仁 212	裵奎 215
朴忠武 651	朴亨良 192	朴堎 211	潘衡 212	裵鈞 215
朴忠恕 210	朴衡文 193, 211	朴厚生 211	潘孝孫 212	裵克廉 214
朴忠順 210	朴荊山 211	朴厚植 211	潘孝順 213	裵錦 215
朴忠信 210	朴亨長 211	朴萱 186	潘熙 212	裵其豆 652
朴忠祐 210	朴亨知 651	朴徽 212	方綱 213	裵楠 214
朴忠至 192	朴亨智(地) 187	朴輝(暉) 211	方桂山 213	裵湛 215
朴就新 210	朴壕 181	朴撝謙 212	方繼忠 213	裵德文 215
朴緇 186	朴好問 185	朴輝丞 212	房九達 213	裵敦 215
朴治 651	朴好生 211	朴昕 190	方九齡 213	裵屯 215
朴榴 651	朴浩生 651	朴欣孫 651	房九行 213	裵良 652
朴致禮 210	朴好善 651	朴欽 192	房貴元 213	裵良德 216
朴致明 210	朴洪 211	朴洽 212	房貴和 213	裵廉 216
朴致山 210	朴烘 211	朴興居 212	方大孫 652	裵孟達 213
朴稚祥 651	朴弘幹 192	朴興命 652	房文仲 213	裵孟宗 215
朴致成 651	朴弘文 192	朴興茂 212	方敏 213	裵孟厚 214

孫日强　243	宋傑　248	宋流　250	宋守殷　247
孫日宣　243	宋潔　248	宋瑠　250	宋壽長　250
孫迪　655	宋謙　248	宋倫　250, 251	宋壽正　250
孫肇瑞　241	宋瓊　244, 248	宋琳　244	宋守中　248
孫澍　241	宋慶元　244	宋萬達　245	宋叔琪　245
孫中　655	宋敬持　248	宋孟涓　249	宋順年　247
孫重根　243	宋啓　244, 248	宋孟容　249	宋承積　250
孫仲墩　240	宋誠　247	宋孟現　249	宋勝全　656
孫仲禮　655	宋繼達　656	宋勉　249	宋時遇　656
孫止　243	宋繼祀　247	宋命山　249	宋軾　245
孫知　655	宋繼商　245, 248	宋明生　656	宋愼　250
孫之普　243	宋繼性　245	宋翌　248	宋臣郊　656
孫眞　243	宋繼孫　656	宋文琳　245	宋謀　250
孫執經　241	宋繼陽　245	宋文中　249	宋安　250
孫次綿　243	宋繼殷　245	宋敏山　249	宋嚴卿　247
孫次純　243	宋繼璋　248	宋盤　248	宋汝諧　247
孫纘祖　241	宋繼適　249	宋邦彦　656	宋筵　250
孫昌　241	宋繼宗　249	宋邦賢　656	宋璉　656
孫策　243	宋啓後　247, 249	宋復　245	宋連宗　248
孫致京　243	宋公孫　249	宋復利　249	宋瑛　246
孫七星　243	宋恭孫　249	宋復明　249	宋永智　656
孫褒　243	宋觀　245	宋福山　245	宋玉山　250
孫何　243	宋郊　249	宋復元　245	宋遙年　247
孫旱雨　243	宋具　249	宋傅　249	宋愚　248
孫衡(蘅)　241	宋矩　249	宋溥　249	宋愚祥　250
孫化上　655	宋權　249	宋斯敏　249	宋云富　250
孫會　243	宋貴　249	宋師禹　250	宋元年　250
孫孝黨　655	宋貴周　656	宋斯(嗣)殷　247	宋元昌　244
孫孝良　655	宋貴行　249	宋思忠　250	宋有良　247
孫孝文　243	宋克良　249	宋庠　250	宋由禮　250
孫孝思　243	宋克蟾　249	宋尙同　656	宋有山　250
孫孝山　655	宋克昌　245	宋石堅　247	宋宥山　656
孫孝生　656	宋箕　248	宋昔童　250	宋宥仁　250
孫孝崇　243	宋沂　249	宋石同　250	宋允卿　251
孫孝胤　243	宋耆　249	宋碩良　656	宋胤宗　248
孫孝子　243	宋吉昌　244	宋碩孫　245, 250	宋允知　251
孫喧　243	宋南直　249	宋石柱　656	宋允和　251
孫洽　243	宋內隱山　656	宋宣　250	宋殷　251
孫興　656	宋臺　249	宋善忠　250	宋殷商　247
孫興道　656	宋大平　656	宋成立　250	宋乙　251
孫興祖　243	宋滔　249	宋世琳　250	宋乙開　246
孫興宗　243	宋得居　249	宋世雨　250	宋衣　248
宋介同桓　656	宋得師　249	宋壽　245	宋義剛　247
宋介臣　248	宋廉　250	宋守生　656	宋義蕃　251
宋琚　244	宋濂　250	宋守錫　250	宋義山　656
宋居信　244	宋禮山　656	宋首孫　656	宋義孫　246
			宋宜豪　244
			宋益　656
			宋益孫　246
			宋麟　246
			宋因　251
			宋仁童　656
			宋因禮　251
			宋仁山　246
			宋仁昌　244
			宋軼　246
			宋逸　656
			宋子郊　251
			宋自東　656
			宋自淳　251
			宋長命　656
			宋儲　248
			宋琠(典)　246
			宋田守　656
			宋玎壽　246
			宋齊岱　246
			宋樋　656
			宋重(仲)　251
			宋仲南　656
			宋仲文　244
			宋重文　251
			宋衆善　251
			宋仲孫　251
			宋重孫　251
			宋中元　656
			宋遲　251
			宋之道　251
			宋之精　251
			宋之澄　251
			宋珍　251
			宋辰生　246
			宋徵　656
			宋纘　246
			宋昌　247, 251
			宋處儉　248
			宋處恭　251
			宋處寬　248
			宋天成　251
			宋千祐　244
			宋天佑　251
			宋千喜　247
			宋鐵(哲)山　251

찾아보기

李越 406, 453　　李閏慶 454　　李乙和 455　　李義亨 425　　李仁祐(佑) 366

李月盧 453　　李允恭 454　　李蔭 455　　李宜豪 456　　李仁長 671

李偉 406　　李潤根 454　　李揖 407　　李宜洽 390　　李仁全 390

李慰 406　　李允良 670　　李浥 455　　李利 408　　李仁種 456

李威 453　　李胤文 454　　李膺 381　　李怡 408　　李仁忠 379, 456

李緯 453　　李允蕃 424　　李應孝 455　　李愼 408　　李仁行 671

李衛 453　　李允商 353　　李儀 357　　李頤 408　　李仁賢 456

李魏 453　　李允成 454　　李誼 370　　李苨 424　　李仁亨 425

李葳 453　　李尹孫 370　　李宜 407　　李伊 456　　李仁和 363, 456

李偉(煒) 406　　李允孫 454　　李義 407　　李彝 456　　李仁化 456

李愉 365, 406　　李允純 390　　李巕 407　　李眙 456　　李仁懷 671

李猷 377　　李允若 382　　李懿 455　　李苷 456　　李仁畦 379

李踰 406　　李尹仁 354　　李嶷 455　　李峓(悕) 408　　李鎰 370

李璱 406　　李允迪 424　　李𡽴 455　　李伊里可 456　　李軼 456

李瑜 407　　李胤祖 670　　李依剛 671　　李翊(瀷) 354　　李一同 456

李諭 407　　李允從 454　　李義堅 455　　李益昀 456　　李日新 456

李柔 453　　李胤宗 454　　李義敬 408, 455　　李益達 456　　李一元 362

李有康 407　　李允中 454　　李義管 455　　李益文 456　　李任 386, 408, 456

李惟敬 670　　李允之 454　　李義根 455　　李益朴 365　　李稔 427, 456

李有根 670　　李允昌 454　　李義達 455　　李益培 354　　李林 456, 671

李裕基 453　　李允亨 383, 670　　李義敦 455　　李益壽 384　　李臨 457

李有德 453　　李㮨 454, 670　　李儀童 408　　李益之 367　　李林美 457

李裕德 453　　李瀷 407　　李義同 671　　李益址 456　　李仍邑代 457

李有禮 453　　李隆 407　　李義倫 455　　李益昌 456　　李滋 362

李由禮 453　　李隆生 407　　李義林 671　　李仁 408　　李孜 377

李有賁 453　　李垠 427　　李義明 671　　李祖 408, 456　　李柰 408

李宥山 454　　李殷 454　　李宜茂 366　　李愼 408　　李仔 457

李有常 454　　李恩 455　　李宜門 455　　李茵 456　　李自健 370

李有生 454　　李憖 455　　李宜蕃 455　　李仁堅 424　　李自乾 457

李由性 454　　李恩根 670　　李義蕃 671　　李仁敬 456　　李自堅 370

李惟信 454　　李銀仝 407　　李義山 455　　李仁禮 456　　李子謙 408

李惟慎 454　　李銀同 407, 670　　李義生 408, 455　　李仁文 379　　李者多 457

李有若 382　　李銀生 407　　李宜碩 455, 671　　李仁美 363　　李子芬 457

李劉於應巨 454　　李銀孫 407　　李懿孫 357　　李仁邦 456　　李自誠 457

李有英 407　　李銀丁 407　　李義孫 408　　李仁山 671　　李子純 671

李由義 407　　李乙林 670　　李義順 455　　李麟祥 456　　李自淵 457

李有仁 353　　李乙萬 671　　李義崇 455　　李仁錫 390　　李子英 457

李宥智 454　　李乙夫 671　　李宜泳 455　　李引錫 456　　李自英 457

李愈昌 454　　李乙非 455　　李義英 455　　李仁孫 362　　李資元 409

李惟清 424, 670　　李乙孫 455　　李宜榮 671　　李仁孫(仲胤) 408　　李自儒 457

李維翰 362　　李乙修 455　　李依仁 455　　李仁壽 371　　李者邑可 457

李有蹊 454　　李乙赤 455　　李宜仁 671　　李仁淑 383　　李自知 457

李有喜 454　　李乙仲 671　　李義長 390　　李仁順 456　　李自直 457

李胤 357　　李乙支 455　　李義丁 408　　李仁溫 671　　李子澄 457

李潤 369, 407　　李乙枝 455　　李義貞 671　　李仁祐 408, 456　　伊者下古 457

李允儉 454　　李乙珍 671　　李義忠 455　　李仁佑 456　　李自和 457

李致陽　672
李勅　414
李則　357, 672
李稜　414
李忱　350, 414
李琛　414
李沈　421
李沉　466
李唛　672
李偁　466
李袉　414
李打兒非　466
李卓　364
李濯　414
李擢　414, 466
李疃　414
李台慶　466
李台貴　466
李泰孫　672
李澤　426, 466
李擇　466
李攄　466
李通　355, 466
李坡　425
李把速剌　466
李波乙時　466
李把剌　466
李把剌速　466
李八同　374
李浿　466
李彭年　414
李彭齡　672
李彭祖　414
李坪　373
李評　466
李蔽　466
李苞　466
李抱　672
李苞生　466
李幅　415
李彪　415
李澧　415
李弼　466
李珌　466
李必成　466
李愊　415
李夏　415, 466
李賀　466
李涿　466
李夏成　419
伊下所　472
李夏遜　415
李賀壽　415
李澣　415
李垾　425
李悍　466
李漢謙　379
李漢基　466
李漢生　466
李涵　415
李含　467
李諴　467
李諴根　672
李咸寧　371
李咸童　415
李咸臨　467
李諴長　391
李含春　672
李合　355
李㕣　392
李哈兒帖哈　467
李恒　415
李恂　415
伊項介　472
李恒寧　415
李恒茂　467
李恒信　467
李恒全　467
李侅　415
李垓　425, 467
李海　467
李該　467
李邂　467
李行　377, 415
李行儉　383
李行言　467
李向(有玉)　467
李憲　415
李軒　467
李赫　672
李玄　385, 415
李玹　415
李鉉　415
李琄　415
李賢　467
李儇　467
李玄景　467
李玄京　672
李賢童　415
李賢老　467
李賢輔　467
李賢阜　467
李賢孫　415, 467
李賢植　467
李娎　416
李衡　355, 358, 416
李炯　416
李衡　416
李亨　467
李逈　467
李馨期　467
李亨門　467
李亨文　672
李亨孫　350, 467
李亨元　359
李亨全　468
李亨增　425
李亨之　468
李亨春　468
李蕙　416
李潓　416
李惠　468
李譓　468
李譿(譓)　416
李灝　416
李昊　468
李晧　468
李浩　468
李湖　468
李瑚　468
李護　468
李好謙　366
李好林　468
李好命　673
李好文　366, 468
李好聞　468
李好山　468
李浩山　468
李好生　416
李好誠　371
李好信　421, 468
李好心波　468
李好伊應可　468
李混　371
李渾　379
李焜　416
李混源　416
李洪　468
李和　416
李樺　468
李譁　468
李韡　673
李和美　420
李和尙　420, 468
李和英　420
李擴　468
李還　366
李桓　416
李環　416
李渙　469
李煥文　469
李桓生　469
李活　385
李晃　416
李滉　469
李黃振　469
李懷　416
李檜　416
李淮　416
李薈　420
李薈　469
李懷林　379
李廻孫　469
李懷精　469
李獲　469
李孝　469
李孝幹　469
李孝儉　416
李孝堅　416
李孝敬　416
李孝恭　420, 469
李孝根　358, 417, 469
李孝篤　383
李孝敦　383, 417
李孝同　469
李孝良　419
李孝禮　385
李孝老　381
李孝利　417
李孝林　355
李孝明　417, 469
李孝文　425
李孝伯　417
李孝山　469
李孝常　385, 469
李孝生　469, 673
李孝石　469
李孝碩　469
李效碩　469
李孝誠　417, 469
李孝孫　417
李孝叔　417
李孝順　469
李孝崇　469
李孝植(楨)　417
李孝信　371, 385
李孝深　417
李孝榮　417
李孝溫　417, 419
李孝雍　469
李孝元　417
李孝義　417
李孝義　417
李孝仁　385
李孝慈　417
李孝長　391, 417
李孝哉　470
李孝全　417
李孝楨　417
李效精　470
李孝(安)貞　420
李孝祖　366
李孝中　470
李孝之　376
李孝智　385
李孝知　470
李孝昌　417
李孝忠　379
李孝亨　418
李孝華　418

찾아보기

鄭石生 677
鄭石守 677
鄭錫祚 513
鄭石柱 677
鄭錫祉 501
鄭錫禧 501
鄭宣 513
鄭詵 513
鄭善卿 498
丁善奇(琦) 494
鄭善止 677
鄭椔 505, 513
鄭瞻 513
鄭誠謹 504
鄭成良 501
鄭成山 677
鄭稅 507
鄭世臣 513
鄭卲 513
鄭召文 513
鄭束(悚) 500
鄭需 498
鄭洙 501
鄭穗 513
丁壽岡 493
鄭守敬 513
丁壽崑 493
鄭守同 513
鄭守生 677
鄭秀性 513
丁守仁 494
鄭守仁 677
鄭守忠 507
鄭守弘 498
丁淑 494
鄭俶 498
鄭淑 513
鄭肅 677
鄭淑恭 513
鄭叔敬 500
鄭淑良 677
鄭淑老 513
鄭叔善 513
鄭叔垍 500
鄭恂 501
鄭順成 677

鄭順孫 677
鄭純仁 677
鄭崇德 494
鄭崇禮 677
鄭崇魯 513
鄭崇立 514
鄭崇義 514
鄭崇祖 507
鄭瑠 514
鄭承同 677
鄭承緒 506
鄭承韶 514
鄭承殷 514
鄭承祖 494
鄭承重 514
鄭承賢 496
丁時應 494
鄭軾 496
鄭湜 514
鄭侁 513
鄭信 514
鄭臣貴 514
鄭伸道 514
鄭臣碩 501
鄭臣義 501
鄭慎之 514
鄭信忠 678
鄭深 507
鄭顔 514
鄭安敬 514
鄭安國 514
鄭安道 495
鄭安信 514
鄭安義 514
鄭安仁 678
鄭安祚 514
鄭安宗 514
鄭安中 514
鄭安止 495, 514
鄭安直 514
鄭秧 514
鄭藹然 514
鄭穰 514
鄭讓 514
鄭良卿 514
鄭良孫 678

鄭良孝 514
井彥八 521
鄭餘 509
鄭汝擧 678
鄭如守 514
鄭汝貞 515
鄭汝昌 508
鄭易 509
鄭淵 502
鄭連 515
鄭延慶 509
鄭延壽 515
鄭榮 515
丁寧 678
鄭英輔 515
丁令孫 493
鄭永通 505
鄭芮 515
鄭禮 515
丁禮孫 493
鄭禮孫 515
鄭沃 495
鄭沃卿 505
鄭玉閏 506
鄭玉衡 515
鄭雍 498
鄭擁 515
鄭雍(熙) 508
鄭曜 506
鄭容 515
鄭龍壽 515
鄭俣 498
鄭寓 515
鄭瑀 515
鄭耘 508
鄭雲 515
鄭云潔 515
鄭元龍 515
鄭原緒 515
鄭原厚 515
丁宥 494
鄭有 515
鄭愉 515
鄭瑜 515
鄭維 515
鄭有臨 515

鄭惟産 504
鄭有序 515
鄭有善 678
鄭有容 515
鄭由義 494
鄭有義 515
鄭有智 515
鄭六孫 515
鄭六乙 508
鄭允 515
鄭允恪 516
鄭允功 495
鄭允德 516
鄭允惠 516
鄭允禮 516
鄭允老 498
鄭閏文 516
鄭允輔 516
鄭允福 516
鄭崙石 677
鄭允愼 506
鄭允信 516
鄭允貞 502
鄭胤曾 516
鄭允智 516
鄭允愊 516
鄭允和 502
鄭允厚 498
鄭胤興 678
鄭垠 504
鄭隱 516
鄭銀同(仝) 516
鄭殷富 516
鄭銀孫 516
鄭乙富 516
鄭乙生 516
丁乙孫 494
鄭乙賢 516
鄭依 516
鄭義 516
鄭宜民 516
鄭宜伯 678
鄭義山 516
鄭義孫 516
鄭義耘 516
鄭義宗 516

鄭以(而)恭 502
鄭以僑 502
鄭以得 502
鄭以禮 516
鄭以雅 506
鄭以吾 505
鄭以溫 506
鄭而虞 498
鄭而元 516
鄭以義 516
鄭而漢 498
鄭以揮 502
丁寅 493
鄭隣 517
鄭麟角 517
鄭仁奇 517
丁仁富 494
鄭仁孫 517
鄭引孫 517
鄭麟孫 678
鄭仁彥 517
鄭仁耘 498
鄭仁源 517
鄭麟仁 495
鄭麟踵 517
鄭麟趾 508
鄭仁忠 502
鄭仁炯 500
鄭仁厚 498
鄭一寶 517
鄭一化 678
鄭磁 517
鄭子珪 517
丁子伋 493
鄭子堂 498
鄭自明 502
鄭自洋 517
鄭子壽 517
鄭自淑 502
鄭自順 517
鄭自新 517
鄭自洋 502
鄭自英 501
鄭自源 502
丁子偉 493
丁子義 494

趙結 538	曹克治 521	曹孟敬 679	趙復初 540	趙成 541
趙謙 538	曹克誠 524	曹孟孫 524	趙逢辰 540	趙成己 531
趙謙之 532	趙瑾 529	曹孟進 679	曹奉陳 679	趙成吉 541
趙敬(璥) 528	趙嶔 534, 539	曹孟春 524	趙傅(溥) 540	趙成萬 541
趙慶圭 538	趙金虎 539	趙勉 527, 540	趙敷 540	趙成文 679
趙慶珪 538	趙琦 527	趙明 540	趙敷正 541	趙成璧 541
趙敬禮 538	趙企 539	曹明達 524	趙佛丁 541	趙成福 541
趙敬夫 538	趙綺 539	趙明成 679	曹備衡 522	趙成山 541
曹敬誠 524	趙起文 679	趙募 534	趙鏄 527	趙誠山 541
曹敬孫 679	趙杞生 539	曹武 524	趙師 534	趙成俊 541
趙瓊英 531	趙吉通 539	曹茂 524	趙(曹)士德 541	曹世唐 523
趙瓊英 679	趙寧 537	趙務 540	趙祀生 541	趙世輔 533
趙敬義 538	趙達生 528	趙武英 531	趙士秀 541	趙世安 541
曹敬智 524	趙聘 530	趙文璉 540	趙士元 541	趙世勛 541
曹敬治 524	趙瑭 539	曹文守 679	趙思義 541	曹隨 524
趙繼男 679	趙大德 539	趙文叔(琡) 534	趙思準 541	趙須 531
曹繼唐 524	趙大臨 531	曹文漢 524	趙士清 541	曹守 679
曹季良 679	趙德生 534, 539	趙未致 540	趙山 541	曹秀 679
趙繼林 679	趙㻞 539	曹敏 524	趙三八 541	趙秀康 541
曹繼門 521	趙銅虎 537	趙岷 534	曹尙 522	趙邃良 530
趙季發 538	趙得霖 539	趙泯 540	曹尙謙 522	趙秀茂 541
趙啓生 529	曹得安 524	曹敏卿 524	曹尙明 522	趙秀武 542
趙繼孫 538	趙得仁 531	曹敏老 524	曹尙正(貞) 522	趙秀文 535
曹繼宗 524	趙得珠 679	趙璞 531	曹尙周 524	趙壽山 531, 542
趙繼宗 533	曹登(璒) 522	趙胖 527	曹尙治 522	趙秀宗 531
趙季砰 532	曹登成 524	曹反哲 679	曹庶 521	曹肅 525
趙昆 538	趙憐 539	趙邦霖 540	曹舒 524	趙淑 527
曹袞河 521	趙璉 539	趙邦信 540	趙敍 534	曹淑沂 523
趙公恭 539	趙禮 539	趙方玄 540	趙瑞康 527	曹淑潭 525
趙公永 539	趙弄介 539	趙白珪 540	趙敍教 541	趙肅生 535
趙貫 534	趙賁 534	趙璠(祉) 531	趙瑞老 527	曹叔淵 525
趙琯 539, 679	趙瑠 539	趙藩 530	趙瑞安 527	趙叔宗 531
趙廣臨 534	趙嵪 539	趙蕃 540	趙瑞廷 533	曹叔瑾 525
趙光彦 539	趙籬 529	趙範 534, 540	趙瑞鍾 541	曹恂 525
趙光遠 539	趙理 534	趙忭 540	趙石岡 541	趙舜 537
趙宏等 679	趙僯 540	曹變隆 522	趙石同 679	趙淳 542
曹郊彬 524	照隣可 547	曹變安 522	曹錫文 522	趙珣 542
趙球 533	趙琳 540	曹變興 522	曹碩輔 523	趙純 542
曹九絞 524	趙磨 540	趙變興 540	趙石山 531	趙順敬 542
曹懼知 524	趙萬 540	曹炳文 524	曹碩孫 679	趙順道 542
趙貴孫 539	趙萬安 527	趙保 540	趙璿 535	趙順生 535
曹䊪 524	趙萬田 540	趙普 540	趙旋 541	趙崇 533
趙珪 539	趙末生 529	趙寶仁 537	曹善 679	曹崇德 525
趙珪生 539	曹末孫 522	趙保仁 679	趙琁 679	曹崇禮 525
趙克寬 529	趙末通 527	趙復命 540	趙銛 535	趙崇孫 542
曹克仁 679	趙枚 540	趙復明 540		趙崇智 526

崔貴淵 682
崔揆 568
崔均 568, 569
崔克孳 561
崔謹公 569
崔金剛 569
崔伋 569
崔汲 569
崔兢 569
崔岐 569
崔淇 569
崔南京 569
崔內隱今 682
崔寧 561
崔濘 682
崔訥 569
崔泥老 561
崔達 682
崔灝 561
崔淡 569
崔澹 569
崔淡之 569
崔湛之 569
崔德江 559
崔德龍 569
崔德伯 682
崔德紹 569
崔德壽 683
崔德義 569
崔德之 561
崔道源 559
崔道一 562
崔敦 569
崔敦臨 683
崔同 683
崔得江 569
崔得㘋 569
崔得達 569
崔得霏 569
崔得生 569
崔得孫 683
崔得壽 683
崔得洵 683
崔得雨 683
崔得潤 569
崔得渚 569

崔得之 562
崔得平 562
崔得河 569
崔得海 569
崔洛 682
崔梁海 573
崔鍵 683
崔連孫 563
崔連守 683
崔濂 570
崔禮 683
崔老 683
崔老好 569
崔老好赤 569
崔祿 565
崔龍 574
崔龍(八俊) 574
崔龍守 574
崔龍和 561
崔倫 570
崔倫(崙) 570
崔李男 576
崔璘 565
崔潾 570
崔霖 570
崔莫知 683
崔萬理 565
崔末同 683
崔末終 683
崔亡吐 683
崔孟基 570
崔孟良 562
崔孟孫 570
崔孟溫 570
崔孟河 562
崔孟夏 570
崔孟漢 683
崔孟浩 570
崔沔 570
崔命剛 570
崔明達 570
崔命孫 557
崔命全 570
崔毛多好 570
崔茂宣 561
崔文利 570

崔文孫 558
崔彌 570
崔彌之 570
崔玟(岷) 570
崔潘 570
崔發 570
崔汜 570
崔寶男 570
崔甫老 570
崔寶文 570
崔保民 570
崔甫也 571
崔寶(甫)仁 561
崔卜麟 559
崔卜河 571
崔福海 558
崔鳳 571
崔溥 558
崔府 562
崔富 571
崔汾 571
崔濱 683
崔汃 571
崔士康 562, 571
崔士剛 571
崔士規 562
崔賜起 571
崔思德 683
崔士(元)老 566
崔士庸 562
崔士威 562
崔士柔 559, 571
崔士儀 562, 571
崔士義 571
崔山 683
崔山雨 683
崔山川 683
崔山海 571
崔尙明 683
崔尙柔 571
崔尙河 571
崔尙淮 683
崔湑 571
崔碩江 571
崔石堅 571
崔石同 683

崔石老 683
崔碩山 683
崔宣 562
崔善門 566
崔善敏 571
崔善復 566
崔善義 683
崔涉 571
崔涉之 571
崔成 571
崔性老 571
崔成雨 683
崔世 683
崔世傑 566
崔世蕃 571
崔世省 683
崔世溫 560
崔世珍 571
崔世昌 558
崔世忠 557
崔世賢 563
崔世豪 571
崔召 571
崔召南 571
崔小河 571
崔洙 557, 563, 571
崔修 563
崔脩 563
崔壽聃 571
崔壽老 571
崔秀民 571
崔水山 571
崔壽山 572
崔水淵 572
崔壽丁 572
崔守丁 683
崔守貞 683
崔水智 563
崔守平 572
崔淑 572
崔淑謙 572
崔淑卿 561
崔叔瓊 683
崔叔同 572
崔淑濂 572
崔叔倫 572

崔淑文 572
崔淑生 558
崔淑孫 565
崔淑精 561
崔淑汀 683
崔叔(淑)井 572
崔淑中 572
崔叔昌 572
崔叔河 683
崔淑鄉 572
崔珣 563
崔洵 564
崔淳 572
崔詢 572
崔順 683
崔順經 572
崔舜民 572
崔順義 684
崔崇 559
崔崇佛 572
崔崇卑 684
崔崇石 572
崔崇之 572
崔習(濕) 572
崔承寧 563
崔升末 684
崔承靖 563
崔承宗 563
崔承重 684
崔湜 561, 564, 572
崔湜(寔) 559
崔信仁 572
崔信之 572
崔信漢 563
崔審 572
崔藩 572
崔潯 572
崔浅 559
崔安國 572
崔安善 573
崔安雨 558
崔安閏 573
崔安渚 573
崔安宗 573
崔安瀋 573
崔安之 573

韓瑞呈 600	韓雨 686	韓仲恭 601	韓虎生 598	許瑊 604
韓瑞貞 600	韓禹昌 601	韓仲德 601	韓弘 602	許崗 608
韓碩 600	韓位 601	韓仲老 601	韓洪 602	許健 608
韓錫命 686	韓偉 601	韓仲夫 687	韓磏 598	許堅 608
韓碩孫 686	韓宥 601	韓仲山 602	韓懽 598	許謙 608
韓石乙同 686	韓有隣 601	韓仲孫 687	韓孝生 687	許敬敏 687
韓善 686	韓有紋 595	韓曾 596	韓孝順 687	許誠 606
韓成己 600	韓愈文 686	韓之 687	韓孝存 602	許季 608
韓成孫 686	韓有信 601	韓智剛 602	韓訓 598	許季孫 687
韓世龍 600	韓閨 601	韓砆 596	韓興貴 602	許繼漢 687
韓世甫 600	韓允雍 595	韓緝 596	韓興寶(富) 602	許梱 604
韓世桓 600	韓殷 601	韓償 596	韓曦 598	許坤 608
韓逡 600	韓乙卿 686	韓償禹 596	韓熙 602	許匡 608
韓守 686	韓乙奇 601	韓昌 596	韓希敬 602	許喬 604
韓守經 600	韓乙氣 601	韓策 602	韓希愈 602	許權 608
韓淑旂 686	韓乙生 601	韓處良 687	咸敬 687	許揆 608
韓叔倫 594	韓曦 595	韓處寧(命) 602	咸繼童 603	許錦 608
韓叔厚 600	韓毅 686	韓陟 596	咸貴 603	許愭 604
韓崧 600	韓義生 687	韓蔵 596	咸克明 603	許佶 608
韓崇祖 600	韓彝 595	韓天童 596	咸今生 603	許訥 606
韓承慶 600	韓益 601	韓千孫 596	咸龍奇 603	許衙 608
韓承敬 600	韓任 595	韓哲(鐵)同 602	咸奉山 687	許敦元 608
韓承錫 600	韓芿叱同 687	韓樞 602	咸傅霖 602	許得江 608
韓承舜 595	韓自同 687	韓春山 687	咸尙正 603	許得産 608
韓承顔 595	韓自廉 601	韓忠 602	咸世英 603	許得進 608
韓承祖 600	韓自宥 601	韓忠禮 596	咸松 603	許璉 608
韓承弼 600	韓自邇 601	韓忠常 602	咸守良 603	許廉 608
韓安遇 600	韓自直 601	韓忠順 597	咸守山 603	許禮 608
韓嚴 595	韓自琛 601	韓忠義 597	咸承慶 602	許禮童 687
韓堰 595	韓長(昌)壽 591	韓忠仁 597	咸禹治 603	虛里應哈 610
韓彦倫 595	韓長孫 595	韓致良 597	咸元根 603	許麟 608
韓黎 595	韓長祐 601	韓致禮 597	咸仁德 603	許琳 608
韓汝升 600	韓礦 595	韓致元 602	咸悌童 603	許萬福 608
韓汝弼 600	旱田 602	韓致義 597	咸仲良 603	許晩石 604
韓璉 600	韓岊 596	韓致仁 597	咸就正 603	許孟 608
韓永甫 686	韓珽 596	韓致亨 597	咸漢 603	許綿 608
韓永矴 595	韓定敬 601	韓倬 598	咸憲 603	許縣 608
韓禮金 600	韓祚 687	韓通達 602	咸孝林 687	許謨 608
韓吳乙未 686	韓倧 596	韓僴 598	哈兒速 603	許靡 604
韓玉山 601	韓宗德 591	韓港 591	項時加 603	許玟 604
韓玉石 601	韓終孫 596	韓突 602	海桑哈 603	許玫 687
韓穩 601	韓宗祐 601	韓顯 598	奚灘訶(郞哈) 603	許盤石 608
韓雍 591	韓宗會 601	韓亨允 598	奚灘醉列 603	許發原 687
韓用珍 601	韓埈 596	韓惠 598	奚灘塔斯 603	許放(邦) 608
韓祐 601	韓俊 601	韓瑚璉 602	奚灘字牙 603	許扉 604, 608
韓迁 601	韓仲謙 601	韓瑚山 687	許幹 608	許斯文 606

許斯孝 606	許周 607	玄貴 610	洪居安 617	洪慄 614
許磌 604	許奏 609	玄貴命 610	洪巨賢 617	洪理 618
許詳 608	許埈 609	玄珪 610	洪傑 617	洪邐 618
許譔 604	許仲民 609	玄得禮 611	洪甄(宇) 617	洪利生 621
許諴 606	許仲富 609	玄得利 610	洪敬孫 611	洪利用 615
許世獜 609	許仲好 687	玄得亨 610	洪慶昌 612	洪末生 688
許銖 609	許曾 687	玄祿 610	洪桂 617	洪孟孫 618
許壽康 609	許芝 605	玄孟仁 610	洪係江 612	洪粆 618
許守連 609	許遲 609	鉉明善 611	洪繼南 688	洪般若 618
許叔淡 687	許止(遲) 609	玄寶利 611	洪繼達 688	洪方仁 618
許叔精 607	許之信 609	玄碩圭 610	洪繼生 617	洪伯慶 612
許順孫 687	許之惠 607	玄錫智 687	洪繼孫 617	洪伯涓 612
許崇道 604	許輯 605	玄如礪 611	洪繼庸 617	洪範 618
許升德 687	許澄 610	玄永山 687	洪係元 612	洪保 618
許承亮 609	許讚 687	玄用智 687	洪桂汀 618	洪寶 619
許時 604	許參時 610	玄仁貴 611	洪繼禧 618	洪復興 619
許柴 604	許菖 605	玄仁亮 611	洪九成 688	洪敷 619
許安秀 687	許昌童 687	鉉正義 611	洪龜海 618	洪富貴 688
許嚴 609	許偶 607	玄柱 611	洪貴 618	洪富仁 619
許吾行 609	許楚 610	玄俊 611	洪貴達 616	洪濱 617
許完 609	許礎 610	賢准(藤賢) 611	洪貴童 618	洪師錫 612
許琬 609	許鍾 604	玄仲連 687	洪貴同 688	洪士洵(淳) 612
許云孫 609	許樞 605	玄仲仁 611	洪貴孫 618	洪士源 619
許元(原)祥 609	許就 610	玄赫右 687	洪貴海 612	洪沙乙麽 619
許惟剛 609	許琛 605	夾溫猛哥帖木兒 611	洪貴湖 612	洪思悌 612
許惟禮 604	許倬 610	夾溫不花 611	洪金剛 618	洪常 612
許允寬 609	許倬行 610	夾溫赤兀里 611	洪矜 612	洪尙儉 619
許恩 609	許宕 605	邢孟碩 687	洪吉旼 612	洪尙德 688
許應 604	許波回 687	邢由仁 611	洪吉昌 618	洪尙道 612
許應家愁 609	許平仲 610	邢卓(鐸) 611	洪魯 618	洪尙溥 613
許應吉 609	許豐 610	邢孝同 687	洪多伊舍 618	洪尙賓 613
許義 609	許誠 607	好時乃 611	洪多伊哈 618	洪尙直 619
許認 609	許涵 610	好時羅 611	洪達孫 612	洪生 619
許璋 604	許恒 605	好時不花 611	洪澹 618	洪恕 613
許祗 609	許晐 606	好時應我 611	洪大 618	洪瑞終 619
許迪 604	許衡 610	扈愼之 611	洪德才 688	洪敍疇 617
許禎 604	許亨孫 606	好心波 611	洪德中 688	洪諝智 619
許偵 609	許混 606	好乙多孫 611	洪度(陶) 618	洪錫 619
許挺立 609	許確 606	好乙非 611	洪道常 618	洪碩文 688
許操 605	許簀 606	好伊大 611	洪得敬 618	洪碩輔 613
許稠 607	許孝山 687	好節 611	洪亮 618	洪石生 688
許縋 607	許孝舜 606	扈從實 611	洪量 618	洪石崇 688
許調元 609	許詡 607	胡抄 611	洪齡 618	洪錫疇 619
許琮 605	許薰 606	忽失塔 611	洪老 618	洪碩弼 619
許從伯 609	許熙 610	洪簡 617	洪魯(路) 616	洪善 619
許從恒 608	玄季仁 610	洪剛 617	洪淪 618	洪琔 688

찾아보기

40여 년간에 걸쳐 조사하고, 정리한 조선초기 관인관계 자료를 『조선초기 관인 이력』으로 간행하게 되니 감회가 유다르면서도 기쁨이 크다.

그렇기는 하나 그 간에 걸친 작업과정을 돌이켜 볼 때 파악하는 관인 수가 많기도 하거니와 여러 과정을 거쳤기에, 정확을 기하기 위하여 최선을 다하였지만 뜻하지 않은 誤字와 脫字가 있을까 걱정된다. 특히 관인의 本貫 표기에 있어서는 여러 자료를 검토하면서 확정지었지만, 군현명의 변천 등과 관련하여 한말이전의 본관과 현재에 통용되는 본관에 차이가 있기에 연락이 되는 가문은 확인을 했지만 몇 가문은 연락이 되지 않아 『靑邱氏譜』 등 通譜, 최근에 간행된 『족보』(대구시 서구 두류도서관 '족보자료실' 소장), 『韓國人의 族譜(日新閣)』 등을 종합하여 적기하였다. 오기가 있지는 않을까 걱정된다. 잘못되거나 부족한 부분은 증빙자료를 주시면 추후의 개정판에 반영하고자 하니 너그러이 이해해 주시기 바란다.

또 조선인이 애용하였던 號는 물론, 諡號, 享祀도 적기하지 못하였고, 관력제시도 개인별로 차이가 많다. 이점은 지면의 제한도 관계가 되겠지만 활용한 자료와 관련되어 부득이 하였다. 부·조의 관직과 각 관인이 역임한 관직은 그 특성상 대부분이 한자로 제시되고, 상당수가 약칭으로 제시되었다. 이로 인한 독자의 이해를 높이기 위해 일부의 관직은 소속관아를 병기하거나 정식관직명을 제시하였고, 부록에 〈수록관직 해제〉를 첨부하고 한글과 한자를 병기하기는 하였지만 이해에 어려움을 준 듯하여 죄송한 마음을 금할 수 없다.

끝으로 장기간에 걸친 지난한 이 작업을 마무리 할 수 있도록 음양으로 도와준 반려 김귀옥 여사와 흔쾌히 간행을 해주고 또 책의 체제에 많은 조언을 주고 몇 달 동안 공들여 교정을 보아준 도서출판 혜안 오일주 사장님과 편집부 여러분, 김태규 실장님께 재삼 감사의 마음을 전한다.

한충희 (韓忠熙)

호는 명재(明齋)
1947년 경상북도 김천시 아포읍 예리에서 출생
계명대학교 학사(1972) 및 석사(1981), 고려대학교 문학박사(1998)
계명대학교 인문대학 사학과 교수(1983.3~2013.2)
계명대학교 인문대학장(2004.7~2008.6)
계명대학교 사학과 명예교수(2013.3 이후)

대표논저
『朝鮮初期 政治制度와 政治』, 계명대학교출판부, 1996
『朝鮮初期 六曹와 統治體系』, 계명대학교출판부, 1998
『朝鮮初期 官衙研究』, 國學資料院, 2007
『朝鮮初期 官職과 政治』, 계명대학교출판부, 2008
『朝鮮前期(정종2년~선조24년)의 議政府와 政治』, 계명대학교출판부, 2011
『朝鮮의 覇王 太宗』, 계명대학교출판부, 2014
「朝鮮初期 議政府研究」(상·하), 『韓國史研究』 31·32, 1980·1981.
「朝鮮初期 官人研究 1－朝鮮王朝實錄 기재 江, 高, 具, 權氏를 중심으로－」, 『朝鮮史研究』 27, 2018.
그 외 논저 다수

조선초기 관인 이력
태조~성종대

한충희 지음

초판 1쇄 발행 2020년 2월 28일

펴낸이 오일주
펴낸곳 도서출판 혜안

등록번호 제22-471호
등록일자 1993년 7월 30일

주소 04052 서울시 마포구 와우산로 35길 3(서교동) 102호
전화 02-3141-3711~2 / **팩스** 02-3141-3710
이메일 hyeanpub@hanmail.net

ISBN 978-89-8494-641-5 93910

값 70,000원